KİTABEVİ 154

Kapak: Medcezir

İçdüzen: Bidaye

Baskı: Çalış Ofset

Cilt: Bayrak

Temmuz, 2001 İstanbul,

ISBN 975-7321-33-8

KİTABEVİ Çatalçeşme Sok. No: 54/A Cağaloğlu-İSTANBUL
Tel: (0212) 512 43 28-511 21 43 • Faks: 513 77 26

Balıkhane Nazırı Ali Rıza Bey

Eski Zamanlarda
İstanbul Hayatı

Hazırlayan
Ali Şükrü Çoruk

KİTABEVİ

İçindekiler

Kısaltmalar

age.	Adı geçen eser
agmd.	Adı geçen madde
ayn. ans.	Aynı ansiklopedi
ARB	Ali Rıza Bey
AEEK	Antika ve Eski Eserler Kılavuzu
bk.	Bakınız
BOA	Başbakanlık Osmanlı Arşivi
c.	Cilt
DBİA	Dünden Bugüne İstanbul Ansiklopedisi
DİA	Diyanet Vakfı İslâm Ansiklopedisi
DS	Deyimler Sözlüğü
ed.	Editör
İA	İslâm Ansiklopedisi
KT	Kamus-ı Türkî
nr.	Numara
OA	Osmanlılar Ansiklopedisi
OTDTS	Osmanlı Tarih Deyimleri ve Terimleri Sözlüğü
OTL	Osmanlı Tarih Lügati
s.	Sayfa
TBAS	Türkçenin Büyük Argo Sözlüğü
TGKSS	Türk Giyim Kuşam ve Süslenme Sözlüğü
TL	Tarih Lügati
trc.	Tercüme
TS	Türkçe Sözlük
yay. haz.	Yayına hazırlayan
yay.	Yayınlayan

Takdim

Yaklaşık üç bin yıllık tarihî bir geçmişe sahip olan İstanbul, uzun yıllar Bizans İmparatorluğu'na başkentlik yapmasına rağmen asıl hüviyetini ve dünya şehri olma özelliğini, fetihten sonraki dönemde Türk dehasının gayret ve çalışmasıyla kazanmıştır. Gerek dünya konjonktüründe her zaman stratejik öneme sahip olması, gerekse tabiî güzellikleri onu ayrı bir mevkiye yerleştirmekle beraber, Türk kültürünün farklı etnik ve dinî unsurları bir arada huzurlu bir şekilde yaşatma başarısı ile güzel sanatlara ve tabiî güzelliğe sahip çıkma duygusu, İstanbul'u diğer dünya şehirlerinden farklı ve ayrıcalıklı konuma getiren önemli bir güç olmuştur. Bugün dünya üzerinde farklılıklara tahammül edilemeyişin neticesinde ortaya çıkan yerel çatışmalar göz önüne alındığında, Osmanlı İmparatorluğu'nun idaresi altında kalan her milletten insanın yaşadığı İstanbul'da uzun yıllar boyunca çatışma ve gerilimlerin olmaması, Türk kültürünün özünde yer alan farklılıkları kabul etme ve müsamaha ile karşılama anlayışıyla açıklanabilir. Osmanlı Devleti, bu müsamaha ve farklılıkları hoş görme anlayışını, başkaları karşısında bir âcizlik göstergesi şeklinde değil, kendi kültür ve medeniyetini daha ileri noktalara götürme konusunda başarılı bir şekilde kullanmıştır.

Osmanlı İmparatorluğu gibi geniş bir sahaya yayılmış, ayrı din ve mezheplerden meydana gelmiş insan topluluklarını bir arada yaşatmış, Cevdet Paşanın ifadesiyle "her kazası, sancağı birbirinden farklı" bir devlete başkentlik etmiş olan İstanbul, payitaht olmanın kendisine sağladığı avantajları kullanmasını bilmiştir. Bu cümleden hareketle devletin resmî başkenti olmasının yanında, Türkçenin en iyi şekilde kullanıldığı, sanatın ve sanatçının korunduğu, teşvik edildiği, kültür ve sanat hareketlerinin canlılık kazandığı ve en güzel ürünlerinin verildiği, bir merkez olmuştur. Bu ayrıcalık folklorüyle, yeme-içme zevkiyle, eğlenceleriyle, örf ve âdetleriyle halkın gündelik hayatına da yansımış, asırların birikimiyle kendisine has incelmiş ve rafine bir hayat tarzını beraberinde getirmiştir. Ancak bu tespitte bulunurken hayatın esasını teşkil eden zıtlık fikrinden İstanbul'u ayrı düşünmek mümkün değildir. Bütün toplumlarda her devirde ve her zamanda görüldüğü üzere, İstanbul'da da hayatın, iyi olduğu kadar kötü yönlerinin de beraber cereyan ettiğini ve edeceğini kabul etmek gerekir.

Eski İstanbul hayatına ait izleri devrinin hikâye ve romanı sayılabilecek mesnevîlerden, karagöz ve orta oyunundan, sözlü geleneğe dayalı Halk edebiyatı ürünlerinden ve şehre hasredilmekle birlikte daha çok içinde yaşayan güzellerin anlatıldığı şehrengizlerden sınırlı da olsa takip etmek mümkündür. *Evliya Çelebi Seyahatnamesi*'nin İstanbul'a ayrılan birinci cildi ise renkli anlatımıyla beraber eski İstanbul yaşayışı ile ilgili pek çok bilgiyi ihtiva etmektedir. Bu konuda, Osmanlı döneminde İstanbul'u ziyaret eden yabancı seyyahların anlattıklarının kimi eksik ve yanlış değerlendirmelerine karşın yerli kaynaklarımızdan daha zengin olduğunu söyleyebiliriz.

XIX. yüzyıldan itibaren çöküş devresine giren Osmanlı İmparatorluğu, hızla ilerleyen bu süreci yavaşlatmak için birtakım tedbirler almak zorunda kalır ve o zamana kadar düşmanı olduğu, çoğu kere de küçük gördüğü bir medeniyetin enstrümanları ile ayakta kalmaya çalışır. Kısaca batılılaşma hareketleri denilen ve Tanzimat Fermanı ile program hâline getirilen bu çabalarla Osmanlı Devleti batı ile bir nevi barışmanın yollarını arar, uzlaşmaya çalışır. Önceleri askerî mülkî, idarî ve siyasî alanlarda görülen değişim, başta padişah olmak üzere ileri gelen devlet adamlarının teşvikiyle yavaş yavaş hayat tarzına sirayet eder. 1853-56 arasında cereyan eden ve galibiyetle neticelenen Kırım Savaşı sırasında batılı devletlerin Rusya'ya karşı Osmanlı Devleti'nin yanında yer alması ve bu müddet zarfında batılı orduların İstanbul'u karargâh ittihaz etmeleri halkın batı tipi hayat tarzına olan tereddütlerini büyük ölçüde giderir. Artık padişahtan en küçük ferdine kadar bütün Osmanlı toplumuna Tanpınar'ın ifadesiyle bir "ikilik" hâkimdir ve eskiden bütünüyle vazgeçilmemekle birlikte, yeninin cazibesine de set çekilememektedir. Kırım Savaşı sonunda elde edilen galibiyetin getirdiği rahatlığın sonucunda, gümrükler batılı mallara açılır. Yeni hayata intibak çabaları ise beraberinde iktisadî problemleri getirecek, ancak bu problemler ve oluşan mevziî reaksiyonlar yeninin eskiye olan galibiyetini engelleyemeyecektir.

Türk toplumunun batılı değerler çerçevesi içinde benimsemeye çalıştığı modern hayat karşısında "arkaik" duruma düşen eski hayat tarzı, kimi yazarların kaleminde aksayan tarafları dikkate alınmadan bazen özlemle anılan, bazen de tam tersine iyi yönleri değerlendirilmeden yerden yere vurulan şekliyle karşımıza çıkmaktadır. İfrat ve tefrit noktasında yapılan bu değerlendirmelerin ise bizi sağlıklı bir sonuca götürmeyeceği açıktır. İstanbul'u "tanımak" ve "anlamak" yolunda bu işe gönül vermiş insanları yarı yolda bırakacak yahut yanlış yönlere sevk edecek bu yaklaşımların terk edilerek, araştırma ve incelemeye dayalı, önyargıdan uzak eserlerin yazılması gerekir. Balıkhane Nazırı Ali Rıza Beyin eski İstanbul hayatı ile ilgili hatırat nevinden yazılarını içine alan bu çalışma, İstanbul'u "tanımak" ve "anlamak" yolunda yapılacak çalışmalar için önemli bir kaynak olacağı düşünülerek hazırlanmıştır.

Hatıralar, mutlak bir tarihî vesika hüviyetinde olmamakla birlikte bir dönemin karanlıkta kalmış yönlerine ışık tutabilecek önemli malzemeler içerirler. Bu yönüyle hatıralara şahsî ve gizli, aynı zamanda gayriresmî bir tarih nazarıyla bakılabilir. Yazarın siyasî görüşleri, devri ve talihine karşı kendi vaziyeti, savunduğu dünya görüşü, ele aldığı hadiseleri değerlendirmede önemli rol oynar. Doğruya ulaşma noktasında hatıratlara hâkim olan sübjektifliğin, diğer kaynaklarla mukayese edilerek kontrol ve teyit edilmesi gerekir.

Hatıratların diğer önemli bir tarafı da ele alınan dönemlerin sosyal ve kültürel hayatıyla ilgili pek çok konuyu gün ışığına çıkarmasıdır. Ait olduğu toplumun gündelik hayatından, folklor, dil ve edebiyat malzemelerinden, eğlence tarzlarından kesitler sunan hatıratlar ise o toplumun kültür ve medeniyet tarihinin yazılmasında başlıca kaynak durumundadırlar. Türk toplumunun yeni bir hayat tarzıyla tanıştığı, eski ve yeninin bir arada yaşandığı, ancak temayülün yeniye doğru olduğu geçiş dönemini ele alan ve nitelikleri yukarıda verilen hatırat nev'inden eserler siyasî yönünden daha çok kültürel tarafı ağır basan eserlerdir.

Osmanlı toplumunun batılılaşma çabalarına ve bu çabaların toplum hayatındaki tezahürlerine şahit olan Balıkhane Nazırı Ali Rıza Beyin (1842-1928) ömrünün son yıllarında müstakil olarak "On Üçüncü Asr-ı Hicrîde İstanbul Hayatı", "Geçen Asrın Hayatından", "Eski Zamanlarda İstanbul Hayatı" üst başlıklarıyla, 1921-1925 arasında çeşitli gazete ve mecmualarda yazdığı yazılarını da bu çerçeve içinde değerlendirmek gerekir. Yazılarının bir yerinde "Asırlar tahavvül ettikçe âdât ve ananât da muhitin tesirine göre tebeddül ve ekserisi mazinin meçhulâtına karışıp gidiyor. Hayatının son demlerine yaklaşmış ihtiyarlardan olduğum ve geçirdiğim zamanlara ait âdât ve ananât-ı milliyemizi ahlâfa nakil ve hikâye etmekte bir zevk-i manevî duyduğum veçhile.." diyerek, hatıralarını yazmaktan maksadının, zamanın değişmesiyle birlikte unutulan örf ve âdetleri, konak ve saray hayatını, meşhurların aşk maceralarını, esrarkeşleri, dilencileri, tulumbacıları, eğlence şekillerini, kısaca eski İstanbul'a ait ne varsa yeni nesle anlatmak olduğunu söyleyen Ali Rıza Bey, bu sahada matbuat hayatında en hacimli yazıları yazarak yol açıcı olmuştur. Şüphesiz eski İstanbul hayatı ile ilgili Ali Rıza Beyden önce yazı yazmış ve eser vermiş şahsiyetler vardı. Bunlar arasında Çaylak Tevfik ve Ahmet Rasim'i sayabiliriz. Çaylak Tevfik'in *İstanbul'da Bir Sene* üst başlığıyla yazdığı ve her aya bir risale hasrettiği eseri beşinci aydan sonra kesintiye uğramıştır. Ahmet Rasim ise yazdığı fıkralarda Ali Rıza Beyden daha dar bir çerçeveyi ele alır. Abdülaziz Beyin eski İstanbul hayatıyla ilgili el yazısıyla tuttuğu notlar ise son yıllarda gün ışığına çıkmıştır.

Ali Rıza Beyin eski İstanbul hayatıyla ilgili yazı ve müşahadelerinin bu sahada yazılmış en kapsamlı yazılar olduğunu Osman Nuri Ergin'e bir mülâkat veren tanınmış kültür adamı Muallim Cevdet de teyit etmektedir. Muallim Cevdet, Ali Rıza Beyin bu yazılarla Türk kültürüne ne derecelerde hizmet ettiğine işaret ederek ölümünden duyduğu üzüntüyü şu şekilde dile getirir:

"Ali Rıza Bey! Ah, bu mübarek zat kadar bana eski devrin hususiyetlerini zevk ve eğlencelerini, zihniyet ve mişvarını talim etmiş hangi muharrir vardır? Ahmet Rasim Bey ancak matbuat âlemini, İstanbul mahalle ve sokaklarının ruhunu anlatır. Fakat Ali Rıza Bey hayatı bize tamamen meçhul kalan kibarların, paşa ve beylerin yaşayış tarzlarını, konak hayatlarını yalı ve safa âlemlerini bütün şekilleriyle canlandırır. 95 yaşında irtihal eden bu ihtiyar kibar kadar, son seksen yılı tekmil şahsiyetleriyle, kıyafet ve telâkkileriyle sahneye getirmiş kim vardır? *Peyâm-ı Sabâh* ve *Sabah* koleksiyonlarında münderiç o canlı makaleleri bir daha kim yazacak? Bu büyük adama Tarih Encümeni namına son devrin hususiyetlerini yazdırmak vazife değil miydi? Ne yazık ki bu hazineyi kaçırdık."

Ali Rıza Beyi, Osmanlının son döneminin en canlı tanığı ve bu dönem üzerinde eser yazabilecek yegâne kişi olarak tanımlayan Muallim Cevdet mülâkatın devamında onun Türk folklörüne yaptığı hizmetlerden söz eder:

"Ali Rıza Bey 'Adam, hatıralara kim kıymet verir, bunlar ilim mi sayılır?' dermiş. Hâlbuki Ali Rıza Beyin bildiği masallar, şarkılar, fıkralar, âşıkalar ve hikâyeler toptan öyle parlak bir ilim teşkil ediyor ki adı folklordur, halk bilgisidir. Bu zat o bilginin bu memlekette piridir. Karagözü, Abdi'yi, halk musikisini, devrin hikâyecilerini, nedimlerini, paşa konaklarının hanımlarını, sultanların iç hayatını onun kadar derinden bilen kim vardı?"[1]

Ömrünün elli yılını devlet hizmetinde geçiren ve Balıkhane Nazırlığı gibi üst düzey bir görevde bulunan Ali Rıza Bey, yazılarında, yaşadığı devrin sosyal hayatıyla ilgili kesitlerin yanı sıra siyasî hadiselere, devlet adamlarının yaşantılarına ve tarih kitaplarında rastlanmayan bilgilere yer vermektedir. Ancak o, siyaset ve devlet adamlarına yakın olmakla birlikte, Tanzimat'tan sonra siyaseti hayatının ayrılmaz bir parçası gören ve ömrü kısır siyasî çekişmelerle geçen insanlardan değildir. Ömrü boyunca bu türlü mücadelelerden daima uzak kalmış ve işini iyi yapmaya çalışan bir memur olmuştur. Aktif olarak politikaya karışmamakla birlikte, üst düzey bir yönetici olması sebebiyle Reşit Paşa, Âli Paşa, Fuat Paşa, Şehzade Yusuf İzzettin Efendi, Mısırlı Fazıl Mustafa Paşa, Şeyhülislâm Cemalettin Efendi, Şeyhülislâm Üryanîzade Ahmet Esat Efendi gibi şahısların dairesinde bulunmuş, bu şahsiyetlerin çevresinde cereyan eden hadiselere şahit olmuştur. Ali Rıza Bey, yazıların yayınlandığı dönemde hayatta olmayan

---

[1] Osman Nuri Ergin, *Muallim Cevdet-Hayatı, Eserleri ve Kütüphanesi*, İstanbul 1937, s. 298

bu şahsiyetler hakkında pek çok kimsenin bilmediği hususiyetleri gözler önüne sermekte, adı geçen şahıslarla arasındaki mesafeyi muhafaza ederek müşahedelerinde ve değerlendirmelerinde objektif olmaya özen göstermektedir. Kendisinden önce yaşamış devlet adamları hakkında bilgi verirken ve değerlendirmelerde bulunurken, o dönemleri yaşamış şahsiyetlerin şahitliğine müracaat etmekte, başkalarının başından geçen hadiselerle yazılarını zenginleştirmektedir.

Ali Rıza Beyin İstanbul yazılarında hatıralar ve müşahedeler devrin sosyal yaşantısından kesitlerle birlikte yürür. İyi bir gözlemci olan yazar, içinde bulunduğu şartları, bağlı olduğu toplumun örf ve âdetlerini, şahit olduğu hadiseleri bütün ayrıntılarıyla birlikte okuyucuya sunmaya çalışır. Bunu yaparken söylediklerini ve anlattıklarını birtakım kaynaklarla delillendirme çabası içindedir. *Evliya Çelebi Seyahatnamesi, Mîzânü'l-Hak, Târîh-i Selânikî, Peçevî Tarihi, Şemdânizade Tarihi, Enderun Tarihi, Mür'i't-Tevârîh, Osmanlı Müellifleri, Vekayi-i Letâif-i Enderûn, Sicill-i Osmânî* gibi Osmanlı tarihi ve sosyal hayatıyla ilgili kaynaklar Ali Rıza Beyin yazılarında mehaz gösterdiği başlıca eserlerdir. Önemli görülen yerlere düşülen dipnotlar yazılara yarı ilmî bir makale havası vermekle beraber, anlatılan şeylerin çoğunun merkezinde yer alan yazarın kullandığı renkli ve akıcı üslûp sayesinde makalenin kuru ve sıkıcı havasından uzaklaşılmaktadır.

Yazılarında devrine göre yer yer ağır ve ağdalı bir dil kullanan Ali Rıza Bey bu konuda muhafazakâr bir bakış açısına sahiptir. Bunda Tanzimatın ilk döneminde yetişmesinin, uzun yıllar devlet hizmetinde bulunmasının ve yazı hayatına ömrünün son yıllarında başlamasının önemli rolü vardır. Gerek gazete dilinde, gerekse edebiyat sahasında Türkçenin geçirdiği sadeleşme macerasını yakından izlemek imkânına sahip olan Ali Rıza Bey bu gelişmelere karşı kayıtsız kalmış gözükmektedir.

Ali Rıza Beyin eski İstanbul hayatı ile ilgili yazıları "On Üçüncü Asr-ı Hicrîde İstanbul Hayatı" genel başlığı altında, her biri konularına göre değişik alt başlıklarla, muhtelif zamanlarda değişik gazete ve mecmualarda yayınlanmıştır. Yazılarda belli bir plân takip etmemesi yüzünden bazen tekrara düşmekte, bazen de daha önceden işlediği bir konuyu genişleterek vermektedir. Yazarın bilerek ya da bilmeyerek düştüğü bu duruma müdahale etmedik. İstanbul yazılarını bir kitap hâline getirmek düşüncesi ise eldeki malzemeyi bir bütünlük fikri doğrultusunda kullanmamızı gerektirmiştir. Bu gayeden hareketle yazıları yayınlanış tarihine göre değil, kitap formatı doğrultusunda kendi içindeki önem derecesine göre sıraladık. Her biri müstakil bir bölüm hâlinde ele alınan yazılar, Ali Rıza Beyin koyduğu başlıklarla yaptığımız tasnif sonucunda aşağıdaki sırayı takip etmiştir.

Velâdet Âdetleri Loğusa Eğlenceleri: 8-11 Teşrinievvel 1921 arasında *Peyâm-ı Sabâh*'ta üç bölüm hâlinde yayınlanan bu yazı dizisinde, doğumdan önce ve doğumdan sonra ortaya konulan ve âdeta teşrifat kaideleri hâline getirilen âdetler anlatılmaktadır. Doğumdan önce yapılan hazırlıklar, ebenin tedarik edilmesi, loğusa yatağının düzenlenmesi, bebeğin yıkanması ve kırk hamamı, beşik çıkma merasimi, kına gecesi âdetleri, çocuk hastalıkları ve tedavi yolları, loğusa ve çocukla ilgili batıl itikatlar bu bölümün konusudur. Ayrıca aile kavgaları ve bu kavgaların başlıca nedeni olan gelin kaynana anlaşmazlığı üzerinde durulur.

İstanbul Çocukları: Evde ve mahalle aralarında, sokaklarda oynanan çocuk oyunları, zengin ve fakir çocukların yetiştirilme tarzları, mahalle mekteplerinin ve bu mekteplerde vazife yapan hocaların durumu, eğitim sisteminde görülen aksaklıklar ve bu aksaklıklarla yetişen insanımızın çeşitli milletlerarası platformlarda karşılaştığı problemler, 8-12 Şubat 1921 arasında *Alemdar* gazetesinde yayınlanan bu tefrikada dile getirilmektedir.

Kadınlar Âlemi: Eski İstanbul hayatında vaktinin çoğu evde, ailesiyle ilgilenmekle geçen mahalle kadınlarının günlük hayatından izler, uğraştıkları sanat dalları bu bölümün konusudur. Zengin ve kibar ailelere mensup kadınların harem hayatı, bu kapalı ortam içinde cereyan eden bazı uygunsuz davranışlar, kendi dünyalarına ait eğlenceler, hamam ustaları ve bohçacı kadınların marifetleri ve ahlâkî çöküntüler tarihten örnekler verilerek ele alınmaktadır. Bu tefrika 24 Kânunusani 1923-10 Nisan 1924 arasında, dört bölüm hâlinde *Millî Mecmua*'da yayınlanmıştır.

Mahalle Kahveleri, Mahalle İhtiyarları: Mahalle hayatının merkezinde yer alan, işsiz güçsüz kimselerin vakit geçirdiği kahvelerin yapısı, içinde bulunan eşyalar, kahve müdavimlerinin ekserisini teşkil eden ve çoğu afyon müptelâsı olan ihtiyarların asabiyetleri ve çevreye uyguladıkları tahakküm Ali Rıza Bey tarafından canlı bir şekilde verilmektedir. Batıl itikatlara inanan halkın duygularını istismar ederek, çeşitli hastalıklara ve olumsuz durumlara karşı muska yazan ve vaktinin çoğunu kahvehanelerde müşteri beklemekle geçiren kimselerin ele alındığı bu yazı 18 Temmuz 1925 tarihinde *Vatan* gazetesinde neşredilmiştir.

İstanbul Sefilleri ve Kopuklar: Çeşitli sebeplerle ailelerinden uzaklaşan ve toplumun hoş bakmadığı meslekler edinen ve adına "kopuk" denilen gençlerin hayatı bu yazının konusudur. Ömürleri kavga gürültüyle geçen, sağlıksız şartlarda yaşayan ve hayatlarını sürdürebilmek için her şeyi yapan işsiz güçsüz bu gençlerin çoğu yine bu yolda can vermektedirler. Eski İstanbul'da yaşamış ve çevresine korku salmış pek çok kopuğun adlarının verildiği bu yazı 1 Teşrinievvel 1921 tarihinde *Peyâm-ı Sabâh*'ta yayınlanmıştır.

Tulumbacılar, Köşklüler, Küplü Güruhu: İstanbul gençleri arasında efsanevî bir nitelik kazanan tulumbacılık mesleği kendine has kurallara tâbi idi. Çocuklar ve gençler bu uğurda evini, ailesini ve okulunu terk etmeyi göze alırlar. Yangın haricinde tulumbacıların yaptığı işler, yangın sırasında çevirdikleri entrikalar bu yazının konusudur. Galata ve Beyazıt yangın kulelerinde çalışan ve adına "köşklü" denen tulumbacılarla, Galata'nın en izbe meyhanesi olan Küplü'ye devam eden alkol bağımlısı kimselerin hayatının da ele alındığı bu yazı 2 Teşrinievvel 1921 tarihinde *Peyâm-ı Sabâh*'ta neşredilmiştir.

Esrarkeşler, Meczuplar: Eski İstanbul'da, Tahtakale, Tophane, Silivrikapısı ve Mevlevîhanekapısı gibi belli başlı semtlerde esrar kahveleri vardı. Son derece sağlıksız şartlarda faaliyetlerini sürdüren bu kahveler "dede" tabir olunan işsiz güçsüz ihtiyarlar tarafından idare edilmekteydi. Esrar içmenin bile bir teşrifata tâbi olduğu bu kahvelerin yapısı, müdavimlerinin kılık kıyafetleri, dış görünüşü renkli bir üslûpla anlatılmaktadır. 3 Teşrinievvel 1921 tarihinde *Peyâm-ı Sabâh*'ta neşredilen bu yazının son kısmında ise kendilerinde olağanüstü güçler olduğuna inanılan ve herkes tarafından saygı gösterilen İstanbul'un meşhur meczupları ele alınmakta, gündelik hayatlarından sahneler verilmektedir.

Dilenciler: Eski İstanbul'da kendilerine has örgütlenmeye giden ve hiyerarşik bir düzene tâbi olan dilenciler, halkın merhamet duygusunu istismar etmede büyük maharet sahibi olan sosyal bir tabakadır. Ali Rıza Bey, 1860'lı yıllarda İstanbul'da 2700 dilenci olduğunu haber vermektedir. Bunların kılık ve kıyafetleri, hangi milletlerden olduğu, dilenme tarzları ve dış görünüşleri 4 Teşrinievvel 1921 tarihinde *Peyâm-ı Sabâh*'ta yayınlanan bu yazıda ayrıntılı bir şekilde ve anekdotlarla anlatılmaktadır.

Halk Sırtından Geçinenler: Cehaletten faydalanarak halkın dinî duygularını istismar eden, bundan maddî menfaat sağlayan ve kendilerine toplumda saygın bir mevki edinen birtakım insanlar, geçmişte olduğu gibi günümüzde de insanların hayatına yön vermeye devam etmektedirler. Cinci Hoca örneğinde olduğu gibi saraya girip türlü entrikalarla zengin olmayı başaran ve devlet yönetiminde söz sahibi olan bu insanların yaptığı büyüler, gelecekten haber alma uğruna varını yoğunu harcayan halkın durumu, Eyüp'ün meşhur niyet kuyusu ve hiçbir iş yapmadan halkın yardımıyla geçinmeyi hayat tarzı hâline getirmiş insanlar, 15 Teşrinisani-24 Kânunusani 1923 arasında dört bölüm hâlinde *Millî Mecmua*'da yayınlanan bu tefrikada ele alınmıştır.

Turuk-ı Aliyyenin İstanbul'da İntişarı: Eski İstanbul'un sosyal ve bir dereceye kadar siyasî hayatında önemli bir yere sahip olan tarikatların nasıl ortaya çıktığı, bunların neler olduğu, tekke-medrese mücadelesi, zaman zaman tarikatlar aleyhine yürütülen faaliyetler, tarikat mensupları etrafında söylenen rivayetler Ali Rıza Bey tarafından bu başlık altında ele alınmıştır. *Osmanlı Müellifleri* ve *Hadîkatü'l-Cevâmi* gibi kaynaklar mehaz alınarak yazılan bu yazı dizisi 15 Mayıs-1 Teşrinievvel 1924 arasında yedi bölüm hâlinde *Millî Mecmua*'da yayınlanmıştır. Tefrikanın son kısmının nihayetine "bitmedi" kaydı düşülmesine rağmen arkası gelmemiştir.

İstanbul Halkının Tenezzüh ve Eğlenceleri: Ali Rıza Beyin en hacimli tefrikasını teşkil eden bu yazı dizisi 9 Mayıs-7 Haziran 1921 arasında yirmi bir kısım hâlinde *Peyâm-ı Sabâh*'ta neşredilmiştir. Yazar burada bütün ayrıntılara temas ederek İstanbul'un mesire yerlerinin âdeta tarihini vermektedir. Başta Kâğıthane, Aynalıkavak, Ihlamur, Bentler ve Küçüksu olmak üzere Boğaziçi, Üsküdar ve Eyüp semtlerinin belli başlı mesire yerlerinde yaşananlar, halkın ve ileri gelen devlet adamlarının, saray mensuplarının dinlenme ve eğlenme tarzları, buralarda yer alan köşkler, saraylar hakkındaki bilgiler tarihî kaynaklarla da desteklenerek verilmektedir. Tefrikanın Kâğıthane'ye ayrılan kısmı ise Türk kültür hayatında örneğine az rastlanabilecek bir dikkat ve titizlikle ele alınmıştır. Zevk ve eğlencenin Nevşehirli Damat İbrahim Paşa şahsında bir yaşam tarzı hâline getirildiği Lâle Devri'nden itibaren rağbet bulmaya başlayan bu mesire yerlerinde nasıl hareket edileceği, hangi gün kimlerin gideceği, saraylılar gelince nasıl davranılacağı hükûmet tarafından kayıt altına alınmıştır. Tefrikada bu konuda düzenlenmiş nizamnamelerin bir örneği verilmektedir.

Sultan Abdülaziz'in misafiri olarak İstanbul'u ziyaret eden Fransa İmparatoru III. Napolyon'un eşi Eugenie şerefine düzenlenen eğlenceler, şehrayinler ve resmigeçitler hadiselerin canlı tanığı olan Ali Rıza Bey tarafından, ayrıntılarıyla yine bu tefrikada ele alınır.

Kış gecelerinde helva sohbetleri, karagöz, orta oyunu, meddah hikâyeleri, hoşsohbet ve nüktedan musahiplerin, nedimlerin anlattığı fıkralar, çengiler, hokkabazlar ve klâsik Türk müziği İstanbul halkının ve devlet adamlarının başlıca eğlenceleridir. Ali Rıza Bey bu eğlencelerin Osmanlı toplumunda ortaya çıkışını ve gelişmesini, tarihî kaynaklara başvurarak orijinal bilgilerle okuyucuya sunar. Bu bilgiler, yazar tarafından mâlumat yığını şeklinde verilmeyip, meselenin mihverinde yer alan şahsiyetler, hatıralar ve anekdotlarla birlikte ele alınır. Onun, Türk folklor ve müzik tarihi bakımından oldukça değerli olan bu yazıları, daha sonra Fuat Köprülü, Selim Nüzhet Gerçek, Musahipzade Celâl, Sabri Esat Siyavuşgil, Mehmet Halit Bayrı, Mehmet Zeki Pakalın, Cevdet Kudret, Yılmaz Öztuna, Nihal Türkmen, Metin And, Özdemir Nutku gibi, çoğu sahalarında otorite kabul edilen araştırmacılar tarafından kaynak olarak kullanılmıştır.

Ramazan Âdetleri: Eğlenceyle ibadetin bir arada yaşandığı ramazanın, eski İstanbul hayatındaki tezahürlerini bu tefrikada ayrıntılı bir şekilde görmek mümkündür. Ramazandan önce hükûmet tarafından yayınlanan tembihnameler, fiyat listeleri, hilâlin görünmesiyle birlikte kendi içinde bir teşrifata ve geleneğe sahip olan ramazan ilânı, ramazana has yeme-içme kültürü, Direklerarası piyasaları, karagöz, orta oyunu, cami sergileri, iftar ziyafetleri, diş kirası, Beyazıt Kulesi ve enderun iftarları, Hırka-i Saâdet ziyaretleri, yeniçerilere baklava dağıtılması, sarayda tertip edilen huzur dersleri, Kadir Gecesi ve bayram alayları gibi ramazan ayına renk veren hâller, ilk defa ayrıntılı bir şekilde bu tefrikada verilir. Sekiz kısımdan oluşan yazı dizisi 12-19 Mayıs 1921 arasında *Peyâm-ı*

Sabâh'ta neşredilmiş, daha sonra *İstanbul'da Ramazan Mevsimi* adıyla kitaplaştırılarak 1998 yılında tarafımızdan yayınlanmıştır.

İstanbul Esnafları: Eski İstanbul'un çalışma ve ticaret hayatının ele alındığı bu bölümde şehrin belli başlı ticaret merkezleriyle, fetihten itibaren bu sahada yapılan çalışmalar, esnaf birlikleri, ticaret ve çalışma hayatına yön veren müesseseler, Tanzimat'tan sonra yerli malların Avrupa mallarıyla rekabet edebilmesi için yapılan ıslah çalışmaları ve şehirde faaliyet gösteren belli başlı sanat dalları üzerinde durulmuştur. Ali Rıza Bey, Paris ve Londra'da düzenlenen sergiler örnek alınarak 1863 yılında Sultanahmet Meydanı'nda açılan Sergi-i Osmânî hakkında ayrıntılı ve orijinal bilgiler vermektedir. Ticarette serbestliği savunan yazar, fiyatların idare tarafından tespit edildiği narh sisteminin ticaret ve sanayi hayatını olumsuz etkilediğini ve bundan vazgeçilmesinin isabetli bir karar olduğunu belirtir. 22 Teşrinievvel-7 Teşrinisani 1921 arasında *Peyâm-ı Sabâh*'ta neşredilen bu tefrika yedi sayı sürmüştür. Tefrikada yer alan bazı bilgiler, kaynak gösterilerek Osman Nuri Ergin tarafından *Mecelle-i Umûr-ı Belediyye*'de kullanılmıştır.

Tiryaki Çarşısı, Tiryakiler Hayatı: Yukarıdaki tefrikaya ek sayılabilecek bir yazı niteliğinde olan ve iki bölüm hâlinde 1-2 Ağustos tarihlerinde *Peyâm-ı Sabâh*'ta neşredilen bu yazıda, Süleymaniye'deki Tiryaki Çarşısı ve burada faaliyet gösteren esnaflar ile kalburüstü insanların devam ettiği tiryaki kahveleri anlatılmaktadır.

Balık Musahabeleri: İstanbul ile ilgili her ayrıntıya dikkat eden Ali Rıza Bey şehrin deniz ve balıkla olan münasebetine temas etmeden geçemez. Bunda çeyrek asra yakın bir zaman Balıkhane Nazırlığı vazifesinde bulunmasının önemli rolü vardır. İstanbul çevresinde tutulan balıklar, balık avlama çeşitleri, başta balık olmak üzere çeşitli deniz mahsullerinden yapılan yemekler, balık tutmayı bir zevk hâline getiren zenginlerin başlarından geçen ilginç vak'alar, 23-25 Kânunusani 1922 tarihlerinde *Peyâm-ı Sabâh*'ta neşredilen bu yazı dizisinde ayrıntılı bir şekilde verilir.

Saray Âdetleri: Ali Rıza Bey, 24 Kânunuevvel 1921-6 Kânunusani 1922 arasında on üç bölüm hâlinde *Peyâm-ı Sabâh*'ta neşredilen bu yazı dizisinde, o zamana kadar halk nazarında meçhul kalan ve özellikle yabancıların ilgisini çeken bir konuyu, saray hayatını gazete sütunlarına taşımıştır. Şunu hemen belirtmek gerekir ki o bu konudaki malûmatının büyük kısmını II. Mahmut döneminde uzun müddet harem dairesinde hizmet eden annesinden ve aynı şekilde Abdülmecit ve Abdülaziz dönemlerinde sarayda bulunmuş olan hanımından öğrenmiştir. Tefrikanın ilk kısmında *Vekayi-i Letâif-i Enderûn* ve *Enderun Tarihi* gibi bu konuda daha önce yazılmış eserlere temas eden yazar, bu eserlerin konunun bütünüyle ilgilenmeyip, sadece bir cephesini aydınlatmakla yetindiğini, harem meselesine temas etmediklerini ifade ederek, saray hayatı hususunda bildiklerini, işittiklerini yeni nesle anlatmak, halkı bu konuda aydınlatmak istemektedir.

Peyâm-ı Sabâh gazetesi okuyucular tarafından ilgiyle takip edileceğini düşündüğü bu tefrikayı neşirden birkaç gün önce birinci sayfadan şu şekilde duyurur:

"Ali Rıza Beyin tarihî hatıratını karilerimizin öteden beri büyük bir lezzet ve merak ile mütalâa ettiklerini biliriz. Fakat eminiz ki 'Saray Âdetleri' kendilerini büsbütün teshir edecektir... Saray hayatı bizce öteden beri meçhul kalmıştı. Bazı zevatın tek tük neşrettikleri hatırattan kariîni tatmin edecek derli toplu malûmat edinmek de kabil olamamıştı. Hâlbuki saray âdâtı, saray ananâtı bizce bilinmek, hayât-ı ictimâiyye noktainazarından da tarih noktainazarından da elzemdir. İşte bu noksanı telâfi etmek üzere gerek intisap, gerek erbâb-ı vukuftan vuku bulan mesmuât cihetiyle saray âleminde hukuk ve vezâifi şâyân-ı kayd u tezkâr birtakım usul ve âdâta tâbi bulunan kadınların tarz-ı hayâtı hakkında birçok malûmat-ı müfîde cem ve kayıt etmiş olan Ali Rıza Beyefendinin *'On Üçüncü Asr-ı Hicrîde İstanbul Hayatından Saray Âdetleri'* unvanlı eserini tefrika suretiyle derç etmeye karar verdik"[2]

Saraya hâkim olan usul ve âdetler, saray mensuplarının hayat tarzları, eğlenceler, cariyeler, hünkâr kalfaları, şehzadeler, sultanlar, yapılan düğünler, saray masrafları, yemekle ilgili teşrifat, meşhur aşçılar, padişahların sevdiği yemekler, saraya has tabirler, kısacası Osmanlı sarayına ait ne varsa bu tefrikada bulmak mümkündür.

Kibar Konakları: Eski İstanbul hayatında âdeta sarayın bir numunesi olarak cereyan eden konak hayatı, tıpkı sarayda olduğu gibi kendisine has bir teşrifata tâbi idi. Ali Rıza Bey, konakların iç ve dış yapısından başlayarak, burada yaşanan hayatı, ileri gelen devlet adamları ve zenginlerin teşrifat merakını, kahve ikram törenlerini, halayıklarla kalfalar ve hanımefendiler arasında geçen mücadeleleri 18-23 Mayıs 1935 arasında beş kısım hâlinde *Vatan* gazetesinde neşredilen bu tefrikada ele almaktadır.

Ricâl-i Sâbıkaya Ait Bazı Menkıbeler: Uzun yıllar devlet hizmetinde bulunmuş ve pek çok şahsiyeti yakından tanımış, meclislerine katılmış, ikili münasebetlere girmiş olan Ali Rıza Bey, bu yazı dizisinde XIX. yüzyıla damgasını vurmuş pek çok devlet adamı ve sanatkârlarla ilgili fıkra kabilinden hatıralara yer vermektedir. Bu hatıralardan bir kısmı Ali Rıza Beye yakınları tarafından anlatılmıştır. Başta devrin padişahları olmak üzere, Hâlet Efendi, Hüsrev Paşa, Âli Paşa, Fuat Paşa, Şair Kanlıcalı Nihat Bey, Cevdet Paşa, Ömer Faiz Efendi, Teşrifatçı Kâmil Bey, Ziya Paşa, Mısırlı Fazıl Mustafa Paşa, Keçecizade İzzet Molla, kabadayılığı ile meşhur Halil Paşa tefrikanın merkezinde yer alan başlıca şahsiyetlerdir. Tefrikanın son bölümünde Halil Paşa ile ilgili olarak devrin ünlü alüf-

---

2 *Peyâm-ı Sabâh* (*Peyâm*, nr. 1094, *Sabah*, nr. 11524), 21 Kânunuevvel 1921, s. 1

teleri ve randevuevleri anlatılmıştır. Altı bölüm hâlinde yayınlanan bu yazı dizisi 21 Eylül-2 Teşrinievvel 1922 arasında *Sabah*'ta neşredilmiştir.

Bazı Aşk Maceraları: Ali Rıza Bey, yüksek tabakada cereyan eden aşk münasebetlerine de kayıtsız kalmamış, bu yazı dizisini devlet adamlarının gönül ilişkilerine ayırmıştır. Kadınlara düşkünlüğü ile tanınan Sultan Abdülmecit'in aşk maceraları, Osmanlı ile Mısır hanedanı arasında vuku bulan evlilikler, boşanmalar, kıskançlıklar, bu yüzden devlet işlerinin ikinci plâna itilmesi, sadrazamlarla padişahlar arasında sonu istifaya kadar varan görüş ayrılıkları, sürgünler, 18-22 Temmuz 1925 tarihlerinde beş bölüm hâlinde *Vatan* gazetesinde neşredilen bu tefrikada anlatılmıştır.

* * *

Ali Rıza Beyin İstanbul hayatı ile ilgili yazdığı yazılar sonraki yıllarda da ilgi ve merak konusu olmuş ve bir kısmı çeşitli mecmualarda sadeleştirilerek veya günümüz harflerine aktarılarak yayınlanmıştır. Ali Birinci'nin kaleme aldığı tercümeihâlde bu konuda ayrıntılı bilgi verildiği için burada tekrara gitmeyecek, sadece Niyazi Ahmet Banoğlu'nun hazırladığı kitap üzerinde kısaca durmakla yetineceğiz.

Niyazi Ahmet Banoğlu, Ali Rıza Beyin yazılarının bir kısmını sadeleştirerek *Bir Zamanlar İstanbul* adıyla 1973 yılında neşretmiştir. Banoğlu bu kitapta *Alemdar* ve *Peyâm-ı Sabâh* gazetelerinde yayınlanan yazıların bir bölümünü almış, *Vatan* ve *Millî Mecmua*'da neşredilenlere ise hiç temas etmemiştir. Yazıların eksik olması yanında, sadeleştirmede oldukça serbest davranılması, bibliyografik künye verilmemesi, ölçüsü ve sınırı tayin edilmeyen atlamalar yapılması ve yazılar üzerinde hiç olmaması gereken şekilde tasarruflara gidilmesi sonucunda "nev'i şahsına münhasır" bir kitap ortaya çıkmış ve okuyucu, Ali Rıza Bey gibi üzerinde önemle durulması gereken bir yazarın İstanbul yazıları için uzun yıllar boyunca her yönden sakıncalı olan bu çalışmayla yetinmek zorunda kalmıştır.

Elinizdeki çalışma ise bu aksaklıklar göz önüne alınarak hazırlanmış, sadeleştirme yerine ilmî kaygılar düşünülerek günümüz harflerine aktarma yoluna gidilmiştir. Metin içinde geçen hicrî tarihlerin milâdî karşılıkları ile yazardan veya mürettipten kaynaklanan hataları telâfi etmek için tarafımızdan yapılan eklemeler [ ] içinde verilmiştir. Metni anlama ve daha kullanışlı bir hâle getirme yolunda Ali Rıza Beyin koyduğu dipnotlar dışında, tarafımızdan kaynak kullanılarak pek çok dipnot ilâve edilmiştir. Bu dipnotların yazarın dipnotlarıyla karışmaması için Ali Rıza Beyin koyduğu dipnotların sonuna isminin ilk harflerinin kısaltması olan (ARB) işaretini koyduk.

Kitaba koyduğumuz isme gelince; bu konuda Ali Rıza Beyin yazılarına koyduğu üst başlıklardan hareket ettik. Bu başlıklardan biri "Eski Zamanlarda İstanbul Hayatı" idi. İsim bulma konusunda yazardan ayrı düşmemek ve muhte-

İstanbul Muharriri
Balıkhâne Nâzırı Ali Rıza Bey

Ali Birinci

Hakkında isminden ve ismine alem olmuş memuriyetinden başka bir bilgi bulunamayan Balıkhâne Nâzırı Ali Rıza Bey* ömrünün dördüncü çeyrek asrı başlarında yazdığı emsâlsiz iki tefrika yazısıyla 19. asrı araştırmak ve öğrenmek isteyenlere çok kıymetli iki mehaz bırakmıştır. Gerçekten de "Onüçüncü Asr-ı Hicrîde İstanbul Hayatı" ve arkadaşı Mehmed Galib (1863 - 1935) ile hazırladığı "Onüçüncü Asr-ı Hicrîde Osmanlı Ricali" başlıklı iki tefrika yazısının başkalarıyla ikâmesi imkânsız denecek derecede kıymetli bilgileri zamana kazandırdığı ilk bakışta dikkati çekmektedir. Bu iki tefrikanın kitap olarak neşrinden sonra hayat hikâyesi merak edilen Balıkhâne Nâzırı Ali Rıza Bey'in hakkında hiçbir bilgiye ulaşılamamış olması da dikkate değer ve şaşırtıcı bir keyfiyettir.

Son senelerde Ali Rıza Bey'in hayatına dair bilgilerin artması beklenirken aksine yanlışlar boy göstermeye başlamış; ansiklopedi maddeleri niyetine yazılanlar ise yanlışların miktarını artırmaktan başka bir şeye yaramamıştır.[1] Hattâ

---

* Balıkhâne Nâzırı Ali Rıza Bey'in hâl tercümesini Emekli Sandığı'nda arama çalışmalarımız sırasında gayretli ve kıymetli mensuplarının yardımlarını gördüm. Verdiğimiz ipuçlarından hareketle dosya numarasını Abdülkadir Eke buldu. Dosyayı Erdal Akpınar çıkardı. Arşiv Şubesi Müdürü Mehmed Küpeli'nin izni ve Abdülkerim Şahin'in alâkası ile fotokopisini elde ettim. Hepsine ayrı ayrı şükran borçluyum.

[1] Balıkhâne Nâzırı Ali Rıza Bey hakkında ilk yanlış Mehmet Zeki Pakalın (1886-1972) tarafından yapılmıştır. Direktör Âlî Bey'den (1846 - 3 Şubat 1889) sonra Düyûn-u Umumiye İdaresi Merkez Direktörü olan Karaferiyeli Hasan Tahsin'in oğlu Ali Rıza'yı (doğ. İstanbul, 29 Temmuz 1847) Balıkhâne Nâzırı zannederek "Onüçüncü Asr-ı Hicrî'de Osmanlı Ricali" ile "Onüçüncü Asr-ı Hicrî'de Saray Âdetleri" başlıklı yazılarını eserleri olarak göstermiştir. Bkz. BOA. *Sicill-i Ahvâl Defteri*, c. 3, s. 534'ten naklen M. Z. Pakalın, *Sicill-i Osmanî Zeyli*, c. 3, s. 547-548. Bu gibi yanlış ve eksiklerine rağmen T.T.K. Kütüphanesi'ndeki bu eser basılmalıdır.

ölümünden sonra kendisinden bahseden kitaplarda[2] bulunan doğru ölüm senesinin (1928) yerini dahi yanlışları (1926) almıştır.[3] Halbuki hakkındaki bu yanlışların asgariye indirilmesi matbu mehazların, meselâ sadece devlet salnâmelerinin tetkikiyle bile mümkün olabilir ve hâl tercümesi ortaya çıkarılabilirdi. Kısaca bu meselede araştırma yapanlar işin gereğini yerine getirememişler; en nâzik ifadeyle açık vermişlerdir. Bir diğer talihsizlik ise Ali Rıza Bey'in resmî kayıtlarda isminin sadece Ali olarak zikredilmiş olmasıdır. Salnâmelerde de 1901'e kadar Ali, ancak bu seneden sonra Ali Rıza şeklinde kaydı görülmektedir.[4] Bu durum hayat hikâyesinin, bu zamana kadar yazılmamış olmasının mâzeretlerinden birini teşkil etmektedir.

1. Hayat hikâyesi

Balıkhâne Nâzırı Ali Rıza Bey olarak tarihimize adını yazdıran Ali Bey, debbağ esnâfından Mehmed Ağa'nın oğludur. Annesi ise Sultan II. Mahmud'un kızları Atiye (1824 - 1850) ve Hatice Sultan'ın (1825 - 1842) müşterek dairelerinin başkalfasıydı.[5] Annesinin ismi henüz tesbit edilememiştir. 21 Şubat 1842 Pazartesi günü dünyaya gelen Ali Rıza'nın, Beşiktaş Rüştiyesi'nden mezun olduğuna bakılırsa, İstanbul'un bu semtinde doğduğu kabul edilebilir. Türkçe kitabet ettiği kaydından hareketle herhangi bir ecnebi lisanına âşina olmadığı hükmü de verilebilir.[6]

Ali Rıza Bey, Rüştiye tahsilinden sonra, usûl olduğu üzre, on yedi yaşında iken Tophane-i Âmire Ruznâmçe Kalemi'ne çerağ buyuruldu, yani maaş almaksızın çalışmaya başladı. Daha bir sene bile olmadan 13 Ekim 1859'da otuz kuruş

---

2   Muallim M. Cevdet ölüm tarihini vermektedir. Osman Ergin, *Muallim M. Cevdet'in Hayatı, Eserleri ve Kütüphanesi*, İst. 1937, s. 305.

3   M. Sabri Koz, "Ali Rıza Bey", *Dünden Bugüne İstanbul Ansiklopedisi*, İst. 1993, c. 1, s. 200; M. S. Koz, *Büyük Doğu*'daki ("Merhum Ali Rıza Bey", nr. 55, 11 Mayıs 1951, s. 12) "çeyrek asır evvel seksenini geçmiş olarak vefat ettiği" kaydına istinaden 1926 senesini veren *İstanbul Kültür ve Sanat Ansiklopedisi*'ne (İst. 1982, c. 2, s. 688) itibar etmiştir; Bu yazımıza rağmen hakkındaki yanlışlara yeni zeyiller yapılması çok şaşırtıcıdır. Ali Şükrü Çoruk tarafından baskıya *İstanbul'da Ramazan Mevsimi* (İst. 1998, 117 s.) ismiyle hazırlanan kitapta (s. 7-10) Taha Toros tarafından anlatılan aynı makamda daha sonra bulunan bir başka Ali Rıza'dır. Balıkhâne Nâzırı Ali Rıza Bey ile Taha Toros'un tanışmış olması mümkün değildir.

4   "Balıkhâne ve Tuz Nâzırı Ali Rıza", *Salnâme-i Devlet-i Aliye-i Osmaniye*, 1319 sene-i hicriyesine mahsus, Def'a, 57, İstanbul 1317, s. 331 ("Düyûn-u Umumiye-i Osmaniye" kısmı).

5   Ali Rıza Bey validesinden kıymetli bilgiler nakletmesine rağmen ismini vermemiştir. (Ali Rıza-Mehmed Galib, *Geçen Asırda Devlet Adamlarımız*, Haz. Fahri Çetin Derin, İst. 1977, c. I, s. 69)

6   Ali Rıza Bey'in hâl tercümesinin 26 Haziran 1906 tarihinde kadar gelen devresi Başbakanlık Osmanlı Arşivi'ndeki *Sicill-i Ahvâl Defteri*'nde (c. 22, s. 153) bulunmaktadır. Tekâüde ayrıldığı tarihe (19 Kasım 1909) kadar olan hâl tercümesi ve hizmet cedveli ise Emekli Sandığı'ndaki (Mülkî Tasnif, Dosya nu. 25580) dosyasındadır. Farklı yerlerden alınan bilgilere işaret edilmiştir.

maaş ile 19 Kasım 1909 tarihine kadar elli sene devam edecek olan memuriyet hayatına ilk adımını atmış oldu.

Üç sene çalıştığı bu ilk memuriyetinden bilemediğimiz bir sebepten dolayı, 12 Haziran 1862'de istifa etmiş ise de kısa bir müddet sonra 13 Eylül'de Rüsûmat Emaneti Muhasebe Kalemi'nin İzmir Kitabeti Refikliği ile memuriyete dönmüştür. O'nun, Balıkhâne Nâzırlığı'ndan önce yaptığı en uzun memuriyeti bu olmuştur. Bunu takiben bir seneye yakın (13 Mart 1869 - 7 Şubat 1870) Selânik Mukayyidliği muavinliğinde bulunduktan sonra yine bir sene kadar da Dahiliye Muhasebe Kalemi'nde çalıştı. 1871 yaz sonlarında kalemin lağvı üzerine Bahriye Muhasebesi Muvazene Kalemi Eytam ve Eramil Kitabeti'ne[7] girmiş ise de buradan da istifa ederek 13 Kasım 1872 tarihinde Dersaadet Duhan İnhisarı İdaresi'nin Muhasebe Kalemi'nde çalışmaya başlamıştır. Kısa bir müddet (13 Ocak-12 Ağustos 1874) aynı idarenin Mamulât Anbarı Başkâtipliği'ni îfadan sonra (13 Ağustos) tekrar kaleme muhasiplikle dönen Ali Rıza, önce (7 Kasım 1875) mukayid, çok geçmeden de Muhasebe Kalemi'nin başkâtibi oldu (29 Haziran 1876). Başkâtiplik memuriyeti 13 Mart 1877'de Dersaadet Duhan İnhisarı İdaresi'nin lağvına kadar devam etmiştir.

Dersaadet Duhan Gümrüğü Muhasebe Başkâtipliği unvanı[8] ile memuriyetine devam eden Ali Rıza 14 Ocak 1880'de aynı gümrüğe bağlı olan Rüsûm-u Sitte İdaresi'ne geçti.[9] Bu idarede önce Samsun Rüsûm-u Sitte Nâzırlığı (24 Şubat 1880 - 12 Ocak 1882) ve nezaret Düyûn-ı Umûmiye İdaresi'ne tahvil edilince (1 Ocak 1882) Samsun (13 Ocak - 27 Eylül 1882) ve Beyrut Düyûn-u Umûmiye Nâzırlığı (28 Eylül 1882 - 24 Ekim 1883) gibi vazifelerde[10] bulunduktan sonra Beyrut'taki idarenin lağvı üzerine İstanbul'a, Düyûn-ı Umûmiye İdaresi'ne döndü.[11]

---

7   Hizmet cedveli'ne (Dosya Nu. 25580) göre Ali Rıza Bey 7 Şubat 1870-13 Kasım 1872 devresinde ma'zul gösterilmekte ve bu son iki memuriyetinden bahsedilmemektedir. Diğer taraftan yine bu devrede (16 Haziran 1871) uhdesine rütbe-i sâlise tevcîh edildiği de her iki sicilinde kayıtlı olduğu için hizmet cetveline itibar etmedik.

8   "Dersaadet Rüsumat Nezareti Başkâtibi Ali Bey" *Salnâme-1296*, s. 67; *Salnâme-1297*, s. 138

9   Bu idare devlet borçlarına karşılık alacaklılara terk edilen altı vergiyi (damga, balık avı, tuz, tütün, müskirat, ipek resmi) topluyordu. Yerini Düyûn-ı Umûmiye İdaresine bırakmıştır: 1. Donald Blaisdell, *Osmanlı İmparatorluğu'nda Avrupa Malî Kontrolü* (Çev. Hazım Atıf Kuyucak), İst. 1940, s. 117; M. Z. Pakalın, *Osmanlı Tarih Deyimleri ve Terimleri Sözlüğü*, İst. 1972, c. 3, s. 65.

10 Muharrem Kararnâmesi'ne (20 Aralık 1881) göre kurulan Duyûn-ı Umûmiye-i Osmâniye İdâresi 1 Ocak 1882 tarihinde faaliyete geçmiştir. Bu sebeple bu tarihten sonra memuriyet unvanının, sicilde yazıldığı üzre, Rüsûm-ı Sitte Nâzırlığı olması mümkün değildir. Doğrusu hizmet cetvelinde olduğu gibi Samsun ve Beyrut Düyûn-ı Umûmiye Nâzırlığı'dır ki ilk memuriyetin devamından başka bir şey değildi.

11 Düyûn-ı Umûmiye hakkında, kitâbiyat vermek niyetinde değiliz. Ancak bu idarenin evrakını ihtiva eden *Rehber-i Muamelât İdâre-i Düyûn-ı Umûmiye-i Osmâniye* isminde bir dizi kitabın bu zamana kadar, araştırma yapanlar tarafından tamamen, ihmal edilmiş olduğunu görmek şaşırtıcı-

İstanbul'daki memuriyetine 25 Ekim 1883'te Dersaadet Balıkhâne Nâzırı olarak başlayan Ali Rıza'nın memuriyet ismi aynı zamanda şöhretiydi ve bundan sonra Balıkhâne[12] Nâzırı Ali Rıza Bey olarak tanındı.[13] 2 Mart 1884'te uhdesine tuz hakkında muameleler de verilince Balıkhâne ve Tuz Nâzırı oldu.[14] Nâzırlığı zamanında Balıkhâne en parlak devrini yaşadı ve tam çeyrek asra yaklaşan bir müddet bu makamı ehliyetle ve liyâkatla idare etti. Vazifesinden dolayı "bir zimmet ve ilişiği" asla olmadı. 14 Mart 1907'de Dersaadet ve Mülhakatı Düyûn-ı Umûmiye Nâzırlığı[15] vazifesine başlamış ise de II. Meşrutiyet'in ilânından sonraki tensikatta, 19 Kasım 1909'da açığa çıkarılmıştır. 16 Ocak 1910'da usûl olduğu üzre, kırk beş sene hizmet itibarıyle 3.616 kuruş maaşla tekaüde ayrılmıştır.[16]

---

dır. Düyûn-ı Umûmiye-i Osmâniye İdâre-i Merkeziyesi Matbaası'nda basılan kitaplardan birincisi (8-1022 s.) ve zeyli (457 s.) tarihsiz olup TTK. Kütüphânesi'nde (B.265) bulunmaktadır. Yine aynı matbaada basılmış perakende evrakı ihtiva eden diğer bir takım (c. 1, 1311-1315; c. 2, 1316-1320; c. 3, 1321-1325) TBMM Kütüphânesi'ndedir (Nu. 73-1391). Seyfettin Özege'nin künyelerini verdiği, yine aynı matbaada basılmış (1317-1326, c. 1, 934 s.; c. 2, 452 s. , c. 3, 866 s.) ciltleri ise (Ankara'da) bulamadık. (*Eski Harflerle Basılmış Türkçe Eserler Kataloğu*, İst. 1977, c 4, s. 1445.)

12 Avlanan balıklardan Balıkhâne vasıtasıyla alınan %20 vergi ve %3 masraf Düyûn-ı Umûmiye'nin büyük gelir kaynakları arasındaydı (Blaisdell, age. s. 139). 17 Kasım 1902'de büyük merasimle açılan yeni binası 1957'de yıkılmış ve yeri Eminönü Meydanı'na katılmıştır. Merasim için: "Balıkhane Dairesi'nin Resm-i Küşâdı", *İkdam*, nr. 326, 5 Teşrin-i sânî 1318, s. 1-2; Louis Rambert, *Notes et İmpressions de Turquie-L'Empire Ottoman Sous Abdu'l-Hamid II*, Geneve (1926), s. 193-194; "Balık Emâneti, Balık Emini, Balıkhâne, Balıkhâne Nâzırlığı", *İstanbul Ansiklopedisi*, İst. 1960, c. 4, s. 2011-2014. Balıkhâne hakkında önceki dipnottaki mehazlara ilâve: Deveciyan Karakin (Balıkhâne Merkez Müdürü), *Balık ve Balıkçılık*, İst. 1331, 6+440+60 s.

13 "Dersaadet Balıkhâne Nâzırı Ali Bey", *Salnâme-1303*, s. 310; 1304, s. 291.

14 "Dersaadet Balıkhâne ve Tuz Nâzırı Ali Bey" *Salnâme-1305*, s. 21; 1306, s. 292; 1307, s. 330; 1308, s. 330; 1309, s. 348; 1310; s. 362; 1311, s. 276-277; 1312, s. 390-391; 1313, s. 410-411; 1314, s. 418-419; 1315, s. 266; 1316, s. 284; 1317, s. 279; 1318, s. 299. 1901'den sonra ismi "Balıkhâne ve Tuz Nâzırı Ali Rıza Bey" şeklinde zikredilmiştir. *Salnâme-1319*, s. 331; 1320, s. 343; 1321, s. 368; 1322, s. 382; 1323, s. 407; 1324, s. 440; 1325, s. 440; Kendisini yakinen tanıyan Semih Mümtaz S. ise "Balıkhâne Nâzırı Ali Efendi" şeklinde zikretmektedir: "Balıkhâne Nâzırı Ali Efendi ile Hüsam Efendi kendisini sık sık ziyaret ederler, vaktini tatlı tatlı geçirtirlerdi." Ali Rıza Bey'in Şeyhulislâm Cemaleddin Efendi'nin yakın dostlarından olduğunu ifade eden yazı için: "Evvel zaman içinde - İkinci Sultan Abdülhamid'in Meşhur Şeyhulislâmı Mehmed Cemaleddin Efendi", *Resimli Tarih Mecmuası*, nr. 32, Ağustos 1942, s. 1548-50.

15 "Dersaadet ve mülhakatı Düyûn-ı Umûmiye Nâzırı Ali Rıza Bey", *Salnâme 1326*, s. 444. Bundan sonraki *Salnâme*'de (mâlî 1326) Ali Rıza Bey'in makamında Ahmed Nedim ismi görülüyor. (s. 254-257). Memuriyetin adı ise "Dersaadet ve Mülhakatı Düyûn-ı Umûmiye Başmüdiriyeti"ne çevrildi.

16 Ali Rıza Bey'in son memuriyetine tayini ve tekaüde ayrılması hakkında: Emekli Sandığı Arşivi, Mülki Tasnif, Dosya Nu. 25580

Düyûn-ı Umûmiyye-i Osmâniyye Nezâret-i Umûmiyyesi cânib-i âlîsine

Bundan böyle selâmet ve sa'âdet-i devlet ü millete du'â ile dem-güzâr olmak üzre ale'n-nizâm teka'üdümün icrâsı için muktezâ-yı hâlin îfâ buyrulmasını is-tid'âya ve hidemât-ı mesbûkamı hâvî tanzîm itdirilen•cedvel ile evrâk-ı müsbi-te-i mukteziyye ve nüfûs tezkiresinün takdîmine ictirâ' eylerim ol bâbda emr ü fermân hazret-i men lehü'l-emrindir.

Fî 10 Şa'bân sene 1327 / 13 Ağustos sene 325

Dersa'âdet ve mülhakatı Düyûn-ı Umûmiyye Nâzırı

Ömrünün bu tarihten sonraki on sekiz senesini de İstanbul'da geçiren Ali Rıza on gün kadar devam eden bir hastalığı takiben de 11-12 Mart 1928 gecesi Çiftehavuzlar'daki ikâmetgâhında ahirete göçtü.[17] Yirmi gün önce seksenaltı ya-şını ikmâl etmişti. Yetim-i akran, hattâ yetim-i devran olan insanların kaderi üz-re beş altı dostu ve iki üç akrabası tarafından, 12 Mart Pazar günü, Eğrikapı kar-şısındaki tepede, kısa bir müddet içinde mahâlline dair bir nişâne kalmamış bu-lunan kabrine ve Hakk'ın rahmetine emanet edildi.[18]

Yarım asırlık memuriyeti esnasında en ufak bir itâba ve ikâza muhatap ol-mayan Ali Rıza Bey, sadece vazifesiyle uğraşan ve her işi hakkıyla yapan bir in-sandı. Çeyrek asır Balıkhâne Nâzırlığı'nda kalabilmesi bu bakımdan mânidar-dır. Memuriyetin en küçüğünden en büyüğüne kadar sırasıyla, bütün rütbeleri ve nişanları kendisine ihsan buyurulmuştur.

16 Haziran 1871'de, yirmidokuz yaşında iken, rütbe-i sâliseye mazhar ol-duktan sonra sırasıyla rütbe-i sâniye sınıf-ı sânîsi (21 Temmuz 1878), rütbe-i sâ-niye sınıf-ı mütemâyiz (Mart-Nisan 1982) rütbe-i ûlâ sınıf-ı sânîsi (20 Ekim 1888), rütbe-i ulâ sınıf-ı evveli (17 Ekim 1897) ve nihayet rütbe-i bâlâ'ya (23 Ağustos 1904) nail olmuştur.

Rütbelerin yanısıra nişanlara da nail olduğu görülmektedir ki bunlar ikinci rütbeden Mecidî Nişanı (24 Mart 1895), ikinci rütbeden Nişan-ı Âlî-i Osmanî (4 Temmuz 1897) ve birinci rütbeden Mecidî Nişanı'dır (30 Ağustos 1900).[19]

---

17 Gazetelerde hakkında bir yazıya rastlamadığımız Ali Rıza Bey'in ölüm ilânlarından biri şudur: "Balıkhâne nâzır-ı esbakı Ali Rıza Bey irtihâl etti. Balıkhâne nâzır-ı esbakı Ali Rıza Bey on gün devam eden hastalıktan sonra evvelki gün irtihal-i dâr-ı bekâ eylemiştir. Cenâzesi dün Çifteha-vuzlar'daki ikâmetgâhından kaldırılarak akraba ve eviddasının huzuruyla defnolunmuştur. Mu-maileyh fevkalade hâluk ve hayırperver bir zâttı. Merhum Tanzimat devrinden son zamanlarına kadarki içtimâî hayatımızın hakikî safhalarını tespit eden makaleleriyle içtimaiyat tarihimize de çok kıymetli vesâik bırakmıştır. Ufûlü ziyâiyyâttandır. Kederdîde âilesine beyân-ı taziyet ederiz", Vakit, nr. 3660, 13 Mart 1928, s. 3; "Dün gece irtihâl-i dâr-ı bekâ eylediği", Akşam, nr. 3384, 13 Mart 1928, s. 3; Muallim Cevdet (O. Ergin, age., s. 298, 305) Ali Rıza Bey'in önce 95 yaşında, sonra da "doksanlık" olduğunu ifade etmektedir.

18 O. Ergin, age., s. 298

19 BOA. İrâde-i Taltifat Defteri, Hususî, no. 8 (3 Safer 1315).

2. Yazı hayatı

Ali Rıza Bey'in yarım asırlık memuriyet hayatı boyunca, hattâ daha sonra 1919 senesinin Kasım ayı ortalarına doğru neşrine başladığı "Onüçüncü Asr-ı Hicrî'de Osmanlı Ricali" isimli tefrikasından önce yazdığı herhangi bir şeye henüz rastlayamadık. O, bilhassa 19. asrın ikinci yarısında çok görüldüğü üzre, bir taraftan çalışırken diğer taraftan da matbuat ve edebiyat âleminde kalem sahibi insanlardan biri olmamıştır.

Mehmed Galib'in teşviki[20] ve teşrik-i mesaisiyle yazdığı 38 tefrikalık bu yazı bazen bir aylık fâsılalarla 17 Kasım 1919 - 25 Nisan 1921 tarihleri arasında *Peyâm* ve *Peyâm-ı Sabah* gazetelerinde basılmıştır. Tanzimat'tan II. Meşrutiyet'e kadar gelen devrenin (1839 - 1909) ünlü devlet adamları ve diğer simaları hakkında, başka mehazlarda bulunmayan bilgileri ihtiva eden "Onüçüncü Asr-ı Hicrî'de Osmanlı Ricali" bu devir üzerinde çalışan tarihçiler için rakipsiz bir mehaz hükmündedir. "Cüz'î bir sadeleştirme" ile ve gerekli notların ilâvesi ile iki cilt halinde de basılmıştır.[21]

Ali Rıza Bey'in sadece kendi imzasını taşıyan tefrikası ise "Onüçüncü Asr-ı Hicrî'de İstanbul Hayatı" ismini taşımaktadır ve ilkinden daha hacimlidir. Belki de ilk yazısının gördüğü alâkanın verdiği cesaret ve şevkle yeni tefrikasını kaleme almış olmalıdır.[22]

Bu yazının ilk beş tefrikası *Alemdar*'da (8-12 Şubat 1921) çıktıktan sonra her nedense kesilmiş ve diğer kısımları *Peyâm-ı Sabah*'ta neşredilmiştir. İlk yazılarda Ali Rıza çocukluğunda İstanbul'un sokaklarında oynadığı oyunları ve ilk tahsil hayatı ile Maarif Nezareti tarafından ilk açılan mektepleri anlatmaktadır.

Peyâm-ı Sabah'ta "İstanbul Halkının Tenezzüh ve Eğlenceleri" altbaşlığı ile (9, 10, 12, 19-26, 28-31 Mayıs, 1-7 Haziran 1921) yirmiiki ve "Onüçüncü Asr-ı

---

[20] O. Ergin, *age.*, s. 298

[21] Ali Rıza - Mehmed Galib, *Geçen Asırda Devlet Adamlarımız, XIII. Asr-ı Hicrîde Osmanlı Ricâli* (Haz. Fahri Çetin Derin), İst. 1977, c. 1, 160 s.; c. 2, 162 s. F. Ç. Derin, bütün araştırmalara rağmen A. Rıza'nın hayatı hakkında bir bilgi bulunamadığından şikâyet etmektedir (c. 1, s. 8). Bu tefrika "XIX. Yüzyılda Osmanlı Devlet Adamları" başlığıyla *Hayat Tarih Mecmuası*'nda sadeleştirilerek neşredilmişti. (Kasım 1977 - Mayıs 1978). Enver Koray, *Türkiye Tarih Yayınları Bibliyoğrafyası*, İst. 1985, c. 3, s. 442, 516) Ali Rıza Bey'in kitaplarının künyesini verirken ismine Erem şeklinde bir soyadı eklemektedir. Bu tasarrufunun sebebini anlayamadık. Sahra-yı Cedid Kabristanı'nda Ali Rıza Erem (1865-1937) adına bir mezartaşı bulunmaktadır. Enver Koray, A. R. Erem'i Balıkhâne Nâzırı zannetmiş olmalıdır. M. Sabri Koz'un (*agm*, s. 200) bu kitabının ve tabiî tefrikanın da ismini niçin vermediği anlaşılamamıştır. Acaba Taha Toros'un bahsettiği Balıkhâne Nâzırı Ali Rıza Erem midir?

[22] Yazıların *Peyâm-ı Sabah*'ta basıldıkları zaman "tarih ve edebiyat muhitlerinde bir hâdise teşkil" ettikleri yolundaki hükümleri doğru olsa gerektir. (Balıkhâne Nâzırı Merhum Ali Rıza Bey, "19. Asırda İstanbul", *Büyük Doğu*, nr. 59, 18 Nisan 1947, s. 17)

Hicrî'de Ramazan Âdetleri" (11, 13-18 Mayıs 1921) başlığı ile sekiz tefrikadan[23] sonra aynı senenin sonbaharında 1 Teşrîn-i evvel'den (Ekim) itibaren aynı umumî başlık ile yazılarına devam etmiştir.

Yazıların muhtevasına dair bir fikir verebilmek için altbaşlıklarını da yazmak gerekecektir:

— "İstanbul Sefilleri ve Kopuklar" (1 T. evvel),

— "Tulumbacılar, Köşklüler, Küplü Güruhu" (2 T. evvel)

— "Esrarkeşler, Meczublar" (3 T. evvel),

— "Dilenciler" (4. T. evvel),

— "Velâdet Âdetleri, Loğusa Cemiyetleri" (8, 9, 10 T. evvel),

— "İstanbul Esnafları" (22, 24, 27, 29, 30 T. evvel; 3, 4 Teşrin-i sânî),

— "Saray Âdetleri" (24-26, 28-31 Kanun-ı evvel 1921; 1-6 Kânun-ı sânî 1922),

— "Balık Musahabeleri" (23-25 K. sânî) (Bkz. 26 nolu nipnot)

— "Tiryaki Çarşısı, Tiyakiler Hayatı" (1-2 Ağustos 1922) ve

— "Rical-i Sâbıkaya Ait Bazı Menkıbeler" (21, 23, 25, 26, 30 Eylül, 2 T. evvel 1922)

Renin (Tanin) gazetesinde de "Sultan Mecid Devrine Ait Bazı Menkıbeler" başlıklı bir yazısı bulunmaktadır. Mesut Cemil (Tel) yine aynı gazetede 1922'de basıldığını kaydettiği "Saray Eğlenceleri" başlıklı yazısından iktibasta bulunmakta ise de bu yazısına rastlanamamıştır.[24]

Ali Rıza'nın İstanbul'a dair eserinin son tefrikaları ise devrin ünlü mecmualarından *Millî Mecmua*'da ve *Vatan* gazetesinde basılmıştır. Bu yazılarının gördüğü alâkanın bir delili olarak da görülebilir. *Millî Mecmua*'nın ilk sayısından başlayan tefrikanın ilkinde Ali Rıza'nın bir resmi de bulunmaktadır. Başlık ve künye kayıtları şöyledir:

"Onüçüncü Asr-ı Hicrîde İstanbul Hayatı - Halk Sırtından Geçinenler", nr. 1, 1 Teşrin-i sânî 1339, s. 10-11; "Onüçüncü Asr-ı Hicride İstanbul'da Kadın", nr. 2,

---

23 Peyâm-ı Sabah'ta basılan yirmi dokuz tefrika, yirm altı sene sonra, Ali Rıza'nın torunları tarafından sadeleştirilerek *Büyük Doğu*'da (nr. 59-87, 1947-1948; nr. 55-62, 1951) otuz dört (26+8) tefrika halinde, neşredilmiştir. *İstanbul Kültür ve Sanat Ansiklopedisi* (s. 688). Ali Rıza Bey'in, Necip Fazıl Kısakürek'in dedesi olduğunu yazıyorsa da yanlıştır. Bir ifadeden ("Merhum Ali Rıza Bey", *Büyük Doğu*, nr. 55, 11 Mayıs 1951, s. 12) anlaşıldığına göre Necip Fazıl'ın halalarından biri Ali Rıza Bey'in geliniydi. Bu hususaki müracaatımıza muhterem Mehmet Kısakürek, gereken alâkayı göstermiş ise de bir bilgi verememiştir.

24 *Renin*, nr. 9, 22 Teşrin-i evvel 1922, s. 3 ; Mesut Cemil, *Tanburi Cemil'in Hayatı*, İst. 1947, s. 49-50; *Millî Mecmua* ve *Vatan* gazetesindeki yazılarından beni haberdar eden Dr. Ali Şükrü Çoruk'a müteşekkirim.

15 Teşrin-i sânî 1339, s. 31-22; "Onüçüncü Asr-ı Hicrîde İstanbul Hayatı", nr. 4, 13 Kânun-ı evvel 1339, s. 62-3; nr. 6, 10 Kânun-ı sânî 1340, s. 94-5; nr. 7, 24 Kânun-ı sânî 1340, s. 110-11; nr. 8, 7 Şubat 1340, s. 125-7; nr. 9, 21 Şubat 1340, s. 143-4; nr. 12, 10 Nisan 1340, s. 187-8; "Turuk-ı Aliyyenin İstanbul'da İntişarı", nr. 14, 15 Mayıs 1340, s. 226-7; nr. 16, 12 Haziran 1340, s. 256-8; nr. 17, 26 Haziran 1340, s. 263, 265; nr. 18, 24 Temmuz 1340, s. 289; nr. 19, 7 Ağustos 1340, s. 305-7; nr. 20, 1 Eylül 1340, s. 320-1; nr. 22, 1 Teşrinievvel 1340, s. 354-5.

Vatan gazetesinde basılan tefrikaların künyesi ise şöyledir:

— "Kibar Konakları I-V", nr. 754-759, 18-23 Mayıs 1341/1925

— "Mahalle Kahveleri, Mahalle İhtiyarları", nr. 790, 23 Haziran 1341/1925

— "Bazı Aşk Maceraları I-V", nr. 812-816, 18-22 Temmuz 1341/1925

Ali Rıza Bey'in İstanbul'un âdeta beşerî ve içtimâî bir resmini veren bu tefrikası henüz, lâyık olduğu bir şekilde basılamamıştır.[25] Balığından dilencisine kadar bu şehri ve daha geniş bir çerçevede dünkü günlük hayatı anlatan bu İstanbul çocuğunun muhteşem eseri de gazete sayfalarından kitap sayfalarına geçeceği günü beklemektedir. Mâziyi tanımak isteyenler için kıymetli ve nâdir bir rehber olduğu açıktır.[26]

(İstanbul Araştırmaları, nr. 1, Bahar 1997, s. 87-94;
Tarihin Gölgesinde, İstanbul 2001, s. 101-108'den
aynen alınmıştır)

---

[25] "Onüçüncü Asr-ı Hicrî'de İstanbul Hayatı" tefrikasının bir kısmı Niyazi Ahmet Banoğlu tarafından *Bir Zamanlar İstanbul* adıyla "Tercüman 1001 Temel Eser" dizisinin 11. kitabı olarak 1973'te bastırılmıştır. Sadeleştirildiği ve kısmen basıldığı için, tefrikanın tanınmasına katkıda bulunmuş olmaktan başka bir değeri ve mânâsı yoktur. "Saray Hayatında Kadınlar" adı ile "Saray âdetleri" Şevket Rado tarafından *Hayat* dergisinin beş sayısında (nr. 12, 15 Mart; nr. 13, 22 Mart; nr. 14, 29 Mart; nr. 15, 5 Nisan; nr. 16, 12 Nisan 1973) sekizer sayfalık ekler hâlinde neşredilmiştir. Bu bilgiyi lütfeden Doç. Dr. Ali Akyıldız'a şükran borçluyum. *Hayat* dergisinin bu ilâveleri daha sonra (*Hayat) Tarih ve Edebiyat Mecmuası*'nda da ikinci defa neşredildi (Kasım 1980-Eylül 1981). A. Süheyl Ünver'in Süleymaniye'de bulunan defterlerinden (nu. 1115) 14 yapraklık biri de Balıkhâne Nâzırı Ali Rıza Bey'in hâtıralarından bir parça ise de yerinde bulunamamıştır. Bu bilgiyi meslektaşım Cahit Telci dostuma borçluyum.

[26] Ahmed Semih Mümtaz'ın (1879-1956) Semih Mümtaz S. imzası altında ve "Evvel Zaman İçinde" başlığıyla yazdığı yazılar da Ali Rıza Bey'in yazılarını hatırlatmaktadır. İstanbul ve bilhassa devlet adamlarımız hakkında kıymetli bilgiler ihtiva eden yazılarının *Akşam, Yeni Sabah* gazeteleri ile Cemal Kutay'ın çıkardığı *Millet* mecmuasında çıkan kısımlarını gördük. Bunların bir kısmı iki kitap hâlinde basılmıştı: 1. *Evvel Zaman İçinde*, İst. 1946, 112 s., Türkiye Yayınevi Canlı Tarihler dizisi; 2. *Tarihimizde Hayâl Olmuş Hakikatlar*, İst. 1948, 256 s. Hilmi Kitabevi. A. S. Mümtaz'ın bu yazılarının tamamı bir külliyat halinde basılmalıdır.

Bu kitabın 107. sayfasında künyesi verilen Ali Rıza Bey'in "Balık Musahabeleri" başlıklı yazı dizisi yeni harflere aktarılarak *Av ve Deniz* mecmuasında neşredilmiştir (nr. 5-6-7, Şubat-Mart-Nisan 1946). Son anda ilâve edilen bu notu Ali Şükrü Çoruk'a borçluyum. Kendisine müteşekkirim.

Eski Zamanlarda
İstanbul Hayatı

Velâdet Âdetleri,
Loğusa Cemiyetleri

Eski kadınlarımızın velâdet esnasında ve loğusalık zamanlarında garip ve fesânevî birtakım âdetleri vardı. Sanat noktainazarından ebelerimiz de şâyân-ı teessüf bir hâlde idi. Gerek bunları ve gerek loğusa cemiyetlerinde icrası muktezi birtakım ananâtı, velev muhtasar bir surette olsun ayrıca bir mebhas olmak üzere ahlâfa hikâye etmek istedim ve hatırda kalanlarını zirde derç eyledim.

Eskiden ebelerimizin ahvali

Vaz-ı hamlden mukaddem ailelerce nazarıdikkate alınan mesâilin birincisi münasip bir ebe tedariki idi, çünkü eskiden mektep görmüş ve imtihan vermiş ebeler olmayıp, mevcut ebeler ya ebezadelikleri münasebetiyle veyahut temîn-i maîşet kasdıyla ebelik sanatını ihtiyar eden birtakım yaşlı kadınlardan ibaret idi. Hatta asrın zurafâsından biri: "Karnı burnunda olursa gebedir, burnu karnında olursa ebedir." der idi. Bu ihtiyar kadınlar biraz vakit bazı ebe hanımlar refakatinde bulunarak hâsıl edebildikleri malûmât-ı ibtidâiyyeyi sermaye ittihaz ederek başlı başına icrâ-yı sanata kendilerini mezun addederlerdi. Çoğunun cehaleti yüzünden birtakım vekayi-i elîme eksik olmazdı. Bu cihetle kadınlar beyninde çocuk doğurmak büyük bir felâket addolunurdu. İşte bu mühim ve hatar-nâk meseleden dolayı gerek hamile olan hatunun ve gerek mensup olduğu ailenin kalben itimat ve itminan hâsıl edebilmesi için konu komşu, -vaktiyle İslâm mahallelerinde bir samimiyet vardı; komşu komşuya akrabası gibi bakar, komşusunun ihtiyacını kendi ihtiyacı gibi addederdi- hısım akraba beyninde haftalarca istişareler, müzakereler olunur, tahkikat ve taharriyyât-ı medîde icra edilir, hezar müşkülât ile bir ebe tedarik olunabilirdi. Sûret-i intihâb resmen ebe hanıma bildirilmiş olmak için birkaç kıyye şeker ve kahve ihdâ ve irsal edilmesi âdet iktizasından idi. Bu veçhile intihap olunan ebe hanım loğusa hanesine câ-be-câ gelir, muayeneler icra eder ve takriben zamân-ı hamlden bir hafta on gün evvel gelip çocuğun kundağını ihzar etmesi vezâif-i ibtidâiyyesi cümlesinden addolunurdu.

Bir de sır saklamakta emniyet kazanmaya ve hafiyyen doğuracak veyahut çocuk düşürecek kadınlara arzuları veçhile bakmaya çalışan ebeler vardı. Bunların ekserisi Musevî kadınları idi. Çoğu kendi ikametgâhlarında icrâ-yı ameliyyât ederlerdi.

İskat-ı cenîn maddesinde İstanbul sekenesinin harekâtı nazarıdikkati calip bir raddeye geldiğinden beyne'l-ahâlî cari olan şu âdet-i kabîhanın men'i için 1254 [1838/39] tarihinde hükûmetçe bazı tedâbir ittihaz olundu. Evvel emirde etıbba ve eczacı takımı buna müteallik muâlece vermemeleri için İstanbul kadılığı ve milel-i erbaa, patrik ve hahambaşıları marifetleriyle tahlif olundular ve bir ailenin evlâdı beş neferi mütecaviz eylediği ve adem-i iktidârı mahallesi imam ve muhtârânı marifetiyle taraf-ı şer'e bildirildiği hâlde nâil-i eltâf olması ve çocuk düşürenleri komşuları ihbara mecbur olması usul ittihaz olundu ve herkese de ilân edildi idi. Muahharen 1278 [1861/62] tarihinde neşrolunan bir nizamname mucibince İslâm ve Hristiyan ve Musevî ebelerinin Mekteb-i Tıbbiyye tarafından imtihanları icra olunarak, yedlerine izinnameler verildi ve izinnamesi olmayan kadınların ebelik etmeleri taht-ı memnûiyyete alındı ve edenler olursa isim ve şöhret ve mahall-i ikametlerinin, imam ve muhtârân marifetiyle bildirilmesi emr ve tembih olundu.

Velâdet zamanı âdetleri

Zamân-ı haml ber-vech-i lâyık tahmin olunamaz ise de bazı alâmetlere bakılırsa ayı, günü hitam bulmuş denilmekte iken alelâde emâre-i velâdet olan evcâ zuhur etmesi üzerine ebe hanım derhâl celp olunur, ona mahsus iskemle de getirilir.

Hamile olan hatunun feryadını istimâ eden ve yakıcı bir ıstırap ile kıvrandığının şahidi olan hane halkı beyninde teessür gittikçe artar, mütevekkilâne neticeye intizar ederler. Loğusanın etrafında tecemmu eden yaygaracı kadınların telâşı müşkülâtı tezyit eder. Bir aralık "Çocuk ters gelmiş" veya "Çatıda kalmış" gibi birbirine mübâyin ve hakikate muhalif olarak ortada birtakım heyecân-âmîz sözler tekevvün eder. Helecan bir kat daha teşeddüd etmeye başlar. Ortalık bir buhran içinde kalır. Bu arada zaten sanatında behresi olmayan ebe hanım da şaşırıp emr-i tevellüdün gayritabiî vuku bulacağına zâhib olur ve bu zehap üzerine birtakım hatalar ve bu yüzden envai elim vak'alar zuhur ettiği görülürdü. Sonraları bazı mütehassıslar peyda olduğundan terdîd-i efkâri mucip böyle bir hâl zuhurunda ebe hanım tarafından bir doktorun celbi hususu reîs-i âileye teklif edilmesi kabul olundu. Çocuk selâmetle alındığı ve hamil olan hatun halâs olduğu hâlde hane halkı "Bir oğlumuz oldu" veya "Bir kızımız oldu" diyerek izhâr-ı sürûr ve şâdmânî ederler, velilerine tebşîrâtta bulunurlar; kurbanlar kesilir, sadakalar verilir, ailenin eski şetaret ve neşesi yerine gelir.

Vuku-i velâdeti müteakip ebe hanım çocuğu yıkar, tuzlar, lisanı tatlı olması için ağzına şeker sürer, sesi güzel olmasını aile arzu eylediği hâlde çocuğun göbeğini uzunca keser, çocuğu da kendisi kundaklar, sonra sırasıyla aile azasının kucaklarına verir. Erkân-ı âilenin cümlesi ebe hanımın bahşişini itada tekâsül etmezler. Evvelce ihzar olunan bir kat elbise ber-mûcib-i usûl bir kaç kalıp sabun ilâvesiyle bir bohçaya vazan ebe hanıma verilir. Loğusa ter döşeğine yatırılır, arkasına ve ayaklarına şişelerle sıcak sular konulur, çay veya ıhlamur misilli sıcak şeyler içirtilerek ve örtülüp bastırılarak istirahati temin edilir.

Loğusa yatağı

Öteden beri her aile hâline ve iktidarına göre muntazam bir loğusa döşeği ihzar etmek âdettir. Ferdası günü loğusa ile çocuk bu döşeğe alınır, artık o günden itibaren "baldırıkara"[1] denilen nebattan kaynatılıp loğusaya yevmiye birer fincan içirilir; çocuğun yüzüne biri beyaz, diğeri yeşil olmak üzere oyalı tülden iki duvak vazolunur, kundağına incili nazar takımı talik edilir; başı ucuna da bir Mushaf-ı şerîf asılır. Loğusanın başına al tülden bir çatkı atmak da âdettir. Şekerci dükkânlarında baklavavârî kesilmiş olarak satılan kırmızı şerbetlik şeker kaynatılıp sürahilere vazedilir. Sürahi al tüle sarılır; eğerçi çocuk erkek ise sürahinin kapağı sarılmaz, kız ise kapağı ile beraber tüle sarılmış olmak lâzımdır. Bu suretle ihzar olunan sürahiler akraba ve eazz-i ehibbâya gönderilerek velâdet resmen bildirilmiş olur ve bu şerbeti isal edene gittiği yerden bahşişler verilir.

Eski kadınlarımızca birinci derecede dikkat ve itina edilen mesâilden biri de "al basmamak"[2] için loğusayı odasında yalnız bırakmamaktır. Mamafih her türlü ihtimale karşı oda kapısının arkasına bir adet ortalık süpürgesi konulmak ihtiyatında gaflet etmezler! O sıralarda loğusaya şayet bir rahatsızlık gelecek olursa "Süt hastasıdır" derler, ehemmiyet vermezlerdi.

İkinci, üçüncü günlerden itibaren konu komşu, hısım ve akraba göz aydına gelirler. Bu gelenler çocuğa altın takarlar veyahut kurabiye ve buna mümasil hediye getirirler. Ziyaretçilere iptida kahve verilip badehu kırmızı ve sıcak loğusa şerbeti ikram olunur. Bu veçhile şerbeti içenlerin "Allah loğusanın sütünü gür etsin!" duasını söylemesi âdettir.

Velâdetin üçüncü günü ilm-i nücûmda behresi reîs-i âilece malûm olan müneccim efendinin tayin eylediği eşref saatte çocuğun ismi konulur. Bu da vakt-i muayyen hulûlünden evvel erkân-ı âile hazır olduğu hâlde çocuğun pederi loğusanın nezdine gelir, çocuğu kucağına alır, kulağına üç defa ezân-ı şerîf okur, tayin edilen ismi üç defa söyler. Çocuğun ismi bu suretle vazedilmiş olur.

---

1 baldırıkara: Nemli yerlerde yetişen birçok eğrelti otu türünün ortak adı, kara baldır. (TS)
2 al basmak veya al bastı: Doğum sırasında temizliğe dikkat edilmemesi yüzünden loğusanın tutulduğu ateşli hastalık, loğusa humması. (TS)

Son günü cemiyeti ve kına gecesi âdetleri

Altıncı günü son günü demektir. Evvelce istifsâr-ı hâtıra gelmiş olan hanımlar sûret-i mahsûsada davet olunurlar. Ekserisinde hoca hanıma *Mevlid-i Nebevî* kıraat ettirilir. Akşama kına gecesidir. Bütün davetliler beklenir, tâ-be-sabâh çengiler raks eder. Yarı gecede beşik çıkma resmi icra olunur. Beşik ince oymalı sanatlı bir surette yapılmış ve derununa ağır kumaşlardan sırma yorgan ve yastık konulmuştur. Beşiğin altında oyulmuş mahalle konulan çocuğun lâzımlısı badem şekeriyle doldurulmuştur. Bu şeker ebe hanıma aittir. Beşiğe çocuğun pederi ve hısım akrabası tarafından ağır kumaşlardan askılar asılır. Bu askılar da ebe hanımın hakkıdır. Beşik askıları meyanında şaldan bile askı asanlar olurdu.

Çocuğun beşiği kâffe-i teferruâtıyla beraber loğusanın validesi tarafından ihdâ ve ihzar olunur. Loğusanın kayınpederi çocuğa mücevherli "Maşallah" takar. Kayınvalidesi "armudiye" ve sair aile efradı hâllerine göre "Mahmudiye" veya "rubiyye" altını takmak mecburiyetindedirler.[3]

Beşik çıkma resmi

Ebe hanım çengilerle beraber aşağı kata inerler. Beşiği mahfuz bulunduğu odadan çıkarırlar. Önünden ve arkasından ikişer kadın tutmuş ve soygun denilen ve düğünlerde hizmetçilik eden hamam ustaları beşiğin dört tarafında kırmızı, yeşil şemaları[4] ellerine almış ve ebe hanım rengârenk askılarla müzeyyen olan beşiğin önüne düşmüş olduğu hâlde sıracılar çalarak ve çengiler raks ederek teşkil eden alay ile yavaş yavaş yukarı kata çıkarlar.[5] Alay misafir hanımların önünden geçerek loğusanın odasına dahil olur. Beşik odanın ortasına konularak ebe hanım baş tarafa oturup tiz perdeden ninni söylemeye başlar. Bu ninniye çalgı da iştirak eder. Beşiğin etrafında çengiler[6] ağır ağır raks ederek dört defa devir icra ederler. Bu devir esnasında aile efradı taraflarından çengilerin her birine mütenevvi kumaşlardan askılar asılır. Misafir hanımlar tarafından altınlar yapıştırılır. Sıracıların tefleri bahşişlerle dolar. Devrin hitamında sıracıbaşı "Bir hocalım var!" diye bağırır. İkincisi "Ya kime?" demesini müteakip "Loğusa ile yavrusuna" cevabını verir. Hepsi bir ağızdan "Ya hey!" diye bağırarak alkışlarlar ve bu alkışa misafirlerin cümlesi el çırparak iştirak ederlerdi.

---

[3] Velâdet Âdetleri, Loğusa Cemiyetleri I, *Peyâm-ı Sabâh* (*Peyâm* nr. 1021, *Sabah*, nr. 11451), 8 Teşrinievvel 1337/1921, s. 3

[4] Bu şemalar envai resimlerden mürekkeptir. Balmumundan nahilci esnaf tarafından imal edilirdi. Hatta akd cemiyetlerini müteakip ağaç resminde imal edilen nahillerin gelin evine isali için nahil alayları olurdu ve bu alay akdin ferdasında icra olunurdu. (ARB)

[5] Beşik çıkma resmi hakikaten temaşaya şayan idi. Çünkü o zamanın kadınları bu gibi merasime fevkalâde ehemmiyet verdikleri gibi çengiler de sanatlarında mahir oldukları cihetle vazifelerini icra ederlerdi. (ARB)

[6] Bu raks şimdiki çifte telli veya Arap oyunlarını andırır. (ARB)

Yemiş çıkma resmi

Gece yemiş çıkarılmak da kına geceleri âdâtındandır. Cesim pulat tepsilere yemiş tabakları vazolunur. Tepsinin etrafı allı yeşilli şemalarla donatılır. Yemişler mevcut misafirlere kifayet edecek miktardan kat kat fazla ihzar edilir.

Kına gecesi yemişleri badem, kuru incir, kestane, iğde, keçi boynuzu habbü'l-lezîz[7], hurma, fındık, üzüm misilli kuru yemişlerden mürekkep olup fakat sonraları taze mevsim meyvelerine tahavvül etmişti.

Beşik çıkma resminin hitamını müteakip çengiler tekrar aşağı kata inerler. Müteaddit yemiş tepsilerini sırasıyla ikişer kadın taşımakta ve önünde çengiler raks etmekte olduğu hâlde alay ile yukarı kata çıkarırlar. "Hanımlar darısı evinize" nidasıyla sıracılar tarafından tekrar alkışlar yapılarak herkes yemişe kaldırılırdı.

Bu yemiş eğlencelerinden sonra çengiler taklitli oyunlar çıkarırlar, tâ-be-sabâh eğlenceler devam ederdi. Bir loğusa cemiyetinde çengilerden birisi loğusa olup kolbaşı hanım da ebelik vazifesi etmek suretiyle bir oyun oynamışlardı. Pek eğlenceli bir oyun idi.

Yedinci günü yatak kalkar. Loğusanın karnı büyük kalmamak için ebe hanım tarafından karnı bağlanır. Çocuğu yıkar, kundaklar, ebe hanım da gider.

Kırk hamamı âdetleri

Bir de kırk hamamı âdeti vardır. Kırkıncı günü loğusayı ve çocuğu hamama götürürler. Hısım akraba, konu komşu kırk hamamına davetlidirler. Hamamın dışarısında loğusayı ve ebe hanımın kucağında olan çocuğu çengiler ve sıracılar çalarak oynayarak üç defa dolaştırırlar, badehu içeriye getirirler. Artık hamamın dışarısında akşama kadar çengiler çalıp oynarlar.

Loğusa ile çocuk hamamın içerisinde iken şayet kırk hamamına başka bir loğusa getirilecek olursa kırk basmamak için çocuğu hemen kucağa alıp yukarı kaldırmak lâzımdır. Bu gibi ahvalde etrafında bulunan kadınlar mütebassırâne hareket ederler. Bir mahallede kırk gün içinde iki çocuk tevellüt ederse bunların kırkları karışmış olduğundan birinci defa bir hanede tesadüf ettiklerinde çocukları arka arkaya getirmek iktiza eder, çünkü "kırk basmak agleb-i ihtimâldir" derler.

Avam takımı çocukların bulunacağı odayı hizmeti kolay olsun için ekseriya hanelerin alt katında intihap ederlerdi. Eski evlerin alt kat tavanları basık oldu-

---

7   habbü'l-lezîz, abdülleziz: Galat olarak abdülleziz denilen, Akdeniz bölgesinde ve Afrika'da yetişen bir ağacın dut kurusu şeklinde ve büyüklüğünde olan yağlı ve tatlı yemişi. (TS)

ğundan sıcak olur, derler. Rutubet ciheti nazarıdikkate alınmayıp, fakat soğuktan bir kat daha tahaffuz için pencerelerin kenarlarına çiriş[8] ile kâğıt yapıştırırlar. Oda kapısına da pamuklu perdeler asarlar. Sabah ve akşam pencereleri açıp odanın havasını tecdit etmek lüzumu hatırlara getirilmez.

Çocuk geceleri huysuzluk etmemek ve rahatça uyku uyumak için Körükçüoğlu macunu yedirirler yahut haşhaş şurubu içirirler. Birkaç aylık olduktan sonra arkasından ufak ufak kabarcıklar hâsıl olur ise derhâl hacamatçı kadına götürüp hacamat ettirirler ve murdar kanı çıkarmak lâzımdır derler.

Çocuklar beşikte iken ziyâ-ı şemsi görüp gözleri kamaşmaması ve bilâhare şehlâ, şaşı olmaması için daima gözlerinin üstüne beyaz tülbent örtülür. İfrazâtı için beşikte sübek bulunduğu gibi kıçına pamuklu pamuksuz müteaddit bezler sararlar. Ellerini uyku arasında kımıldatıp korkmaması için yattığı beşiğin üzerini sarmak muktezidir.

İsâbet-i ayndan tahaffuz için beşiğin üstüne yedi delikli mavi boncuk, çörek otu, bir adet sarmısak, çitlembik dalı, hurma çekirdeğinin içi oyulmak suretiyle vücuda getirilmiş nalın resmi gibi şeyler asılmak icap eder.

Çocuk altı aylık oluncaya değin kundaktan çıkarılmak caiz değildir. Bu müddet hulûlünden sonra belinden yukarısı serbest bırakılır. Buna da "yarım kundak" tabir olunur. Çocuk beş aylık olunca pirinç unundan bulamaç yapılıp câ-be-câ birer parmak verilir. Avam takımı ana sütü beslemiyor diye henüz yaşına basmamış çocuklara kadınların tabirince "çiğneme" verirler. Yani taam esnasında yedikleri yemekten bir lokmasını anası veyahut büyük anası ağızlarından çıkarıp salyası akarak çocuğun ağzına tıkarlar. Çocuğa meme verilmediği zaman almayıp ale'd-devâm kıvranıp ağlarsa sancılanmıştır diye karnına sedef veya badem yağı sürüp oğuştururlar. Bir de sağ kolunu sol kolunun, sağ ayağını sol ayağının üstüne getirip çeyreklerler. Bunlar da fayda vermediği surette yine tedâbir-i ibtidâiyyeden olmak üzere derhâl kurşuncu kadın celp olunur, kurşun döktürülür. Çocukları ılıcacık su ile yıkamak lâzım iken sıkça sıkça çarşı hamamına götürüp hamam ustaları veya kendileri kaynar sular dökerek yedi sekiz defa sabun sürerler. Bu arada çocuğun feryadına kulak asılmaz, bu sıcak suya ve hamamın hararetine mukavemet edip edemeyeceği de asla nazarıdikkate alınmaz. Bundan dolayı çocuğa bir hastalık gelirse bir şeyden korkmuş olacağından korku damarlarını basıcı kadına götürürler ve Baba Cafer'de[9] tespihten

---

8 çiriş: Zambakgillerden, beyaz çiçekli bir bitki olan çiriş otununun kökünün öğütülmesiyle yapılan ve su ile karılarak tutkal gibi kullanılan esmer, sarı bir toz. (TS)

9 Baba Cafer Türbesi: Eminönü'nde Zindankapısı mahallesinde bulunan ve IX. yüzyılda Abbasi elçisi olarak İstanbul'a geldiği ve şehit edildiği rivayet edilen Baba Cafer'e ait olan bu türbe çocuk-

geçirirler. Yine faydası olmadığı takdirde dışarlık alâmeti, havale illeti olduğunda artık şüphe kalmaz, hemen havale illetine müteallik çarelere tevessül ederler.

Bir de çocuklar uzun ömürlü olmak için hîn-i velâdetlerinde kadınlarımızın tabiri veçhile tekkelerin birine bağlanmış ise câ-be-câ o tekkenin mukabele günlerinde çocuğu götürüp şeyh efendiye okuturlar. İçeceği suyu sürahiye veya testiye koyup şeyh efendiye ve zâkirlere ve dervişlere üfletirler. Rahatsızlığı zamanında çamaşırlarını dahi götürüp bu suretle nefesten geçirtirler. Şayet müsamaha edilecek olur ise çocuk celâlli olur derler.

Çocuğun bezleri yıkandıkça çirkefi delikli taşa dökmek muktezidir. Şayet şuraya buraya dökülüp de iyi saatte olsunlar perilerin üzerine isabet ederse mazallah çocuk dışarlık illetine duçar olur. Bu gibi ahvâl-i mahûfeye meydan vermemek için gayet mütebassırâne hareket olunması zımnında o hanenin yaşlı kadınları tarafından her bâr nesâyihde gaflet edilmez.

Çocukları sokakta ve bahçede gezdirmek için dangalak uşakların, kız ve erkek çocukların kucaklarına verirler. Bunlar ise çocuğun başını omuzuna dayamak ve kolundan çekmemek gibi ihtiyatları bilmediklerinden ve çocuğu dikkatsizlik ile düşürseler de ketm eylediklerinden çocuk türlü arızalara duçar olur ve bed-endâm olmasına sebebiyet verilir.

Çocukların bir geçitleri de memeden kesildikleri zamandır. Ekseriya bir buçuk, nihayet iki yaşlarında memeden kesilmek İstanbul kadınlarınca âdet hükmüne girmiştir. Erkek çocukları daha geç memeden kesilirler. Fakat çocuklar dokuz on aylık iken validesi gebe kalacak olursa "süt çalkadı", "süt bozuldu" denilebilir. Bi'z-zarûre memeden kesilir. Memeden kesmek usulü de kadın memesine ya mürekkep veyahut siyah bir mayi sürer. Çocuk bittabi tiksinip memeyi almaz. Mamafih huysuzlanır. Bir hayli günler bu huysuzluk devam eder. İnsanlarca sevdiğinden mahrumiyet acılarının birincisi memeden kesilme acısı imiş.

Kurşun dökme tedavisi

Eski kadınlarımızın itikadınca hangi hastalığa karşı olursa olsun derhâl kurşun döktürülürse hastalık hafifler. Çünkü Fatma anamızdan kalmıştır derler. Bir de kurşun baş, karın, ayak taraflarına olmak üzere üç defa döktürüldüğünden hangi defasında kurşun ziyade patlamış ise hastalığın orada olduğuna kani olurlar ve ona göre çaresine tevessül ederlerdi.

Kurşun dökücü, korku damarlarını basıcı, kırbacı kadınlar, hâllerince nabzgîr, mîzâc-âşinâdırlar, müşterilerine karşı tatlı dilli, güler yüzlü bulunurlar, hâl-

---

larla ilgili konularda İstanbul kadınlarının uğrak yeri olmuştur. (Mehmet Halit Bayrı, *İstanbul Folkloru*, İstanbul 1947, s. 138-139)

leriyle hem-hâl olurlar, türlü türlü diller dökerler. Hastalık zuhur eden haneden vaki olan davet üzerine kurşuncu kadın takımını alıp gelir. Takım, bir külçe kurşun, uzunca saplı demir tava, içi sırlı büyükçe bir yoğurt çanağıyla iki mavi peştemaldan ibarettir.[10]

Kurşuncu kadının vüruduyla beraber hastanın geçirmekte olduğu hâller hane halkı tarafından birer birer nakil ve hikâye olunarak kadınla hasbıhâl edilir. Kadın da kendisine lâzım olan malûmatı almış olur. Badehu mangal başına geçer, içinde kurşun olan tavayı ateşe sürer, kurşunu eritir, iyi saatte olsunlar perilerin zükûrundan tesettür için başına baş örtüsü örter, hastanın odasına gider. Hasta arkası üstü yatırılır. Mavi peştemal ile örtülür. Kurşuncu hanım hastanın baş ucuna gelir. Istırabı ne tarafında olduğunu evvelce öğrenmiş olduğundan kurşunu ona göre yüksekten döker. Şiddetlice ses çıkar. Kurşun parçaları sıçrar, etrafa yayılır. Bu da hastalığın şiddetine alâmet addolunur. Badehu hane halkıyla beraber çanakta su içinde bulunan kurşun çıkarılıp kemâl-i dikkatle muayene edilir. Arasında hâsıl olan ince ince delikler görülürse göze alâmettir, isâbet-i ayn olduğunda artık iştibâh kalmaz. O günlerde hanelerine gelen misafirler içinde çocuğa maşallah dememiş olan filân hanımın nazarı değdiği bi'l-müzâkere tebeyyün eder. Kabil olur ve taraf-ı takarrübü bulunursa o misafirin pabucundan bir parça kesilip hastaya tütsü verilir. Olamadığı hâlde karanfil çatlatmak iktiza eder, hastalık sancı ile karnı tarafında olduğu ve kurşun ikinci defasında ziyade ses verdiği surette çocuk dalak olmuştur.[11] Dalakçı kadına ve eğer kurşunun muayenesinde hayvana müşabih bir şey görülmüş ise hayvandan korkmuş olacağından korku damarlarını basıcı kadına müracaat olunmak lâzım gelir.

Üçüncüsü dışarlık alâmeti havale illetidir. Artık bu gibi hastalıklara bakan hocaya gidilmek icap eder. Fakat bu gibi müracaatlar kurşuncu kadının keşif ve istihraç ve tavsiyesi üzerine icra edilir. Kurşun döküldükten sonra çanaktaki küllü su okunup üflenir, bir miktarı şifa niyetine hastaya içirilir. Küsuru hastanın yattığı odanın tavanının dört köşesine "Kefareti budur, kefareti budur" diye elle serpilir ve bir kıyye miktarı ekmek doğranılıp mahut çanağa konularak üç defa hastanın başından çevrildikten sonra köpeklere verilir. Bu işleri kâmilen kurşuncu kadın ifa eder. Başkası izinli olmadığından vaz-ı yed edemez. Kurşun dökücü hanım artık vazifesini itmam etmiş olduğundan ücreti verilmekle bera-

---

[10] Velâdet Âdetleri, Loğusa Cemiyetleri II, *Peyâm-ı Sabâh* (*Peyâm* nr. 1022, *Sabah*, nr. 11452), 9 Teşrinievvel 1337/1921, s. 3

[11] dalak kesmek: Karın bölgesinin su toplaması neticesinde meydana gelen ağrılara karşı koyun karaciğeri veya dalağının hastanın karın bölgesinde kesilmesi ve kesilen parçaların evin bir köşesinde kurumaya bırakılmasıdır. Eskiden bu suretle ağrıların giderileceğine inanılırdı. (Dalak kesmenin nasıl yapıldığı hakkında bilgi için bk. Abdülaziz Bey, *Osmanlı Âdet Merasim ve Tabirleri*, c. II, yay. haz., Kâzım Arısan-Duygu Arısan Günay, İstanbul 1995, s. 357; *İstanbul Folkloru*, s. 93)

ber hastanın hayratı üzere münasip miktar kurşun da verildiği ve eğer kurşun bulunmazsa abdesthane kurşununun söküldüğü de vakidir.

Korku damarlarını bastırmak tedavisi

Kurşun döküldüğü zaman çocuğun hastalığı göbekten veya sair hayvandan korkmuş olmasından neşbadehuet eylediği tebeyyün eylediği hâlde, derhâl korku damarlarını basıcı kadına müracaat olunur. Çocuk arka üstü yatırılır. Çünkü korku damarları kasıkları arasında olduğundan hoca hanım iki eliyle kasıklarına basar. "Bas gitsin!" der, yere vurur. Bu söz üç defa tekrar edilir, badehu okur, üfler. Bu arada hoca hanıma bazı esnemeler gelir. Bu da hastanın ağırlığı olup, hoca hanıma aksetmiş olmasındandır! Okudukça defolur. Artık korku damarları da yerine gelmiş addolunur.

Karnının şişini gidermek için de dalak kesici, kırbacı kadınlara müracaat lâzımdır.

Lisân-ı sıbyân

İstanbul kadınları, çocukların lisân-ı mâder-zâdını çat pat söyleyebileceği dereceye geldiklerinde çocuklar için evvel-be-evvel bilinmesi elzem bir şey gibi zirde beyan olunan elfâzı talim ederler:

Küçücük "bebek", uyku "ninni", su "buva", ekmek "mama", sokak "attacık", yürümek "hoppacık", kesici "kıh", el sürülmeyecek "cıs", iyi şey "cici", fena şey "kaka", beygir "dah dah", akar su "çıp çıp", kedi "pisi", köpek "oş oş", mehtap "ay dede", büyük anasına "haminne" (hanım nine) ilâ-ahirihi. Bundan sonra kendi lisanını talim etmeye başlarlar. Çocuk huysuzluk ederse umacıdan korkutulur.

Bir çocuk üç yaşına geldiğinde validesini, altı yaşına geldiğinde pederini sevmeye başlar. On yaşında tatil günlerini, on altı yaşında güzel elbise sever. Yirmi yaşında mahbubeye meyleder. Yirmi beş yaşı tecavüz ettikte zevce tedarikine teşebbüs eder. Kırk yaşında evlâdına kesb-i muhabbet, altmış yaşına vasıl olduğunda muhabbetini kendisine tahsis eylermiş derler.

Aile münazaaları

Avam takımında zevç ve zevce beyninde dirliksizlik ekseriya çocuk olduktan sonra baş gösterir. Çünkü kadının hizmeti ikiye inkısam eder. Zevcinin en ufak teferruatına varıncaya kadar her bir hizmetini sabah ve akşam bilâ-kusûr ifa etmeye çalışan zevce çocukla uğraşmasından dolayı zevcinin hizmetinde kusuru zuhur eder. Tuvaletini evvelki gibi ifaya vakit bulamaz. Akşam zevci geldiğinde kadının kıyafetini perişanca bulur. Gebelik ve loğusa devirlerinde geçirdiği rahatsızlıklara çocuğu emzirmek zafiyeti inzimam eder. Kadıncağız gereği gibi yıpranır, evvelki taraveti zail olur. Kocası şunu bunu istedikçe emirleri hakkıyla ifa eyleyemez olur. Hele çocuğun geceleri birkaç defa uyanıp ağlaması babasının rahatını bozar. Uyku hâliyle kalkıp da hemen meme vererek çocuğu susturamaması beyinlerinde niza zuhurunu teşkil eden sebeplerin başlıcalarındandır. Eğer o evde kaynana ve görümce de birlikte iseler artık saâdet-i âile büsbütün rahnedâr olur.

Kaynanaların çoğu gelinlerini sevmezler, daima kubhiyyâtından bahsederler, hatta kabâyih bulamadıkları hâlde icadına çalışırlar. Onların itikadınca mensup oldukları ailenin kızları kocadan, erkekleri karıdan talihsizdirler!...

Oğulları karıya düşemediği mukaddemesiyle "Biz de taze olduk, on dört yaşında köşeye oturdum. İlkim Memo'mu (Mehmet) doğurduğum zaman evimizde Arap halayık da vardı. Öyle iken yavrumun bezlerini yine kendim yıkardım. Kaynanam öyle bir kadındı ki atlıyı attan attırır, yayayı yoldan çevirirdi. Bizim gelinin öyle bir kaynanası olsaydı acaba neler yapmazdı! Mekânı cennet olsun. İçkisi de yoktu. Beş vakte beş daha katardı. Bizim oğlanın içkiye dadanması da hep bu gelinin yüzündendir. Yorgun argın eve geliyor, hiçbir şeyine bakılmıyor. 'Ayol, kocanın şusuna busuna baksana' diye güzellikle ne kadar söyledim. 'Aman sen de hanımne (hanımnine)' diye beni payladı. Kaynana, görümce adı var. 'Artık bir şeylerine karışmayım' dedim. Kızla beraber yemeğimizi ayırdık, yine içim götürmüyor. Sabunu leğenin içinde bırakmış, koca dilim ekmeği kedi kapmış, gözümle gördüm, söylendim. Kimin kulağına girecek, ziyankâr mı ziyankâr. 'Emzikliyim, evde bir şey yok, ne yiyeceğim?' diye bana soruyor. Ben de 'ziftin pekini ye' diyecek oldum, hanımın gücüne gitmiş. Ağlaması tükenmedi. Şirret mi şirret, ah oğlana yazık oldu, karıya düşemedi, kederinden içkiye vurdu." diyerek ve daha buna mümasil birtakım türrehât ilâve ederek akşamları su doldururken çeşme başında mevcut kadınlara, geceleri birleştikçe komşulara, pazar kayıklarında, hâsılı şurada burada rast geldiği yerde bildiğine bilmediğine muttasıl gelinden bahsederdi.

Geline gelince, aşağı odada ağzı ile çocuğa ninni söyler, uyutmaya çalışır, eliyle mangal başında çocuğun bezlerini yıkar, bir ayağıyla da beşik sallar. Akşam nevalesi hazırlamak da geline aittir. Ne çare ki bu vazifeyi ifa etmek için evde erzak namına bir şey kalmamıştır. Kocasının getireceği şeye intizar eder. Hâlbuki herif akşamcı olduğundan gece meyhane avdeti ağzı eğri, göz şaşı, çehre haşin, üst baş çamurlara batmış, güya evi için bir kıyye balık almış. Hâlbuki onu da yolda gelirken köpekler kapmış, sazı elinde kalmıştır. Ekmekçi çetelenin dolduğundan ve para verilmediğinden dolayı gündüzden ekmek bırakmamıştır. Sarhoş mütemadi homurdanır, bir şeyler söyler. Çocuğu güçlükle uyuttuğundan yavaşça söylemesini ihtar eden zevcesi, güya büyük bir kabahat işlemiş gibi herif, ağzına, yüzüne, dinine, imanına küfürler savurur. O gürültü arasında çocuk uyanır, çatlarcasına ağlamaya başlar. Kaynana, görümce hanımlar güya muarazayı teskin etmeye gelirler. Hâlbuki gelinin aleyhine sarhoşun gazabını bir kat daha teşdit eylerler. Zavallı gelin yemek yerine temiz bir de dayak yer. Bu hâl bir değil beş değil, külle yevm böyledir. Akıbet "Nikâhım helâl, canım azat" diye yavrusunu kucağına alıp kaçmaya mecbur olur. Hatta "Bağrıma taş basarım" deyip evlâdını terk ile firar eden gelinler çok görülmüştür. Bundan sonra da fesh-i nikâh ve nafaka davaları baş gösterir. Bîçare kadın serâirini mahkeme muhzırlarına, kâtiplerine faş etmeye mecbur olur, mahkemelerde uğraşır dururdu.[12]

---

[12] Velâdet Âdetleri, Loğusa Cemiyetleri III, *Peyâm-ı Sabâh* (*Peyâm* nr. 1023, *Sabah*, nr. 11453), 10 Teşrinievvel 1337/1921, s. 3.

İstanbul Çocukları[13]

Mahalle çocuklarının oyunları

Tanzîmât-ı Hayriyye'den sonra devletçe nazarıdikkate alınan mevâddan biri de neşir ve tamîm-i maârif keyfiyetidir. Ol vakte kadar idâre-i devlet için ehliyetli memurlar yetiştirilmek ve bu suretle temin ve tesîs-i intizâm edilmek ehemmiyeti nispetinde düşünülememişti. Memleketimizin halkının seviyesine dair "On Üçüncü Asr-ı Hicrî'de İstanbul Hayatı" unvanı tahtında olarak yazmakta olduğum eserde, o zamanki avam takımının terbiye-i fikriyyesine numune olarak etfâlin seciyeleri ve terbiye-i umûmiyyeyi mütekeffil olmaları tasavvur edilen mekâtibin ahvali ve mürebbî-i ebnâ-yı zamân addolunan mahalle mektepleri muallimlerinin kıymet ve tarz-ı talîmlerini dahi yazmak istedim ve bildiğim kadarını zire derç eyledim.

Eskiden İstanbul'da alay alay mahalle çocukları cami avlularında, yangın yerlerinde, mezarlık tarlalarında, mahalle aralarında, körebe, esir almaca, topaç çevirme, pilav pişti, çaylak yavrum kapamazsın, uzun eşek, adım atlama, uçurma uçurtma, varan bir, kaydırak, köşe kapmaca, birdirbir, aşık atma, tahterevalli, seke seke ben geldim, saklambaç, ceviz açma, yazı mı tura mı, isimleriyle yâd olunan oyunları oynarlar; mevsim-i şitâda yokuşlarda kızak kayarlar, birbirlerini kartopularıyla topa tutarlar, ilkbaharda yumurta tokuştururlar, tulumba sandığı kaldırıp yangın taklidi yaparlar,[14] kuş geçimi mevsimlerinde de ökse ve kapan-

---

13 Bu tefrika "On Üçüncü Asr-ı Hicrîde İstanbul Hayatı" genel başlığıyla verilmiştir. Ali Rıza Bey "Ramazan Âdetleri" bölümünde bu tefrikadan bahsederken "İstanbul Çocukları" tabirini kullandığı için biz de bu bölüme bu başlığın konulmasını uygun bulduk.

14 Ali Rıza Beyin isimlerini saydığı bu oyunlardan bazılarının nasıl oynandığına dair geniş bilgi için bk. İstanbul Folkloru, s. 192-218; Ayşe Ünlüler, "İstanbul Çocuklarının Oyunları, Halk Bilgisi Haberleri, nr. 51, İkincikânun 1936, s. 34-37; Adil Özseven, "İstanbul Çocuk Oyunları", Halk Bilgisi Haberleri, nr. 106, Ağustos 1940, s. 240-245, nr. 108, Eylül 1940, s. 288-292)

ca denilen tuzaklarla kuş tutarlar.[15] Bu oyunlardan başka muhataralı bir oyun daha vardı ki, bir mahalle çocuklarının diğer mahalle çocuklarıyla taş salası etmeleriydi. Bu oyun âdeta bir muharebe şeklini andırırdı. Aralarında yine oyunlardan maksat ihtilâf ve münazaa sulhen tesviye olunamadığı hâlde ilân-ı muhasama olunur ve perşembe günü öğle azadından sonra salaya[16] geleceklerinden bahisle hazır olmalarını ilbaşı tarafından memur iki[17] çocuk gider, hasımları olan mahallenin çocuklarına resmen ihtar eder.

Bunlar gözlerini taştan sakınmaz, dayaktan yılmaz, her tehlikeye meydan okur takımdan olduklarından her iki taraf birkaç gün evvel sokaklardan irili ufaklı taşlar toplamaya başlarlar, küme küme münasip gördükleri mahallere istif ederler. Yevm-i muayyende mâ-haşerallâh sokaklar çocuklarla dolar; tarafeyn yekdiğerine hücum eder, yağmur gibi taşlar yağar, sokak başlarına gizlenmek, bazı arızalı yerleri siper almak gibi manevralar icra ederler. Akşama kadar muharebeye devam olunur.

Bir tarafta muzafferiyyet-i kat'iyye istihsâl edilemediği surette akşam üstü akd-i mütâreke olunur. Her iki taraf birbirinden alıp nöbetçi dikilerek çıkmaz sokaklarda hapseyledikleri esirler, geceyi hanelerinde geçirmek ve ferdası günü ber-mûcib-i mukavele husemâsının tabya eylediği mahall-i üserâya avdet etmek üzere salaya muvakkaten nihayet verilir.

Ferdası cuma günü ale's-sabâh her iki taraf mevâki-i harbiyyede içtima eder. Üserâ dahi muayyen mevkilerine avdet ederler. Salâya tekrar başlanır. Mededallâh, iki tarafta kumandalar, çığlıklar, haykırmalar dünyayı tutar. Taşlar kar tipisi hâlini alır, bir hücumdur gider. Evlerde camlar kırılır. Kadınlar avazları çıktığı kadar haykırır. Nihayet bir tarafta mağlûbiyet baş gösterir. Mağlûpların her biri bir tarafa firar eder, galipler oyun merkezini zaptetmekle muzafferiyet kesb-i kat'iyyet etmiş olur.

Onlarca bu muzafferiyetten hâsıl olan neşenin hadd ü pâyânı yoktur. Civar mahallât çocukları kâmilen bu muzafferiyetten haberdar edilir. İcra olunan manevralardan ve kimlerin ne gibi yararlıklar gösterdiklerinden tafsilât verilir. Salâ esnasında taş isabet etmesinden dolayı kimisi elini bir bez ile sarmış bulunur.

---

[15] Çocuklar bu suretle tuttukları kuşları kafeslere koyup cami avlularına götürürler. Birçok kimseler de bunlara beşer, onar para verip kuşları azat ettirirler. Çocuklar kuşları kafesten çıkarıp da salıverirken "Azat bozat, cennet kapısında beni gözet!" demek âdetleri iktizasındandır. (ARB)

[16] Çocuklar, perşembe ve cuma günlerinin gayri günlerinde öğle ve ikindi azadı namıyla iki defa mektepten çıkarlar ve perşembe günlerinde de sabahtan öğle vaktine kadar bulunarak öğle azadından sonra artık akşama kadar serbest kalırlar. Cuma günleri bütün tatildir. (ARB)

[17] Her mahallenin oyun mevkiinde çocukların büyükçelerinden biri ilbaşı olur. Her oyun ilbaşının nezareti altında icra olunur. (ARB)

Fakat bu suretle yaralanmış olanlar hakîkat-i hâli ebeveyninden ketm edip sokakta düştüğünden bahisle tevil etmeye mecburdur.

Çocuklar ramazanı büyük sabırsızlıklarla beklerler. Çünkü hiç sevmedikleri mektepler bu ayda hafifler, her gün yarım azat olurlar. Geceleri karagöze giderler. Her taraf kandillerle donanır. Bir de gündüzleri viranelerden ve yangın yerlerinden yoğurt çanakları kırıkları, kiremit parçaları toplanır. Mahalle attarından toprak, kestane, arayıcı, altı patlar fişenkleri, çanak ve el maytapları alınır. Geceleri yatsı ezanından evvel oyun merkezinde içtima olunup herkes vazîfe-i muayyenesine mübaşeret eder.

Kemâl-i itinâ ile çanak terslerine zeytin yağları ve fitiller vazedilip kiremit parçalarına şemalar ve mumlar dikilir. Yaya kaldırımları üzerine bir siyakta dizilir, maytaplar yanmaya, fişekler patlamaya başlar. Artık gelip geçenlerden yağ ve mum parası mutâlebesi hakkında mine'l-kadîm mer'i olan teamül hükmünün icrasına kesb-i istihkak edilmiş olur. Alay alay sokaklarda yağ ve mum parası nidasıyla dolaşırlar. Fenerlileri ürkütmek ve ikaz edip mum parası verdirmek için "Bakkalda üzüm, fenerde gözüm, bakkalda kursak, feneri vursak" tekerlemelerini hızlı hızlı söylerler ve bu suretle gelip geçenleri yağ ve mum parası vermeye mecbur ederler. Vermeyenlerin fenerlerini patlatmak veyahut kapıp kaçmak, hatta yağ ve mum parası vermeyen hanelerin camlarını kırmak bile teâmül-i mezkûr icabındandır. Eskiden sokaklar şimdiki gibi gazlarla münevver olmadığından ve fenersiz gezinmek ol vakit ki usûl-i zâbıta iktizasınca memnu bulunduğundan herkes sokakta gezmek için fener tedarikine mecbur idiler.

Fenerlerimiz mine'l-kadîm muşamba ve tenekeden mamul çerçeveli cam ve bir de kâğıt fenerler olup, çocukların bu fener kapmak yağmacılığı ekseriya kâğıt fenerlere münhasır gibiydi. Herkes için muşamba veya cam fener tedarik etmek masraflıca olduğundan ve bakkallardan suhuletle kâğıt fener tedarik olunduğundan ekser nas kâğıt fenerlerle gezerlerdi. Çocuklar fener kapmak için birkaçı sokakların köşe başlarına gizlenirler. İçlerinden biri meydanda gezip bir kâğıt fenerlinin geldiğini gördüğü dakikada o adamı yukardan aşağıya süzüp, eğer dalgınca bir adamsa meselâ "üzüm!" diye bir işaret verir, hemen pusudan bir çocuk çıkıp ve fenerlinin arkasından yavaş yavaş yetişip feneri ya yakar, ya kapar veyahut patlatır. Hemen tabanı tutar kaçar. Fenerli adam azılıca bir şey ise gözcü "fındık!" diye işaret verir, kimse pusudan çıkmaz. Ekser yolcular sokakta bir çocuk gördükleri gibi kendilerini toplayıp etrafına bakınmaya ve feneri bir eliyle halkasından, diğer eliyle dibinden tutup önüne alarak muhafaza etmeye mecbur olurdu. Bir ramazan gecesi Fatih Camii civarından geçerken birçok sesler işitilmekle, sebebini anlamak için refikim ile beraber yanlarına gitmiştik. Meğer bunların böyle vartalarına uğrayan adamcağız fenersiz kalmış, başka fener de tedarik edememiş, naçar yoluna devama mecbur olmuş. Fakat esnâ-yı râhta zaptiye koluna tesadüf etmiş, fenersiz olduğu için kol çevirip karakolhaneye sevk etmek istemiş. Bîçare adam hâlini ifade ile isbât-ı mazeret zımnında tekrar oraya gelip çocukları irâe etmek murat etmiş. Lâkin zaptiyeleri gördükleri gibi çocukların her biri bir tarafa kaçtılar. Zavallı yolcunun mazereti bu suretle anlaşıldı. Kol tarafından kendisine bir zaptiye terfik olunarak meskenine gönderildiydi.

Mahalle mektepleri

Bu gibi ahvalin başlıca sebebi ol vakitler mekteplerimizin intizamsızlığı idi. Çünkü sıbyan mekteplerinin çoğu vakıf ve muallimliği de ekserisi imametle beraber evlâdiyete meşrut olduğu ve o zamanki usul icabınca mekteplere muallim olacakları için müntehâ-yı tahsîl Kur'ân-ı Kerîm'i hıfzedip hafız olmaktan ibaret bulunduğu hâlde, çoğu buna da muktedir olamayıp, fakat pederinden mevrûs olması cihetle sarığı sardığı gibi vazifesini deruhte edebilirdi.[18]

Bu mekteplerin kalfa namıyla ikişer de muavinleri vardı. Hâlbuki bunlar da bir iş tutmaya ve maişetini temin etmeye muktedir olamadıklarından geçindirilmek için kayrılmış cahil ve hâlî-zihin adamlardı. Evlâd-ı ağniyâyı yüz vermekle yüzsüz ve evlâd-ı fukarâyı tahkir etmekle arsız ederler ve haftabaşı olan cumartesi günleri haftalıklarını almaktan başka[19] bir şey düşünmezler ve haftalığı getirmemiş olan çocukları tazyik eylediklerinden, çocukların iz'açlarından başları rahat olmak arzusunda bulunan evliyâ-yı etfâl ne yapıp haftalıkları tedarik ve tesviye etmeye mecbur olurlar. Çocuklar okusa da olur okumasa da olur. "Mektebe gidiyor ya!" kelâmı kifayet ederdi. Çocuklar dersleri için bir sıkı görmeyip hocaefendinin veya kalfaların canlarını sıkacak ve tasdîlerini mucip olacak derecelerde birbirleriyle münazaa ve gürültü ettiklerinden, çünkü mektebe verdiği zaman velisi "Eti senin kemiği benim!" diye hocasına teslim ettiğinden kalfa hazırdır. Derhâl falakaya yatırırlar. Tabanlarını iki kişi tutar, ona mahsus değnekle hoca veya kalfanın hiddeti teskin oluncaya kadar darp eder. Çocuk ağlar, feryat eder, neticede topallaya topallaya yerine gider oturur. Sıbyan mekteplerinde kulağı çekmek, şamarlamak veya falakaya yatırılmak suretiyle dayak âdet hükmüne girmiş olduğundan mürâhik derecesine gelmiş olan çocuk artık dayaktan yılmaz ve tekdirden utanmaz olmuşlardır. İşleri güçleri gûne yara-

---

[18] 1329 [1911] tarihinde neşrolunan nizamname mucebince bu misilli cihâtın ehline tevcihi ve muâmelât-ı tevcîhiyyenin salim bir tarzda cereyanı taht-ı temîne alınmıştır. (ARB)

[19] Bu misilli vakıf mekteplerin ekserisinde çocuklara "kapama" namıyla beher sene cânib-i vakıftan bayramlık elbise ve ayakkabı verilir ve bu kapamalar ramazân-ı şerîfin on beşinden sonra İstanbul tarafında olanlara Hamidiye ve Üsküdar cihetinde bulunanlara Ayazma imarethanelerinde tevzi olunurdu. Evliyâ-yı etfâl çocuklarını kapaması olan mekteplere vermekliği menfaatlerine muvafık bulduğundan, beş sene tevzi olunan kapamanın miktarı bir hayli baliğ olurdu. Bu kapama tevziatı yetmiş sekiz [1861] tarihlerine kadar devam etmişti. (ARB)

mazlık ve nasıl muziplik ve arsızlık edeceğini düşünmekten ve kendilerinden küçük olanlara talim etmekten ibaretti.

Mekteplerin tarz-ı inşâsına gelince, ekserisi zemin katında olmak üzere dört taş duvar ve bir damdan ibaret olup, derununda sıra sıra dizilmiş olan rahlelerin karşılıklı iki tarafına çocuklar kendi hanelerinden getirmiş oldukları minderleri koyup otururlar.[20] Köşelerden biri hocaefendinin makamı olmak üzere tefrik olunmuş ve baş ucuna çocukları dövmek ve ikaz etmek için uzun bir sırık ile falaka değnekleri asılmış ve büyük küçük falakaların makamları da birer köşede tefrik edilmiştir. Vaktiyle sıbyan mekteplerinde teneffüshaneye ve bahçeye çıkarılmak gibi usuller olmadığından, sabahtan akşama kadar bu dört duvar içinde yüzlerce çocuklar kafese tıkılmış azatlık kuşlar gibi ikamete mahkûm idiler. Daima azat vaktini intizar ederler ve azat zamanlarında, tatil günlerinde cerâd-ı münteşire gibi sokaklara yayılırlar ve bin türlü yaramazlıklar ederek ortalığı velveleye verirlerdi.

Evliyâ-yı etfâlden bir kısmı da evlâtlarını bu misilli haylazlıktan kurtarmak ve mümkün mertebe bir sanat tahsil ettirmek maksadıyla çocuklar beş altı yaşına bastıkları gibi esnaf dükkânlarından birine şakirtliğe verildiklerinden ve sonradan tahsile heves etmediklerinden o makule sabiler cehaletle büyür giderlerdi.[21]

Bir de babalarımız çocukların terbiyesini diz çöküp mahcubane oturmaktan ve büyüklere ale'l-amyâ inkıyat etmekten ibaret olduğu kanaatinde bulunduklarından, on on beş yaşlarına gelmiş bir çocuk sohbetlerine karışıp da bir şey sual edecek olsa hakikati söyleyip çocuğu irşat edecek yerde "Büyüklerin sözüne karışılmaz, büyükler yanında söz söylenmez, ayıptır!" diye derhâl menederler. Kendisinden büyüğünün yanında söz söylemek muayyebâttan olduğuna kani olan zavallı çocuk büyür gider, iki sözü bir yere getirip söylemeye muktedir olamazdı. Sıbyan mekteplerinde okutturulacak derslere gelince, iptida elifba harflerini ilâ ahirihi ezberlettirip "Bir üstün, bir esre, iki üstün, iki esre" harekeleri gösterilir bu harekeler "Elif küsün enni, elif kesa enni, elif kötür enni" diye bir nevi vezin ile okutturulurdu.

Bu cihete lâfz-ı elifbâ demeyi hocanın lisanından istimâında bellemeyip, hâlbuki resm-i hurûf hakkıyla irâe edilmediğinden çocuk elif cüzünün müntehası olan ebcede geldiği hâlde hurufatın eşkâlini ber-vech-i lâyık tanıyamazdı

İstitrat- Sultan Mahmut zamanı nüdemâsından meşhur Hayalî Sait Efendi bir gece huzûr-ı şâhânede hayal oynatır. Oyun sıbyan mekteplerinin taklidi ol-

---

[20] Bir aralık etfâlin sınıflara taksimi murat olmuş ise de buna bile taassup saikasıyla "suûbet vardır" denilerek sarfınazar edilmiş olduğu *Maarif Nezareti Tarihçesi*'nde bi'l-münâsebe hikâye edilmiştir. (ARB)

[21] On Üçüncü Asr-ı Hicrî'de İstanbul Hayatı I, *Alemdâr*, nr. 3068/868, 8 Şubat 1337/1921, s. 3

duğundan Hacivat mektep hocası, Karagöz de şakirdi olur. Elifba harflerinden sonra hoca "bir üstün!" der, şakirdi tıpkısını söyler. Hoca "bir esre!" deyince Karagöz de durur: "Olmaz, yanlış okutuyorsun, bir altın" der. Hoca "Dersin usulü budur, bir esre diyeceksin!" der. Şakirt "Bir nesnenin üstü olur da altı olmaz mı? Bir altın!" der. Hoca şakirde tokadı aşk eder. Şakirt hocaya el kaldırır. Muhavere kızışır, arbede büyür. Taraf-ı şâhâneden perdenin derununa bir altın bıraktırılır. Karagöz derhâl münasip bir dua ile beraber "Davamın doğru olduğunu şevket-meâb efendimiz de takdir buyurdular" der ve derse devam edilir. Hoca "iki üstün!" dediğinde şakirt aynısını söyler. Fakat "iki esre!" demez yine "iki altın!" der. Perdeye iki altın bırakılmakla beraber "Sait halt ediyorsun!" buyrulur. Sait Efendi de "Efendim, mekteplerimizin tarz-ı tahsîlini taklit ediyorum" cevabını ita eder. Bu temsilin tesiri olsa gerektir ki 1244 [1828/29] tarihlerinde İstanbul kadılığına hitaben tastîr buyrulan fermân-ı âlîde bir müddetten beri ehl- İslâm içinde talim ve terbiye-i sıbyân hususuna ehemmiyet verilmez olduğundan, ekser nâs çocuklarını altı yedi yaşlarında mektepten alıp sanata vererek halkı cehil istilâ eylediğinden bahisle, herkes evlâdını mürâhik derecesine varmadıkça ve tecvit ve ilmihâl derslerini ve şerâit-i İslâmiyyesini öğrenmedikçe mektepten alıp ustaya vermemesi tavsiye olunmuş ve bu kadar bir malûmât-ı ibtidâiyye tavsiyesiyle iktifa olunup tarz-ı tahsîl hakkında bir gûne ıslahat icra edilmemiştir.

Münteha

Çocuk elif cüz'ünü tekmil edince Amme cüz'üne terakki ve heceye bed' eder. Ders sırası "fargab" kelimesine gelince hocaefendinin veya baş kalfanın huzurunda fargab kelimesini telâffuz etmesiyle beraber çocuğun fesi kapılır, cüz kesesi başına geçirilir, hanesine gönderilir. Hocaefendinin veya baş kalfanın hediyesi gönderilmedikçe çocuğun fesi iade olunmaz. Bu hâl ebeveyn için bir terakki addolunur. "Şükürler olsun evlâdımızın bugününü de gördük" diyerek hane halkı izhâr-ı meserret ve mahzuziyetle beraber derhâl hediyeleri takdim ve irsale müsâraat gösterirlerdi.

Tebâreke, Kad semi'a ve Zâriyât cüz'lerini okuduktan sonra Mushaf-ı şerîfe çıktığında tecvit dersi ilâve edilir, *Mızraklı İlmihâl* dersi de onu takip eder. Bir de bed'-i besmele cemiyetlerinde, âmin alaylarında[22] okutmak için çocuklara ilâhîler meşk ettirilir. İşte mahalle mekteplerinde okunan dersler bundan ibarettir.

---

22 Eskiden mektebe başlatma cemiyetleri olurdu. Evliyâ-yı etfâl yemekler ve lokmalarla epeyce külfetli düğünler yaparlar, çocukların feslerine elmaslar takarlar. Sırmalı elbise, sırmalı cüz keseleriyle tezyin ederek at veya arabalara bindirirler; çocuğun minderini rahle üzerinde birinin başına verirler. Arkada mektep çocukları bülent avaz ile ilâhîler okuyarak ve beyitler arasında daha ufak çocuklar "Amin!" diye bağırarak sokaklarda dolaştırırlar. Badehu düğün evine gelirler. Davetliler hazır olduğu hâlde çocuk hocanın karşısına oturup elifba harfleri kıraat ettirilir. Aşr-ı şerîfler okunur, dualar edilir. Dua esnasında sofalara yerleştirilmiş olan mektep çocukları

Bu suretle bir iki hatim ederler. Huffâza nedret gelmemek için hıfza çalışıp hafız olmak müntehâ-yı tahsîl addolunmuştur. Mamafih buna da ekseriya imam ve müezzin evlâtları muvaffak olabilirler.

Mahalle mekteplerinin ekserisinde yazı olmadığından yazıya heves eden çocuklar eyyâm-ı mahsûsada ücretle hanesinde yazı meşki veren muallimin ikametgâhına gitmeye mecburdur.

İptida sülüs, muahharen nesih hatlarını temeşşuk eder. Bunun müntehası ketebe almaktır. Fakat bu da yevmiye, okkalarla karalama yazmak şartıyla senelere muhtaçtır.

Hatt-ı rik'a için yine başka bir muallime ihtiyaç vardır, çünkü sülüs hocası rik'a talim edemez. Devâir-i resmiyyede istihdam olunmak için "divanî, divanî kırması siyakat" denilen hatları da talim etmek muktezi ise de, hariçte bu gibi yazılar için muallim tedariki müşkül olduğundan, bu hatlar kalemlere çerağ olduktan sonra temeşşuk edilirdi.

Arabî dersine gelince, nadiren cami derslerine sevk edilenler olur. Fakat talebe-i ulûmdan bazıları sarf, nahiv ve mantık okuduktan ve biraz da, *Şerh-i Akaid* gördükten sonra bir rahle yakalayıp mahallât camilerinde ahz-ı ücret veya celb-i şöhret maksadıyla derse çıkıp şuna buna ders okuturlar ve çocukların ekserisi bu derslere devam ettirilirdi. Fakat bu misilli Arabî muallimleri derse başlamadan evvel iptida mahalle kahvelerinde mübahaseler açar, birtakım safsatalı kıyaslar verir, muhataplarını ağzına baktırır. Hocanın fazl ü kemali kahvehane halkınca tahakkuk eder, ondan sonra derse çıkardı.

Bu kabil muallim efendiler şu suretle tedarik ettikleri talebeye "nasara yensuru" diye başlar. Bu iki kelimeye müteallik ne kadar kal u kîl varsa cümlesini yâd ve tezkâra sarf-ı makderet ederek sarf okuturken nahivden ve nahive çıkıldığında mantıktan kavâid ve usul beyan eder. Bundan muallim efendinin muradı talebeye kendisinin kemalini izhardan ibarettir. Yoksa müteallimînin istifadesi matlup değildir. Henüz sarfa başlamış bir müptedinin kavâid-i nahviyyeyi anlayamayacağı gibi nahiv okumaya başlayanların da sugrâ ve kübrâdan bir şey istintâc edemeyecekleri müstağnî-i delîldir.

Lisân-ı Osmânînin elfâz-ı kesîresi Arabî ve Farisîden mehûz olduğu ve Türkçe bu lisanlarla tekâmül ve tezeyyün eylediği cihetle lisân-ı Fârisîyi dahi oldukça öğrenmek lâzım iken, o zamanlar halkımızdan bazıları "Kim ki okur Farisî, gider dinin yarısı" hükmüne kail olduklarından çocuklarına Farisî okutmak istemezlerdi. Mamafih Arabî muallimlerinin bu lisana vukufu olmadığı ve Fari-

---

"Amin!" diye haykırırlar. Hitamında ilâhîcilere bir misli fazla olmak üzere kapıdan çıkarken çocuklara düğün sahibi otuzar, kırkar para verirdi. (ARB)

sî muallimi de mahdut bulunduğu cihetle tahsiline heves edenler de tedarikinde güçlük çekerlerdi.[23]

Fevkalâde zekâya malik olan bazı gençler ictihâd-ı zâtî veya şunun bunun sevkiyle bazı erbâb-ı kemâle intisap ile tahsîl-i ulûma sa'y ve gayret edenler olurdu. Fakat bu da ender idi.

Maarifçe olan fevkalâde mahrumiyetler ile beraber o asırda Pertev, Âkif, Reşit, Âli, Fuat, Ahmet Vefik, Midhat ve Ziya Paşalar, Şinasî Efendi, Namık Kemal Bey gibi fevkalâde addolunacak bir ricalin yetiştirilmiş olması bu kabildendir diyebiliriz.

Çocuklardan ekserisinin Arabî, Farisî yazı muallimlerine başka başka ücret itasına hâl ve vakitleri müsait olmadığından ve birtakımı da böyle karışık ve nakıs tahsile çalışmaktan istifade temin edemediklerinden derse devamı külliyen terk ile tâli-i nâçârlarından şikâyet eder giderdi.

Rical ve kibar takımları kendi çocuklarının istedikleri gibi tahsil ve terbiyesi için hususî muallimler tedarik ederler ve şürûh-ı havâşînin kal u kîlından sarfınazarla sarf ve nahvi alâ-kadri'l-imkân hıfz ettirip lisân-ı Fârisî tahsil ve kütüb-i edebiyyeden bazı kitaplar okutturulur ve hüsnühat ve biraz da şiir ve inşa gösterilirdi. Mamafih zadegân içinde bu raddelerde tahsil görmüş olanlar parmakla gösterilirdi. Çünkü bunların ekserisi zenginliğin ve izz ü ikbalin kesreti cihetle hiçbir şeye ihtiyaçları olmadığı gibi ilim ve hüner tahsili misilli tekellüfâttan da nefislerini azade tutarlar ve asalet bizde bir hakk-ı tefevvuk ve temayüz bahşeylediğinden zadegân takımının ekserisi zengin olmak mirastan ve rütbe ve ikbale nail olmak da asalet ve sahabet sayesinde hâsıl olacağı kanaatinde bulunduklarından vakitlerini zevke ve eğlenceye sarf etmek isterler. Muallimlerine gelince; bunlar dahi talebelerinin mizaçlarına hizmet ettikleri hâlde makbul ve aksi takdirde menfur olacaklarını bildiklerinden ücret-i tahsîliyyeyi kaybetmemek için mahdum beyleri sıkmamak ve mizaçlarına hizmet etmek mesleğini ihtiyar ederlerdi. Vakıa ahvâl-i kadîme iktizasınca bu misilli beylerimizin çoğu sahabet ve asalet sayesinde ikbale nail olurlardı. Fakat bir müddet sonra ikballeri söndüğü ve hele mirasından hâsıl olan servet emek sarfıyla kazanılmış şey olmadığından ve müsrifliği asalet ve sahâvet icabından addedenler emvâl ve emlâkının kıymetini bilmedikleri cihetle nice servet-i mevrûsenin az vakit içinde mahvolup gittiği çoklarında görülmüştür.

Bir de mahalle çocuklarının şikâyet ettiğimiz yaramazlıkları hiç olmazsa mümârese-i bedeniyyelerine hizmetten hali değildi. Bunlarda müşahede edilen ten-dürüstlük, çeviklik, zindelik kibar çocuklarında mefkut idi. Çünkü lalaların,

---

[23] On Üçüncü Asr-ı Hicrî'de İstanbul Hayatı II, *Alemdâr*, nr. 3069/869, 9 Şubat 1337/1921, s. 3

dadıların kucaklarında ve naz ü naîm içinde büyüdüklerinden ekserisinin sıhhatleri muhtel olur, nezleden bile ödleri kopar; kansız, çelimsiz, cılız kalırlardı. Hatta bazıları tenâsüb-i endâmdan bile mahrum idi.

Tarîk-i ilmiyye zadegânına gelince; bunların çoğu hoppalıkla meşhurdur. Ekserisi tembel, beceriksiz, azimsiz, lâkayt idiler. Çünkü terbiye-i ibtidâiyyeyi haremde kakavan Çerkez daye veya çetrefil Arap dadıdan ve selâmlıkta sinîn-i vâfireden beri tablakârlıkta saç ve sakal ağartmış ve emektarlığına binaen kapıcılığa konulmuşken sokak köpeklerinin duhulünü menbadehue muktedir olamamasından dolayı merhameten lalalığa konulmuş ihtiyardan almış ve bunlardan daima *Keloğlan'ın Karakoncolosu, Dev Karısının Gulyabanîsi* masallarını dinleye dinleye umacıdan korkar, kirpi gibi büzülür. Yabancıdan ürker, huysuzlanır, üzülür olmuştur.

İsâbet-i ayn havfından haremde ve selâmlıkta misafirlere gösterilmez. Terbiyesi bozulmamak için daire halkıyla bile temas ettirilmez. Her vakit gördüğü bildiği dayesi, dadısı, lalasıdır. Şayet konakta tesadüfen bir misafir görecek olsa hicap eder, sıkılır, kaçar. "Buuh!" diye lalasını korkutur. Süpürge sapına çuha kenarını bağlayıp at gibi üstüne biner. Bahçede koşar, geçerken ayvazın ayağını çeler. Yemek tablasını devirir, güler. Daha bu gibi nice yaramazlıklar yapa yapa büyür, sakallanır. Cinler periler korkusundan geceleri odasında yalnız yatamaz, çünkü hâlâ çocuk kalmıştır.

Şükür ki mevâlîzâde olmak hasebiyle tarîk-i ilmiyyeye intisap ettirilmiş ve mektep yanından geçmediği ve üzerinde hoca hakkı olmadığı hâlde rüûs-ı tedrîs almış olduğundan ve zadegân takımı kaide-i kadîme iktizasınca sıkça sıkça tafra ettirilip şuyûh-ı tarîkin yirmi, otuz senede ancak vasıl olabildikleri merâtibe az vakitte terakki edegeldiklerinden bu suretle kat-ı merâtib ederek ricâl-i ilmiyye sırasına geçer ve "faziletli" elkabını ihraz edip ilmiye ricaline mahsus arpalık ile temîn-i maîşet ederlerdi.[24]

Ol vakitler mekâtib-i âliye olarak Tıbbiye, Mühendishane, Harbiye, Bahriye mektepleri gösterilebilir. Coğrafya, hikmet, hendese misilli ulûm ve fünûn tahsili mezkûr mekteplere münhasır olup, memûrîn-i devlete[25] lüzûm-ı teşmîli hatırlara bile getirilmezdi. Mükâleme meclislerinde murahhaslarımızın bu misilli ulûm ve fünûna vukufsuzluklarından dolayı esnâ-yı müzâkerede nice mahcubiyetler ve mazarratlar vukua geldiği tarihlerde münderiçtir.

---

24 On Üçüncü Asr-ı Hicrî'de İstanbul Hayatı III, *Alemdâr*, nr. 3070/870, 10 Şubat 1337/1921, s. 3

25 Eskiden erkân-ı devletin en mühimleri enderûn-ı hümâyûndan, aklâmdan, vüzera dairelerinden yetişirdi. Mamafih hiçten ümmî bir adam da en büyüp mesnetlere geçerdi. Enderunda Arabî ve Farisî hocaları mürettep olduğundan bazı üdeba ve şuara yetişti. Yalnız coğrafya ve hendese misilli ulûm ve fünûn tahsili oraca da âdet olmamıştı. (ARB)

Ezcümle Rusyalıların Akdeniz'e donanma sevk eylemek tedarikâtında bulundukları Fransızlar tarafından hayırhâhâne ihbar olunduğu hâlde Sebte Boğazı'nın[26] vücudundan haberdar olmayan erkân-ı devletin "Bu donanma oraya uçup da mı gelecek!" diye vürudu imkânı hakkında tereddüt ile haber-i mezkûra itimat etmeyip de Moskofların Bahr-ı Baltık'tan sevk eyledikleri donanmanın hücumuyla Çeşme Limanı'nda Donanma-yı Osmânî muhterik olduktan sonra akılları başlarına gelip izhâr-ı hayret etmişlerdir.

1243 [1828] muharebesi mağlubiyetinden sonra Edirne'ye izam olunan murahhaslarımıza Rusya murahhaslarının haritada irâe ettiği mevâkii bizimkilerin tayin edememesi ve bu mesele Babıâlice de halledilememesi cihetiyle Fransa ve Avusturya elçilerine müracaat edilmiş ve bu murahhaslarımız tazminat meselesinde bir milyonu bir yük[27] yani yüzbin zannıyla kabul etmişler ve aradaki müthiş farkı anladıkları gibi şaşırmışlardı.

Siyasetimizi idare edenler memalikimizin hududunu ve hatta cihet-i merbûtiyetini bilemezlerdi. *Cevdet Tarihi*'nin on birinci cildinin iptidasında münderiç bulunan şu fıkraya dikkat buyrulsun:

"Şu karışıklığa bak ki Babıâli bir adamın idamı için ferman yazıyor, nerede ve ne hâlde bulunduğunu ve hangi sancağa merbut olduğunu bilmiyor. Memleketin ahvâl-i coğrâfiyyesine vâkıf olmayan vükelâ işte böyle karaltıya kubur sıkar." diye beyân-ı efkâr eylemiştir.

Üdebadan dediğimiz bir şâir-i marûfumuz hendeseyi vesveseden addedip:

> İtibar eyleme hiç hendeseye
> Düşme ol dâire-i vesveseye

kıtasıyla nasihat eylemiştir.

1261 [1845] tarihinde Sultan Abdülmecit'in Babıâliye teşriflerinde Meclis-i Vâlâda kıraat olunan hatt-ı hümâyûnun bir fıkrasında "Dinen, dünyeviyyeten herkese lâzım olduğu üzere izâle-i cehl-i tebaa ile tahsîl-i ulûm-ı diniyye ve iktisâb-ı maârif-i nâfia kaziyyesinin mevkuf bulunduğu vesâilin icrâ-yı iktizâsına bakılması..." irade buyrulması üzere Meclis-i Vükelâda bi'l-müzâkere ıslâhı lâzım gelen mekâtib-i sıbyân mektepleri olmak hasebiyle ona göre bir nizam yapılması için ilmiye, seyfiye, mülkiye ricalinden mürekkep olarak bir meclis teşkil etmiş ve birkaç yere de rüşdiye mektepleri küşat edilmişti. 1264 [1848] tarihinde icra olunan tebeddül-i vükelâ sırasında serasker nasbolunan Dâmâd-ı Mahmûd

---

26 Akdeniz ile Atlas okyanusunun birleştiği Cebelitarık boğazı.

27 Eskiden beyne'n-nâs cereyan eden muamelede ve devâir-i resmiyyede milyon müstamel olmayıp yük ve kese itibariyle hesap görülürdü. (ARB)

Hânî Sait Paşa[28] İstanbul'u efkâr-ı cedîde ashabından tahliyeye kıyam etmesinden ve rüştiye mekteplerinde resim talimini vükelâ-yı sâbıkaya medâr-ı ithâm addeylemesinden dolayı ol vakit mekâtib-i umûmiyye nazır muavinliğinde bulunan haremeyn payelilerinden Vehbi Mollanın,[29] maarif daireleri, teftiş olunursa diye korkup ne kadar harita varsa hela kuburlarına attırmış olduğu *Ahmet Cevdet Paşa ve Zamanı* nam risalede münderiçtir. Azâde-i cehl-i tebaa ve iktisâb-ı maârif-i nâfia maksadıyla sarf olunan mesai sıbyan mekteplerine elifba cüzleri, ahlâk risaleleri tevzi etmekten ileri gidemedi.

Vaktiyle beka ve itilâ-yı mülk ü milletin ulûm ve maarifle kaim olacağı hakikatı düstûr-ı siyâset addolunarak evvel-be-evvel Fatih Câmi-i şerîfi civarında ulûm-ı âliye tahsili için sekiz sahndan mürekkep gayet âli medreseler inşa edildiydi.

Ondan sonra selâtîn-i Osmâniyye taraflarından cevâmi-i şerîfe inşa edildikçe civarına mükemmel medâris-i şerîfe inşası âdet hükmüne girdi. Padişahların mesleğine sülûku itiyat eden vüzeradan pek çokları İstanbul'un mevâki-i muhtelifesinde cevâmi ve medâris ve birçok zengin kütüphaneler inşa ve tesis eylemişlerdir.

Bununla beraber selâtîn-i Osmâniyye'mizden bazıları inşa buyurdukları medâris-i ilmiyyenin kurbünde sıbyana ve tahsîl-i ibtidâîye mahsus mekâtib inşasına da himmet buyurdular. Ol vakit bu yolda iptidaî tahsilin keyfiyeti ve derecesi hakkında malûmât-ı kâfiyemiz yoksa da medreselere kabul edilecek talebenin her hâlde sırf Arabî tahsili için iktiza eden malûmat ile mücehhez olmaları lüzumu müsellemâttan olduğundan sâlifü'z-zikr ibtidâî tahsilin vaktine göre derece-i kifâyede olması iktiza edeceği tabiî görünüyor.

Kaldı ki sonraları vüzera ve ağniyâ-yı memleketten bulunanlar hakkında tatbik edilen müsâdere-i emvâl kaidesi birçok zenginlerin, lüzumu olsun olmasın şurada burada mescit ve mektep vesaire inşa etmeleri âdetini tavsiye etmesiyle memleket her adım başında bu makule mebânî ile dolmaya başlamıştır.

---

28 Sait Paşa an-asl Bursalı'dır. Çavuşbaşı Alyanak Ali Efendinin hemşirezadesi olmakla tanınmıştır. 1238 [1822/23] tarihinde enderûn-ı hümâyûna dahil ve hazine kethüdasına imam ve muahharen mabeyinci ve damâd-ı şehriyârî olup mülkî ve askerî mansıpları devrederek son zamanlarında mazul kalmış, vefatına kadar dervişane bir hayat geçirmiştir. Vükelâ-yı sâbıka dediğim Reşit Paşa kabinesidir. (ARB)

29 Sadr-ı esbak Mısırlı Kâmil Paşanın (1274 [1858]) Avrupa'da bulunan Fuat Paşaya yazdığı hususî bir mektupta Vehbi Molla hakkında münderiç ibareyi aynen zirde derç eyledim. "Seyyid Vehbi, Nergisî edaya muadil bir arif var mıdır, mülâhazasıyla meşgul iken ol seyyid-i sahîhü'l-mensûb ve müftî-i irfân-ı cevâd hazretin meşgul iken zıdd-ı kâmili ve *Mızraklı İlmihâl*'inin gayr-ı âmili cehele-i cemâat-i ulemâdan imâm-ı fâzıl, müteseyyid Vehbi Efendinin "Cehlin o mertebesi sehl olmaz; kisbsiz de bu kadar cehl olmaz' tarikınce tafra-furûş-u haram olduğunun görülmesi sâbıku't-tezkere bâisü'r-rahmet ânifü'l-beyân hakkında müstelzim-i hayret-ı erbâb-ı basîret olur." (ARB)

Haddizatında medrese ve mektep yapmak dört duvar ile bir sakf inşa etmekten ibaret olmayıp, ihtiyâc-ı zamân ve terbiye-i asriyye düşünülerek evvelâ tahsilin mertebesi ve sureti ve bunu hüsn-i idâre edecek iradın ve zevatın vücudu iktiza eylediği hâlde, meselenin ruhu bu misilli mebânîyi idare eden vakıf mütevellileri tarafından asla düşünülmeyerek bilâhare o güzelim medâris ve mekâtib birtakım nâ-ehil muallimler yedlerine bırakılmış ve hele geçen asır iptidalarında bütün bütün çığırından çıkarılmıştır.

Bu hâli intaç eden esbaptan birisi ve en başlıcası da meselâ üç yüz sene evvel inşa edilen bir mektep muallimine tahsis eylediği beş akçe ücret-i şehriyye-i tedrîsiyye, zamanına göre muktedir bir muallimi müreffehen iaşeye kâfi iken, üç yüz sene sonra aynı akçe bir muallimin değil, adî bir fakirin bile kuvvet ve maişetine kifayet etmediğinden mekâtib-i vakfiyye muallimliklerinin, her hâlde çocuklardan cerredilecek üç beş kuruşla miskinâne idâme-i hayât etmek mecburiyetinde kalan nâ-ehiller eline geçmesine sebep olmuştur.

İdrak eylediğimiz yakın zamanlara kadar tahsisatı kâfi olmayan ibtidâî mektebi muallimleri sabahleyin iptida mahalle kahvesine uğrayıp, o gün zengince bir zatın vefat edip etmediğini arayarak müspet bir cevap bulmuşsa, o günü cenaze arkasında üç beş kuruş sadakaya nail olmak ümidinde geçirdiğine ve birçok muallimlerin cenazelere gitmek, tekke günlerinde ücretle zâkirlik veya dervişlik etmek ve bed'-i besmele ve hafız, hitan ve akit cemiyetlerinde vesairede bulunmak ile haftada ancak iki üç gün birkaç saat mektepte isbât-ı vücûd eylediklerine şahidiz. Hele mekâtib-i ibtidâiyye muallimlerinden pek çoğunun mahalle imamlığı vazifesini de deruhte etmiş bulunmaları meselesi tahsîl-i ibtidâîmize arız olan felâketlerin en mühimini teşkil ederdi.

Esef olunur ki sâika-i maîşetle memleketimizin erbâb-ı irfânından hiçbir kimse mahalle mektebi hocalığını kabul edemeyerek mekteplerimizin ve tahsîl-i ibtidâîmizin günden güne marûz-ı inhitât olmasına sebep olmuştur.

Üsküdar cihetinde 110 ve Galata mülhakatında 120 ve yalnız İstanbul semtinde 300 adede vasıl olan mekâtib-i vakfiyye içinde bir dereceye kadar tahsile itina eder beş on mektebin bunca nüfûs-i İslâmiyye evlâtlarının terbiye-i ibtidâiyesine kifayet edemeyeceği edna mülâhaza ile malûm olur. Vaktiyle medreselerimizde bunca huzzâk-ı etıbbâ, heyet ve hendese muallimleri ve mümtaz hükûmet adamları ve erbâb-ı ilm ü hüner yetiştirilmiş olduğu hâlde, sonraları ulema ve erbâb-ı tetebbuun fazl u kemali ulûm-ı şeriyyeye münhasır kalmış ve fünûn-ı mütenevvia Avrupa'da ilerledikçe bizde tedenni edip mensî ve metruk hükmüne girmiştir. Bizim târih-i husûsîmizi bile Avrupalılar türlü iftiralarla yazmışlardır. Hâlbuki biz felsefe okumak günahtır yollu telkînat-ı muzırraya kapılmış ve hakîkat-i Muhammediyye ve kemâlât-ı İslâmiyyeden gaflet ederek ahkâm-ı İslâmiyyeye muvafık olmayan garip bir taassup saikasıyla menfaat-i siyâsiyye, mücâveret-i hudûdiyye ve münâsebât-ı ticâriyye nukat-ı nazarından muhtaç olduğumuz fünûn-ı mütenevvia ve elsine-i ecnebiyye tahsiline rağbet etmemiş olduğumuzdan milel-i kadîme ve hâzıra ahvali şöyle dursun,[30] Avrupalıların hakkımızdaki suiniyetlerinden ve bize dair yazdıkları şeylerden bile bîhaber kalmışız.[31] Bununla beraber müneccimlerin ihbârâtına ve keşf-i istikbâl yolundaki sözlerine büyük ehemmiyetler verdik ve bir işe başlamak için mutlaka eyyâm-ı sad aradık.

Birtakım cahil vaizler kürsülerde envai safsatalarla birçok masumların ezhânını teşviş ederler ve meselâ "Büyük medeniyetler ve azim eserler vücuda getiren eslâfın vedîası fani dünya ile alâkamız yoktur. Dört günlük ömür için şeddadî binalara lüzum nedir?" diye tarif ederek meskenlerimizin bile imar ve intizamına heves etmekten halkı menetmiş olurlardı.[32]

Hele o tekke şeyhlerinin cahilleri[33] dervişlik, maneviyat, tasavvuf namı altında halka birtakım hurâfât telkin ile sanat ve ticaretten tecrit ederek, zavallılar "bir lokma bir hırka"ya kanaatle mütevekkilâne bodrum katlarında, izbe köşelerinde, mezarlık kenarlarında yarısı toprağa gömülmüş kovuklarda çürür giderlerdi.

Elli altmış yıl evvele gelinceye kadar aklâm-ı devletin hesâbâta müteallik şuabâtına intisap eden müptediler yıllarca çerağlık ederler ve hesaptan a'mâl-i erbaayı kalemlerde öğrenirlerdi. Umûr-ı tahrîriyye kalemlerine intisap edenler meyanında kara cümleye vâkıf olanlar nadir bulunurdu.[34]

Edebiyat, muharrirlik kelimeleri otuz kırk sene zarfında işitilmeye başladı.

Babalarımız, dedelerimiz yalnızca şecaati tenmiye için *Hamzaname, Kan Kalesi, Battal Gazi* masallarını, kahraman efsanelerini dinlemeye alıştırırlardı. Fikirlerimizi tenvir etmek için okuduğumuz romanlar *Âşık Kerem, Tahir ile Zühre, Köroğlu* hikâyeleri gibi şeylerdi.

---

30 On Üçüncü Asr-ı Hicrî'de İstanbul Hayatı IV, *Alemdâr*, nr. 3071/871, 11 Şubat 1337/1921, s. 3

31 1246 [1830/31] tarihinde enderun ve Mekteb-i Tıbbiye talebesinden Avrupa'ya yüz elli şakirt izamını Sultan Mahmut emretmişse de birtakım mutaassıplar bu emri çirkin görüp envai kilukal tekevvününe bais olduğundan izamlarından sarfınazar olunduğu *Tarihçe-i Evkaf*'ta münderiçtir. (ARB)

32 Dîn-i mübîn-i İslâmın müessis-i medeniyyet ve fazilet olduğunu âlem-i medeniyyete neşredecek erbâb-ı kemâl yetiştirmek için 1329 [1911] tarihinde Medresetü'l-Vâizîn tesis olunmuştur. (ARB)

33 Hacı Bayram-ı Velî hazretleri Ankara'da âhir-i ömrlerine kadar hidemât-ı maneviyyede bulunmakla beraber hidemât-ı münevveriyyede de bulunurlardı. Kendileri başında olduğu hâlde müridân ve muhibbânının kısm-ı azamı ziraat ve bir kısmı sanat ve ticaretle iştigal ederlerdi. (ARB)

34 Dîvân-ı hümâyûn kaleminde hüsnühat ve alelhusus hatt-ı dîvânî tastîr edildiğinden hutût-ı mütenevviada derece-i matlûba vasıl olan bir çerağ artık hulefâ sırasına geçer ve icazet makamında muallimi tarafından bir mahlâs verilir, beyne'l-hulefâ kalem mahlâsıyla yâd olunur ve çerağ minderinden hulefâ minderine otururdu. (ARB)

İnsaf olunsun, bir çocuk sabâvetten şebâba kadar sokaklarda büyür ve tedrîs-i ulûm şöyle dursun derdest-i talîm-i hecâya bile muktedir olmayan mektep hocalarından terbiye görürse artık ondan' ne beklenir. Lâkin sonraları terbiye-i âmmenin esası maarif olduğu anlaşılmaya başladı. Devr-i Abdülhamîd Hânî'de evvelâ bir Darülfünûn tesis olundu. Umûr-ı maârif bir nezâret-i müstakileye tevdi edildi. O asrın erbâb-ı irfânından bir Meclis-i Maârif teşkil olundu.

Pey-â-pey iptidaî ve rüşdî mekâtibi açıldı. Meclis-i Maârif azasından bulunan Mehmet Fuat ve Ahmet Cevdet Efendiler (Paşalar) taraflarından müştereken en iptida bir de *Kavâid-i Osmâniyye* kitabı tertip ve tabedildi.

Darüşşafaka, sanayi mektepleri, sanayi alayları açılıp, sinleri müsait olanlar buralara verildi. Buralarda ise çalışmak ister ve akranına tefevvuk davası adamı dürter olduğundan artık eskisi gibi sokaklarda çocuklar alayı kalktı. Ebeveynler de tahsilin fevâid ve muhassenâtını idrak etmeye başladı. İlimsiz, sanatsız yaşamak kabil olamayacağı hakikatını anladılar.

1278 [1861] tarihinde güzel tahsil ve terbiye görmüş zevattan mürekkep Cemiyyet-i İlmiyye-i Osmâniyye namıyla bir cemiyet teşekkül etti.

Her türlü fünûn ve sanayiye müteallik risaleler telif ve tercümeyle neşrettiler ve eyyâm-ı mahsûsada dersler verdiler. Mekteb-i Sultanî[35] teşekkül ve bir taraftan ecnebi mektepleri tekessür etti.[36] Yevmiye gazeteleri neşrolunmaya ve bunlar da birçok fünûn ve sanayiye müteallik makaleler tefrikalar derç edilmeye başladı.

Ahalinin tahsîl-i maârife hâhiş ve arzusu tezayüt eyledikçe müellefât ve matbuat kesb-i revâc eyledi. İşte yukarıdan beri yazdığım hakayıkı gençlerimiz nazarıdikkat ve insafa aldıkları hâlde asr-ı hâzırımızda mebsût olan envâr-ı maârif hakkında şükr-güzâr olmalarını tabiî addeder ve bu devirde yetişmemiş ve terbiye-i ahîre-i asriyye ile perveriş-yâb olamamış olan biz ihtiyarların evân-ı şebâbımızda ne gibi mahrumiyetler içinde yaşadığımıza izhâr-ı kanaatle noksan tahsilimizden dolayı görünen nakayısın bizlere mi, yoksa terbiye-i umûmiyye ile mükellef olmak lâzım gelen o zamanki ricâl-i devletin adem-i takayyüdüne mi atfedilmek lâzım geleceğini gençlerimizin nazar-ı takdir ve muhakemelerine havale eylerim.[37]

---

35 Dersaâdet'te tedrisatı sırf Fransızca olmak ve 900 talebe istiabına kâfi derecede vâsi bulunmak üzere Galatasarayı binası tensip edildi ve levâzım-ı fenniye ve ilmiyyesinin istikmaline 400 bin Frank sarf olundu. Masârif-i seneviyyesi için de 500 bin Frank tahsis olunmuştu. Fransızcanın memâlik-i Osmâniyye'de intişarına en kuvvetli vasıta Mekteb-i Sultânî olduğu iddia edenler çoktur. (ARB)

36 Bütün ezhân-ı etfâle ifhâm-ı sû-i niyet makasıd-ı bedhâhânesiyle teessüs eden mekteplerin mazarratı olduğundan sûret-i husûsiyyede yapılmak istenilen mekâtib için mezûniyyet-i nizâmiyye istihsali taht-ı mecbûriyyete alınmıştı. (ARB)

37 On Üçüncü Asr-ı Hicrî'de İstanbul Hayatı V, *Alemdâr*, nr. 3072/872, 12 Şubat 1337/1921, s. 3

Kadınlar Âlemi

Yakın vakitlere gelinceye kadar memleketimizde kadınlar başka hayat içinde, erkekler başka bir âlem-i infirâdda yaşayıp yekdiğeriyle ihtilât etmezlerdi.

Erkekler münhasıran meşgale-i kisb ü kâr ile; kadınlar yalnız muâmelât-ı beytiyye ile alâkadar idiler. Şu anane-i asliyyenin, meslek ve sûret-i maîşet cihetine tatbikinde kezalik efrâd-ı ahâlî arasında birkaç nevi husule getirirdi.

Kadınlarımızı kocalarının hâl ve şanı itibarıyla ayırdığımız hâlde, ashâb-ı menâsıb ve erbâb-ı servet haremlerini birinci nevi addetmek iktiza eder.

Bu birinci nevi dahilinde bazı aileler zevçleriyle temâs-ı dâimîde bulunamazlardı. Bunların zevçleri kendi meslekleri dahilinde bulunan birtakım muhipler ve taraftarlar ve müdahinler ile muhat ve selâmlık dairelerinde onlarla meşgul olmaya mahkûm bulunduklarından, bu nevi zatlar kendi aileleriyle temâs-ı dâimîde bulunmaya vakit bulamazlar, bittabi kendi muhitleri içinde kendileri için meşgale aramaya mecbur kalırlardı. Çünkü bir kibar aile ancak yazın yalıya gitmek ve kış için sayfiyeden avdet ve bazen pek yakın akrabasından birinin velîmesi veya loğusası veyahut kendi zevcinin hem-rütbesi olan büyük bir zatın bayram tebriği gibi vesile ile ancak sokağa çıkabilirlerdi.

Binâberîn sûret-i dâimede kendi hanesi dahilinde kendi hem-nevileriyle zaman geçirmeye mecbur kalırlar ve kendilerine göre eğlence aramak isterlerdi.

Maişetleri derece-i mutavassıtada bulunan aileler kendi zevçleriyle temasta bulunmakla beraber evinin kadını ve çocuklarının da validesi olduklarından vazîfe-i beytiyyeleriyle iştigal ederler. Çarşıdan bazı mübayaâtta bulunmak veya istihmâm etmek veyahut ehibbâsını ziyaret eylemek maksadıyla ancak bir iki ayda bir kere sokağa çıkabilirlerdi. Hatta ekserisi İstanbul'un bahusus Çarşı-yı kebîrin[38] yollarını bile lâyıkıyla bilmezlerdi. Zevçleri akşamları mahalle kahve-

---

[38] Bugünkü ismiyle Kapalıçarşı.

sine çıktıkça onlar da vakitleri müsait olursa bade't-taâm komşuya gidebilirler-di. Bu seviye-i maîşetde olanlar içinde genç iken dul kalmasından veyahut zev-cinin uzak bir mahalde bulunmasından dolayı her nasılsa sû-i karîne temas et-miş bulunanlardan fuhuş vadisine salik bulunanlar da olabilirdi.

Bazı işçi ve esnaf, amele zevceleri ve kendi maişetini kendi sa'y-ı zâtîsiyle te-min etmek mecburiyetinde kalan kadınlar üçüncü kısmı teşkil ederler. Bu kısma dahil olan kadınlar kendi hizmet-i beytiyyeleriyle beraber şunun bunun tahtası-nı siler, çamaşırını yıkar ve sair umûr-ı beytiyyesini tesviye etmekle beraber ken-di evinin işine de bakarlardı.

Bazı hoş-meşreb ve serbest kadınlar her telden çalar ve her mesleğe uyar ta-kımdan olduklarından bu üç kısımdan hariç kalmış olurlar.

Kadın sanatları

Eskiden İstanbul kadınları içinde sâhib-i sanat birçok kadınlar vardı. İptida şunu unutmamak lâzımdır ki her kadın kendi hanesi için muhtaç olduğu etime tabhını az ve çok bilmeye mecbur idi. Eski kadınlarımızdan çoğu baklavalar, bö-rekler ve mütenevvi ince yemekler bilirlerdi. Kadınlarımıza ait sanayiden biri de yazmacılık idi. Eskiden İstanbul hanımları başlarına ince tülbentten mamul ve ortası rengarenk çiçeklerle müzeyyen yazma yemenilerden hotoz yaparlardı. Bir de rical ve kibar takımı mendil makamında yazma yemeni istimal ederdi. İşte gerek bu yemenileri ve gerek yazma yorgan yüzlerini büyük gergeflerde fırçalar ve envai boyalar ile işlerlerdi. Bu mamulat has ve halis olmakla beraber gayet güzel ve zarif şeyler olduğundan ragabât-ı umûmiyyeyi kazanmıştı. Külliyetli ahzuita olur ve kadınlarımız da bu yüzden müstefit olurlardı.

Gergefle nakış işlemek de kadınlarımızın müntesip oldukları sanayiden idi. Çevre, uçkur, makreme, havlu başları gbi şeyleri ipek, kılâptan, sırma ile ne gü-zel işlerlerdi. Baş yemenileri için oya yapmak da kadınlarca ince sanatlardandı. Dikiş iğnesiyle ipekten türlü çiçek resimleri yaparlardı.

Dediğim tarihlerde dikiş makinesi henüz icat olunmamış veya İstanbul'da teşehhür etmemiş olduğundan makinelerin bugün gördüğü işleri eski kadınla-rımız el ile görürler ve zavallılar ne kadar göz nuru dökerlerdi.

İğ denilen ağaçtan mamul âlât ile elde pamuk ipliği bükerler ve bu ipliği kendi hususî tezgâhlarında dokurlardı. Bu dokunan bezler ipekli, bürümcük[39], hilâlî, idare, pamuk bezi namlarıyla müteaddit cinslere tefrik olunur ve cinsleri-ne göre kıymet konulur ve satılan bezlerden erkeklere don, gömlek yapılırdı. Bu

---

[39] bürümcük: Ham ipekten pek az miktarda keten ipliği katılarak dokunan yazlık kumaşa verilen addır. (*TGKSS*)

bezler incelikleriyle beraber dayanıklı şeylerdi. Kadınlarımız 79 [1863] tarihinde küşat olunan Sergi-i Umûmî'de[40] mazhar-ı mükâfat olmuşlardı. Gelinlik kızlar çeyizlerini bizzat kendileri ihzar ederlerdi. İnce işlerle ülfet etmeyen kadınlar Çarşı-yı kebîrde yağlıkçılara, kapamacı denilen hazırcılara müteallik dikişleri toptan götürü alırlar, muayyen ücûrât ile dikerlerdi.

Kadınlarımızca kazançlı sanayiden biri de ebelik sanatı idi. Eskiden mektep görmüş ve imtihan vermiş ebeler olmayıp bazı heveskâr kadınlar ebe hanımlar refakatinde istihdam olunarak hâsıl ettikleri rüsûh ve mümarese sayesinde ebelik etmekliği kendilerine meslek ittihaz ederlerdi.

Ufak çocukların arkasını hacamat eden hacamatçı kadınlar da vardı. Güya ocaktan izinli kurşun döken, çocukların korku damarlarını basan, dalaklarını kesen kadınlar da vardı.

Kel olan çocukların ve memleketinden yeni gelmiş küçük Çerkez cariyelerden başları kel olan kızların saçlarını yolup muâlece etmek de bir zamanlar kadınlara mahsus sanatlardan idi.[41]

Gelin odalarına yalancı çiçeklerden askı asan kadınlar da vardı. Bu askılar ne kadar külfetli şeylerdi. Askıcılık sanatı kadınlarımızca kadimdir. Daha evvelleri gelin odalarına şaldan askı asarlardı. Hamam ustalığı, hamam natırlığı gibi sanatlar kadınlarımızca makbul addolunmazdı. Bazı lâubalî-meşreb tazeler çengilik mesleğini de ihtiyar ederlerdi.

Çengiliğe heves eden tazeler tul müddet çengi kolbaşıları kadınların ikametgâhlarında bulunan meşkhanelerde raks talim ederlerdi. Malûm olduğu üzere bizde raks kadimdir. Erkek oyuncular köçek; kadın oyuncular da çengi ıtlak olunurdu. Eskiden elçi ziyafetlerinde bile köçekler raks ederdi. 73 [1856] tarihinde ilga olundu. Gerçi kadın çengiler lâğvolunmadı ise de giderek rağbetsizlikten dolayı her biri birer köşeye çekildi ve artık heves edenler de kalmadı.

Elyevm şurada burada Kıptî kadınların raksını görüp de eski çengileri ve çengilik sanatını istihfaf etmek revâ-yı hak değildir zannederim. Çünkü rakkaslığın birinci şartı sazendelik ve hanendelik misilli usule aşina olmaktır ve her adımını sazın usulüne tevfikan atmağa mecburdur. Raksın da kendine göre birtakım usulü ve kaidesi vardı. Esnâ-yı raksta kafa tutmalar, omuzdan titremeler, bel kırmalar, topuktan çarpmalar, tırnak üstünde uçar gibi koşmalar kâmilen sazın usulünde cereyan ederdi.

Bir zamanlar çengilerin marufeleri Tosun Paşa kızı Hayriye, Hancı kızı Zehra, Küçükpazarlı Naile idi. Bu Küçükpazarlı Naile hakkında "Nailem, Nailem,

---

[40] Sergi-i Umûmî için bk." İstanbul Esnafları" bölümü.
[41] *Millî Mecmua*, nr. 7, 24 Kânunusani 1339 [1923], s. 110-111

Küçükpazarlı Nailem" nakaratıyla bir de türkü inşat etmişlerdi. Çengilerin çalgıcılarına sıracı tabir olunurdu. Bunlar da Kıptî kadınlarından idi. Bu kadınların esnâ-yı raksta oyunu kızıştırmak için "Yallâh, yallâh yallâh" diyerek haykırmaları raksı bir kat daha havalandırır, en ağır başlı hanım efendileri bile çileden çıkarır, uyuşmuş olan hevesâtını canlandırırdı. Bir de Tahtakale kadınlar hamamında Natır Esma'nın sedası kadar tiz ve pürüzsüz kadın sesini şimdiye değin dinlemediğimi söylersem mübalâğaya hamlolunmamalıdır. Bir kına gecesinde idi. Bu kadın hamam oyununda kilci rolüne çıkmıştı. Kil satarken meşhur kuzuyu- ki "Şu karşıki dağda bir kuzu meler" güftesindedir- ne kadar yanık okumuştu. Yaz mevsimi sabaha yakın kadının gür ve parlak sedası karşıki dağlarda aksettikçe dinleyenler üzerinde ne büyük tesirler hâsıl etmişti. Yıldız Kamer kolbaşı da güzel zurna çalardı. Dediğim gece zurna ile Esma'ya refakat etmişti.

Selefte geçen hanımefendiler asrî hanımefendilerimiz gibi sinema, tiyatro misilli medenî eğlencelere yetişememişlerdir.

Aile münazaaları

Bizde aile münazaaları kesîrü'l-vukudur. Hele avam takımında zevç ve zevce beyninde dirliksizlik daimî gibidir. Bu geçimsizliğe kaynanaların da dahli vardır. Ekser kaynanalar gelinlerini sevemezler. Meselâ odasında yalnız başına kalan gelin, kaynanasına gidip de "Hanım anne emzikliyim, evde bir şey yok, ne yiyeceğim?" diyecek olsa alacağı cevap "Ziftin pekini ye!"den ibarettir. Zavallı gelin odasında ağzıyla çocuğuna ninni söyler, onu avutmaya çalışır, elleriyle mangal başında çocuğun bezlerini yıkar, ayağıyla da beşik sallar. Akşam nevalesini hazırlamak da geline aittir. Ne çare ki bu vazifeyi ifa etmek için evde erzak namına bir şey kalmamıştır. Kocasının getireceği şeye intizar eder. Hâlbuki herif akşamcı olduğundan gece meyhane avdeti ağız eğri, göz şaşı, çehre haşin, üst baş çamurlara batmış. Güya evi için bir kıyye uskumru almış, hâlbuki onu da yolda gelirken köpekler kapmış, sazı elinde kalmıştır. Ekmekçi çetelenin dolduğundan ve para verilemediğinden dolayı gündüzden ekmek bırakmamıştır. Sarhoş mütemadi homurdanır, bir şeyler söyler. Çocuğu güçlükle uyuttuğundan yavaşça söylemesini ihtar eden zevcesi güya büyük bir kabahat işlemiş gibi herif ağzına yüzüne, dinine imanına ağız dolusu küfür tufanını savurur. O gürültü arasında çocuk uyanır. Çatlarcasına ağlamaya başlar. Kaynana, görümce hanımlar güya muarazayı teskine gelirler. Hâlbuki gelinin aleyhine sarhoşun gazabını bir kat daha teşdit ederler. Zavallı gelin yemek yerine temiz bir de dayak yer. Bu hâl bir değil beş değil külle yevm böyledir. Akıbet "Nikâhım helâl, canım azat" diye yavrusunu kucağına alıp kaçmaya mecbur olur. Hatta "Bağrıma taş basarım" diyip evlâdını terk ile firar eden gelinler çok görülmüştür. Bundan sonra da fesh-i nikâh ve nafaka davaları baş gösterir. Bîçare kadın serairini mahkeme muhzırlarına, kâtiplerine faş etmeye mecbur olur, mahkemelerde uğraşır dururdu.

Hukuk-ı âile kanunu inşallah bu gibi hâllerin önünü almış olacaktır.

Hamam ustaları, hamam hademeleri, bohçacılar, askıcılar çengiler aşağı yukarı hep bir seviyede kadınlar idi. Bunlar öyle kocalarının bin türlü tehditleri, tazyikleri altında kalan ve envai cebir ve tahakkümlerine tahammül eden ve hele o müziç kaynana ve görümcelerin gelinlerine karşı besledikleri kin ve ihtiraslarının sevkiyle tasni ettikleri sürü sürü dedikoduları, hadd ü pâyânı olmayan ev yıkıcı haksızlıkları ve iftiraları altında ezilip miskin, cebin, uyuşuk bir hâlde kalan ve iki lâkırdıyı bir araya getirip söylemesini bilmeyen zor belâ söz söyleyen muti ve kanaatkâr ev kadınları gibi değildiler. Öyle kayıtlarla mukayyet olamazlardı, daima serbest yaşamak isterlerdi. Bi'l-farz böyle bir hâle maruz kalsalar bile derhâl gürültüyü koparıp ortalığı alt üst ederlerdi. Bunlar hemen hemen erkeklerle müsavi derecede metanet sahibi idiler. Bununla beraber gayet çalışkan, işgüzar becerikli aynı zamanda nabz-gîr, mizâc-âşinâ, gözden mana sezer kadınlar idi. Halka karşı daima tatlı dilli, güler yüzlü bulunurlar, bir kederleri olsa da asla belli etmezler, gam ve kasavet göstermezlerdi. Herkese karşı yine beşûş görünürler, her şeyin hep tatlı tarafından bahsederlerdi. Hâsılı kendini sevdirmenin yolunu bulurlardı. Bu nevi kadınlar ince hislere malik hanımefendilerle daha ziyade tanışır, sevişirlerdi.

Yüksek tabakada bulunan hanımefendilere gelince: Bunlar kocaları sayesinde hiçbir işle meşgul olmazlardı. Çocukları bile dayeleri, dadıları, lalaları büyütürlerdi.[42] Kendileri fart-ı tagaddî ile semizlendiklerinden çehrelerinin rengi parlak ve taze görünürdü. Hatta ekserisi yaşından daha genç göründüklerinden bu hâl-i zindegîlerinden memnun olurlardı. Fakat şişmanlık arttıkça vücutlarının hoşa gitmeyecek surette şekli bozulduğundan, işsizlikten dolayı kendilerine gittikçe bir rehavet ve kesalet geldiğinden neşeleri haleldar olurdu. Bir taraftan da selâmlık eğlencelerinin kesret ve tenevvuu ve alelhusus iç ağalarının, çamaşır ağalarının, Rum kilerci yamaklarının rüçhaniyet ve makbuliyeti izzetinefislerini rencide ederek bu hâllerin tesîrât-ı müheyyicesiyle sinirli olurlar, yıpranırlardı. Ve onlar da heyecanlarını teskin için hemcinslerinden eğlenceler tedarik etmeye kendilerinde hak görürler ve bu haklarını bilâ-fâsıla istimal ederek ızdırâb-ı derûnlarını, ruhî kederlerini gidermek isterlerdi.

Hanımefendilerin bu gayritabiî hâllerine itiraz edenler yok değildi. Fakat insafla tahlil edenler bu hâllerin esas kıskançlıktan mütevellit bir mukallitlikten ibaret olduğundan ve kadın da bir insan olmak hasebiyle mâhiyyet-i hissiyye ile mütehassis bulunduğundan onları da mazur görürlerdi.

---

42 Kibar çocukları dadılarından ve ihtiyar lalalarından daima *Keloğlan'ın Karakoncolosu, Dev Karısının Gulyabânîsi* masallarını dinleye dinleye umacıdan korkar, kirpi gibi büzülür, yabancıdan ürker huysuzlanır, üzülür büyür gider. Ecinni korkusundan odalarında yalnız yatamazlardı. (ARB)

İşte hamam ustaları ve onlara mümasil birtakım macera düşkünü kadınlar bu misilli hanım efendilere intisabı kendilerine meslek ittihaz etmişlerdi.

Yanlarında gayet şen, şuh, şetaretli bulunurlar, birtakım tatlı âlemlerle avuturlar, kalbe kasvet verecek, sinirlere dokunacak şeylerden ictinap ederler, candan gayet samimî görünürlerdi.

Şu hâl-i gayr-i tabiî İstanbul'a Garbî Rumeli kadınlarının, hususuyla kadınlarının varlıklılarının daima zevk ve safa ile dem-güzâr oldukları Siroz taraflarından sirayet eyleyerek ve İstanbul'da ayrıca bir devre-i tekâmül geçirerek daha inceleştirilmiş ve erbabı arasında zarif (zurafâ), zurefâ unvanı taammüm etmiştir.

Diğer bir rivayette de Yunanca (Lesbos) denilen Midilli adasına nispeten bu türlü zevke (Lesbos aşkı) ıtlak olunmasına bakılınca zurefâlığın menşei Midilli adası olması zannedilir. Bu zurefâ takımı hakkında merhum Münif Paşanın şu kıt'asını buracıkta tezkâr etmeyi münasip gördüm:

> *Zurefâya zurefâ diyemem ben asla*
> *Çünkü te'lif edemem akl ile sahâfeliği*
> *Anların maksadı yırtık ile yırtık yamamak*
> *Hiç mümkün mü yamamak delik ile deliği*

Zurefâlığın en hâr taraftarları kocalarından müteneffirdirler. Zevklerine engel oldukları için kocalarının vücudu onlara bir azap, bir işkencedir. Kocalarından daima uzak olmak isterler, fakat tecessüslerinden de sakınırlardı. Kocasına ihtiyacı olmayanlar asla ehemmiyet vermezler, onları hiçe sayarlardı. Kocaları da bilmemezlikten gelirlerdi.

...... Paşanın refika-i muhteremeleri ... Hanımefendinin bir aralık Mısır'a azimetlerinde Şair ...... Hanım tarafından inşat olunan şarkı güftelerini buraya derç eyledim. Bu güfteler ol vakit maruf bestekârlarımızdan Enderunî Ali Bey tarafından bestelenmişti. Bunun biri muhayyer kürdî diğeri de uşşak makamındadır. Birer suretini zire derç eyledim.

(Şarkı-i muhayyer-kürdî)

> *Câne tesîr eylemişti yâreler*
> *Gör neler çekti dil-i gam-hâreler*
> *Hasrete kendin yakan bîçâreler*

Nakarat

> *Cânını müjde verir âvâreler*

Sen gidelden yakdı bu hasret odu
Fikr-i zülfün başta akıl mı kodu
Makdemin müjdesini kim okudu

Eyzan[43]

(Şarkı-i uşşâk)

Sen ey serv-i revân, ruhsârı gülgûn
N'olur etsen beni bu demde memnûn
Olup hicrinle hâlim dîger-gûn

Nakarat

Gam-ı aşkınla Leylâ oldu Mecnûn

Enîs ü mûnisim gül yüzlü yârim
Gülsitânım gel bâğ-ı bahârım
Yetiş imdâdıma ey şîve-kârım

Eyzan

1867 sene-i Efrenciyyesi ve 1284 sene-i Hicriyyesinde Fransa imparatoru Üçüncü Napolyon'un daveti üzerine Sultan Abdülaziz, refakatinde Şehzade Murat ve Abdülhamit ve Yusuf İzzettin Efendiler bulunduğu hâlde Paris'te küşat olunan Sergi-i Umûmî'yi temaşa etmek üzere Avrupa'ya seyahat etmişlerdi. Fransa İmparatoriçesi Eugenie de iâde-i ziyâret maksadıyla İstanbul'a geldiğinde ikametine Beylerbeyi Sarayı tahsis olundu ve ol vakit Eugenie'nin şerefine pek büyük şenlikler yapıldı. Bu ikamet esnasında müşârünileyhâ Türk kadınları usulünde istihmâm etmekliği arzu ettiğinden en maruf hamam ustalarından İstavroz Hamamı'ndaki Vesile Hanım bi'l-celb sarayın hamamında müşârünileyhâyı eliyle yıkamıştır. Vesile Hanım Eugenie'nin hüsnünü, tenâsüb-i endâmını bahusus billûr gibi vücudunu söylemekle bitiremezdi.

Bu kadının dediği gibi imparatoriçe hakikaten pek güzeldi. Fakir kendisini iki defa görmüştüm. Bunun biri Beykoz çayırında inşa olunan resmigeçit köşkünün önünde arabadan inip Sultan Aziz'in koltuğunda olarak köşkün haricindeki merdivenden yukarıya çıktıklarında idi, diğeri de Taksim Kışlası pîşgâhında bir pazar günü maiyetinde Fransa elçisi olduğu hâlde mâşiyen piyasa etmekte iken görmüştüm. Mavi renkli fistanı içinde (narin, matbu bir endam, ince, halâvetli pembe bir çehre, uzun kirpiklerle sâyedâr şahane gözler) el-hâletü hâzihi sahîfe-i hâtıramdan silinmemiştir. İmparatoriçe ekseriya mavi renk fistan iktisa ettiğinden o sene bütün Beyoğlu madamları ve İstanbul hanımları nezdinde mavi renk moda olmuştu.[44]

---

43 *Millî Mecmua*, nr. 8, 7 Şubat 1340 [1924], s. 125-127
44 Bu ziyaretin ayrıntıları için bk. "İstanbul Halkının Tenezzüh ve Eğlenceleri" bölümü.

Eugenie'nin 1336 [1920] tarihinde vefat ettiğini ve hîn-i vefâtında 94 yaşında olduğunu ol vakit İstanbul gazeteleri yazmışlardı. Bu hesapça müşârünileyhânın İstanbul'a geldiği esnada kırk yaşlarında olduğu anlaşılır. Hâlbuki o zamanlar müşârünileyhâ daha genç görünüyordu.

Vesile Hanım bellediği birkaç kelime Fransızcayı hîn-i tekellümünde karışık bir surette söyler, imparatoriçe pek çok gülermiş. İmparatoriçenin hîn-i avdetinde canlıca atiyyeler almış olduğundan bu parayı sermaye ittihaz ederek bohçacı olmuş ve artık hamam ustalığını terk etmişti. Mamafih yine meslektaşlarıyla düşer kalkardı.

Bu gibi eşbeh kadınlardan biri de Uzun Ziynetî idi. Bu kadın hakikaten kibar nazlısı bir kadın idi. Rical ve kibar konaklarına teklifsiz girer, çıkardı. Eteği belinde, sözü sohbeti yerinde rabıtalı bir kadın idi. Câ-be-câ başını örter, selâmlıklara da çıkardı. Kibarlar hatırını sayarlar, kendisine çubuk, kahve ısmarlarlardı. Herkesin mizacına göre güzel sözler bulur, söyler eğlendirirdi. Hele Mîrî Dellâlbaşısı meşhur tuhaflardan Hacı Muhtar Efendi ile olan muhavereleri gayet eğlenceli olur, herkes gülmekten katılırdı.

İdrak ettiğimiz zamanlarda kadınlarımızın orta hâllileri de bu hamam ustalarına arz-ı ihtiyâc etmekten hali değildiler. Ezcümle kocalarına düşkün bazı tazeler zevçlerini rakibelerinden soğutabilmek ve muhabbetlerini kendilerine hasrettirmek için sûret-i mahremânede hamam ustalarıyla hasbıhâl ederler, onların delâletiyle birtakım büyücü hocalara müracaat mecburiyetinde kalırlardı.

Bu tazelerin çoğu velilerinden çekindikleri ve ihtiraz ettikleri cihetle malik oldukları mücevherat vesair zikıymet eşyalarını el altından iş gören bohçacı kadınlar vasıtasıyla yok pahasına elden çıkardıkları ve bu kıskançlıkları uğrunda heba ettikleri işitilirdi.

Bu bohçacı kadınların ekserisi Çarşı-yı kebîr entrikacılarının aleti idiler. Onların menfaatine hizmet ederler, kendileri de müstefit olurlardı.[45]

Eski rical ve kibar ailelerinin zevk-perestleri ve havaîlikte heveslerini almak isteyen taze kızları, medeniyet hayatına alışmış ve yeni usulleri kabul etmiş olan asrî hanımlarımız gibi faal ve müteşebbis olmadıklarından merbutiyet peyda eyledikleri hamam ustaları gibi kadınlar elinde bâzîçe olmuşlardı.

Bu nevi kadınların kıyafetleri de kendilerine mahsus gibi idi. Arkalarında yakası tenteneli[46] meselâ şal örneği basmadan tennure biçimi entari giyerler, saçlar kesik, kâküllüdür. Başlarına kenarı oyalı yazma yemeniden bir hotoz bağlayıp pat veya divanhane çivisi tabir olunan elmas iğneler takarlar, ince zarif bo-

---

45 *Millî Mecmua*, nr. 9, 21 Şubat 1340 [1924], s. 143-144
46 tentene: Dantelâ. (*KT*)

yundan atma altın kordona merbut mineli saat, toplu iğne ile göğsün bir tarafına iliştirilir ve bu kordonun ucuna da ufak ve zarif bir çakı raptedilirdi. Hele boyunlarına beyaz tülbent bağlamak şarttı. Bazıları bu tülbendin kenarlarına "ciğer deldi" veya "ah ah" işlettirirlerdi. Ayaklarda sarı sahtiyan terlik veya ökçesi basık şıpşıp bulunurdu.

Bunlar sevgililerine karşı âşıkane, mahmurane göz süzerek bakarlar ve onlara mutlaka "elmasım", "güzelim", "şekerim" sözleriyle hitap ederler. Mahfi meclislerinde hemfikir ve hemcinsleriyle âyîn-i cemler yaparlar, içlerinde ayş u nuş da tedavül eder. Bazen kararını geçiren hanımların boğazları tıkanarak âşıkane naralar savurdukları görülür, bedmest olanlarına tesadüf olunurdu.

Bu hamam ustaları kendilerini seven hanımefendiler üzerinde büyük tesirler icra ederler ve istediklerini kendilerine icra ettirirlerdi. Meşhur Gürcü Yusuf Ziyaettin Paşanın[47] haremi hanımefendi, sevdiği Kandilli Hamamı ustalarından Ayşe Hanımın mahkûmu olduğu ve paşanın ikinci defa sadaretinden azlinde bu hâlin de icrâ-yı tesir ettiği cümle-i merviyyâttandır. Yusuf Ziyaettin Paşa haremine çok riayet edermiş ve bu riayeti havf ve haşyet mertebesine varmış ve mamafih bazı ehibbâsıyla mahremane musâhabet ederken "Sizin haremlerinizden korktuğunuz gibi ben ondan korkmam, fakat meymenet-i kudûmü bi't-tecrübe indimde meczûm olduğundan fevkalâde riayete mecbur olmuşumdur" diye hasbe'l-vezâre izhâr-ı celâdet-i kâzibe eder ve kendisi sadrazamlık etmiş bir vezir iken zevcesine yazdığı tahriratında veliyyetü'n-ni'am tabir edermiş.

Şânizade'nin ifadesine göre, Mekkî Efendi kerimesi hanım ile Vasıf Efendi kerimesi hanım miyanelerinde olan şiddet-i ittisâl-i haremâneye muhalefet eden bir cariyeyi, malikesi hanım başını tıraş ettirip Üsküdar'da Miskinler Tekkesi'ne[48] irsal ve cüzzamlar tabhanesine ithal eylediği şüyu bularak mesmû-ı âli oldukta sadır olan hatt-ı hümâyun mucebince Mekkî Efendi kerimesi zevci sabıkan Bursa kadısı Mekke payelilerinden Murat Efendizade Mahmut Arif Efendi ile birlikte Mihaliç'e ve Vasıf Efendi kızı Tekfurdağı'na nefiy olunmuşlardır.

1225 [1810] tarihinde sadaret kaymakamı bulunan Cübbeci Osman Paşanın zevcesi bir çengi kadının meftunu olarak geceleri Babıâlinin harem dairesinde saz ve nekkare ile gulgule-i âhengleri etraftan mesmu olarak nas beyninde şayi

---

47 III. Selim ve II. Mahmut dönemi sadrazamlarından Yusuf Ziyaettin Paşa yaklaşık dokuz sene bu vazifede kalmıştır. (İsmail Hami Danişmend, *İzahlı Osmanlı Tarihi Kronolojisi*, c. V, İstanbul 1971, s. 69, 71)

48 Miskinler Tekkesi yahut Miskinhane: Cüzzam rahatsızlığına tutulan hastaları halkla temas ettirmemek için bu türlü hastaların kaldığı yerlere verilen addır. III. Selim devrinde Karacaahmet Mezarlığı dahilinde yapılan Miskinhanenin bütün giderleri Evkaf Nezareti tarafından karşılanırdı. 1908 yılından sonra kapatılmıştır. (*OTDTS*)

ve meşhur olup kaymakam paşa ise zevcesinin mağlûbu olduğu cihetle ol çen-
giye eshâm vesair irat tanzimiyle meşgul olduğu malûm-ı pâdişâhî olmasıyla
Osman Paşa azl ile Limni'ye ve zevcesi Bursa'ya nefiy ve iclâ ve merkum çengi
de idam ve ifna olunmuştur.[49]

---

[49] *Millî Mecmua*, nr. 12, 10 Nisan 1340 [1924], s. 187-188

Mahalle Kahveleri,
Mahalle İhtiyarları

Mine'l-kadîm İstanbul'un her tarafında avamın makarr-ı ictimâı olan kahvehaneler kesretli idi. En ücra semtlerde bile meselâ bir attar, bir bakkal dükkânına mukabil dört beş kahvehane vardı. İhtiyarların, gençlerin mahallât tulumbacıları misilli kabadayıların, hatta satranç, dama gibi i'mâl-i fikre mütevakkıf olan lu'biyyât meraklısı zevatın kahvehaneleri ayrı idi.

Her kahvehanenin derunu peykeler ile çevrilmiş ve üzerlerine hasır veya kar keçeleri mıhlanmıştı. Bazı kahvehanelerin içeri taraflarında mer'iyyü'l-hâtır zevat için bir iki ayak basamaklı ayrıca mahaller tefrik olunmuş ve bu mahallere minderler, yastıklar, sedirler konulmuş bulunurdu.

Duvarlara "Gönül ne kahve ister ne kahvehane, gönül ahbap ister kahve bahane" yahut "Ehl-i keyfin keyfini kim tazeler-Taze elinden taze pişmiş taze kahve tazeler" ibareleri yazılmış olan levhalar ve bazılarında da Hazreti Ali'nin Zülfikar ile ifriti katleylediğinin ve Veysel Karanî Hazretlerinin Yemen ellerinde deve güttüğünün, Karaca Ahmet Sultanın yılandan dizginli arslana binip yılandan kamçı ile gezdiğinin, "Ah mine'l-aşk" ibaresindeki he harfinin göz farz edilip bundan çıkan gözyaşlarının dere hâline geldiğinin gayet kaba saba renkli boyalar ile yapılmış resimleri asılırdı.

İşte kahvehanelerin tezyinât-ı dâhiliyyesi bundan ibaret idi. Gazinolar, kıraathaneler, çayhaneler istisna edildiği hâlde İstanbul kahvehanelerinin umumu ziynet hususunda el-hâletü hâzihi pek züğürttür.

Mahalle kahvelerine müdavemeti itiyat eden yaşlıların birtakımı Hubcuzade, Şerbetçizade, Sebezade misilli şehir kodamanları, bir kısmı Çetecioğlu, Kancacıoğlu, Ormanoğlu gibi lâkaplarla yâd olunan dışarlıklı ocak emektarları ve kapuncu, topçu ustaları idi. Mahallenin ağır başlı, orta yaşlı halkı ekseriya ihtiyar kahvehanelerine çıkarlardı.

Mahalle kahvehanelerine postu sermiş olan bu ihtiyarlar içinde bünyeleri sağlamca ve asabı kuvvetlice olanları var idiyse de çoğu beli bükülmüş, vücudu yıpranmış ve sa'y ve amelden sakıt, felce uğramış, sarsık kalmış ihtiyarlar idi.

Bunların ekserisi feleğe küskün, tütün, enfiye, afyon, berş denilen macun misilli mükeyyifata düşkün hadîdü'l-mizâc, hırçın, titiz, terbiye-i zihniyyeden mahrum, âdâb-ı muâşerete gayr-i vâkıf ihtiyarlar idi. Bu adamlar ufak bir şeye ve meselâ sedalıca bir kahkahaya bile kızarlar, cuşuhuruşa gelirlerdi. Tatsız, münasebetsiz adamlar idi.

Ellerinde boylarına müsavi birer asa bulunur ve bu asaya dayanarak kahvehaneye öyle gelirler ve hîn-i duhûllerinde "Esselâmü aleyküm verahmetullâh ve berekâtühü" diye selâm verirler ve mukabilinde redd-i selâm ile beraber tazim ve tekrîm beklerler. Şayet kahvehanede müşteri ziyade olup da her taraftan aşinalıklar temâdi ve taaddüt edecek olursa ona da kızarlar "Ee... kafadır bu illâllah!" derler, menederlerdi. İhtiyarların her biri kahvehane derununda kendilerine ayrıca birer mevki tahsis etmiş olduklarından müşterilerden biri bunların mevkiini işgal etmiş ise geldiğinde derhâl oradan kalkması lâzımdır. Aksi takdirde "Artık kimse haddini bilmez oldu, büyük küçük tanımaz oldu!" gibi birtakım muahezelerine duçar olurdu.

Bunlar makamlarına yaslandıktan sonra çubuk ve nargilelerinin derhâl yetiştirilmesini isterler. Şayet ufak bir tekâsül hissederlerse kahvehane tâbilerini birtakım elfâz-ı galîze ile tevbîh ve tekdir ederlerdi.

Çubuk ve kahvelerini içtikten sonra yavaş yavaş kendilerine bir rehavet gelir, uyuklamaya başlarlar. Yarı açık kalan dudakları arasından horultular işitilir, bol bol salyaları akardı. Böyle zamanlarda gürültü patırtı etmeye gelmez. Meselâ müşterilerden biri kahve kapısını biraz sertçe kapamış olsa kıyameti koparırlardı.

Afyon vakti hulûlünde afyonu atıp keyifler tazelendikçe çubuklar da tazelenir, lülelerden fışkıran tütün dumanları birer bulut tabakası teşkil eder. Ekserisi müzmin bronşit müptelâsı olduklarından sâmia-hırâş öksürük takırtısı, sadır hırıltısı ve nargile tokurtusu birbirini takip eder. Peykelerin önünde öbek öbek tükrük ezintileri göze çarptıkça istikrah etmemek kabil olamazdı.

Afyonu atıp neşeleri geldikten sonra söz söylemekte kimseye meydan vermezlerdi. Söyledikleri şeyler hep mazideki sergüzeştleri, azaplı hatıraları idi. Bunlar söylerken dinlenirdi. Biri esnemek istidadı gösterse güya büyük bir günah işlemiş gibi hiddetlenirler, tazîr ederlerdi.

Bu gevezeleri uzun uzun dinlemek de müşkül idi. İnsanın içine sıkıntı basar ve hele o hırıltılı kısık sesler ile söylenilen abur cubur sözler kulakları tırmalardı.

Bunlardan bazıları güya mahallenin hukuk ve menâfiini ve refah ve rahatını muhafaza ile uğraşır gibi görünürlerdi. Hâlbuki hakikatte halkı birbiri aleyhine düşürürler, erbâb-ı nüfûza yaranmak için ashâb-ı nâmûsa saldırmaktan çekinmezlerdi. O zamanlar hususî menfaat sahiplerinin iş başında bulunanlara intisabı istediklerini yaptırmaya kifayet ederdi.

Kahvehanelerde atalete mahkûm olan bu bedbin ihtiyarlar haddizatında cahil ve ümmî olmakla beraber çoğunun hasbe's-sinn zihinleri uyuşmuş, tefekkür imkânı tükenmiş, hayât-ı kâinât ile iştigale artık kudretleri kalmamış olduğu hâlde kendilerini ahvâl-i âleme vâkıf, vasi tecrübelere malik, en pürüzlü ve en muğlâk bir meselenin çâre-i halline kadir akıl ve izan sahibi addederler ve bu cihetle her dediklerinin meta olmasını anlatmak isterler ve daima efrâd-ı nâsa hâiz-i rüchân olduklarını tevehhüm eylediklerinden herkesin nazarında yüksek ve muhterem tanınmalarını beklerlerdi.

Huzurlarında ufak bir lâubalilik gösterenler ve gayriihtiyarî de olsa hürmette kusur edenler haşin muamelelerine maruz kalırdı.

Kendileri memleketin itiyadına, anane ve teamülüne gayet riayetkâr olduklarından münevver fikirler ile mücehhez olanları hiç sevmezler ve bunlar tarafından ufak bir lâtifeyi bile büyük saygısızlık sayarlar. Daima müteheyyiç, feverana amade olduklarından böyle hiçten bir şeye öfkelenirler, habbeyi kubbe yaparlar, halkla didişip uğraşmak isterler, güçleri yettiğine şiddetli muameleler etmekten çekinmezlerdi.

Bunların suizanları da galip idi. Kimseye emniyet ve itimat etmezler, hele gençlere daima şüpheli bir nazarla bakarlardı. Ve her söze alınırlar, her sözden bir mana çıkarırlar, izzetinefislerine dokunulmuş addederlerdi.

Daima eksiksiz olan mahalle dedikodularını kurcalarlar, herşeyi anlamak isterler ve her işe burunlarını sokar, ezcümle karı koca kavgalarında araya girip akıl hocalığı ederler. Talâk, nikâh ve nafaka davalarında iltizam ettikleri tarafa dava veya def-i dâvâ ettirirler, arzularına aleyhtarlık edenleri tezvirat tufanına tutarlar, neler demezler, ne dallı budaklı iftiralar etmezlerdi.

Afyon, beng, berş denilen macun istimalinin sadır hastalıklarına en müessir deva olduğundan da bahsederlerdi.

Enfiye kutusu, tönbeki kutusu, hap kutusu, afyon kutusu, afyona cilâ verdiği için peynir şekeri kutusu, geçme çubuk kesesi, tütün kesesi gibi şeyler bu ihtiyarların daima yanlarında bulundurmaya mecbur oldukları avadanlıkları idi. Bir de izbe semtlerde bulunan mahalle kahvelerini kendilerine merkez ittihaz eden bazı ihtiyarlar vardı ki bunlar ezcümle havale illetine, halecân-ı kalbe, çarpıntıya müptelâ olanları manevî vesait kuvvetiyle tedavi ederler, sıtmayı ân-ı vâhidde kesmek için bileklere pamuk ipliği bağlarlar; pire, tahta kurusu, sivri sinek misilli hayvanat-ı mûziyyenin itlâfına vefk verirler[50], sarılık hastalıklarına

---

50 vefk: Bir kimsenin ümit ve arzusuna uygun dualar, harfler yazılı çeşitli şekillerdeki muskaya verilen addır. (*OTDTS*)

duçar olanların alınlarını tılsımlı bıçaklarıyla çizip şifa niyetine tükrük sürerler-di. Evvelce de bilmünasebe yazmış olduğum veçhile[51] bunlardan bazıları bağlı olan yeni güveyilerin bağlarını çözmek için gece baş yastığı altına muska koy-mak, hiç kullanılmamış çini kâseye vefk yazarak suyunu içirmek, balta namlu-sunun sap deliğinden tebevvül ettirmek gibi devalar da tavsiye ederlerdi.

Talibi zuhur eden gelinlik kızların encamı hayır veya şerre peyveste olacağı-nı bilmek için istihâreye yatanlar ve görülen rüyayı tabir edenler de vardı. Bir vakitler Muabbir Ali Efendi bunların en meşhuru idi.

İhtiyarlar beyninde dışarlık alâmetinden, cinlerden, perilerden de pek çok mübahaseler olurdu. Mahmûd-ı Sânî'nin berberbaşılığından mütekait kadim ehibbâmızdan bir Muhsin Efendi vardı. Sinni doksanı mütecaviz bir ihtiyar ol-duğu hâlde vücudu zinde, sıhhati yerinde sohbeti hoş ve meşrebi rindane bir zat idi. Daima rical ve kibar konaklarına girer çıkar ve herkesi musâhabâtından hoş-nut ederdi. Kendisi enderûn-ı hümâyunun emektarlarından olduğu cihetle sara-yın kanûn-ı kadîmine gayet riayetkâr idi, nücûma da lüzumundan ziyade ehem-miyetler verirdi, hele perilerden, cinlerden pek çok bahsederdi.

Rumeli şimendiferinin Topkapı Sarayı'nın bahçesinden geçirilmesine ve şi-mendifer güzergâhına müsadif olan serdâbın oradan kaldırılmasına büyük tees-süfler eder ve bu serdâbın fenn-i mimârî noktainazarından değerli âsâr-ı nefîse-den olduğunu ve orada Selîm-i Sâlis'in yaptığı musiki âlemlerini uzun uzadıya söylerdi.

Fakat bu meselede en büyük teessüfü serdâbın kurbünde olan şimşirliğin kaldırılmasına ait idi. Muhsin Efendinin kavlince bu şimşirliğin manen büyük bir kıymet ve ehemmiyeti varmış ki buna çok kişi vâkıf değillermiş. Şimdi bu noktayı tenvir edelim:

Nev'-i beşer meyanında periler en ziyade bizlere muhip ve müteveccih imiş-ler. Bundan dolayı divan yerleri için Osmanlı padişahının sarayı bahçesinde şimşirliği intihap etmişler. Peri padişahları her seher vakti perilerin ser-âmedâ-nı hazır oldukları hâlde orada divan kurar, perilerin umur ve hususâtını rüyet ederlermiş. Hibe, vasiyet, veraset misilli deâvî hep orada hall ü fasl olunurmuş. Hâl bu merkezde iken ilm-i simyâ ulemasının vesâtet-i manevviyyesine bile mü-racaat edilmeksizin divan yerinin oradan kaldırılması perilerin efkâr-ı umûmiy-yesini ne derece iğzâb edeceğini ve bunun akıbeti nasıl vahim bir tehlikeyi mu-cip olacağını söyler ve söyledikçe kederlenir, hiddetlenir, coşar, serdabın kaldı-rılmasına müsaade edenlere atar tutardı.[52]

---

[51] Bk. "Kadınlar Âlemi" bölümü.
[52] Mahalle Kahveleri, Mahalle İhtiyarları, *Vatan*, nr. 790, 23 Haziran 1341/1925, s. 2

İstanbul Sefilleri ve Kopuklar

İşsiz güçsüz İstanbul serserilerinin tabakat-ı sâiresini teşkil edenler meyanında kadim külhanbeylerine mukabil sonraları "kopuk" namı verilen bir sürü evbâş takımı türemiştir ki bunların ahvali şâyân-ı kayddır.[53]

Kopukların çoğu on beş on altı yaşlarında iken kendilerince nüfuzlu addolunan ve biraz yaşını almış olan eşirrânın taht-ı himâyesine sığınırlar ve onların zîr-i cenâhında yaşarlar. Bu gençlere beyinlerinde "filânın kırığı" ıtlak olunur. Onlara merbutiyetlerinin derecesi takdir olunamaz ve bu eşirrâ da kırıklarının mürebbisi sıfatını takınmışlardır. Bu sinde kopukluğa insilâk edenlerden münferiden yaşayanlar nadirdir.

Züppe, hoppa, zirzop, zorba gibi mizaç ve terbiyece birtakım sınıflara münkasım haşerat da kopuklardan addolunabilir.

Kopuklar meyanında her mezhepten, her milletten adam bulunur. Çoğu adîliği, ahlâksızlığı hasebiyle mekteplerden tart edilmiş, ailesinden şunu bunu çaldığı için evden kovulmuş takımdandır. Bazıları da kibar evlâdı, akar ve irat sahibi mirasyedilerden oldukları hâlde sefahat uğrunda bu mesleğe düşmüşlerdir. İçlerinde şiddetli zekâya ve şâyân-ı gıbta bir iş adamı olacak kadar akıl ve fetânete malik olanları da vardır.

Kopukların kıyafetleri kendilerine mahsus modaya tâbidir. Birinci tabakada olanların başlarında dar Beyoğlu siyah fesi, yaz ve kış siyah ceket, siyah pantolon, siyah yelek giyerler. İpek Trablus kuşağı yeleğin kenarından görünmek şarttır. Yakalık ve kravat istimal etmezler. Kapamacı işi veya aba kostüm giymek ve

---

[53] Öküz ve inek ahırlarının zeminindeki döşeme ağaçları derununda mürüruzamanla kuruyup bir tabaka teşkil eden gübreleri ahırcılar demir kürekle parça parça kaldırıp atarlar. İşte bu parçaların her birisine Rumeli ahalisi "kopuk" ıtlak ederler. (ARB)

Trablus kuşağına bedel beyaz yün kuşağı sarmak daha aşağı tabakaya mahsustur. Kuşaksız gezilemez. Ceketin kollarını giymeyip "kartal kanat" tabir olunan omuza almak da bunlarca kabul olunan sistemlerdendir. Çoğu iskarpini veya yemeniyi ökçesi basık istimal ederler. Çekme potin istimali de caizdir. İçlerinde ip kuşaklı, keçe külâhlıları da vardır. Bunlar kendilerine bir tarz-ı reftâr icat etmişlerdir. Adımlarını açık atarlar, kollarını serbest sallarlar, kuvvetli ve azametli bir çalımla yürürler.

Kopuklar mesleklerince adlı sanlı zatlardır. Her biri bir lâkapla yâd olunurlar: Kavanoz Mehmet, Kampana Ahmet, Seyrekbasan Osman, İskete Hakkı, Yumurta Hüseyin, Çiroz İzzet, Kırık Salih, Palabıyık Sarkis, Dertli Şevket, Raconcu Cafer, Çıplak İstrati, Parmaksız Yorgi, Kılefteci İlya, Kabakoz Dimitri, vesaire gibi şeyler.

Kopukların esnâ-yı meşy ve hareketlerinde sağ omuzları sola nispetle daima kalkık durur. Bu da ceketlerinin sol tarafında kama ve bıçak gibi şeylerin ihfâ edilmesindendir. Kopuklarca silâh taşımak mecburî gibidir. Silâhları altı patlar, bıçak, kama, kurşunlu baston, lobut, usturpa[54] gibi eslihâdır. Kırbaç, hasır iskemle, soba odunu, yumruk da lede'l-hâce silâh vazifesi ifa eder.

Birbirlerine mülâki oldukları zaman daha evvel tanışmamış da olsalar derhâl tanışırlar, ahbap olurlar. Çünkü cümlesi serseriyâne bir muhit içinde perveriş-yâb olduklarından kâffesi ahlâkça bir seviyede gibidir. Yekdiğerine hürmet ve muhabbet gösterirler. Fakat zabıtaya daima düşmandırlar, hiç sevmezler. Şayet içlerinden biri zabıtaya karşı müşkül bir mevkide kalırsa, diğerleri onu derhâl himaye ve müdafaaya kıyam ederler.

Aralarında cesur ve gözünü daldan budaktan sakınmaz, hiçbir tehlikeden gözü yılmamış ve bilâkis herkesi yıldırmış, bütün kârhaneleri kasıp kavurmuş olan hazer-engîz kahramanları mer'iyyü'l-hâtırdır. Bu gibiler umumhanelerde dostlarını irat ittihaz etmişler ve onlara belâlı olmuşlardır. Karılar kazanır, onlar yer. Bu karılar da paralı birtakım avanakları dost tutar, güzelce yolarlar. Belâlısı bazen karının üftâdesi tavrını takınır, rakip gibi caka eder. Bu misilli tutkunluğun envaını, yakaladıkları avı tamamıyla yolmadıkça salıvermemek için istimal ederler.

Kopuklarca mutlaka bir fahişe sevmeli ve fahişe de onları sevmeli ve hırs ve arzularına müheyya olmalıdır, aksi takdirde dünyayı alt üst etmek isterler.

Meyhanelerde masasını terk edip bir başkasının yanına giden kırığının bu gitmesinden veya kendisinin şan ve şöhretine nakısa getirecek surette diğer birinin lâf atmasından veyahut aftosunun[55] başka bir haspayı dost tutmasından

---

54 usturpa: İnce bir halatın ucuna bir kurşun parçası bağlanarak yapılan bir çeşit kırbaç. (*TS*)
55 aftos: Sevgili. Nikâhsız karı, metres, kapatma. (*TBAS*)

dolayı hır çıkarırlar, muaraza ederler, vuruşurlar, bıçaklaşırlar. Bu gibi muaraza-
lar, vuruşmalar dâimiyyü'l-vukudur. Kolaylıkla uzlaşmazlar. İçlerinde öyleleri
vardır ki bin türlü belâya uğradıkları hâlde kafalarının dikliğinden mütenebbih
olmazlar, hasımlarına karşı buğuz ve adavetleri kin ve garazları sükûn bulmaz.
Kaba kaba tabirât ve ıstılahât ile şetim ve tahkirde bulunurlar. Vakit olur ki göz-
lerinde vahşiyane bir parıltı, çehrelerinde müthiş bir ihtilâç peyda olur, dişlerini
gıcırdatarak hücum etmek isterler.

Bi'd-defât hapishanelere girmiş çıkmış sabıkalıları avânâtı nezdinde müm-
taz bir mevki ihraz etmişlerdir. Onların üzerine nüfuz ve hükümleri caridir.
Çünkü icâd-ı mekr ve şeytanet hususundaki vukuf ve maharetleri cihetiyle on-
ları irşat ve fikirlerini tenvir ederler; tarih dersi veren muallimler gibi vekayi-i
mâziyyelerini takrir ve tefhim ederler. Genç kafalarda bu takrirler sonuna kadar
yer tutar ve bu avane, muallimlerinin her keyif ve emrine mutavaata kendileri-
ni mecbur addederler.

Bu takım eşirrâ avanelerini iş peşinde koştururlar, köle gibi kullanırlar. Le-
de'l-hâce ortalığı alt üst ettirirler. Kumar kahvelerinde kahvecilerin aldıkları
"mano"ya[56] hissedar olurlar. Kârhanecilerden aldıkları paraya mukabil kârha-
neleri taht-ı himâyelerine almışlardır. Bu kısımdan olanların eşhâs-ı muzırre ta-
harrisinde polise muavenetleri olduğu için, polis de bunların bu gibi vurguncu-
luklarını görmemezliğe geliverir.

İnkılâp'tan mukaddem kopuklardan bazıları saray hafiyelerinin maiyetle-
rinde bulunurdu. Bu gibiler vazifelerinin ifası sırasında muhâlif-ı kanûn ahval-
de bulunsalar bile verdikleri işaret üzerine zabıta bunları tevkif ve isticvap ede-
mezdi. Hatta kendi nefislerine müteallik âlemlerine bile nazar-ı müsâmaha ile
bakardı. Bu takım kopuklar meyhanecilere, kârhanecilere ve meslektaşlarına
karşı da gayet müteazzimâne bir tavır gösterirlerdi.

Kopuklarda güreş etmek, koç ve horoz döğüştürmek merakında olanlar da
vardır. Gönlünü eğlendirmek için en edna mahallere dolup çıkarlar. En ziyade
devam ettikleri yerler kumar kahveleri, meyhaneler, balozlardır.[57] İçkiye mef-
tundurlar. Fakat inceleşmiş sefahatı tatsız bulurlar, hatta ince sazı bile sevmez-
ler. Oynak havalardan mütelezzizdirler. Şair kahvelerinde semaî okurlar, tosun
ağzı mani söylerler. Balozlarda raks edenleri kesretlidir. Ezcümle zeybek ve çif-
te telli oyunlarında temaşa edenlerin takdirini celp ederler. Çalgıcılara bol bah-
şiş verirler.

---

56 mano: Kumar oynatan kişiye ya da kumar oynatılan mekâna, o mekânı kontrol altında tutan ka-
    badayıya bırakılan para, hisse. (*TBAS*)
57 baloz: Eskiden daha çok ayak takımının gittiği meyhane. (*TBAS*)

Tiyatrolarda perdecilik eden ve perde aralarında kabak çekirdeği, fındık kebabı gibi şeyler satan kopuklar mâlen ve bedenen bîkudret olanlardır. Tenâsüb-i endâmı veya kuvve-i bedeniyyesi veyahut cerbeze-i lisâniyyesi müsait olanlara umumhanelerde birer mevki-i ihtirâm ifraz olunur.

Kopuklar indinde sarhoşluk, kumarbazlık, yalancılık, sahtekârlık, dolandırıcılık, dalaverecilik, karmanyolacılık[58] gibi efâl-i zemîmenin kâffesi mübah addolunur. Kopukların bir kısmı kendi evlerinde ve hususî ikametgâhlarında, bir kısmı alçak fiyatlı otellerde birkaçı bir odada kalırlar ve parasız kaldıkları zamanlarda sabahçı kahvelerinde hasır iskemleler üzerinde uyuklayanları da çoktur. "Bugün paraları yok imiş, varsın olmasın, yarın gelecektir." derler.

Bu gençleri sefalet pek çabuk ihtiyarlatır. "Bir erkek kırkına geldiğinde kemale erer." denilir. Hâlbuki bunlar işrete münhemiktirler. Geceleri gezer, uykusuz kalırlar, gündüz uykuları da uyku değildir, bir helecandır. Aç gözlü, pisboğaz olduklarından ne bulurlarsa hemen mideye indirirler. Hevesât-ı nefsâniyyelerini teskinde ifrata düşerler, had tayini kabil değildir. Vücutları daima bir yorgunluk içinde yuvarlanır. Hayat cereyân-ı tabiîsini şaşırmıştır. Hastalığa ehemmiyet vermezler, tedavi ettirmezler. Elhâsıl kopuklar sınıfına mensup olanlar içinde ahvâl-i sıhhiyyesi vesîka-i adliyyesi temiz adam bulmak güçtür.[59]

---

58 karmanyola: Silâh zoruyla soygun yapma. (*TBAS*)

59 İstanbul Sefilleri ve Kopuklar, *Peyâm-ı Sabâh* (*Peyâm*, nr.1014, *Sabah*, nr. 11444), 1 Teşrinievvel 1337/1921, s. 3

Tulumbacılar, Köşklüler,
Küplü Güruhu

Kopukların bir kolu da tulumbacılık sınıfıdır. Bu sınıfa heves edenlerin ekserisi İslâm gençlerinden olduğu için bunların iptida çocukluklukları zamanından bahsedelim.

Ebeveyn çocuklarını tahsil ve terbiye görmek için mektebe verirler. Çocuk bir zaman mektebe devam eder. Bunların arasında ele avuca sığmayan yaramazları bir sırası gelir ki mektebe gidiyorum diye evden çıkar, bir gün evvel yekdiğerini teşvik eden arkadaşlarıyla beraber mektepten kaçıp o gün oyun mahallerinde oynarlar, köşe başlarında zar atarlar ve denize girmek için deniz kenarlarında ve tulumba talimi edilen mahallerde akşamı ederek mektepten geliyoruz diye hanelerine avdet ederler. Bu hâl çocuklara o kadar lezzetli gelir ki artık külle yevm mektebe gitmeyip bu gibi mahallerde dolaşmaya başlarlar. Deniz kenarına gittikleri günlerden birinde tulumbacı takımından bir sandalcı bunları görür, ahbap olur, sandala alır. Çocukların birtakımı kürek çekmeye ve yelken açmaya ve bir kısmı balık tutmaya hevesli olduklarından biraz kürek çeker ve yelken açarlar ve olta tedarik edip balık tutmakla eğlenirler. Sandalcının delâletiyle tuttukları balıkları pişirmek isterler. Yarım gaz tenekesinin içerisine biraz kömür koyup ateş yakarlar, balıkları pişirmeye başlarlar. Sandalcı baş altından rakı şişesini çıkarır, çocukları teşvik eder, içirir. İçlerinden bazıları evlerine geç kaldıklarından bahseylediklerinde sandalcı hemen çocukların lâkırdısına karışıp "Mektebe gidip de ne olacaksınız? Her gün hocadan azar işitip dayak yersiniz. Bakınız ben idadî ikide idim. Bir dalga yaptım mektepten tart olundum. Kocakarı de beni evden kovdu. Şimdi bey gibi yaşıyorum. Yangın olursa giderim. Orada kıyak dalavere döner. Bir dalga çevirdim mi parası insana bir sene yetişir. O zaman min-tarafillahi feyetedebberu."[60] diyerek ve daha nice bu gibi keli-

---

60 min tarafillahi feyetedebberu: Allah kerim manasında Arapça bir deyim.

mât-ı iknâiyye ilâve ederek çocukların aklını yatırır. Artık çocuklar haylazlığa alışıp ne mektebe giderler, ne evde dururlar, daima bu gibi mahallerde serseriyane dolaşmaya başlarlar. Bir aralık sandalcı bunları tulumbacılığa teşvik eder. "İptida meyhanede biraz atarız, sonra bizim koğuşa gideriz, orada darbuka, zilli maşamız ve kıyak çifte telli oynayanlarımız vardır. Sabaha kadar vur patlasın eğleniriz." der. Çocukların sinleri gereği gibi çağına gelmiş ve bu gibi eğlencelere istidat hâsıl etmiş olduklarından kolaylıkla yola yatarlar. Koğuşa gitmeye karar verirler. Sandalcı, tulumbacı reisini görür, işi anlatır. Akşam meyhanede biraz atıp doğruca koğuşa giderler.

Koğuşun içersinde sırasıyla yataklar dizilmiş ve reise mahsus yatağın başı ucunda bir fener ve yanında bir kamçı ve iki adet baskı kolu,[61] yarım gocuk, darbuka, zilli maşa asılmıştır.

Çocuklar bu hâli görür, hoşlarına gider. "Biz de koğuşa yazılırsak bizim de böyle yatağımız olacaktır." diye heves etmeye başlarlar.

O aralık içeriye pala bıyıklı, câmedânın kolunda üç sıra sırmalı reis nişanı, başında sıfır numara kalıplı fes ve fesin kenarlarında ipekli bir mendil sarılı ve belinde Girit kuşağı, ayağında yumurta ökçeli iskarpin, sol omuzundan asılmış gümüş bir köstek olduğu hâlde kendine mahsus çalım ile reis içeri girer, makamına kuûd eder. Herkes buna kıyam etmeye mecburdur. Reisi müteakip künkçü, borucu, hortumcu, fenerci gibi vazife sahipleriyle tulumbanın sair efradı birer birer gelirler.

Tulumba takımı, koğuşunda tamam olduğunda misafir çocuklar umuma takdim olunur, yekdiğerleriyle konuşmaya başlarlar. Reisin emriyle "soba kurulur." Bu da meclis akdi demektir. Tulumba erkânı beyninde müzakere cereyan eder. Delikanlıların heves ve arzuları tahakkuk eder. Cümlesini tulumbacılığa kaydederler. Artık tulumbanın beşinci takım efradı olurlar. Ayaklarına birer çift tulumbacı yemenisi, dizlerine beyaz dizlik, bellerine birer kuşak, sırtlarına yarım kukuletalı ceket giydirirler. Bunların esmânı tamamen koğuş sandığından tesviye olunur. Kendileri tulumba talimi ile meşgul olurlar ve artık yangına gitmeye de başlarlar.

Yangın yerlerinde ashâb-ı emlâktan alınan ücûrât koğuş sandığına ait olmak üzere reis nezdinde kalır. Beher gün bir mecidiye için bir kuruş faiz yürütülmek şartıyla reis tarafından bu delikanlılara sermaye verilir. Bu sermaye ile mahallât çarşılarında mevsimine göre balık, üzüm ve seyir yerlerinde dondurma satarlar ve birkaçı bir araya gelip kavun karpuz sergisi küşat ederler.

---

[61] baskı kolu: Eskiden yangınlarda su sıkılırken baskı demirinin iki tarafından geçirilen ağaçtan kollara verilen addır. Bu kollar yangına gidilip gelinirken tulumbacılığa aday gençler tarafından taşınırdı. (*OTDTS*)

İçlerinden biri bir aralık tulumba reisiyle bozuşup koğuştan firar eder. Galata veya İstanbul harîk kulelerinden birine müracaatla köşklü yazılır. Oranın bir çift ekmeği ve bir mecidiye de aylığı vardır. Sırtına giydiği kırmızı ceket de kuleden verilir. yedine bir harbe[62], bir fener, bir de toka teslim olunur. Vazifesi harîk zuhurunda hududuna kadar seğirtip harîkin zuhurunu konaklara ve bekçilere haber vermek ve nöbetçi olduğu zamanlarda kule derununda dolaşıp pencerelerden harîk tarassut etmek ve harîk zuhuru hâlinde kule ağasını derhâl uyandırmakdır. Aralarında şöyle bir muhavere geçer:

- Ağa bir çocuğun oldu.

- Kız mı, oğlan mı?

Çünkü Üsküdar, Galata ve Boğaziçi tarafları kız, İstanbul ciheti erkek itibar olunduğundan ağanın bu sualine nöbetçi ona göre cevap verir.

Ağa hemen kalkar. Dolaptan bir çanak maytapı çıkarıp yakar. İcâdiye'ye işaret verir. Orası da aldığı işaret üzerine yedi top atmakla harîki ilân etmiş olur ve harîkin itfasına değin kulenin işaret fenerleri asılmış bulunur.

İstitrat-Dersaâdet ve Bilâd-ı Selâse dahilinde harîk zuhurunda halkın derhâl haberi olması için Bâb-ı Seraskerîde kâin harîk kulesine fener vazıyla beraber maytap yakılıp Vaniköyü'nde kâin İcâdiye Köşkü civarında Kenan Tepesi tabir olunan mahalle işaret verilmesi zımnında Tophane'den memurlar tayin olunarak beş top atılması 1256 [1840] tarihinde usul ittihaz olunmuş, muahharen yedi topa iblâğ edilmiştir.

Köşklü yazılan bu delikanlı işrete fevkalâde meyil ve inhimâkından dolayı vazifesini bihakkın ifaya muktedir olamadığından kuleden tart edilir. Diğer arkadaşlardan birkaçı Unkapanı, Tophane, Üsküdar taraflarında kira beygirleri sürücülüğüne girmiş olduklarından onların tergip ve teşvikiyle bu da beygir sürücülüğüne başlar. Fakat işret beliyyesiyle buraya da hayretmez. Artık serseriyane dolaşır durur.

Küplü güruhu

Kopuklardan daha sefil bir sanat vardır ki o da küplü takımıdır. Sarhoşlukta son dereceye vasıl olan ve sarhoşluğu yüzünden hiçbir işe eli varmayan ayyaş takımının rakısı su küpünde durduğu için "Küplü" namı verilmiş olan meyhaneye düşerler. Bu Küplü Meyhanesi Galata'nın en izbe mahallinde olup âdeta batakhane şeklini andırır. Dışarıdan içerisi görünmez. Dükkân kapalı zannolunur. İçeride iki adet kırık iskemle ile ayakları kıvrılmış, üzeri pis, murdar bir masa bulunmaktadır. Meyhanecinin yüzü gözü berbattır. Tezgâh namına sedir

---

[62] harbe: Eskiden yangın habercilerinin taşıdığı ucu demirli değneğe denir. (*OTDTS*)

üzerinde birkaç şişe ile paslı bir teneke maşrapa mevcuttur. Bu maşrapa elli dirhemliktir. Müşteri on para verir, bu maşrapadaki rakıyı içer. Bu rakının lezzeti sulu gazdan az farklıdır. Buranın müdavimleri içip içip meyhanenin bir köşesine kıvrılır, yatar. Bu yatanlar meyhanelerin kadim müşterileridir. Bunlardan bazıları da Küplü'de içip Karaköy Hamamı'nın külhanında beytûtet ederler. Beytûtet ücreti on paradır. Mamafih sema tavanı altında yatıp yıldızları sayanları da vardır.

Küplü müdavimleri gündüzleri eski tanıdıklarından bazı zevatın önlerine çıkıp "Mevlânâ, bizi unutma, dem parası nûş et." gibi manasız sözlerle akçe talep ederler. Aldıkları parayı doğruca Küplü Meyhanesi'ne götürürler. Bu Küplü müdavimleri gece ve gündüz sekr hâlinde mahvolup giderlerdi. Bu hâller yakın zamanlara kadar ber-devam idi. Bundan on, on iki sene evveline gelinceye kadar bu hâllerin cereyanı işitilirdi. Muahharen İstanbul gençlerinin hizmet-i mukaddese-i askeriyyeye alınmasına binaen şübbân-ı merkume için gûşe-nişîn-i sefâlet olmak artık mümkün olamamıştır.[63]

---

[63] Tulumbacılar, Köşklüler, Küplü Güruhu, *Peyâm-ı Sabâh* (*Peyâm*, nr.1015, *Sabah*, nr.11445), 2 Teşrinievvel 1337/1921, s. 3

Esrarkeşler, Meczuplar

Avrupa'da olsun sair kıtaât-ı cihânda bulunsun her memlekette erbâb-ı yesâr, ashâb-ı dâniş, müteneffizîn-i ticâret ve sanat ve sınf-ı memûrîn olduğu gibi, hiçbir işle meşgul olunmayarak sefalet içinde ve iâne-i dîgerle imrâr-ı hayât eden süfehâ ve zuafâ da mevcuttur. Bittabi İstanbul'da da bu yolda adamlar vardır ki esrarkeş diye maruf olan eşhas bu zümre-i bedbahtânın tabaka-i ûlâsını teşkil etmektedir. Gerçi elevm bu gürûh-ı mekrûha aleni müntesip kalmamış olup, ancak bunlar ne gibi kimseler idi ve ne yaparlardı, nasıl imrâr-ı hayât ederlerdi, bunu bilmek İstanbul ahvâl-i husûsiyyesine dair malûmat edinmek isteyenler için faydadan hali olmadığından ve mukaddemâ "Esrarkeşler" unvanı tahtında bir risale de tabedildiğinden fakir de bu baptaki istitlââtımın ber-vech-i zîr beyanını münasip gördüm.

Esrarkeş denilen adamlar daima vakitlerini kendilerine mahsus kahvehanelerde geçirirlerdi. Esrar kahveleri, Tahtakale, Tophane, Silivrikapısı, Mevlevîhanekapısı civarında bir de İshakpaşa'ya inen yokuşta idi. Bu mahaller bildiğimiz kahvehanelere makîs olmayıp, derunları gayet pis ve murdar, tavanlarını is tutmuş, her tarafında örümcekler yuva yapmış, sıvaları dökülmüş, camları asla silinmemiş, karanlık, kerih kokular neşreden birer dâr-ı sefâlet olup, derunlarında birkaç tahta kerevet, kırık bir testi, paslı birer tas bulunur ve her birinde sakin olanlardan yedişer neferine "kıdemli dede" ıtlak olunurdu. Bu dedeler kımıldanmaya mecali kalmayan birtakım miskin ve müstekreh ihtiyarlar olup, vaktiyle sâika-i atâlet veya sefahat veyahut sevk-i tabîatla bu dereke-i sefâlete düşmüşler ve günden güne âdemliklerini kaybetmişlerdir.

Halkımızdan bazılarının itikadınca bu ihtiyarlar ehl-i âlden ve mâsivâdan el çekmiş, kırklara karışmışlardan olduklarından kimseyle dünya kelâmı etmezler. Başlarında havı gitmiş, yağı tepesine kadar çıkmış bir fes ve fesin kenarında simsiyah olmuş bir sarık sarılmıştır. Tırnakları hiç kesilmemiş, yıllarca traş olmamış, yüzleri gözleri kıllar içinde kalmıştır. Vücutları hamam görmediğinden tenlerinde kalın bir kir tabakası hâsıl olmuştur. Giydikleri gömlekler siyah bir muşamba hâline gelmiş, sırtlarındaki lime lime abalar yağ içinde kalmıştır. Ahvâl-i sıhhiyyelerine gelince; omuzlar çökmüş, kamburları çıkmış, çehreleri süzülmüş, gözleri bulanmış, feri kaybolmuştur.

İşte öyle müstekreh mahallerde yaşayan bu bedbaht adamlar daima dirseklerini dizlerine ve ellerini şakaklarına koyup âlem-i murâkebeye dalmış bulunurlar. Bunlara karşı insan bir hiss-i nefret ve ikrah duymaktan kendini alamaz. Herbirinin önlerinde tenekeden mamul köhne birer tükrük hokkası durur.

Ziyaretçilerden biri bunlarla kelâm edilmeyeceğini bilmeyip de şayet bir söz söyleyecek olursa "dalgamızı bozdu" diye dûçâr-ı itâb olur, belki kapı dışarı atılır.

Bu yedişer nefer kıdemli dedelerden başka her kahvenin birer nefer de ocakçı dedeleri vardır. Bu ocakçı dedelerin vazifesi daima ocak başında bulunmak ve ocağı mestur tutmak, nargileleri doldurmak, bir de çay yetiştirip vermekten ibarettir. Nargileler Hindistan cevizi kabuğundan mamuldür. Esrara "kırma" tabir ederler. Bu kırmayı tömbekiye karıştırıp nargileyi bununla doldururlar.

Kıdemli dedelerin üçer nefer de avanesi vardır. Bunlara mürit ıtlak ederler. Vazifeleri tahsildarlıktır. Külle yevm seyyar bulunurlar. Kıdemli dedelere hüsn-i itikadı olan birtakım mütevekkil adamlar onlara haftalık tahsis etmiş ve hacetlerinin husulü için adaklar adamış, akçeler nezir eylemiş olduklarından bunları tahsil ile meşgul olurlar ve tanıdıklarından akçe talep ve ahzında beis görmezler.

Bu esrar kahvehanelerinin bir de gelip giden müşterileri vardır ki, bunlara muhip tabir ederler. Gerek tahsildar müritlerin ve gerek muhiplerin getirdikleri akçeler ocakçı dedeye teslim olunur.

Bu kahvelere duhul edenler iptida kıdemli dedelerin huzurunda "boyun kesmeğe" mecburdurlar. Bu gelen zata, hepsi birden asla söz söylemeksizin birkaç dakika öylece nazar ederler. Nazarları gayet gazûbânedir. Huzurlarına dahil olanlar boyun kestikten ve niyaz vaziyetini ifa eyledikten sonra doğruca ocakçı dedenin yanına gider. Yedini takbil edip getirdikleri akçeyi teslim eder. Dede hesap eder, "Üç baş" der. Beher baş bir kuruş demektir. Meselâ getirilen akçe beş kuruş ise üç kuruşluk üç baş nargile dolar. İki kuruşa bedel de çay pişirip birer miktar ekmek ihzar eder. Gıdaları bundan ibarettir. İptida nargile bir baş dolar. Üzerini ateşler, bir ıslık çalar. Mevcut yedi dede başlarını kaldırırlar. Ocakçı dede nargileyi nefes almaksızın gayet kuvvetli çeker. Dumanını tavana salıverir. Parayı getiren adama da bir nefes çektirir. Badehu dedelere "hod nefes!" diyerek her birine başka başka birer nefes çektirir. Artık o mahallin içini gayet müteaffin ve nâ-kabil-i tahammül bir duman basar. Cümlesinde birer öksürük hâsıl olur. Önlerindeki tenekeye tükürürler. Birbirini müteakip üç defa nargile bu suretle dolar. Sonra da çay ile ekmek verilir. Badehu minvâl-i sâbık veçhile dirseklerini dizlerine ve ellerini şakaklarına koyup âlem-i murâkebeye dalarlar idi.

Muahharen hükûmet bunların ahvaline kesb-i ıttılâ eylediğinden kahvelerini yıktırıp, kendilerini menetmişti. Mamafih, elyevm esrar istimal edenler bulunduğu rivayet olunmaktadır.

Esrardan hâsıl olan keyfe gelince; esrarın keskin ve uyuşturucu nüfuzuna mağlûp olan esrarkeşler öyle tatlı bir hulyaya dalmış oluyorlar ki, bundan duydukları zevki mükeyyifât-ı sâireden hâsıl olan ezvâkın kâffesine tercih ediyorlar ve hatta bu zevkin uğruna hayatlarının lezzetini bile feda etmiş oluyorlar. Bu garip sırrın tecelliyâtına agâh olmadığımız için zevk ve neşesine dair mütalâa dermeyan edebilecek kudrete malik değiliz.

Meczuplar

Yakın zamanlara kadar gürûh-ı mecâzibden birçok adamlar cuma günleri ve kandil akşamları Eyüp'te toplanırlardı. Mahall-i ictimâları Akgömlek Mehmet Efendi Kabri ve Beşir Ağa Türbesi yanları idi. Bunlar seele kıyafetinde perişan bir hâlde olup, kimi gündüz elinde koca bir fener dolaşır, kimi de daima çubuk içerek gezer, diğeri baş açık, ayaklar çıplak muttasıl koşar. Öbürü elinde bir asa ayağında yüksek nalın olarak ağır ağır geşt ü güzâr eder. Bazısı hiç söz söylemez, sükûtîdir. Öbürü ale'd-devâm bir şeyler söyler, bağırır. Başkası "hû" çeker başını sallar, dervişlik eder. Cümlesinin üstleri, başları pis ve mülevvesdir. Şunun bunun kolundan çeker para isterler. Süslü hanımlar öyle kirli ellerin üstlerine sürüldüğünü istemezler. Lâkin vesvese ettiklerinden çekinirler, menetmezler. Bir mazarratları olmasın diye para verirler.

Bir vakitler o misilli eyyâm-ı mübârekede tahta teskere[64] ile Eyüp Câmi-i şerîfi şadırvan avlusunda bulunmaklığı itiyat etmiş Eyüplü Yatalak Efendi derler kötürüm bir zat vardı. Ehl-i tevekkülden bir kısım halk bu zatı meded-res itibar etmişlerdi. Sürü sürü teskeresi etrafında toplanıp musahabeti bir şeref addederlerdi. Yatalak Efendi oldukça güzel söz söyler, maneviyattan bahseder; bu meczupların hangisi ne gibi fazâili hâiz olduğunu ve kerametlerine müteallik menkıbelerini naklederdi.

Yatalak Efendinin beyanına göre bunlar asrın kutbu imişler. İnsanların umûr-ı dünyevîlerini bunlar idare ederlermiş. Her bir şey onların yed-i idâresinde olduğundan zevâhir-i ahvâle bakıp mükedder ve müteessir olmak caiz değilmiş. İşte bu gibi sözlere kanaat getiren o mütevekkil adamlar daima müsterihü'l-bâl olarak yaşarlar ve bu meczupların himmet ve ilhâmât-ı kudsiyyelerinden istiâneye çalışırlar. Celb-i hoşnûdîleri için onları itâm ve ikram ederlerdi.

---

64 teskere: Bir insan veya kırılacak ağır eşya taşımaya mahsus kollu tahta. (*KT*)

Yatalak Efendinin bir meziyeti de meşâhirden Eyüp civarında kimlerin metfun olduklarını ananesiyle beyan ve tafsil etmesi idi. Hatta ekserisinin seng-i mezârında olan tarih ebyâtı bile hafızasında idi.

Eyüp'ün bir de badi badi yürüyüşlü Sallabaş Emine Hanımı vardı. Bu yetmişlik kadın Eyüp dilencilerinin mer'iyyü'l-hâtırı addolunurdu. Lisanı düzgünce, üstü başı temizce olduğundan ziyaretçi hanımların bir taraf-ı takrîbini bulur, yanlarına sokulur, mücessem bir terbiye kesilir, devletlinin fezâilini ve ziyaretindeki menâfi-i manevviyeyi mukaddime ederek, yakında gelin olacak bir kızın nasıl muhtâc-ı muâvenet olduğunu veyahut o günlerde yetim kalan bir çocuğun ne derece hâl-i sefâlete geldiğini ve buna ianeden hâsıl olacak ecr-i mesûbâtı tadat ederek hasbeten-lillâh iane toplamak zahmetini ihtiyar eylediğini söyler ve bu suretle bir hayli para kazanırdı. Hâlince hoşsohbet ve mîzâc-âşinâ bir kadın olduğundan cumaları ve leyâlî-i mübâreke akşamları ziyarete ve ramazan günleri türbe iftarına gelen rical ve kibarı adap ile selâmlar, mizaçlarına göre söz bulur söyler, eğlendirir, canlıca atiyyeler alırdı.

İstanbul'da birtakım sebilciler vardır. Arakiyye üzerine beyaz veya yeşil sarık sararlar. Meşin şalvar, salta giyerler. Musluklu meşin kırbayı omuzlarına asarlar. Ellerinde sarı tas bulunur. Kandil akşamları cami avlularında, eyyâm-ı sâirede sokaklarda ve seyir yerlerinde dolaşırlar. Kadınların birçoğu ölmüşlerinin canı için sebil etmek üzere bunlara para verirler. Parayı aldıkça "Sebilillâh, sebil, şehîdân-ı deşt-i Kerbelâ ervâhı için sebil!" derler. Bir gün bunlardan biri "İnsan yediği lokmayı haketmek gerektir, helâl olabilmek için alın teriyle kazanılmış olmak icap eder, nimet külfet mukabilidir." demişti. Binaenaleyh sebilcilik, dilenciliğin bir sınıf-ı mümtâzı demektir. Çünkü avuç açıp teseül etmezler. Sa'ylarının mukabilini almış olurlar.[65]

---

[65] Esrarkeşler, Meczuplar, *Peyâm-ı Sabâh* (*Peyâm*, nr. 1016, *Sabah*, nr. 11336), 3 Teşrinievvel 1337/ 1921, s. 3

Dilenciler

İstanbul'da dilenciliği sanat ittihaz etmiş olanlar iki nev'idir. Nev'-i evveli daimî, nev'-i sânisi muvakkat dilencilerdir. Nev'-i evvele mensup olanlar yerli dilenciler olup, altmış yıl akdem icra olunan tahrîr-i nüfûsta Müslim ve gayrimüslim mikdâr-ı umûmîsi 2700 nefere baliğ olduğu anlaşılmıştır. Taşralı muvakkat dilenciler bu hesaba dahil değildir. Binaenaleyh mikdarı da gayrimuayyendir. Dilencilerin tarz-ı tese'ülleri muhteliftir. Bir takımı kasidecidir. Mahalle aralarında, cami avlularında dolaşır, bülent avazıyla kaside ve maval[66] okurlar. Gözlerinde âmâ olanlar, gözlüler yedeğinde gezerler. Bu körlerin münferiden gezenleri de vardır. Böyleleri âmâ oldukları hâlde İstanbul'un tenha ve cemiyetli sokaklarını tamamen bilirler. Gezerken bir dakika ağızları durmaz, muttasıl söylerler. Bu kasidecilerin ekserisi Arap'tır. Arap olmayanları lisanlarını Arap şivesine taklit eden Kıptîlerdir. Birtakım seele de cami kapılarını, sokak başlarını, işlek caddelerin köşelerini kendilerine merkez ittihaz etmişlerdir. Bu takım dilenciler müsin, alîl, kör, bakar kör, topal, kıyam ve kuûda bîmecal olduklarından külle yevm mevkilerinde bulunurlar. Bunların mevkileri, beyinlerinde "gedik" ıtlak olunur. Aşr-ı muharremde sokaklarda ve birbirinin yedeğinde dolaşmak, hakkı bu gediklilere aittir. Bunlar hanelerin önünde dururlar, yekdiğerinin omuzlarına itkâ ederek ilâhî okumaya başlarlar. Okudukları ilâhînin nakaratı:

Gökte melek, yerde her can ağladı

beyitidir. Bu beyitin alt tarafına bir de;

Hoy goy canım

---

66   maval: Çöl Araplarına mahsus şekilde şarkı söyleme ve gazel okuma. (*OTDTS*)

ilâve etmişlerdir. Çocukluğum zamanından beri işittiğim güfte hep budur, asla değişmez. İlâhînin hitamında içlerinden biri cehren dua eder, diğerleri "Âmin!" derler. Evlerden kuru bakla, kuru fasulye gibi aşure harcı verirler. Verilen harcı omuzlarında asılı olan torbalara korlar, diğer eve geçerler. On gün zarfında topladıkları aşure harcı bir hayli miktara baliğ olur. Tabiî satıp esmânını beyinlerinde taksim ederler.

Gezgincilik suretiyle icrâ-yı sanat eden dilencilerin kısm-ı küllîsi Eyüp, Edirnekapısı, Karacaahmet gibi cesim kabristanlarda bulunurlar. Çarşıda, pazarda gezerler. Bunların çoğu sağlam oldukları hâlde celb-i merhamet için körleri, topalları takliden değneklerle dolaşan zıpır heriflerden ve bütün hayatını halka avuç açmaya hasretmiş mağşûş ihtiyarlardan ve ar damarları çatlamış zirzop kızlardan, hayasızlıkta eli bayraklı,[67] at gibi karılardan ve kendini sürükleyerek dolaşan cadılardan ve bunlara mensup tahsil ve terbiyeden mahrum üstleri başları murdar, ayakları çıplak, burunları sümüklü, bit içinde sıska çocuklardan mürekkeptir. Bunlara dilenciliğin belli başlı usullerini öğretmişlerdir.

Bu gezginci gürûhu sanat-ı teseülde rüsûh ve mümarese kesbetmiş takımdan olduklarından ekmeklerini taştan çıkarırlar. Sabahları zırva[68] ve çorba; perşembe günleri pilav, zerde tevziatından müstefit olmak için[69] imarethanelerin kapılarında beklerler. Ashâb-ı hayr tarafından Eyüp'te kestirilen kurban payından hisse almak maksadıyla kurbanhane önünde intizar ederler. Aldıkları kurban payını kebapçılara satarlar. İstanbul, Beyoğlu lokantaları, aşçı dükkânları kapılarında artık yemekler, kırıntı ekmekler ve kışlaların karavana bakiyesiyle karınlarını doyururlar. Ötekinin, berikinin içip de attığı sigaraları toplayıp tütün yaptıkları sigaraları tellendirirler. Kabristanlara getirilen cenazelerin sadaka tevziatında hazır bulunurlar. Cenaze peşinde koşmak, birbirleriyle boğuşmak her günkü âdetlerindendir. Cuma günleri ve leyâlî-i mübâreke akşamları mahall-i ictimâları cami kapıları ve şadırvan avlularıdır. Mûcib-i şefkat olacak surette yanıp yakılarak ve ant vererek dilenirler. Eyüp ziyaretçilerinden biri sadaka verecek olursa diğer dilenciler bîçareyi derhâl ortaya alırlar. Ellerinden halâs olmak müşküldür. Bu kısım gezginciler "İnayet ola, bozukluk yok!" kelimât-ı red-âyâtıyla defolmazlar. Cebr-kârlıkta musır ve müziçtirler.

---

[67] eli bayraklı: Mecazen edepsiz, şirret yerinde kullanılan bir tabirdir. Eskiden asiler ellerine bayrak alarak ortaya atıldıkları için bu tabir ortaya çıkmıştır. (OTDTS)

[68] zırva: İmarethanelerde pişirilen zerde taklidi tatlı çeşitlerinden birinin adıdır. Zerde; pirinç, şeker ve safrandan, zırva ise incir, üzüm, hurma ile pirinç ve şekerden yapılırdı. (OTDTS)

[69] İmaretlerde tabh olunan etime, erbâb-ı vezâife ve talebe-i ulûma ve muhtacîne verilmek maksadıyla tesis edilmiş olduğu hâlde sonraları gayr-i kabil-i ekl bir hâle gelmiş ve bu da suistimalden münbais bulunmuş olduğundan biri İstanbul'da, diğeri Üsküdar'da fukaraya mahsus olmak üzere iki imaretten gayrısı kaldırılmış ve tasarruf olunan meblâğ talebe-i ulûma tahsis edilmiş olduğu Tarihçe-i Evkaf'ta münderiçtir. (ARB)

Seele-i dâimenin bir de kethüdaları vardır. Dilencilerin kıdemlilerinden ve içlerinde iktidarlılarından olmak üzere kendileri intihap ederler. Bir vakitler dilencilikte yed-i tûlâ sahibi erbâb-ı cerbezeden müheykel bir kethüda vardı. Dilencilere karşı daima gazabnâk bulunur, kurban payı, cenaze sadakası tevziatında, mükerrer almak maksadıyla dilencilerin hiyel ve desâisine meydan vermezdi.

İstitrat-Şeyhü'l-vüzerâ Sadr-ı esbak Hüsrev Paşa bir bayram günü Emirgân'da kâin sahilhanesinde berây-ı tebrik gelmiş olan misafirleriyle musahabet etmekte iken oda kapısında dilenciler kâhyasının beklediğini görmesiyle derhâl herifi içeriye davet ve kıyam edip baş sedire çıkarır ve bilhassa çubuk, kahve ısmarlar, izaz ve ikram eder. Bu hâli müşahede eden huzzârın hayret ve taaccüplerini izale için "Efendim, bu zat ileride cümlemizin amir ve zabiti olacaktır. Onun için berây-ı ihtiyât şimdiden lâzım gelen hürmeti ifada kusur etmemekliğimiz iktiza eder." dediğini hikâye ederler.

İstanbul'u matmah-ı nazar addederek gelen taşralı dilencilerin içlerinde çırılçıplak, yalın ayak, başı açık gezenleri tâife-i ekrâd çingeneleridir. Adalardan birtakım Hristiyan kadınları yine kendi cinslerinden olan etfâli toplayıp İstanbul'a gelirler. Bu masum ve masumeleri tervîc-i kârlarına medar ve sanatlarına âlât-ı mahsûsa itibar edip, sagîrü's-sin olanlarını herkes hasta zannetsin için ruh ve ecza makulesi şeylerle sersem ve bîtap ederek, sabahtan akşama kadar sokak ortalarında yatırır ve daha büyüklerini mârrîn ve âbirînin peşleri sıra saldırıp dilendirirlerdi.

Birtakım da ramazân-ı şerîfin bereket ve tasaddukundan müstefit olmak üzere İstanbul'da tecemmü ve tahaşşüd eden eşhas vardı. Bu zümrenin ekserisi taşradan yeni gelen çiçeği burnundalardan olmayıp, eyyâm-ı sâirede de Üsküdar ateş kayıklarında[70] ve mavnalarda aylakçılık eden ve sokaklarda kalbur içinde kara üzümle karışık leblebi satan heriflerdi. Bunlar birkaç kuruşla bitpazarından şal eskisi bir sarık ile çarşaf bozuntusu bir cüppe edinerek arîz ve amîk dilenir gezerlerdi. Bir kısmı da taşradan gelip "nasara, fi'lün mâzin"[71] demeye dili dönmeyen düzensiz bazı kasâid ebyâtı ezberleyen yontulmamış dangalaklar idi. Bunlar cerrâr[72] takımıyla ihtilât edip ve gürûh-ı seele-i dâime ile dahi toplaşıp büyük bir kumpanya hâlini almakla artık İstanbul sokakları çıplak, müstekreh dilencilerden geçilmez bir hâle gelirdi. Çoğu teravih namazından sonra cemiyet-

---

[70] ateş kayığı: Eskiden üç veya dört çifte kayıklara verilen addır. bu kayıklara ateş kayığı denmesinin sebebi yangın olduğu zaman yangın tulumbalarını İstanbul'dan Üsküdar'a, Anadolu yakasından Rumeli sahiline taşımak için kullanılmış olmalarıdır. Ayrıca yük ve insan taşımak için de kullanılmışlardır.(*OTDTS*)

[71] nasara fi'lün mâzin: Türkçesi "(nasara) yardım etti (mazi) geçmiş zaman fiilidir." manasına gelen Arapça bir sözdür.

[72] cerrâr: Kovmakla gitmeyen arsız dilenci. (*KT*)

li kahvelere duhul edip itâ-yı selâmla ilâhî okur ve hikâye söyler. Birtakımı da camilerde edâ-yı salât edenlerin önlerine "Mekânın cennet ola" ibaresi yazılı beyit şeklinde küçük kâğıtları bir baştan bırakıp öteki baştan toplar ve birkaçı cami avlularında yerleşip "Ağlar Yakub, ağlar Yusufum deyü" Derviş Yunus'un bin yıllık ilâhîsini bir ağızdan galîz sedalarıyla kıraat ederler ve birçokları da halk camiden çıkarken cami kapılarında dizilip teseül ederlerdi. Akşamları li-ecli'l-iftâr konakları dolaşıp bî-muhâbâ sofralara çökerler ve sonra da diş kirası namıyla akçe talep ve ahz ederlerdi. İstanbul dilencilerinin işbu etvâr ve harekât-ı nâ-ma'kuleleri muahharen hükûmetçe nazarıdikkate alınarak sûret-i mahsûsada bir Dârülaceze teşkil buyruldu idi. Lâkin giderek yine tekessür etti.[73]

---

[73] Dilenciler, *Peyâm-ı Sabâh* (*Peyâm*, nr. 1017, *Sabah*, nr. 11447), 4 Teşrinievvel 1337/1921, s. 3

Halk Sırtından Geçinenler

Asırlar tahavvül ettikçe adât ve ananât da muhitin tesirine göre tebeddül ve ekserisi mazinin meçhulâtına karışıp gidiyor.

Hayatının son demlerine yaklaşmış ihtiyarlardan olduğum ve geçirdiğim zamanlara ait âdât ve ananât-ı milliyemizi ahlâfa nakil ve hikâye etmekte bir zevk-i manevî duyduğum veçhile "On Üçüncü Asr-ı Hicrî'de İstanbul Hayatı" namıyla şimdiye değin kısım kısım birtakım şeyler yazmıştım. Bu kere de memleketimizin hayât-ı ictimâiyyesine taalluku itibarıyla İstanbul'da halk sırtından geçinenleri ve bunların mahiyetleriyle maneviyatımıza yapmış oldukları tesiratı yazmak ve bu mevzu dolayısıyla zükûr ve inâsımıza taalluk eden bazı ahvalden bahsetmek istedim ve artık hafızam körlenmiş olduğu için hatırlayabildiğim kadarını yazabildim. Bu misilli sathî yazılar zaten meziyetten ârî şeyler olduğundan okumak külfetini ihtiyar edenlerden hatalarımın şeyhûhetime bağışlanmasını temenni ederim.

İptida şurasını arz ve itiraf ederim ki bu halk sırtından geçinenlerin efâl ve ahvalinde ne bir tagallüb ve tahakküm vardı ve ne de hususî bir imtiyaz ve istisnaiyete malik idiler. Sırf halkımızın rıza ve hoşnûdiyetini celp ederek temîn-i menfaat ederlerdi.

Hoca taslakları

Halk sırtından geçinenlerin başlıcaları birtakım hoca taslaklarıydı. Bunlar da birkaç kısma ayrılırdı. Bir kısmı romatizmaya, baş, göz, kulak ağrılarına, yılancık hastalıklarına duçar olanların ıstıraplarını, sızılarını, evcâını teskin etmek için nefes ederlerdi. Bir diğer kısmı yemekten, içmekten uykudan kesilmişleri, çocuklara arız olan havale illetine, râşeye, halecân-ı kalbe, çarpıntıya müptelâ olanları vesair ilel ve emraza uğrayanları manevî birtakım usul ve vesait kuvvetiyle tedavi ederlerdi.

Sıtmayı ân-ı vâhidde kesmek için bileklere pamuk ipliği bağlarlar, isâbet-i ayna, şirinliğe[74] ve bazı emrâz-ı manevviyyeye muskalar; bâha, bazuya kuvvet vermek için pazıbentler, atların nazardan vikayesine hamâiller yazarlar, müshil makamında ezilip suyu içilmek üzere, pire, tahta kurusu, sivrisinek misilli hayvânât-ı mûziyyenin itlâfına vefk verirlerdi. Sarî hastalıkları sirayetten menetmek için tılsım da yazarlardı. Hatta 1281 [1865] tarihinde zuhur eden büyük kolera hastalığı esnasında çok kimseler hane ve sahilhanelerine mütehassıslarını celp ederek oda kapıları üzerine tılsımlı at nalları mıhlatmışlar ve kapı çerçevelerine teneke gılâflar içinde muskalar talik ettirmişlerdi.

Bağlı olan yeni güveyilerin bağlarını çözmek için gece baş yastığı altına muska koymak, hiç kullanılmamış çini kâseye vefk yazarak suyunu içirmek, balta namlusunun sap deliğinden tebevvül ettirmek gibi devalar tavsiye ederler ve her dert için ayrı ayrı çâre-i necât gösterirlerdi.

Birtakım da mağribî siyahlar vardı. Bunlar Afganistan'da, Buhara'da, Fas'ta Cava'da güya bazı erbâb-ı kemâle mukarin olmuşlar ve onlardan ahz ve iktibas eyledikleri huddâm sayesinde zehirli, vahşi, yırtıcı hayvanatı kendilerine ram etmişlerdir. Bu gibi hayvanatın tehlike ve mazarratlarına maruz kalmamak arzusunda bulunanlara muska verirlerdi.

Sarılık hastalığına duçar olanlara nefes eden ve alınlarını kendi tılsımlı bıçaklarıyla çizip şifa niyetine tükrük süren huddâmlı mütehassıslar da vardı.

Talibi zuhur eden gelinlik kızların ve teşebbüs olunacak sair bir maslahatın encamı hayır veyahut şerre peyveste olacağını bilmek için istihareye yatanlar ve görülen rüyaları tabir edenler de vardı. Bunların kimi cami avlularında, bazen kahvehanelerde ve işlek sokak başlarında ve bazıları da ücra semtlerde kâin dükkânlarında erbâb-ı mürâcaatı kabul ederlerdi.

Birtakım da ulûm-ı mektûme mütehassısları vardı. Bunların kimi Hindistan'da ilm-i simyâ tahsil ettiklerini, kimi Arabistan'da, Mısr-ı kadîme ait asarda bu misilli ulûmu yıllarca tahsil ve tetebbu eylediklerini bir tavr-ı mütebahhirânede söylerler ve manevviyatın kuvvetinden, cinlerden, perilerden bahsederler! İnsanların müddet-i hayâtlarında müsadif olacakları felâket ve müşkilâttan ancak bu ulûm-ı mektûme sayesinde halâs olabileceklerini beyan ederler ve birçok edille-i muğfile ile halkı tuzaklarına düşürmeye çalışırlar ve vakarlarını muhafaza ve kendilerine hürmet ettirmek yolunu da iyi bilirlerdi.

Biz yaşlılar evân-ı sabâvetimizde peri masalları, peri hikâyeleri dinleye dinleye kulaklarımız dolmuş ve bu gibi efsanevî hikâyeler zihinlerimizde kalmıştır.

---

74 şirinlik muskası: Bir kimsenin maşuku tarafından sevilmesi için üfürükçülere yazdırılan muskaya denir. Bu muska ya boyuna takılır veya döşeğin altına konur yahut ezilerek meyledilen kişiye habersizce içirilir. (*Osmanlı Âdet, Merasim ve Tabirleri*, c. II, s. 373)

Hele eski kadınlarımız bu gibi evham ve hayalât ve envâ-ı hurâfât ile âdeta ünsiyet peyda eylemiş olduklarından böyle hocaların sözlerine kolaylıkla kapılır, itminan hâsıl ederlerdi. Bu hâller bizde kökleşmiş bir anane hâlini almıştı.

Bu adamlar cahil ve ümmî oldukları hâlde kendilerini ricâl-i marûfe meziyetinde göstermeye ve lâfazanlıkları kuvvetiyle onlara muadil şöhret kazanmaya çalışırlardı. Bunların çoğu ulema ve derviş kıyafetinde ve heybetli bir tarzda idi. Mamafih avam kılığında birtakım sümsük, pinti, mıymıntıları da vardı. Bu hocalar deruhte edecekleri işin künhüne, hakikatine muttali olmaklığı sanatlarının mihveri addettiklerinden nakıs malûmat ile iş görülemez derler ve işin iç yüzünü bilmek ve hususiyetine vâkıf olmak isterlerdi.

Kendileri nice suçlular, kabahatliler, günahkârlar görmüşler; şeyn ve arı, nefret ve hacâleti mucip nice ahvale vâkıf olmuşlardır, fakat asla faş etmezler, ulûm-ı mektûmenin en büyük hassası ve birinci şartı ketumiyeti muhafaza etmek, sır saklamaktır derler ve böyle birtakım efkâr ve telkînât-ı bâtıla ile ahlâk-ı milliyyemize azim tesirler icra ederlerdi.

Bu adamların dikkat ve tarassut eyledikleri şeylerden biri de kabul edildikleri konaklarda bulunanlarla, bahusus küçük çocuklar, halayıklar, boşboğaz, dalkavuk kadınlarla aralık buldukça temas etmek ve hane halkının birer birer tercüme-i hâllerini öğrenmek ve bu suretle istihsal edecekleri malûmatı kendilerine ricâl-ı gayb taraflarından haber verilmiş şeyler tarzında satarak celb-i itimâd ve temas edecekleri hanım efendilerin teveccühünü isticlâb etmek idi.[75]

Kadınlarımız arzularının husulüne rabt-ı ümîd ettikçe ruhlarının birçok riyalarla gizlediği en derin ve anlatılmaz sırlarını bu yadigârlara bildirmeye mecbur edilirler, "Ne çare! Derdini söylemeyen dermanını bulamaz." derlerdi.

İşte bu takım hocalar müşterilerinin sırlarına ve işlerinin iç yüzüne muttali olduktan sonra artık vazifelerinin kolaylıkla icrasına mani kalmamış ve sanatlarının revacına geniş bir tarîk-i suhûlet açılmış olduğundan periler üzerinde olan kuvvet ve nüfûz-ı manevîlerini müşterilerine daha yakından göstermek ve nazarlarında kendi mevkilerini bir kat daha yükseltmek maksadıyla perilerin davet düsturunu müşterilerinin huzurunda gözlerinin önünde tatbik ve icra ederlerdi.

Bu hocalar sanatlarının icrasına alet olmak üzere maiyetlerinde perhizkâr ve vâkıf-ı ahvâl bir kadın ve kezalik sâhib-i vukuf ve basîretkâr bir de erkek hizmetçi bulundururlardı. Bunlar daima hizmete amade olup verilen emirleri gayet mahirane ifa ederlerdi. Hocaların talim ve terbiyeleri bunlar üzerinde büyük tesirler hâsıl etmişti. Hatta lede'l-hâce istimal edilmek üzere hocalarla hizmetçiler beyninde parolalar bile ihzar edilmişti.

---

75 *Millî Mecmua*, nr. 1, 1 Teşrinisani 1339 [1923], s. 10-11

Davet düsturu iktizasınca periler için iptida bir oda intihap olunur ve bu oda loş bir hâle konulur, hoca ile müşteriler oda derununda birer mevki işgal ederler, üzerlik tohumu, günlük, kendir yaprağı ve buna mümasil birçok nebatat kurularından mürettep tütsü ateşdanlığa atılır. Çıkan duman bir yılan gibi kıvrıla kıvrıla yükselir, odayı bürür, dimağları sarmaya başlar ve hoca lâkayt bir tavırla koca tespihini çekmekte devam eder. Odada bir müddet sükut hüküm sürer. Bu esnada nâgeh-zuhûr bir hadisenin mukaddimesi beliriyor ve bir âkıbet-i vahîmenin mebdei başladığına delâlet ediyormuş gibi bazı hayalât ve şule gibi alâmetler görünür, derinden derinden uğultular, homurtular, ufak ufak iniltiler, ayak patırtıları işitilir.

O sisli, puslu, mukassi odada tütsünün dumanından zaten bunalacak hâle gelmiş olan müşterileri müthiş bir havf ve haşyet istilâ eder, kalpleri helecanla çarpmaya ve vücutları lerzenâk olmaya başlar. Zavallılar oldukları yerde kımıldanmaya cesaret edemezler, derece-i elem ve ıstıraplarını bildirmeye de muktedir olamazlar, korkunç bir kabus altında ezilirler, şuurlarını kaybedecek raddeye gelirler.

İşte bu muhavvif ve müthiş alâmetler, davet olunan perilerin peyderpey gelmekte olduklarının alâmetidir.

O dakikaya kadar murakabe hâlinde tespihiyle meşgul olan hoca ani bir surette coşkun bir hâl-i istiğrâka gelir. Bütün itidâl-i demini, bütün muvazenesini kaybeder, behimî bir cezbe ile dişlerini gıcırdatmaya, vahşiyane açılmış olan ağzından salyalar akıtmaya başlar. Göğsü şişer gözleri döner, yuvalarından fırlamış gibi mütemadi hareket eder, bambaşka bir mahlûk olur.

Perilerin gelmeleri tesiriyle olacak ki hoca nagehanî çırpınır, bağırır, zincirden kurtulmuş bir deli gibi odanın ortasına kendini atar, perilerle pür-gazab muhâsamâta başlar. Güya fevka'l-beşer bahşedilmiş bir kuvvetle gırtlak gırtlağa boğuşur gibi hâller gösterir. Müteakiben bu hiddet ve şiddet hızını kaybeder, gayet mülâyim bir tavır takınır. Güya emr ü reyi nafiz büyük bir zatın huzuruna çıkmış gibi etekler, tebcil ve tazim ve tazarru ve niyaz vaziyetleri gösterir, tabasbus ve temellüklar eder, yaltaklanır. İş sahibinin serairine ait macerayı mutedil ve münasip bir lisanla arz ve ifham etmek ister. Müşterisi hakkında periler tarafından reva görülen fecâyiden şikâyette bulunur, teessüratından eşk-rîz olur. Hezar sûz u güdâz ile tazallüm-i hâl eder ve daha birçok kelimât-ı taklîdkârâne ile o esrara ait müzakereler cereyan eder, yekdiğerine irtibat ve taalluku olmayan fikirler teati ve dermeyan olunur.

Bu korkunç temaşayı müteakip güya bir başkasına muhatap olur. Ona müstehziyane hafif hafif tebessümlerle lâtifeler eder. Aldığı cevap üzerine kahkahalar ile gülmeye başlar, kâh şair olur ebyat okur, kâh ahlâk mütehassısı kesilir tuhaf tuhaf mülâhazât der-meyan eder. Buna da fasıla verir ve yine gazaba gelir ve unf ve şiddetle tecellütler gösterir. Tehdîd-âmîz cümlelerle titizlikler eder. Hâsılı esâs-ı metâlib hakkında Rüküş Hanım ve Yavru Bey gibi muhayyelât ile mukarenet ve itilâf zemini buluncaya kadar uğraşır. Neticede vaat alır, uzlaşır. Artık gazabı ve kini teskin ve unf ve şiddeti tadil ve tahfif edilmiş olur. Birtakım mülâyim evzâ-i mütehâlife ibraz eder. Bir iki defa aksırır, uykudan uyanır gibi yavaş yavaş kendine gelir! Hocaefendi gösterdiği bu ahval ve evzâ-i acîbenin ve telâffuz eylediği kelimât-ı garîbenin güya hiç birisinden haberdar değildir. Kâffesi perilerin ahval ve harekâtı olup hocada tecelli etmiştir![76]

Hocalar vazifelerinin faaliyeti içinde ağır bir ıstırap çektiklerinden bir vakit kendilerini toplayamazlar. Ruhları yorgun, vücutları kırgındır. Hasta ve mecalsiz bir hâlde görünürler, fakat çektikleri zahmet nispetinde de intifa ederler.

Bunların davet düsturu esnasında gösterdikleri maharetler de şâyân-ı tezkârdır: Meselâ perilerin sedalarını ve şîve-i ifâdelerini bir tarz-ı dîgerde telâffuzla beraber büyük bir kederi var gibi görünmeler, hayretler, ani hiddetler, hiddetten mülâyemete, kederden şetarete, tehevvürden itidale, gazaptan neşeye bir anda değişmeler ancak sâhib-i iktidâr bir aktörde görülebilir. Doğrusu bu adamlar vazifelerini en hurdeli teferruatına varıncaya kadar gayet mahirane icra ederlerdi. Müşteriler kendi huzurlarında tatbik olunan bu davet düsturu üzerine hocanın maneviyatça olan kemaline ve periler üzerinde olan nüfuzuna veleh getirirler, hayran olurlar ve artık bir gûne şek ve şüpheleri kalmaz. Tebrik ve teşekkür hususlarında gayet semîhâne davranırlar. Her müşkülün, her emelin, her ümidin hocanın sâye-i himmetinde hâsıl olacağına bu tecrübe ianesiyle bir kat daha kanaat getirmiş olurlar. Hoca da istediği mevkiyi kazanmış olur. Müşteriler artık hocanın huzurunda gözünün içine bakarlar ve her emrine itaat ve inkıyat ederler.

Hocanın ücreti, yol masrafı, perilerin masârif-i davetiyyesi bir de derya padişahının oğlu Yavru Bey ile kerimesi Rüküş Hanıma ve perilerin ileri gelenlerine mutat olan beneksiz siyah tavuk, helva, hünkar macunu misilli hedâyâ esmânı tabiî iş sahibine ait olduğundan onların da hocaya itası lâzımdır.

Bu ulûm-ı mektûme uleması ne kadar mühim vazifeler deruhte ederler! Meselâ bir şahsın vücudunu ortadan kaldırmak lâzım gelir. Bunun için hoca ilm-i simyâ vasıtasıyla perilere müracaat eder, haftalarca gece yarılarına kadar meşgul olur. Çâre-i yegânesi periler tarafından kalbine ilham olunur. Bunun üzerine hoca tutar bir kalıp sabuna cifr hurufatıyla o şahsın künyesini yazar, harfler birbirine çarpışır gibi görünür ve muhtelif renkler arz eder. Kırk bir adet de toplu iğne batırır, badehu iş sahibine teslim eder. Bu sabun gece el etek çekildikten sonra kuyuya atılacaktır. Sabun suda eridikçe o şahıs da eriyip mahvolacaktır.

---

[76] *Millî Mecmua*, nr. 2, 15 Teşrinisani 1339 [1923], s. 30-32

Mamafih şurası bilinmelidir ki böyle mühim tertibattan umulan neticenin hemen hâsıl oluvermesini istemek haksız bir sabırsızlık olur.

Bir de bu gibi tertibatın tatbik ve icrasında asla tegafül etmemelidir. Hocanın tarif ve talimatına harfiyen tevfîk-i muâmele etmek lüzumu daima hatırda tutulmalıdır. Zira ufak bir kusur ve hele en küçük bir itikatsızlık o kadar sa'y ve gayretin akametine sebebiyet verir!

Şurası da bilinmeli ki cifr hurufatıyla yazılan yazılar için istimal olunan mürekkebe misk göbeği, amber, semek-i musa gibi birtakım kıymetli eczalar ilâve olunur. Bunların esmânının da bittabi iş sahibine ait olduğunu beyana hacet yoktur.

Bu hocaların aleyhlerinde sû-i itikad besleyenler, dudak bükenler, omuz silkenler büyük gafillerdir! Bu zatlar meşbû ve mücehhez oldukları ulûm-ı mektûme sayesinde ayna gibi mücellâ birer kalbe maliktirler!

Ezcümle perilerden büyük hürmetler, riayetler görürlermiş, diledikleri malûmat kalplerine periler tarafından ilham olunurmuş, kendileri pak bir vicdan sahibi kimseler olduklarından onlardan hilâf sadır olmazmış. Doğruluk rehber-i efâlleri imiş! İşte bu derecelerde büyük meziyetlere malik olan bu zatlara lede'l-hâce müracaat olunmak iktiza ettiği hâlde iptida kalpleri her türlü hâr u hastan tathir ve tasfiye etmeli! Badehu îmân-ı tâm ile müracaat olunmalı imiş?!..

Bu hocaların kesb-i iştihâr etmesine ve haklarında itimat uyandırılmasına en ziyade kadınlar hamamında hamam ustalarının büyük yardımları olurdu. Hocalardan gördükleri menfaate mukabil hamama gelen müşteri hanımlara bu hocaların faziletlerinden, meziyetlerinden ve mucize kabilinden birtakım muvaffakiyetlerinden bahsederler, böyle hocalara ihtiyacı olanlara rehberlik edip ikâmetgâhlarına kadar götürürler ve bu suretle pek çok müşteri kazandırırlardı.

Bu misilli hocalar arasında vaktiyle büyük mevkiler ihraz edenler olmuştur. Ezcümle Sultan İbrahim illet-i sevdâya müptelâ olduğundan bazı ediye-i mesûra okumak kasdıyla hâkan-ı müşârünileyhe kesb-i intisâb etmiş ve hünkâr hocalığı unvanını ihraz ile Cinci Hoca lâkabıyla zebânzed-i enâm olmuş olan Safranbolulu Hüseyin Efendinin[77] ahvalini, umûr-ı devlete müdahale ile irtikâp ve irtişasını, kesb eylediği servet ve samanı müverrihler söylemekle bitiremezler.[78]

---

[77] IV. Murat döneminde saraya müneccimbaşı olarak giren Hüseyin Efendi astroloji konusundaki derin bilgisi sayesinde kısa zamanda nüfuz sahibi olmuştur. Özellikle Sultan İbrahim döneminde bu nüfuzunu padişah üzerinde de kullanarak önemli mevkilere tayinlerde söz sahibi olmuş, kısa zamanda büyük servetler elde etmiştir. IV. Mehmet döneminde isabetsiz hükümler vermesi yüzünden kısa zamanda gözden düşmüş ve 1650 yılında hapse atılmış, kısa zaman sonra boğdurularak öldürülmüştür. (Hayatı hakkında bilgi için bk. Salim Aydüz, "Hüseyin Efendi", *OA*, c. I, İstanbul 1999, s. 578-579)

[78] *Millî Mecmua*, nr. 4, 13 Kânunuevvel 1339 [1923], s. 62-63

Mehmed-i Sâlis şehzadesi Sultan Mahmut'a tahta cülus için bir hocanın yazdığı vefk ve aralarında teati olunan muhavereler kızlarağası vasıtasıyla sem-i hümâyûna isal edilmesinden dolayı şehzâde-i müşârünileyhin mahnûkan idam edilmesine sebep olmuştur.

İstanbul'da hayat ahzuitası gibi bazı vukuattan da bahsederler. Selîm-i Sâlis asrında ricâl-i devletten valide kâhyası meşhur Yusuf Ağaya bazı hocalar delâletiyle esâtize-i mûsikîden Sadullah Ağa ömründen yedi senesini hibe tarikiyle vermiş ve bu bapta Tahtakale Mahkemesi'nde hüccet-i şeriyye de tanzim edilmiş olduğu mervîdir.

Üsküdar'da Şeyh Ahmet isminde bir zatın şer' ve akla uymaz birtakım şeyler söyleyip birçok kesânı iğfal etmiş olduğu sem-i hümâyûna isal edilmesi üzerine Sultan Mahmûd-ı Sânî bir mukabele günü tebdîl-i biniş ile Çamlıca'ya azimet buyurdukları sırada şeyhin dergâhı önünden geçerken birtakım nisvan arabaları, konak ve kira beygirleri teraküm etmiş olduğunu görmüş ve dergâhta birçok rical ve kibarın mevcut idüğünü tahkik ettirmiş olduğundan "Bu adam şeyh değil kallâş imiş, tiz nefiy edilsin!" diye Babıâliye gönderdiği irade üzerine mumaileyh Dersaâdet'ten tebîd olunmuştur.

Müneccim taslakları

Biz İstanbullular vaktiyle müneccimlerin ihbaratına ve keşf-i istikbâl yolundaki sözlerine büyük ehemmiyetler verirdik ve bir işe başlamak için mutlaka eyyâm-ı sad arardık. Her sene nevruzunda tab ve neşrolunan takvimlerin ihbarat hanelerinde rumuzlu ibareler ve sad ve nahs günleri derç olunur ve çok kişi alâim-i cevviyye ile tefeül eylediklerinden bu gibi ibareleri nazarıdikkate alırlardı. Hatta öyle zatlar vardı ki meselâ "Sünbüle burcu âbî burçtur, yağmur yağar." diye bu burca tesadüf eden günlerde sokağa çıkmak istemezlerdi. Bu hususta tahrîk-i evhâm edecek *Melhame* ismindeki kitaplar ve bunların en meşhuru olan *Melhame-i Cevrî* bu gibi zevat indinde hâiz-i ehemmiyyet idi. Bunlara sık sık müracaat ederek ay başında vezân eden lodos rüzgarından, ayın on beşinde yağan yağmurdan bade'l-gurûb ufukta görülen kızıllıklardan bi't-tesâdüf husûf ve küsûfdan, zelzelelerden, yıldız uçuşundan, kuyruklu yıldızın tulû ve seyrinden ve gurubundan hükümler çıkarırlardı.

Devr-i Abdülazîz Hânî'de Rüsûmât emini Kâni Paşa maliye nazırı tayin olunmuştu. Müşârünileyhin nezarete nasbı Akrep burcuna tesadüf eylediğinden ol vakit Amedî odası hulefasından bulunan Dahiliye Nâzır-ı esbakı Memduh Paşa şu kıtayı söylemiştir:

> *Çok değildir nâzır-ı mâliyye Kânî'nin eğer*
> *Nasbı tarihi müsadif olsa hükm-i akrebe*

> *Mâr-veş çün kim soğukluktan bakılmaz vechine*
> *Eyler elbet âleme akreple arz-ı kevkebe*

Remil dökenler, yıldızı düşkünlerin yıldızına ve talii küskünlerin taliine bakanlar, hayvanatın bağırsağına veya bir kadeh suya bakıp maziden, istikbalden haber verenler de vardı.

Bir zamanlar Bohur Levi isminde İzmirli bir Musevî türemişti. Bu adam ekseriya devâir-i resmiyyeye ve bazı kibar konaklarına girer çıkar istekli olanların avucuna bakıp taliini söylerdi.

Niyet kuyusu

Eyüp'te bir de niyet kuyusu vardır. Bu kuyu Gümüşsuyu'ndadır. Bazı sınıf halkça ve alelhusus kadınlarca mergûb olup her ne niyet için nazar olunsa görünür diye şöhret olmuştur. Zayiatı olanlar, taşrada yolcusu bulunanlar, kısmeti zuhur etmemiş kızlar, yıldızı düşkün kadınlar bu kuyuya gelirler, kuyu başında taş bilezik üstündeki oyuklardan birinin içine gönüllerinden kopan akçeyi bırakırlar, badehu kuyu başındaki bacı kadının delâletiyle kuyunun içersine nasb-ı nazar ederler, bacı "Bak bak kızım, sarı bıyıklı bir adam geçiyor, işte geçti!" gibi falcı kadınlara mahsus ve zâirin işine elverişli lisan istimal eder ve zâirin avdetinden sonra oyuk içindeki parayı cebine atar.

Vaiz taslakları

Ulema ve sulehâdan maruf ve muhterem vaiz efendileri taklit eden birtakım vaiz taslakları da vardı. Bunlar ulûm-ı şeriyye ve mütedâvileden bîbehre ve fakat müşekkel ve müheykel bir kıyafette olup bir kucak sakalı, koca kavuğu, bol binişi, uzun asası, koynunda, koltuğunda birçok kitapları ile halkın gözünü doldururlar, muayyen günlerde zengin ve sûfî-meşreb hanımefendiler tarafından tahsis olunan ücûrât ile vaaza çıkarlardı. Esnâ-yı vaazda elleriyle kollarıyla ve envâ-i evzâ ve harekâtıyla müteheyyiç bir tavır takınırlar. İri ve mehîb sedalarıyla maksatlarını ifhama çalışırlardı.

Söyledikleri şeyler nefsini dünyadan men ile ahrete rabt-ı kalb eylemek, kabir ve cehennem azaplarını, kızgın cehennem ateşlerini, cehennem zebanilerini tefekkür etmek tarzında idi.

Birtakım yaşlı kadınlar ve mahalle ihtiyarları kemâl-i tevekkül ile bunları dinlerler ve dinledikçe gözyaşlarını yüzlerinden aşağıya akıtırlardı. Zavallı yaşlılar ahret yolcusu olduklarını ve nöbetlerini beklediklerini teemmül ederek çok müteessir olurlardı.[79]

---

[79] *Millî Mecmua*, nr. 6, 10 Kânunusani 1339 [1923], s. 94-95

Ehl-i kanâat adamlar

Eskiden hayât-ı âtılâneden lezzet-yâb olan adamların kısm-ı küllîsi derviş veya hafız kıyafetini ihtiyar ederlerdi.

Bu zatlar sa'yda manevî bir menfaat bulmadıklarından sanata sülûk etmezler ve başlıca bir iş tutmazlar, maişetlerinin tedarik ve temini hususunda kendilerini ehl-i kanâat zümresinden addederek zuhurata tâbi olurlardı.

Cemiyet içinde ruhen basit kalan bu gibi adamlar arasında bazı eizze-i kirâm, vüzerâ-yı izâm türbedarlığı, ücra semtlerde kâin mektepler kalfalığı gibi vazife kabul edenler bile nadiren bulunurdu.

Bu misilli adamların makarr-ı ictimâları mahalle kahvehaneleri idi. Sabahları kahvehaneleri dolaşırlar zengince bir zatın vefat edip etmediğini anlamak isterler. Eğer bir cevâb-ı müsbet almışlar ise o günlerini cenaze peşinde geçirirlerdi.

Bu kısım adamlar ehl-i kanâat olduklarından aza ve çoğa bakmazlardı. Tekkelere devamı da medâr-ı maîşet ittihaz etmişlerdi. Her tekkenin mukabele günlerinde erkence gidip taamda hazır bulunurlar, badehu ücretle dervişlik ederlerdi. Tekkelerde iptida kıraatı mutat olan evrâd-ı şerîfeyi,[80] usul ve âyîn-i tarîkatı oldukça bellemişlerdi. Bu zatlar arasında güzel sedaya malik ve bir dereceye kadar musikiye aşina olanları esnâ-yı zikirde kıraatı lâzım gelen ilâhîler ve eizze-i kirâm methiyelerini şamil kasideler taallüm etmiş olduklarından onları okur, kezalik ücretle zakirlik ederlerdi.

Tekkelerin mukabele günleri cemiyetli ve parlak olması şeyh efendilerce matlup ve mültezem olduğundan bu ücretler şeyh efendiler tarafından tesviye ve ita olunurdu. Malûm olduğu üzere umum tekkelerin cânib-i vakftan az ve çok maaş ve tayinleri olduğu hâlde şeyh efendilerin çoğu sûret-i dâimede tekkelerinde derviş beslemezler, yalnız mukabele günlerinde ücretle zakir ve derviş bulundururlardı.

Bu ehl-i kanâat adamlar cuma geceleri ve leyâlî-i mübâreke akşamları cevâmi-i şerîfe avlularında kadınlara okunmuş Yâsîn-i şerîf satarlardı. Bazı ediye-i mesûre yazılı ufak kâğıtlar, kumkumalar, şişeler derununda okunmuş sular satmakla da temîn-i maîşet ederlerdi.[81]

---

80 evrâd yahut ediye-i mesûre: Tarikat mensupları tarafından her gün okunan dualar. Her tarikatın pirleri, yahut sonradan gelen şeyhleri tarafından ayrı ayrı tertip edilmiş evrâdı vardır. (*OTDTS*)
81 *Millî Mecmua*, nr. 7, 24 Kânunusani 1339 [1923], s. 110-111

Turuk-ı Aliyyenin
İstanbul'da İntişarı

Turuk-ı Aliyyenin İstanbul'da intişarı hakkında *Hadîkatü'l-Cevâmi* ve *Osmanlı Müellifleri* nam tarihler başlıca mehazımızdır.

Tarihlerin verdiği malûmata göre iptida hulefâ-yı Bayramiyyeden Akşemsettin, Hazreti Fatih'le beraber hîn-i fethte İstanbul'a dahil olmuştur.

Ayasofya Câmi-i şerîfinin medrese kapısı ittisalinde vaki kütüphane mahalli vaktiyle Akşemsettin hazretlerinin halvethanesi imiş. Asası ve tâc-ı tarîkatı Fatih Câmi-i şerîfinde mahfuzdur.

Hacı Bayram-ı Velî'nin tesis buyurdukları tarikat irtihâl-i âlîlerinden sonra iki şubeye ayrılıp, birisi pîrân-ı izâmdan Akşemsettin tarafından Bayramî namıyla yâd olunan şube, diğeri Ömer Dede Sikkînî Efendi canibinden Melâmiyye-i Bayramiyye unvanıyla tesis edilen şubedir.

Akşemsettin, Şerefeddin Hamza nam zatın mahdumudur. İsm-i sâmileri Mehmet olup Şâm-ı şerîfte tevellüt ve Amasya taraflarında tahsili ikmal ile Osmancık kasabasında müderris olmuştur. Bilâhare Ankara'da Hacı Bayram-ı Velî hazretlerinden ahz-ı tarîkat eylemiştir.

Sultan Mehmet Han hazretleri Akşemsettin yediyle taklîd-i seyf eylemişlerdir diye bir rivayet vardır. İstanbul'un muhasarası tasavvuratında bulunan Hazreti Fatih tarafından vaki olan davet üzerine pirdaşı Akbıyık Abdullah nam zat ile beraber Edirne'yi teşrif ve mevkib-i hümâyûna iltihak eylemişler. Muhasara ve fetih esnasında asâkir-i Osmâniyye'ye müzaheret ve muâvenet-i maneviyyeleriyle beraber bade'l-feth Hazreti Hâlid, radıyallâhu anh efendimizin kabr-i şerîflerini keşfetmişlerdir. Müşarünileyh Akşemsettin hazretlerinin tayin buyurdukları mahal, tarihlerin tayin ettikleri mahal ile mutabakat eylediğinden mahall-i mezbûr hafredilmiş ve iki kulaç kadar kazıldıkta üzerinde "Hazâ kabriyyü Eyyûb" ibaresi muharrer taş zuhur ettiği cihetle derhâl bir türbe-i şerîfe bina ve hitamında bir câmi-i şerîf dahi ilâve edilmiştir. Şu hâlde kabr-i Ebu Eyyûb 806 sene sonra zahir olmuştur.

Müşarünileyh Hicret'in ellinci senesinde Yezîd İbn-i Muâviye kumandasında olarak buralara kadar ilâ-yı kelimetullâha muvaffak olarak bir fırka-i İslâm ile gelmiş ise de duçar olduğu illetten irtihâl-ı dâr-ı naîm eyleyip naaş-ı mübârekleri hâlâ metfun oldukları mahall-i muayyende vedîa-i rahmet-i rahmân kılınmıştır.

Müşarünileyhümâ Akşemsettin hazretleriyle Akbıyık Abdullah hazretleri namlarına birer câmi-i şerîf inşa olunmuştu. Akşemsettin Camii, Hırka-i şerîf kurbünde olup, bir gün Ahmed-i Sâlis hazretleri şehir dahilinde tebdil gezerken bu caminin önünden mürûru esnada öğle ezanını istimâ etmekle edâ-yı salât için camiye duhul ve banisini sual edip haber alması üzerine minber vaz ve hatip tayin buyurmuşlardır.

Müşarünileyh Akşemsettin fetihten bir müddet sonra Göynük kasabasına ve Akbıyık Abdullah hazretleri de Bursa'ya avdet etmişlerdir. Akşemsettin fetihten altı sene sonra Torbalı nam karyede 863 [1459] tarihinde vefat etmekle karye-i mezkûrede metfundur. Kendisi Sıddîk-i ekber[82] radıyallâhu anh neslindendir. Hazreti Fatih'in pederi Sultan Murat'ın vüzerasından Halil Paşa, Akşemsettin'in biraderzadesi idi. Halil Paşazade Süleyman Çelebi de kazasker olmuştur. Müşarünileyh Akşemsettin tabâbet-i sûriyye hususunda Lokman-ı zamân addolunurdu. Yürüdükleri yerlerdeki nebatâtın kendilerine "Ben filân maraza devayım" diye haber verdiği elsine-i nâsta söylenir.

Hakk-ı âlilerinde inşat olunan manzûme-i meşhûreyi teberrüken buraya kaydeyledim:

> Kara gün dostu idi Fâtih'in Akşemseddîn
> Ki yüzünden lemeân etti anın feth-i mübîn
> Nusreti çeşm-i hakikatle görüp verdi haber
> Böyle her kârı uzaktan görür erbâb-ı yakîn

Hacı Bayram-ı Velî Ankara şehrine yakın Çubuk Suyu'nun üzerinde ve dere içinde Solfasl nam karye ahalisindendir. (Solfasl karyesi "Zülfazl" lâfzından galattır) Evâyil-i hâlinde hayli müddet müderrislik eyledikten sonra Şeyh Hâmid-i Kayserî'den ahz-ı tarîkat ve tarîkinde iktisâb-ı müntehâ ve kemal ederek bilâhare Ankara'da neşr-i envâr-ı tarîkatla meşgul iken kendilerinde meşhut olan ahvâl-ı fevkalâdeden dolayı Ankara ve civarı ahalisinin teveccüh-i mahsûslarını ve hüsn-i kabûllerini kazanmış ve yüz bin kadar mürit peyda etmiş idiler.

---

82 Hazreti Ebu Bekir.

O tarihte Anadolu'da şeyhlik vadisinde birtakım celâlîler zuhur ile devlete birer gaile çıkarmaktan hali kalmıyorlardı. Hazreti Bayram'ın da bu kadar cemaat teşkil etmesi sâlifü'z-zikr endişeyi tevlit etmesiyle keyfiyet ricâl-i devletten bazıları tarafından Murâd-ı Sânî'ye ilka olundu. Bu sebeple hakan-ı müşârünileyh bizzat tahkîk-i ahvâl zımnında müşarünileyh Hacı Bayram-ı Velî'yi Edirne'ye davet etmişlerdi. Ol vakit pîr-i müşârünileyh ehass-ı müridândan Akşemsettin'i beraber alıp Edirne'ye gittiler. Vüzerâ ve ulemadan olmak üzere riyâset-i pâdişâhî tahtında bir meclis-i âlî akdolunmuştu. Hazreti Pîr'de meşhut olan havârık-ı fevkalâdenin isnat olunan şaibeden külliyen müberrâ olduğu meclise girmesiyle anlaşılması üzerine evvelce takarrür eden suallerin iradına lüzum ve ihtiyaç kalmayıp, taraf-ı şâhâneden taltif ve tatyîb buyruldular ve biraz müddet Edirne'de alıkonulduklarından Eski Câmi-i şerîfte kürsüye çıkıp vaaz ve nasihatte bulundular ve vaaz ve nasihatte zât-ı şâhâne de hazır idiler. O tarihte Hazreti Fatih on iki, on üç yaşlarında bulunuyordu.

Hacı Bayram-ı Velî hazretleri azimet ve avdetlerinde Gelibolu'ya uğrayıp meşhûr-ı âfâk olan *Muhammediyye* nâzımı Yazıcızade Mehmet Efendi ile mülâkat eylediklerinden müşarünileyhe hilâfet vermişlerdir.

Fatih'in Akşemsettin'i muahharen davet etmesi de burada hâsıl olan muarefeye mebni idüğü mervîdir.

Hacı Bayram-ı Velî hazretlerinin irtihalleri 833 [1430] tarihinde olup Ankara'da Akmedrese denilen caminin yanında kâin türbe-i şerîfde metfundur.

Ankara şehrinde Hacı Bayram-ı Velî Câmi-i şerîfinin altında ve Câmi-i şerîfin seviyesinden tahminen dört metre kadar toprak içinde derinlikte Hazreti Bayram'ın çilehanesi vardır. Orada kendine mahsus olandan maada dört hücre yani çilehane daha mevcuttur ki bunların biri meşhur Eşrefzâde-i Rûmî'nin, diğeri Yazıcızade'nin hücreleridir. Bunlar şimdi teberrüken ziyaret olunur. Hacı Bayram-ı Velî hazretlerinin şeyhlik makamı Hacı Bektaş-ı Velî'nin çelebilik makamı ile müsavi addediliyor diye bir mecmuada görmüştüm.

Fetihten sonra İstanbul'a Nakşibendî ve Zeyniyye tarikatları gelmiştir. Hatta İshak Buhârî-i Hindî bizzat Hazreti Fatih'e müracaatla vaki olan talep ve iltimasına mebni Murat Paşa kurbünde kâin olup Hindîler Tekkesi denilen Nakşibendî dergâhını hakan-ı müşârünileyh inşa ettirmiştir. Şeyh-i mezbûr dergâh-ı mezkûrda metfundur. Fatih'in silâhtarı ile'l-âhiri'l-ömr bu dergâhta hücre-nişîn olup irtihalinde mescid-i şerîfin sokak kapısı yanında defnedilmiştir.[83]

Emir Buharî Seyyid Ahmed Nakşibendî, Ubeydullâhü'l-Ahrâr Taşkendî hazretlerine intisap ve onun delâletiyle halifesi Abdullah'tan ahz-ı hilâfet etmiş-

---

[83] *Millî Mecmua*, nr.14, 15 Mayıs 1340 [1924], s. 226-227

tir. Fatih kurbünde kâin tekke ile mescidi Sultan Beyazıt inşa ettirmiştir. Mescidin ittisalinde müstakil bir türbesi vardır. Hazreti Emîr Buharî 922 [1516] tarihinde İstanbul'da irtihal buyurdular. Meşhur İbn-i Kemâl[84] müşarünileyhin vefatına şu kıt'ayı tarih söylemiştir:

> Müşkil oldı firkati şeyhün begayet âh şeyh
> Kanda gitdi bilmezin ol mazhar-ı Allah şeyh
> Bu firâk u hasrete bu hicrete ve bu hâlete
> Gönlüme didüm ki di târîh didi vâh şeyh

sene 922

Salifü'z-zikr mescidin minberini Sadrazam Bayram Paşa[85] vazetmiştir ve tekkenin on altı hücresi vardır. Kibâr-ı meşâyih-i Nakşibendî'den olan müşarünileyh Hoca Ubeydullâhü'l-Ahrâr'ın vefatı 895 [1490] tarihinde olup Semerkant şehri haricinde metfundur.

Tarîk-i Zeyniyyeden ve Fatih zamanı meşâyihinden Taceddin Karamanî denmekle maruf İbrahim bin Bahşi hazretleri halifesi Süleyman Efendi ki Zeyrek kurbünde kiliseden münkalip ve namına mensup mescidin sahibidir, müddet-i ömründe kimseye hilâfet vermemiş olduğundan kendinden sual olundukta "Aziz Bey vasiyeti budur ki 'tâlib-i Hak olmayınca kimseye hilâfet vermeyesin' buyurduklarına binaen bir tâlib-i Hakka vasıl olamadım ki hilâfet vereyim." diye cevap vermişler. Müşarünileyh Şeyh Taceddin 872 [1467] tarihinde Bursa'da vefat etmiştir. Kaddesallâhü esrârehim.

Sultan Beyazıt 881 [1476] tarihinde Şeyh Vefa Camii'ni inşa ettirip tarîk-i Zeyniyyeden Şeyh Muslihiddin Elhac Mustafa Vefa Efendiye hibe etmekle hankah olmuştu. Fakat sonraları silsileleri münkariz olarak hankah-ı mezbûr medrese hâline tahavvül etmiştir.

Zeyniyye tarîkinin müessisi Zeynüddin Hafî hazretleridir. Bursa mebûs-ı esbakı Tahir Beyefendi Haf, Horasan dahilinde bir kasaba olup vâv-ı muaddele ile H^vâf suretinde yazılır buyurmuşlardır.

---

84 Kanunî Sultan Süleyman döneminin meşhur şeyhülislâmı (Kemal Paşazade) İbn-i Kemâl 1526-1534 arasında sekiz yıl bu vazifede kalmıştır. (İlmiyye Sâlnâmesi, İstanbul 1334, s. 346. Eser 1998 yılında, Seyit Ali Kahraman, Ahmet Nezih Galitekin ve Cevdet Dadaş tarafından orjinal sayfa numaraları muhafaza edilerek yeni harflere aktarılmıştır). "Turuk-ı Aliyyenin İstanbul'da İntişarı" bölümünde görüleceği üzere 1529 yılında kurulan mahkemede Melâmî şeyhi İsmail Maşukî ve on iki müridini Sultanahmet'te idam ettirmiştir.

85 Aynı zamanda IV. Murat'ın eniştesi olan Bayram Paşa 1637-1638 yıllarında bir buçuk sene sadrazamlık yapmıştır. Bir hicviye yüzünden Şair Nef'î'yi idam ettirmiştir. (İzahlı Osmanlı Tarihi Kronolojisi, c. V, s. 35)

Bunlardan sonra İstanbul'da tarîkat-ı Halvetiyye intişar etmiştir. Bu tarikat birkaç şubeye münkasım olur. Tarîkat-ı Halvetiyye şuabâtından Sünbüliyye şubesi Sünbül Yusuf Sinan hazretlerinden intişar eylemiştir. Müşarünileyhin devrân-ı sûfiyye ve semanın halline dair *Risâle-i Tahkîkiyye* nam eserleri meşhurdur. Kendisi Merzifonî olup mürşid-i âlîleri Cemal Halvetî'den sonra müddet-i medîde İstanbul'da Kocamustafapaşa Dergâhı'nda irşâd-ı ibâd ile meşgul olmuşlardır. Rıhletleri 936 [1529] tarihinde ve kabirleri bu dergâhtadır. Ulûm-ı resmiyyeyi Efdalzade'den tahsil buyurmuşlardır. Cemal Halvetî hazretleri 899 [1494]'da irtihal buyurmuşlar. Müşarünileyhin Hazreti Sünbül'den başka diğer halifesi olup 931 [1525] tarihinde irtihal buyuran Hayrettin Tokadî'nin halifesi olan Şeyh Şabân-ı Velî'den Halvetiyye-i Şabâniyye şubesi ayrılır. Hazreti Şabân-ı Velî'nin irtihalleri 976 [1568] yahut 977 [1569] tarihinde Kastamonu'dur.

Halvetiyyenin Şabanî kolundan pek çok kâmiller zuhur etmiştir. Karabaş-ı Velî, Hazreti Nasuhî, Beypazarî Âlî, Kuşadalı İbrahim Efendiler hazerâtı gibi ecille hep bu şubeye mensupturlar.

Bu tarikatta terbiyye-i esmâîden ziyade irfan ve müsemma ciheti mültezem olduğundan sohbetle terakki bu tarike has olmuştur. Tabaka-i velî ricali gibi mürşitler ve kâmiller her asırda bu şubeden zuhur etmiştir. Kaddesallâhü esrarehüm.

Şemseddin Sivasî hazretleri ki Halvetiyye-i Şemsiyye şubesi onlara mensuptur. Müşarünileyh Tokat'ta tahsile başlayıp badehu İstanbul'a gelerek ikmâl-i tahsîl eylemiştir. Tarikaten feyzleri Musliheddin ve Nurettin Efendiler hazerâtındandır. İrtihalleri 1006 [1597/98] tarihinde olup Eğri Seferi'nde beraber bulunmuşlardır.

Tarîkat-ı Halvetiyyeden Gülşenî şubesi Diyarbakırlı İbrahim Gülşenî hazretlerine mensuptur. Müşarünileyh Mısır'da iken Süleymân-ı Kanûnî tarafından vaki olan davet üzerine İstanbul'a gelmişlerdi. Bu esnada İbn-i Kemâl ile musahabeleri vaki olmuştur. *Mesnevî-i Şerîf*'e nazire olmak üzere *Manevî* isminde bir eser tanzim etmişler. Muahharen Mısır'a avdet buyurmuşlardır. Vefatları 940 [1533/34] tarihindedir.

Şeyh Mahmut Hulvî Efendi hacc-ı şerîfe azimet ederken Mısır'da müşarünileyh İbrahim Efendi hazretlerinden ahz-ı hilâfet eylediğinden[86] hacdan avdetin-

---

86 Burada bir tashih söz konusudur. Mahmut Hulvî'nin hilâfet aldığı şeyh Gülşenîliğin kurucusu İbrahim Gülşenî değildir. İbrahim Gülşenî yukarıda da işaret edildiği gibi 1533/34 yılında vefat etmiştir. Mahmud Hulvî ise 1574 yılında doğmuştur. Dolayısıyla birbirlerini hiç görmemişlerdir. Mahmut Hulvî hilâfeti 1008 (1599/1600) tarihinde Kahire'deki Gülşenî Asitanesi postnişini İbrahim Efendiden almıştır. Mahmut Cemalettin el-Hulvî'nin pek çok tarikat büyüğünün hayatını anlattığı *Lemezât-ı Hulviyye ez Lemezât-ı Ulviyye* adlı eseri Mehmet Serhan Tayşi tarafından sadeleştirilerek (İstanbul 1993) yayınlanmıştır.

de pederi sarây-ı âmire helvacıbaşısı Ahmet Ağadan müntakil hanesini tekke yapıp derununda bir de mescit bina etmiş ve mescidin bâlâsına kendi eser-ı tab'ı olan bu tarihi yazmıştır:

> Yapılup zâviye bu mescid ile Hak yoluna
> Gülşenîler gele sâkin ola oldur maksûd
> Anun itmâmına hâtif dedi Hulvî târîh
> Menzil-i Gülşenîdür câ-yı makam-ı Mahmûd

sene 1035 [1625/26]

Vefatına kadar tefsîr-i şerîf kıraatıyla meşgul olmuştur. Pederi sarayda helvacı başı olmak münasebetiyle Hulvî mahlâsını ihtiyar etmişler. Vefatı 1064 [1653] tarihindedir.

Tarîkat-ı Halvetiyyeden Sinaniyye şubesinin müessisi (Ümmî Sinan) İbrahim Efendi hazretleridir. Bir rivayette Bursalı diğer rivayette Karamanlı imişler. Zaten âlim bir zat oldukları hâlde gördükleri bir rüya üzerine "Ümmî" lâkabıyla tahallüs buyurmuşlar. Rıhletleri 958 [1551] tarihindedir. Hazreti Hâlid civarında Oluklubayır'da hulefâ-yı aliyyelerinden Nasuh Efendi tarafından bina olunan dergâhta metfundur.

Seyyid Nizam hazretleri Seyyid Şehabettin Ahmet Bağdadî'nin oğludur. Silsile-i nesebi İmam Zeynelabidin radıyallâhu anh'a müntehidir. Buhara'dan Dersaâdet'e gelmiştir. Silivri Kapısı haricinde binâ-kerdesi olan zaviyede şeyh oldu. 975 [1567/68]'de vefat etmekle zaviyesine defnedildi. 1300 [1883] tarihinde işbu zaviye Âdile Sultan tarafından müceddeden inşa ve ihya ettirilmiştir. Hatta bad'el-itmâm resm-i küşâdında merhûme-i müşârünileyhâ bizzat hazır bulunmuştur. Taraf-ı ismet-penâhîlerinden inşa ettirilen mahfelde azîz-i müşârünileyhe kemâl-i hürmetlerinden naşi istimali mutatları olan imamesi murassa gümüş tirkeş çubuğu mahfel merdiveninin sahanlığında oturarak içmişler, badehu icra edilen mukabele-i şerîfede bulunmuşlardır. Oğlu Seyyid Seyfullah Efendi de bir şeyh-i azîz idi. Vefatı 1010 [1601/02] tarihindedir. "Seyfî" ve "Nizamoğlu" mahlâslarıyla eş'âr-ı mutasavvıfânesi vardır.

Tarîkat-ı Halvetiyyeden Ramazaniyye şubesinin pîr-i mükerremi Ramazan Efendidir. Kendisi Afyonkarahisarlı olup ikmâl-i tahsîlden sonra İstanbul'a gelmiş ve irşâd-ı sâlikîn ile meşgul olarak 1025 [1616] tarihinde rıhlet edip Kocamustafapaşa civarında kâin dergâhta defnolunmuşlardır.

Müşârünileyhin tekkesi havalisinde o vakitten kalma bir servi ağacı vardır. Hazreti Sünbül bazen o ağacın altına gelip otururlar ve "Bana buradan bir er kokusu geliyor" derlermiş. Filhakika yetmiş seksen sene sonra oraya Şeyh Ramazan Efendi hazretleri gelip sakin olmuşlardır diye rivayet edilir.

Celvetî tariki de Halvetîden teşaub etmiştir. Sivrihisarlı İsmail Hakkı'nın *Silsilenâme-i Celvetî* isminde olan eserinde bu tarikin intişarını İbrahim Zahit Geylânî hazretleri zamanında hilâle, Üftade hazretleri zamanında kamere, Hüdaî Aziz Mahmut Efendi hazretleri zamanında bedir hâline teşbih etmiştir.

Tarikat-ı Halvetiyye esası itibarıyle iki şubeye münkasım olur. Bir şubesi kadim İran Halvetîleridir ki Celvetiyyenin nispeti orayadır. Diğeri zamanımızda müteârif olan Halvetîlerdir ki Yahyâ-yı Şirvânî'ye vasıl olur. İsmail Hakkı hazretlerinin tarif buyurduğu Celvetiyye, İran Halvetîlerinden ayrılmış bir şubedir. Filhakika bir iki şube de İbrahim Zahit Geylânî'ye mütevâsil olur ise de 868 [1464] yahut 869 [1465] tarihinde irtihal buyurmuş olan Seyyid Yahyâ-yı Şirvânî Hazretleri elyevm memâlik-i Osmâniyye'de bulunan Halvetiyyenin piri addolunmuşlardır. Sünbüliyye ve Sinaniyye vesaire hep bu silsileden müteşaibdir.

Hüdaî Aziz Mahmut Efendi hazretleri Üftade hazretlerinden ahz-ı nisbet etmişler ve 1003 [1594/95] tarihinde Üsküdar'da kâin tekkeyi kendileri bina ettirmişler ve ilâ ahiri'l-ömr burada seccade-nişîn olmuşlardır. Kendisi Sivirihisarlıdır. İrtihali 1038 [1628] tarihindedir. Müşarünileyh Üftade hazretleri Bursalı olup 988 [1580] tarihinde irtihal buyurmuştur.

Murâd-ı Râbi'nin ibtidâ-yı cülûslarında türbe-i Hazret-i Hâlid'de 1032 [1623] tarihinde icra olunan taklîd-i seyf resmi müşarünileyh Aziz Mahmut Efendi hazretlerinin dest-i şerîfleriyle vaki olmuştur. Müşarünileyhin târîh-i velâdetleri 950 [1543] senesinde olmasına bakılınca resm-i mezkûrun icrasında zât-ı şerîfleri seksen iki yaşında olduğu anlaşılır. Hakan-ı müşârünileyh hîn-i cülûsunda on bir yaşında idi.

Kadirî tarikatı Bağdat'ta metfun olan Abdülkadir Geylânî'ye mensuptur. Bu tarikatın usulü tavr-ı dîgerde olup lisân-ı nâsta İsmail Rûmî diye maruf olan Tosyalı İsmail Efendi 1040 [1630] tarihinde İstanbul'a getirmiştir. Müşarünileyh Kastamonu'da ikmâl-i tahsîl edip badehu Bağdat'a giderek tasfiyye-i bâtın etmiş ve pîr-i sânî unvanını ihraz ile Tophane'de Kadirîhâne Dergâhını tesis etmiştir. *Hadîkatü'l-Cevâmi* bu dergâhın kiliseden münkalib olduğunu yazıyor. Müşarünileyh pîr-i sânî İsmail Rumî hazretlerinin Kadirîhane'deki merkad-i âlîsi taşını, Şeyh Şerafettin Efendi merhumun sevdiği ehibbâ-yı kadîmesinden hattât-ı şehîr Hafız Salih Efendi merhumun teberrüken yazdığı hasseten bu mahalle kaydolundu.

Müşarünileyh İsmail Efendinin bu dergâhtan başka olarak Tosya ve mahâll-i sâirede kırk sekiz adet tekkesi daha olduğu rivayet olunur. "Kıldı İsmail Efendi nakl-i gülzâr-ı cinân" mısraı târîh-i irtihâlleridir. Eşrefzadelerden Şeyh Ahmet İzzî Efendi müsâfereten İstanbul'da iken 1152 [1739/40] tarihinde vefat etmekle mahall-i mezbûrda defnedilmiştir. İzzî Efendi pederinden istihlâf eylediği İncirli Dergâhı'nda postnişin olmuştu. Kendisinin fuzalâ ve urefâdan bir zat olduğu rivayet olunur. "Göçdi Eşrefzade İsmail Efendi kutb iken" mısraı târîh-i vefâtıdır.

Eşrefzade diye maruf olan zât-ı âlînin ismi Abdullah olup tarîk-i Kadiriyye şuabâtından Eşrefiyye şubesinin müessisi imişler. İptida kayın pederleri Hacı Bayram Velî'den ahz-ı tarîkat edip ahfâd-ı Geylânî'den Hüseyin Hamdi hazretlerinden istikmâl-i feyz eylemişlerdir. "Eşrefzâde azm-i cinân eyledi" mısraı mantukunca irtihalleri 874 [1469] senesindedir. Türbe-i şerîfleri İznik kasabasındadır. Müşarünileyh erbâb-ı tarîkat indinde kadr ü haysiyeti pek büyük bir zattır. İznik şehrinde tevellüt etmiş olduğu için İznikî diye maruftur. Türbesi ziyâretgâh-ı enâm olmuştur.

> Benem ol Eşref-i Rûmî ne Rûmîyem ne İznîkî
> Benem ol dâimü'l-bâkî görindüm sûretâ insan

demişti.

Tophane'de mezkur Kadirîhane Dergâhı 1178 [1765] tarihinde muhterik olup Sultan Mustafa Hân-ı Sâlis tarafından inşa ettirilmiş ve 1236 [1821] tarihinde zuhur eden Tophane harîk-i kebîrinde yine muhterik olup Sultan Mahmut Hân-ı Sânî 1239 [1824] tarihinde inşa ettirmiştir.[87]

Yukarıda ismi zikrolunan Şeyh Şerafettin Efendi, Sultan Abdülaziz Han'a imâm-ı sâni olmuş ve bu münasebetle haremeyn payesini ihraz eylemiş olmasından dolayı hâl-i hayâtında mahdumu Ahmet Efendiyi meşîhata iclâs etmişti. Ahmet Efendinin zamân-ı meşîhatinde dergâh-ı mezbûru Sultan Hamîd-i Sânî müceddet suretinde tamir ettirmiştir.

Bayrampaşa Tekkesi de Kadiriyye şeyhlerine meşrut olup beyt-i şerîfin miftâh-ı cedîdi ve arakiyye-i Üveys ve kadem-i şerîfin resmi dergâh-ı mezbûrda mevcut olduğu mervîdir.

Maruf dergâhlardan biri de Beşiktaş'ta Yahya Efendi Dergâhı'dır. 940 [1533/34] tarihinde kendisi inşa ettirmiştir. Müşarünileyh Amasyalı Ömer Efendinin mahdumu olup pederi Trabzon'da kâdı iken 900 [1495] tarihinde orada tevellüt etmiştir. Ol vakit Selîm-i Kadîm vâli-i memleket bulunduğundan Yahya Efendinin validesi 900 [1495] tarihinde Şehzade Süleyman'a süt vermiş olduğunu rivayet ederler. Mamafih şehzâde-i müşarünileyhin ayrıca dayesi olup hatta mumaileyhânın Mahmutpaşa Camii kurbünde 937 [1530/31] tarihinde bir mescit inşa etttirdiği ve namı da Daye Hatun mescidi olduğu Hadîka'da münderiçtir.

---

87 Millî Mecmua, nr. 16, 12 Haziran 1340 [1924], s. 256-258

Yahya Efendi İstanbul'a geldiğinde Zenbilli Ali Efendiden[88] ikmâl-i tahsîl ile Beşiktaş'ta tedarik ettiği bahçede bir süknâ bina ve onun kurbünde bir de mescit inşa ettirmiş ve tarîk-i tedrîste Sahn-ı semân[89] derecesini ihraz ettiği hâlde tariki terk edip yevmiye altmış iki akçe ile tekaüt edilmiş ve tekaüt edildiği sene de müşarünileyh altmış iki yaşına vasıl olmuştur. Ayrıca divanları olduğu gibi tıp, hendese fenlerine de intisapları olduğu mervîdir. Vakitleri tecerrüt ile geçmiş ve 978 [1570] tarihinde irtihal etmişlerdir. Süleymaniye Camii'nde şeyhülislâm-ı asr Ebussuûd Efendi cenaze namazlarını eda ederek hâlâ ziyaretgâh olan mahalle defnedilmiştir. Türbelerini Sultan Selîm-i Sânî bina eylemiştir. *Sicill-i Osmânî* yahut *Tezkire-i Meşâhîr-i Osmâniyye* namıyla 1308 [1891] tarihinde tabolunan kitabın 77. sahifesinin 12. satırında bu türbenin Murâd-ı Sâlis tarafından inşa olunduğu beyan olunup, hâlbuki Yahya Efendinin irtihali "İrtihal eyledi kutbü'l-ulemâ" terkibi mantukunca 978 [1570] tarihinde olmasına ve Murâd-ı Sâlis 982 [1574] tarihinde cülûs eylemiş bulunmasına bakılınca *Hadîka*'nın yazdığı gibi mezkûr türbenin Selîm-i Sânî tarafından inşa ettirilmiş olması doğru olsa gerektir.

İstitrat-Hâric-i türbede Yahya Efendi hazretlerinin âzâd-kerdesi berş mucidi tabîb-i meşhûr Yusuf Sinan Rahîkî metfundur. Bu Rahîkî iptida yeniçeri ocağında ulûfe-hârlardan[90] olup muahharan ulûfesi kat olunduğundan Mahmutpaşa civarında bir dükkân küşat etmiş ve berş macununu icat ederek kisb ü kâra şürû eylemiştir. Kendisi envâ-ı mükeyyifâta müptelâ olduğundan Rahîkî tesmiye olunmuştur.

Sultan Mahmut Hân-ı Sânî, Yahya Efendi türbe ve dergâhını tamir ettirmişler ve birtakım hücerât vesaire de ilâve buyurmuşlardır.

Tarîkat-ı Halvetiyye şuabâtından Ramazaniyyeden münşâib Cerrahiyye şubesinin müessisi Muhammet Nurettin Cerrâhî hazretleridir. Kendisi şehriyyü'lasl olup Cerrahpaşa semtinde tevellüt etmişlerdir. Rıhletleri 1133 [1721] tarihinde olup Karagümrük civarında kâin dergâhlarında defnedilmişlerdir. Müşarünileyh, Köstendilî hulefasından olup on sekiz sene dergâh-ı mezbûrda meşihat etmişlerdir.

---

88 II. Beyazıt, Yavuz Sultan Selim ve Kanunî Sultan Süleyman dönemi şeyhülislâmlarından olan Zenbilli Ali Efendi, yoldan gelip geçenlerin dinî meselelerdeki sorularını yazıp bırakması için penceresinden sarkıttığı zenbiliyle anılmıştır. Yirmi altı yıl bu görevde kalmıştır. (*İlmiyye Sâlnâmesi*, s. 342-344)

89 Sahn-ı semân, Fatih Sultan Mehmet'in Fatih Camii külliyesinde kurduğu medresenin adıdır. Medrese eğitiminin en son derecesi burada verilirdi. (*OTDTS*)

90 ulûfe: Osmanlı Devleti'nde kapıkulu askerlerine ve sarayda vazife yapan muhtelif memurlara üç ayda bir ödenen maaşa verilen addır. Bu maaş sahiplerine de ulûfe-hâr denir. (*OTDTS*)

Sadî tariki mukaddemâ işitilmemiş iken asr-ı Mustafa Hân-ı Sâlis'te Şamdan Abdüsselâm Efendi isminde bir zat gelip kendisine Babasıoğlu Tekkesi[91] tevcih olunmakla anda mukabeleye başlayıp ve o takrip ile biraz adamlara hilâfet verip silsileleri çoğalmış ve etraf tekkeleri ve bazı hali mescitleri ve birtakımı da hanelerini tekke yapıp mukabeleye ibtidâr etmişlerdir. Tarîkat-ı Sadiyyenin piri Sadettin Cibâvî hazretleridir. "Kemâl-i nûr-ı Sadeddîn" terkibinin delâletiyle 700 [1301] tarihinde irtihal buyurmuşlardır. Merkad-ı mübârekleri Havran dahilinde Cibâ karyesindedir.

Tarikat-ı Rıfâiyyenin piri de Cenâb-ı Rıfâî olup rıhletleri 578 [1182] tarihindedir. Merkad-i şerîfleri Basra civarında Ümmi Ubeyde karyesindedir.

Müşarünileyh Hazreti Rıfâî ecille-i sâdâttandır. Medîne-i Münevvere'ye geldiğinde oradaki sâdât-ı kirâm kendilerinin siyâdetlerinde tereddüt göstermeleri üzerine huzûr-ı saâdete vararak "Yâ ceddî, fî hâleti'l-bu'di rûhî küntü ürsilühâ takabbilu'l-arda 'annî ve hiye nâ'ibeti fehâzihî nevbetu'l-eşbâh kad hadarat femdud yemîneke key tahfaz bihâ şefetî!"[92] nidasıyla tazarruda bulundukların-da orada mevcut sâdât ve bir cemâat-i kübrâ muvacehesinde yed-i saâdet uzatılıp Hazreti Rıfâî onu takbîl etmek şerefine mazhar buyrulmuştur.

Kıt'a-i sâbıka Meclis-i Maârif azâ-yı sâbıkasından Ziya Beyefendi tarafından nazmen tercüme olunmuştur. Sûret-i tercüme:

> Dûr olduğum zamanlar rûhum gelip de öyle
> Takbîl ederdi benden her lâhza hâk-pâyin
> Geldim huzûra şimdi ey mefhar-ı risâlet
> Bûs eyleyim uzat kim lûtf ile dest-i pâkin

Tarîkat-ı aliyye-i Rıfâiyye İstanbul'da iptida devr-i Hamîd-i Evvel'de, Üsküdar'da Menzilhane yokuşunda bir hanenin zaviye ittihazıyla başlamıştır.

Seyyid Ahmed el-Bedevî (bedevî kelimesi bâdiye lâfzının ism-i mensûbudur. Ahirindeki yâ, yâ-yı nisbet-i Arabîdir.) evâil-i hâlinde halktan itizâl ve samtı ihtiyar eyler ve kimseyle konuşmayıp hâl-i zarûrette işaret ile beyân-ı efkâr ve meram eylermiş. Irak'a gidip Hazreti Ahmed er-Rıfâî'ye mülâki ve tarikatlarından müteffeyyiz olup, badehu Mekke-i Mükerreme'ye giderek sonra Mısır'a avdetle Tanta'da mukim olmuşlar. Ekseriya yemez içmez, ibâdât ve tâât ile meşgul olurmuş. Mekke'de kendisine A'tâb denip kalbi şeci bir zat imişler. 627

---

91 Ekrem Işın Abdüsselâm Efendinin, Papaszade Mustafa Efendi Külliyesi'nde bulunan tekkeye postnişin olduğunu tespit etmiştir. Bk. "Sadîlik", DBİA, c. VI, İstanbul 1994, s. 392

92 Tercümesi: "Ey ceddim, ben uzaktayken sana toprağını öpsün diye ruhumu gönderiyordum. O benim vekilimdi ve şimdi huzuruna geldim. Dilimi tutmam için sağ elini uzat!".

[1230] tarihinde irtihal etmişlerdir. Kabr-i âlileri Tanta'da ziyaretgâhdır. Bedevî tariki zât-ı sâmîlerine mensuptur.

Nasuhî şubesinin müessisi ekâbir-i Şabâniyyeden ve Karabaş Ali Efendi hulefâsından Nasuhî Mehmet Efendi hazretleridir. Kendisi Üsküdar'da tevellüt etmişlerdir. Evâyil-i hâlinde enderûn-ı hümâyûna mülâzemet buyurmuşlar. İrtihalleri 1130 [1718] tarihindedir. Medfen-i âlîleri yine Üsküdar'da Doğancılar'da kâin hânkahları ittisalinde türbededir.

Bu Nasuhî Dergâhı'nın banisi Mehmed-i Râbi kerimesi Hatice Sultanın zevci olan Hasan Paşadır. Paşa-yı müşârünileyh mezkûr dergâhı Nasuhî Mehmet Efendi için bina ettirmiştir.

Bahariye'de Şah Sultan Tekkesi'ni Selîm-i Evvel kerimesi Şah Sultan bina ettirmiştir. Hücerât ve şeyh dairesi sahildedir. Sultân-ı müşârünileyhânın bu dergâhı bina ettirmelerinin sebebi hakkında şöyle bir rivayet vardır: Süleymân-ı Kanûnî 943 [1536/37] tarihinde sefere azimet buyurup Sultân-ı müşârünileyhâ da harem-i hümâyûn refakatinde gitmişler. Muahharen zevci Lütfi Paşa ile beraber avdet buyururlarken esnâ-yı râhta haramilere tesadüf edip korkmuşlar. O anda Merkez Efendiyi görüp münşerih ve müteselli olduklarından İstanbul'a muvasalatlarında saraylarının ittisalinde bu dergâhı efendi-i müşârünileyh için inşa ettirmişlermiş. Hâlbuki *Hadîka*'nın yazdığı gibi dergâh-ı mezbûrun 963 [1556/56] tarihinde, yani işbu sefere azimet tarihinden yirmi sene sonra bina edilmesine nazaran bu rivayetin sıhhatinde iştibah hâsıl olur. Dergâh-ı mezbûru Mustafa Hân-ı Sâlis tamir ettirmişse de müruruzaman ile harap olup ezkâr-ı celîle asarından hali kaldığından Sultan Mahmut 1251 [1835] tarihinde müceddet suretiyle tamir ettirmiş ve meşihatı tarîkat-ı Sünbüliyye meşihatına mahsus olduğu cihetle âyîn-i mezkûre vâkıf ve zühd ü salâh ile muttasıf Üsküdârî Elhâc Necati Efendiye dergâh-ı mezbûr meşihatı bâ-irâde-i seniyye tevcih buyrulmuştu. Tamiratın hitamında efendi-i mûmâileyhin iclâsı cemiyeti akdolunup bilcümle meşayih tekke-i mezbûra davet ve zât-ı şâhâne de gelerek zikr ü tevhide mübâşeret olundu. Âyîn-i Sünbüliyyeden sonra her birerlerinin şerefyâb-ı nisbet oldukları turuk-ı aliyye âyîn-i şerîfleri ale't-tertîb ifa olunarak Necati Efendi makamına ik'âd edildi. Gerek kendisine ve gerek meşâyih-i mevcûdeye atâyâ-yı seniyye ihsan buyruldu ve bu dergâhta evvelce şeyh bulunan Abdullah Efendi de Eğrikapı civarında kâin tarîkat-ı Halvetiyyeden mahlûl bulunan Cemâlî Tekkesi meşihatına nasbolundu.

Reîs-i Etıbbâ-yı Sultânî Behçet Efendi merhumun ihyâ-yı rûhu için biraderi Abdülhak Molla Efendi, Fındıklı tarafında vaki tarîkat-ı Sünbüliyyeden Keşfî Cafer Efendi Zaviyesi'nde menkabe-i *Mirâc-ı Nebevî* kıraatini tasvip eylediğinden yevm-i mahsûs olan bir cumartesi günü esnâ-yı kırâatte Sultan Mahmûd-ı Sânî de hazır bulunmuştu. Dergâhın mescidinde de cuma namazını edaya irâde-i seniyye sadır oldu.

Bu mescit ve zaviyenin banisi ümerâ-yı bahriyyeden Arap Ahmet Paşa zevcesi Saraylı Perizâd Hanımdır. Orası vaktiyle Ahmet Paşanın bahçesi iken zevcesine hibe etmiş, o da hankah inşasını vasiyet eylediğinden vasisi malından inşa eylemiş ve namına Hatuniye Mescidi denilmiştir.

Üsküdar'da Selimiye'de vaki tarîkat-ı Nakşibendiyye Hankahı'nın esasını Sultân Selîm-i Sâlis mukaddemâ Selimiye arazisini ihya buyurdukları zaman muhtasarca inşa ettirmişlerdi. Müruruzamanla haraba yüz tutmuş, vüs'atsizliği cihetle dahilen ve haricen sakinleri zahmet çekmekte bulunmuş olduğundan Sultân Mahmut müceddeden ve tevsian inşasını irade buyurmaları üzerine 1251 [1835] tarihinde etrafında birtakım arsalar mübayaa ve mahfel-i hümâyun da ilâve olunarak hitâm-ı inşâsında bir pazartesi günü resm-i küşâdı kararlaştırılmıştı. Ol vakit mülkiye nazırı bulunan Pertev Paşa bilcümle meşâyih ve dervişâna bir ziyafet tertip ederek, Şemsi Paşa kasr-ı hümâyûnunu teşrif etmiş olan hakan-ı müşârünileyhe işbu taamdan takdim edilmekle kasr-ı mezkûrda tenâvüle rağbet buyrulmuş ve badehu dergâh-ı mezkûru teşrif vaki olmuştur. Kurbanlar zebh olunarak edâ-yı salât-ı zuhr bir cemâat-i kübrâ ile ifa olunduktan ve zikr ü tevhit icra ve Hüdâî şeyhi tarafından dua edilikten sonra meşâyih ve dervişâna atiyyeler ihsanıyla avdet buyrulmuştur. Dergah-ı mezbûrun şürûuna ve hitamına Pertev Paşa taafından tarihler inşat edilmiştir. Sultân Mahmut Hân-ı Sânî hazretleri turuk-ı aliyyenin kâffesine muhip bulunduklarından birçok tekkelerin mukabele günlerinde ekseriya bizzat hazır bulunurlardı.

Kocamustafapaşa Hankahı derununda metfun Sünbül Sinan Efendi türbesini ve Konya'da Hazreti Mevlâna kuddise sırruhu'l-a'lâ hazretlerinin türbe ve hankah-ı şerîflerini ve Üsküdar Mevlevîhanesi ve Sütlüce'de kâin Hasırcızade Hankahı'nı ve Yedikule Kapısı civarında Hacı Evhad Tekkesi'ni ve Eyüp'te Feshane karşısında Balçık Tekkesi ile şeyh ve harem dairesini ve Langa civarında Alacamescit'te kâin hankahı ve Üsküdar'da Doğancılar'da Ahmet Paşa Zaviyesi'ni 1251 [1835] tarihinde kâmilen tamir ve tecdit ettirmişlerdir. Pederleri Abdülhamit Hân-ı Evvel hazretleri de turuk-ı aliyyenin kâffesine ve hususiyle tarîkat-ı aliyye-i Mevleviyye ve Nakşibendiyyeye meyil ve muhabbetleri kemalde olduğundan zamân-ı saltanatlarında meşâyih-i izâm-ı Nakşibendiyyeden Galatasarayı hocası Geredevî Elhâc Halil Efendiye ziyadesiyle hürmet ve muhabbet buyurduklarından vefatlarında teçhiz ve tekfin masarifini ceyb-i hümâyunlarından tesviye buyurdukları gibi Fatih Câmi-i şerîfine tebdilen azimetle salât-ı cenâzesinde de hazır bulunmuşlardır. Leyâlî-i mübârekede turuk-ı aliyye meşâyihini nöbetle sarây-ı hümâyûna davet edip dervişleriyle beraber hankahlarında ifa olunan âyîn-i şerîfi sarayda icra ettirmişlerdir.[93]

---

93 *Millî Mecmua*, nr. 17, 26 Haziran 1340 [1924], s. 263, 265

Merkez Efendi Zaviyesi'nde iptida meşihat eden Merkez Muslihiddin Efendidir. Denizli'de Sarı Mahmutlu karyesi ahalisinden olarak İstanbul'a gelip Fatih medreselerinden birinde tahsîl-i ulûm eyledikten sonra Sünbül Efendiden ahz-ı tarîkat eylemiştir. Muahharen Sünbül Efendinin irtihalinde onun makamına geçip Kocamustafapaşa Hankahı'nda yirmi üç sene postnişin olup 959 [1552] tarihinde irtihal etmiş, Fatih Câmi-i şerîfinde cuma namazını müteakip salât-ı cenâzesini Ebussuûd Efendi eda etmiştir. Müstakil türbesinde metfundur.

Merkez Efendi Tekkesi namıyla maruf olan zaviyelerinin kapısı haricindeki Çukurçeşme'ye mâ-i lezîz cari olup türbenin yanında merdivenle nüzul edilir bir de ayazma vardır. Zîr-i zemînde mağara şeklinde müşarünileyhin halvethanesi ziyaretgâh ittihaz edilmiş ve kurbünde vaki hamam derununda bulunan hususî halvette mariz ve alil olanlar hüsn-i niyetle gasleyledikleri hâlde şifâyâb olur diye itikat edilmiştir.

Eyüp'te Feshane karşısında kain Balçık Tekkesi 863 [1458/59] tarihinde darülhadis olmak üzere bina olunup, muahharen Sünbülî ve sonraları Halvetî dergâhına tahavvül etmiş ve 1234 [1818/19] tarihinde meşihatta bulunan Mehmet Sadık Efendi tarîkat-ı Sadiyyeden Mehmet Emin Efendiye ikibin kuruş muaccele ile maa't-tevliye kasr-ı yed edip tekke-i mezbûr tarîkat-ı Sadiyyeye naklolunmuştur.

Bu dergâhın yukarısında kâin Şeyhülislâm Tekkesi'nin bulunduğu mahal vaktiyle Şeyhülislâm Molla Fenarî'nin bahçesiymiş. Şeyhülislâm Feyzullah Efendinin[94] Edirne vak'a-i meşhûresinde şehadetinden sonra 22 yaşında iken bir müddet Yedikule mahbesine giriftar olup, badehu Bursa'ya nefyedilen mahdumu Mustafa Efendi devr-i Mahmûd-ı Evvel'de 1148 [1736] tarihinde makam-ı fetvaya geldiğinde[95] bahçe-i mezbûru mübayaa edip tekke bina ve şadırvan ve hücerât ve matbah ve mescidi kâgir olarak inşa ettirmiş ve şeyhlere mahsus olmak üzere sakfı küşade bir de türbe yaptırmıştır. Hitâm-ı inşası 1157 [1744] tarihindedir.

Nişancılar kurbünde Şeyh Murat Tekkesi'nin banisi Şeyhülislâm Minkarîzade Yahya Efendi[96] damadı sudurdan Kengırılı [Çankırılı] Mustafa Efendidir. Fi'l-asl medrese olmak üzere bina olunup vâkıfın oğlu Şeyhülislâm Ebu'l-hayr Efen-

---

94   Sultan II. Mustafa üzerindeki nüfuzu sebebiyle, Osmanlı tarihine Edirne Vak'ası olarak geçen hadisenin başlıca müsebbibi olarak gösterilen Şeyhülislâm Feyzullah Efendi, 1703 yılında cereyan eden hadisede asiler tarafından yakalanıp başı kesilerek öldürülmüştür. (Hayatı için bk. Mehmet Serhan Tayşi, "Feyzullah Efendi", *DİA*, c. XII, İstanbul 1995, s. 527-528)

95   Feyzullah Efendizade Mustafa Efendi, 1736-1746 arasında yaklaşık dokuz sene bu görevde kalmıştır. (*İlmiyye Sâlnâmesi*, s. 518)

96   IV. Mehmet dönemi şeyhülislâmlarından Minkarîzade Yahya Efendi 1662 tarihinde bu vazifeye getirilmiş, makam-ı meşîhatta bir buçuk sene kalmıştır. (*age.*, s. 483)

di[97], Şeyh Murat Efendinin vefatında kendisinin medresenin dershanesine def-nettirilmesini vasiyet eylemiş olmasından dolayı medrese-i mezbûre Nakşiben-dî zaviyesine tebdil edilmiştir.

Otağcıbaşı Hüseyin Ağanın biraderi Seydî Mehmet Bey, Deli Bey denmekle maruf, tarîkat-ı Rıfâiyyeden müstahlef ve saraydan muhrec olmakla, kendi mes-cidini Selîm-i Sâlis asrında tekke hâline tahvil ederek mukabeleye bed' eyledi-ğinden, asrının zurefâsından bir zat şu tarihi söylemiştir:

> *Merkezin buldu sakar yani deli şeyh oldu*
> *Bî-şuûrân hüner eyleyip anı temyîz*
> *Dediler bir iki mecnûn delinin iclâsın*
> *İki mısra'da iki târîh-i san'at-âmîz*
> *Sa'y edip şânını tekmîle iki beylik için*
> *Seydî Bey Câmii'ne posteki serdi beyimiz*

Sene 1214 [1799/1800][98]

Üç defa makam-ı sadâreti ihraz etmiş ve 1178 [1765] tarihinde Midilli'de kat-ledilmiş olan Mustafa Paşa[99] hâl-i hayâtında Otakçılar civarında namına men-sup dergâhı bina ettirmişti. Hücerât, matbah ve saire levazımatıyla beraber şeyhlere mahsus hanesi de vardı. Fukarâ-yı Nakşibendîye şart olmak üzere 1166 [1753] tarihinde inşa olunmuştur.

Mukaddemâ Zeyniyye ve Nakşibendî tarikatlarının zuhurunda ulemâ-yı asr bunlara tariz etmeyip cümlesi hüsn-i kabûl görmüş ve şeyhleri mazhar-ı tazîm ve tevkir olmuşlardır. Fakat Halvetî tariki erbabı için "tahta teperler" diye birçok itirazat başlayıp ve 1044 [1634/35] tarihinde vefat eden kürsü şeyhi meşhur Ka-dızade Mehmet Efendi bu muterizlerin serhengi kesilip gürûh-ı sûfiyye aleyhi-ne husumette efendi-i mûmâileyh ile hem-efkâr olan taraftarları dahi 1066 [1656] tarihinde alenen itiraza kıyam ve Fatih Câmi-i şerîfinde izdiham eylemiş-ler ve hele imâl-i silâha meydan verilmeyerek defleri çaresi bulunmuştur.

Bu bapta ehibbâ-yı kadîmemizden ve Meclis-i Maârif aza-yı sâbıkasından Ziya Beyefendinin yazdığı mütalâadır:

"İlim ve marifet erbabına hafi değildir ki Sultân-ı Enbiyâ sallallâhü aleyhi ve sellem efendimizden şerîat-ı mutahhara hususunda iki viâd ahzolunmuştur. Biri

---

97 Sultan I. Mahmut dönemi şeyhülislâmlarından olan Ebu'l-hayr Ahmet Efendi 1732 yılında bu vazifeye getirilmiş, bir yıl sekiz ay vazifede kalmıştır. (*age.*, s. 513)

98 *Millî Mecmua*, nr. 18, 24 Temmuz 1340 [1924], s. 289

99 I. Mahmut, III. Osman ve III. Mustafa dönemlerinde üç defa sadaret makamına gelen Köse Bâ-hir Mustafa Paşa, beş yıla yakın bir süre bu vazifede kalmıştır. (*İzahlı Osmanlı Tarihi Kronolojisi*, c. V, s. 59, 61-62)

zâhir-i şerîat denilen ahkâm-ı celîledir. Viâdın diğeri de ukul-ı zaîfe ve tabâyi-i muhtelife erbabının ve zâhir-i şer-i şerîfde mertebe-i kemâle vasıl olmamış bulunanların vehleten anlayamayacakları birtakım maâni-i aliyyedir. Bazıları bu ikinciye sırr-ı tevhîd, esrâr-ı şerîat, ilm-i hakîkat gibi birçok isim tesmiye ederler.

Sadr-ı İslâmdan zamanımıza kadar zuhur eden ulema ve fuzalâ hem şerîat-ı zâhireye hem esrâr-ı tevhîde hizmet edip bu ikisini ayrı ayrı şeyler addetmemişlerdir. Fakat bazı havasın her iki yol hakkında ayrı ayrı kitaplar telif ettikleri de vaki olmuştur.

İşte bu uslûb-ı muntazam bu yolca devam edip dururken altı yüz tarihlerinde yaşayan bazı muhakkikîn, ezcümle Şeyh Muhyiddin-i Arabî kuddise sırruhu hazretlerinin elfâz ve terâkîb ile ifadesi kabil olmayan maânî-i dakikayı havi asar yazmış olmaları üzerine itirazata mübaşeret etmişlerdi.

Devlet-i Osmâniyye'nin zuhuru iptidalarında Irak ve İran ve Kürdistan ve bunlara mücavir memalikin bazısında ehl-i sünnet ve'l-cemaat tarikine ve bahusus akla ve insanlığa uymaz birtakım itikatlar, yollar, cemaatler, hükûmetler zuhur etmiş idi ki bunlar İslâmiyet ve vahdet-i milliyyeye müthiş tefrikalar ve darbeler ika ediyorlardı.

Devlet-i Aliyye muhafaza-i istiklâl ile beraber tevsî-i hudûda ve tanzîm-i umûr-ı dâhiliyyeye uğraştığı sırada bilfiil bunlarla da çarpışmak mecburiyetinde kaldı. Ulemadan bazısı hazreti şeyhi ve esrâr-ı şerîatı muhafaza ve müdafaa vadisinde birçok kitaplar yazdı. Fakat devlet Hazreti Bektaş-ı Velî duasıyla teşkil ettiği ve Bektaşîliğe muhabbet ettirdiği yeniçerisini yine dervişlik davası üzerine zuhur eden düşmanlarına karşı istimal etmek mecburiyetinde kalınca iş başkalaştı. İşin ehemmiyyet-i manevviyyesi cesameti ordu-yı Osmânîdeki dervişlik fikrinin izalesini icap etti. Başka türlü ordudan istifade edilmeye imkân yoktu. İşte bu sebeple İstanbul'daki ecille-i ulemâ işe giriştiler. İbn-i Kemâl gibi ilmindeki şöhreti kadar dervişliğe müntesip olan zevat, o asırda İstanbul'da yaşayan ehlullâhdan, ehl-i tarîkden bir hayli zevatı zındıklık töhmetiyle idam ettirdiler. O fırtınanın şiddetle devamı sırasında idi ki Şeyh Sünbül Sinan hazretleri *Kadî-i Beyzâvî Tefsiri* okutmak ve İsmail Ankaravî hazretleri ilm-i maâniden ve sair ulûm-ı zâhireden kitaplar telif etmek suretiyle ulemâ-yı resmiyye arasına karışarak mübarek başlarını kurtarmaya mecbur kaldılar. Hakikate ve esrâr-ı tevhîde dair müellefâttan nâs elinde bulunan âsar-ı nefîse batıldır isnadıyla yırtıldı, yakıldı. Fakat bilâhare devlet de Celâlîlerden, Safevîlerden daha birçok düşmen-i istiklâli olan hâilelerden kurtuldu. Kaldı ki Kâtip Çelebi'nin ve emsali zevatın yazdıklarına göre ehl-i tarîk hakkındaki bu adâvet-i muvakkate ve mukannaa git gide kökleşti. Bu da mültezem olan vahdet-i efkâr ve vahdet-i milliyye üzerinde bir çıban oldu. Dervişlik aleyhtarlığını kendilerine yegâne sanat ve medâr-ı şöhret addeden hocalar o dâiyyenin ortadan kalkması üzerine, kavgaya alışkanlık belâsı olmak üzere bu defa da yekdiğeriyle uğraşmaya kalkıştılar. Cahilâne kavgaların biri diğerini tevali etti. Dad'ın, Zad telâffuzu gibi şeylerin medâr-ı küfr ittihazı derecesinde mudhikat vukua geldi.

Rıza Tevfik Beyin 20 Teşrinisâni 335 [1919] tarihinde intişar eden *Peyâm-ı Edebî*'de Kızılbaşlar hakkında yazdığı bir makaleye nazaran bunların ayin ve erkânı ve âdâb-ı usûlleri Bektaşîleri çok andırırmış. Kendileri Safeviyye namında bir cemaat olup fakat mezhepçe İsmail derlermiş. Çünkü Şah İsmâil-i Safevî bu mezhebi vazetmiştir. Vaktiyle başlarına takındıkları serpuştan kinayeten Kızılbaş namı kendilerince nişâne-i temâyüz imiş. Şeyh Safiyy-i Erdebilî'nin oğlu ve Safeviyye Devleti'nin müessisi ve İran'ın en büyük adamlarından biri olan müşarünileyh Şah İsmail'e bunların fevkalhad hürmetleri varmış. Sultan Selim, Kızılbaşlar mezhebi dolayısıyla teşekkül eden fırka-i siyâsiyye ile çok uğraşmıştır. Bunlar kaviyyü'l-itikad adamlar olduğundan bir gece içinde seksen bin tanesini mahvetmiştir. Bu katliamda çocuklar ve kadınlar ve ihtiyarlar bile istisna edilmemiştir.

On üçüncü asr-ı Hicrî evâyilinde Cezîretü'l-Arab'da bir Vehhâbî gailesi çıktı. Vehhâbiler Cezîretü'l-Arab'ı arzan halîc-i Fâris'ten Bahr-i Ahmer'e ve tulen Suriye'den Aden'e kadar tamamen zaptetmiş ve Kabe-i Mükerreme'yi nehb ü gâret eylemiş idiler. Vehhâbilerin maksat ve içtihadı: Şerh ve tefsir namına asırlardan beri yazılmış kütüb-ı dîniyyeyi ortadan kaldırıp yalnız Kur'ân-ı Kerim'in muktedir olmasını, hurâfât-ı fikriyye ile beraber tekke, türbe ve merkat gibi ziyaretgâhları ortadan kaldırmak istiyorlardı. Binaenaleyh bunlar vaaz ve nasihat ile işin başarılamayacağını anladıklarından zûr-ı bâzû ile harekete kıyam ve en mühim olarak Ravza-i Mutahhara'daki ashâb-ı güzîn makabirini yıkıp ortadan kaldırmışlardı."

Sadî ve Rıfaî zuhuru muahhar olduğundan ve ulemanın bu makule itirazattan feragat eyledikleri zamanda İstanbul'a gelmiş olduklarından meydanı müsait buldular.

Bahariye'de Taşlıburun nam mahalde hâlâ Sadiyye usulü icra olunan dergâhın banisi Lâgarî Belgradî Cennet Efendidir ki tarîk-i Bayramiyyenin ihfâ kolundandır. Kendi de orada metfundur. Tekke de Lâgarî Tekkesi denmekle maruftur. Bu zatın vefatından sonra tarîk-i Bektâşiyyeden bir iki kişi postnişin olduktan sonra tarîk-i Sadiyyeden Öküzoğlu[100] denmekle maruf Şeyh Hüseyin Eyyûbî Efendi şeyh olup 1115 [1703/04] tarihinde vefat etmekle müstakil türbede metfundur. Evâyil-i asr-ı Mahmûd Hân-ı Sânî'de dergâh-ı mezbûr müceddeden bina olunup kafes-i hümâyûn da konulmuştur.

---

[100] Ekrem Işın bu şahsın lâkabının "Gözoğlu" olduğunu yazmaktadır. Bk. *agmd*, s. 392

Okmeydanı Tekkesi'nin banisi Sultan Bâyezîd-ı Velî'dir. Mescidi Fatih inşa etmiştir. Sultan Mahmut 1234 [1819] tarihinde camii, 1248 [1832] tarihinde de tekkeyi tecdit ve tevsi ettirmiştir.

Keçecizade İzzet Molla merhumun tekkenin tecdidine söylediği tarihtir:

Eylesin izzet yed-i kudretle Hak
Kuvvet-i bâzûsun ol şâhın mezîd
Bâbına nakşeyledim târihini
Tekke-i meydân yeter oldu cedîd

sene 1248 [1832]

1258 [1842] tarihinde Evkaf Nazırı olan Kani Bey hakan-ı müşârünileyhin kahvecibaşılığında bulunduğu esnada vaki olan irâde-i seniyye üzerine 1251 [1835/36] tarihinde tertip eylediği *Telhîs-i Resâili'r-Rumâd* namındaki eseri 1263 [1846/47] tarihinde tabolunmuştur. Mahdumu Fazıl Bey senelerce mabeyin kitabetinde bulundu. Diğer mahdumu Ahmet Rauf Bey de mezkûr Okmeydanı Dergâhı'na şeyh olmuştur. Bu Rauf Bey ehl-i hüner bir zat olduğundan imal eylediği ok 1279 [1863] tarihinde küşat olunan Sergi-i Osmânî'de vaz ve teşhir olunarak mazhar-ı takdîr ve tahsin olunmuştu.

Sultan Selîm-i Sâlis'in vazettirdikleri taşlardan başka 1233 [1817/18] tarihinde Sultan Mahmut'un kabza aldıkları[101] zaman âli bir ziyafet keşide olunmuş ve cümle kemankeşlere bohçalarla hediyeler verilmiş ve taşlar dikilmiştir.

İstitrat-Selâtîn-i mâziyyeden Murâd-ı Râbi ok atmakta pek mahir imiş. Eski Saray'dan[102] attığı ok Beyazıt Camii minarelerine düşmüş ve İran elçisi ok geçmez diye bir siper getirmekle hakan-ı müşârünileyh ok atıp geçirmiş ve içini altınla doldurup elçiye göndermiştir. Üsküdar'da Şeyh Ahmet Efendi sırr-ı vahdet diye şer' ve akla uymaz saçma sözler söyleyip birçok kesânı iğfal ettikten başka, nefesi müessir diye şöhret bularak enderun-ı hümâyun ağalarına çatmış ve müritleri çoğalmış ve has oda takımından Hüseyin Ağayı dahi "Yâ Hayy, Yâ Kahhâr" ism-i şerîflerine müdavemet ettirdiğinden kesret-i ezkâr ve harâret-i efkâr ile Hüseyin Ağa cünûn haline gelerek sünnet odasının camlarını kırıp parça parça ettiği esnada, ittifakan Sultan Mahmut da oraya gelerek kaziyyeye kesb-i vukuf etmiş idi. Çend gün mürûrunda tebdîl-i biniş ve tarikle Çamlıca'ya azimet ettikleri sırada şeyhin dergâhı önünden geçerken birtakım nisvan arabaları ve kira beygirleri ve enderun ağalarıyla mâl-a–mâl olduğunu görünce "Bu şeyh de-

---

101 kabza almak: Ok atmak isteyenlerin belli bir eğitimden geçtikten sonra hocasından okçuluk müsaadesi almasına denir. (*OTDTS*)

102 Bugün İstanbul Üniversitesinin merkez binasının bulunduğu mevkide Fatih Sultan Mehmet'in yaptırdığı saray, Topkapı Sarayı yapılınca Eski Saray diye anılmıştır.

ğil kallâş imiş, tiz nefyolunsun!" diye Babıâliye haber göndermekle 1226 [1811] tarihinde Dersaâdet'ten tebîd olunduğu *Cevdet Tarihi*'nde mesturdur.

Süleyman Faik Efendi Mecmuası'nda münderiç iki rivayet aynen zire derç edilmiştir.[103]

Avâm-ı nâs beyninde bazı bî-asl u esas rivayetler deverân eder, birtakım zevat da bunların sıhhatine itikat ederler. Rivayet-i mezkûreden biri 959 [1552] tarihinde vefat edip Mevlevîhanekapısı haricinde metfun olan kibâr-ı meşâyih-i Sünbüliyyeden Merkez Muslihiddin Efendi, zamanında pâdişâh-ı asrın kerimesini tezevvüce talip olup, padişah dahi hüsn-i müdâfaaya bir vesile olmak için kırk katar katır altın talep etmekle keyfiyet şeyh-i müşârünileyhin malûmu oldukta, elyevm Merkez Efendi Savmaası diye ziyaret olunun sulu mağarayı hafr ile toprağını kırk katıra yükletip sarây-ı hümâyuna göndermiş. Yükler sarayda bakıldıkta cümlesi altın olmak üzere zuhur etmiş olmakla pâdişâh-ı asr bu kerameti müşahede ile kerimesini tezvîc eylemişmiş.[104]

Emir Sultanın Bursa'da cennet-mekân Sultan Orhan kerimesini tezvîc eylemiş olduğu tarihlerde mestur olup, fakat Merkez Efendinin bir sultan ile tezevvücüne dair asla sarahat yoktur. Eğer aslı olsaydı Emir Sultan yazıldığı gibi bu da tahrir olunurdu.

Rivâyet-i mezkûreden biri de merhum Şeyh Nurettin Cerrâhî, Kocamustafapaşa şeyhi Nurettin Efendi ile hem-asr olup birbirine zıt olduklarından bir gün Nurettin hulefâ ve mürîdânını cem ile tekkesinde başına bir şal örtüp Kocamustafapaşa şeyhi Nurettin'in fevti için esmâ ve kahriyyeye meşgul olmuşlar. Yirmi dört saat mürûrunda esmâ kendiye sıçrayıp Nurettin Cerrâhî fevt olmuştur. Keyfiyet derhâl öbür Nurettin'e münkeşif olarak elinde olan tütün çubuğunun imamesini kırıp "Hây Nurettin hây!" demiş. Yanında olan ashabı "Acaba şeyh efendimizin bu işareti ne ola?" diye tecessüs etmişler. Sonra vâkıf olmuşlar ki o dakikada Nurettin Cerrâhî vefat etmiş. İşte tekkeler kahve odalarında bu misilli itimada gayr-ı şâyân hikâyeler çok söylenir.

Hacı Bektâş-ı Velî, Orhan Gazi asrı meşâyihinden Seyyid Mehmet Efendi namında bir zat imiş. Kendileri daima hâl-i istiğrakta bulunurmuş. Müşârünileyhe müntesip geçinir birtakım adamlar asâkir-i Osmâniyye ile pirdaş olmak iddiasıyla yeniçerilere hulûl ederek Hacı Bektaş babalarından biri daima Hacı Bek-

---

[103] *Millî Mecmua*, nr. 19, 7 Ağustos 1340 [1924], s. 305-307

[104] Merkez Efendinin Yavuz Sultan Selim'in kızı Şah Sultan ile evlendiğine, hatta bu evlilikten Ahmet Çelebi isminde bir çocuklarının dünyaya geldiğine dair rivayetler vardır. İhtiyatla yaklaşılması gereken bu rivayetin, Şah Sultanın Merkez Efendinin müridelerinden birisi olması ve onun adına tekkeler inşa ettirmesi sonucu oluşan yakınlıktan kaynaklanabileceği göz ardı edilmemelidir. (Baha Tanman, "Merkez Efendi Külliyesi", *DBİA*, c. V, İstanbul 1994, s. 396)

taş-ı Velî vekili namıyla doksan dört kışlasında ikamet edermiş. Hacı Bektaş-ı Velî türbesinde şeyh olan zat fevt oldukta yerine geçen kimse İstanbul'a, ocaklı onu alay ile Ağakapısı'na götürür ve tacını yeniçeri ağası başına geçirip yine alay ile Babıâliye irsal ile ferace giydirilir. İstanbul'dan avdetine kadar ocaklı tarafından ikram edilirmiş. Bu Bektaş babalarından bazıları müstâidd-i fesâd olan kulûb-ı avâmı taklîb ve istihfâf-ı ibâdât ile fısk u fücura tergip eylediklerine dair lisân-ı nâsta bazı rivayetler deveran eder. Vak'a-i Hayriyye'yi müteakip Bektaş tekkelerinden bazıları sedd ü bend ve şeyhlerinden birtakımı Dersaâdet'ten teb'îd oldukları *Cevdet Tarihi*'nde münderiçtir.

18 Kanunuevvel 335 [1919] tarihinde intişar eden *Peyâm-ı Edebî*'de Rıza Tevfik Beyin makalesinde Derviş Veli'nin şu manzumesi:

> İmanım şehitlerin harbine
> Urumeli Horasan'ın pirine
> Yerde gökte erenlerin varına
> Canla başla düşesi var gönlümün

Bu ikinci mısraı tefsir sırasında Rumeli pirleri ile Horasan pirlerine ve ahrâr-ı şühedâya sıdk-ı imân ile arz-ı teslîmiyyet ediyor. Malûmdur ki pîr-i tarîkat Hacı Bektaş-ı Velî an-asl Türk idi ve Maveraünnehir Türkleri indinde evliyâ-yı izâmdan madûd olan şâir-i meşhûr Yesevî'ye iddiâ-yı intisâb ederdi. Fakat Anadolu'ya bütün bu tarikat erleri Horasan'dan gelmiş oldukları için Horasan erleri bir mühim tabir olmuştur. Horasan'ın piri de bizzat Hacı Bektaş-ı Velî'dir.

Hadîka'nın ikinci cildi ve otuz altıncı sahifesinde Ayvansaray civarında Hatice Sultan Camii mukabilinde müstakil türbede metfun olan Bektaş Efendi, Sultan Süleyman'ın üstadı ve imamı imiş. Kendisi saltanat-ı Süleymân Hânî'de nâfizü'l-kelim bir zat olup, yeniçeri ocağının nizam ve intizamına dair hususâtta efendi-i mezbûrun kavil ve reyi ile amel edildiğinden taîfe-i mezbûrenin meşhur Hacı Bektaş-ı Velî'ye istinatları bundan neşet etmiş olduğu ve mevlânâ-yı mezbûrun haccı dahi bulunduğundan isimde ve şöhrette Hacı Bektaş-ı Velî'ye mutabık geldiği rivayet olunur.

Eyüp'te İdris Köşkü civarında Zeynep Hatun Mescidi kurbünde Şeyh Hasan'ın zaviyesi, Karyağdı Ali Baba Tekkesi denmekle marufdur. Şeyhi Mustafa Dede arec olduğu gibi pederi olup yine bu dergâhta şeyh olan Abdi Dede dahi arec idi. Diğer oğlu dahi arecdir. Buna dair *Hadîka*'nın 264. sahifesinde tafsilât vardır.[105]

---

105 Ali Rıza Beyin *Hadîkatü'l-Cevâmi*'den hareketle düştüğü yanlışı düzeltmekte fayda görüyoruz. Karyağdı Ali Baba Tekkesi ile Çolak Hasan Tekkesi, gerek bina, gerekse bağlı oldukları tarikat

Çolak Hasan Efendi Zaviyesi'ni şeyh-i mezbûra Mustafa Hân-ı Sâlis bina ey-lemiştir. Şeyh-i mezbûr tarîkat-ı Halvetiyyeden olup, evvelleri muharebe erba-bından Baltacı vezir ile Moskof seferinde bulunarak parmakları şehit olup ke-mâl-i harâretle bî-hod iken iki yiğit bunu kaldırıp bir tas su vermişler. Ba'de'ş-şürb "Kimlersiniz?" diye sual ettikte Hazreti Hasan ve Hüseyin olduklarını bil-dirip hemen kaybolmuşlardır, diye rivayet olunduğu Hadîka'da muharrerdir.[106]

Bu tekkeye karîb bir mahalde tarîk-i Mevleviyyeden Dolancı Derviş Meh-met 1230 [1815] tarihinde bir Mevlevîhane bina etmiş ve kendisine Konya'dan şeyhlik getirtmişti. Lâkin İstanbul'da olan şeyhler muaraza ettiklerinden bir veç-hile sema ve âyîn-i Mevleviyyeden bir nesneye kadir olamayıp hali üzere terket-mekle tedricen münhedim olmuş ve şeyh-i mezbûr da 1240 [1824] tarihinde ir-tihal eylemiştir.

Bu İdris Köşkü İdris-i Bitlisî'ye mensuptur, Mescit sahibesi Zeynep Hatun da bunun zevcesidir. Devlet-i Safeviyyenin bidayetinde Rum'a hicret etmiş ve Sultan Beyazıt vazife ihsan etmiştir. Kendisi hidemât-ı siyâsiyyede istihdam olu-nup Anadolu, Rumeli kazaskerleri misilli Arabistan kazaskeri olmuş ve 927 [1521] tarihinde vefat etmiştir. Fünûn-ı şettâya vâkıf ve elsine-i selâsede kasâidi ve Heşt Behişt namıyla bir eseri olduğu Sicill-i Osmânî'nin 309. sahifesinde mu-rakkamdır.

Zirde muharrer manzumenin sahibi, divan sahibi Vahdetî Efendidir:

> Mir'at-ı cemâlinde zuhûr eyledi mevlâ
> Âyât-ı hutûtundadır esmâ vü müsemmâ
> Münşî-i ezel safha-i hüsnünde serâser
> Nutk u sıfâtın künhü ile eyledi ifşâ

Tahir Bey, Osmanlı Müellifleri nam eserinde bu zatın Bektaşî-meşreb ve Hu-rûfî-mezheb olduğunu yazar.

Kerküklü Emin Efendi, Nakşibendî şeyhi olup İstanbul'a gelmiş ve Selîm-i Sâlis ricalinin makbulu olmasından dolayı Vak'a-i Selimiyyede 1222 [1807] tari-hinde Bursa'ya nefyolunmuştu. Orada Habip Efendi Zaviyesi kurbünde inşa ey-lediği tekkede imrâr-ı zamân eylediği hâlde 1228 [1813] tarihinde vefat etmiştir. İstanbul'da beyne'l-havâs muteber olmasına mebni mülâkat-ı seniyyeye memu-

---

bakımından birbirinden farklı iki tekkedir. Ali Rıza Beyin de belirttiği gibi Çolak Hasan Tekke-si Halvetîliğe, Karyağdı Ali Baba Tekkesi ise Bektaşîliğe bağlıdır ve müessisi Seyyid Mehmet Ali Babadır. (Bu konuda geniş bilgi için bk. Mehmet Nermi Haskan, Eyüpsultan Tarihi, İlâveli İkin-ci Baskı, İstanbul 1996, s. 103, 109; Thierry Zarcone, "Karyağdı Tekkesi", DBİA, c. IV, İstanbul 1994, s. 475-476)

[106] Millî Mecmua, nr. 20, 1 Eylül 1340 [1924], s. 320-321

rum diye o şerefe nailiyeti murat edermiş. Lâkin nail olamamış. Ricâl-i devletten çok kişi tekkesinde hizmet etmek derecesinde riayet ederlermiş. Hakkında Bursalı Şeyh Zâik Efendi tarafından şu beyit söylenmişti:

Şeyh Emîn'i Müslümân olsun derim meşreb bu ya
Ben zemîni âsümân olsun derim meşreb bu ya

Tarîkat-ı aliyye-i Hâlidiyyeyi, Dersaâdet'te neşreden meşâyih ile müntesipleri 1243 [1828] tarihinde nefyolunmuşlardır. Bunların içinde en meşhuru Abdülvahhâb Efendi imiş. Melâmiyye-i Bayramiyyeden Oğlan Şeyh lâkabıyla maruf olan İsmail Maşûkî 935 [1529] tarihinde Kemal Paşazade fetvasıyla Atmeydanı'nda Çınarlı Mescit önünde idam olunmuştur. *Hadîka*'da mumaileyh henüz on dokuz yaşında iken şehîden vefat eylediğini ve *Sicill-i Osmânî* mumaileyhin pederi Pîr Ali Efendinin mahdumu olup 914 [1508/09] tarihinde tevellüt ve 934 [1527/28]'de İstanbul'a gelip camide vaaz eylediğini ve askerîden cem-i kesîr müridi olduğunu ve 935 [1529] tarihinde katledildiğini ve kable'l-katl Çivizade'ye[107] gidip izdihamdan şekva ile teftiş olunmasını ve lüzumunda katledilmesini söylediğini yazıyorlar. Meydân-ı mezbûrda on iki müridinin kendisiyle katledildiğini ve halk hakkında ikiye ayrılıp bir kısmı zındık ve kısm-ı diğeri velî olduğuna kail olmuşlar ve kısm-ı sânî takımı muhâlif-i şer kelimâtı tevil ederlermiş. Mumaileyh başı ve bedeni birlikte gömülmemesini vasiyet edip mucibince Rumelihisarı'nda defnedilmiştir. Tarîkat-ı Melâmiyye-i Bayramiyyeden Hamza Efendi ve mensûbânı da 963 [1556] tarihinde kezalik hükm-i şerîfle idam olunarak Deveoğlu yokuşunda câmi-i şerîf haziresinde defnolunmuşlardır. Mevlevîhanelerde dedegânın sema etmeleri meşhur Vanî Efendi delâletiyle 1076 [1666] tarihinde menolunmuş ve Halvetîlerin tahta tepmeleri de kezalik Vanî Efendi ifadesiyle menedilmiştir. Bu Vanî Efendi devr-i Mehmed Hân-ı Râbi'de Köprülüzade Veziriazam Fazıl Ahmet Paşa delâletiyle 1072 [1661/62] tarihinde Van'dan gelip Şeyhülislâm Minkarîzade Yahya Efendiye taalluk ve münasebet peyda eylemiş ve refte refte kesb-i iştihâr edip huzûr-ı hümâyûn dersine tayin olunmuş ve Valide Sultanın Bahçekapısı'nda inşa eylediği câmi-i şerîfe[108] vaiz olmuştur. Kendisi nâfizü'l-kelim bir zat olduğundan dergâhlar aleyhine kıyam eylemiştir. Fi'l-asl Papazoğlu bahçesi denilen mahal genc-i sultânî olmak mülâ-

---

107 Tasavvuf ve tarikatlar hakkında menfi görüşlere sahip olan Çivizade Muhyiddin Mehmet Efendi, Kanunî Sultan Süleyman döneminde 1539 yılında şeyhülislâm olmuş, 1542 yılında azledilmiştir. Müddeti üç sene dokuz aydır. İsmail Maşûkî ve on iki müridinin muhakeme edilmesi sırasında Sahn-ı Semân Medresesinde müderris olarak bulunuyordu. (Hayatı hakkında bk. *İlmiyye Sâlnâmesi*, s. 361; Mehmet İpşirli, "Çivizade Muhyiddin Mehmet Efendi", *DİA*, c. VIII, İstanbul 1993, s. 348-349)

108 Padişah IV. Mehmet'in annesi Turhan Valide Sultan'ın inşaatını bitirdiği Yeni Cami.

besesiyle kendisine temlik olunup, mumaileyh orada kendisi için bir sahilsaray ve bazı haneler ve câmi-i şerîf bina ve namını Vaniköy tesmiye etmiştir. Yıldırım Beyazıt şehzadelerinden Çelebi Musa'nın Bursa'da icrâ-yı hükûmet eylediği esnada kazaskerliğinde bulunmuş ve akîb-i vak'ada İznik'e nefyolunmuş ve orada neşr-i ulûm ile meşgul bulunmuş olan Şeyh Bedreddin Simavî, âlîm ve fazıl bir zat olup, fakat kendisinin kethüdası olarak Anadolu'da Dede Sultan unvanını ihraz eden Mustafa'nın iğfaliyle müritlerinden bir cem-i gafîri maiyetine alarak Çelebi Sultan Mehmet'e karşı yürüyüp isyan eylediğinden, merkum Mustafa itlâf edildiği gibi Şeyh-i mûmâileyh de Siroz'da derdest olunup akdolunan bir meclis-i ilmî kararıyla ve reîsü'l-ulemâ Mevlânâ Haydar Herevî'nin fetvasıyla 823 [1420] tarihinde Siroz pazarında salben idam edilmiştir.[109]

---

109 *Millî Mecmua*, nr. 22, 1 Teşrinievvel 1340 [1924], s. 354-355

İstanbul Halkının
Tenezzüh ve Eğlenceleri

Geçmiş asırlarda muharebatımız mağlûbiyetlerinden mütevellit meyusiyet-ler Kırım Muharebesi'nde düvel-i malûme ile edilen ittifakın intaç eylediği gali-biyetle ferah ve inbisata mütehavvil olmasından naşi halkta ve erkân-ı devlette ârzû-yı rahât ve zât-ı şâhânede refah ve sükûn-ı umûmînin istikrarına meyil ve rağbet hâsıl olarak bir devr–i inşirâh başladı. Mezkûr ittifakın icap eylediği siya-sî, askerî, idarî temaslardan dolayı İstanbulca, ekseriyetle Avrupa medeniyetine hâsıl olan temayül hasebiyle tarz-ı hayâtta da teceddüt hevesleri tezahür eyledi-ğinden Garp ahvaline muvafık bir tarzda yaşamaya ve sahilhaneleri, köşkleri, konakları inşa ve tefrişte Avrupa usulüne riayet olunarak alafranga sofralara, sazlı sözlü, şaşaalı ziyafetlere heves olunmaya başlandı. Bu hevesin asarı her gün daha ziyâde rû-nümâ olup, vaktiyle eski helva sohbetlerine[110] bedel Galata

---

110   Evâyilde helva sohbetleri İstanbul'un kış geceleri eğlencelerinden idi. Bu eğlenceler bir zaman-lar, hususuyla İbrahim Paşa devrinde pek halâvet-engîz içtimalardan idi. Şairin şu:

Nev-bahârın gerçi seyr-i gülşen ü sahrâsı var
Fasl-ı sermânın velâkin sohbet-i helvâsı var

beytinin mâsadakı idi. Bu sohbetler İbrahim Paşanın Şehzadebaşı'ndaki konağında yapıldığı gibi damadı Mustafa Paşanın Demirkapı'da ve diğer damadı sadaret kethüdası Mehmet Paşa-nın Cağaloğlu'nda kâin konaklarında icra olunurdu. Helva sohbeti bazen bir gecede yapılır, ba-zen de bir hafta imtidâd ederdi. İbrahim Paşa tarafından tertip olunan helva sohbetlerinin ek-serisinde Sultan Ahmed-i Sâlis dahi hazır bulunurdu. Tab'an şair olan İbrahim Paşanın padişa-hı daveti dahi şairane idi. Meselâ:

Ezelden abd-i memlûkun çerâğ-ı hâsınım zîrâ
Sebep sensin beni ihyâya devletle saâdetle
Senindir hâne yoktur menendin şevketli hünkârım
Kerem kıl sohbet-i helvâya gel ikbâl ü şevketle

ve Beyoğlu'nda alafranga bir tarzda eğlenceler aranıldı. Hele 73 [1857] ve 74 [1858] tarihlerinde Nişantaşı'nda iki defa icra olunan hitan ve zifaf sûr-ı hümâyûnlarındaki[111] fevkalâde şehrayinler ve eğlenceler halkın işbu temayülâtına bir kat daha revaç verdiğinden artık cism-i millete bir illet-i sefâhat müstevli olarak Lâle Devri'ne nazireler yapıldı.[112]

"On Üçüncü Asr-ı Hicrîde İstanbul Hayatı" namıyla yazmakta olduğum mecmuada İstanbul halkının tenezzüh ve eğlence hususâtındaki ananâtını da velev sathî bir surette olsun ahlâfa bildirmek için o vakitler zükûr ve inâsımızın tarz-ı tenezzühlerini ve ne gibi eğlencelere rağbet gösterdiklerini iki fasl-ı mahsûsa tefrikân kayıt ve tezkâr eyledim.

İstanbul'un Seyir Yerleri Faslı

Esasen seyir yerlerinin ekserisi tarihlerde münderiç olduğu veçhile Sadrazam Damat İbrahim Paşa devr-i mamûriyyetinin bakiyesidir.

İbrahim Paşa, mesirelerin imar ve tanzimi hususuna pek çok himmetler sarf edip, Haliç ve Üsküdar ve Boğaziçi havalisinde Nevbünyâd, Bâğıferah, Mirâbâd vesâir bu misilli namlarla nice kâşaneler vücuda getirmiştir.

Çırağan Yalısı'nı, Sadâbâd Kasrı'nı, çağlayanları iptida müşarünileyh tasavvur ve inşa etmiştir. Sefaretle Paris'e giden Yirmisekiz Mehmet Çelebi Efendi[113] Paris'in Pale Royal denilen bahçesi hakkında İbrahim Paşaya birçok tafsilât vermiş ve bu tafsilâtın büyük hizmeti olmuştur.

---

kıt'ası gibi arîzalarla davet, o da icabet ederdi. Böyle gecelerde vükelâ ve eâzım-ı ricâl-i devle- dahi takım takım davet olunur ve asrın en benâm şairleri tarafından gece için nazmolunan kasideler okunur. Badehu saz terennüme başlardı. Zaman Osmanlı musikisinin en müterakki, en parlak devri olup İbrahim Paşa gibi her bediadan anlar ve padişahının istikmâl-i zevk ve huzûzundan başka bir şey düşünmez olan bir zatın hanesinde aheng-nevâz olan saz heyeti kim bilir ne kadar mükemmel idi. (Allah bilir ne âlem oluyordu.) Böyle mecâlis-i uzmâda asrın Şekerci Salih Ağası misilli kıssa-hânlar, meddâhlar ve nekre-gûlar da meclislere bir şetâret-bahş olurlardı. Etekler dolusu altınlar ve zikıymet kumaşlar, kürkler misilli hediyelerle herkes tatyîb olunurdu. (ARB)

111 73 [1857] tarihindeki sûr Şehzade Reşat, Burhanettin ve Kemalettin Efendilerin hitân ve 74 [1858] tarihindeki sûr da Sultan Mecit'in üçüncü kerimesi Cemile Sultanın Fethi Ahmet Paşazade Mahmut Celâlettin Paşaya ve dördüncü kerimesi Münire Sultanın Mısır Valisi Abbas Paşazade İlhami Paşaya izdivaçları sûru idi. Birinci sûr on iki, ikinci sûr da on beş gün devam etti. (ARB)

112 Bu sûr-ı hümâyûnların ayrıntıları için bk. "Saray Âdetleri-Sûr-ı Hümâyûnlar" bölümü.

113 Bu Yirmisekiz Çelebi Mehmet Efendinin Paris'ten avdetinde İbrahim Paşaya vaki olan arz ve ihtarı ve erbâb-ı maâriften Macarlı İbrahim Müteferrika'nın ve mektûbî hulefâsından Sait Efendinin himmetleriyle 1139 [1727] tarihinde İstanbul'da bir hurûfât matbaası tesis ve küşat olunmuştur. (ARB)

İstitrat-Çırağan Yalısı'nı iptida inşa ettiren İbrahim Paşa katl,[114] zevcesi Fatma Sultan pederinin[115] hal'inden sonra orada vefat etmiş, Selîm-i Sâlis 1218 [1804] tarihinde tamir ve tecdit ettirip dört sene mürurunda şehit edilmiş ve Mahmûd-ı Sânî tekrar inşasına başlattırıp, fakat itmamına muvaffak olmaksızın Çamlıca'da irtihal etmiştir. Hitamında Sultan Abdülmecit 1256 [1840] mevsim-i sayfından itibaren bir müddet ikamet edip Dolmabahçe Sarayı'nın hitâm-ı inşâsında oraya naklederek Çırağan'ı müceddeden inşa etmek üzere 1276 [1859] tarihinde hedm ettirmiş ise de hazinenin müzâyaka-i hâli ve ol vakit bazı ümerâyı askeriyye ve mülkiyye ve birkaç hocalardan mürekkep olarak teşkil eden komite azasının derdestiyle Kuleli Kışlası'nda icrâ-yı muhâkemeleri[116] misilli ahvalin tab-ı şâhâneye irâs eylediği fütur ve kelâl hasebiyle inşasından sarfınazar olunmuş ve Sultan Abdülaziz evâyil-i cülûsunda müceddeden inşaya muvaffak olmuş ise de az bir müddet ikamet edip yine Dolmabahçe Sarayı'nda ikameti tercih eylemiş ve halini müteakip Çırağan kurbünde ikametine tahsis olunan Feriye'de[117] irtihal etmiştir. Çırağan'da zuhur eden Suavî Vak'ası'nda[118] birçok adam telef olmuş ve Sultan Murat nice yıllar ailesiyle orada mahpus kalmış, validesi ve muahharen kendisi orada vefat etmişler ve en sonra Meclis-i Mebûsân dairesi ittihazında muhterik olmuştur.[119]

---

114 O muhteşem veziriazamın naaşı Bâb-ı hümâyûn önünde yeniçeriler tarafından vahşiyane paralanıp parça parça edilmiş idi. Şuaradan ve İbrahim Paşanın nimet-perverdelerinden ve ricâl-i ilmiyyeden Şakir Bey merhum el altından yeniçeri kokonoslarına bir hayli paralar vererek bakayâ-yı naaşını toplattırıp Şehzadebaşı'nda Direklerarası'ndaki türbeye defnettirmiştir. (ARB)

115 Bu Fatma Sultan 1120 [1709] tarihinde Sadrazam Silâhtar Ali Paşaya akdedilmişti. Paşa-yı müşârünileyhin muharebede şehadetinden sonra müşârünileyh İbrahim Paşa ile izdivaç etmiş, İbrahim Paşa da vak'a-i malûmede şehit edilmiştir. (ARB)

116 Tarihe Kuleli Vak'ası olarak geçen bu hadisenin sebebi henüz aydınlatılamamış ise de ileri gelen devlet adamlarının ve padişah Abdülmecit'in batılılaşma yolunda aşırı harcamalara gitmelerinin halkta meydana getirdiği hoşnutsuzluk üzerine çıktığı düşünülmektedir. Aralarında din adamlarının da bulunduğu ihtilal komitesi başta Abdülmecit olmak üzere ileri gelen devlet adamlarını öldürmeyi plânlamışlardı. Ancak bu arzularını yerine getiremeden yakalandılar ve Kuleli Kışlası'nda muhakeme edildiler. Hadiseye Kuleli Vak'ası denmesi bu yüzdendir. Komite üyeleri muhakeme sonunda idam cezasına çarptırılmışlar, ancak daha sonra bu cezalar Abdülmecit tarafından hafifletilmiştir. (Bu konuda bak. Uluğ İğdemir, *Kuleli Vak'ası Hakkında Bir Araştırma*, Ankara 1937)

117 Geçmişte Ortaköy'de, içinde Çırağan Sarayı'nın da bulunduğu bir dizi yapıya verilen addır. Bugün bu binalardan bazılarını Galatasaray Üniversitesi ve Kabataş Lisesi kullanmaktadır.

118 20 Mayıs 1878 tarihinde Ali Suavî önderliğinde gerçekleşen bu başarısız teşebbüsün amacı II. Abdülhamit'i tahttan indirip yerine yeniden V. Murat'ı tahta çıkarmaktır. Ancak bu gerçekleşmemiş ve Ali Suavî, Beşiktaş Muhafızı Yedisekiz Hasan Paşa tarafından sopayla öldürülmüştür.

119 Çırağan Sarayı 6 Ocak 1910 tarihinde elektrik kontağı sebebiyle yanmıştır. Bugün yanında yaptırılan otel binasıyla birlikte Alman turizm şirketi Kempinsky tarafından işletilmektedir.

Sultan Ahmed-i Sâlis'in kendi ber-keşîde-i inâyeti olmak hasebiyle İbrahim Paşadan evvel oldukça şaşaalı bir devr-i sadâret sürmüş olan Şehit Ali Paşanın[120] meşhur olan şiddet-i tab'ıyla beraber ashâb-ı ilm ü irfâna meyil ve teveccühü olduğu için onun da konağı erbâb-ı dâniş ve edebe küşade idi. Şair Nabi ve Şair Taib, Paşaya müntesip olduklarından ekseriya söyledikleri kasâidin cevâiz-i lâyıkasını alır ve mebzûlen iltifat görürlerdi. Taib'in şöhreti Şehit Ali Paşanın zamân-ı sadâretinde başlar. Paşaya takdim ettiği kaside için iki yüz altın caize vermiştir.

Arpa Eminizade şâir-i meşhûr Sami Bey bende-i hâne-zâdı gibi idi. Daima konakta bulunur ve dâhil-i bezm-i mahremiyyeti olurdu. Şehit Ali Paşanın hemân müşâvir-i hâssı gibi bir mertebeyi haiz olup İbrahim Paşa ise her nedense Şehit Ali Paşanın nazar-ı istirkabına uğramış ve idamına kadar yürüdüğü hâlde Ahmed-i Sâlis'in himâye-i mahsûsuyla kurtulup, fakat saraydan ve kurb-i pâdişâhîden tebîd edilmiş idi. Sami Bey, İbrahim Paşanın devr-i sadâretinde Şehit Ali Paşadan gördüğü veçhile mahremiyet-i hâssa mertebesini bulamayarak yalnız diğer bazı şairler gibi takdim ettiği kasâide mukabil ahz-ı atâyâ ile iktifaya mecbur olurdu. İbrahim Paşa, Ali Paşadan gördüğü cevir ve ezalarda Sami Beyin lühûn-ı ilmini tasavvur etmiş olması mütebâdir-i hâtır olduğu hâlde Ali Paşanın taaddiyâtından hâsil ettiği gayzı Sami Bey hakkında az çok icra etmek gibi küçüklüklere tenezzül etmeyip, kendisini ve kıymet-i şâiranesini takdir suretiyle hasâil-i kibârânesini irâeden hali kalmamıştır. Maa't-teessüf Sami, İbrahim Paşanın târîh-i şehâdetine müsadif olan 1143[1730] senesi vekayiini tarihine kaydetmemesi İbrahim Paşa hakkında beslediği gayzın eseridir zannolunur. Müverrih Raşit, Şehit Ali Paşanın perverdegân-ı iltifâtından olup vak'anüvisliğe dahi onun tensibiyle tayin edilmiş idi. Fakat İbrahim Paşa nezdindeki kıymeti daha bâlâ-terdir.

İbrahim Paşa sarayda helvahaneden[121] yetişme Nevşehirli bir adam[122] olduğu hâlde irfan ve zerafet ve gerçekten hüsn-i tabîat sahibi idi. Hâlâ paşa-yı mü-

---

[120] 1667 tarihinde doğan Silâhtar Ali Paşa, III. Ahmet tarafından 1713 tarihinde sadarete getirilmiştir. Padişahın beş yaşındaki kızı Fatma Sultan ile nikâhlanmış olduğu için Damat Ali Paşa diye de bilinir. 5 Ağustos 1716 tarihinde Avusturyalılarla yapılan Petervaradin Savaşı'nda şehit olmuştur. Sadaret müddeti üç sene üç ay sekiz gündür. (*İzahlı Osmanlı Tarihi Kronolojisi*, c. V, İstanbul 1971, s. 54). Silâhtar Ali Paşanın Fatma Sultan ile düğünü oldukça şaşaalı merasimlere sahne olmuş, 11 Mayıs 1709'da başlayan merasimler 20 Mayıs'a kadar aralıksız sürmüştür. (Bu düğünün ayrıntıları için bk. Çağatay Uluçay, *Harem II*, Ankara 1971, s. 98-108)

[121] helvahane: Sarayda reçel, şurup, macun gibi tatlılar yapılan yere denir. Matbah-ı âmirenin şubelerindendir. Nevşehirli İbrahim Paşadan başka Köprülü Mehmet Paşa da bu ocaktan yetişmiştir. (*OTDTS*)

[122] Bu Nevşehir an-asl Muşkara ismiyle Ürgüp kazasına tâbi beş on haneli bir köyceğiz olduğu hâlde İbrahim Paşanın zamân-ı sadâretinde Nevşehir tesmiye olunarak gerek bu köyde ve gerek

şârünileyhin encümen-gâh-ı zevküsafa olmak üzere tarh ve tanzim eylediği me-
sirelerin bakiyye-i âsârıyla mütenaim olmaktayız. Paşanın zevk ve taraba mey-
liyle maarife hizmeti ve erbabına rağbeti cihetle zamanında birçok şuara ve ure-
fâ yetişmişti. Ragıp Paşanın Haşmet'ine mukabil İbrahim Paşanın Nedim gibi[123]
bir nedîm-i hânegîsi vardı. Mevaliden kassâm-ı askerî Seyyid Vehbî[124] ve Mü-
verrih Raşit[125] ve bir aralık vak'anüvis olup muahharen şeyhülislâm olan Kü-
çükçelebizade Asım İsmail Efendiler[126] dahi İbrahim Paşanın hânegî şairlerin-
den madûd idi.[127]

Küberâ-yı mevâlîden, asrında hürmet-i umûmiyyeye mazhar olmuş ve sul-
tânü'ş-şuarâlık unvanıyla tebcil edilmiş olan Taib Ahmet Efendi[128] ve meşâhir-i

---

onun kurbünde olan mezkûr Ürgüp'te camiler, kütüphaneler, medreseler, mektepler, hanlar,
hamamlar, imarethaneler, değirmenler inşa ettirmiş ve her iki şehrin akarsuyu olmadığından
sekiz on saatlik bir mesafeden mâ-i cârî getirtmiştir. Bunların muhâfaza-i umrânına tahsis ettiği
vâridât-ı vakfiyye senevî bir milyon altına karîb olup, cihet-i mâliyeden zaptedilmiştir. *Târîh-i
Atâ*'da bu bapta tafsilât vardır. İbrahim Paşa bazı menâbi suları buldurup Küçük Çamlıca ve Li-
bâde cihetlerinde su yolları imlâ ile Üsküdar tarafında kırk kadar çeşme inşa ettirmiştir. (ARB)

123 Nedim, İbrahim Paşanın kendi kitapçılığına tayin edilmiş olduğu için Paşa'nın nedîm-i hümâ-
mı idi. Namık Kemal Bey, Nedim hakkında diyor ki: "Nedim'in divanı ise anadan doğma so-
yunmuş bir güzel kız resmine müşabihtir. Eğerçi erbâb-ı mezâk bir nazarda letâfet-i hüsn ü ânı-
na meftun olur, lâkin müfsid-i ahlâk olduğu için Nedim-efkâr etmek caiz değildir. (ARB)

124 Naci merhum diyor ki: "Seyyid Vehbi'nin asarı şâyân-ı mütalâadır.". Ziya Paşa'nın "Vehbi-i ka-
dîm nüktedândır" sözü tasdik edilir. Fakat "Asrında reîs-i şâirândır." hükmünde tereddüt edi-
lir. Seyyid'in:

Meh sanma müşterisi çıkıb hâce-i felek
Kâlâ-yı vasl-ı dilbere arz-ı gurûş ider

gibi âdi sözleri yok değil ise de Sünbülzade Vehbi ile karşılaştırılınca derece-i vustâda bulunan
şairlerimizin büyüklerinden addolunmasına lüzum görünüyor. (ARB)

125 Müverrih Raşit'in İbrahim Paşaya şiddet-i intisâbı Paşanın vuku-ı şehâdetinden sonra kendisi-
nin nefyini ve dûçâr-ı tahkîr olmasını intaç etmiştir. Mamafih izâsı cihetine gidilmeyip az
müddet sonra mazhar-ı afv olmuştur. (ARB)

126 Reisülküttap Küçükçelebi Mehmet Efendinin oğlu olan Asım İsmail Efendi 1759 tarihinde şey-
hülislâm oldu ve sekiz aya yakın bir müddetle bu görevde kaldıktan sonra vefat etti. (*İlmiyye
Sâlnâmesi*, s. 532-533).

127 İstanbul Halkının Tenezzüh ve Eğlenceleri I, *Peyâm-ı Sabâh* (*Peyâm*, nr. 874, *Sabah*, nr.11304), 9
Mayıs 1337/1921, s. 3

128 Sultan Ahmet sulbünden tevellüt eden İbrahim namında bir şehzade için Tâib'in söylediği ta-
rih huzûr-ı pâdişâhîye arz olunması üzerine pek ziyade pesendîde-i pâdişâhî olarak makbûl-ı
hümâyûn olmuştur. Asrın melikü'ş-şuarâsı olduğu vücûh ile zahirdir. "Matlabı ihsân-ı hümâ-
yûn olmuştur." diye bir hatt-ı hümâyûn sudur etmiştir. İbrahim Paşanın arz ve tavsiyesiyle vu-
kua geldiği bî-iştibâh olan bu tevcihten maksad-ı aslî Tâib'i taltif idi. Zamanında şiir eazz-i ma-
rifet ve sahibi için medâr-ı rif'at olduğu için şair ve müteşâir çoğalmış olduğundan intişar eden
âsâr-ı nazmiyyenin vezin ve kafiyesini ve kanûn-ı bedîa intibakını ve derece-i fesâhat ve berâ-
atını sencîde-i tedkîk ederek yâve-gû müteşâirlerin manzumâtını ve ashabının muhlislerini bil-
dirmek üzere bâ-fermân-ı âlî Tâib'e sultânü'ş-şuarâlık tevcih olunmuş idi. O zamanın tarihini

ulemâdan Fetva Emini Selim Efendi, tezkire-i şuarâ sahibi Mirzâzade Salim ve diğer Mirzâzade Benli Ahmet [Neylî] ve meşhur şârih-i mesnevî Nahîfî[129] ve meşhur Defterdar Âtıf ve muahharen rütbe-i vezâreti ihraz eden İzzet Ali Paşa ve Habeşîzade Rahîmî ve Rahmî-i Kırımî, Edirneli Kâmi, Afvî, Şehdî, Yekçeşm Dürrî[130], Hasan Şâkir Bey, Salim Trabzonî, Ali Rıfatî Bey, İffetî, Lem'î, Hâlil Ağa, Kâşif, Fâiz [Yirmisekiz Çelebi Mehmet], Vâsıf [Abdullah], Kelîm, Seyyid Câzim, Suyolcuzade Hattat Necîbâ, şair-i naat-gû Nazîm, meşhur Sami, Edip, Fâiz, Feyzî, Fevzî, Vâsıf [Mehmet Emin], Macit, Şerif Abdullah, Hâsim, Hasip, Resîm gibi şairler dahi İbrahim Paşanın dairesine müntesip idiler. Asrında bunlardan başka mevcut olan yüzlerce şairlerden kat-ı nazar yukarıda ismi sayılan zevat ramazan ve bayram gibi eyyâm-ı mübârekeler ve şiddet-i şitâ ve mevsim-i sayf misilli vesilelerle Sadâbâd, Hüsrevâbâd, Ferahâbâd ve Neşatâbâd ve Hümâyûnâbâd misilli mahallerde vaki olan tenezzühlerde ve kış geceleri helva sohbetlerinde edilen zevküsafalarda kasideler takdim ederler ve Paşadan birçok caizeler ve ihsanlar alırlardı. İbrahim Paşanın lütf u keremi mebzul olduğundan en küçük vesilelerle gerek bu şairlere ve gerek sair erbâb-ı ilm ü irfana ve sanâyi-i nefîse erbabına ibzal, ikram eyledi. Kâğıthane kurbünde Alibeyköyü'nde yeniden tarh ve tesis olunan mesireye cânib-i pâdişâhîye matuf bir isim bulunmak arzu olunduğu sırada Müverrih Raşit tarafından Hüsrevâbâd tabiri bulunmuş ve bu da İbrahim Paşa tarafından takdir olunarak yalnız bundan dolayı Raşit'e birçok ihsanlar verilmiş olduğu merviyyâttandır.

---

yazan Asım merhumun tarihinde bu bahsi meskût bırakmış olması cây-ı nazardır. Bu tevcih üzerine Tâib şükrane olarak

Aceb mi ba'd'e-zîn teshîr edersem mülk-i irfânı
Ki oldu sözlerim şâyân-ı istihsân-ı sultânî

matlaıyla bir kaside tanzim etmiş ve asrın şairlerini nakkâdâne bir nazarla süzdükten sonra hakk-ı tenkîdi Seyyid Vehbi'ye vermiştir. Seyyid Vehbi dahi nazmettiği bir kasîde-i tavîlü'z-zeyl ile şairleri müteşairlerden tefrik etmiştir ki yüze yakın zevatı şairiyette ikame etmiştir.
Tâib Mısır kadısı iken mesmûmen vefat eyledi. Öküz Mehmet Paşa vali iken hakkında "Er midir, Ermeni midir?" söylediği kinayeli sözün cezasına uğramış ve Mehmet Paşa tarafından tesmîm edilmiştir. Vefatı sene 1134 [1722] tarihindedir. (ARB)

129 Naci merhum Nahîfî hakkında diyor ki: Şimdiye kadar İstanbul'un yetiştirdiği şairlerin kuvvet-i tabîat cihetiyle en büyüğü Nahîfî'dir. Nahîfî pek büyük şair olduktan başka pek mübeccel bir sâhib-i ilm idi. Kendisi sınf-ı kitâbette bulunmuş ise de ilm ü irfanı zamanının müsellemi idi. Hatta o sıralarda İran'a gönderilmek istenilen bir elçiye İran'ın ulema ve şuarâsı ile bahis ve münakaşaya muktedir ulemadan bir zatın terfiki düşünülmüş ve ancak Nahîfî tensip ve terfik edilmiştir. İran'ın o zamanki ulema ve zurefâsıyla vaki olan münazarası meşhurdur. (ARB)

130 Ahmed-i Sâlis huzurunda yapılan bir at koşusunda bir katır cümlesini geçmiş olması üzerine bu şair Dürrî, bi'l-bedâhe şu beyti söylemiştir:

Tekaddüm etti bir ester nice küheylânı
Zamânede veled-i zinâlar aldı meydânı

Haliç'in hâl-i kadîmi

920 [1514] tarihine kadar tertîb-i sefâin Gelibolu'da tanzim olunur, Bizans zamanında "Sofyano" denilen ve Fatih tarafından tevsi edilen Kadırga Limanı, cesim liman[131] olduğundan kadırgalar orada muhafaza edilirdi. Yavuz Sultan Selim 922 [1515] tarihinde tersaneyi Gelibolu'dan kaldırıp en büyük gemileri bile barındırmaya müsait olan Haliç dahilinde elyevm Kasımpaşa namıyla maruf olan Kozlucadere'ye naklettirmesinden ve devr-i Kanûnî'de kaptan paşalara divan yeri olarak dîvânhâne-i kebîrin bina ve tesis edilmesinden dolayı sonraları Kasımpaşa havalisinde mebânî ve mesâkin bittabi bir kat daha tekessür etmiş[132] ve içerilerin letafet ve istidadı cihetle ve ragabât-ı nâs gittikçe tezayüt eylemiş ve Hasköy ve Ayvansaray,[133] Sütlüce, Eyüp, Karaağaç, Bahariye sevâhilinde peyderpey sahilhaneler, hânedân-ı saltanat sarayları, rical ve kibar kâşaneleri vücuda getirilmiştir. (Eskiden İstanbul'un en meskûn mahalleri sur içinde bulunan kısım olup, Haliç İstanbul'dan hariç addolunurmuş. Vükelâ, vüzera, ulema konakları hep İstanbul suru dahilinde imiş) Hasköy'de[134] Pirîpaşa'da el-hâletü hâzihi mevcut ve metaneti meşhut olan ve elyevm lengerhane denilen murabbaü'ş-şekl mebnâ-yı cesîm Selîm-i Kadîm'in asarı cümlesindendir. Bu binanın rasânetine bir delîl-i bâriz şudur ki birkaç sene mukaddem oracıkta kazaen vukua gelen bir dinamit infilâkından dolayı civarda bulunan bazı ebniyeler münhedim ve karşı semtlerde yani Ayvansaray, Balat, Defterdar'da kâin hanelerin camları hurdahaş olduğu hâlde binâ-yı mezkûr şiddet-i ihtizâzdan müteessir olmamıştır.

Sultan Selim'in o sahilde yaptırdığı ebniyeden bir kısmı da "göz" tabir olunan kayıkhane gibi mahaller idi. Hatta "gözden sürmeyi çekmek" darbımeseli de mezkûr ebniyeden dolayıdır. Zira bazı sârikler gemi inşaatında istimal olunmak üzere mezkûr gözlere mevzu olup "sürme" ıtlak olunan ve hâlâ Anado-

---

131 Bizanslılar zamanında Kadırga Limanı kayserlerin merâkib-i bahriyyesine mahsus imiş. Tersanenin Kasımpaşa'ya naklinden sonra Kadırga Limanı doldurulmuş ve valide kethüdası meşhur Yusuf Ağa tarafından Selîm-i Sâlis için limanın içerisinde olan cesim çayıra bir biniş köşkü inşa edilmiştir. (ARB)

132 Kasım Paşa, Güzelce Kasım Paşa denmekle maruftur. Kendisi ahd-i Süleymân-ı Kanûnî'de sarây-ı hümâyûnda terbiye olunarak mîr-i mîrânlıkla valiliklerde bulunmuştur. Orada elyevm mevcut olan câmi-i şerîfi inşa ettirmesinden dolayı kasaba hâlâ paşa-yı merhûmun ismiyle müsemmâdır ve bu kasaba dahilinde teşkil olunan mahallâtın ekserisi de Pirî Paşa, Abbas Paşa, Küçük Piyale Paşa, Büyük Piyale Paşa gibi birtakım büyük zatların namlarıyla tevsîm edilmiştir. (ARB)

133 Kable'l-feth Ayvansaray'da kalafat yerinde de ufak bir tersane olduğu *Eski İstanbul* nâm eserde görülmüştür. (ARB)

134 Hasköy kabristanının Musevîlere tahsis olması yüzünden Kasımpaşa ahalisi ile Museviler arasında zuhur eden hadise ol vakit İstanbul kadısı bulunan şair Baki Efendiyi hayli işgal etmiştir. (ARB)

lu'nun Kastamoṅu ve sair taraflarından manda ve öküz koşularak dağlardaki ormanlardan kızaklarla şehirlere indirilen uzun boylu serenleri halatlara raptederek karşı taraflara doğru çekerlermiş.

Hasköy kurbünde Fatih etbâından Handan Ağa[135] mescidi kurbünde Avcı Sultan Mehmet Tersane Sarayı namıyla bir saray inşa ettirmiş ve hatta 1088 [1677] tarihinde hizmetçiler dairesinde zuhur eden harîki hasbahçe bostancıları[136] hezâr müşkilât ile itfaya muvaffak olmalarından dolayı kendilerine atiyyeler verilmiştir. Mezkûr saray mürüruzaman ile harap olduğundan asr-ı Hamîd-i Evvel'de sadrazam bulunan Koca Yusuf Paşa[137] tarafından 1200 [1787] tarihinde tecdit ettirilmiş ve evâyil-i saltanatında Selîm-i Sâlis de bir müddet ikamet edip muahharen hedm ve tersaneye kalb ile cami tarafındaki kısmına tersane eminlerine mahsus olmak üzere bir sahilhane inşa ve arka tarafındaki Aynalıkavak Köşkü biniş yeri olduğundan hâliyle ibka edilmiştir. 1241[1825] tarihinde mezkûr sahilhaneyi Mahmûd-ı Sânî tekrar tamir ve tecdit ettirmiştir.

Kâğıthane, Haliç'in şimâl-i garbî nihayetinde kâindir. Derenin bir ciheti Silâhtarağa diğer ciheti Kâğıthane'ye doğru kıvrılması ve bu kıvrıklığın geyik boynuzuna müşabeheti cihetiyle kadim müverrihler Haliç'e "Altın Boynuz" namı vermişlerdi. Kâğıthane'nin hangi devirde mesire ittihaz olunduğunu bilmiyorum. Fakat Süleymân-ı Kanûnî asrında dahi tenezzühgâh olup hatta resmî elçi ziyafetleri verildiği ve Sultan Selim ve Sultan Beyazıt ve Sultan Mustafa nam şehzadeler için de iki defa hitan sûru icra buyrulduğu *Peçevî Tarihi*'nde münderiçtir.

Ahmed-i Sâlis devrinde Karaağaç'tan ve karşısında kâin Bahariye'den itibaren içeriye doğru her iki taraf ve şimdiki tuğla harmanlarının mevâkii o asır rical ve kibarının hisse-i ezvâkına tefrik ve takdim olunarak, yüz yirmi kadar kasırlar kâşaneler inşa ve bahçeler, lâlezarlar tarh ve tanzim olunmuştu. 1143 [1730] tarihinde zuhur eden Patrona Vak'ası esnasında, sahiplerinden Kâğıthane safası intikamını almak için bunca akçe ve emek sarfıyla vücuda getirilmiş olan mamurelerin yakılmasını asrın İstanbul kadısı ilâm edip, fakat Sultan Mahmûd-ı Evvel münasip görmediğinden hedmini irade etmiş ve bir iki gün içinde o güzelim kâşaneler, bahçeler, köşkler bir alay haşerat tarafından hâk ile yeksân ve bî-nâm ü nişân edilmiştir.

---

135 Handan Ağa Mescidi, Ahmed-i Sâlis ricalinden Kıblelizade Mehmet Bey tersane emini iken Okmeydanı'nda şehzadelerin on beş gün devam eden hitan sûru esnasında tamir ettirilmiştir. Bu sûr-ı hümâyûnda icra olunan şehrayinler ve eğlencelerin tafsilâtı, hususî bir mecmuada manzûr-ı fakîr olmuştu. Mamafih tarihlerde de münderiçtir. (ARB)

136 bostancı: Sarayın her türlü zabıta işleriyle uğraşan hizmetlilerine verilen addır. (*OTDTS*)

137 I. Abdülhamit döneminde iki defa sadarete gelen Koca Yusuf Paşanın ilk sadareti 1789-1789, ikinci sadareti 1791-1792 arasındadır. (*İzahlı Osmanlı Tarihi Kronolojisi, c. V, s. 66, 68*)

Karaağaç'ta da âli bir saray varmış. Bu saray fi'l-asl Süleymân-ı Kanûnî'nin başdefterdarı İbrahim Efendinin sahilhânesi olup müruruzamanla harap olduğundan Ahmed-i Evvel zamanında müceddeden inşa ettirilmiş ve Selîm-i Sâlis asrına kadar padişahlar ilk ve sonbahar mevsimlerinde bu sarayda ikamet ederlermiş. Hatta mezkûr sarayın harem dairesinde bir kapı bâlâsında Ahmed-i Sâlis'in şu beyti mestur imiş:

Kadd-i dilber gibi dil eğlencesi
Gam-güsârım Karaağaç bahçesi

Muahharen Mahmûd-ı Sânî çağlayanları ve kasr-ı hümâyûnu tamir ve tecdit buyurdukları sırada bu Karaağaç Sarayı'nı hedm ettirip enkazını oraya naklettirmiş ve bakiye taşları da Asâkir-i Mansûre için yine o civardaki Kırkağaç'ta bina olunan kışlanın duvarlarında istimal olunarak, mezkûr Kırkağaç mesiresine bedel bu Karaağaç sarayı mahalli, halkın tenezzühüne terk ve tahsis edilmiştir. Yakın zamanlara kadar gayet cesim gölge ağaçlarıyla müzeyyen bir tenezzühgâh idi. Şimdi ise bir ağaç kalmıştır.

Bahariye Mevlevîhanesi'nin bulunduğu mahalde İbrahim Paşanın inşâ-gerdesi bir kasr-ı hümâyûn vardı. Kasr-ı mezkûru muahharen Mahmûd-ı Sânî tamir ettirmişti. Selâtin ve şehzâdegân hazerâtı bahar mevsimleri sıkça sıkça gelirler, Kâğıthane dönüşünü bu köşkten seyr ü temaşa ederlerdi. Seksen beş [1868/1869] tarihinde muhterik oldu.[138]

Mevlevîhane de fi'l-asl Beşiktaş'ta Çırağan Sarayı ittisalinde iken[139] Abdülaziz'in evâyil-i cülûsunda sarây-ı mezkûrun inşası sırasında dergâhın mevkii saraya kalb ve ilâve olunmak lâzım geldiğinden Maçka'da tedarik olunan mahalle nakledildi. Biraz vakit sonra Maçka'da da bir silâhhane inşası takarrür eylediğinden mezkûr dergâh oradan da kaldırılıp kasr-ı mezkûr arsasına mahsusen ve teceddüden inşa olunan binaya nakledildi.[140] Muahharen Hüseyin Efendi[141]

---

138 İstanbul Halkının Tenezzüh ve Eğlenceleri II, *Peyâm-ı Sabâh* (*Peyâm*, nr. 875, *Sabah*, nr. 11305), 10 Mayıs 1337/1921, s. 3

139 Sultan Mehmed-i Râbi 1087 [1676/77] tarihinde tarîkat-ı Mevleviyyeye sülûk etmiş ve Beşiktaş Sarayı'nda bulundukça Beşiktaş ve İstanbul'da oldukça Yenikapı Mevlevîhanelerine azimet edip *Mesnevî-i Şerîf* dinler ve semazenleri temaşa eylermiş. Bu iki Mevlevîhanelerin nân-ı azîz ve lahm tayınatını tezyit buyurmuşlardır. (ARB)

140 Bahariye Mevlevîhanesinin temeli 8 Şubat 1875 tarihinde atılmış, 2 Nisan 1877 tarihinde hizmete açılmıştır. (*Eyüpsultan Tarihi*, s. 98)

141 Hüseyin Fahrettin Dede Efendi 1911 yılında vefat etmiştir Vefatına Üsküdarlı Talat Bey;

Vâsıl ola cemâle, vâsıl ola cemâle
Gitti Hüseyin Efendi dergâh-ı zülcelâle

tarihini söylemiştir.(*age.*, s. 98)

merhumun zamân-ı meşîhatinde Sultan Mehmed-i Hâmis hazretleri tarafından mükemmel surette tamir ve tefriş edilmiştir.[142]

Bahariye'de kâin İplikhane kışlası vaktiyle Hançerli Sultan Sarayı idi. Sultân-ı müşârünileyhâ Bâyezîd-i Sânî şehzadesi Sultan Mahmut'un kerimesi olup 939 [1533] tarihinde vefat eden[143] ve Eyüp'te metfun bulunan Hançerli Fatma Sultan'dır.[144] Pederi müşârünileyh şiir ve inşada mahir, âlim ve fazıl bir zat olup asrının şuarasından Necati, Lâmi, Zati daima yanında bulunurlarmış. 913 [1507] tarihinde Manisa'da vefat etmiştir.

Hançerli Sultanın vefatından sonra mezkûr saray Selîm-i Evvel'in kerimesi ve Lütfi Paşa halilesi Şah Sultan'a geçmiştir. Sultân-ı müşârünileyhâ Sünbül Sinan Efendi halifesi Merkez Muslihiddin Efendiden ahz-ı inâbet eylediğinden sarayı ittisaline namına mensup dergâhı inşa ettirmiştir.[145] Bu saray bir müddet sonra Ahmed-i Sâlis kerimesi Ayşe Sultanın ikametine tahsis edilip müşârünileyhânın 1189 [1775] tarihinde irtihalinden sonra Mustafa Hân-ı Sâlis kerimesi Fatma Sultana geçmişti. Müşârünileyhânın vefatından ve asr-ı Mahmûd Hân-ı Sânî'de hali kalmasından dolayı 1244 [1827] tarihinde tersane için yelken imal etmek ve fazlası satılarak menâfi-i vakfiyye temin edilmek üzere Evkaf Nezareti tarafından İplikhane[146] namıyla bir ebniye inşa olunmuştur.

---

142 Padişah Sultan Reşat Bahariye Mevlevîhanesi'ni 1910 yılında tamir ettirmiş 3 Kasım 1910 tarihindeki açılış merasimini bizzat teşrif etmiştir. (*age*, s. 99). Birinci Dünya Savaşı sırasında Osmanlı ordusunda görev yapan Alman subayların ikametine ayrılan Mevlevîhane, Cumhuriyet döneminde Vakıflar, Hazine ve mirasçılar arasında çeşitli ihtilâflara sebep olmuştur. Bu ihtilâflar yer yer yıkımla neticelenmiş, 1968 yılında mirasçıların davayı kazanması sebebiyle Mevlevîhanenin arsası satılmış ve üzerine mensucat fabrikası yapılmıştır. 1986 yılında ise Haliç'te yapılan düzenlemeler çerçevesinde burada bulunan fabrikalar belediye tarafından yıkılmıştır. (Ekrem Işın, "Bahariye Mevlevîhanesi", *DBİA*, İstanbul 1993, c. I, s. 538)

143 Ölümünden sonra Eyüp Sultan Türbesi mezarlığındaki mezarı türbe hâline getirilmiştir. (*Eyüpsultan Tarihi*, s. 173)

144 Ayvansaray civarında loncanın üst tarafında Hançerli Bostanı namıyla bir bostan vardır ve elyevm mamurdur. Civar mahallat ahalisi akşamları gider tenezzüh ederler. mevkii lâtif ve nezaretli bir bostandır ve yine o civarda Hançerli Hamamı namıyla bir hamam da vardır. (ARB)

145 Bu Şah Sultandan başka Eyüp civarında iki Şah Sultan daha metfundur. Birisi Selîm-i Sânî kerimesi ve Hasan Paşa zevcesi Şah Sultan olup, Hasan Paşanın vefatında ve 969 [1561/62] tarihinde Zâl Mahmut Paşa ile izdivaç etmişti. *Sicill-i Osmânî*'nin rivayetine göre müşârünileyhâ 988 [1580] tarihinde Zâl Mahmut Paşa ile bir gecede vefat etmişler ve câmi-i şerîfin kurbünde olan türbe-i mahsûsada defnedilmişlerdir. Diğer birisi de Mustafa Hân-ı Sâlis kerimesi ve Mustafa Paşa zevcesi Şah Sultandır. Bu da 1217 [1802] tarihinde vefat etmekle validesiyle beraber Feshane karşısında kâin türbe-i mahsûsada metfundurlar. İttisalindeki mektep ile sebili bu Şah Sultan inşa ettirmiştir. Zevci Mustafa Paşa da bu türbede metfundur. (ARB)

146 İplikhâne-i Âmire: Donanmadaki gemilerin yelken ve yeni kurulan Asâkir-i Mansûre-i Muhammediyyenin elbise ve iç çamaşırı gibi ihtiyaçlarını karşılamak amacıyla kurulan fabrikanın adıdır. Güç kaynağı olarak su çarkı ve hayvanların kullanıldığı ve 110 dolayında işçinin çalıştığı fabrikanın yıllık ortalama iplik üretimi 80 tondur. Daha sonra kurulan Feshane ve Hereke fab-

Sütlüce ile Karaağaç beynindeki cesim arsa Selîm–i Sânî kerimesi İsmihan Sultan Sarayı arsasıdır.[147] Bu arsadan on iki bin zirâ[148] mahallini Küçük Hüseyin Paşa[149] kaptanlığı esnasında İbrahim Hanzadelerden mübayaa edip tersane için yirmi göz şalopehane[150] ve dört köşesine bekçi kulübeleri inşa ettirmiştir.

Süleymân-ı Kanûnî ve Selîm-i Sânî zamân-ı saltanatlarında otuz sene makam-ı meşihatta bulunan Ebussuûd Efendi[151] pederleri İskilibî Muhyiddin Muhammet Efendi namına bina edilen ve muahharen Sivasî Tekkesi namıyla şöhret bulan dergâhta tevellüt ve âhir-i ömürlerine değin Sütlüce'de ikamet eyledikleri Osmanlı Müellifleri nam kitapta mesturdur. Müşârünileyhin karanfile gayet merakı olduğundan sahilhanesinin bahçesinde karanfil yetiştirirmiş.[152]

Sütlüce'de kâin Humbarahane[153] kışlası bir vakitler Mekteb-i Tıbbiyye ittihaz olunmuştu. Kışlanın meydanlığında kâr-ı kadîm gülleler öbek öbek istif edilmiş ve hünkâr dairesinin tahtındaki büyük kapının iki tarafına Fatih'in îcâdgerdesi olan taş havanlar vazolunmuştu. Hatta Tophane Müşiri Halil Paşa merhum bunların hıfzı için meydanlığın kenarına bir ebniye inşasına başlattırmıştı.

Bizans zamanında Ayvansaray'dan Hasköy cihetinde Pîrîpaşa'ya geçilir bir köprü varmış. 1271 [1854] tarihinde meşhur sarraf Cezayirli Mığırdıç marifetiyle

---

rikalarının üretime geçmesiyle birlikte önemi azalmıştır. (Geniş bilgi için bk. *Eyüpsultan Tarihi*, s. 356; Emre Dölen, "İplikhâne-i Âmire", *DBİA*, c. IV, s. 184-185)

147   Sultân-ı müşârünileyhâ Sokollu Mehmet Paşa zevcesidir. Vefatı 993 [1585] tarihindedir. Bir çocuk tevlidinde irtihal etmiştir. İbrahim Hanzadeler Sokollu ahfadındandır. Sokollu, Sultan Süleyman'a iki, Selim'e sekiz ve altı sene de Murâd-ı Sâlis'e sadrazamlık etmiştir. Kabasakal'da kâin bir kışlık sarayda bir divanenin sapladığı hançerle 987 [1579] tarihinde şehit edilmiştir. Bütün ulemâ-yı asr şehadetine kail olduklarından gasledilmeyerek Eyüp'te defnedilmiş ve türbe inşa olunmuştur. *Selânikli* ve *Solakzade* tarihlerinde tafsilât vardır. (ARB)

148   zirâ: Eskiden kullanılan uzunluk ölçülerinden birinin adıdır. Arşın da denilir. 75.8 cm'ye tekabül eder. (*OTDTS*)

149   Küçük Hüseyin Paşa 1792 tarihinde kaptanıderya olmuş, bu vazifeyi ölümüne kadar (1803) yapmıştır. III. Selim'in süt kardeşidir. Ayrıca I. Abdülhamit'in kızkardeşi Esma Sultan ile evlenmiştir. (*İzahlı Osmanlı Tarihi Kronolojisi*, c. V, s. 221)

150   şalope: Yelkenli savaş gemilerinden birinin adıdır. Ambarı olmayan şalopede on iki top ve altmış iki mürettebat görev yapardı. Şalopehane bu gemilerin yapıldığı yere verilen isimdir. (*OTDTS*)

151   Ebussuût Efendi, Murâd-ı Sâlis'in cülûsundan biraz evvel irtihal etmiş, yerine Hâmit Efendi müfti'l-enâm olmuştu. 982 [1574] (ARB)

152   Şeyhülislâm Ebussuût Efendinin çiçek merakı sadece karanfille sınırlı değildir. A. Ragıp Akyavaş, Üçüncü Selim devri tabiplerinden Mehmet Aşkî Efendinin beyanına dayanarak İstanbul'da ilk lâleyi yetiştiren kişinin Ebussuût Efendi olduğunu söylemektedir. Anlatılanlara göre Ebussuût Efendi hava sıcak olduğu zaman lâlelerin renkleri uçmasın diye üzerlerine beyaz örtüler örtermiş. (A. Ragıp Akyavaş, *Âsitâne*, c. II, haz. Beynun Akyavaş, Ankara 2000, s. 194)

153   Humbarahane: Batılı tarzda ilk açılan askerî okullardan biridir. 1734 yılında önce Üsküdar'da Toptaşı'nda açılmış, daha sonra 1759 yılında Karaağaç'a (Eyüp) taşınmıştır. 1795 yılında ise Mühendishane'nin açılmasıyla birlikte kapanmıştır. (*OTDTS*)

de bir köprü inşa edilmişti.[154] Ayvansaray vapur iskelesi bu köprünün başı olup, tahsildarlar köprü ücretini burada tahsil ederlerdi. Muahharen kaldırıldı. Rivâyet-i vâkıaya göre merkum Mığırdıç'ın iflâsıyla hapsedilmesi ve köprü varidatıyla kendisinin bilcümle irat ve akarı haciz olunması üzerine mumaileyh Mığırdıç, Reşit Paşadan gördüğü rûy-ı iltifâta istinaden vaktiyle köprünün inşasında dâire-i bahriyye dahi alâkadar olup, ol vakit Kaptanıderya Mehmet Ali Paşanın da daire namına bazı mehûzâtı olduğunu bi'l-beyân Mehmet Ali Paşa aleyhinde Meclis-i Vâlâya arzuhâl verip muhakeme talebinde bulunmuş ve bunda Mehmet Ali Paşa bilhassa Reşit Paşanın eser-i teşvîki ve tertibi olmak üzere telâkki ederek artık bu iki zatın arası açılmıştı. Ol vakit Reşit Paşa kalemiyle Mehmet Ali Paşaya yazılmış bir tezkire manzûr-ı fakîr olmuş ise de haddimiz haricinde bulunmasından dolayı burada mündericatından bahse hacet görmedik.

1067 [1657] tarihinde şeyhülislâm olan Bâlîzade Mustafa Efendi[155] de Sütlüce'de Murat Molla Sahilhanesi'ni mübayaa edip vefatına kadar orada ikamet etmiştir.

Defterdar kurbünde Yâvedut İskelesi'nden Ayvansaray İskelesi'ne kadar bütün sahil Mehmed-i Râbi kerimesi Hatice Sultan Sarayı mahallidir. Hatta o sahilde elyevm yalı hamamı namıyla maruf olan hamam mezkûr sarayın hamamı olduğunu rivayet ederler. Sarayın kara tarafında ve Ayvansaray ittisalinde ashâb-ı kirâmdan Muhammed el-Ensarî hazretlerinin türbesine fevkanî mektep ve ittisalindeki sebili bu Hatice Sultan inşa ettirmiştir. Müşârünileyhâ iptida Musahip Mustafa Paşa ve sonra Hasan Paşaya tezvîc olunmuş ve 1156 [1743] tarihinde irtihal edip Yenicami türbesine defnedilmiştir. Musahip Paşadan dört oğlu olmuştu. Hasan Paşa[156] sadrazam olduktan sonra bu sarayda Mehmed-i Râbi'ye sıkça sıkça mutantan ziyafetler verir, eğlenceler tertip edermiş.

Eyüp ile Defterdar beyninde vaki Feshane mahalli Beyhan ve Esma Sultanların çifte sarayları idi.[157] 1240 [1824] tarihinde Beyhan Sultanın irtihaline meb-

---

154 Reşit Paşanın yakın dostu olan Sarraf Mığırdıç Cezayirliyan, paşayla olan münasebeti sebebiyle çeşitli imtiyazlar elde etmiş Ermeni bir tüccardır. 1852 yılında yapımına başlanan ve 1854 yılında bitirilen bu köprü bir milyon kuruşa mal olmuştur. Ahşap dubalar tarafından taşınan bu köprünün uzunluğu 380 m, genişliği 8 m'dir. Köprünün ne zamana kadar kullanıldığı ise bilinmemektedir. (Gülsün Tanyeli-Yegâh Kahya, "Ayvansaray Köprüleri", *DBİA*, c. I, s. 495-496)

155 İmam Bâlî Efendinin oğlu olan Bâlîzade Mustafa Efendi, IV. Mehmet devrinde 1657 yılında şeyhülislâmlığa getirilmiş, bu vazifede altı ay yirmi gün kalmıştır. (*İlmiyye Sâlnâmesi*, s. 472-473)

156 Damat Moralı Hasan Paşa, Ali Rıza Beyin dediği gibi IV. Mehmet devrinde sadrazam olmamıştır. IV. Mehmet zamanındaki görevi silâhtarlıktır. (Yılmaz Öztuna, *Devletler ve Hanedanlar*, c. II, Genişletilmiş İkinci Baskı, Ankara 1996, s. 208). Hasan Paşanın sadrazamlığı III. Ahmet devrinin başlangıcında, 1703 yılındadır. Bu görevde on ay kalmıştır. (*İzahlı Osmanlı Tarihi Kronolojisi*, c. V, s. 51).

157 Beyhan Sultan, III. Mustafa'nın kızıdır. 1765 yılında doğmuştur. I. Abdülhamit zamanında Silâhtar Ali Paşa ile evlenmiştir. 1824 yılında ölmüştür. Esma Sultan ise I. Abdülhamit'in kızı ve

ni, sarayı hali kalmış ve 1252 [1836] tarihinde Feshane ittihaz edilmiştir.[158] 1243 [1828] tarihinde ilân olunan seferberlik[159] münasebetiyle Sultan Mahmut, Rami çiftliğinde ikamet buyurduklarından harem-i hümâyûnun bir kısmı da hemşiresi müşârünileyhâ Esma Sultan Sarayı'na naklettirilmişti. Sultan Aziz 1245 [1830] tarihinde bu sarayda tevellüt etmiştir.

Esma Sultanın vefatından sonra mezkûr saray 1256 [1840] tarihinde Fethi Ahmet Paşa[160] ile izdivaç eden Mahmûd-ı Sânî kerimesi Atiye Sultana verilmiş ve sultân-ı müşârünileyhânın vefatında kerimeleri Seniye ve Feride Hanım Sultanlara intikal edip asr-ı Abdülazîz Hânî'de Feshane'ye kalb ve ilâve edilmiştir.

Rami çiftliğinin sahibi Mustafa Hân-ı Sânî'nin evâhir-i saltanatında yani 1115 [1703] tarihinde sadrazam olan Rami Mehmet Paşadır. Müşârünileyh Edirne Vak'ası'nda encâm-ı kârı derk ederek naçar, âr-ı firar ve ihtifâyı ihtiyar eylemiştir.[161]

IV. Mustafa'nın kız kardeşidir. 1778-1848 arasında yaşamıştır. Kabakçı İsyanı sırasında, kardeşi IV. Mustafa'nın tahta çıkması için uğraşmıştır. Alemdar'ın öldürülüşünün onun yüzünden olduğu söylenir. Ali Rıza Bey, giyim kuşama ve eğlenceye düşkünlüğüyle tanınan Esma Sultandan "Saray Âdetleri" adlı tefrikada söz edecektir. (Bu iki sultanın hayatları hakkında bilgi için bk. Çağatay Uluçay, *Padişahların Kadınları ve Kızları*, Ankara 1980, s. 102-103, 111-112; Necdet Sakaoğlu, "Beyhan Sultan", *OA*, c. I, İstanbul 1999, s. 320-321; s. 422-423)

158 İmparatorluğun fes ihtiyacını karşılamak amacıyla kurulan Feshane'ye İngiltere, Belçika ve Fransa'dan buharla çalışan makinalar getirtilmiştir. Fesin yanı sıra aba, halı ve askerî kumaşlar da imal eden fabrika 1937 yılında Sümerbank'a devredilmiştir. 1986 yılında Haliç'te gerçekleştirilen imar faaliyetleri sırasında ise bir kısmı yıkılmıştır. Bugün ise fabrikanın geri kalan kısmı restore edilerek İstanbul Belediyesi tarafından kültür merkezi olarak kullanılmaktadır. (Daha geniş bilgi için bk. Emre Dölen "Feshane", *DBİA*, c. III, İstanbul 1994, s. 295-296)

159 Osmanlı-Rus Savaşı sebebiyle ilân edilen seferberlik.

160 Türk müzeciliğinin öncüsü kabul edilen Fethi Ahmet Paşa (1801-1858) hakkında Ali Rıza Bey "İstanbul Esnafları" ve "Saray Âdetleri" bölümlerinde geniş bir şekilde söz etmektedir.

161 Tarihte Edirne Vak'ası olarak bilinen bu hadise Sultan II. Mustafa'nın tahttan indirilmesiyle sonuçlanmıştır. II. Mustafa'nın İstanbul yerine Edirne'de ikameti tercih etmesi, aynı zamanda hocası olan Şeyhülislâm Feyzullah Efendinin tesirinde fazla kalması, şeyhülislâmın devlet yönetiminde ve mansıplarda nüfuzunu iyice arttırması başta herkeste bir hoşnutsuzluk doğurmuş, bu sebeple yeniçerler İstanbul'da bir isyan başlatmıştır. İsyancılar Feyzullah Efendinin ve yakınlarının işten uzaklaştırılmalarını ve padişahın İstanbul'a dönmesini istediler. Padişah bunları kabul etmeyince asiler bir ordu kurarak Edirne üzerine yürüdüler. Padişah da Sadrazam Rami Mehmet Paşanın komutasında Edirne'de bir ordu tanzim ederek asilerin üzerine gönderdi. İstanbul'dan gelen ordu II. Mustafa'yı tanımadıklarını, yerine padişah olarak III. Ahmet'i tanıdıklarını bildirdiler. Bunu öğrenen Rami Mehmet Paşa II. Mustafa'ya ordunun başına geçmesi gerektiğini bildirdi. Padişah ordunun başına geçtiğinde ise kuvvetlerden büyük bir bölümünün karşı tarafa geçtiğini öğrendi. Başta Rami Mehmet Paşa olmak üzere hükûmet erkânının çoğu kaçmak zorunda kaldı. II. Mustafa tahtı III. Ahmet'e bıraktı ve ayaklanma bu suretle sona erdi. Şeyhülislâm Feyzullah Efendi yakalanarak Edirne'ye getirildi ve burada öldürüldü. Oğlu Fethullah Efendi ise İstanbul'da katledildi. (Bu konuda ayrıntılı bilgi için bk. Abdülkerim Özaydın, "Edirne Vak'ası", *DİA*, c. X, İstanbul 1994, s. 445-446)

Sultan Hamîd-i Sânî'nin evâsıt-ı saltanatında Şeyhülislâm-ı esbak Üryanizade Efendinin[162] ihtarı üzerine Rami çiftliğinde Rumeli muhacirleriyle Boşnakların ikametleri için karyeler teşkil edildiği gibi havasının ciyâdeti hasebiyle bazı erbâb-ı tabîat taraflarından sayfiyeler de inşa edildi.

Sadâbâd Kasrı ile teferruatının 1143 [1730] tarihinde Patrona Vak'ası'nda tahrip edilmesinden dolayı yıllarca hâl-i harâbîde kalmıştır. 1206 [1791/92] tarihinde Selîm-i Sâlis tecdit ettirip bahar mevsimlerini burada imrar ederlermiş. Sultan Mahmut 1244 [1828/29] tarihinde çağlayanları ve kasr-ı hümâyûnu tekrar tamir ve çadır köşkü de müceddeden inşaya himmet etmişler ve Mecit ve Aziz Efendilerin 1251 [1835/1836] tarihinde hitan sûrunu da Kâğıthane'de icra buyurmuşlardır. Bahar zamanları kasr-ı mezkûra naklederlerdi. Bir sene mevsim-i bahârda harem-i hümâyûn halkı halvet esnasında derenin kenarında eğlenmekte ve çağlayanlardan fışkıran suları seyr ü temaşa etmektelerken bir cüce ile bir cariye derede garkolduklarından hakan-ı müşârünileyh artık oraya nakletmemişlerdi. (Azâ-yı hânedânın eğlenceleri için sarây-ı hümâyûnda cüceler bulundurulması kadimdir.)

Silâhtarağa kurbünde ebniyesi hâlâ baki olan saray ile çiftlik Mahmûd-ı Sânî'nin kerimelerinden Mehmet Ali Paşa halilesi Âdile Sultanın idi. Müşârünileyhâ her sene mevsim-i bahârı bu sarayda imrar ederdi.

Kâğıthane yokuşunun alt başında kâin ve Atiye Sultana ait olan köşk ve çiftlik müşârünileyhânın vefatından dolayı Şehzade Hamit Efendinin ikametine tahsis olunmuş. Müşârünileyh ekseriya bu köşkü teşrif ederler ve çiftlik âlemiyle imrâr-ı ezvâk buyururlardı. Cülûsundan sonra bu âlemin hatıratını esnâ-yı sohbette Şeyhülislâm Üryanizade Esat Efendiye hikâye buyururlarmış. Efendi-i müşârünileyh söylerdi.

İşte eskiden havas ve avam indlerinde Haliç ciheti pek makbul ve mergup idi. Mevkiin hâl-i tabiîsindeki güzelliğe inzimam eden derece-i mamûriyeti hakkında bir fikir edinebilmek için Ayvansaray ve Hasköy sahillerinden itibaren içerilere doğru karşılıklı iki tarafta muhteşem saraylar, vasi kâşaneler, mükellef köşkler, musanna bahçeler, lâlezarlar, fıskiyelerle müzeyyen olan o zamanki manzarasını zihinlerde tecessüm ettirmek iktiza eder. Haliç'in bir o zamanlardaki mamûriyeti tahayyül edilir, bir de şimdiki hâl-i harâbîsine atf-ı nigâh olunursa teessüf etmemek kabil değildir.

---

[162] Üryanîzade Ahmet Esat Efendi, bk. 424 numaralı dipnot.

Haliç mesireleri

İstanbul halkı mesireler meyanında ilkbaharda Haliç mesirelerine fevkalâde rağbet ederlerdi. Nevrûz-ı Sultanî[163] hulûlü, İstanbullularca ilkbaharın duhulü add ve itibar olunduğundan kıştan bîzar olan halk, baharın başladığını görünce ârzû-yı seyr-i bahâra başlayıp tatil günlerini evlerde, kahvehanelerde geçirmeyi heder addederler ve bu mevsimden itibaren müsait havalarda Eyüp'e giderlerdi. Kadınlar türbe bahçesinde, erkekler kebapçı ve kaymakçı dükkânlarında[164] kebap ve kaymak tenâvül ederler. Ba'de't-taâm kadınlar türbe bahçesinde eğlenirler. Tazeler kolan[165] vururlar birbirlerini gıdıklayarak ve kulaklarına fısıldayarak gülmekten katılırlar. Erkekler de cuma namazından sonra Bostan İskelesi'nde kâin sıra kahvelerde oturup dağların zümrüt gibi çimenlerini, derenin hoş ve keyifli manzarasına seyr ü temaşa ederlerdi.

Eyüp'ün üst tarafında Rami çiftliği arkasında kâin Küçükköy civarında bir sâye ocağı[166] dairesi vardır. Bu ocak elyevm bakidir. Vaktiyle bunlar sarây-ı hümâyûn matbahı levazımından olan koyunların sâyebânı imişler. Şimdilerde vazifeleri sarây-ı hümâyûna lüzûmu olan koyunları ihzar etmekten ibarettir. Bu ocak halkı kendilerine mahsus kıyafetleri ve ale'l-husûs iri ve eğri bir tarzda bükülmüş olan uzun püsküllü fesleriyle tanınan kırk neferden ibaret olup, bunlar marifetleriyle tabh olunan biryan, çevirme, kuyu, kırma kebapları pek meşhur

---

163   Eskiden Nevrûz-ı Sultânî'ye müsadif günde yeniçeri ağası tarafından Ağakapısı'nda vükelâya bir ziyafet keşîdesi mutat idi. Baharattan şekerli macun yapılıp tenâvül olunmak da âdet idi. (ARB)

164   Vaktiyle Beykoz'un paçası, Samatya'nın koyun ve kuzu başı, Eyüp'ün de kebap ve kaymağı beyne'n-nâs meşhur idi. Hatta Sultan Aziz câ-be-câ Kağıthane ve İmrahor kasr-ı hümâyûnlarını teşriflerinde Eyüp Câmi-i şerîfî ittisalinde kâin büyük kebapçı dükkânının ustası bilhassa kebap ihzar eder ve bizzat takdim edip mukabilinde atiyye-i seniyyeye mazhar olurdu. Bir de bahar cumalarında Eyüp'ün çarşı boyunda çiçekçiler sarı ve beyaz renkli zerrinleri, fulyaları, pembe mor sümbülleri öbek öbek dizip, bunlar tatlı kokuları ile seyircilerin neşelerini katmerleştirirlerdi. (ARB)

165   Mehmet Halit Bayrı kolan vurma oyununu şöyle anlatır: "Bir ağaca salıncak kurulur. Salıncak iplerinin alt uçlarına mustatil (dikdörtgen) şeklinde bir tahta bağlanır. Karşılıklı iki kiyi ayakta durmak suretiyle tahtanın üzerine çıkarak salıncağa binerler. Bunlardan her biri salıncak kendi bulunduğu tarafın aksine doğru giderken bacaklarını bükerek vücutlarının ağırlığıyla salıncağı hızlandırırlar. Kolan vurma işte bundan ibarettir. Fakat bu oyunda çocukların muvazenelerini kaybetmemeleri şarttır. Muvazenesini kaybedenler için düşüp yaralanmak tehlikesi vardır. Bazı bir çocuk da ayakta veya mustatil tahtanın üzerine oturarak sallanabilir. Bu takdirde salıncağı hızlandırmak için çocuk iki elleriyle ipleri tutar, vücudunun üst kısmını arkaya doğru sarkıtır ve ağırlığıyla oturduğu tahtayı iter. Yahut bir ayağını yere vurur." (*İstanbul Folkloru*, s. 207; ayrıca bk. Musahipzade Celâl, *Eski İstanbul Yaşayışı*, İstanbul 1992, s. 122)

166   sâ'î ocağı, sâye ocağı: Saray için Rumeli'den getirilen koyunları beslemek ve bakmakla yükümlü müesseseye denirdi. II. Meşrutiyet'e kadar devam eden bu ocağın mensuplarının kendilerine has kıyafetleri vardı. (Bu konuda bk. Süleyman Faruk Göncüoğlu, "Saya Ocağı", *III. Eyüpsultan Sempozyumu Bildirileri*, İstanbul 2000, s. 122-129)

ve gayet leziz olduğundan vaktiyle birçok erbâb-ı tabîat bilhassa hayvanlar ve arabalarla giderler, bu misilli mekûlât tabh ettirirler ve nefis koyun sütler ve yoğurtlarla taam ederler, kırların ve çayırların bedâyi-i tabiiyyesinden de zevk alırlardı.

Atların çayıra çıkarılması âdetleri

Her sene esbân-ı şâhânenin çayıra ihracı günü İmrahor Köşkü'nde hünkâra arpa emini bulunan zat tarafından bir ziyafet itası mutat idi.[167] Köşkün civarında imrahor ağa[168] ve maiyeti için çadırlar kurulur. Ziyafet esnasında kasr-ı hümâyûna bazı vükelâ ve vüzera da davet olunur; alaylarla çayıra getirilen hayvanlar seyr ü temaşa edilirdi. Bir de çayır mevsiminin hitamına değin asrın rical ve kibarı imrahor ağaya misafir gidip tertip olunan ziyafetlerde köçekler raks eder, meşalelerle geceleri de envai eğlenceler yapılırdı.

İstitrat-Rükûb-ı şâhâne ile şehzâdegân ve selâtin ve sair saray halkı hayvanatı için Kâğıthane, Alibeyköy, Veliefendi Çırpıcı çayırları, Büyük ve Küçük Çekmece göllerinden Kestaneköy sahasına mümted olan çayırlar ve Muha ve Boğaziçi'nde Büyükdere, Hünkâr İskelesi, Sultaniye, Çubuklu, Göksu; Kadıköyü'nde Uzunçayır ve Yoğurtçu çayırları kâmilen sarây-ı hümâyûn hayvanatına metruk bulunduğundan ve bu çayırlardan vükelâ, vüzera ve küberâ hayvanatının da müstefit olması teâmül-i kadîm iktizasından olduğundan, çayır mevsiminin hulûlünde bu gibi zevat hayvanatı için tefrik ve tahsis olunan hududu havi memur tezkireler tevzi olunurdu. Eskiden vüzera ve rical ve kibar konakları ahırlarında pek çok hayvanat beslendiğinden bunların çayıra ihracı günlerinde hayvanların alınlarına çayır otlarından aynalı sorguçlar vazolunur. Dairenin imrahor ağası ve sair gedikli ağalar beraber olarak her hayvanın yularından bir kişi tutmuş olduğu hâlde, Bulgarlar şişirme gaydalar çalarak, câ-be-câ horalar teperek tertip olunan alaylarla gönderilir, seyisler için çadırlar kurularak ve geceleri meşaleler yakılarak kırk gün türlü eğlenceler yaparlardı.

Eyüp oyuncakçıları

Eyüp'ün kebap ve kaymağı gibi vaktiyle oyuncakçıları da meşhurdu. Vapur iskelesinden Câmi-i kebîr caddesine sapılınca türbe bahçesine değin sıra dükkânların cümlesi oyuncakçı idi. Bu dükkânlarda oyuncak namına teşhir olunan

---

[167] Bir sene rûz-ı huzûrunda tertip olunan ziyafet esnasında gayet kesretli kar yağmış ve çadır kazıkları yakılmış olduğunu zamanına yetiştiğim muammerînden bir zat hikâye etmişti. (ARB)

[168] Emîr-i âhûr terkibinden bozma olarak kullanılan imrahor, sarayda bulunan atların yetiştirilmesi ve bakımı ile ilgilenen memurun adıdır. İmrahorluk müessesesi II. Murat zamanında tesis edilmiş, 1837 yılına kadar bu işe memur edilen kişiler imrahor unvanını kullanmışlardır. Bu tarihten sonra ise ıstabl-ı âmire müdürü unvanını almışlardır. (OTDTS)

kırmızı tüylü koyun, kuzu, ağaç parçalarının içleri oyulmak suretiyle vücuda getirilmiş ve üzerlerine al ve yeşil kaba saba boyalar sürülmüş, sandallar, hünkâr kayıkları, boyalı aynalar, beşikler, fırıldaklar, ikişer üçer şerefeli camisiz minareler, tahta kılıçlar, kamış tüfekler, davullar, tefler, düdüklü fırıldaklar, çekirgeler, hacıyatmazlar, kaynana zırıltıları, aynalı toprak testiler, bardaklar gibi şeylerdi.

Bu oyuncakçıların sanatlarında asla âsâr-ı terakkî göstermemiş olduklarından ve ahiren gayet musanna ve zarif birtakım Avrupa oyuncaklarının memleketimizde tekessürü cihetiyle bizim oyuncakçılar muhtereâtı ragabâttan sakıt olduğundan bittabi cümlesi perişan olmuşlardır.[169]

Koçu denilen kadim arabalar

Kadınların erkekler gibi ve o tarzda hayvana binmeleri memnu olduğundan arabaya binmek hakkı öteden beri kadınlara terk olunmuştur. Harem-i hümâyûn, selatîn-i muhtereme, vüzera ve ricâl-i devlet haremleri büyük, dört tekerlekli, yüksekçe, etrafı kelepçe tahtadan mamul, üzeri "eğri" tabir olunan mutat çember ile mahfuz, pencereleri kafesli, yaysız "koçu" tabir olunan arabalara binerlerdi. Bu koçuların derunu kadife vesair kıymetli kumaşlarla tefriş olunurdu. Cevânib-i erbaasını ihata eden tahtalar, çiçekli, oymalı, boyalı ve altın yaldızlı, musanna ve zarif ve rükûb ve nüzûlu merdivenli, tuhaf tarzda şeylerdi. Ahiren yaylı arabalar istimaline başlandığından koçulara rağbet anenesi terk edildi.

Koçulardan sonra istimaline başlanılan yaylı arabalar, hinto, talika, kâtip odası gibi mütenevvi isimlerle yâd olunur muhtelif şekillerdeydi. Kupa, lando arabalar[170] daha sonraları kesb-i iştihâr eyledi. Kadınlarımızın körüklü faytona râkib olmaları yakın zamanlarda başlamıştır. Hatta erkekler bile faytonun körüğünü aşağı alıp açık oturmaklığı hiffet addederlerdi.

---

169 İstanbul Halkının Tenezzüh ve Eğlenceleri III, *Peyâm-ı Sabâh* (*Peyâm*, nr. 877, *Sabah*, nr. 11307), 12 Mayıs 1337/1921, s. 3

170 Ali Rıza Beyin sadece ismini zikretmekle yetindiği arabalar hakkında Mehmet Zeki Pakalın, *Osmanlı Tarih Deyimleri ve Terimleri Sözlüğü*'nde aşağıdaki bilgileri vermektedir:
hinto: Koçuya benzer bir çeşit arabanın adıdır. Hinto Macarca bir kelimedir. Bu arabalara karoça da denilirdi. Eskiden sefirlerin sıkça kullandığı bir arabadır.
talika: Tek atla çekilen bir araba cinsidir.
kâtip odası: Eskidan kibarların kullandığı bir araba çeşididir.
kupa: Kapalı ve pencereli olup iki kişinin binmesine müsait arabanın adıdır. Açık olanlarına fayton denir.
lando: Üstü önden ve arkadan açılıp kapanan körüklü, geniş arabanın adıdır. Fransızca "landeau"dan dilimize geçmiştir. Fayton ve kupalara nazaran daha gösterişlidir.

Sınf-ı ricâlin hayvana râkib olmaları ve bu baptaki usûl-i teşrîfât

Eskiden İstanbul'da sınf-ı ricâl mutlaka hayvana binerlermiş. Asrın padişahından en küçük ferdine kadar herkes için rükûb hayvana münhasır imiş.[171] Ricâl-i devletin hayvana râkib olmaları maddesi de bir kanuna ve teşrîfât-ı mahsûsaya tâbi imiş. Mensûbîn-i devletten hayvana binmek hakkını ihraz edemeyenler zaruret hâlinde bile mahall-i memûriyyete yaya gidip gelmek mecburiyetinde imişler. Dîvân-ı hümâyûn kalemi hulefâsından Hakanî Mehmet Bey merhum meşhûr-ı âlem olan *Hilye*'sini 1007 [1598/1600] tarihlerinde ikmal edip sadr-ı asra takdim ettiğinde eseri fevkalâde takdir olunup kendisi taltîf-i mahsûsa müstehak görülerek buna mükâfaten ne gibi arzusunun isâfıyla memnun olacağı kendisinden sual olundukta "İhtiyar oldum, hanem Edirnekapısı civarındadır. Her gün Bâb-ı Âsafîye yürüyerek gidip gelmeye takatim kalmadı. Mahall-i memûriyyetime hayvanla gidip gelmeme müsaade buyrulmasını niyaz ederim. Bundan başka mükâfat istemem" yolunda istirhamda bulunması üzerine kanunu muhafazaten mîr-i mûmâileyhin bu ricası isâf olunamayıp, fakat Babıâli civarında kendisine devletçe bir hane satın alınıp ihsan buyrulmuştur.[172]

Hristiyanların Müslimîn arasında ata binmeleri memnu olup İstanbul şehri dahilinde memnûiyyet-i mebhûsaya riayet olunmakla beraber nezd-i saltanat-ı seniyyede bulunan süferâ-yı ecnebiyyenin hayvana binmelerine teşrîfât-ı devlet icabınca müsaade olunmuştur. Tebaadan ihtiyar ve bî-kudret olan ahâli-i müslimenin merkebe binmelerine müsaade olunurdu. Hatta Halil Paşanın seraskerliği zamanında Dişçi Mikail nam şahsın ihtiyar ve alîl olmasından dolayı zirde sureti derç olunan izinname ile merkebe binmesine müsaade olunmuştur.

İzinname suretidir:

---

171 · Sultan İbrahim bazen koçuya, bazen de tahtırevana râkiben dâhil-i şehirde geşt ü güzâr eylediği gibi, selâtîn-i mâziyyeden bazılarının da koçuya râkib oldukları vaki ise de resmî günlerde ve ezcümle alaylarda ve cuma selâmlıklarında mutlaka hayvana râkib olurlardı. Abdülaziz Han'ın evâhir-i saltanatlarına değin bayram ve mevlit alaylarında padişahla beraber umum vükelâ ve ricâl-i devlet hayvana râkiben ve usûl-i teşrîfâtiyyeye tevfikan giderlerdi. Hatta Sultan Hamîd-i Sânî'nin kılıç alayında da zât-ı şâhâne ve alaya memur olanlar hayvana râkib olmuşlardı. (ARB)

172 Bu Hakanî Mehmet Bey *Şemâil-i Şerîfe-i Hazret-i Muhammediyye*'yi Türkçe nazmen kaleme almıştır. O manzûme-i mübârekenin ismi *Hilye*'dir. Beyne'n-nâs nâzımına nispetle *Hilye-i Hakanî* denir.

Olmadan bin yedi tarihi tamam
Bu risalede tamam oldu kelâm

beytiyle hilyesine nihayet vermiştir. Mîr-i mûmâileyh Edirnekapısı Camii kabristanında metfundur. Fakat seng-i mezârında târîh-i vefâtı menkuş değildir. *Hadîkatü'l-Cevâmi* 1015 [1606] tarihinde vefat eylediğini ve kendisi Güzelce Rüstem Paşanın kerîmezadesi ve Sadrazam Ayas Paşanın akrabasından olduğunu beyan ediyor. (ARB)

Dârende-i tezkîre

Dişçi Mikail nam zımmî[173] alîl ve ihtiyar olup meşye adîmü'l-iktidar oldu-ğundan merkeb-süvâr olmasını bi'l-istidâ ruhsat verilmiş olmakla mersûm bun-dan böyle reayaya[174] mahsus takım ile merkebe bindiği hâlde asâkir-i nizâmiyye zabıtanı ve karakol memurları taraflarından mümanaat olunmamak ve lede'l-hâce ibraz kılınmak için cânib-i seraskerânemizden işbu tezkiremiz yed-i mer-kuma ita kılındı.

5 Cemâziyelevvel-sene 252 [18 Ağustos 1836]
mühür
Mehmet Halil Rıfat
Serasker-i mansûre
ve redîf-i muhâfız-ı İstanbul

Kadınların kıyâfet-i kadîmeleri

Vaktiyle kadınlarımız ferace yaşmak ile tesettür eylediklerinden, feraceler[175] mevsim-i şitâda çuhadan[176] ve mevsim-i sayfta Ankara sof[177] ve şâlîsinden[178] ve içleri sandal[179] tabir olunan bir nevi dallı ve beyaz atlastan imal olunur ve ayak-larına sarı sahtiyandan[180] çedik pabuç[181] giyerlerdi.(Bu çedikler ökçesiz, altı düz ve koncu ön tarafı daha uzunca bir nevi mest olup pabuçlar da mercan terlikle-rine müşabih idi.) Sonraları feraceleri merinos, lâhurakî,[182] şalâkî,[183] atlas misil-li daha zarif kumaşlardan imal ettirmeye ve çedikler terk olunup içi kılâptan[184]

---

173 zımmî: Gayrimüslim olmakla birlikte Müslüman bir devlete tâbi olmayı kabul eden kimseye verilen addır.(*OTDTS*)

174 reaya: Osmanlıda Müslüman olsun olmasın bütün tebaaya verilen isim olmakla beraber sonra-ları sadece gayrimüslimler için kullanılan bir tabirdir. (*OTDTS*)

175 ferace: Çarşaftan önce kadınların tesettür için giydikleri elbisenin adıdır. (*TGKSS*)

176 çuha: Bir çeşit yünlü kumaşın adıdır. (*TGKSS*)

177 şâlî: Tiftikten dokunan ince kumaş adıdır. Sof gibi bunun da Ankara'da imal edileni meşhurdur. (*TGKSS*)

178 sof: İnce keçi kılından şal gibi dokunan bir çeşit kumaştır. En muteber olanı Ankara keçisinden imal edilenidir. (*TGKSS*)

179 sandal: İpekli ve pamuklu bir kumaştır. Yollu olan bu kumaşın bir yolu ipek, bir yolu pamuk-tu. Küçük dallı, benekli cinsi de vardı. (*OTDTS*)

180 sahtiyan: Tabaklanarak boyanmış ve cilâlanmış deri.(*TS*)

181 çedik: Eskiden kadın ve erkeklerin giydikleri sarı sahtiyandan yapılan kısa ve bol konçlu ayak-kabıya verilen addır. Sokağa çıkılırken aynı renkte bir de pabuç giyildiğinden çedik pabuç de-nilirdi. (*TGKSS*)

182 lâhurâkî: Lâhor şallarının taklidi yünlü bir kumaştır. (*TGKSS*).

183 şalâkî: Şal taklidi kumaşlara verilmiş isimdir. (*TGKSS*)

184 kılâptan: Kullâb denilen eğirme çarkıyla sarılan sırma veya tel ile karışık ipek veya pamuk ip-lik. (*KT*). Pirinç, bakır, kalay gibi madenlerden çekilerek gümüş ve altın yaldız vurulmuş ince metal iplik. (*TS*)

Cevâmi-i şerîfede ve medreselerimizde münakid dürûs-ı şerîfenin eski zamanlardan beri haftada iki gün yani cuma ve salı günleri tatili hususunun hangi tarihte kimler tarafından ne gibi mütalaalar üzerine tesis olunduğuna dair malûmât-ı vâzıha ve kat'iyyeye dest-res olunamamış ise de bu madde dahi tatil-i resmînin cumaya hasrı meselesiyle alâkadar olduğu zannolunur.

1241 [1826] tarihinden sonra kesb-i kat'iyyet eden cuma tatillerinde İstanbul halkı meşreplerine tevafuk eden eğlencelere, ziyaretlere, içtimalara rağbet eder oldular.[193]

Kâğıthane Âlemleri

Kâğıthane deresinin içeriye doğru sahilinin iki tarafındaki rıhtım Fuat Paşanın ilk sadareti hengâmında inşa olunmuştu. Paşa-yı müşârünileyh Kâğıthane'nin her türlü imar ve intizama istidadından bahseder ve "En güzel mevkilerinden birisi de Kâğıthane karyesi köprüsünün ortasından çağlayanlara doğru bakıştır." derlerdi. Filhakika mevsim-i bahârda hemen leb-â-leb denilecek kadar dolmuş olan derenin suları çağlayanlardan beyaz köpükler saçarak beyaz mermerler üzerinden akıp gidişi ve yeşil çayırlar arasında beyaz, pembe, sarı, mor renkli çiçeklerin nesimin tahrikiyle ihtizaz edişi ve sahilin iki tarafında o sâldîde gölge ağaçlarının ortasından kasr-ı hümâyûnun heyet-i mecmûasıyla dereye aksederek oradan görünüşü bir tablodur.

Çağlayanların en zevkli âlemlerinden biri de mehtap gecelerindedir. Ziyâ-yı kamerin beyaz mermerler üzerinden köpüre köpüre akıp giden sulara aksedişi nurdan daireler teşkil eder ve temaşası insana tatlı bir rehavet getirir. İmrahor köşkü civarından itibaren çağlayanlara kadar gerek sahilde ve gerek içerilerde tenezzühe elverişli daha ne güzel mevkiler vardır. Hatta Kâğıthane mevsiminin mürûrundan sonra da mahfice eğlenmek isteyen erbâb-ı zevk bahusus mehtap gecelerinde o güzel mevkilerde eğlenceler tertip ederler, saz âlemleri yaparlardı.[194]

---

193 Ali Rıza Bey hafta tatilinin perşembe gününden cuma gününe kaydırılmasının II. Mahmut devrinde Vak'a-i Hayriyye'den hemen sonra gerçekleştiğini söylemekle bir yanılgıya düşüyor. Bu konuda "Yakınçağ Tarihimizde Hafta Tatili", (*Tarih Dergisi*, c. I, İstanbul 1949, s. 139-144) başlığıyla bir makale yazan Cemal Tukin, cuma gününün resmî tatil olarak kabul edilmesinin 1257 (1841) tarihinde yani Tanzimat'tan sonra Abdülmecit'in bir iradesiyle gerçekleştiğini ortaya koymuştur. Bu karara gerekçe olarak perşembe günü tatil yapan Babıâli memurlarının, ertesi gün işlerine gitmede gevşek davranmaları ve devlet ve hükûmet işlerinin aksaması gösterilmiştir. Hafta tatilinin cuma gününden pazar gününe alınması ise Cumhuriyet devrinde Türkiye Büyük Millet Meclisince 29 Mayıs 1935 tarih ve 2739 sayılı kanunla kabul edilmiştir.

194 İstanbul Halkının Tenezzüh ve Eğlenceleri IV, *Peyâm-ı Sabâh* (*Peyâm*, nr. 885, *Sabah*, nr. 11315), 20 Mayıs 1337/1921, s. 3

Kâğıthane'nin en rağbetli ve cemiyetli zamanı bahar mevsimi ve umumiyet itibariyle yevm-i mahsûs cuma günleri olup, pazar günleri gidenlerin çoğu Hristiyan takımları idi.

Kâğıthaneye berren ve bahren gidenlerin kısm-ı küllîsi Eyüp tarikiyle giderlerdi ve eğlencelisi de bahren gidilmesinde idi. Erbâb-ı merâk bilhassa Kâğıthane için insanın hemen hemen omuzunda taşıyabileceği kadar narin ve hafif piyadeler[195] yaptırırlar ve ikişer üçer çifte kayıkların yollu ve zarif olmasına itibar ederler, hususî kayığı olmayanlar birkaç gün evvel işlek iskelelerden cuma günü için yeni kayıklar bulurlar ve bazı gençler de süslü ve narin sandallarda kürek çekmeye hazırlanırlardı. O zaman gönüller gam ve gussadan azade, sürûr ve inbisat içinde idi. Cuma günleri herkes kemâl-i şevk ve hâhişle hazırlığını görüp, berren gidecek olanlar araba ve hayvanlarına ve bahren gidecekler de kayık ve sandallarına râkiben ve yaya gidenler tabanlarına mağruren Kâğıthane yolunu tutarlar; çalgıcı satıcı ve dilenci güruhu daha evvel davranıp müşterilerinin vürûduna intizar ederlerdi.

Kâğıthanenin birinci köprüsünden itibaren içeriye doğru sahilin bir tarafı kadınlara, diğer ciheti erkeklere ve içeri tarafta top ağaçların altı da arabalıların tevakkuf ve tenezzühlerine mahsus gibi olduğundan herkes intihap ettiği mahalde yerleşir, gezer, yürür zevkine bakar. Artık çayırlar, bayırlar ahâd-ı nâs ve tâife-i inâs ile mâl-â-mâl olur. İzdiham o dereceyi bulur ki iki sahil arasında rıhtıma yanaşmak müyesser olamayarak kayıkları, sandalları olduğu yerden kımıldatmak ve kürekleri işletmek mümkün olamaz bir hâle gelir.

Seyircilerin çoğu Kâğıthane'de taam etmek istediklerinden bir gün evvel kuzu söğüşü, zeytin yağlı yaprak dolması, sütlü irmik helvası gibi mesireye mahsus soğuk yemekleri sefer taslarına vazederler ve kibar takımının yemeklerini ayvazlar ve uşaklar ayrıca kayıklarla getirirler. Orta hâlli olanlar da râkib oldukları kayıkların kıç altına ve sair münasip mahallerine yerleştirirlerdi. İkişer üçer çifte kibar ailesi kayıklarında sağ ve sol itibariyle iki hanım yan yana ve bir cariye de karşılarında ahz-ı mevki edip kıç üstü denilen küpeşteye ya bir harem ağası, ya bir harem kâhyası veya bir gidiş ağası[196] bağdaş kurup oturur ve ambarda orta hâlli aile de olsa dört kişi oturmak kibarlığa muhalif addolunurdu.[197] Sultan Aziz cülusunun ilk senelerinde mevsim-i bahârı Sadâbâd Kasrı'nda ge-

---

195 piyade: Eskiden daha çok tenezzühlerde kullanılan narin yapılı kayığın adıdır (*OTDTS*

196 gidiş ağası: Eskiden padişahların veya kibarların gezintilerine ait tertibatı hazırlamakla yükümlü memura denir. (*OTL*)

197 Üçer, dörder, beşer çifte saray kayıklarının küpeştesinde bir kapak olduğundan kıç üstünde oturacak harem ağası bu kapağı kaldırıp ayaklarını oraya kordu. Eskiden beşer çifte vükelâ kayıklarının kıç üzerine oturmaları mutat olan iki askerî çavuşları da ayaklarını küpeşte deliğine bu suretle salarlardı. (ARB)

çirmeği mutat etmişlerdi. Cumaları selâmlık resmini civarında kâin câmi-i şerîf-
te icra ve asâkir-i şâhânelerine takım takım kuzu ziyafetleri ita buyururlardı. Bu
cihetle resm-i mezkûru da temaşa için seyirciler erkence gitmekliğe bir tehalük
gösterirlerdi. Selâmlık resm-i âlîsine memur müşîrân ve erkân ve ümerâ-yı aske-
riyyenin o senelerde teceddüt eden sarı sırmalı cumalık üniformaları, apoletleri,
nişanları, debdebeleriyle, gelip geçmeleri ve efrâd-ı şâhânenin kezalik yeni kıya-
fetleriyle önlerinde bando muzıkalar çalarak seyirciler arasından takım takım
mürur etmeleri ve hele zât-ı şâhânenin resm-i mezbûrun icrasından sonra başka
bir mahalle teşriflerinde ahalinin sufûf-ı müteselsilesi arasından geçtikleri za-
man halkın bir sevkitabiî ile avazları çıktığı kadar "Padişahım çok yaşa!" diye
bağırarak yaptıkları alkışları ne kadar hoş olurdu. O zamanlar herkesin yüzünde
bir beşâşet vardı. O ne neşe-mendâne nümayişlerdi, ne şen ve mesut günlerdi.

İstitrat-Sultan Aziz'in evâyil-i saltanatında ahalinin kendisine fevkal-had bir
hürmet ve muhabbeti vardı. 1279 [1863] tarihinde Mısır'a icra buyurdukları se-
yahatlerinden avdet-i hümâyûnlarında icra olunan şenlikler hiçbir tarafın emr ü
nüfuzuna müstenit değildir. Sırf halkımızın kendi hâhiş ve arzusuyla yapılmış-
tır. O zamanları idrak edenler bu ifâde-i âcizânemi tasdik ve itiraf ederler. Hat-
ta bir haftadan ziyade devam eden bu şehrayinlerin hitamında sekene-i memle-
ket muteberânından, esnaf kethüdalarından ve milel-i muhtelife memûrîn ve
ruhâniyesinden mürekkep bir heyet Kâğıthane Sarayı'na azimetle müştereken
tanzim ettikleri mahzar-ı umûmîyi takdim ederek tasvîr-i hümâyûnun[198] çıkarıl-
masını istirham etmişlerdir.

Seyircilerin Kâğıthane'de eğlenceleri

Seyircilerin kimi cuma namazını Hazreti Hâlid'de[199] eda edip biraz tenez-
zühle müsterihane bir vakit geçirmek ve bedâyi-i tabiîsinden müstefit olmak
için gelmiştir. Kimisi şundan bundan hezâr-zillet ve mahcubiyetle ele geçirdiği
araba veya hayvana rakiben halka zengin görünmek ve kendisini erbâb-ı servet-
ten tanıtmak emeliyle gelmiştir. Peder veya kayın peder misilli hamilerinin nü-
fuzu sayesinde kat-ı merâtib eden birtakım nev-heves zabitler tüvana hayvanlar
üzerinde vaziyetlerini ve bütün tavır ve hareketlerini ecnebi zabitlere taklit ede-
rek malûmât-ı askeriyyesi var dedirtmeye çalışırlar ve bu imtiyâz-ı mevhûm ile
tafra-fürûş olurlar. Bin türlü itinalarla süslenmiş olan bazı yakışıklıca gençler
yüksek tabakada bulunan hanımlara kendilerini beğendirmek hulyasıyla konak
arabaları arasında arz-ı endâm ederler. Sefahet uğruna saçtıkları altınlarıyla o
fettan umumhane kızlarının ve bazı hafif-meşreb kadınların gözlerini kamaştı-

---

[198] tasvîr-i hümâyûn: Padişahın resmine verilen addır. (*OTDTS*)
[199] Eyüp Sultan

ran birtakım mirasyedi beyler herkesin takdirhân oldukları mükellef arabalara pek kibarane irkâb eyledikleri metresleriyle eski züğürt âşıklarına mağrurane caka etmek isterler. Kimisi komşusu hanımın kendisini erbâb-ı iffetten göstermek istediği ve çarşıda pazarda yüz vermediği cihetle onu inkâra mecali kalmayacak bir surette ve hafif-meşrebane bir hâlde yakalayıp bu suretle temîn-i münâsebet ve muvasalat etmek için ale't-tevâli takibatta bulunur. Her rastgeldiği kadına harf-endâzlıkta bulunan bazı hevaperestler mütemadi gezer dolaşır, arabalardan kalkan tozlardan göz gözü görmezken göz ucuyla işaret vermeye çalışırlar. Ay başı kibarları, cebi delik beyler kırılıp dökülerek kadınlara harf-endâzlık ederler. Şaşkıncaları bu tecavüzlere karşı şemsiyeyi kendi tarafına indirmek suretiyle cevâb-ı hakaret alırlar. Birtakım sâde-rû gençler erkek rolünü taklit eden aktrisler gibi hanımlara sırıtırlar, kırıtırlar, yapmacıklar yaparlar. Hovardalık âleminin güzideleri ve anlı şanlı kahramanları enzâr-ı heveslerini atfettikleri küşâde-meşreb tazelere musallat olup amana getirecek bir ipucu tutmak veya belâlısı oldukları alüfteleri kendi raconları ve murakabeleri tahtında bulundurmak için etvâr-ı serkeşânelerine bir kat daha çeki düzen verip mütehakkimâne bir çalımla bıyık burarak etrafı gözden geçirirler.

Çopur yüzlü kapısız uşaklar, yan bastı,[200] dal fesli[201] ve kovalı[202] çuha şalvarlı esnaf eşbehleri,[203] beyaz dizlikli çapraz yelekli, bağrı baldırı çıplak tulumbacı kababayıları kartal kanat,[204] saltamarkalı,[205] başında yardan ayrıldım biçiminde ipekli mendil sarılmış daltaban[206] kaldırım hovardaları ve daha bunlara mümasil birtakım pespayeler kadınlara söz atmakla kanmazlar, elleriyle taarruzda bulunurlar, türlü kepazelikler ederler.

---

[200] yan bastı: Topal, aksak (*DS*)

[201] dal fes: Sarıksız fes hakkında kullanılan bir tabirdir (*TGKSS*)

[202] Bu kovalı denilen şalvar, iç donu üstüne dizlik denilen beyaz bezden bir şalvar giyip onun üstüne de ondan daha geniş fakat çuhadan mamul olarak giyilen şalvardır ki kuşağın hizasından itibaren boyu diz kapağına kadar gelir, gayet geniş ağı iki bacağı arasından arkaya doğru salıverilir. Yürüdükçe karaman koyununun kuyruğu gibi iki tarafa sallanır ve bu suretle sallanması süs addolunurdu. (ARB)

[203] Şemsettin Sami, *Kamûs-ı Türkî*'de "eşbeh" karşılığı olarak "levendane edalı, serbest tavırlı, kabadayı" açıklamasını yapmaktadır. Mehmet Zeki Pakalın ise bu kelimenin daha ziyade yeniçeriler hakkında kullanıldığını söylemektedir. (*OTDTS*)

[204] Eskiden yeniçeri yangın tulumbacılarının giydiği kırmızı çuhadan yapılan kaputa verilen addır. (*TGKSS*)

[205] Şemsettin Sami, *Kamûs-ı Türkî*'de "saltamarka" hakkında şu izahatı vermektedir: "Santo Marco'dan galat olup Venedik'in hamisi addolunan bir azizin namına olarak gemicilerin giydikleri bir nevi kısa ceket idi. Bir cins kısa cepken". Bu kelimeyi kısaca "salta" olarak alan Mehmet Zeki Pakalın ise daha çok esnaf takımının giydiğini belirtmektedir. (*OTDTS*)

[206] daltaban: Kopuk, züğürt, fakir yerinde kullanılan bir tabirdir. (*OTDTS*)

Lâcivert dizlikli, baldırı yün tozluklu pos bıyık helvacı kalfaları, Anadolu dayıları, yüzüne yağlı düzgünü[207] sıvacıvarî badana eden sefil şıllıklara yılışırlar ve behimî bir recûliyetle galeyana gelip peşlerine düşerler. Kendini uslu, akıllı, ağır başlı göstermek isteyen saçlı sakallı bazı sinsiler de çapâriz yerlere gizlenip saman altından su yürütürler.

Sahilin kadınlara mahsus cihetinde kayığın ihramını, döşemesini derenin kenarına serip oturan hanımlar gümüş su tasını ve sürahisini önlerine, sefer tasını Venedik seyir sepetini yanlarına, sarı pabuçlarını ihramın altına korlar; yerler içerler ara sıra kalkıp gezerler ve küçük çocuğu olanlar iki ağacın arasına salıncak kurup çocuklarını uyuturlar.

Uzaktan seyr ü temaşayı arzu edenler dağlara, yamaçlara tırmanmak zahmetini ihtiyar ederler.

Çilekçi, portakalcı, kuru kuzu kestaneci, helvacı, macuncu, muhallebici, dondurmacı, kalbur içinde kara üzümle karışık leblebici, sigara kâğıdı ve kibrit satan Yahudi çocukları sâmia-hırâş sedalarıyla halkı iz'aç ederler. Bunlardan bazıları vâsıta-i rezâlet oldukları için memûrîn-i âidesi ite kaka çeker, döğe döğe götürür ve zaptiyeler sarhoş mücadelelerini bastırmak için uğraşır.

İz'açlarından kurtulmak için saray ve konak arabalarından serpilen ufak paraları kapışırken dilenciler gırtlak gırtlağa boğuşurlar.

Ayıcı çingenenin etrafını ayıdan ürken köpekler sarmış. Havlamaları dünyayı tutar. Rakı keyfiyle galeyana gelen kira beygirleri süvarileri, lâgar hayvanları muttasıl mahmuzlayarak yarış etmeye çalışır. Koştururken biri attan düşmüş, başına birçok seyirciler üşüşmüş. O telâş arasında muhallebicinin tablası devrilmiş. Muhallebileri nîm-üryân hırpanîler yerlerde yuvarlanarak tozlar içinde kapışır.

Alâyişe özenen bazı zadegân hoppaları şımarık beyler, terbiyeleri[208] yedine almış önünü ardını görmeyerek tozu dumana katarak fayton sürer. Bir çocuğu araba çiğnediği söylenir. O izdiham arasında zabıta memurları öteye beriye seğirtip iş ört bas edildikten sonra "Hamdolsun bir sakatlık olmamış" sözleri işitilir ve asaletin haiz olduğu imtiyazât ananesine bu suretle de riayet olunur.

Derenin erkeklere mahsus kenarında ahz-ı mevki eden seyircilerin kimi çalgı çaldırır, kimi Kıptî kadınlarını raks ettirir. Kimi hokkabaz, kimi ayı, maymun oynatır, kimisi Bulgarlara şişirme gaydalar çaldırır, horalar teptirir. Mahut kabağı[209]

---

207 düzgün: Kadınların yüzlerine sürdükleri ak veya kızıl boya. (*KT*)
208 terbiye: Araba hayvanlarının dizginlerine verilen addır. (*TS*)
209 kabak: Gövdesi uzunlamasına ikiye bölünen su kabağının üzerine ince bir deri gerilerek yapılan üç telli, yayla çalınan bir halk çalgısı. (*TS*)

çalan Arap "Halep'e kaçtım kurtulamadım, Mısır'a kaçtım kurtulamadım." teranesiyle kendine mahsus kabak tamburasını çalar, oynar, kadın erkek zenciler söylediği şeyi can kulağıyla dinlerler.

Modanın bütün inceliğini kendilerinde göstermek için daima terzi dükkânlarının elbise modellerini nazarıdikkate alan ve zevkiselime muvafık kıyafetleri kendilerine bir meziyet bahşeden asrın sivilize[210] beyleri Kâğıthane'nin bu manzarasını barbarlık addederek derin bir nefretle ta'n ve takbih ederler. Mavi yeldirmeli[211], kazan kulpu rastıklı[212], alınları lâdenli[213], parmakları kınalı Ayvansaray, Sulukule yosmalarının ellerini çırparak ve arsız arsız gülerek "Beyefendiler Kâğıthane safası, şarkı söyleyelim." deyip göbek atmaları ve bahşiş almaksızın defolmamaları bu centilmenleri bir kat daha asabîleştirir.

Kâğıthane dönüşü eğlenceleri

Vaktaki saat on sularına[214] gelir zaptiyeler seyircileri avdete icbar ederler. O zamanları tahattur edenlerin malûmu olduğu üzere avdet, azimet gibi dağınık olmadığından pek cemiyetli olur ve eğlencenin envaı asıl avdet zamanı vuku bulurdu. Hatta Kâğıthane'nin bu avdet hâlini seyretmek için ecnebiler sandallar ve kayıklar ve sefaret takımları elçi kayıklarıyla gelirlerdi.

Boğaziçi'nin cesim alamana[215] kayıkları allı yeşilli bayraklar ve rengârenk kâğıt fenerlerle donanmış. Zurna ve çifte nağra[216] (nakkare) oyun havası tutturmuş birkaç genç kıç üstünde oynuyor. Mahallât tulumbacıları darbuka, maşalı zil, çığırtmadan[217] mürekkep çalgılarla hovarda ağzı mâniler (ma'nî) söyleyerek geçiyor, yağ ve bal kapanları[218] hamalları salapuryalara[219] dolmuşlar davul ve

---

210 Modern.
211 yeldirme: Kadınların kırlarda serbest gezinmek için ferace yerine üstlerine baş örtüsüyle giydikleri hafif bir elbisedir. (KT)
212 rastık: Kadınların antimon tozundan kaşlarına sürdükleri siyah renkli boyanın adıdır. (OTDTS)
213 lâden: Eskiden kadınlar tarafından yüzlerine ben taklidi yaptıkları maddenin adıdır. Bir cins çamda oluşan kırmızıya çalan siyah ve güze kokulu bir nevi yapışkan maddedir. (OTDTS)
214 Alaturka saate göre akşam ezanına iki saat kala.
215 alamana: Büyük balıkçı kayığı. (KT)
216 çifte nağra: Orta kâse büyüklüğünde yanyana konulmuş ve üzerlerine deri geçirilmiş iki yuvarlaktan ibaret çalgının adıdır. İki küçük değnekle çalınan bu çalgıya tekkelerde kudüm denilirdi. (OTDTS)
217 çığırtma: İnce sesler çıkaran bir üflemeli halk çalgısı (TS)
218 kapan: Yiyecek ve giyecek şeylerin toptan satıldığı yerler hakkında kullanılan bir kelimedir. Balkapanı, Yağkapanı, Unkapanı gibi satılan şeylerin isimleriyle anılırlar. (OTDTS)
219 salapurya: Ticaret eşyası taşımakta kullanılan, 10-15 tonluk üçgen biçiminde, yelkeni olan ticaret gemisi (TS)

düdükleriyle memleket havasını tutturmuşlar, çalıp çağırarak gidiyor. Birtakım musiki müntesipleri efendiler kayık ve sandallarını birbirine yanaştırıp fasla başlamışlar, kadın ve erkek kayık ve sandalları küme hâlinde bunları takip ediyor. Bazı sandal meraklısı şehbâz delikanlılar narin sandallarıyla yarış etmeye ve üstadâne kürek çektiklerini göstermeye çalışıyor. Mektep çocukları derede hâsıl olan sazlardan imal edilen külâhları başlarına geçirmişler güle oynaya geçiyor. Bazıları kayık ve sandallarını derenin adacıkları ve sazlıkları kenarına yanaştırıp avdeti uzunca temaşa ediyor.

Atlılar, arabalılar yollarda kâh durup eğleniyor, kâh gidiyor. Bir takımları yol üstü Silâhtarağa meyhanelerine uğrayıp tezgâh başı âlemiyle neşeleri tazeliyor. Bu suretle akıp giden merâkib-i berriyye ve bahriyyenin kâffesi Bahariye'de toplanır. Çayırı dolduran arabalar dereye girecek kadar sahile takarrüp ederler. Teraküm eden kayık ve sandallardan Bahariye deresi öyle bir hâle gelir ki kayıktan kayığa atlanıp karşı tarafa geçilecek bir hâle gelir. Ahenk namına her kafadan bir ses çıkar, hayhuylar dünyayı tutar. Biraz sonra oradan da avdet başlar. Cumaları Bahariye Kasrı'nı teşrif eden sultanlar o vakitler Ulahlılar[220] diye yeni türeyen orkestra takımını köşkün bahçesine alıp icrâ-yı âheng ettirirlerdi. Derenin akşam hâlinde orkestranın ahenktar sedası dereyi doldurur, ortalığa daha başka parlaklık verirdi.

El-hâletü hâzihi Bahariye'de mevcut olan harap sahilhaneler vaktiyle mamur ve muntazam ve ashabı erbâb-ı servet ve iktidardan idi. Cuma günleri yalıların içerisi dışarısı kibar ve ricalden, hatta vükelâdan, vüzeradan misafirlerle hıncahınç dolar ve karşılarında kâin adalar da envâ-i ezhâr-ı baharla tarh ve tanzim edilmiş olduğundan misafirlerin birtakımı da bu adalarda oturup neşeli sohbetler, gürültülü kahkahalarla Kâğıthane dönüşünü buralardan seyr ü temaşa ederlerdi.

İşte bu hayhuylar ve şevk ve nümayişler inkılâptan[221] sonra yapılan yevm-i mahsûs şenliklerini andırırdı. Şu kadar ki inkılâp şenliklerinde söylenilen milliyet manzumeleri yerine o zamanlar rindâne gazeller ve vatanperverane heyecanlara bedel âşıkane nara-i mestâneler işitilirdi.

Kâğıthane'ye gidemeyen civar ahalisinden birçok kadınlar çoluk çocuklarıyla beraber Fener, Ayakapısı, Cibali iskeleleri meydanlarına inerlerdi. Buralarının deniz kenarları daima süprüntü yığınlarıyla mülevves olup, köpekler burunlarıyla deşip koklarken birbirleriyle hırlaşır dururlardı. Böyle müteaffin ve müstekreh mezbelelere bîçareler avdeti seyr ü temaşa edeceğiz diye, taşlar, direkler, topraklar üstünde çömelirler ve en bayağı satıcıların bayat yemişlerine kanaatle iktifa ederlerdi. Lisân-ı avâmda buralara "Bitli Kâğıthane" denilirdi.[222]

---

220 Ulah: Eflâk (Romanya) halkına Osmanlılar tarafından verilen isimdir. (OTL)
221 II. Meşrutiyet
222 İstanbul Halkının Tenezzüh ve Eğlenceleri V, *Peyâm-ı Sabâh* (*Peyâm*, nr. 886, *Sabah*, nr. 11316), 21 Mayıs 1337/1921, s. 3

Kudemânın kıyâfet-i kadîmeleri ve farz-ı tenezzühleri

Şehrimizin ağır başlıları, kodamanları bahar mevsimlerinde Kâğıthane'ye cuma, pazar günleri gitmekliği münasip görmezler; şayet o günlerde gitmeye mecbur kaldıkları hâlde Kâğıthane cihetine gitmeyip izdihamdan azade olan Alibeyköyü, Çobançeşmesi cihetini tercih ederlerdi. Bu kudema takımının indlerinde kolalı gömlek, redingot ceket,[223] yelek, melbûsât-ı Frenkaneden madut olduğundan bu kıyafetle gezenleri Frenk mukallitliği ile tezyif ve takbih ederlerdi. Bir de bunların meclisinde bulunacak olanlar ve ezcümle gençler iki diz üstüne oturmaya mecbur olduklarından bu vazdan bîzar olup da şayet bağdaş kurup otursa veya ayağının birini önüne doğru uzatsa mazallah kıyametler kopar; o mecliste bulunanları tahkir etmiş addolunurdu. İşte o zamanın gençleri birtakım tarîzâta hedef olmamak ve onlara hoş görünmek için kıyafetlerini onlara benzetmek tarafını iltizam ederlerdi. Bunların mülkiye sınıfına mensup olanları Vak'a-i Hayriye'yi müteakip kavukları ve kıyâfet-i kadîmeyi terk edip başlarına mavi ipek püsküllü fesi ve fesin içine beyaz takke ve sırtlarına düz yakalı ve uzun etekli setre ve üstüne kezalik yakası düz ve etekleri daha uzun ve paçası bol pantolon ve Hind ve Şam kumaşından veya şaldan veyahut akmişe-i sâireden kollu mintan (nim-ten) giyip, boyunlarına çâr-kûşe mendil kadar siyah canfes[224] veya beyaz tülbent boyun bağı bağlarlardı. Bu zatlar zamanın husule getirdiği tahavvülâta rağmen kendi kıyafetlerini muhafaza hususunda müsir oldukları gibi hasbe'l-beşeriyye teceddüt ve intizama meyleden gençleri dahi bu misilli arzu ve heveslerinden mahrum etmek isterlerdi. İlmiye takımı büyük kavuklarını Vak'a-i Hayriye'den üç dört sene sonraya kadar daha muhafaza ettiler. Bunların kavukları imameye[225] tahvil etmeleri 1244 [1829] tarihindedir. Sırtlarına mevsim kürkü üzerine bol biniş[226] giyip elifî biçim çakşır[227] ve ayaklarına sarı mest pabuç giyerlerdi.

Esnaf takımı başlarına acem şalı veya abanî[228] sarık sararlar, ağı bol şalvar, salta, bedeni darca *Mısrî* tabir olunan cübbe, ayaklarına burnu sivri kırmızı ye-

---

223 redingot: Ceketi uzun etekli alafranga bir erkek kostümünün adı. II. Abdülhamit zamanında giyilmeye başlanmış, Cumhuriyet devrinin ilk yıllarında modası geçmiştir. (*TGKSS*) Fransızca "redingote", İngilizce "riding coat" kelimelerinden dilimize giren bir kelimedir. Arkası yırtmaçlı, etekleri uzun, çift sıra düğmeli resmî erkek ceketi. (*TS*)

224 canfes: Eski ipekli kumaşlardan birinin adıdır. Gayet ince, mat ve daima düz renktedir. Yazlık ferace, şalvar ve mintan yapılırdı. Canfesin en makbulu al renkte olandır. (*TGKSS*)

225 imame: Başlık üzerine sarılan sarığa denir. (*OTDTS*)

226 biniş: Eskiden yüksek tabakaya mensup memurların bilhassa ulemanın giydiği bir çeşit cübbedir. Cübbeden farkı bedeninin daha geniş, kollarının daha bol ve uzun olması idi. Kış için yünlü kumaşlardan, yaz için ketenden ve softan yapılırdı (*TGKSS*)

227 elifi çakşır: Elifi şalvar da denilir. Kesimi pantolon kesimi olan şalvar. Üst kısmı pantolondan genişçe, asıl şalvardan dar olup ağ kısmı da tamamen derlenmiş toplanmıştır. (*TGKSS*)

228 abanî: Eskiden sarı yapraklı dallarla işlenen ve çoğunlukla sarık sarmada kullanılan bir kumaştır. En güzelleri Bursa'da yapılırdı. (*TGKSS*)

meni[229] giyerler ve bu yemenilerin altı nalçalı tabir olanlarına *katır* tabir ederlerdi. Sonraları ekserisi sarığı dal fese,[230] yemenileri ruganlı iskarpine tahvil ettiler. Esnaf yazıcıları bel kuşakları arasına gümüş divit (devat) takarlardı.

Bu babayânî zatların tarz-ı tenezzühleri de Kâğıthane tarafına gidenlere makîs değildir. Onlarca biraz uzunca dolaşmak bile hiffet addolunur. Bunlar ya derenin kenarında, çayırların etrafında, ağaç altlarında kaba hasırları, seccadeleri serip otururlar; *terkeş* tabir olunan kısa veya seyr ü seferde müstamel geçme çubuklarını tellendirirler, derenin ve çayırın vasi manzarasını seyr ü temaşa ile keyiflenirler. Lâtifeler, afakî sohbetler, tavla, satranç misilli eğlencelerle hoş bir zaman geçirirlerdi. Bu zatların seyir yerlerinde en ziyade ehemmiyet verdikleri şey taam hususu idi. Sahraya mahsus kuzu çevirirler, biryan, kuyu, testi kebapları pişirtirler. Ekserisi aşçılarını da beraber alırlardı. Aşçıları olmayan takım arasında yemek meraklısı zatlar bulunduğundan onların maharetlerinden istifade ederler ve teferruatıyla da kendileri meşgul olurlardı. Taze yaprak dolması, sütlü irmik helvaları, mevsim meyveleri beraber götürülmüştür. Büyük kaplara mevzu ve gayet mebzul olan bu etime yerde halka olmak suretiyle tenâvül olunur, kendilerinden sonra hizmetkârlarına, arabacılarına, kayıkçılarına da kifayet edip küsuruyla seyir yerlerinde ziyafet sonlarını bekleyen dilenciler itâm olunurdu. Ba'de't-taâm kahveler, çubuklar, nargileler içilir, abdestler alınır, çayırlara seccadeler serilip vakit namazları cemaatle eda edilir, badehu ikametgâhlara avdet olunurdu. Bazıları da akşam taamlarını çayırda edip gece mehtapta avdeti tercih ederlerdi.

İstanbul'un en meşhur mesiresi Kâğıthane'dir. Çünkü diğer mesirelere nispetle mevkii şehre yakındır. İstenilirse Beyoğlu tarafından yaya olarak bile gidilip avdet olunabilir. Mesirelerde aranılan dağlık, çayırlık, dere, deniz gibi envâ-ı tabiîyyenin hepsini câmidir. Bu sebeple tabâyi-i mütehâlife erbabı orada mutlaka hoşlanacağı bir şey görebilir. Sahası gayet vasidir. Bu sebeple İstanbul halkının hemân bir sülüsünü istiap eder. En kalabalık günlerde bile erbâb-ı tenezzüh kendilerine oturacak ve eğlenecek bir mahal bulabilir. Birkaç gün evvel ârifâne, harîfâne para toplayıp tedarik edebildikleri mekûlât ve meşrubat ile eğlenmek isteyenler için en ehven masrafla gidilecek tenezzühgâh yine Kâğıthane'dir. Elhâsıl Kâğıthane herkesin işine ve her kesenin hesabına elverişlidir.

Bir zamanlar Hasköy fevkinde kâin Aynalıkavak Bahçesi de bir tenezzühgâh idi. Alelhusus Beyoğlu halkı fevkalâde rağbet ederlerdi. Yevm-i mahsûs pazar günleri idi. Meşhur Bestekâr Lâtif Ağa merhumun burası hakkında şu güfte ile bir şarkısı da vardır:

---

[229] yemeni: Bir tür kaba ve hafif ayakkabı. (*TS*)

[230] dal fes: Üzerine tülbent veya çember gibi herhangi bir şey takılmamış fese verilen addır. (*OTDTS*)

Pek müferrih yer değildir Ihlâmûr
Şimdi Boğaziçi'ne gitmek de zûr
Cambaza gitsek olursun bî-huzûr
Aynalıkavak'a gitsek bu pazar

Muahharen Ateş Mehmet Paşanın[231] kaptanlığı hengâmında tersaneye kalb ve umuma seddolundu. Veliefendi, Çırpıcı, Çörekçi, Bayrampaşa İstanbul'umuzun kadim mesirelerindendir. Bizans zamanında da buraları tenezzühgâh olup ahali mevsim-i sayfta teferrüç ederlermiş. O zamanlar ormanlar ve bahçelerle müzeyyen imiş. Sayfiyeye gitmeyenler ekseriya Kâğıthane mürurundan sonra buralara rağbet ederlerdi.

Üsküdar ve Boğaziçi Mesireleri

Eskiden seyre gidenler her seyir yeri hakkında mer'i olan usul ve âdete riayet etmeye kendilerini mecbur görürlerdi. Meselâ Fenerbahçesi'ne gidenler iptida doğruca Merdiven karyesine azimetle çayırda taam ederler, badehu Fener'e giderler. Avdette Haydarpaşa çayırında dolaşıp akşama Selimiye'de kâin Duvardibi mesiresine gelirlerdi. Vaktiyle Fenerbahçesi'nin yevm-i mahsûsları pazartesi, perşembe günleri idi. Buranın etrafı denizle muhat ve karaya merbutiyeti yalnız bir taraftan ibaret bir şibh-i cezîre olduğundan pek müferrih bir mesiredir. Murâd-ı Râbi zamanında bir fener kulesiyle muhtasar yerde saray inşa edilmiş ve Ahmed-i Sâlis zamanında tecdit ve tevsi ettirilmiş ise de müruruzamanla harap olup, elyevm havuzları kalmıştır. 1253 [1837/38] tarihinde Boğazlara vazolunduğu sırada bu Fenerbahçe kulesine de yirmi beş mil açıktan şulenümâ olacak derecede fener vazolunmuştur.

Anadolu şimendiferinin inşasından mukaddem Haydarpaşa çayırı vasi bir seyir yeri idi. Hatta Sultan Mecit, şehzadeleri Murat ve Hamit Efendilerin 1263 [1846/47] tarihindeki hitan sûrunu burada icra ettirmişti.

Küçük Çamlıca çeşmesinin banisi Avcı Sultan Mehmet'tir. Hakan-ı müşârünileyh ekseriya ale's-sabâh ava çıkıp gayet sarp ve uçurumlu ve muhataralı yerlere kadar bizzat gider ve envâ-i tuyûr vesaire sayd ederlermiş. Bir gün yolları Küçük Çamlıca'ya tesadüf etmiş. Orada içtikleri su mahzûziyet-i şâhânelerini celp eylediğinden bir çeşme inşasını ferman buyurmuşlar. 1064 [1653/54] tarihinde inşa olunan çeşmenin tarih kitabesi hakan-ı müşârünileyh namına muharrerdir. Muahharen 1071 [1660/61] tarihinde Büyük Çamlıca'ya da bir çeşme inşa ettirmişlerdir. Müşarünileyh mevsim-i sayfta bağlarda bahçelerde gezer ve kirazı

---

231 Ateş Mehmet Salih Paşa 1863-1865 tarihleri arasında kaptanıderyalık yapmıştır. Ateş lâkabı cesaretinden dolayı verilmiştir. (*İzahlı Osmanlı Tarihi Kronolojisi*, c. V, s. 234)

pek severlermiş. Hatta ol vakitlerde İstavroz[232] ve Çengelköy kiraz bahçeleri pek meşhur olduğundan harem-i hümâyûnla beraber haftalarca orada kalırlarmış. Küçük Çamlıca'nın ayrıca yevm-i mahsûsu olmadığından ahbapça ve ailece asudê bir tenezzüh murat edenler Küçük Çamlıca'yı tercih ederlerdi.

Büyük Çamlıca mine'l-kadîm seyir yeri olarak kabul olunmuştur. Yevm-i mahsûsu pazar günleri idi. Seyirciler iptida Çamlıca'ya giderler, Bağlarbaşı ve maşatlıkta[233] arabalarla piyasa ederlerdi. 1284 [1867] tarihlerinde o civarda bir de Belediye bahçesi[234] tanzim ve küşat edildi. Herkes bahçe derununda eğlenir, harem arabaları da bahçenin etrafında geşt ü güzâr ederlerdi. Geceleri bahçenin sayısız fenerleri, fanusları etrafa ziyalar saçar, ortalık nurlara garkolur. Alaturka, alafranga çalgılar münavebe suretiyle icrâ-yı âheng ederlerdi. Öyle geceler olurdu ki kalabalık tarif olunmaz dereceyi bulurdu. Yarı geceye doğru ince ve beyaz yeldirmelere bürünmüş bazı şûh-meşreb hanımların arabalardan inip bahçenin parmaklıkları haricinde nazarıdikkate çarpmayan loşça mahallerde süslü beylere refakat ettikleri de olurdu. Burada kadınlar ve erkekler arasında âdi tuvaletliler nadir görünürdü. Sanki muhteşem tuvaletliler için yapılmıştı. Mısırlı Fazıl Mustafa Paşanın orada köşkleri olmak cihetiyle bu bahçenin tanzim ve tesviyesine pek çok himmetler sarf etmiştir. Her hafta cumartesi akşamları köşklerine gelip pazartesi sabahı Kandilli'de kâin sahilhanelerine gitmekliği mutat etmişti. Bu iki akşam kapı ricalinden ve asrın üdebasından, zurafâsından takım takım gelen misafirler köşkte taam ederler, gece de bahçede gezinti yaparlardı.[235] Asr-ı âhirimizin müceddilerinden Şinasî Efendi merhum, ömrünün son zamanlarını bu bahçenin ziyaretine tahsis etmiş gibiydi. Namık Kemal Bey merhumun da oraya bir muhabbet-i mahsûsası vardı.[236]

Çamlıcalar beyninde olduğu için Kısıklı namı verilen karyede vaki çeşmenin suyu gayet lezizdir. Onun kurbünde Sarıkaya denilen mahalde Selîm-i Sâlis imam-ı evveli Derviş Efendinin bağını hakan-ı müşârünileyh valideleri için mübayaa edip müceddeden bir köşk inşa buyurmuşlar, muahharen bu köşkü Sultan Mahmut'un hemşireleri Esma Sultanın ikametine tahsis etmişlerdir. Hakan-ı müşârünileyh oraya bir nişangâh inşa etmiş, muahharen kendisi de bu köşkte ir-

---

[232] Beylerbeyi semtinin eski ismi.

[233] maşatlık: Müslüman olmayanların, özellikle Yahudilerin mezarlığına verilen isimdir. (TS)

[234] Bugünkü Millet Bahçesi.

[235] Bu köşkün en önemli özelliği Osmanlı döneminde, Abdülaziz zamanında ilk maskeli balo ve garden partinin burada yapılmış olmasıdır. (Çiğdem Aysu, "Çamlıca", DBİA, c. I, İstanbul 1993, s. 464-465)

[236] Nâmık Kemal'in Çamlıca'ya karşı muhabbeti eserlerine de yansımıştır. İntibah romanıyla edebiyatımıza ilk defa Çamlıca tasvirini canlı bir şekilde getiren Nâmık Kemal olmuştur.

tihal buyurmuşlardır. Medfun oldukları türbenin arsası da vaktiyle müşârünileyhâ Esma Sultan sarayının arsası olduğu merviyyattandır.

Kayışdağı, Alemdağı, Taşdelen şehrimizin başlı mesirelerinden idi. Buralara atlar arabalarla ahbapça ve ailece gidilip, hanendeler, sazendelerle geceleri de kalıp eğlenmek, hele Üsküdar tarafında sakin olanlar için mutat idi. Eskiden Kayışdağı, Kayışpınarı namıyla yâd olunurmuş. Bizans zamanında re's-i cebelde bir manastır olduğu mervîdir ve bazı asarı el-hâletü hâzihi mevcuttur.

İstitrat-Vaktiyle Alemdağı, haremeyn nezareti dahilinde ve haremeyn nezareti de darü's-saâde ağalığı zîr-i idâresinde bulunduğu cihetle 1250 [1834/35] tarihinde Kızlarağası bulunan Abdullah Ağa, Sultan Mahmut'a bir ziyafet keşide etmişti. Hakan-ı müşârünileyh şehzadeleri, mabeyin kâtiplerini, kurenâ beyleri beraber alıp tehyie olunan hanelerde bir gece beytutet ve ferdası günü ormanlar seyr ü temaşa olunarak Taşdelen suyunun membaı olan cây-ı dil-küşâya azimet buyurmuşlar ve harem-i hümâyûn takımı da Sultan Çiftliği nam karyede tertip olunan hanelerde iki gece ârâm–sâz olmuşlardı. Zât-ı şâhâne evliyâ-yı kirâmdan Sarı Gazi türbesine ziyaret ve Tophane Nazırı Hacı Sâib Efendinin o civarda kâin çiftliğinde ârâm ve istirahat ve badehu Yakacık karyesine azimetle bir gece de orada beytutet buyurmuşlardır.

Bu Sarı Gazi, Sarı Kadı, Ebu'l-Feth Sultan Mehmet Han Gazi ile gelenlerden olup 885 [1480/81] tarihinde vefat etmiştir. Üsküdar'da Atik Valide Câmi-i şerîfi baniyesi ve Sultan Murâd-ı Sâlis validesi Nûrbânû Sultan bir mescit binasıyla bu karyeyi ihya buyurmuşlar ve bade zemân minberini de Mustafa Hân-ı Sâlis yazı hocası Bosnevî Osman Efendi tevliyeti zamanında vazettirmiştir.[237]

Küçük Çamlıca dağı zirvesinden bed' ile Büyük Çamlıca, Dudullu, Çekmeköy cihetindeki zirveler ve Alemdağı ve civarı tepeleri ve Kayışdağı'ndan bed' ile İzmit şehrine doğru Gebze, Tütünçiftliği zirveleri kuvars denilen bir nevi sert taştan müteşekkil olduğu hâlde aralarında kalan arâzî-i müsteviyye ekseriya kireç taşı denilen mavi renkli yapı taşı nev'inden bulunduğunu tetkik edenler zamân-ı hilkatte bu zirvelerin yekvücut olduğu hâlde sonradan yekdiğerinden ayrılıp kuvars kısımlarının ayrı ayrı zirveler teşkil ettiğini tabakatü'l-arz ilmi nazariyatına istinaden iddia etmektedirler. Filvaki her zirveden nebeân eden sular birbirinden âlâ ve lâtif olduğu hâlde arâzî-i müsteviyye suları acı ve ağırdır. Mecmuuna koru-yı hümâyûn namı verilen bu sahanın vaktiyle birçok köyler ve mebânî ve âsâr-ı sâire ile mamur olduğu bugün asarına bi't-tesâdüf malûm olmaktadır. Ezcümle Tophanelioğlu ile Büyük Çamlıca dağı beynindeki derenin bir cihetinde ve Tophanelioğlu tepesinin cevfinde Kadıköyü'ne müteveccih üstü kemerli kâgir bir tarik mevcut bulunduğu mervî olduğu ve Büyük Çamlıca dağında şark cihetinde ve takriben üç kilometre bu'dında Hamamlı denilen mevkide bir mine harabesi ve civarında ayazma tarzında bir mahal ve dağın cenuba tesadüf eden yeni köyde birçok mine enkazı ve Dudullu köyünün tam ağzına müsadif dağın zirvesinde birçok mermer direkler üzerine inşa edilmiş muhteşem bir mine eseri ve Alemdağı'nın tam zirvesinde kezalik kâgir bir mine enkazı ve şarka doğru mümted olan cibâl ve arazinin bazısında kezâlik mine enkazına tesadüf edilmektedir. *Eski İstanbul* nam eserin on ikinci sahifesinde şu ibare münderiçtir:

"Ahiren Maltepe, İçerenköy, Moda ile Yarım Burgaz'da kable't-târîh ezmineye müteallik mağaralar ve devr-i hacere ait çakmak taşından mamul âlât ve edevat bulunmuştur."

Kayışdağı'nda zirveden sahile mümted mestur kâgir bir yol mevcut olduğu mervî ve İzmit'e kadar sahil boyunca elyevm Eskihisar ve Hereke kaleleri harabeleri meşhut olmaktadır.

Bu koru-yı hümâyûn şibh-i cezîresi üzerinde eskiden kalma birçok Rum köyleri mevcut olup bu köylerdeki maâbid-i kadîmenin ber-nehc-i şer'-i şerîf köylülerce muhâfaza-i mevcûdiyyetine müsaade buyrulmuş, bade'l-feth ahali yedindeki maâbide asla tecavüz edilmemiş olmasına bakılınca Dudullu'da ve Alemdağı'nda ve sair mahallerde enkazı görülen mahallerin maâbid nev'inden olmadıkları bedaheten anlaşılır.

Bu sahada Türk ve Rum unsurundan başka ahali yokken ahiren devr-i Mecîd Hânî'de Beykoz kasabası cenubunda ve Arnavutköy yakınında vaki ve elyevm Polonezköy denilen mahalle Rus ve Avusturya tebaası iskân edilerek muntazam bir köy vücuda gelmiştir.

Büyük ve Küçük Çamlıcalar arazisi İvaz Fakih vakfı müştemilâtındandır. Çelebi Sultan Mehmet 822 [1419/20] tarihinde İstanbul'u fethetmek azmiyle Üsküdar'da Merdivenli karyesine kadar gelip, Hereke, Gebze, Darıca, Kartal, Pendik karyelerini zapt ile Merdivenli karyesinde ordu-yı hümâyûnla ârâm buyurdukları müddette mevkib-i hümâyûnda bulunan zevattan bazıları Üsküdar havalisini fethettikleri esnada Kısıklı, Bulgurlu karyesiyle etrafını bu İvaz Fakih fethetmesiyle Lâçin timarı namıyla yedine berat verilmiş ve bir sureti *Târîh-i Ata*'da münderiç olmakla zirde nakil ve derç edilmiştir:

İvaz Fakih'e verilen berat suretidir

Eâzzallâhu fi'd-dâreyn Lâçin timarına mutasarrıf kıdvet-i meşâyih şeyhim İvaz Fakih yedinde olan timarı evlâd-ı meşrûtası eylemek murat ittiğin bildirdikte yedine bu berat verilmiştir. Tarafımızdan ve taraf-ı âherden kimesne müdahale eylemeyip işbu alâmet-i şerîfime itimat kılalar. Hurrire fî evâsıtı safer lisene isnâ ve ışrîn ve semâne mi'e, be-meştâ-yı Nerdübanlı.

Çamlıcalar evvelce arâzî-i hâliyye suretinde ve Bulgurlu karyesi elyevm Bağlariçi denilen mahalde iken köy Çamlıcalar arasındaki araziye nakledilmiş ve teber-dârân-ı hâssadan[238] Mehmet Ağa tarafından bir câmi-i şerîf ve Sultan Mahmûd-ı Evvel silâhtarlarından Süleyman Ağa da 1164[1750/1751] tarihinde bir mektep ve Hazreti Hüdâî vakfından köyün ortasında iki halvetli küçük bir de hamam inşa ettirmiştir. Buralarının muhafazası vaktiyle elli altıncı bölüğe mensup yeniçerilere mevdû olunduğundan Libade civarında kâin mahall-i ma-rûfa elyevm Ellialtı Bağı denir.

Küçük Çamlıca'nın kıble tarafına müteveccih sath-ı mâili emlâk-ı hümâyû-na mensup olup Sultan Mecit oradan bir miktar araziyi yazı hocası hattât-ı şehîr Mehmet Tahir Efendiye ihsan ve üzerine dört, beş odalı bir köşk de inşa ettirmiş-tir. Tahir Efendinin bilâ-veled vefatında köşk ve arazi ahiren vezir ve şeyhü'l-ha-rem olan Şevket Paşa tarafından mübayaa olunmuştu.

Sultantepesi'nde Susuzbağ ve Kuzguncuk üzerinde Arapzade Bağı ve Şem-sipaşa sahili civar ahalinin birer mahall-i tenezzühleri idi. Şemsi Köşkü'nü Sul-tan Mahmut 1232 [1816/17] tarihinde tecdit ettirmiştir. Elli, altmış sene evveline kadar mevcut idi. Muahheren muhterik oldu. Mevkii itibarıyla pek müferrih bir köşk olduğundan zıya'ı şâyân-ı teessüftür.

İstitrat-Keçecizade İzzet Molla Efendi merhum bir mukabele[239] günü Yeni-kapı Mevlevîhanesine gidip şeyh efendinin odasında musahabet ederlerken sohbet Şemsipaşa civarının letafetine intikal eder. Molla Efendi merhum "Şev-ket-meâb efendimiz bana 'Molla dile benden ne dilersen' buyursalar ben de 'Sağlığınızı dilerim' desem fermân-ı hümâyûnları tekrar etse 'Efendim, Şemsi-paşa kasr-ı hümâyûnunuzu Mevlevîhane ittihaz ve dâînizi senevî elli bin kuruş irat ile oranın meşihatına intihap buyursanız hayatımın son gününe kadar veli-nimetime dua ile meşgul olurdum ve artık bir şey istemezdim." demesi üzerine huzzârdan ol vakit sadr-ı âli mektupçusu olan Süleyman Faik Efendi "Öyle ise efendim siz mevleviyete bedel molla-hünkâr olmaklığı tahayyül ediyorsunuz." demiş. Molla merhum "Şimdiye değin bana böyle rengîn lâtifeyi kimse deme-di." diye tahsin eylemiş olduğunu Süleyman Faik kendi mecmuasına yazmıştır.

Âli Tarihi'nin verdiği malûmata göre bu Şemsi Paşa, Süleymân-ı Kanûnî ku-dema ve havâss-ı kurenâsından olup avcıbaşılık ile çerağ buyruldukten ve bazı memuriyetlerde istihdam olunduktan sonra Rumeli mîr-i mîrânı[240] olmuştur.

---

238 teberdârân-ı hâssa: Saray baltacıları hakkında kullanılan bir tabirdir. Bunlara zülüflü baltacı da denirdi. (*OTDTS*)

239 mukabele: Tarikat mensuplarının toplu bir hâlde zikirle meşgul olmalarına verilen addır. Mev-levîlikte sema adı verilir. (*BTMA*)

240 mîr-i mîrân: Eskiden beylerbeyi hakkında kullanılan bir tabirdir. (*OTDTS*)

Silsile-i nesebi Hâlid bin Velid radıyallâhu anhü hazretlerine peyveste imiş. İptida harem-i hümâyûnda perverde olmuş ve kendisi nazım ve nesre kadir bir zat olduğu gibi fenn-i silâhşorîde ve şikârbâzlıkta mâhir olmakla daima rikâbda bulunurmuş. Mantarî gayet sevdiği için zât-ı şâhâne bir gün şikâr mahallinde bilhassa mantar toplattırıp kendisine ihdâ etmek suretiyle taltif buyurmuşlardır. Hakan-ı müşârünileyhin irtihalinden sonra Selîm-i Sânî'ye ve Murâd-ı Sâlis'e musahip olmuştur.

Paşa-yı müşârünileyh kendi ismiyle müsemma olan sâlifü'z-zikr köşkü zât-ı şâhâne için bina ettirmiştir. Vefatı 988 [1580] tarihindedir.[241]

Şemsi Paşa sahilinden itibaren Kavak İskelesi'ne kadar sevâhilde vaktiyle müteaddit sultan sarayları, şükûfe bahçeleri varmış ve Harem İskelesi'nin arka tarafında Damat İbrahim Paşa tarafından Şerefâbâd ismiyle bir saray inşa edilmiştir.

Göksu ve Küçüksu, Boğaziçi'nin en muteber mesiresidir. Hatta seyir yerlerinin Babıâlisidir derlerdi. Yevm-i mahsûs cuma günleri idi. Burada kadınların ekserisi araba ile geşt ü güzâr ederlerdi. Hatta Rumeli cihetinde ikamet eden sultanlar, vüzera, vükelâ haremleri hususî arabaları için Anadolu cihetinde birer mahal tedarikine mecbur olurlardı. Cuma günleri Anadolu tarafına kayıklarla geçerler badehu arabalarına râkiben geşt ü güzâr ederlerdi. Göksu'dan Küçüksu'ya avdette arabalar ale't-tevâlî çayırda piyasa ederler, sıra ağaçların sayesinde de gençler ahz-ı mevki edip piyasayı temaşada bulunurlardı. Boğaziçi mesirelerinde Kâğıthane gibi alaturka çalgı çaldırmak ve Kıptî kadınlarını oynatmak gayr-ı câiz olduğundan kimse bu gibi hâle cesaret edemezdi.

Bazen zât-ı şâhâne ve şehzâdegân ve selâtin hazerâtı Küçüksu Köşkü'nü teşrif ile halkın kalabalığını ve seyr ü tenezzühlerini buradan seyr ü temaşa ederlerdi. 1248 [1832] senesi mevsim-i sayfında bir cuma günü selâmlık resminden sonra Sultan Mahmut kasr-ı mezkûru teşrif etmişlerdi. Şeyhülislâm Yasincizade Abdülvahhâb Efendinin sahilhanesi Anadoluhisarı'nda olduğu cihetle müşârünileyhi nezd-i hümâyûnlarına celp ve davetle bir buçuk saat kadar alıkoymuşlardır ve pırlanta ile müzeyyen tasvîr-i hümâyûnlarını ihsan buyurmuşlardır.

Bu Yasincizade Efendi, Seyyid Bilâl neslinden Ayasofya Câmi-i şerîfi yasinhânlık cihetine mutasarrıf Mustafa Efendinin hafîdidir. İki defa mesned-i meşîhati ihraz etmiş, 1249 [1834] tarihinde vefat edip cenazesinde hakan-ı müşârünileyh de hazır bulunmuştur.[242]

---

[241] Şemsi Ahmet Paşa yukarıda sözü edilen ancak bugün var olmayan köşkünden başka Üsküdar'da sahilde Mimar Sinan'a bir cami yaptırmıştır. Bugün bu cami halk arasında Kuşkonmaz Camii diye adlandırılmaktadır. Şemsi Paşanın Üsküdar'da yaptırdığı eserler için bk. İbrahim Hakkı Konyalı, *Üsküdar Tarihi*, c. I, II, İstanbul 1976-1977

[242] Yasincizade Ahmet Abdulvahhâb Efendi, 1821-1833 arasında beş yıl süreyle şeyhülislâmlık yapmıştır. (*İlmiyye Sâlnâmesi*, s. 469-471)

Küçüksu Köşkü'nü iptida Mahmûd-ı Evvel için Sadrazam Devâtdâr Mehmet Paşa sekiz yüz zirâ arsa üzerine bina ve cânib-i cenûbîsinde kâin dağdan su getirtip havuzlar, fıskiyeler selsebiller inşa ettirmiştir. Muahharen Selîm-i Sâlis ve Mahmûd-ı Sânî tamir ettirmişlerdir. Şimdiki ebniyesini müceddeden Sultan Mecit inşa ettirmişti. Bu muhteşem binanın manzara-ı hâriciyye ve taksîmât-ı dâhiliyyesi banisinin hüsn-i tabîatına ve mimarının kemaline bir timsaldir.[243]

Bazı erbâb-ı tabîatın dedikleri gibi Küçüksu mesiresi pek güzel bir temâşâgâh-ı zevk ü safadır. En müferrih mahalli de çeşmenin bulunduğu seddin üzeridir. Mahfice bir gün o büyük çınarın altında oturuldukta denizin, hafif hafif esmesinden kinayeten "Mekkîzade Poyrazı" denilen rüzgârla göz önünden geçmesi ve yukarıdan aşağıya doğru tepelerde zümrüt gibi ağaçlıkların ve rengârenk yalıların seyr ü temaşası havasına başka bir lezzet bahşeder. İnsanın gönlü gözü açılır, dünyanın bütün âlâmını unutur.

Seyirciler sonra araba piyasasını terk ettiler, kayık ve sandallarla derede dolaşmak ve akşama Küçüksu'ya avdetle çayırda mâşiyyen piyasa etmek âdet oldu. Kadınlar rengârenk feraceler ve şemsiyeler ve şaşaalı tuvaletlerle, erkekler asrın modasına muvafık kıyafatlerle pür-zîb-i tarâvet olarak o kibarane zarif sandallarda, ikişer üçer çifte yaldızlı kayıklarda, patiskadan mamul beyaz şalvar, beyaz çoraplar, kadife veya çuha üzerine sırma işlemeli renkli yelekler ve geniş kollu pembe-zâr[244] bürümcük gömleklerle tezyîn-i endâm eden genç ve dinç kayıkçıların üstadane kürek çekerek aheste aheste derede geşt ü güzâr etmeleri ve akşam serinliğinde Küçüksu'dan avdette olanca kuvvetleriyle küreklere asılıp uçar gibi yarış ederek yekdiğerini geçmeleri ne kadar hoş ve eğlenceli olurdu.

İstitrat-Göksu'ya budiyeti olan Boğaziçi pazar kayıklarının[245] mevsim-i sayfta birkaç defa karye halkını Göksu'ya götürmesi âdet idi. Perşembe günü akşamı köyün çarşı ve mahallâtında "Yarın pazar kayığı Göksu'ya gidecektir, istekli olanlar buyursun." nidasıyla tellâl çağırır. Ferdası cuma sabahı zükûr ve inâs hazırlığını görüp kayıkta bulunurdu. İstanbul'a gidip gelmek için halka sühulet olmak üzere Evkaf Nezareti 1252 [1836/37] tarihinde Boğaziçi iskelelerinde pazar kayıklarını teksir etmiştir. Bu gibi iskelelerin bazılarına evâyilde pereme tabir olunan altı çifte kayıklar işlermiş.

---

243 Küçüksu Kasrı'nı bugünkü şekliyle Batılı tarzda yapan mimar aynı zamanda Dolmabahçe Sarayı'nı da yapmış olan Nigoğos Balyan'dır. 1970'lere kadar özel günlerde ve devlet kabullerinde kullanılan bina 1983 yılında müze hâline getirilmiştir. (Tülay Artan, "Küçüksu Kasrı", *DBİA*, c. V, İstanbul 1994, s. 162)

244 pembe-zâr: Alt tarafı pamuk ve bürümcükle, üst tarafı sadece bürümcükle dokunmuş gömleklik beze verilen addır. (*TGKSS*)

245 pazar kayığı: Eskiden Boğaziçi'nde bulunan yerleşim birimlerine yolcu ve eşya taşıyan beş veya yedi çifte büyük kayıklara verilen addır. (*OTDTS*)

Kanlıca körfezinde Mîrâbâd denilen tenezzühgâhın banisi de İbrahim Paşadır. Mahmûd Hân-ı Evvel'in oraya rağbeti cihetiyle ekseriya biniş[246] olurmuş. Hisar fevkinde Kavacık ismiyle bir mesire daha vardı. Havuzu ve ağaçlıkları cihetiyle tenezzühe elverişli bir mahal olup cumartesi günleri gidilirdi.

Çengelköy'ün nâm-ı dîgeri Feyzâbâd'dır. Havuz ve çeşme de müşarünileyh İbrahim Paşanın eser-i hayrıdır. Vaktiyle esnaf teferrüçleri olurdu. Yevm-i mahsûsları pazar günleridir. Kırk dört yaşında cülûs eden Selîm-i Sânî sekiz buçuk senelik müddet-i saltanatında umûr-ı devleti Sokollu Mehmet Paşanın yed-i nezaretine terk ederek, kendisi ayş ü taraba mail olduğundan Çubuklu, Sultaniye gibi mesire mahallinde musahipleri Şemsi Paşa, Celâl Bey, Şair Baki Efendi gibi nüdemâsıyla imrâr-ı neşât ederlermiş. Müşarünileyhin eğlence mahallerinden biri de Çekmece gölleriymiş. Mevsiminde bilhassa gidip pisi balığı sayd ederler, tereyağıyla kızarttırıp âlem-i âbda tenâvüle rağbet buyururlarmış. Müverrihler müceddeden inşa ettirdiği hamam derununda kızlarla eğlenmekte iken ayağı kayıp düşmesini sekrine ve bu yüzden hastalanıp vefat etmesini etıbbasının cehline atfederler. Mahdumları Murâd-ı Sâlis de Çubuklu ve Sultaniye cihetlerine rağbet ederlermiş. Tarihler padişahların ten-perverlikde ve zevküsafaya temayül hususunda birincisi Selîm-i Sânî ikincisi Murâd-ı Sâlis'tir derler. Murâd-ı Sâlis'in son senelerinde iki sene cuma selâmlık resmi bile metruk kalmış olduğunu söylerler.

İbrahim Paşa, Sultaniye Kasrı'nı inşa ettirdiği sırada Bebek ve Kalender köşklerini de tamir ettirmiştir. Bebek Köşkü'nün ismi Hümâyûnâbâd'dır. Fi'l-asl Bebek karyesinde Sultan Mehmet'in tayin ettiği bölükbaşı[247], Bebek lâkabıyla yâd olunmasından dolayı karye de onun lâkabıyla meşhur olmuştur.

Sultaniye'ye karîb dağda Gümüşsuyu denilmekle maruf bir mâ-i lezîz mevcuttur. Selîm-i Sâlis oraya bir nişan taşı vaz ve çeşme ile sedirler inşa ettirmiştir.

Eskiden Beykoz paçası beyne'n-nâs meşhur ve makbul idi. Halk bilhassa giderler, paça yiyip çeşme başında çubuk ve kahve içerlerdi. Bu çeşme Firuz Ağa nam sâhibü'l-hayrın eseri olup, bade zaman Mahmûd-ı Evvel tamir murat etmekle Gümrük Emini İshak Ağa nezaretiyle tecdit olunmuştur. Tecdidine Nuri Efendinin söylediği tarihtir:

> Beykoz'un buldu suyun yaptı bu dil-keş çeşmeyi
> Şâh-ı bâlâ-menzilet Sultan Mahmûd-ı Velî[248]

---

[246] biniş: Padişahların bir yerden bir yere gitmeleri hakkında kullanılan bir tabirdir. (*OTDTS*)

[247] bölükbaşı: Yeniçeri ocağını meydana getiren bölüklerin kumandanlarına verilen addır. (*OTDTS*)

[248] İstanbul Halkının Tenezzüh ve Eğlenceleri VII, *Peyâm-ı Sabâh* (*Peyâm*, nr. 888, *Sabah*, nr. 11318), 23 Mayıs 1337/1921, s. 3

Hünkâr İskelesi çayırı hem lâtif, hem de vâsi bir seyrangâhdır. O sâl-dîde gölge ağaçlarından başka Sultan Aziz evâyil-i cülûsunda Tokat yoluna birçok ağaçlar gars ettirmişti. Yerli ve ecnebi herkesin rağbetini celp etmişti. Vaktiyle su değirmenleri varmış. Selîm-i Sâlis bir de kâğıt fabrikası ihdas etmiş ve kâğıt imaline de başlanmıştır. Hulûsî Ahmet Paşa büyük tezkireciliği[249] hengâmında bir tatil günü Hünkâr İskelesi'ne gitmiş ve Keçecizade İzzet Molla merhum da orada bulunmuş. Emirgân tarafında hem-civâr olmaları hasebiyle ülfetleri olduğundan birleşmişler ve on kadar ahbap olup, her baptan sohbet açıp güzel güzel konuşurlarken Frenkler madamalarıyla gezmeye başladıklarını Molla Efendi merhum gördükte, mücerret paşa-yı müşârünileyhe tarîz kasdıyla güya nefsine azv yüzünden "Ehl-i İslâmda dahi böyle açık gezmek âdet olaydı ben bizim İzzete-i zişt-rû ile nasıl gezebilirdim. Zira 'İzzet Mollanın zevcesinin hâline bak' diye herkes beni tayip ederdi." dedikte hazır bulunanlar gülüşmüşler ise de Hulûsî Paşanın iki nefer ayalinin biri yetmişlik ihtiyar, diğeri de yekçeşm ve zişt-rû olduğundan azim hacîl olmuştur. Hulûsî Ahmet Paşa tul müddet sadaret kaymakamlığında bulunmuş[250] ve Sultan Mahmûd-ı Sânî'nin mazhar-ı teveccühü olmuştur. Hatta 1247 [1831] senesi mevsim-i sayfında bir cumartesi günü paşa-yı müşârünileyhin Baltalimanı'nda kâin sahilhanesini teşrif ile paşa-yı müşârünileyhi taltif buyurmuşlar idi.[251]

1867 sene-i efrenciyesi ve 1284 sene-i hicriyesinde Fransa imparatoru III. Napolyon'un daveti üzerine Sultan Abdülaziz refakatinde Şehzade Murat ve Abdülhamit ve Yusuf İzzettin Efendiler hazerâtı bulunduğu hâlde Paris'te küşat olunan sergi-i umûmîyi[252] seyr ü temaşa etmek üzere Avrupa'ya seyahat[253] bu-

---

249   tezkireci: Dîvân-ı hümâyûnun yazı işleriyle meşgul olan memura verilen addır. Tezkire-i evvel ve tezkire-i sânî unvanlarıyla anılırdı. Tezkire-i evvel büyük tezkireci hakkında kullanılan bir unvandır. Divanda veziriazamın önünde ayakta durarak görüşülecek konuları okur ve gerekli yerlere gönderirdi. (OTDTS)

250   1828- 1833 arasında bu görevde kalan Hulûsî Ahmet Paşa, 1836 yılında hariciye nazırı olmuş, 1837 tarihinde ise vefat etmiştir. (Mehmet Süreyya, Sicill-i Osmânî, c. II, İstanbul 1311, s. 281-282. Dört cilt hâlinde basılan eser, altı cilt hâlinde Seyit Ali Kahraman tarafından orijinal sayfa numaralarıyla yeni yazıya aktarılarak kısmen sadeleştirilmiş, Nuri Akbayar tarafından yayına hazırlanmış ve Tarih Vakfı tarafından 1996 yılında neşredilmiştir.)

251   Evvelce Bulgar olup sonra ihtidâ eden Baltaoğlu Süleyman Paşa, Fatih'in vüzerasındandır. Baltalimanı, paşa-yı müşârünileyhin lâkabına izafeten tesmiye olunmuştur. (ARB)

252   Bu sergi 146588 metre murabbaında bir arsa üzerine küreviyyü'ş-şekil olarak yapılmış ve etrafında hayvanat ve nebatat bahçesiyle beraber yirmi milyon franka baliğ olmuştur. (ARB)

253   Osmanlı tarihinde bir ilki gerçekleştiren Sultan Abdülaziz bu seyahate 21 Haziran 1867 tarihinde cuma selâmlığını Ortaköy Camii'nde icra ettirdikten sonra Sultaniye isimli vapurla çıkmıştır. 25 Haziranda İtalya'ya uğrayan padişah 29 Haziran'da Fransa'nın Toulon limanına varmıştır. Burada askerî törenle karşılanan Abdülaziz, seyahatinin bundan sonraki kısmını trenle yaparak ertesi gün Paris'e varmıştır. Elysee Sarayı'nda ikamet eden padişah Fransa imparatoru III. Napolyon ile çeşitli konularda görüşmeler yapmış, 10 Temmuz'da Londra'ya hareket etmiş-

yurmaları üzerine Fransa imparatoriçesi Eugenie de iâde-i ziyâret maksadıyla Dersaâdet'e gelmişti.[254] İkametine Beylerbeyi sarây-ı hümâyûnu tahsis edildi ve kudûmü için birçok esbâb-ı sürûr ve şâd-mânî ihzar olunduğu sırada Hünkâr İskelesi çayırında asâkir-i şâhâne tarafından bir resmigeçit icrası tensip olunmuştu. Resm-i mezbûrun icrası ol vakit hayatta olmayan Fuat Paşanın tensibidir demişlerdi. Müşarünileyh Fuat Paşa hâl–i hayâtında Avrupa imparatorlarından biri İstanbul'a gelir ve geldiği mevsim de yaza tesadüf ederse Hünkâr çayırında bir resmigeçit icrası münasip olacağını söylemiş. Müşarünileyhin bu fikrini o zaman makam-ı sadârette bulunan Âli Paşa zât-ı şâhâneye arz ederek istihsal eylediği irade üzerine çayırın vasatına ahşap bir köşk inşasıyla resmigeçidin oradan temâşasını takarrür etmişti. Köşkün inşa ve tefrişatından sonra bir gün Dahiliye Nâzır-ı esbakı Sait Efendi merhumla beraber bilhassa gidip seyr ü temâşa eyledik. Köşkün cephesi açık ve üç kısma tefrik olunmuştu. Ortası zât-ı şâhâne ve misafirine ve iki cenahı vükelâ ve süferâ ile maiyyet madamalarına tahsis edilmiş ve harici garp tarz-ı mimarîsinde envâ-i nukuş ile telvîn ve dahili fevkalâde tefriş ve tezyin olunmuştu.

İmparatoriçenin vürudundan çend gün sonra resmigeçidin yevm-i icrâsı ilân edildi. Vükelâ ve süferâ ve İstanbul ve Bilâd-ı Selâse[255] sekenesi vapur ve kayıklar ve sandallarla fevç fevç azimete şitâbân oldular. Fakir o günü sadr-ı müşârünileyhin Bebek'te kâin sahilhanesinde mahdum beylere misafir gitmiştim. Orada hazır bulunan bazı zevat ile o gün için bir vazifesi olmayan ve yalının pîşgâhında demirli bulunan vükelâ vapuruna[256] râkiben Hünkâr İskelesi'ne gittik. İskeleden itibaren içeriye doğru her tarafa çadırlar kurulmuş ve koca çayır seyircilerle hıncahınç dolmuş ve temâşa için ağaçlara çıkan halkın ağırlığından

---

tir. 12 Temmuz'da Londra'ya varan padişah İngiltere'den 23 Temmuz'da ayrılmış, 25 Temmuz'da Prusya'ya geçmiştir. Prusya'dan sonra 28 Temmuz'da Avusturya'ya geçen Sultan Abdülaziz Viyana'da üç gün kalmış ve 31 Temmuz'da Budapeşte'ye geçmiştir. Trenle Varna'ya gelerek yine Sultaniye vapuruyla İstanbul'a hareket etmiş ve 7 Ağustos'ta başkente dönmüştür. Bu seyahat Abdülaziz'i çok etkilemiştir. Avrupa'da gördüğü manzara karşısında şaşıran padişah, Batılı hayat tarzını yakalama yönünde atılan adımları hızlandırmıştır. (*İzahlı Osmanlı Tarihi Kronolojisi*, c. IV, İstanbul 1972, s. 216-222)

254 İmparatoriçe Eugenie 1336 [1920] senesi temmuzunda doksan dört yaşında olduğu hâlde vefat eylediğini gazetelerin yazmasına bakılınca müşârünileyhânın İstanbul'a geldiği zaman kırk yaşlarında olduğu anlaşılır. Hâlbuki İstanbul'a geldiği tarihlerde daha genç görünüyorlardı. Müşârünileyhâ ekseriya mavi renk fistan iktisâ eylediklerinden Beyoğlu madamaları ve İstanbul hanımları beyninde bu mavi renk ol vakitler moda olmuştu. (ARB)

255 Bilâd-ı Selâse: Eskiden Eyüp, Üsküdar ve Galata semtleri için kullanılan bir tabirdir. (*TL*)

256 vükelâ vapuru: Boğaziçi'nde oturan vükelâyı sabahları iskelelerden alıp Sirkeci'ye, akşamları da yine aynı şekilde Boğaziçi'ne götüren özel vapur hakkında kullanılan bir tabirdir. Şirket-i Hayriyye'nin kurulmasından sonra ise kendilerine hususî kamaralar tahsis edilmiştir. (*OTDTS*)

dalları sarkmıştı. Ol vakit sadaret seryaveri bulunan Sami Bey,[257] Ali Fuat ve Reşit Beyleri görmesi üzerine derhâl memûrîn-i âidesine müracaatla cümlemizi mezkûr köşkün kafesle mestur olan alt katına yerleştirdi. Güzergâh Osmanlı ve Fransız bayraklarıyla donanmış ve asker ve ahali saf-beste-i tevkîr ü ihtiram bulunmuş oldukları hâlde biraz sonra müzeyyen başlıklı cesim, tüvana altı at koşulmuş saltanat arabasında sağ tarafına imparatoriçeyi almış olduğu hâlde zât-ı şâhâne teşrif ettiler ve imparatoriçenin maiyet madamaları dahi saray arabalarıyla geldiler. Köşkün pîşgâhında arabadan inip hariçte bulunan merdivenin alt başında zât-ı şâhânenin zarif bir tebessümle imparatoriçeye kol vermesini Server Efendi -ki sonradan hariciye nazırı olan Server Paşadır- fevkalâde takdir edip "İşte Avrupa hükümdarları da bu kadar yapabilirler." demişti. Teşrîf-i şâhâneyi müteakip resmigeçide bed' olundu. Sefaretler ataşe militerleri asâkir-i şâhânenin nizam ve intizamını mükemmel bulmuşlar ve takdir etmişler diye sonradan bazı rivayetler tekevvün etti idi.

Resmigeçidin icrasını müteakip zât-ı şâhâne ve misafiri ve meduvvîn-i sâire Beykoz kasr-ı hümâyûnunu teşrif ettiler. O akşam kasr-ı mezkûrda yüz yirmi kişilik resmî bir ziyafet keşide edilmişti. O zaman kurenâdan bulunan bir zat sofranın külfet ve tertibatı hakkında verdiği tafsilât sırasında sûret-i mahsûsada saksonya[258] saksılara gars edilmiş olan armut ve şeftali misilli meyva ağaçları sofraya dizilip tabiî bir meyve bahçesi şekline konmuş olduğundan, meduvvîn diledikleri meyvelerden elleriyle koparıp yediklerini hikâye etmişti.

Avdet donanmasını temâşa etmek için herkes gibi biz de tevkif ve intizara mecbur olduğumuzdan vükelâ vapuruna avdetle Bebek'te yalıdan kilercibaşının vapura tevdi eylediği akşam nevalemizi ihzar etmekle meşgul iken büyük bir tersane sandalıyla vapurumuza iki tabla taam ve bir kutu dondurma ile şarap ve şampanya gibi meşrubat gönderilmiş olduğundan ve bizler yedi sekiz efendi ve bir ol kadar da hizmetkârdan ibaret bulunduğumuzdan herkes arzu ettiğinden yedi içti, geminin mürettebatına da kifayet etti idi.

Resmigeçide iştirak eden asâkir-i şâhâne yine Fuat Paşanın tensibi veçhile Hünkâr İskelesi dağlarından itibaren Anadolu ve Rumeli cihetindeki dağlara çıkarılıp Beylerbeyi tepelerine kadar sırasıyla yerleştirilmiş ve her iki tarafta kâin sahilhaneler, dağlar, bağlar, bahçeler, kışlalar, karakolhanelerle süfün-i hümâyûn

---

257 Bu Sami Bey muzıka-i hümâyûndan neşet etmiş ve bir aralık Sultan Abdülmecit'in de kurenâlık hizmetinde bulunmuştu. Muahharen sınf-ı askerîye nakl ile serasker ve sadaret ser-yaverliklerinde bulunarak mîrliva olmuştu. Kendisi nabz-gîr ve mîzâc-aşinâ bir zat idi. (ARB)

258 saksonya porselenleri: Almanya'nın Meissen şehrinde yapılan meşhur porselenlere verilen addır. 1710 yılında Saksonya Kraliyet Porselen Fabrikası adı ile kurulan atölyede yapılan bu porselenler kısa sürede Avrupa'nın her yerinde tanınmış, XVIII. yüzyılın sonlarından itibaren Türkiye'ye gelmeye başlamıştır. (AEEK)

gayet mükemmel donatılmış olduğundan, esnâ-yı avdette bir tarafta asâkir-i şâ-hâne dağlarda meşaleler yakıp tabur-ı ateş içinde bir yandan mahal mahal va-zolunan sallardan ve sevâhilden rengârenk maytaplar yakılarak ve fişekler atı-larak envâ-i sanâyi-i nâriye ile izhâr-ı meserret ve şâdmânî edilmekte olduğu hâlde avdet olunmuştu.[259] Mahsûd-ı cihân olan Boğaziçi'nin hâl-i tabiîsi bu gibi donanmaların ve şehrayinlerin bir kat daha parlak ve şaşaalı olmasına büyük hizmet etmektedir. Binaenaleyh Fuat Paşanın bu fikir ve mütalâasını ol vakit herkes doğru bulmuşlar ve merhumu rahmetle yâd etmişlerdi.

Yakın zamanlara kadar Yuşa Dağı bir mesire mahalli idi. Birtakım erbâb-ı te-nezzüh atlar ve arabalar ve yemekler ile gidip tenezzüh ederlerdi. Mahall-i mez-kûrda metfun olan zat için *Eski İstanbul* nam eserin I. cildinin 79. sahifesinde münderiç fıkrada "Müverrihîn-i kadîmenin bazısı bunu Herkül yatağı, bazıları da Polluks tarafından öldürülen Amikos'un mezarı addederlerse de Müslüman-larca ziyaretgâh olan bu türbenin Hazreti Yuşa Aleyhisselâm'a aidiyeti sabittir." diye yazmıştır.[260] *Hadîkatü'l-Cevâmi*'de "mahall-i mezkûrda metfun olan zât-ı şe-rîf lisân-ı nâsta Yuşa Peygamber diye maruf ise de müşarünileyhin asla bu taraf-lara gelmediği ve Kudüs havalisinde bir karyede metfun olup cebel-i mezbûrda metfun olan zatın ya evliyâ-yı kirâmdan veya Havariyyûndan bir zat olması melhuz olduğu" münderiç bulunmuştur. Bu Yuşa Dağı sath-ı bahrden yüz sek-sen metre mürtefi olduğunu söylerler.

Eskiden Boğaziçi mesireleri havâssa mahsus idi. 1268 [1851] tarihinde Şir-ket-i Hayriyye[261] vapurlarının ihdâsından sonra Boğaziçi, İstanbul'un bir ma-

---

259 1869 yılının Ekim ayında İstanbul'a gelen İmparatoriçe Eugenie bu ziyaretten oldukça müspet intibalarla ayrılmıştır. İstanbul'a yaptığı ziyarete anılarında dile getiren imparatoriçenin anlat-tıklarıyla Ali Rıza Beyin anlattıkları birbirini tamamlar niteliktedir. *O Güzel İnsanlar* (İstanbul 2000, s. 346-351) adlı eserinde İmparatoriçe Eugenie'ye özel bir bölüm ayıran Taha Toros, bu ki-tabında İmparatoriçenin İstanbul anılarına geniş yer vermiştir .

260 İstanbul hakkında kaleme alınmış eserlerin çoğunda bu mezarın antik çağda buradan geçen Ar-gonot kafilesi mensuplarından Polluks tarafından öldürülen Kral Amikos'a ait olduğu hakkın-da fikir birliği vardır. Bu eserlerden bazıları şunlardır: P. G. İnciciyan *18. Asırda İstanbul* (trc. Hrand D. Andreasyan), İstanbul 1976; P. A. Dethier, *Boğaziçi ve İstanbul* (trc. Ümit Öztürk), İs-tanbul 1993; Sarkis Sarraf Hovannesyan, *Payitaht İstanbul'un Tarihçesi* (trc. Elmon Hançer), İstan-bul 1996; G. V. İnciciyan, *Boğaziçi Sayfiyeleri* (Düzelti, Önsöz ve Notlar Orhan Duru), İstanbul, 2000; Petrus Gyllius, *İstanbul Boğazı* (trc. Erendiz Özbayoğlu), İstanbul 2000.

261 Sadrazam Reşit Paşa'nın desteği ile Abdülmecit tarafından kurulmasına izin verilen Şirket-i Hayriyye, 1854 yılından 1945 yılına kadar Boğaziçi'nde yük ve yolcu taşımacılığı yapan mües-sesenin adıdır. Şirket-i Hayriyye'nin en önemli özelliği ilk Türk anonim şirketi olmasıdır. 1944 yılında çıkartılan bir kanunla vapurlarını Denizyollarına devretmesiyle bugün Şehir Hatları di-ye anılan işletme kurulmuştur. (Bu konuda daha geniş bilgi için bk. Ekrem Işın, *İstanbul'da Gün-delik Hayat-* "Bir Boğaziçi Tanzimatçısı: Şirket-i Hayriyye", İstanbul 1995, s. 185-203; Eser Tutel, "Şirket-i Hayriye", *DBİA*, c. VII, İstanbul 1994, s.181-184)

hallesi hükmüne girdi. Mesirelerinden istifade avam için de sühûlet kesbetti. Büyükdere, Tarabya, Yeniköy'de gazinolar, oteller küşat olundu. Hünkâr, Kestane, Fındık, Çırçır suları mevkileri ragabat-ı umûmiyyeyi kazandı. Cuma ve pazar günleri vapurlar dolusu halk Sarıyer'e gider oldular. Gündüzleri suların her yerinde asrın en güzide hânendegân ve sâzendegânından mürekkep ince saz takımı icrâ-yı âheng eder ve geceleri Büyükdere piyasasında alafranga muzıkalar çalınıp rıhtımda piyasalar edilir, berren ve bahren tâ-be-sabâh envai cünbüşler olurdu.

O tarihlerde İstanbul halkının en mühim düşünceleri hangi gün hangi mesireye gitmek ve hangi gece nerede eğlenmek ve zevkin biri bitmeden diğerini peylemek kaziyelerinden ibaret idi. Daima eğlencelerinin tenevvüüyle hevâ vü heveslerini tatmin etmek isterlerdi.

Devr-i Mahmûd Hânî evâhirine değin seyir yerlerinde erkekler arasında kadınların gezmeleri memnu olup, erkeklere ait olmayan günlerde muteber bir aileyi hâmil olan koçu bir mesireye vardıkta şayet orada erkek bulunursa "Harem var, buradan çekilin" denilerek orası erkekten tahliye olunurdu. Hatta seyir yerlerine memur olan[262] bostancıların yamakları tarafından muteber ailelere tepsi ile[263] kahve getirip tepsiyi yere koyacağı zaman başını arka tarafa çevirmek bile usuldendi. Hele harem-i hümâyûn ve selâtîn-i muhteremenin bir mesireye azimetlerinde harem ağaları ve baltacılar derhâl "Halvet!" diyerek orasını sair nâstan tahliye ederlerdi. Cülûs-ı Abdülmecîd Hânî'yi müteakip ilân olunan Tanzimat Hatt-ı Hümâyûnu ile bazı ananât-ı kadîme sırasında bu gibi usuller kâmilen ıskat olundu. Ricalin münhasıran hayvana binmeleri hakkındaki kanun hükmü ortadan kalktı. Avrupakârî yaylı arabalar her tarafta kabul olundu. İstanbul halkı

---

262 Eskiden Davut Paşa, Veliefendi, Çırpıcı çayırları, Bahariye, Karaağaç; Boğaziçi'nde Baltalimanı, Büyükdere, Tarabya, Emirgân, Göksu, Kandilli, Hisarlar, Arnavutköy, Kuruçeşme, Ortaköy, Beşiktaş, Kuzguncuk, Üsküdar, Salacak, Harem İskelesi, Haydarpaşa, Kadıköy, Sultançiftliği, Merdivenli Köy, Fenerbahçesi, Bostancıbaşı Köprüsü, Sarıgazi, Çiftehavuzlar, Erenköy, Alemdağı, Dudullu, Maltepe umûr-ı berrî zabıtası oraların bostancı ustalarına ait idi. Bu ustalar ol vakitler sarây-ı hümâyûn kayıkçılarından çerağlıkla oralara usta olurlardı. Bu seyir mahalleri etrafında yetiştirilen sebze ve meyve esmânı bunların nân-pâresi idi. Buralarda bulunan kasr-ı hümâyûnların bekçiliği ve mesirelerin muhafaza-i mamûriyyeti de bu ustalara ait olduğundan gölge ağaçlarını muhafaza etmek ve bir taraftan da peyderpey ağaçlar yetiştirmek bunların vezâif-i esâsiyyesi cümlesinden idi. Bu hâl 1241 [1826] tarihlerine değin devam etti. Ondan sonra bostancılar hâssaya tahavvül eylediğinden kasr-ı hümâyûnlara da ayrıca bekçiler tayin ve maaşlar tahsis, fakat mesireler hali kaldı, muhafaza-ı mamûriyetine bakılamadı. Seyir yerlerini tezyin eden o güzelim gölge ağaçlarının kesilmekte olduğunu haber alıyoruz. Her türlü sun'î umrandan mahrum olan mesirelerin letafetlerine hizmet eden o asır-dîde ağaçları şimdi bizim baltalamaklığımız revâ-yı hak değildir. (ARB)

263 Seyre giden harem-i hümâyûn ve bazı muteberân ailelerine bunlar tarafından kahveler, şerbetler ve ufak şeylerle mevsim meyveleri takdim ederler ve mukabilinde atiyyeler verilirdi. (ARB)

mesire âlemlerinde mevâsim-i mahsûsada müncelî olan envâ-ı bedâyî-i tabiiyyeti seyr ü temaşa etmekten ziyade bedâyî-i kudret ve hilkati insanlarda, yani kadınlar erkeklerde ve erkekler kadınlarda görüp istilzâz etmek cereyanına kapıldılar. Burada âdâb-ı umûmiyyeye muhalif nice ahval vukua geldi ve ahvâl-i mezkûre hükûmet-i seniyyenin nazarıdikkatini celp ederek ol bapta bir kıt'a tembihât neşrolundu. Bir sureti zirde derç olundu.[264]

Canib-i hükûmetten İstanbul seyir yerleri hakkında sene 1278 [1861] tarihinde neşrolunan tembihname suretidir:

"Yaz mevsimlerinde herkesin seyir yerlerine gitmesi âdet-i kadîmeden olarak ırz ve edebiyle geşt ü güzâr eden seyircilere cânib-i hükûmetten müsaade der-kâr olup, fakat bu vesile ile dâire-i edebden hariç ve nizâm-ı memlekete muhalif hareket vukuu kat'â caiz olmadığına mebni mütecâsir olanların tedip olunacağına dair tanzim ve ilân olunan tembihnamedir.

Dersaâdet'te Veliefendi, Çörekçi ve Çırpıcı Çayırları ve Bayrampaşa ve Üsküdar ve Çamlıca ve Merdiven karyesi ve Haydarpaşa ve Duvardibi ve Boğaziçi'nde, Beylerbeyi'nde Havuzbaşı mesirelerine cuma ve pazar günleri ile sair eyyâm-ı mahsûsasında herkes gidebilecektir. Fakat zükûr ve inâs için mevâki-i mahsûsa bulunduğundan kadın ve erkek karmakarışık oturmayacak ve oturamayacaktır. Şayet hilâfına hareket edenler olursa kanunnâme-i hümâyûnun 254. maddesine tevfikan tedip olunacaktır.

İstanbul ve Boğaziçi ve Üsküdar seyir yerlerinden bazısı mücerret cuma günleri kadınlara ve pazar günleri erkeklere mahsus olduğundan bundan böyle dahi Dersaâdet'te Kâğıthane'ye ve Üsküdar'da Moda Burnu ve Fenerbahçesi ve Beşiktaş'ta Hacı Hüseyin Bağı ve Ihlamur Küçük Çiftlik ve Beyoğlu'nda Taksim önü ve Boğaziçi'nde Küçük ve Büyük Sular ve Çubuklu ve Hünkâr İskelesi ve Arnavutköy Akıntısı cuma ve eyyâm-ı sâirede kadınlar gidebilip ancak pazar günleri İslâm hatunları gidemeyecektir. Şayet gidenler olursa kezalik bend-i mezkûr mucibince tedip olunacaktır. Üsküdar'da Bağlarbaşı civarında maşatlık tesmiye olunan mahal ile Bostancıbaşı köprüsü beyninde bu kere ihdas olunan Çiftehavuzlar ve Serbostanbağı ve Sultantepesi civarında Susuzbağ ve Kuzguncuk üzerinde vaki Arapzade Bağı ve Maslak ve Şişli ve Levent Çiftliği ve Pangaltı ve Zincirlikuyu öteden beri seyir yeri olmadığından herhangi gün olursa olsun İslâm kadınlarının araba ile durması ve ihram serip oturması külliyyen ve kat'iyen memnudur. Zikrolunan seyirlerde ve gerek yollarda erkek ve kadın seyircilerden sefîhâne ve bî-edebâne tavır ve hareket edenler ve gelip geçenlere

---

[264] İstanbul Halkının Tenezzüh ve Eğlenceleri VIII, *Peyâm-ı Sabâh* (*Peyâm*, nr. 889, *Sabah*, nr. 11319), 24 Mayıs 1337/1921, s. 3

harf-endâzlık etmeye cüret eyleyenler olursa kanunnâme-i hümâyûnun 202. maddesine tevfikan mücâzât olunacaktır.

Bâlâda muharrer mesirelerin herhangisinde olursa olsun işret ve rezalet edenler tedip olunacaktır.

Seyir yerlerine gelecek satıcı ve çalgıcı ve arabacı takımı ehl-i ırzca hareket etmek lâzım geleceğinden şayet kavlen ve fiilen vâsıta-i rezâlet olacak olurlarsa o misilliler kanunen tedip olunacaktır.

Eshâb-ı rütbe ve itibardan bulunanlar dahi hareket-i memnûaya mütecâsir olursa rütbeleri kurtaramayacaktır.[265]

Saat on birde seyir yerlerinde nisvân takımından hiçbir kimse kalmayacaktır. İşbu seyir yerlerinde gezdirilen asâkir-i nizâmiye ve zaptiye kolları ehl-i ırz takımının mücerret tenezzüh ve istirahati için olmasıyla bunlara îfâ-yı memûriyyet hâlinde edna mertebe hakaret edenler olursa kanûnnâme-i hümâyûnun 116. maddesine tevfikan tedip olunacaktır."

Bentler Âlemi, İstanbul Suları

Bir zamanlar İstanbul sekenesinden ve muteberân-ı ecânibden birçok zevat Belgrad ormanlarını bir mahall-i tenezzüh addetmişlerdi. Bu ormanların İstanbul sularına hâkim bulunması cihetiyle İstanbul halkı indinde ayrıca da bir ehemmiyeti vardır. Cuma, pazar günleri Büyükdere tarikiyle Sultan Mahmut ve Valide Bentlerine yemekler ve arabalarla giderler. Bazıları da mayıs içinde mülga Bahçe ve Belgrad karyelerinde haneler kiralayarak haftalarca ikamet ederlerdi. Filhakika mevsim-i bahârda bentlerin umumunu ve ormanlarını tamamen seyr ü temaşa etmek; seherlerinden, tulûlârından ve çayırlarından, taravetinden bihakkın müstefit olmak, birkaç günler oralarda kalmaya tevakkuf eder.

O zamanların ricâl-i ilmiyye ve mülkiyyesinden birtakım zevat ile her sene mevsim-i bahârda Belgrad Köyü'nde mahsusen bir hane isticar edip bir hafta on gün kadar ikameti mutat etmiştik.[266] Tarz-ı azîmetimiz de şâyân-ı tezkârdır. Bazı seneler Eyüp'ten hayvanlara râkiben Silâhtarağa, Kâğıthane, Cendere Boğazı

---

265 Vaktiyle eshâb-ı rütbeden olanları zabıta rütbesine hürmeten kaldıramayıp başka çarelere tevessül etmeye mecbur olurdu. Bu da ashâb-ı rütbenin efrada hakk-ı takaddümünü kabul etmek demekti. Ashâb-ı rütbeden olanlar da bu sebeple kendilerinde bir sıfat ve şeref tevehhüm eylediklerinden daima kendilerini rütbelerinde birbirlerinin ve ezcümle efrâd-ı nâsın fevkinde addederlerdi. (ARB)

266 Selîm-i Sânî asrında su kemerleri pek makbul bir teferrücgâh iken etrafı cesim çınar ağaçlarıyla müzeyyen ve müferrih bir mahal olduğundan hakan-ı müşârünileyh bahar mevsimlerinde sıkça sıkça orayı teşrif ederler, Şair Baki Efendi, Celâl Bey gibi nüdemâsıyla tenezzüh buyururlarmış. (ARB)

tarikiyle gidilir. Bazen de Büyükdere tariki ihtiyar olunarak arabalarla azimet olunurdu.

Kırk seneyi mütecaviz su nezareti baş kitabetinde îfâ-yı hüsn-i hizmet etmek suretiyle bentlerin kâffe-i usûl ve fürûuna kesb-i vukûf etmiş olan Emin Efendi ile suyolcu ustalarının ileri gelenlerinden taksim ustası Tahsin Bey merhumlar her gidişimizde beraber bulunur, nüfûz ve malûmât-ı mahalliyyelerinden istifade olunurdu.

Kâğıthane tariki ihtiyar olunduğu senelerde heyet-i mecmûamız âdeta bir kervan şeklini iktisap eylediğinden Sâî Ocağı yoldaşlarından bir ağa celp olunarak kervanımıza rehberlik ettirilir ve esnâ-yı râhta intihap edilen mahallerin bazılarında taam ve bazılarında meks ü ârâm edilerek tarz-ı kadîm veçhile hoş ve eğlenceli bir yolculuk olurdu. Büyükdere tarikiyle[267] azimet olunduğu senelerde çayırın sahil boyunda kâin seddin üzerinde taamlar edilir, badehu arabalara râkiben gidilirdi.

Esnâ-yı râhta zümrüt gibi çimenler sarı, mor ve pembe çiçeklerin taraveti ve bir tarafta da eflâke ser çekmiş orman ağaçlarının taze yaprakları arasından bülbüller uzun demler çekerek derin nağmeleri meftûn-ı tabîat olanları mest ve hayran ederdi. Bentlere azimeti itiyat eden bu zevat zurafâdan rind-meşreb, hoşsohbet zatlar olduğundan ve o zamanlar kalpler ferah, gönüller münbasit bulunduğundan bentlerin her yerinde ormanların o koyu gölgelerinde ne lezzetli âlemler edilmiş ve ne şen ve mesut günler geçirilmişti. "Geçmiş zaman olur ki hayali cihân değer." medlûlünün hakikaten mâ-sadakı idi. Bugün hâk ile yeksân olan o nadir vücutların hayalleri hâlâ hatırımdan çıkmamıştır.

Fakir gibi seneleri ilerlemiş olanlar ömürlerinin gamla geçen demlerini heder olmuş addederek müteessir olurlar. Hatta o mağmum demlerin tahatturu bile kendilerini iz'aç eder ve müddet-i hayâtlarında geçirdikleri güzel zamanlarını hikâye etmekten de lezzet alırlar. Çünkü en tatlı zevkleri, eğlenceler arasında geçen zamanlarının hatırasıdır.

Bir de ihtiyarların tûl-ı ömr hakkındaki arzularında da bir başkalık vardır. Meselâ şu fani dünyadan kısmetini almış ve hayatın lezâizinden zevk-yâb olacak en güzel eyyâmı artık tükenmiş olduğu hâlde yine hayata bir muhabbet-i mahsûsa beslerler. Tâb ve takatleri kesilmiş olduğu için vakit olur ki cihandan bezmiş gibi görünürler. Fakat hakikî değildir. İhtiyarlığın bin türlü hemyâzesine katlanırlar, yine yaşamak isterler. Hatta elsine-i nâsta meşhur ve mütevatir olduğu üzere insanların ömr-i tabiîsi yüz yirmi sene olduğu hakkındaki hadd-i marûf ile de mütesellîdirler. Filhakika cenâb-ı hayy-ı kayyûmun takdir-i müm-

---

267 Bu tarik 1287 [1871] tarihinde inşa olunmuştur. Resm-i küşâdı mayıs içinde bir cuma gününe tesadüf ettirilip Belgrad karyesi ormanında vükelâya mutantan bir ziyafet verilmişti. (ARB)

teni'ü't-tegayyür-i rabbanîsi iktizasınca hasbe'z-zâhir vücudun yıpranmasını mucip esbap olmadığı ve anâsır-ı asliyyesinde dahi kuvvet ve metanet olup da mükemmel tagaddî ettiği ve teneffüs eylediği hava da lâtif olduğu hâlde hadd-i marûfu bile tecavüz eylediği görülüp işitilmektedir. Şurada istitrat kabilinden olarak sinni hemen hemen yüz otuza baliğ olan Belgradköylü Yanako'nun ahvalini söylemek isterim. *Târîhçe-i Evkaf*'ta münderiç olduğu üzere Sultan Mahmut'un inşa ettirdiği Bend-i cedîdin hitamında evkaf nazırlığında bulunan ricâl-i devletten Mehmet Şevki Efendi marifetiyle bir ziyafet-i umûmiyye keşîde edilmiş ve bu ziyafette hakan-ı müşârünileyh de hazır bulunmuşlar ve resm-i küşâdı icra buyurmuşlardır. Resm-i mezkûrun icrasından sonra diğer bentleri dahi seyr ü temaşayı arzu buyurduklarından havuzculardan Yanako'yu hayvanları önünde rehberlik ettirmişler. Esnâ-yı râhta merkumun bentlere dair verdiği tafsilât hoşlarına gitmiş olduğundan herifi bentlerin umumuna baş havuzcu tayin buyurmuşlar. İşte bu ihtiyar bizim Belgradköyü'ne azimetlerimiz tarihlerinde berhayat olduğundan her gidişimizde heyetimiz nezdine gelir, köylüler namına resm-i hoş-âmedîyi ifa ederdi.

Kendisi zaîfü'l-bünye olup elinde değnek ve belinde biraz inhinâ olması ancak seksenlik bir ihtiyar tavrını gösterirdi. "Haçan ki Sultan Mahmut efendimiz" diye söze başlar, istizahlar olunur ve tafsilât alınır, hesaplar yapıldığı zaman herifin sinni yüz otuzu bulurdu. Selîm-i Sâlis'in cülûsundan, Levent Çiftliği'nde Nizâm-ı Cedîd askerinin taliminden Kabakçı ve Alemdar ve Yeniçeri Vak'alarından aklının erdiği kadarını söyler ve müddet-i hayâtında çektiği çilelerden ve ettiği zevklerden bahisler açar ve artık havuzları dolaşmaya muktedir olamadığından şikâyetler eder. "Ne anam kaldı, ne babam kaldı..." diye teessüfler ederdi. Bir asırlık malûmat ve meşhûdâtını ananesiyle beyan ve tadat etmesine bakılınca kuvve-i hâfızasına halel gelmediği anlaşılırdı. Bu adam nice yıllar bentler havalisini karış karış ölçmüş biçmiş ve oraların âdeta canlı bir coğrafyası kesilmiş olduğundan Bend-i kebîrin Ayvad Bendi'ne ve oradan Topuzlu Bend'e ve bentlerden su hizası İstanbul'a adım hesabıyla ne kadar mesafesi olduğunu bi'l-etrâf söylerdi. "İnşallah daha çok zaman yaşarsın!" duasına tekrar tekrar "İnşallah!" der, münbasit olurdu.

Defaâtla bentlere ettiğim seyahat esnasında vaki olan meşhûdât-ı âcizânemle beraber gerek mûmâileyhümâ Emin Efendi ve Tahsin Bey gibi erbâb-ı vukuftan ve gerek mütalâa ettiğim bazı âsâr-ı eslâftan İstanbul suları hakkında istihsal edebildiğim bazı malûmatı da oralara olan muhabbetim saikasıyla şerh ve beyan etmek arzusunda bulundum. Bu misilli sathî beyanat ve zaten meziyetden âri olduğu için okumak külfetini ihtiyar buyuranlar gördükleri nakayısı hâl-i şeyhûhet-i âcizâneme bağışlayacaklarını ümit ederim.

İstanbul'un arazisi kumlu ve kireçli olduğundan kuyulardan çıkan sular acıdır. Bizans zamanında ahaliye lâzım olan tatlı suyu şehir dahilinde muhtelif mahallerde kâin büyük sarnıçlarda hıfz ederlerdi. Bu sarnıçlar üstü açık ve etrafı duvarlı içi çukur bir nevi havuz gibiydi. Edirnekapısı civarında Çukurbostanlar bu kabil sarnıçlardandır. Nev'-i dîgeri Binbirdirek misilli üstü kapalı sarnıçlardan idi. Kable'l-feth mevcut olan su yolları, su hazineleri esnâ-yı fethte kısım kısım tahrip edildiğinden tatlı su ihtiyacı bir kat daha kesb-i ehemmiyet etmişti.

Süleymân-ı Kanûnî İstanbul'u bu ihtiyaçtan kurtarmak için mevâki-i münâsibede kırk adet çeşme inşasını murat buyurmuşlar ve bu çeşmelere isale olunacak suyun nerelerden tedarik olunabileceğini bi't-tahkîk icabının icrasını meşhur Mimar Sinan'a emr ü sipariş buyurmuşlar. Mimar Sinan taharriyât ve tahkîkat-ı lâzimeyi icra ederek Ayvad Köyü civarında Bakraç ve Orta derelerini ve bazı menâbi sularını toplayıp Kurtkemeri namıyla inşa ettirdiği kemer üzerinden mürur ettirerek ve Eyüp'te İslâmbey mahallesinde Yenikubbe'ye kadar güzergâhda tesadüf eylediği Cebeciköy ve Balıklıdere önlerinde imal ettiği filtre yani süzgeçten geçirerek mevâki-i münâsibede inşa eylediği kırk adet çeşmeye yüz on lüle[268] su isalesine muvaffak olmuş ve bu suya Kırkçeşme suyu namı verilmiştir.[269] Bu suların mecrası membalarından Cebeci[270] karyesine kadar tamamen Mimar Sinan tarafından inşa ve Cebeci köyünden Ayasofya'daki taksime kadar kable'l-feth mevcut ve mamur iken esnâ-yı fethte kısım kısım tahrip edilerek muattal olmuş olan mecrâ-yı kadîm dahi tevsian ve tadilen yine Mimar Sinan marifetiyle tamir ve ıslah edilmiştir. Suların mürurunu teshil etmek üzere inşa olunan kemerlerden Uzunkemer ve Mağlova Kemeri ile Cebeci karyesinin İstanbul cihetine doğru olan kemerler fetihden mukaddem mevcut olduğu ve bunlar da Mimar Sinan marifetiyle tamir ve ıslah edildiği mervîdir.[271]

Eyüp'te kubbe-i cedîd ve Eğrikapı haricinde, Savaklar'da kale duvarına muttasıl taksim haznesi[272] ve Tezgâhçılar ve Ayasofya ve Sulukule civarında kezalik taksim haznesi mahalleri ve sarây-ı cedîdin mürtefi mahallerine mahsus Kırkçeşme suyunun icra olunduğu kuyuların dolabını ve bu dolaba merbut ve su hizmetine memur bostancılara mahsus dolap ocağı ebniyesi kâmilen Mimar Sinan marifetiyle inşa olunmuştur.

---

268 lüle: Eskiden kullanılan su ölçülerinden birinin adıdır. Dört masura bir lüle sayılırdı. Ayrıca çeşme ve musluklara takılan küçük boruya da lüle denirdi.(*OTDTS*)

269 Kanunî döneminde İstanbul'un su sıkıntısını çözümlemek amacıyla gerçekleştirilen bu inşaat hamlesi 1554 yılında başlamış, 1563 yılında ise bitirilmiştir. (Bu konuda daha geniş bilgi için bk. Kâzım Çeçen, "Kırkçeşme Tesisleri", *DBİA*, c. V, İstanbul 1994, s. 1-4)

270 Bu Cebeciköy hali iken cebecibaşılardan biri bir hane inşa etmiş ve giderek bir mahalle hâline geldiği için bir de mescit inşa olunmuştur. Buraya Cebeci mahallesi denildiği gibi Savaklar mahallesi dahi denilmektedir. (ARB)

271 İstanbul Halkının Tenezzüh ve Eğlenceleri IX, *Peyâm-ı Sabâh* (*Peyâm*, nr. 890, *Sabah*, nr. 11320), 25 Mayıs 1337/1921, s. 3

272 Bu taksim haznesi bahçesinde vaktiyle bir köşk varmış. Paskalya'da üç gün cebeciler bu köşkte nöbet beklerlermiş. (ARB)

İstitrat-Mimar Sinan, Edirne'de vaki Selîm-i Sânî Camii'ni ve İstanbul'da Şehzade ve Süleymaniye cevâmi-i şerîfesini ve daha nice vüzera ve ümerâ hayrat ve müberrâtını inşa ederek eslâf ve ahlâfına tefevvuk ve rüçhanını ispat eylemiştir. Sultan Süleyman'dan Hint hükümdarlarından biri mimar talep ve niyaz eylediğine mebni Mimar Sinan'ın şakirtlerinden Musa Usta izam olunmakla tarz-ı Rumî üzere ebniye-i cesîme inşa eylediği *Netâyicü'l-Vukuât*'ta mesturdur. Mimar Sinan seksen bir cami, dört yüzü mütecaviz bina ve Çekmece Köprüsü'nü de inşa eylemiştir. Hîn-i vefâtında yüz yaşını mütecaviz idi. Süleymaniye'de kâin kabrinin duvarları üzerinde evsaf ve ahvali münderiçtir.

Sû-i itikad töhmetiyle katledilen meşhur mimar Davut Ağa, Sultanahmet mimarı Mehmet Kasım Ağa, Mimar Sinan'ın yetiştirdiği çıraklardandır.

Osmanlı mimarlığını tesise ihrâz-ı muvaffakıyetle mucitlik şerefini kazanan Bursa'da Yeşil Câmi-i şerîfin banisi İlyas Ebu Ali nam zat imiş. Mumaileyhten sonra dört beş mimar daha gelmiş ise de mertebe-i kemâle vasıl olan Mimar Sinan imiş. Kendisi Kayserili ve tevellüdü 895 [1492] tarihindedir. İptida Ayas Paşa Câmi-i şerîfini inşa etmiş imiş.

Fi'l-asl İstanbul'da suların kılletinden naşi tavattuna rağbet etmezlerken hakan-ı müşârünileyhin Kırkçeşme suyunu isale etmesi üzerine halkın İstanbul'a muhâcemesini görünce tecemmu edecek nüfûs-ı kesîrenin levâzım-ı zarûriyyelerini tedarik devlete bir bâr-ı girân olacağına derpiş ederek mâ-i mezbûru İstanbul'a icra buyurduklarına nev-ummâ nedamet izhar eyledikleri rivâyât-ı târîhiyyedendir.

Filhakika İstanbul sekenesinin günden güne tezayüt etmekte olması ve hakan-ı müşârünileyhin isalesine muvaffak oldukları yüz on lüle suyun memleketin ihtiyacına kifâyet etmemesi cihetle lüzumu olan suyun başka taraftan aranılması lâzım gelmiş ve mevsim-i şitâda yağan kar ve yağmur suları kabarıp coşarak etraf köyleri ve tarlaları harap etmekte olduğundan hem bu yağmur ve kar sularından istifade etmek ve hem de bu tahribatın önü alınmış olmak tariki teemmül edilmiştir. Suların yayıldğı vadilerin önüne cesim setler çekilerek sular teraküm ettirilmiş ve önüne salim bir mecra açılıp müterâkim sular isale olunarak buna da bent namı verilmiştir.

Bent inşası için tercih edilen vadilerin uzun ve dar olanları ve yukarı kısmında solda mecra olacak kolları bulunanlarıdır. Bent duvarlarının ebadı seksenden yüz yirmi kademe kadar tul ve otuzdan kırk kademe değin irtifa ve yirmiden otuz kademe kadar sihandan ibarettir. Duvarlarının haricine mermerler kaplanıp kenarlarına kitabeler konulmuştur.

Sular fazla gelip de bentleri doldurunca fazlası bendin üstünde küşat edilmiş olan deliklerden çıkar ve bent suları künkler ve demir borularla cereyan eder.

Her bendin aşağısında demirden birer kapı vardır. Sular kapılardan mecralara taksim olunur ve bu sular bir dağdan bir dağa köprü makamında inşa edilen kemerlerden geçer. Su yollarında künklerin geçtiği yerlere bahçe yapmak ağaç dikmek ve hane inşa etmek taht-ı memnûiyyete alınmıştır.

Sultan Ahmed-i Evvel Belgrad karyesinde kâin Bend-i kebîri[273] ve Sultan Mustafa Hân-ı Sâlis 1180 [1765] tarihinde Evhadeddin deresinde Ayvad Bendi'ni ve Sultan Osmân-ı Sânî Belgrad karyesinde Topuz Bendi'ni[274] ve Sultan Mahmûd-ı Sânî Belgrad köyündeki Kirazlı Bendi'ni inşa ettirmişlerdir. İstanbul'a kadar başka mecra inşası külfetine mahal kalmamak için yaptıkları bent sularını Sultan Süleyman'ın esas mecrasına ilhak etmişlerdir.

İstanbul tarafına cari işbu dört bent sularının ayrıca namı olmadığını ve Kırkçeşme sularına karışıp gittiği cihetle cümlesi Kırkçeşme suyu namı ile yâd olunmaktadır.

Beyoğlu ve Boğaziçi'nin Yeniköy'den bed' ile Rumeli ciheti bentleri üç adet olup bunun biri Mahmûd-ı Evvel tarafından mülga Bahçeköyü'nde inşa ettirilen Topuzlu, diğeri Selîm-i Sâlis validesi Mihrişah Sultan'ın yine Bahçeköyü'nde inşa ettirdiği Valide Bendi ve üçüncüsü Sultan Mahmûd-ı Sânî tarafından inşa ettirilmiş olan Bend-i cedîddir[275].

Mezkûr üç bent inşa olunmazdan mukaddem Sultan Mahmûd-ı Evvel validesi Saliha Sultan, Büyükdere üzerinde Kılıçpınarı namıyla yâd olunan mahal havalisinde bazı membalardan hâsıl olan suları cemederek müstakil tarik inşasıyla taksime kadar icraya muvaffak olmuştur.

Sultân-ı müşârünileyhâ Yeniköy'den Beyoğlu taraflarına kadar münasip mahallerde çeşmeler inşa ettirmiş ve o sırada da Galata'da Azapkapısı'nda kâin kebir ve musanna çeşme ile sebili de inşa ettirmiştir.[276] Kaptanıderyâ-yı esbak Cezayirli Gazi Hasan Paşa, Kasımpaşa civarıyla kışla ve hastahaneye su isalesini murat ederek Mahmûd-ı Evvel'den müsaade talep ettikde hakan-ı müşârüni-

---

[273] Büyük Bent olarak tanınan bu bent IV. yüzyılda Bizanslılar tarafından yapılmış ve Kanunî Sultan Süleyman'ın Kırkçeşme Suyu'nu İstanbul'a getirmesi aşamasında tamir edilmiştir. Aradan yıllar geçtikten sonra harap duruma düşen bendi 1723 yılında yeniden yaptıran ise Ali Rıza Beyin dediği gibi Sultan I. Ahmet değil Sultan III. Ahmet'tir. Bent 1730-1755 arasında yıkılarak Sultan I. Mahmut tarafından yeniden inşa ettirilmiştir. (Kâzım Çeçen, "Büyük Bent", DBİA, c. II, İstanbul 1994, s. 344-345)

[274] Topuz Bendi ile Topuzlu Bent'i birbirine karıştırmamak gerekir. Sultan II. Osman tarafından 1620 yılında Topuz deresi üzerinde yaptırılan Topuz Bendi, ayrıca Karanlık Bent ve Kömürcü Bendi gibi adlarla da anılmaktadır. (Kâzım Çeçen, "Karanlık Bent", DBİA, c. IV, İstanbul 1994, s. 459)

[275] II. Mahmut Bendi olarak da adlandırılan bu bendin inşa tarihi 1839'dur.

[276] Müşârünileyhâ çeşme ve sebili inşa ettirdikleri sırada fevkinde bir mektep inşa ve Arap Câmi-i şerîfini de tecdit ve tevsi ettirmiştir. (ARB)

leyh muvafakat etmeyip, "Suyunu bulsun, çeşmeyi vesaireyi bilâhare yapsın." diye irade ettiğinden paşa-yı müşârünileyh Topuzlu Bendi'nin üzerine dört arşın daha ilâvesiyle tevsi eylediği ve yirmi iki masura[277] suyun ihsan buyrulduğu Beyoğlu taksimi kitabesinde muharrerdir.

İstanbul cihetinden Kırkçeşme suyu isale olunamayan mürtefi mahallere icra olunan sular Halkalı suyudur. Fatih nâm-ı hümâyûnlarına mensup câmi-i şerîfi inşa ettirdiği zaman cemaât-i müslimînin abdest almaları için Edirnekapısı haricinde Bayrampaşa civarında Şadırvan kolu, Turunçlu memba sularını müstakil tarik inşasıyla câmi-i mezkûr şadırvanına getirtmiş ve cami civarındaki medâris talebesiyle, hademe ve cemaati için inşa ettirdiği Karaman Hamamı'na da bu sudan isale ettirmiştir. Sarây-ı cedîd-i âmirenin yüksek mahalleri dahi zikrolunan Halkalı suyundan müstefit olmaktadır.[278]

Sultan Beyazıt, Süleymaniye, Sultan Mahmûd-ı Evvel, Ahmed-i Evvel, Köprülü Mehmet Paşa[279], Hekimoğlu Ali Paşa[280], Koca Mustafa Paşa[281], Mihrişah Sultan[282] ve daha sair hayrat ve müberrât ashabı dahi ol havalide başka başka membalar küşat ve ayrı ayrı mecralar ferşiyle esas mecraya ilhak ederek cami ve mescitlerine icraya muvaffak olmuşlardır. Bunlar inşa olundukları zaman mikdâr-ı umûmîsi elli beş altmış lüleye baliğ olduğu hâlde elyevm otuz, otuz beş ve

---

277 masura: Eskiden kullanılan bir su ölçeğidir. Bir masura dört "çuvaldız", bir çuvaldız iki "hilâl", iki çuvaldız bir "ikilik", iki masura bir "kamış", sekiz masura bir "lüle" üç lüle bir "salma" itibar edilmiştir. (*OTDTS*)

278 Bu konuda daha geniş bilgi için bk. Kâzım Çeçen, *Halkalı Suları*, İstanbul 1991, 175 s. +1 Harita+9 Plan

279 IV. Mehmet devrinde sadrazamlığa getirilen Köprülü Mehmet Paşa (1575-1661), beş yılı aşkın bir süreyle bu makamda kalmıştır. Zor ve karışık bir zamanında sadarete gelen Köprülü Mehmet Paşa, yaptığı icraatlar sayesinde kötü gidişe bir müddet son verip, devletin biraz olsun nefes almasını sağlamıştır. 78 yaşında sadarete gelen ve 83 yaşında vefat eden Köprülü pek çok hayır eserleri yaptırmıştır. Çemberlitaş'ta bulunan külliye bunlardan biridir. (bk. Kâmil Yaşaroğlu, "Köprülü Mehmet Paşa", *OA*, c. II, İstanbul 1999, s. 159-161)

280 I. Mahmut ve III. Osman dönemlerinde üç defa sadrazamlığa getirilen Hekimoğlu Ali Paşa (1689-1754), toplam beş sene dört gün bu görevde kalmıştır. (*İzahlı Osmanlı Tarihi Kronolojisi*, c. V, s. 56, 58, 60). Kocamustafapaşa ve Davutpaşa arasında cami, kütüphane, sebil, çeşme ve türbeden müteşekkil bir külliye yaptırmıştır. (Külliye hakkında daha geniş bilgi için bk. Ayla Ödekan, "Hekimoğlu Ali Paşa Külliyesi", *DBİA*, c. IV, s. 43-46)

281 II. Beyazıt dönemi sadrazamlarından Koca Mustafa Paşa 1511 yılında sadarete gelmiş, 1512 yılında Yavuz Sultan Selim tarafından azledilerek idam edilmiştir. 1486'da kendi adını taşıyan semtte bulunan Bizans kilisesini camiye çevirmiştir. (Cami ve etrafındaki yapılar hakkında daha geniş bilgi için bk. Semavi Eyice-Baha Tanman, "Koca Mustafa Paşa Külliyesi", *DBİA*, c. V, İstanbul 1994, s. 30-34)

282 Sultan III. Mustafa'nın baş kadını olan Mihrişah Sultan, III. Selim'in annesidir. Hayırsever birisi olarak bilinir. Halıcıoğlu'ndaki camiyi yaptırmıştır. (*Padişahların Kadınları ve Kızları*, s. 99)

belki daha noksan bir dereceye tenezzül eylediği erbâb-ı vukufun cümle-i rivâyâtındandır.

Üsküdar ve Boğaziçi'nin Anadolu cihetinde cereyan eden sular da bu kabil menâbi suları olup fakat ayrıca bentleri yoktur. Nevşehirli Damat İbrahim Paşa, Üsküdar tarafında kırk bu kadar âdet çeşme inşa ve Libade ve Küçük Çamlıca havalisinde su yolları imlâ ettirdiği mervîdir. Muahharen Elmalı suyu ol havalide su ihtiyacını bertaraf eylemiştir.[283]

Fatih hazretlerinin hayratından olan Turunçlu suyunun sur hariç ve dahilinde kâin ana yollar ile Belgrad karyesi civarından dahil-i sûra kadar su lâğımları ve bentleri ve kemerleri ve Kanlıkavak civarında Sultan Süleyman'ın vakfından çeşmelere ve sahilhanelere cari su yolları ve lâğımları Evkaf Nezareti tarafından tamir ettirildiği *Târîhçe-i Evkaf*'ta münderiçtir.

Haricen vaki olan istimâ-ı âcizîye göre bu bapta vuku bulan masârif-i tamîriyye için sarf olunan akçe 1262 [1846] tarihinde bilâ-veled vefat eden Şeyhülislâm Mekkîzade Mustafa Asım Efendinin[284] külliyetli nükudu ve fürûht olunan girân-bahâ cevâhir-i nâ-madûdu esmânı imiş. Müşarünileyh Mekkîzade tab'an pek kibar olduğu gibi servet ve sâmânı da pek çok olduğu ve hatta garaipten olarak mervî olduğuna göre müşarünileyhin konağı odunluğunda atılmış olarak bulunan yamrı yumru bir mangalın âdi döğme mangal cinsinden zannolunduğu hâlde, vaki olan şüphe üzerine bi'l-muâyene safi altından mamul olduğu anlaşılmıştır.

İstanbul cihetinde bulunan bentlerin suyu o ciheti bir dereceye kadar idare etmekte ise de karşı tarafta kâin bentlerin suları kifayet etmediğinden vaktiyle pek çok su sıkıntısı çekilirdi.

İstitrat-Bazı senelerde olduğu gibi 1280 [1864] tarihinde de bir müddet yağmur yağmamasından dolayı Dersaâdet'e cari mâ-i lezîz bentlerinden yalnız Kirazlı ve Ayvad bentlerinde bir miktar su kalmış ve ihtiyâcât-ı umûmiyyeyi müşkilâttan vikayeten bir tedbîr-i ihtiyâtî icrasına lüzum görünmüş olduğundan rûz-ı kasıma kadar idare olunmak üzere cevâmi-i şerîfe ve çeşme ve hayrât-ı sâirenin mahsûsât-ı câriyyesi olan doksan lüle suyun yetmiş lüleye tenzili ve idaresi tatlı suya münhasır olan hamamlardan asâkir-i şâhâne için Türbe ve Balat ve Beyazıt ve Ayasofya Hamamlarının ve idaresine kâfi kuyuları mevcut olarak

---

[283] Bu konuda daha geniş bilgi için bk. Kâzım Çeçen, *Üsküdar Suları*, İstanbul 1991, 187 s. + 3 Harita. Ayrıca Üsküdar'da bulunan çeşme ve kuyular hakkında bilgi için bk. İbrahim Hakkı Konyalı, *Üsküdar Tarihi*, c. II, s. 1-144

[284] 1187 [1773/74] tarihinde doğan Mustafa Asım Efendi, II. Mahmut ve Abdülmecit dönemlerinde üç defada toplam on yedi seneyi aşkın müddetle şeyhülislâmlık yapmıştır. 1262 [1846] yılında vefat etmiştir. (*İlmiyye Sâlnâmesi*, s. 580-582)

mâ-i câriye muhtaç olmayıp da kuyu suyuyla idare eden hamamların istisnasıy-la maadasına cari olan suların muvakkaten katolunması ve suyolcular[285] ve ha-mamcılar taraflarından hilâf-ı tenbîhât su açıldığı hâlde kanunun 254. maddesi ahkâmınca bir adet mecidiye altını cezâ-yı nakdî ahzı hususuna Meclis-i Vâlâda[286] karar verilmekle keyfiyet 10 Teşrinievvel sene 1280 tarihinde ilân edilmişti.[287]

Beyoğlu tarafına ait üç bendin suları atide gösterildiği veçhile tevzi olunur:

	Beher gün (lüle)
Yeniköy	4, 5
Çiftlik-i hümâyûn ve Maslak tarafına	1, 5
Mîrgûn, Boyacıköy ve Baltalimanı cihetine	6
Arnavutköyü, Kuruçeşme'ye	4
Ortaköy tarafına	3
Çırağan Sarây-ı hümâyûnuna	9
İshakiye Mahallesi'ne	1
Beşiktaş, Dolmabahçe Sarây-ı hümâyûnuna	12
Tatavla'ya	2
Kışla ve hastahanelere	4
Beyoğlu taksimine	25
Levent Çiftliği membaından Galatasarayı'na	3
	75

Diğer sütunda Beyoğlu taksimine verildiği beyan olunan 25 lüle suyun tak-simden sûret-i tevzîi:

	lüle
Tersane ve Kasımpaşa'ya	5
Kabataş ve Tophane'ye	12
Beyoğlu ve Galata taraflarına	8
	25

---

285 suyolcu: Su yollarıyla, su yolları üzerinde bulunan haznelerin (maslak) tamiri ve suların şehrin muhtelif yerlerindeki çeşmelere muntazam şekilde akması işiyle uğraşan görevlilere denir. (OTDTS)

286 Meclis-i Vâlâ: Tanzimattan sonra ıslahat hareketlerinin gerektirdiği nizamnameleri hazırlamak, devlet memurlarının muhakemesiyle uğraşmak, lüzumu hâlinde devlet işleriyle ilgili olarak görüş bildirmek üzere 1837 yılında tesis edilen meclise verilen addır. (OTDTS)

287 İstanbul Halkının Tenezzüh ve Eğlenceleri X, Peyâm-ı Sabâh (Peyâm, nr. 891, Sabah, nr. 11321), 26 Mayıs 1337/1921, s. 3

Balada Beyoğlu ve Galata tarafına verildiği gösterilen 8 lüle su 31 çeşmeye ve 74 haneye tevzi olunmak mukannendir.

Taksim suyunun Beyoğlu Belediye Dairesi dahilinde bulunan mahallere tevzii balada münderiç cetvelde gösterilen 25 lüle sudan adam başına üç kıyye[288] su isabet eylediği ve dâire-i mezkûre dahilinde bulunan hanelerde bile beş yüz küsur adet sarnıç olup birbiri üzerine ber-vech-i tahmîn nüzul eden barandan beş parmak su havaya münkalib olarak on altı parmak teraküm eylediği ve bundan dahi dâire-i mezkûrede adam başına bir buçuk kıyye su ve mevcut kuyulardan beş kıyye ve Çamlıca ve Karakulak gibi membalardan naklolunan mâ-i lezîzden de yarım kıyye isabet ederek, bu hesapta beher adama mekûlât tabhı ve çamaşır tathiri ve meşrûbât-ı sâire için beş kıyye acı ve beş kıyye tatlı su ki cem'an on kıyye su isabet edip, hâlbuki lâ-akal bir adam için on beş kıyye suya ihtiyaç bulunduğu ve gerçi zikrolunan üç bent suları vaktiyle Beyoğlu ve saireye kifayet eder imiş ise de o zamanlar buraların sekenesi on beş, nihayet yirmi bin nüfus raddesinde iken sonraları pek çok nüfusa baliğ olduğu ve vakt-ı zamânında rahmet nüzul eder, mezkûr üç bent tamamen dolmuş olsa ve yollarında bozukluk olmayıp lüzumsuz yere sarf olunmayıp bir katre zayi olmamasına dikkat olunsa dahi oralarca su müzayakası baki olacağı vaktiyle icra olunan tahkikatla anlaşılmış[289] ve bir aralık Darboğaz denilen mahalle müceddeden bir bent inşası hakkında bir hayli müzakerat ve teşebbüsât icra edilmiş olduğu hâlde husûl-i muvaffakıyet kabil olamamış ve muahharen Terkos Su Kumpanyası[290] bu müzayakayı bertaraf etmiştir.

Yıldız Sarayı'na bentler suyu cari olup fakat muahharen fevkalâde cesamet ve dolayısıyla kalabalık peyda ederek ehemmiyet kesbettiği için çok miktarda suya ihtiyaç hâsıl olmuş olduğundan Yıldız Sarayı'nın haricinde müteaddit mahallere makineler koyarak bunları çıkardığı sular ile def-i zarûret edilir ve bahçelerin bazılarında ve mahall-i sâirede Terkos suyu dahi istimal olunurdu. Muahharen bahçeye cesim havuz yapıldıkta mevcut suların kifayetsizliği cihetle

---

288 kıyye: Eskiden kullanılan, yaklaşık 1300 grama tekabül eden ağırlık birimidir. (*TS*)

289 Sultan Abdülaziz bu müzayakaya şehzadelikleri zamanında muttali olduklarından cülûsunun ikinci mahında bir salı günü vapurla Büyükdere'ye ve oradan fayton ve bazen hayvan ile bentlere gitmişler, muayene etmişler ve tathiri zımnında ve haritalarının tanzimini maiyetlerinde bulunan mühendislere sipariş etmişler ve tamir ve tathire de muvaffak olmuşlar idi. (ARB)

290 Terkos suyunun İstanbul'a getirilmesi imtiyazı 1874 yılında Hariciye Teşrifatçısı Kâmil Bey ile Mühendis Terno'nun kurduğu bir şirkete verilmiştir. Ancak daha sonra bu imtiyaz 1887 yılında, 1882 yılından başlamak üzere 75 yıllığına halk arasında "Terkos Şirketi", "Terkos Su Kumpanyası" gibi adlarla anılan Dersaâdet Anonim Su Şirketi'ne devredilmiştir. (Bu şirketle birlikte İstanbul'da su imtiyazına sahip diğer şirketlerle ilgili mukavelenameler ve nizamnamelerle ilgili daha geniş bilgi için bk. Osman Nuri Ergin, *Mecelle-i Umûr-ı Belediyye*, c. III, İstanbul 1330/1914, s. 662-792)

Beyoğlu ve Tophane civarı ahalisine mahsus olan Taksim suyunun kâffesi mez-kûr havuza isale olunmuş idi. Bilâhare mahall-i mezkûre ahalisinin susuzluktan şikâyeti üzerine ahalinin bu zaruretini telâfi için Kâğıthane civarında mevcut olan membalardan su celp olunarak mevâki-i mebhûsanın münasip mahalleri-ne çeşmeler yapılıp su isale edilmiştir.

Eskiden su nazırının maiyetinde olmak üzere Sakalar Ocağı namıyla bir ocak vardı. Bu ocak Ayasofya Camii Şekerci Kapısı tabir olunan büyük kapının karşısında Eğri fatihi Mehmed-i Sâlis'in türbesine muttasıl köşede idi. Ocak hal-kının vazifesi İstanbul içinde harîk zuhurunda beygirlere yüklü kırbalarıyla der-hâl mahall-i harîke yetişip tulumbalara su taşırlardı. Sakalar da bu hizmetlerine mukabil çeşmelerinden su alırlar, ahaliye satarlardı. Vaktiyle İstanbul sakaları iki kısma tefrik olunup, biri at sakaları, kısm-ı dîgeri de mahalle sakaları idi. Sonraları mahalle sakaları da mahall-i harîke gitmeye başladıklarından onlar da mahalle çeşmelerinin su hazinelerini kilitleyip ahaliye satar oldular. Ahalinin kendi ihtiyaçları için akşamları ancak iplik kadar su verirlerdi. Mahalle halkın-dan bazı erbâb-ı yesâr bahçelerinin sulanması için geceleri suları açıp hortum-larla kendi havuzları için sakalardan su mübayaasını âdet ettiler. Bir de Eyüp'te Gümüşsuyu ocağı vardı. Bu ocak halkının vazifesi dahi nefs-i hümâyûna mah-sus kahvenin suyunu Gümüşsuyu'ndan taşımak idi. Zabitleri bostancıbaşı, amirleri de sarây-ı hümâyûn kahvecibaşısı idi.

Bentlerin fazlasından su mübayaası istidasında bulunanlara tarikin tesviye-si masarifi mübayaa eden tarafa ait olmak üzere bir masura su için altıbin kuruş muaccele ve senevî otuzbin kuruş icâre-i müeccele ile bey' ve icarı ve teferruatı nizamı iktizasından idi. Sonraları bazı mahallerde bir masura su onbeşbin kuru-şa ve daha ziyadeye alınıp satılmakta olduğu haber alındığından hayrat-ı celîle ile sair mahallere cari suların tertip ve miktarının sekte ve killetten vikayesi zım-nında müceddeden su satılması hususunun bir muvâzene-i sahîha üzerine icra-sı lâzım gelmesine mebni, han, hamam misilli ebniye-i mevkûfeye cari suların beher masurasına onbeşbin ve Dersaâdet canibinde kâin Kırkçeşme sularına onikibin ve Halkalı sularına onbeşbin ve Boğaziçi taraflarında kâin yerli suları-na onar bin kuruş fiyat takdir olunması ve bir suyun hall vukuunda hangi nev'inden ise takdir kılınan bahasının vakfa irat kaydı ve bazı uzak ve şerefsiz mevkilerde fi'l-asl hane ve akar iken muahharen harap olup arsa olarak kalmış ve bostan ve bahçe yapılmış olan mahaller ile bazı mülk, bina ve arsalara cari olan suların mahlûlü vuku bulursa bunların başkaca müzayede ve ihalesi ve su ferâğ ve intikalâtı vukuunda rüsûm-ı mukarreresinin fiyât-ı mezkûreye göre alınması ve kadim icaresi olan suların ale'l-umûm beher masurasından senevî otuz kuruş icâre-i müeccele tahsis hususu 1278 [1861/62] tarihinde taht-ı karâra alınmıştır.

Vaktiyle icra olunan bir tahrîr-i umûmîde İstanbul'da sayılan ağniyâ ve kü-
berâ saray ve konaklarında 14536 adet hamam varmış. Altmış beşi sur haricin-
de ve doksan adedi de dahilinde olmak üzere umum için de yüz elli beş adet
çarşı hamamı mevcut imiş. On beş bini mütecaviz çeşme, iki yüz sebil, yüz ayaz-
ma[291] ve altı yüz bin su kuyusu varmış. Bazı taraftan alınan malûmata göre el-
yevm İstanbul'da mevcut olan çarşı hamamlarının miktarı yüz altmış yedi ade-
de baliğ olmaktadır. Eskiden zenginlerin konaklarında birer hamam bulunmak
şart idi. Ekserisinde cesim sarnıçlar da vardı. Humbarahane kışlasına mahsus ol-
mak üzere Sadâbâd verâsında Ayazağa nam mahalde vaki membadan kışlaya
gelinceye değin su yolları 1247 [1831] tarihinde Tophane Nazırı Vekili Arif Bey
marifetiyle inşa ettirilerek mezkûr kışlaya su isale olunmuştur.

Sultan Mahmut Hân-ı Sânî asrı ricâl-i ilmiyesinden lâubalimeşrep bir zat bir
mecliste Süleyman-ı Kanûnî'nin fütuhat ve hayrat ve müberrâtından bahs olu-
nurken cevabında yeniçeri taifesinin fesat ve mel'anetlerini ima kasdıyla "Süley-
mân-ı Kanûnî'nin hayrı şerrine mukabil olmaz. Hatta İstanbul'a getirdiği su, icat
eylediği yeniçeri taifesinin yestehlediği kazuratı tathir eylemez." demesi bir
hayli dıhka sebep olmuş olduğunu Süleyman Fâik Efendi Mecmuası'nda görmüş-
tüm. Bi'l-münâsebe Netâyicü'l-Vukuât'ta da yazıldığı üzere yeniçeri ocağı nizâ-
mâtının mebde-i fesâdı ocağın icadından iki yüz elli, üç yüz sene mürûretten
sonra vaki olmuştur. Müellif-i kitâb der ki: "Bunların âsâr-ı şekavetkârâne ve ha-
rekât-ı cahilâneleri gayr-i münker ise de bu gibi mudhikât ile terzil ve tahkir
edilmek istenilen adamlar başka bir kavim olmayıp, bizim âbâ ve ecdadımız ve
vaktiyle din ve devlet ve millet uğruna mallarını, canlarını feda eden eslâfımız
olmalarıyla bu derecelerde ta'n ve teşnî eylemek reva değildir." Müellifin bu
mütalâasına tamamıyla iştirak ederim.[292]

Evâyilde İstanbul ahalisinin başlıca eğlenceleri hayal, orta oyunu, meddah,
cambaz, hokkabaz, köçek, ince saz takımları idi. Bunların pazar mahalleri İstan-
bul'da Kadı [Hanı] olduğundan ihtiyacı olanlar oraya müracaat ederlerdi. 1278
[1861/62] tarihinde mezkûr han muhterik olduğundan Baltacı Hanı bunlar için
pazar mahalli ittihaz edildi. Kadınlar cemiyetinde çengiler icrâ-yı sanat ederlerdi.
Erbâb-ı zevk ve sefahatin bir de meyhane âlemleri vardı. Sonraları garp mede-
niyetine temayül hâsıl olması hasebiyle alafranga eğlencelere heves olunmaya
başlandığından Galata ve Beyoğlu âlemleri kesb-i revâc eyledi. Bu tadat ettiğim
eğlencelerin ahvâl-ı mâziyyelerini meziyet ve mahiyetlerini ve ahlâk noktaina-
zarından makul ve makbul ve bilâkis merdûd ve medhûl olanlarını ve gittikçe
tenevvü ve tekessür etmiş olan Galata ve Beyoğlu eğlencelerine halkımızın de-
rece-i meyl ve inhimaklarını kısım kısım arz ve beyan etmek istedim.

---

[291] ayazma: Rumların kutsal saydıkları kaynak veya pınar. (TS)
[292] İstanbul Halkının Tenezzüh ve Eğlenceleri XI, Peyâm-ı Sabâh (Peyâm, nr. 893, Sabah, nr. 11323),
    28 Mayıs 1337/1921, s. 3

Hayal Oyunu

Müruruzamanla râbıta-i asliyyesinden çıkmış olduğu için, bugün o şaşaadar tiyatrolara meyyal olanların kemâl-i nefretle reddetmekte oldukları hayal oyunu, vaktiyle temsîl-i hakîkat gibi ulvî bir maksada mebni icat olunmuştur. *Şemdanizade Tarihi'*nin birinci cildinin 261. sahifesinde şu ibare münderiçtir: "Sene 283, şeyh-i müşârünileyh Aynî Abdullah Tüsterî hazretleri[293] irşat edeceği zevata gece perde kurup verâsına şem' yakıp hay u huy ettirdikten sonra şemi izale eyledikte zulmet zuhur ve suretler gaib olıcak, bu dünyada her ne kadar meks ve alış ve veriş ve harb ve kıtal ve zevk ve safa ve elem ve gam ve fısk ve takva, hâlet-i nez zuhur ettikte bu zıll-ı hayale müşabih olur diye temsil etmişti. Badehu zıll-ı hayal lu'bını peyda edip düğün ve helva geceleri imrâr-ı vakte vesile ettiler, lâkin ehl-i basîret yine basar-ı basîret ile nazar kıldıkta şeyhin kerametiyle irşat olur."[294] Bursa mebûs-ı esbakı Tahir Beyefendi tarafından yazılıp ihdâ buyrulan bir makale ile Meclis-i Maârif aza-yı sâbıkasından Ziya Beyefendinin taraf-ı âcizâneme mersûl tezkire-i cevâbiyyesi bu hayal oyunu hakkında etraflı malûmatı havi olduklarından suretlerini ve hayâl-bâzların meşâhirinden tahkik edebildiklerimin esamisiyle sanatlarınca derece-i mahâretlerini zirde derç eyledim.

Tahir Beyin makalesi[295]

"Havas beyninde hayal ve avam ve sıbyân lisanında karagöz denilen terbiye ve adap dahilinde oynatılır veya hususî oyuncu olan kimse de zurefâdan bu-

---

293 Sehlü't-Tüsterî yahut Sehl bin Abdullah Tüsterî IX. asırda yetişmiş İslâm âlimlerinden ve sufilerinden biridir. H. 200/M. 815 tarihinde İran'ın Ahvaz bölgesinde Tüster şehrinde doğmuştur. Altı yedi yaşında Kur'ân'ı ezberlemiş ve çevresindeki âlimlerden dinî-tasavvufî terbiye görmüştür. Hayatı doğduğu yer olan Tüster'de, Basra'da ve Hicaz bölgesinde geçmiştir. H. 283/M. 896 tarihinde vefat etmiştir. Bazı fikirleri ölümünden sonra Salim adlı bir müridi tarafından kurulan Salimiye tarikatı yoluyla zamanımıza kadar ulaşmıştır. (Hayatı hakkında bk. Ahmet Subhi Furat, "Sehlü't-Tüsterî", *İA*, c. X, İstanbul 1966, s. 322-324)

294 Ali Rıza Bey alıntı yaptığı eserlerde bazı değişikliklere gitmektedir. Bunun bir örneği Şemdânîzade'nin *Mür'i't-Tevârîh* (İstanbul H. 1338) adlı eserinden yukarıda yaptığı alıntıda karşımıza çıkmıştır. Ali Rıza Beyin kullandığı "Aynî Abdullah Tüsterî" ibaresi *Mür'i't-Tevârîh*'te yoktur. Şemdânîzade, Hicrî 283 yılına ait hadiseleri ele alırken, müritlerini irşat etmek için hayal oyununu kullanan "Sehl bin Abdullah Tüsterî" adlı şeyhin ismini "Vefât-ı Sehl bin Abdullah Tüsterî kıdvetü'l-meşâyih" şeklinde konu başlığı yapmış, bu başlığı "şerh" ederken şeyhin ismini kullanmamıştır. Ali Rıza Beyin bu şahsın ismini Şemdânîzade'yi mehaz göstererek, onun hilâfına Aynî Abdullah Tüsterî diye kullanması ise düşündürücüdür. Metin And, *Dünyada ve Bizde Gölge Oyunu* (Ankara, 1977) adlı çalışmasında ise Tüsterî'nin Mısırlı bir derviş olduğundan bahsetmektedir (s. 249). Tüsterî, Hicrî 283 yılında vefat ettiğine göre, bizde hayal oyununun mucidi sayılan ve alttaki dipnotta da görüleceği veçhile Bursa'daki mezar kitabesinde ölüm tarihi olarak Hicri 803 tarihi bulunan Şeyh Küsterî ile bir alâkasının olmaması gerekir. Şemdânîzade'nin yukarıdaki açıklamasını mehaz almalarına rağmen Necdet Sakaoğlu ve Nuri Akbayar *Binbir Gün Binbir Gece* (İstanbul 1999) adlı müşterek eserde, Ali Rıza Beyin tavrını sürdürerek bu defa "Aynî Abdullah Küsterî" (s. 20) ismini kullanmaktadırlar.

295 Bursalı Mehmet Tahir Bey'in Ali Rıza Beye gönderdiği bu makale daha önce "Hayal-Karagöz"

lunursa ez-her-cihet mûcib-i ibret ve intibah olur. Hatta çeşm-i ibretle nazar olunduğu hâlde hayalin cevazına dair Fenarî ve Ebussuûd gibi ezher-cihet sikadan bulunan zevât-ı kirâmın fetvası bile vardır.[296] Havas arasındaki şöhretine nazaran bu oyun temsil-i vahdet noktainazarından icat edilmiştir. Mucidi de Bursa'da hükûmet caddesinde metfun Şeyh Küşterî namındaki urefâdan bir zat imiş. Olunan rivayata nazaran Yıldırım Beyazıt devrinde Hacı İvaz, Hacı Evhad avam lisanında Hacivat ve Karagöz namlarında iki nekre-gûnun alâ-tarîki'l-mülâtafe münazaraları Şeyh Küşterî tarafından perde-i hayâlde[297] gösterilerek meydana gelmiştir.

Evliya Çelebi Seyahatnamesi'nin birinci cildinin 654. sahifesinden itibaren mel'abe-i hayale dair nev-ummâ hurâfâtı andırır nakliyatına göre de Hacivat'ın Alaaddin Selçukî zamanında Mekke ile Bursa arasında âmed şüd eden Bursalı bir sâî olup beyne'l-haremeyn eşkiyâ-yı urbân tarafından katlolunarak Bedr-i Huneyn'de defin olunduğu ve Karagöz'ün de Kırkkiliseli olup İmparator Kostantin'in sâîsi bulunduğu ve bunların muhavereleri Yıldırım Beyazıt Han devri zurefâ-yı mukallidîninden Kör Hasan namında bir nekre-gû tarafından perde-i hayâlde gösterilerek huzûr-ı Bâyezîd Hânî'de icrâ-yı sanat eylediği anlaşılır. Lâkin İmam Şa'rânî, *el-Yevâkıt ve'l-Cevâhir* ismindeki eser-i âlilerinde Şeyh-i Ekber'in *Fütûhât-ı Mekkiyye*'sinin 317. faslından naklen "Halkın hicabı arkasında olarak Cenâb-ı Hakk'ın hakikaten fâil-i muhtâr olduğunu bilmek isteyen hayâl-i sitâre ile suretlerine nazar etsin" diyerek başladıkları bapta mel'abe-i hayâle sıbyanın inhimaklarını ve ehl-i vukufun bu mel'abeden maânî-i dakîka istinbat ettiklerini mufassalan beyan eylediklerine ve Şeyh-i Ekber'in vefatı ise herhâlde Şeyh Küşterî'den mukaddem, yani 638 tarihi olduğuna nazaran bu oyunun Muhyiddin-i Arabî'nin vatan-ı aslîleri olan Endülüs kıtasındaki Araplar beyninde dahi sitâre ismiyle benâm olarak mevcut idüğü anlaşılır. Bir nüshası Ragıp Paşa Kütüphanesi'nde mevcut olan Arabiyyü'l-ibâre *Tayfu'l-Hayâl* ismindeki eser de bu hususta şâyân-ı istifâdedir.

---

başlığı altında *Sırat-ı Müstakîm* (c. I, nr. 17, Kânunuevvel 1326 (1910), s. 266-267) mecmuasında çıkmıştır.

296 Selim Nüzhet Gerçek, Ebussuûd Efendinin hayal oyunu hakkındaki bir fetvasını *Resâilü'l-Mesâil* adlı eserden faydalanarak nakletmektedir. Fetva şöyledir:
Mesele: Bir gece bir meclise hayâl-i zıll oyunu getirilip imam ve hatip olan Zeyd ol mecliste bile olup, oyunu ahirine değin bile seyreylese şer'an imametinde ve hitabetinde azle müstahak olur mu?
El-cevab: Eğer ibret için nazar edip ehl-i hâl fikri ile tefekkür etti ise olmaz. (*Türk Temaşası*, II. Baskı, İstanbul 1942, s. 66)

297 Bu zatın türbesinde "Kutbü'l-ârifîn gavsü'l-vâsılîn cennet-mekân firdevs-âşiyân, sâhib-i hayâl Şeyh Mehmet Küşterî" ibaresi ve 803 [1400/1401] tarihi menkuşdur. (ARB)

Her ne hâl ise zurafâ-yı urefâ bu oyun hakkında pek çok temsilât-ı zarîfâne yapmışlar ve birçok manzumeler yazmışlardır. Ezcümle Karagöz'ün mezarı ki nâzım-ı *Mevlid-i Nebevî* meşhur Süleyman Dede merhumun yakınında ve Çekirge'ye giden yolun sağ cihetinde görülmektedir. Seng-i mezârı üzerine yazılan şu:

Nakş-ı sun'un remz eder hüsnünde rü'yet perdesi
Hâce-i hükm-i ezeldendir hakîkat perdesi

Sîreti sûrette mümkündür temâşâ eylemek
Hâil olmaz ayn-ı irfâna basîret perdesi

Her neye im'ân ile baksan olur iş âşikâr
Kılmış istilâ cihânı hâb-ı gaflet perdesi

Bu hayal âlemi gözden geçirmektir hüner
Nice kara gözleri mahv etti sûret perdesi

Şem'-i aşkla yandırıp tasvîr-i cisminden geçen
Âdemi âmed şüd etmekte azîmet perdesi

Hangi zılla ilticâ etsen fenâ bulmaz acep
Oynatan üstâdı gör kurmuş muhabbet perdesi

Dergeh-i Âl-i abâda müstakîm ol Kemterî
Gösterir vahdet elin kalkdıkta kesret perdesi

manzumesi ki şâyân-ı dikkat ü im'ândır.

Şeyh Küşterî'nin urefâdan bulunduklarına *Gülşen* ismindeki eser-i ârifâneleri delildir. O eserden menkuldür:

Ademsin ol ademde sen de sâkin
Bulunmaz vâcibe malûm-ı mümkin[298]

Atideki manzume dahi mel'abe-i hayâl hakkında söylenilmiş ibret-âmîz asardandır;

---

[298] Şeyh Mehmet Küşterî hakkında daha geniş bilgi için bk. İsmail Beliğ, *Güldeste-i Riyâz-ı İrfân ve Vefeyât-ı Dânişverân-ı Nâdiredân,* s. 226 (Eserin tıpkıbasımı Ankara 1998'de Abdulkerim Abdülkadiroğlu tarafından yapılmıştır.)

Bu perde çeşm-i ehl-i zâhire bir nakş-ı sûretdir
Rumûz erbâbına ammâ ki temsîl-i hakîkatdır

Cihâna benzetip Şeyh Küşterî bu perdeyi kurmuş
Müşâbih eylemiş ecnâsa tasvîri ne dikkatdir

Hevâdâr-ı safâya neş'e-bahş eyler bunun seyri
Hakîkat-bîn olan erbâb-ı tab'a ayn-ı ibretdir

Ne var bilmez verâ-yı perdede kimse budur tahkîk
Lisân-ı hâl ile hâl-i cihânı bir hikâyetdir

Eğer dikkat olursa Karagöz'le Hâcı Evhad'a
Meâlin fehmeden ehl-i kemâle başka hâletdir.

Nice ma'nâ olur melhûz tahtında seyret
Nikâtın anlasın ehli diyü arz-ı nezâketdir

Sönünce şem' eşhâs-ı suver nâ-bûd olur birden
Cihânın bî-beka olduğuna işte işarettir

Diğeri;

Şem'a-i şâdî yanınca cilve-zârdır perdemiz
Pertev-i feyz-i safâla rûşenâdır perdemiz

Her dakîka câlib-i hayret menâzır arz eder
Bir temâşâhâne-i ibret-nümâdır perdemiz

Diğer:

Şem'amızda pertev-i feyz–i hakîkat âşikâr
Hîre-sâz-ı dîde-i ehl-i dehâdır perdemiz

Dîdeler rûşen gönüller zevk-yâb olsun bu şeb
İnşirâh-efzâ-yı bezme âşinâdır perdemiz

Gelse ol çeşm-i siyâhım handeler peydâ olur
Cilve-gâh-ı şâhid-i zevk ü safâdır perdemiz"[299]

---

[299] Ali Rıza Beyin verdiği bu gazel örnekleri karagöz oyunu esnasında söylenen perde gazellerindendir. Tanınmış karagöz ustası Ünver Oral bu perde gazellerini klâsik ve modern diye ayırarak bir kitap hâlinde (*Karagöz Perde Gazelleri*, Ankara 1996) toplamıştır.

Bu mebhas hakkında mülga Meclis-i Kebîr-i Maârif azasından Muallim Ziya Beyefendinin taraf-ı âcizâneme cevaben gönderdiği tezkirenin suretini ber-vech-i âtî derç eyledim:

"Meşhur karagöz oyununun icadı Bursa'da Belediye Bahçesi karşısında metfun olan Şeyh Küşterî'ye istinat edildiği ve muharrirlerimizden, müelliflerimizden birçok zevât-ı marûfenin de buna kail oldukları beyân-ı âlîsiyle bu bapta başkaca malûmat ve mütalâa-i ahkarânem varsa onun iş'arı emel-pîrâ-yı tazîm olan tezkire-i devletlerinde emir buyrulmuştur. Ahkarları emr-i sâmîlerine inkıyadı mahzâ bir şeref telâkki addeylediğimden ber-vech-i âtî takdîm-i cevâba cesâret-yâb oldum:

Sultanü'l-evliyâ, mürebbiyyü'l-ârifîn, fahrü'l-muhakkikîn hatm-i velâyet-i Muhammediyye muhyîü'l-mille ve'd-din Ebu Abdullah Muhammed bin Ali ibn el-Arabî et-Tâî el-Hatemî el-Endülüsî radıyallâhu anhu ve arda hazretlerinin *Fütûhat-ı Mekkiyye* ismindeki müellefe-i âlîlerini vaktiyle mütalâa etmiştim. Bu kitab-ı hakaik-nisâbın 317. babı ki: (El bâbu's-sabia aşera ve selâse mie fî-ma'rifeti menzili'l-ibtidâ ve berekâtihi ve hüve menzilü'l-imâm ellezi a'lâ yesârü'l-kutb) ser-levhasıyla musaddardır. Bu babın en son fıkrasının suâl-i devletlerine cevâb-ı tâm olacağını tahattur eylediğimden o fıkrayı ber-vech-i âtî aynen tercüme ederek takdim ve tercümenin nihayetinde de bahsimize ait bir iki mülâhaza-i zâtiyye derç ve ilâve eyledim. Bu suretle zuhûr-ı hakîkate hizmet etmiş isem kendimi bahtiyar addeder ve her hâlde beka-yı mehâsin-i enzâr-ı devletlerine arz-ı iftikar eylerim.

Hazreti şeyh buyuruyorlar ki:

Bizim bu meselede îmâ ettiğimiz şeyin hakikatini bilmek murat eden, hayal perdesine, oradaki suretlere ve o suretlerden söyleyene baksın ki; küçük çocuklar bu perdenin mahiyetinden ve onun arkasında durup eşhası oynatan eşhasın lisanından söyleyen zattan bîhaber ve mesturlardır. Suver–i âlemde de hakikat bunun aynıdır, nâsın çoğu farz ettiğimiz küçük çocuklar gibidir. Bunun sebebi zâhir ve aşikârdır.

Görülür ki; küçük çocuklar meclis-i hayâlde sevinirler, sevinçlerinden gülerler, oynarlar.

Erbâb-ı gaflet meclis-i hayâli mücerret vakit geçirecek âdi bir eğlence telâkki ederler.

Ulema ise bundan ibret alırlar. Onlar bilirler ki perde-i hayâl ancak bir misaldir.

Buna mebni iptida perde-i hayâlde Vassâf denilen zat isbât-ı vücûd eder, söz söylemeye başlar, azamet-i ilâhiyyeyi ve ulüvv-i şân ve mahâmid-i celîle-i rabbaniyyeyi zikir ve tertîl eder. Kendisinden sonra perde-i hayâle birbirini müteakip

ce-i mahâretini tayin eylediği gibi, o kadar mükemmel bir hayâlî olduğu hâlde Selîm-i Sâlis huzurunda hayal oynatırken vaki olan bir sürçülisan sebebiyle der-hâl oyunu tatil ve sanatını sûret-i kat'iyyede terke mecbur olması dahi bu sanat-ta bulunanlarca icrâ-yı vazîfe esnasında falso etmek ve pot kırmak tehlikesine düşmemek için müteyakkız bulunmaklığın derece-i lüzûmunu ve binaenaleyh hayalciliğin ne kadar mutena bir sanat olduğunu gösterdiği için bu iki hikâye-nin zire dercini münasip gördüm.[304]

Hafız Beyin cemiyette ihrâz-ı muvaffakıyyeti hikâyesi

Hafız'ın semti Kasımpaşa'da olduğundan mine'l-kadîm usulü icabınca yar-dakçıları[305] takımları alıp cemiyete giderler ve kendisi de doğruca levazımatını hazır bulurmuş. O gün için adamlarına tembih etmek hatırından çıkmış kendisi cuma akşamı bermutat yalnızca Beylerbeyi'ne gitmiş. Yardakçılarını orada bula-mayınca aklı başına gelmiş. Ne çare ki ol vakit Şirket vapurları olmadığı ve is-kele kayığı ile Kasımpaşa'ya kadar gidip takımları ve yardakçıları alıp avdet edinceye kadar sabah olacağı cihetle bir çare düşünmüş ve derhâl cemiyetin da-ire müdürünü buldurarak hafiyyen işi anlatmış; beraber kendisine yalnız perde kurmak için bir yatak çarşafı ve Karagöz'le Hacivat'ın attarlarda satılan resimle-rinden birer adedinin tedarik edilmesini tembih etmiş ve mucibince icabı ifa edilmiş. Vaktaki hayal başlamış Hacivat ile Karagöz meydana gelmişler, muha-vereye tutuşmuşlar. Gülmekler de yükselmiş, muhavere kızıştıkça kahkahalar ayyuka çıkmış. Huzzâr gülmekten çatlamak derecesine gelmiş, hiçbir kimse vaktin nasıl geçtiğini fark edememiş. Neticede bir münasebet getirip Hacivat'ın Karagöz'e hitaben "Artık Karagöz senin ettiğin kusurlar için lâzım gelen cezayı inşallah diğer bir cemiyette tertip ederim. Bu akşam bu kadarla iktifa edelim." demesi üzerine sâhib-i cemiyet derhâl Hafız'a hücum ile "Ne demek efendim, seninle sabaha kadar üç oyun üzerine pazarlık etmiştik. Daha henüz birine bile başlamaksızın oyuna nihayet vermek istiyorsun, mukavelemizi tamamıyla icra-ya mecbursun." diye vaki olan tehevvür ve ısrarına mukabil Hafız "Evet efen-dim, mukavelemiz öyle idi. Fakat hayal geceye mahsus bir eğlencedir, gündüz kabil ise mukaveleyi icraya hazırım." diyerek pencerenin perdesini kaldırınca herkes sabah olduğuna âgâh olmuşlar. İşte yalnız muhavere ile sabaha kadar va-kit geçirtmeye muvaffakiyet kolaylıkla hâsıl olamayacağı teemmül olunur ise Hayalî Hafız'ın sanatındaki maharet tebeyyün eder.

---

304 İstanbul Halkının Tenezzüh ve Eğlenceleri XII, *Peyâm-ı Sabâh* (*Peyâm*, nr. 894, *Sabah*, nr. 11324), 29 Mayıs 1337/1921, s. 3

305 yardakçı: Oyun esnasında karagözcünün yanında bulunarak şarkı söyleyen, tef çalan yardım-cılara verilen addır. (Nurullah Tilgen, "Karagöz Oyunları Sözlüğü", *Türk Folklor Araştırmaları*, nr. 119, Haziran 1959)

Hayalî Hafız Beyin huzûr-ı Selîm-i Sâlis'te sürçülisan fıkrası

Hafız Bey, huzûr-ı Selîm-i Sâlis'te hayal oynatırken oyun Karagöz'ün Ağalığı olup kethüdası Hacivat Çelebi birtakım köleler ve cariyeler mübayaa ederek Karagöz Ağanın konağına getirir. Ağa kölelerden birinin ismi Selim olduğunu tahkik etmesi üzerine yüksek seda ile "Selim!" diye çağırır. Hakan-ı müşârünileyh de berây-ı latife "lebbeyk!" cevabını verir. Müteakiben Hacivat, Karagöz'ün karşısına gelip "Eeey Karagöz, huzûr-ı şâhânede bir sürçülisan ettin ki fîmâbad afvı kabil değildir. Şevket-meâb efendimiz sana hacca ruhsat buyurdular. Artık tövbekâr olup hacca gideceksin." der ve derhâl perdenin arkasındaki şemayı püf diye söndürür. Zât-ı şâhâne telâş edip "Hafız, vallâhi gücenmedim, muradım bir lâtife idi. Kesme oyuna devam eyle." buyururlarsa da Hafız "Cenâb-ı Hak ömr-i şevketinizi müzdâd buyursun efendimiz, kusurumu af buyurdunuz. Lâkin sanat itibariyle bu hata kulunuzdan sadır olmamak lâzım gelirdi. Mademki vaki oldu. Artık benim kat'â meziyetim kalmadı." cevabını verir ve tövbe edip hacca gider.

Hayalî Sait Efendiye gelince; bu zat pek değerli bir hayalî imiş. Evâyilinde Selîm-i Sâlis fasıl takımında neyzen ve giriftzen olup tab'an zurafâdan olduğu için meşhur Veliefendizade Emin ve müşâvir-i devlet Hâlet Efendilerle Hoca Numan ve Hatif ve Yenikapı mevlevî şeyhi Abdülbaki Efendiler ve Keçecizade İzzet Molla Efendi gibi nice urefâ ve zurafânın yıllarca encümen-i ülfetlerinde bulunmuş ve letâif-i musahabâtlarından hissemend olarak "musahip" lâfzının manâ-yı hakikîsini haiz olduğu hâlde Mahmut Hân-ı Sânî'ye musahip[306] olmuştur.

Bazı vekayiden dolayı gazab-ı pâdişâhîye uğrayan birçok adamın halâsına muvaffak olduğunu rivayet ederler. Yine musahiplerden Abdi Bey merhumla huzûr-ı şâhânede cereyan eden muhavereleri ve birçok menkıbeleri elsine-i nâsta deverân eder. Kendisi serasker müsteşâr-ı esbakı Ahmet Bey merhumun pederleridir. Sultan Mahmut'un irtihalinden sonra tekaüden çerağ buyurularak Bahariye'de kâin sahilhanesinde ihtiyâr-ı ikamet ve 1272 [1855/56] tarihinde irtihâl-i dâr-ı âhiret etmiştir. Bahariye Caddesi'nde İplikhane kışlası büyük kapısının karşısında kâin makabir-i müsliminde metfundur. Abdi Bey merhum da Selîm-i Sâlis fasıl takımı çavuşlarından olup Küpeli Çavuş lâkabıyla yâd olunurmuş. Mîr-i mûmâileyh 1251 [1835] tarihinde ramazanın birinci günü vefat etmekle civar-ı Hazret-i Hâlid'de Şah Sultan imareti karşısında kâin makabire defnedilmiştir.[307]

---

306 musahip: Padişahların, daha çok eğlendirmek amacıyla hizmetlerinde bulundurdukları kişilere verilen isimdir. (OTDTS)

307 Ali Rıza Bey, imkânları ölçüsünde, sınırlı sayıda hayalîden söz etmektedir. Geçmişte yaşamış hayalîler hakkında daha geniş bilgi için bk. Metin And, "Geçmişte Karagözcüler ve Orta Oyuncular", Forum, nr. 330, Ocak 1968.

Orta Oyunları

Orta oyunları hayal oyununun daha vasi bir mikyasta ve bilhassa tabiîlik hâlinde olarak 1000 [1592] tarihlerinden sonra tertip edildi ve Murâd-ı Râbi ve Sultan İbrahim asırlarında ragabât-ı umûmiyyeyi kazandığı cihetle, ikişer yüz kişilik, on iki kol orta oyuncuları yetiştirildiği rivâyât-ı târihiyyedendir.

Yakın zamanlara kadar orta oyuncuları "Zuhûrî Kolu, Han Kolu, Kirli Kol, Yoran Kolu" namlarıyla müteaddit kollara münkasım idi. Bunlar mevsim-i sayfta Moda Burnu, Yoğurtçu Çayırı, İçeri Göksu ve Çubuklu ve daha bu gibi seyir yerlerinde ve mevsim-i şitâda İskilip Hanı, Kadri Paşa Hanı gibi üstü örtülü mahallerde ve sûr-ı hümâyûnlarda, resmî ziyafetlerde, rical ve kibar cemiyetlerinde icrâ-yı lu'biyât ederlerdi. Orta oyunlarının muzıkası tarz-ı kadîm veçhile zurna, çifte nağra (nakkare), davul (tabl) dan mürekkep olup, fakat her şahıs ne taklidine çıkarsa o taklide mahsus parçayı çalmak ve oyunun saza müteallik kısmını idare etmek zurnacıya ait olduğundan her zurnazen orta oyunlarında icrâ-yı sanat edemez. Evvelce meşk etmek şarttır. Orta oyunlarında usûl-i kadîme iktizasınca iptida saz köçek havaları çalmaya başlar. Tam takım olmak üzere on iki kişiden mürekkep köçekler raksa çıkarlar. Sivri külâhlı bir nekre de elinde şakşak olduğu hâlde oyuncuları takip eder. Buna pusatçı ıtlak olunur. Vazifesi esnâ-yı raksta tuhaflık etmektir. Badehu kol takımının heyet-i umûmiyyesi curcunaya çıkarlar. Curcunabazların başlarında uzun, kısa, sivri külâhlar ve sırtlarında acîb libaslar bulunur. Çıngıraklı Kukla, Burunsuz Beşe, Kanbur Cüce, Toparlak Köse gibi garip garip isimlerle yâd olunurlar. Hepsi bir ağızdan

> *Dağda bir keçi*
> *Sivridir kıçı*
> *Kahpenin piçi*
> *Bunda bir iş var*

tekerlemesini sazla beraber söyleyerek "Ala, ala, hey!"den ibaret nakarat esnasında maskaralığa müteallik şekillerde vaziyetler alırlar ve tabiatın ne kadar biçimsiz mahlûku varsa onu taklit ederlerdi. Bunları müteakip başında dilimli bir kavuk ve sırtında kenarlarına kürk çevrilmiş bir cüppe ve altında çakşır ve ayaklarında sarı mest papuç olduğu ve elinde pastal tabir olunan şakşak bulunduğu hâlde vakarını muhafaza eden bir adam tavrıyla ağır ağır Pişekâr meydana gelir. Yerle beraber temenna edip "Filân oyunun taklidini aldım, usul ve ahenk ile efendilerime temaşa ettireyim." der ve yedindeki şakşak ile zurnacıya çal işaretini verir ve artık oyuna başlanmış addolunurdu.

Oyunun iptidasından intihasına kadar oyuna çıkan eşhâs-ı muhtelifenin kâffesi iptida Pişekâr'a müracaat ederler. Bunların her birine başka başka meram anlatmak ve aralarındaki macerayı idare etmek ve mevzubahis olan meseleyi hal ve fasl eylemek Pişekâr'a ait bulunduğundan orta oyuncuları beyninde pişe-kârlık mühim bir vazife addolunur. Sonraları curcunaya çıkmak âdeti oyundan tayyolundu. Köçekler de resmen ilga edildi. Zenneler raksederek çıkarlardı. Mu-ahharen bu raks usulü de terk edildi. Vaktiyle orta oyuncuları içinde mükemmel mukallitler vardı. Arap, Laz, Arnavut, Rum ve Ermeni, Yahudi taklitlerini, Etrâ-kın envaını, Çıtakları[308], Boşnakları güzel taklit ederlerdi.

Sultan Aziz bidâyet-i cülûsunda orta oyuncularının maruf olanlarını muzı-ka-i hümâyûna aldı. Ol vakitler bunları milletin ahlâkına hizmet edecek yolda tanzim ve ıslah etmek arzusunda bulunduğu rivayet olunmuştu. Hâlbuki mu-ahharen mabeyin kâtiplerinden Ziya Bey (Paşa)[309] ve Bahriye miralaylarından mabeyn-i hümâyûna memur Dilâver Paşazade Muhtar Bey gibi nüdemânın teş-vik ve tergibiyle bunları Ali ve Fuat ve Mısırlı Kâmil Paşalar ve sair vükelânın şekline koyup ve meşhur Vehbi Mollanın bunların meclislerindeki evzâ ve etvâ-rının taklidini yaptırıp eğlendiği rivayet olunur. Vükelâ-yı devlet hükûmdarla-rını taklit eyledikleri cihetle bu gibi eğlencelerin doğru olmadığı söylenirdi.[310]

Vehbi Molla Hikâyesi

Bu Vehbi Molla Ebu'l-enf denmekle maruf idi. Zira burnu o kadar büyük idi ki emsali nadir idi. Kendisi ilimden bî-behre ve fakat ricâl-i ilmiyye içinde mü-şekkel ve mülebbes bir kıyafette olup haddizatında fasl ve mezemmete mail ve hakikaten asabî-mîzâc olduğundan, dahil olduğu mecliste bir medhal-i müna-kaşa açar. Hiddet buhranları arasında şuna buna atar tutar, tecellüdler gösterir ve zatına mahsus tavr-ı tehevvürî ile gayet tuhaf ve eğlenceli olduğu için o asır vükelâ ve küberâsının en makbul nüdemâsından addolunurdu.[311] Mizah gaze-

---

308 çıtak: Bulgaristan'da, Deliorman ve Dobruca yörelerinde yaşayan bir Türk topluluğu.

309 Ali ve Fuat Paşalarla Ziya Paşa beynindeki zıddiyet ve ihtilâfın tafsilâtı *Tasvîr-i Efkâr* gazetesi-nin derç eylediği *Yeni Osmanlılar Tarihi'*nde münderiçtir. (ARB)

310 Orta oyunu ile ilgili daha geniş bilgi için şu kaynaklara müracaat edilebilir: Selim Nüzhet Ger-çek *Türk Temaşası*, (İstanbul 1942), Metin And, "Geçmişte Karagözcüler ve Orta Oyuncular", *Fo-rum*, nr. 330, Ocak 1968, aynı müellif, *Geleneksel Türk Tiyatrosu* (İstanbul 1965), Nihal Türkmen, *Orta Oyunu*, (İstanbul 1991), Cevdet Kudret, *Orta Oyunu* (oyun metinleri ile beraber, c I, II, İkin-ci Baskı, İstanbul 1994)

311 Vehbi Molla burnunun büyüklüğü yüzünden sık sık çevresindekilerin lâtifelerine maruz kalan bir kimsedir. Ali Rıza Bey Vehbi Molla ile ilgili komik bir hadiseyi Mehmet Galip Bey ile müş-terek yazdıkları "On Üçüncü Asr-ı Hicrîde Osmanlı Ricali" adlı yazı dizisinde şöyle anlatır "Vehbi Molla Efendi Fındıklı'da ikamet etmekte olup, Anadolu sadareti payelilerinden pek tu-haf bir zat idi. Kendisine 'Ebu'l-enf' yahut 'Ebu'l-burun' denilirdi. Zira burnu o kadar büyüktü ki emsali pek zor bulunurdu. Hatta bir gün bir mecliste oturulur ve Molla Efendi de hazır bu-lunur iken civarda bir yangın çıkar. Yangın yerini öğrenmek için üst kat pencerelerinden bakar-lar. Kimisi yangının uzak olduğunu ve kimisi yakınlığını söylediği sırada Vehbi Molla da 'Bur-numuzun dibinde!' demesiyle zarafet sahiplerinden bir zat 'O sizin burnunuzun dibinde' ceva-

telerimizden *Çaylak* gazetesi sermuharriri Tevfik Bey merhumun pederi Gümrük tahsildarlığından mütekait Mustafa Efendi tuhaflardan, nekre-gû bir zat idi. Bir akşam merhum Şevket Paşanın konağında Vehbi Molla'ya yaptığı muzipliği hikâye etmişti. Bu Şevket Paşa, Reşit Paşa yetiştirmelerinden olup vaktiyle Babıâlide beylikçilik[312], müsteşarlık gibi mühim memuriyetlerde ve bazı valiliklerde bulunmuştur. Konağı Mahmutpaşa Hamamı kurbünde idi. Bu konak sokak kapısından geride ve bahçede duvar içinde olduğundan iptida bahçeye sonra da konağa girilirdi. Bir akşam Mustafa Efendi konağa gidip Paşa ile otururlarken kapı açılıp o zamanki usul veçhile çubukçusu, çantacısı, seyisi rikâbında olduğu ve mükellef gaşiyeli[313] bir hayvana râkib bulunduğu hâlde Vehbi Mollanın içeri girdiğini pencereden gördüklerinde Paşa, Mustafa Efendiye "Bu akşam Mollaya bir muziplik yapabilir misin?"der. Mustafa Efendi de "Hay, hay. Yalnız benim kim olduğumu sual edince musiki ustalarından olduğumu ve sarayda bulunduğumu söyleyin, bu kadar kâfidir." diye söyler ve Molla Efendi de oda kapısından içeri girer derhâl kıyam ederler. Hasbe't-teşrîfât sırtındaki binişi aldırırlar. Çubuklar, kahveler ısmarlanır musahabete başlanır. O tarihlerde bu Mustafa Efendi kır sakallı altmış, altmış beş yaşlarında bir adam olduğu hâlde kendisini daha yaşlı ve ağır başlı bir tarzda gösterir. Molla Efendi bunu ilk defa görünce canı sıkılır. Bir aralık Mustafa Efendinin dışarıya çıkmasını fırsat addedip " 'Bana her zaman sıkça sıkça gelmezsin' dersin ve geldiğimde de birtakım mendebur herifleri karşıma dizersin. Böyle heriflerin yanında rakı içmek şöyle dursun lâubali sohbet bile mesleğime mugayirdir." der. "Bu herif de kim?" diye sual eder. Paşa, Mustafa Efendinin talimi veçhile söyler ve sıkılmaya mahal olmadığını bildirir. Molla Efendi de kâni ve müsterih olur. Müteakiben Mustafa Efendi odaya girince Molla itizara başlayıp "Zât-ı âlînizi şimdiye kadar tanımak şerefine mazhar olamadığına" teessüfler eder ve "Bu akşam birlikte bulunduğumuzdan dolayı kendimi bahtiyar addeylerim." gibi mukaddimeler serdinden ve türlü rüşvet-i kelâmiyyeler iradından sonra malûmât-ı mûsikiyyesinden müstefit olması ümidinde bulunduğunu anlatır.[314]

Mustafa Efendi, takındığı tavr-ı kudemâyı muhafaza ederek ağır ağır söze başlar. "Efendim yetmiş beş yaşındayım. Selîm-i Sâlis devri musiki muallimleri-

---

bını verir. (Fahri Çetin Derin, *On Üçüncü Asr-ı Hicrîde Osmanlı Ricali-Geçen Asırda Devlet Adamlarımız*, İstanbul, 1977, s. 85)

312 beylikçi: Tanzimat'tan önce reisülküttabın muavini olan ve beratlarla menşurların tanzim ve tebyiziyle ilgilenen memurun adıdır. Tanzimat döneminde Hariciye Nezaretinin teşkiliyle beraber Babıâlinin yüksek memurları arasında yerini almıştır.(*OTDTS*)

313 gaşiye: At eğerinin örtüsüne verilen addır. Bu örtü sırmalı, şeritli idi ve sahibinin zenginliği nispetinde kıymetli olurdu. (*OTDTS*)

314 İstanbul Halkının Tenezzüh ve Eğlenceleri XIII, *Peyâm-ı Sabâh* (*Peyâm*, nr. 895, *Sabah*, nr. 11325), 30 Mayıs 1337/1921, s. 3

nin kısm-ı küllîsine yetiştim. Bir hayli şeyler geçtim. Ferahnak makamının mu-
cidi büyük pederim Şakir Ağadır. Fakir ol vakitler yirmi yirmi beş yaşlarında
idim. Yalnız merhumdan geçtiğim nakış, beste, semaî otuz kırk parçayı müteca-
vizdir. Ferahfeza takımını bestelediğim zaman merhumun mazhar-ı takdîri ol-
muştur. Hâlâ sahafları ve kütüphaneleri dolaşır, musikiye dair elime nadir bir
eser geçerse istifade etmeye çalışırım. Elli yıldır heveskârane musiki talimiyle
meşgulüm. Elyevm musika-i hümâyûnun fasıl takımlarına muallimlik ediyorum.
Şimdiki musiki muallimlerinin ekserisi eski eserler şöyle dursun, yenilerini dü-
rüst talim edemiyorlar. İçlerinde öyleleri var ki güfteleri doğru telâffuz etmiyor-
lar. Çoğu cahil ve hodbin şakirtlerle uğraşmak tarafına yanaşmıyorlar. Ah efen-
dim ah! İnsan sanatının âşıkı olmalı ve sazlarda, bestelerde suhuletten ziyade sa-
nat aramalıdır. Bendenizin musikiyi öğrenmek ve öğretmek sevdasından başka
bir emelim yoktur. Ne çare ki işret gibi bir ibtilâ-yı mekrûh ile dem-güzâr oldu-
ğumdan şu son zamanlarımda sedamın eski halâveti kalmadı." diye verdiği iza-
hatı Molla Efendi dinleyince "Amanın ben bu akşam bir musiki hazinesine ma-
lik olmuşum da haberim yok." diyerek daha nice ibramlar ve istirhamlar ederek
lütfuna sabırsızlıkla intizar eylediğini söyler. "Öyle ise efendim müsaade buyurun
da bir kadeh rakı içelim" der. Beriden Molla "Ben takdim edeyim" diye kalkar,
tepsinin başında kadehler teati olunur, çubuklar tazelenir. Lütfuna muntazır ol-
duğunu tekrar eder. Mustafa Efendi "Başımla beraber, fakat korkarım ki bu ak-
şam efendimizi dil-hâhım veçhile hoşnut edemeyeceğim. Zira dün akşam Ihla-
mur Kasr-ı hümâyûnunda şevket-meâb efendimiz küme faslı[315] ferman buyur-
muşlardı. Fakir de hasbe'l-vazife birlikte bulundum. Fasıl bahçede oldu ve yarı
geceye kadar devam etti. Bizler izn-i hümâyûna muntazır iken kurenâdan bir
bey geldi. 'Mustafa sîne kemanı ile bir saba taksim etsin' iradesini tebliğ eyledi.
Bu da fakiri gereği gibi yordu. Bahusus gecenin rutubeti ve ihtiyarlık hâliyle
nezlede olduğumdan teganni edilecek şeyin perdesi biraz pesten olacaktır. Ar-
tık kusura bakılmamasını rica ederim." demesi üzerine Mollada hâhiş bir kat
daha tezayüt eder ve o nispette ricalar ve istirhamlarda bulunur ve başlayacak
zannıyla sâmiîne mahsus bir tarzda gözlerini yumup âşıkane ahlar çekmeye
başlar. Hâlbuki yine rakıya kalkar, biraz zaman daha geçer. Bu defa da söz selef-
te güzerân eden musiki ustalarının hangileri yekdiğerine nispetle daha değerli
olduklarına ve sazlardan hangisi daha makbul ve müessir bulunduğuna intikal
eder. Bu bahis de bir hayli devam eder. Mustafa Efendi başlayacakmış gibi
"Hangi makam arzu buyrulduğunu" sual eder ve bu kere de musikide hangi sa-
atte hangi makamın intihabı lâzım geleceği hakkındaki kavlin doğru olup olma-
dığı meselesi meydana çıkar. İtrî merhumun bu mesele hakkında olan mülâha-

---

315 küme faslı: Kalabalık bir musiki heyeti tarafından birlikte çalınıp okunan saz eserleri hakkkın-
da kullanılan bir tabirdir. Üçüncü Selim tarafından başlatılmış ve o zamandan itibaren bu adla
anılmıştır. (*OTDTS*)

zasını ananesiyle hikâye ve bu baptaki mütâlaa-i zâtiyyesini ilâve eder. Mustafa Efendinin vukuf ve malûmât-ı mûsikiyyesi hakkında Molla Efendiye kanâat-i tâmme gelmekle beraber âteşîn-i intizâr da o nispette alevlenir. Mustafa Efendi tekrar rakıya kalkar, çubuk tazeler, beriden Molla da homurdanarak infilâka müheyyâ bir bomba hâline gelir. Bu hâli fark eden Mustafa Efendi hanendelere mahsus bir vaziyet alır. Ses kazımak kabilinden olarak birkaç defa da öksürür. Elini çenesine koyup galiz sedasıyla avazı çıktığı kadar danalar gibi bağırmaya ve "Adalarda kalan yavrum" türküsünü çağırmaya başlayınca Molla neye uğradığını bilemeyerek yerinden fırlar. "Anladım kerata, kes, akşamdan beri yemediğin bok kalmadı. Akıbet yapacağın bu muydu?" deyince "Vay beğenmediniz mi?" der. "Kim beğenir ki ben beğeneceğim!" demesine karşı "Öyleyse beğendirinceye kadar söyleyeceğim" deyip devam eder. "Aman sus beğendim." dediğinde "Mademki beğendiniz söyleyeceğim." der, muttasıl bağırır. Molla da buna tahammül kabil mi? Gözler ateş kesilir, çehre mosmor olur, küfür tufanını ağız dolusu savurur, beriki yine fasıla vermez bağırır. "Herif sus, kan başıma çıktı, çıldıracağım." demesi de kâr etmez. Hiddetinden kavuğu cüppeyi atar, çubuğu çeker Mustafa'ya hücum eder. Çubuk parçalanır, imamesi kırılır. Molla deli gibi zıp zıp sıçrar, ter ter tepinir. O telâş arasında işret masası alt üst olur, devrilir. Tabaklar, sürahiler, kadehler şakır şakır kırılır, ortaya yayılır. Molla Efendi bir aralık hane sahibine de hücum eder. Hane sahibi hareme kaçar. "İbâdullah, şu herif bu gece mevtime sebep olacak, can kurtaran yok mu?" diye avazı çıktığı kadar haykırmaya başlar. Bu haykırdıkça beriki daha ziyade bağırır. Harem, selâmlık konak halkı "Ne oluyor?" diye birbirine karışır, uşaklar odaya koşarlar, güç belâ Mustafa'yı sustururlar. Lâkin ibrik getirip Molla Efendinin yüzünü, gözünü yıkarlar. Hezâr müşkilât ile hiddetini teskine muvaffak olurlar.

Mustafa Efendi bu fıkrayı naklettiği zaman "Molla Efendi o tarihten sonra bana nerede tesadüf etse başını sallayarak 'Yezid, imansız herif, beni deli edecektin' diye hiddetlenirdi." demişti. Molla Efendiyi en ziyade kızdıranlardan biri de Bebekli Sâib Bey merhum idi. Hatta bir cemiyet-i şebânede Vehbi Molla beline kuşandığı yarım top şalı göstererek güya başkalarının haset damarlarını kaldırmak istediği sırada Sâib Bey savt-ı bülendle "Hey yarabbi hey, ulu rabbim!" diye bağırınca herkes susup bütün nazarlar mütefahhisâne Sâib Beyin üzerine dikilir ve beklemeye başlarlar. Sâib Bey de ellerini kaldırıp "İlâhî rabbim, bedesten kapılarında şu herifi elinde şal olarak 'Aman beylerim, efendilerim üç gündür açım, şu şaldan gayrı bir nesnem kalmadı. Bugün on paraya malik değilim. Allah için olsun bu şala her ne verirseniz sadaka yerine geçecektir.' dediğini bana göster." deyince "Vay kerata!" diye çubuğu çekip Sâib Beyin üzerine yürümüştü.[316]

---

[316] Aynı hadise *Geçen Asırda Devlet Adamlarımız* adlı eserde de ele alınmaktadır. (s. 86)

Bu Vehbi Molla Efendi 1294 [1877] tarihinde vefat eyledi. Çamlıca'da Bektaşî Tekkesi'nde metfundur.

O asrın küberâsı mecâlis ve mehâfilinde daha birçok nüdemâ ve zurafâ vardı. Bu zatların tatlı lâtifeleri nükte-âlûd sözleri mazmûn-tırâzlıkları o meclislere şetaret ve taravet bahşederdi. Hafız Ömer Faiz Efendi, Şair Kanlıcalı Nihat Bey, Şeyh Cemal Efendi, Billûrî Mehmet Efendi bu zevatın saff-ı evvelinde idiler. Ezcümle Hafız Ömer Efendinin fıkraları meşhurdur. Fuat Paşa merhum, maiyyet-i Abdülazîz Hânî'de 1279 [1863] tarihinde Mısır'a giderken Hafız Ömer Efendiyi zât-ı şâhâneye tanıttırmak istemiş ve bade'l-istîzân vapurda huzûr-ı hümâyûna ithal ile bir iki fıkra söylettirerek mahzûziyet-i şâhâneyi isticlâb eylemiştir. Naklettiği fıkralardan birisi "Çala Mehterbaşı" fıkrasıdır. Bu fıkradan hâsıl olan mahzûziyet-i seniyyenin derecesi hakkında bir fikir hâsıl olabilmek için hülâsasını zirde derç eyledim.

Çala Mehterbaşı Fıkrası

Vaktiyle valinin biri, yani Kaba Hakkı Paşa mahall-i memûriyyetine muvasalatla iskeleye çıktığında berây-ı istikbâl memûrîn-i eyâlet ve vücûh ve ahalî-i temellükât iskele meydanında hazır bulunurlar. Mehterhane[317] de şöyle bir tarafta ahz-ı mevki eder. İskele meydanında binek taşı[318] olmadığından bu taşın hizmetini görmek için büyük bir üzüm küfesini tersine olarak münasip bir mahalle korlar ve üstüne de çuha örterler. Vali Paşa raht ü bisâtıyla müzeyyen beygirine binmek için küfenin üstüne çıkmasıyla beraber âdet-i kadîme veçhile "Çala mehterbaşı!" kumandası verilir, mehterhane de çalmaya başlar. Hâlbuki Paşa küfenin üstünden hayvanın üzengisine ayağını atacağı sırada küfe çürük olduğundan dibi çöker. Vali Paşa boğazına kadar küfenin içine gömülür. Zavallı adam bağteten neye uğradığını bilmez, avazı çıktığı kadar bağırmaya başlar. Fakat mehterhanenin gürültüsünden sedasını kimseye işittiremez. Çabalar, çırpınır, küfe altüst olur, devrilir; içinde Paşa olduğu hâlde ortada yuvarlanmaya, hayvan da küfeden ürküp etrafa çifte atmaya başlar. Yakınında olanlar da telâşa düşer, şaşırır. "Bre tutun, urun!" kumandaları verilir. Mehterhane gürültüsünden halk ne olduğunu anlayamaz, birbirine karışır. Mahallin sekbanları[319] hay-

---

317 Mehterhane denilen bu resmî muzıka tabl, davul müteaddit zurna, zil, nakkare, çifte nağra, kös (davul şeklinde gayet cesim bir alet-i tarab) dan mürekkep idi. (ARB)

318 binek taşı: Ata kolaylıkla binmek için kullanılan taşa verilen addır. Eskiden, padişahlar, sadrazamlar, vezirler, nazırlar yahut valiler işlerinin başına ve merasim yerlerine atla gittikleri için evlerinin veya resmî dairelerin cümle kapılarının önünde ata kolaylıkla binmek için binek taşı konulurdu. (OTDTS)

319 sekban: Yeniçeri ocağının altmış beşinci ortasını teşkil eden askerlere verilen addır. Bu ortanın birinci kısmı bir bölük süvari ve ikinci kısmı olan otuz dört bölüğü piyade idi. Süvari ve piyade sekbanlar padişahla beraber ava giderler, av köpekleri tedarik ederler, sekban fırınında çalışırlardı. Harp zamanında diğer yeniçeriler gibi savaşa katılırlardı. (TL)

vanın yularını yakalarlar, birtakımı da küfeye hücum ederler. Kimi paşanın sakalından yakalayıp kafasını dışarıya çekmekle uğraşır, kimisi palasını çekip küfeyi parçalamakla meşgul olur. Hezâr müşkilât ile paşayı halâsa muvaffak olurlar. Bîçare adamın sakalının yarısı kopmuş, yüzü gözü bereler, kanlar içinde kalmış ve bağırmaktan boğazı tıkanmış, kallavisi, erkân kürkü lime lime olmuş olduğu hâlde güç belâ hayvana bindirip hükûmet konağına gönderirler.

Fıkra bundan ibarettir. Lâkin Hafız Ömer Efendi öyle güzel nakleder ve azâ-yı vak'ayı öyle bir surette tecessüm ettirirdi ki görülmemek kabil olmazdı.

Hakan-ı müşârünileyhin Mısır'a esnâ-yı azîmetlerinde İzmir'e uğraması ve cuma selâmlık resm-i âlisinin İzmir'de icrası mukarrer olduğundan zât-ı şâhânelerini ziyaret ve resm-i mezkûru temaşa etmek üzere mülhakât-ı vilâyetin her tarafından binlerce ahali tecemmu etmiş ve umum memûrîn ve vücûh ve ahalî-i memleket ve asâkir-i şâhâne saf-beste-i ihtirâm bulunmuş olduğu hâlde zât-ı şâhâne iskeleye çıkıp üzeri al çuha ile mestur binek taşından hayvana râkib olmasıyla beraber musika çalmaya başlar ve mevkib-i hümâyûn da hareket eder. Burada hünkâra bir dıhk ârız olarak bir türlü def'e muktedir olamaz. Ellerini yüzüne tutmak gibi birtakım tedbirlerde bulunursa da fayda etmez. Hatta rikâbda bulunanlardan çoğu bu hâlin farkında olurlar. Her ne hâl ise câmi-i şerîfe muvasalat olunmasıyla beraber Fuat Paşayı nezd-i hümâyûnlarına celp ile esbâb-ı dıhkı hikâye ile "Binek taşından hayvanın üzengisine ayağımı atacağım esnada Hafız Efendinin fıkrası hatırıma gelip üzüm küfesi olmasın diye ayağımla yoklamaya mecbur oldum ve gülmekten de kendimi zapta muktedir olamadım" buyururlar. Şu tafsilattan da anlaşılır ki şehriyâr-ı müşârünileyh, Hafız Efendinin hikâyelerinden mahzuz olmuşlar, lâkin şehzadelikleri zamanından beri dâire-i hümâyûnlarına mensup olup bade'l-cülûs Bahriye miralaylığıyla maiyet-i şâhânelerine alınan Dilâver Paşazade Muhtar Bey, Hafız Efendinin hünkâra hulûl etmesini kendi mevkiince zararlı addeylediğinden "Âli ve Fuat Paşaların maksatları kendi adamlarını maiyyet-i şâhânenizde bulundurarak casusluk ettirmektir." diye siâyette bulunmakla Hafız Efendi kurb-i pâdişâhîde bulunamamıştır.

Âli Paşa, ilk defa sadrazam olduğu vakit otuz yedi yaşında idi. Sultan Abdülmecit kendisine sadaret teklif ettiğinde "Aman efendimiz, henüz kırk yaşına girmedim ve zaten de o makamın ehli değilim." diye itizar ettiğinde hâkan-ı müşârünileyh cevaben "İnşallah bu makamda saç sakal ağartırsınız" buyurmuştur. Henüz bir ay olmaksızın bir cuma günü Boğaziçi'nde Boyacıköyü'nde ol vakit ikamet eylediği sahilhanenin arka tarafında kâin köşkte bazı ehibbâsıyla oturlarken Başmabeyinci Neşet Bey gelip mühr-i hümâyûnu istirdat eder. Âli Paşa bundan bittabi müteessir olarak ehibbâsının yanına avdetinde işi anlatır. Onlar da müteessif olarak meclisin eski şetaretine bir durgunluk gelir. Huzzârın bu sükût ve teessürü bir müddet devam eder. O aralık Hafız Efendi söze başlayıp zevcesinden kinayeten[320]"Bizim saraylı her ne zaman kederli, fena bir haber versem "Off, aman öldüm öldüm" der de ölmezdi. "Müsaade buyurulursa gideyim de haber vereyim. Belki bu defa sahihan ölür de ben de kurtulurum" demesi paşanın kahkahasını istilzâm ve huzzârın da eski şetaretini iade eyler.

Hafız Ömer Efendi, muasırı nüdemâ ve zurafâsına faik görünürdü. Hele birtakım başlı hikâyeleri vardı ki her biri roman muharrirlerine bile sermaye teşkil ederdi. Merhumun nice yıllar bezm-i ülfetinde bulunmuş ve hikâyelerinin birçoğunu defaâtle istimâ etmiştim. Meselâ *Seraserci Arif Ağa, Kazzaz Artin, İşeri Ahmet Ağa, Affeyle Devletli, Habib Odabaşı* ve *Kaptan Paşa Çıplağı Abdullah Çavuş* gibi eslâfımızın tarz-ı hayâtını tasvir eden millî hikâyeler mazinin meçhulâtı arasında nâbedîd olup gidiyor. Buna ise gönlüm kail olmuyor. Lâkin lezzetlerine halel gelmemek için bihakkın tasvirine karihamda vüs'at görmüyorum. Mamafih şu bizâasızlığımla beraber merhumun sıhhatine kail olduğu "Çifte Yeniçeri Ağası" hikâyesini geçende karalamıştım. Fakat masal gibi oldu. Lezzeti sekte-dâr edildi. Gençlerimizden bir ehl-i himmet tiyatro şekline tahvil etse hoş olur zannediyorum.[321]

Şair Nihat Bey gençliğinden itibaren güzel şiirler söyleyip, fakat bizâası daha ziyade hiciv vadisinde idi.[322] Sözünü saklamaz ve kimseden perva etmez ve Allâhü a'lem biraz da hukuk tanımaz olduğundan büyükler dilinden korkarlardı. Reşit Paşa merhum Nihat Beye çok yüz verirdi. Ali Paşa da rûy-ı iltifat gösterirdi. Fakat Fuat Paşa, pederi İzzet Molla ile olan dostluğa rağmen Nihat Beyi pek o kadar iplemezdi. Nihat Bey genç bir şair iken müşarünileyh İzzet Molla ile iyi görüşürlermiş.

Mısır valisinin daveti üzerine bir müddet Mısır'da ikamet etmişti. Kendisinin pek çok menakıbı elsine-i nâsta dâirdir. (İlk defa Evkaf-ı Hamîdiye mütevelli kaymakamı olan mîrâhûr-ı şehriyârî Mustafa Ağa ki (ağa babası) demekle meşhur olan ve müteaddit valiliklerde bulunan Mustafa Paşadır) bu Nihat Beyin büyük pederi olduğu *Târîhçe-i Evkaf*'ta münderiçtir. Reşit Paşa kendisine o kadar yüz verdiği ve ni'am-ı gûnâ-gûnuna mazhar kıldığı hâlde paşanın vefa-

---

[320] Hafız Ömer Efendinin zevcesi eski saraylılardan idi. Sinni de efendiden birkaç yaş fazla olduğu söylenirdi. Kendisi gayet şen ve sohbeti hoş bir hanım olduğundan câ-be-câ sarây-ı hümâyûna aldırılır ve sultan saraylarına, vükelâ konaklarına davet olunur. Hele Mahmûd-ı Sânî kerimesi merhume Âdile Sultanın pek sevgilisi olduğundan ekseriya müşârünileyhânın sarayında bulunurdu. Efendi ile hanım saraylarda konaklarda bulundukları için aylarca yekdiğerini görmedikleri olurdu. (ARB)

[321] İstanbul Halkının Tenezzüh ve Eğlenceleri XIV, *Peyâm-ı Sabâh* (*Peyâm*, nr. 896, *Sabah*, nr. 11326), 31 Mayıs 1337/1921, s. 3

[322] Ali Rıza Bey Kanlıcalı Nihat Beyi "Ricâl-i Sâbıkaya Ait Bazı Menkıbeler" adlı yazı dizisinde tekrar konu edecektir. XIX. yüzyılın meşhur hiciv ustalarından Nihat Beyin hayatı ve lâtifeleri için bk. İbnülemin Mahmut Kemal İnal, *Son Asır Türk Şairleri*, cüz 7, İstanbul 1939, s. 1213-1225; Şemsettin Kutlu, *Eski İstanbul'un Ünlüleri*, İstanbul 1987, s. 186-193.

tından sonra mezar taşının somakiden mi veya mermerden mi yaptırılması söyleşildiği sırada hazır bulunan Nihat Bey "Bana kalırsa biraz pahalıca olur ama cehennem taşından yaptırmalı" deyip bazılarının handesini ve bazılarının da infialini davet etmiştir. Fakat herhâlde, "geldi kafiye gitti safiye" fehvasınca şairlik edeyim derken nimet-nâ-şinâslık işlemiştir.

Bir ramazan günü akşam üstü Beyazıt sergisinde birçok küberâ hazır oldukları hâlde orada bulunan ve daha ol vakit başı sarıklı, Reşit Paşa kitapçısı olan Cevdet Efendi (Paşa) söylediği hikâyeyi biraz uzatmış, paşaların yanında oturmakta olan Nihat Bey ref'-i savt ile "Baksana hoca, ramazan günü saat on birden[323] sonra bu kadar uzun hikâye dinlenmez. Fıkranın gülünecek yeri neresi ise söyle de bitir." diye Cevdet Efendiyi bozmuş. Bunu müteakip Cevdet Efendi sergiden çıkarken "Suhteyi tersledim, dersini verdim" dedikten sonra orada hazır bulunan Hafız Ömer Efendiye dönüp "Şu paşaları görüyor musun, işte bunların hepsi benden korkarlar. Ama benim topum mu var, tüfeğim mi var? Hayır, dilimden korkarlar." dediğini Hafız Efendi söylerdi.[324]

Bir de Reşit Paşa, Âli ve Fuat Paşalar zamanları artık teceddüt devrimiz olmak mülâbesesiyle güzel tahsil ve terbiye görmüş ve ulûm-ı Arabiyye ile de iştigal etmiş zevat tekessür edip bunlardan mehâfil-i küberâya dahil olanları ilim ve irfanlarıyla tenvîr-i meclis ederlerdi. Ahmet Vefik Paşa, sefîr-i sagîr lâkabıyla yâd olunan Yusuf Rıza Paşa, Pertev Paşa, Pepe Mehmet Paşazade Sait Bey, Şair Ziya Paşa, Meşhur Şinasî Efendi ve sonraları da Namık Kemal Bey, Ahmet Midhat Efendi, Ekrem Bey, Ebüzziya Tevfik Bey gibi zevat bu zümreden idi. *Yeni Osmanlılar Tarihi*'nde beyan ve tafsil olunduğu veçhile Mısırlı Fazıl Mustafa Paşanın Avrupa'ya tart ve tebîdinden sonra bu gibi efkâr-ı münevvere ashabından kısm-ı mühimmi Avrupa'ya firar etmişlerdi.

Musahipler, Nedimler, Meddahlar

Hülefâ-yı Abbâsiyye ve sair mülûk-ı İslâmiyye hizmetlerinde musahip unvanıyle nedimler istihdam olunduğu mervîdir. İbtidâ-yı zuhûr-ı Devlet-i Osmâniyye'den Yıldırım Beyazıt devrine kadar nedim istihdam olunup olunmadığı meçhul olup, fakat hakan-ı müşârünileyhin müteaddit nüdemâsı vardı. Hatta bunlardan biri seksen kadının birden ateşe atılıp cezalandırılması hakkındaki irâde-i seniyyeyi geri aldırmaya muvaffak olduğu tarihlerde münderiçdir.[325] Hakan-ı müşârünileyhin devrinde yetişen nüdemâdan Ahmedî ismindeki şair ki:

---

323 Alaturka saatle akşam namazına bir saat kala.
324 Aynı hadise *Geçen Asırda Devlet Adamlarımız* adlı eserde de yer almaktadır (s. 84).
325 Adı işaret edilen nedim Yıldırım Beyazıt'ın huzurunda hayal oynatan Kör Hasan'dır. Ali Rıza Beyin sözünü ettiği hikâyenin ayrıntıları *Evliya Çelebi Seyahatnamesi*'nde (Orhan Şaik Gökyay, *Evliya Çelebi Seyahatnamesi*, c. I , yay. haz. İ. Günday Kayaoğlu, İstanbul 1996, s. 310) geniş bir şekilde ele alınmıştır.

Gün yüzi takvîmine ey dil nazar kıl dâimâ
Ay başında fitneler vardur hazer kıl dâimâ

matlâlı gazelin sahibidir. Mumaileyhin bir aralık Timur'a da nedimlik ettiği ri-
vâyât-ı târîhiyyedendir.

Sicill-i Osmânî nüdemânın en âlâsı İncili Çavuş olduğunu ve kendisi Dîvân-ı
hümâyûn emektarlarından ismi Mehmet veya Mustafa olup, gayet nedim bir
adam olduğundan Murâd-ı Râbi'ye musahip olmuş ve bir aralık sefaretle İran'a
da gidip gelmiş olduğunu ve kabri Sultanahmet civarında Firuzağa Camii kur-
bünde bulunduğunu yazmıştır. Hâlbuki Edirnekapısı haricinde Şair Baki Efen-
dinin mezarı karşısında kâin makabirde bulunan bir mezar taşı kitabesinde
"Merhum İncili Çavuş ruhu için Fatiha" ibaresi ve sene 1041 [1631] tarihi mu-
harrer olup *Hülâsatü'l-Eser* nam kitapta de tercümeihâli münderiçtir. Nedîm-i
mûmâileyhin Diyarbakır'a iki saat mesafede İncili karyesinden olduğunu Bursa
mebûs-ı esbakı Tahir Bey, Ali Emirî Efendiden rivâyeten beyan eylemişti. Med-
dahların meşâhirinden biri de Tıflî Efendidir. Kendisi tarîk-i Bayramiyyeden ve
asrının en maruf şuarasından idi. *Tezkire-i Sâlim*'de[326] asarı mesturdur. Muma-
ileyhden sonra yine şuaradan "Medhî" tahallüs eden Bursalı Nuhzade Mustafa
Çelebi zuhûr etmiş ve kuzâttan iken tariki terk edip meddah olmuşlar. Vefatı
1091 [1680] tarihindedir.[327]

İbrahim Paşanın en meşhur meddahı

1160 [1747] tarihlerinde Dilencioğlu ve Şekerci Salih,[328] 1220 [1805] tarihin-
den sonra da Kör Osman ve Âşık Hasan ve Piç Emin ve Nazif ve Tespihçioğlu
ve Musahip Nuri ve Kız Ahmet birbirini müteakip zuhur edip, fakat Piç Emin

---

326 Bu Salim Efendi sudûr-ı izâmdan Mirzâzade merhum Salim Efendidir. Yazdığı tezkire ibtidâ-yı
saltanat-ı Osmâniyye'den 1135 [1723] tarihlerine kadar güzerân eden şuaranın terâcim-i ahvâ-
lini ve bazı eşârını havidir. (ARB)

327 Bursalı Nuhzade Seyyid Mustafa'nın hayatı için bk. *Güldeste....*, s. 531

328 Şekerci Salih, Damat İbrahim Paşanın çevresinde bulunmuş, hatta III. Ahmet'in huzurunda ic-
râ-yı sanat etmiş bir meddahtır. Zaten konunun başlığı da bunu göstermektedir. Fakat Ali Rıza
Beyin verdiği 1160 [1747] tarihi İbrahim Paşanın vefatından çok sonraki bir tarihtir. Ali Rıza Bey
bu tarihi nereden aldığını söylememektedir. Fakat büyük ihtimalle yazılarında sık sık kaynak
olarak gösterdiği Süleyman Faik Efendi Mecmuası'ndan almıştır. Fuat Köprülü ise bu tarihi yi-
ne aynı mecmuadan hareketle 1190 [1776/77] olarak vermektedir. ("Türklerde Halk Hikâyecili-
ğine Ait Maddeler-Meddahlar", *Edebiyat Araştırmaları I*, İstanbul 1966, s. 408). Ne olursa olsun
verilen tarihlerin İbrahim Paşa dönemine ait olmadığı açıktır. Bu mecmuada Şekerci Salih ile il-
gili verilen tarih yanlışını fark eden Selim Nüzhet Gerçek, Şekerci Salih'in Damat İbrahim Pa-
şanın huzurunda hikâyeler anlattığını tarihî kaynaklardan yola çıkarak ortaya koymuştur.
(*Türk Temaşası*, s. 25)

ile Kız Ahmet mukaddemkilerin cümlesine müreccah olduğundan nâdire-i dehr denilirmiş. Şu mısra haklarında söylenmiştir:

Doğurur Piç Emin'i Kız Ahmet[329]

Piç Emin'in vefatı 1249 [1833] tarihindedir. Kız Ahmet'in bir aralık nedîm-i pâdişâhî olduğunu rivayet ederler.

Nedim suretinde meddahların meşhurlarından yirmi beş [1810], otuz tarihlerinde [1815] berhayat olan Kör Hafızlardır. Bunların biri hakkında *Surûrî Hezeliyyâtı*'nda

> *Bunun iki gözü kör, bir gözü kör şeytânın*
> *Yanî şeytândan eşed dense sezâ Kör Hâfız*

kıt'ası münderiçtir. Daha sonraları Lâleli müezzinbaşısı Hacı Müezzin ve Mustafa Reis ve Ayvazoğlu olup bunların her biri bir türlü hüner sahibi idiler. Kör Hafızlardan biri güzel sergüzeşt nakleder, Arabî, Farisî, Türkî lisanlarında makama münasip ebyât okur ve hangi taraftan sohbet olunursa eder, zatıyla eğlenilir bir adam idi. Diğeri mevzun ve mukaffa, fakat kat'â manası yok ebyât okur ve hatta okuduğu ebyâtın hıfzı ve tahriri mümkün olamaz. Okumaya başladıkta asla irkilmez ve yanılmaz, düşünmez; kendisi ihtira ederdi. Hacı Müezzin âlâ mukallit ve Mustafa Reis, Ayvazoğlu değirmen çevirmekte mahir idiler. (Bu değirmen çevirme taklidi bir kâse içinde üç cevizi tahta kaşık ile yüklük[330] içinde çevirdikçe hâsıl olan sedayı değirmen sedasına benzetmektir.) Devr-i Abdülazîz Hânî'de sarây-ı hümâyûna alınan Kurban Oseb'in karnından söz söylemesi de meşhurdur.[331]

Musiki Müntesiplerinin Meşâhiri ve İnce Saz Takımları

Fenn-i mûsikînin mucidi Cemşîd zamanında gelen Fisagoras idüğü ve üzümden şarap yapan ve misk ve öd ile güzel kokular icat eden hakîm-i mezbûr olduğu *Târîh-i Hezârfen*'de mesturdur. Tarihler mütekaddimîn-i esâtize-i

---

[329] Keçecizade İzzet Molla da içinde bu mısranın yer aldığı bir kıt'a yazmıştır. Kıt'a şöyledir:

> *Bahs ü temyîzi iki meddâhın*
> *Etti efsâne-i bezmi mümted*
> *Dedi nâgâh zurefâdan birisi*
> *Piç Emin'i doğurur Kız Ahmet*
> (*Türk Temaşası*, s. 25)

[330] yüklük: Eskiden evlerde yatak takımları, sandık gibi eşyaları koymaya yarayan büyük ve geniş dolaba verilen addır. (*OTDTS*)

[331] Meddah ve meddahların anlattığı hikâyeler hakkında daha geniş bilgi için Fuat Köprülü'nün yukarıda sözü edilen eserinden başka bk. Özdemir Nutku, *Meddah ve Meddah Hikâyeleri*, II. Baskı, Ankara 1997. (Özdemir Nutku bu eserinde XIV. yüzyıldan günümüze kadar yaşamış meşhur meddahların isimlerini de veriyor.)

mûsikî olarak Hakîm Fisagoras, Hoca Nâsırüddin, Safiyüddin Abdülmümin, Nasreddin Farabî, Kemâleddin Tûsî, Şehabeddin Şeyh Ali Ebu Sina, Celaleddin Harezmî ve daha on, on beş zatı taaddüt ederler. Bunlardan İbrahim Muslî, Hoca Abdülkadir Meragî ve mahdumu ve hafîdi musikinin nazariyatından bahsetmişlerdir. Araplar beyninde musikinin tekemmülüne hizmet edenlerin meşhuru Farabî, İbn-i Sina, Safiyyüddin Abdülmümin imiş. Türk musikisi için sarây-ı hümâyûnda meşkhane ittihazı asr-ı Bâyezîd Hân-ı Sânî'dedir. Hakan-ı müşârünileyh 890 [1485] tarihlerinde Galatasarayı[332] tesis ve inşa ile fenn-i silâhşorî ve kemankeşlik, cündîlik sanatlarını talim ettirdikleri sırada musiki muallimleri de tayin buyurmuşlardır. Hatta mahdumları Korkut bu mektepte tahsil ettikleri sırada musiki de talim ederek kesb-i ihtisâs etmiş ve peşrev yapmıştır. Dairesi mecma-ı şuarâ ve encümen-i fusahâ imiş. 918 [1512] tarihinde biraderi Yavuz Sultan Selim'e karşı isyan eylediğinden şehîden vefat eylemiştir.

Evliya Çelebi'nin yazdığına göre 1000 [1592] tarihlerinde âlât-ı mûsikî olarak rebap, nây, musikâr, çeng, şeştâr, kudüm, ravza, ut, kanun, santur ve daha on kadar saz müstamel imiş.[333] İnce sazın en revaçlı ve parlak zamanları Selîm-i Sânî, Murâd-ı Sâlis, Mehmed-i Râbi, Ahmed-i Sâlis, Mahmûd-ı Evvel, Selîm-i Sâlis, Mahmûd-ı Sânî asırlarıdır, derler. Selîm-i Sânî ayş u taraba münhemik olduklarından ekserî musahipleri Şemsi Paşa, Celâl Bey, Şair Baki Efendi misilli nüdemâsı ile saz âlemi yaparlar idi. Hele mahdumları Murâd-ı Sâlis musikiye kemâl-i meyl ü muhabbetlerinden ve Sinan Paşa Köşkü'nü de[334] sevdiklerinden hanende ve sâzendegân ile orada imrâr-ı ezvâk buyururlardı. Son zamanlarda hastalığı kesb-i iştidâd eylediği hâlde yine kasr-ı mezkûra inip saz ısmarlamışlar ve hânendegâna;

---

332 Galatasarayı'nın inşası hususunda şöyle bir rivayet vardır: O zamanlar Galata Perşembepazarı'nda Voyvoda konağının yukarısı sayd u şikâra çesbân bir sahra olup, Sultan Beyazıt hazretleri bir kış günü berây-ı sayd u şikâr o tarafta geşt ü güzâr etmekte iken tesîr-i bâd ve bürudetinden bî-huzûr olup tesahhun için bir mahal aramakta iken Tophane'den Beyoğlu tarafına çıkan ve Galata sarayının alt tarafına tesadüf eden Boğazkesen civarında bir kulübeden duman çıktığını müşahade etmeleriyle oraya gidip derununa duhul buyurduklarında taze gül fidanları arasında bir azizin ârâmını meşhut olmasıyla musahabet buyurmuşlar ve mahzuz olmuşlar ve azîz-i müşârünileyhe "Gül Baba, bir dil-hâhınız var mıdır?" buyurmaları üzerine "Padişahım şu zirveciğe bir mektep-i irfân tesis buyur da orada yetişen zevat vakten mine'l-evkat devletine lâzım olur." demiş ve eli ile gösterdiği otuz bin zirâî mütecaviz olan mahallin etrafına duvar çekilerek bir câmi-i şerîf ile Galata sarayını inşa ettirmişlerdir. Bu Gül Baba Tophane'de Tomtom Mahallesi'nde gazhane yokuşunda Gül Baba Sokağı'nda kâin türbesinde metfundur. (ARB)

333 Evliya Çelebi, *Seyahatname*'nin İstanbul'a ait birinci cildinde esnaf alayını anlattığı "İki Yüz Yetmişinci Fasıl"da alaya katılan esnaflar arasında "esnaf-ı sâzendegân"a da yer verir. Evliya, bu esnafı anlatırken bir kısmı Ali Rıza Bey tarafından yukarıda zikredilen 65 müzik aletinin ismini kaydeder. (c. I, s. 302-307)

334 Bu Sinan Paşa Köşkü, Yalı Köşkü kapısının ittisalinde olup, vaktiyle donanma-yı hümâyûn sefer-i deryâya çıkarken padişahlar ve heyet-i vükelâ ve ulema bu köşte içtima ederek donanmanın selâmetle azimet ve avdeti için dualar olunur ve birtakım merasim icra edilirmiş. (ARB)

Bîmârım ey ecel bu gice bekle canum al

şarkısının okunmasını emredip hayatlarından kat-ı ümîd eylediklerini hâzırûna ima buyurmuşlardır.[335]

Ahmed-i Sâlis asrında İstanbul halkı zevküsafa ve refahiyet içinde ömür sürmüşlerdir. O zamanın küberâsı, ağniyâsı, süferâsı ve zevkiselimden hissedar olan ahalisi musikiye heveskâr idiler. Yegâne hüner musiki idi. O asır ricâl-i il-miyyesinden muahharen şeyhülislâm olan İshak Efendi[336] ve onun küçük bira-deri olup sonraları kezalik şeyhülislâmlık mesnedine ittisal ve kemâlât-ı ilmiy-yesinden başka etvâr-ı kibârânesi ve musikide vukuf ve malûmatıyla iştihar eden meşhur Şaire Fıtnat Hanımın pederi Mehmet Esat Efendi,[337] *Atrâbü'l-Âsâr*[338] isminde bir tezkire-i hânendegân yazmış ve bunda Osmanlı musikişinas-larının terâcim-i ahvâli münderiç bulunmuştur. Uşşak faslında:

Cemâlin gülşeninde bu saâdet

aksak semaînin bestekârı müşarünileyh Esat Efendidir.

Yine o devir ricâl-i ilmiyyesinden iki defa bilfiil Rumeli sadrına şeref veren Abdülbaki Arif Efendi[339] musikide hâiz-i kemâl ve neyzenlikte dahi bî-emsal idi. Tanzim ettiği rivayet olunan besteleri neşir taraftarı olmamış ve şakirtleri ta-raflarından da neşrine himmet edilmemiş olduğu için galiba âsâr-ı mûsikîsin-den bu zamana bir şey vasıl olmamıştır. Merhum şiir ve inşada da üstâd-ı küll idi. Nazmettiği gayet metin ve sûzişli *Mirâciyye*'sini, her sene Leyle-i Mirâc'da tertibini itiyat ettiği cemiyet-i uzmâ ile Eyyüb-i Ensârî türbe-i şerîfesinde tilâvet ettirirmiş. Böyle bir manzûme-i mübârekenin besteli olacağı ve bestesinin de

---

335 İstanbul Halkının Tenezzüh ve Eğlenceleri XV, *Peyâm-ı Sabâh* (*Peyâm*, nr. 897, *Sabah*, nr. 11327), 1 Haziran 1337/1921, s. 3

336 Sultan III. Ahmet devrinde yedi sene müddetle İstanbul kadılığı vazifesini deruhte eden İshak Efendi, Sultan I. Mahmut devrinde 1733 yılında şeyhülislâmlık makamına getirilmiş, bu görev-deyken bir yıl sonra vefat etmiştir. (*İlmiyye Sâlnâmesi*, s. 514-515)

337 Şeyhülislâm İshak Efendinin kardeşi olan Mehmet Esat Efendi 1748 yılında şeyhülislâm olmuş ve bu görevde on üç ay kalmıştır. (*age.*, s. 524)

338 Mehmet Esat Efendi, Sadrazam Nevşehirli Damat İbrahim Paşaya ithaf ettiği bu eserinde I. Ah-met ve III. Ahmet devirlerinde yetişen bestekârların büyük bir kısmının biyografisini vermiştir. Eser 1894 yılında Veled Çelebi tarafından özetlenerek *Mekteb* mecmuasında tefrika edilmiştir. İkinci olarak Sadeddin Arel tarafından *Musiki Mecmuası*'nda 1948-1950 arasında tefrika edilmiş-tir. (Eser hakkında geniş bilgi için bk. Nuri Özcan, "Atrabü'l-Âsâr", *DİA*, c. IV, İstanbul 1991, s. 83-84)

339 İstanbul, Anadolu ve Rumeli'de çeşitli görevlerde bulunan Abdülbaki Arif Efendi üç dilde şiir-ler ve nesirler kaleme almıştır. Gramer ve dinî ilimler sahasında eserleri vardır. 28 Ekim 1713 ta-rihinde vefat etmiştir. (*Sicill-i Osmânî*, c. III, s. 297-298)

kendi tarafından raptedilmiş bulunacağı tabiîdir. Bu *Mirâciyye, Reisülküttab Arif Efendi Divanı* namıyla matbu ve münteşir olup, içinde Reisülküttab Arif Efendinin bir eseri bulunmayan ve meşhur Süleyman Arif Bey gibi daha bazı âriflerin âsâr-ı şiiriyesini ihtiva eden kitabın ilk sahifesinde münderiç ve Abdülbaki Arif'in eseri olduğu makta beytinde musarrahdır. Seyyid Vehbi'den:

Gidip Ârif Efendi ismi kaldı dehre bâki

mısraından da bi'l-hesâb anlaşıldığı üzere 1125 [1713/14] tarihinde irtihal etmiştir (Rahmetullâhi aleyh).

Üstâd-ı eşher-i mûsikî Itrî Mustafa Efendi irtihal edeli henüz pek az zaman geçmiş olduğundan bizzat ondan ve hatta meşhur Hafız Yusuf'tan temeşşuk etmiş esâtize-i mûsikî o zamanlar pek çok idi. Recep Çelebi, Çengî Recep, Lâ'lî Çelebi, Kara İsmail Ağa, Tosunzade, Nane Çelebi, Seyyid Nuh gibi zevatın âsâr-ı bedîalarından olan kârlar, nakışlar, besteler, semaîler, şarkılardan bazıları hâlâ mesâmi-i şevk ve hayretimizi tehzîz etmektedir. Şimdi tasviri bile bizi neşvedâr eden Sadâbâd zevkleri, Boğaziçi mehtap âlemleri, kış günlerinde helva sohbetleri eğlencelerinde erbâb-ı mûsikîye meyil ve teveccüh gösterirler, hüner ve marifetlerine göre bezl-i âtıfette ağniyâ yekdiğeriyle müsabaka ederlerdi. O zamanlar İstanbul ahalisinin her sınıf halkı arasında yegâne zevk musiki idi.

Sarây-ı hümâyûn meşkhanesinin en müterakki zamanı da Selîm-i Sâlis devridir, derler. Hakan-ı müşârünileyh sûz-i dilârâ makamının muhteriidir. Bu makamda bestelediği ayîn-i şerîf âsâr-ı nefîsedendir. Bu sûz-i dilârâ makamında iki beste, iki semaî, rast-ı cedîdde, pesendîdede, büzürgde, mahurda, arazbarda, şehnazda, muhayyer sünbülede, tâhirde, tahirbuselikde, hüzzam ve şevk ü tarab, şevkefza fasıllarında besteledikleri şarkıları pek üstâdâne olduğu erbabı indinde malûmdur.

Hakan-ı müşârünileyh mûsikî-i savtiyyeyi şehzadelikleri zamanında Hamîd-i Evvel müezzinbaşısı Hafız Ahmet Kâmil Efendiden ve muahharen de Sadullah Ağadan, tamburu Ortaköylü İsâk'tan meşk etmişlerdir. Mumaileyh Ahmet Kâmil Efendi Hakan-ı müşârünileyhin hîn-i cülûsunda imâm-ı sânîliğe tayin buyrulmuş ve asr-ı Mahmûd Hân-ı Sânî'de imâm-ı evvel olmuştur. *Osmanlı Müellifleri* nam kitapta yazıldığına göre Selîm-i Sâlis'in bestelediği sûz-i dilârâ âyîn-i şerîfi ile yine bu makamda olan peşrevlerini Yenikapı Mevlevîhanesi şeyhi iken 1236 [1821] tarihinde irtihal eden Abdülbaki Dede Efendi notaya alıp zât-ı şâhânelerine takdim eylemiştir. Bu Abdülbaki Dede Efendi fenn-i mûsikîde yed-i tûlâ sahibi olup, notanın usul ve kavâidinden bahis bir risale telif etmiş ve ısfahan, acembuselik makamlarında iki ayin ve bir hayli besteler ve semaîler bestelemiştir.[340] Şark mu-

---

340 Yenikapı Mevlevîhanesi'nin on üçüncü şeyhi Ebubekir Efendinin oğlu olan Abdülbaki Dede Efendi 1765 yılında doğdu. 1804 tarihinde Yenikapı Mevlevîhanesi şeyhi oldu. Âlim, şair ve

sikisinin nazariyatına bihakkın vâkıf olanlardan biri de Galata Mevlevîhanesi postnişini Ataullah Efendi merhum idi.[341]

Enderûn-ı hümâyûn hademesinden olup Selîm-i Sâlis meşkhanesinde tahsil edenlerden biri de "cennet filizi" denilen [Abdül]Kerim Efendidir.[342] Mumaileyhin sedası gibi lehçesi de güzel olduğundan beyne'n-nâs "cennet filizi" lakabıyla yâd olunurmuş. Fenn-i mûsikîdeki ihtisası cihetiyle müezzinbaşı olmuş ve Mahmûd-ı Sânî'nin cülûsunda imâm-ı sâni olup, muahheren imam-ı evvelliğe terfi buyrulmuştur. Kendisi fevkalâde teveccüh-i şâhâneye ve hünkâr imamlarından hiçbirinin nail olamadığı emniyet-i pâdişâhîye mazhar olduğundan sadrazama ve şeyhülislâma irâdât-ı şifâhiyye tebliğine de memur edilmiştir.

İstitrat-Selîm-i Sâlis'in mûsikî-i savtî muallimlerinden Sadullah Ağanın malûmât-ı mûsikî ile beraber gazap ve haya sahibi bir zat olmak cihetiyle hakkındaki itimâd-ı şâhâneye mebni harem-i hümâyûnda bulunan cariyelere talîm-i mûsikîye memur olmuş ve bu esnada cariyelerden birine taaşşuk eylediği sem-i hümâyûna vasıl olması üzerine gazaba gelip idamı ferman buyrulmuş ise de üstâd-ı mûmâileyh padişah hazretlerinin pek ziyade mergûbu olmasından ve günün birinde afv-ı şâhâneye mazharını memul bulunmasından dolayı hükm-i idâmın tecilinde müsâraatın bilâhare mûcib-i nedâmet olacağı teemmül edilerek mahbesde ihtifası tensip edilmiştir. Sadullah Ağa merhum birkaç gün devam eden müddet-i mahbûsiyyetinde fenn-i mûsikîce kıymeti pek yüksek olan beyâtî-arabân faslını telif ederek telâmizine talim eylemiş ve bir akşam huzûr-ı hümâyûnda icrâ-yı tarab edildiği sırada fasl-ı mezkûru kıraat etmişler. Bu rengîn makam ve faslın ihtiva eylediği nagamât-ı lâtîfe ve bestesindeki üslûb-ı rakîka nazar-ı dikkat-i hümâyûnu celp ile "Bu eserin bestekârı kim?" idüğü sual buyrulması üzerine kendi ustaları Sadullah Ağa olduğu beyan edilince gazab-ı hümâyûnları mübeddel-i afv olarak böyle bir üstâd-ı kâmilin idamı hakkındaki fermân-ı hümâyûnlarından dolayı teessüf ve nedamet izhar etmeleri hususundan bi'l-istifâde bazı esbâb-ı mânia haylûletiyle fermân-ı hümâyûnlarının henüz

---

musikişinastı. Şiirlerinde Nâsır mahlâsını kullanmıştır. *Tedkîk u Tahkîk*, *Tahrîriyyetü'l-Musiki*, *Şerh-i Tarîb-i Şâhidî* , *Tercüme-i Menâkıbü'l-Ârifîn* ve *Dîvân-ı Eşâr* eserleri arasındadır. (Hayatı hakkında daha geniş bilgi için bk. Fatma Âdile Başar, "Abdülbaki Nâsır Dede", *OA*, c. I, İstanbul 1999, s. 42-43)

341 Babası Kudretullah Dedenin 1871 yılında vefat etmesiyle yerine geçen Mehmet Ataullah Efendi 1910 yılında ölümüne kadar Galata Mevlevîhanesi'nin postnişinliğini yürütmüştür. Onun zamanında, İkinci Meşrutiyet'ten sonra Mevlevîhane önemli bir tamir görmüştür. (Ekrem Işın, "Galata Mevlevîhanesi", *DBİA*, c. III, İstanbul 1994, s. 363)

342 *Sicill-i Osmânî*, 7 Ağustos 1816 tarihinde vefat eden Abdülkerim Efendinin sesinin güzelliğinden bahsetmekte ve namaz kıldırdığı zamanlarda saflarda yer bulunmadığını yazmaktadır (c. III, s. 356). Cennet Filizi lâkabıyla tanınan Abdülkerim Efendi ile Dede Efendi arasında geçen bir hadisenin ayrıntıları için bk. "Ramazan Âdetleri" bölümü.

icra edilemediği ve Sadullah Ağanın berhayat ve mahpus idüğü arz edilmesi üzerine zât-ı şâhâne memnun olarak mumaileyhin derhâl tahliye ile beraber maşukası olan cariye ile akd ü izdivâcını ferman buyurmuşlar ve aynı zamanda hayât-ı üstâdı kurtaranları da mükâfatlarla taltif buyurmuşlardır. Mezkûr bestenin güftesi şudur:

> *Pâdişâhım lütfedip mesrûr u şâd eyle beni*
> *Nâ-ümîdim bir nazar kıl ber-murâd eyle beni*
> *Hâtırımdan bir nefes gitmez duâ-yı devletin*
> *Sen de ey kân-ı kerem lütfunla şâd eyle beni*

Ortaköylü İsak, Tahir Ağa ve Keçi Arif Ağa için tamburîlerin âlâsı olduğu ittifak-gerde-i sâzendegândır derler. Zeki Mehmet Ağa[343] Mahmûd-ı Sânî fasıl takımının en güzidelerinden idi. Zeki Mehmet Ağazade Osman Bey de Abdülmecit ve Abdülaziz fasıl takımındandır. Osman Beyin saba peşrevi meşhurdur. Defter-i Hakanî muhasebeciliğinde iken vefat eden Kâmil Efendi maruf tamburîlerdendi. Ekseriya Sadr-ı esbak Şirvanîzade Rüştü Paşa[344] ve Şeyhülislâm-ı esbak Sahib Molla Beyefendinin[345] sahilhanelerinde bulunurdu.

Yenikapı Mevlevîhanesi şeyhi Celâl Efendi, meşhur Ali Efendi ve son zamanlarda kesb-i iştihâr eden Cemil Bey mükemmel tamburî idiler. (Cemil Bey'in malûmât-ı üstâdânesi tambur ve kemençede tecelli etmişti. Viyolonsel ile ettiği taksim dinleyenleri hayran ederdi.)[346]

---

[343] Bu Zeki Mehmet Ağa hacca gitmeye niyet etmiş ve fuzalâ-yı asrdan Kethüdâzade Efendi merhuma müracaatla "Efendim, hacca gideceğim ve tambura da orada tövbe edeceğim" demesi üzerine merhûm-ı müşârünileyh cevaben "Zeki Ağa, hacca git, tambura da tövbe etme, hatta Arafat'ta da çal" demiş ve Mesnevî'nin şu beytini okumuştur:

> *Pes hekîmân gofte-end în lahnhâ*
> *Ez devâr-ı çerh be-giriftîm mâ*

> *Bang-i gerdişhâ-yı çerhest în ki halk*
> *Müyesser âyendeş be-tanbur u be-hulk*
> Mesnevî (ARB)

[344] 1828 yılında Amasya'da doğan Mehmet Rüştü Paşa, çeşitli devlet görevlerinde bulunduktan sonra 15 Nisan 1873 tarihinde sadrazam olmuştur. 13 Şubat 1874 tarihinde ise azledilmiştir. Azlinden sonra Halep'e sürülmüş, kendi isteğiyle Hicaz valiliğine getirilmiştir. Burada yakalandığı hastalıktan kurtulamayarak bir müddet sonra vefat etmiştir. (Hayatı hakkında daha geniş bilgi için bk. Tahsin Özcan, "Mehmet Rüştü Paşa", *OA*, c. II, İstanbul 1999, s. 179-180)

[345] Pîrîzade Mehmet Sahib Molla Beyefendi 1838 yılında doğmuş, çeşitli vazifelerde bulunduktan sonra 6 Mayıs 1909 tarihinde şeyhülislâm olmuş, yaklaşık sekiz ay bu görevde kalmıştır. 6 Temmuz 1910 tarihinde ise vefat etmiştir. (*İlmiyye Sâlnâmesi*, s. 620-622)

[346] İstanbul Halkının Tenezzüh ve Eğlenceleri XVI, *Peyâm-ı Sabâh* (*Peyâm*, nr. 898, *Sabah*, nr. 11328), 2 Haziran 1337/1921, s. 3

Ney, keman, kemençe ve tambur meşki biraz zor olmakla beraber Osmanlı musikisinde kalplerimizin tulûâtına aşina en tesirli sazlardandır. Ricâl-i sâbıkadan Süleyman Efendi, yazdığı mecmuasında 1240 [1824] tarihlerinde Kütahyalı Hüseyin Ağa isminde bir santurî zuhur etmiş ve sonraları saray-ı hümâyûn fasıl takımına da alınmış olduğundan bahisle "Bu adam gayet kaba bir Türk ve lisanı galiz olup bu hâlleri musiki ile asla münâsebetdâr değilken santuru gayet güzel" çaldığını ve "keman, ney ve birkaç hanende peyrevlik eylediğinde cümlesinin içinde santurunun sesi üst perdede olduğu malûm" olduğunu "garâib nev'inden" olarak kaydetmiştir. Subhanallah! Ne tuhaf hâlimiz var. Türk ırkına mensup Anadolu halkını zekâ ve irfandan mahrum addettiğimiz ve bu gibi şeyleri Türklere lâyık görmediğimiz için buna bile istiğrâb ediyoruz. Bu istiğrâbın doğru bir ciheti farz olunsa bile lisân-ı münâsib ile yazılabilirdi.

Selîm-i Sâlis asrından gelip geçen musiki muallimlerinin maruf olanlarından isimlerini tahkik edebildiğimi zire derç eyledim. Bu zevatı, musikiye intisapları dolayısıyla memleketimize hizmet edenlerden add ve kendilerini rahmetle yâd eylerim.

Eyüplü Hafız Ahmet Efendi, Müezzin Hüsnü Ağa, Çilingiroğlu Ahmet Ağa, Muhiddin Ağa, Suyolcuzade Salih Efendi. Bu zevat musikide nevâdir-i asrdan imişler.

Sait Ağa, Tulum Abdi, Şişman Hoca Mehmet Efendi, Kitapçı Hafız, Şehlevendim Hafız Abdullah Ağa, Kömürcüzade Hafız Efendi, Hamamcızade Derviş İsmail. Bu zatlar da asırlarının meşâhirinden olup, bunlardan Hafız ile Şehlevendim'in malûmatlarıyla beraber bülent sedaya malik, diğerlerinin malûmatı sedalarına galip imiş.

Şakir Ağa, Ferahnâk makamının muhterii olup ilmî ve amelîsinde mahir, keman ve tambur gibi sazlarda yed-i tûlâsı zahir olup kendisi müezzinbaşı olduğu cihetle imâm-ı sultânî olamadığından infisâl eyleyip musikiyi terk ile iltizamcılığa[347] sülûk etmiştir.

Vardakosta Ahmet Ağa, Mehmet Arif Ağa, Abdülhalim Ağa. Bu zevat da maruf bestekâr imişler.

Kırımî Hâlil Efendi, Kur'ân-ı Kerim'i zatına mahsus bir vadide tilâvet edermiş.

Selîm-i Sâlis, küme faslını ekseriya Topkapı Sarayı'nda kâin serdâbda[348] icra ettirirlermiş. Bir akşam bermutat fasıl icrası ferman buyrulmuş ise de fasıl takı-

---

[347] Mültezim yahut iltizamcı bir köy veya kasabanın gelirlerini devlete peşin olarak ödeyen, daha sonra bu gelirleri halktan toplayan kişilere verilen addır. (*OTDTS*)

[348] serdâb: Farsçada yer altında bulunan serin ve soğuk oda demektir. Padişah saraylarının sağ ve sol taraflarında, bir yahut birer oda bulunan üç köşeli sofalara verilen addır. Sarayda musiki âlemleri burada yapılırdı. (*OTDTS*)

mının bir uzv-ı mühimmi olan Tamburî İsak buldurulamamış, naçar fasıla başlanmış. Müteakiben İsak gelmişse de kızlarağası izhâr-ı tehevvürle artık fasıla başlandığından bahisle serdâba duhulüne müsaade etmemiş. İsak tarafından ısrar olunmuş ve her ikisi beyninde zuhur eden muhavere münazaayı intaç etmekle sem-i hümâyûna vasıl olması üzerine derhâl İsak celp olunarak fasla iştirak ettirilmekle beraber kat'â bir meziyeti olmadığı hâlde İsak gibi bir erbâb-ı kemâlden sanatkâr hakkında gösterdiği muameleden dolayı kızlarağası takbih ve tekdir olunmuş ve hakan-ı müşârünileyh kadirşinaslığını bu suretle de ibraz buyurmuştur.

Fakir bu serdâbı bir defa ziyaret etmiştim. Pek müferrih, üç cenahlı bir daire idi. Çâr köşe bir sofa ve cenahlarda birer oda olup, her odada birer kâr-ı kadîm sedir ve çatma yastıklar ve etrafında kanepe ve sandalyeler ve zemininde Mısır hasırı mefruş idi. Sofada bulunan aynanın önünde mevzu saatin üzerinde müzeyyen ve mülebbes erkek ve kadın kuklaları görüldüğünden istizah etmiştim. Çalgısını kurdular. Kuklalar da çift çift raksa başladılar. Çalgı havayı tebdil ettikçe kuklalar da dansı tebdil etmekte idiler. Bu sanatlı saatin Büyük Napolyon tarafından hakan-ı müşârünileyhe ihdâ edilmiş olduğunu hikâye etmişlerdi.

Rumeli şimendiferinin Sirkeci'ye isali Sultan Aziz tarafından irade buyrulmasından dolayı, güzergâha tesadüf eden mezkûr serdâbın da oradan kaldırılmasında ol vakitler kudemadan bir hayli zevat itiraz etmişlerdi. Hamîd-i Evvel asrında enderûn-ı hümâyûna çerağ olmuş ve Mahmûd-ı Sânî'nin berberbaşılığında iken tekaüt edilmiş memûrînden bir Muhsin Efendi vardı. Serdâbın oradan kaldırıldığı tarihte berhayat idi. Selîm-i Sâlis'in ve Mahmûd-ı Sânî'nin serdâb dahilinde musiki âlemlerini hikâye eder ve serdâbın kaldırılmasına müteessif bulunurdu. Lâkin bu teessüfü en ziyade mezkûr serdâbın kurbünde olan şimşirliğin[349] kaldırılmasına ait idi. Çünkü kendisinin rivayetine göre peri padişahları külle yevm şâfi'î vakti şimşirliğe gelir, divan kurar, maiyeti efradına emirler verirmiş. Şimdi serdâbla beraber şimşirlik de kaldırıldığı hâlde peri padişahının da divan yeri kaldırılmış olacağından badema nerede divan kuracağını düşünür ve mazallah, bunun akıbeti pek vahim olacağını sûz u güdâz ile söyler dururdu.

Selefte geçen neyzenlerden Ali Hoca ve Galata Mevlevîhanesi neyzenbaşısı Yusuf Dede esâtize-i mütekaddimeden olup Murâd-ı Râbi, Yusuf Dedenin neyini fevkalâde takdir ettiğinden enderûn-ı hümâyûna almış, hakan-ı müşârünileyhin irtihalinden sonra Beşiktaş Mevlevîhanesi'ne şeyh olmuştur.

---

[349] şimşirlik: Babaları ölen şehzadelerin sarayda oturdukları yere verilen addır. Hareme bitişik bulunan bu bina yüksek duvarlardan başka şimşir ağaçlarıyla çevrili olduğu için bu adı almıştır. (OTDTS)

Maruf neyzenlerden biri de Akmolla Ömer Efendi imiş. Bu zat bî-nazîr hattat olmakla beraber fenn-i mûsikîde zamanının imamı addolunurmuş. Semti Boğazi-çi'nde İncirköyü'nde olup her sabah seher vakti kalkar yarım saat kadar dem üf-ler, tam demini doldurduktan sonra evç makamında essalât verirmiş. Kendisi Eyüp civarında Şeyh Murat Dergâhı şeyhi Ali Sırrı Efendinin halifesi olduğundan 1191 [1777] tarihinde vuku-ı vefâtında mezkûr dergâhın kapısı karşısında kâin makberede defnedilmiştir. Vüzerâdan Selim Paşanın "Kandillili İmam" diye ma-ruf olan imamı, bu Akmolla Ömer Efendinin şakirdi ve mükemmel neyzenlerden biri imiş. Bir akşam asrın zurafâsından ve erbâb-ı mûsikîden mürekkep bir benâm muhabbette musiki üstatlarından Mevlevî-i meşhur Âmâ Şeyda Hafız da bulun-muş. Huzzârdan biri Şeyda Hafız'a hitaben "İçimizde sizin tekkeler üstadından meşk etmemiş ve şimdiye kadar neyini sizlerden kimseye işittirmemiş bir adam vardır. İsterseniz size ney üflesin." demiş. Şeyda Hafız da izhâr-ı rağbetle Kandil-lili İmam neyi alıp üstadı Akmolla tarzında dem üflemeye başladıkta Şeyda can u gönülden istimâ ile taksim ve peşrev şürûunda Şeyda Hafız bükâ ederek "Sen bu-nu kimden öğrendin, üstadın kimdir?" demiş. İmam dahi o tarihlerde Akmolla vefat edeli otuz seneyi mütecaviz olmak mülâbesesiyle üstadını ketm ile "Ben ne-yi meşk edeli kırk sene oldu." dediğinde "Şüphem yoktur ki sen Akmolla şakirdi-sin." demiş ve onun usulünde ney ile essalât üflemesini rica etmiş, imam da mu-vafakat eyledikte Şeyda Hafız yine bir hayli ağlayıp Akmolla'nın evsafına dair bir hayli tafsilât vermiş olduğu *Süleyman Fâik Efendi Mecmuası*'nda görülmüştür.

Eğrikapı haricinde Savaklar Dergâhı şeyhi Seyyid Mehmet Efendinin mah-dumlarından Mehmet Nuri Efendi tarîk-i Mevlevîden olup, gayet güzel giriftzen ve usûl-bend bir zat imiş. Kendisi erbâb-ı zevkten olup, daima bu dergâhta sakin olur ve çok kimselerin muhabbetini celp eylediğinden herkes meclisinde bulunurmuş. Sonraları meşhur Hâlet Efendiden de pek çok ikram ve riayet gör-müş ve bu münasebetle efendi-i müşârünileyh mezkûr dergâhı tecdit ettirmiştir. Kendisi ashâb-ı merâktan olduğundan berbere tıraş olmaz kendi kendine mık-raz ile kırkar ve bu cihetle kâh sakallı gibi gezer, kâh matruş gibi bulunurmuş. Hâlet Efendinin katlinden kırk gün mürurunda efendi-i mûmâileyh dahi irtihal etmiş olduğu *Hadîka*'da münderiçtir.

Galata, Beşiktaş, Kasımpaşa Mevlevîhaneleri neyzenbaşısı ve enderûn-ı hü-mâyûnda ney muallimi Çallı Derviş Mehmet Efendi adîli az bulunur neyzenlerden olup 1213 [1798] tarihinde vefat etmiştir. O tarihlerde Derviş Emin ve Derviş Sa-it de neyde Çallı'dan aşağı değillermiş. 1240 [1824] tarihlerinden sonra rüsûh ve melekeleri taayyün eden Beşiktaş neyzenbaşısı Şeyh Mehmet Efendizade ile Mecnun Derviş İsmail için gerek demleri ve gerek halâvet ve ahenkleri itibariy-le mukaddemkilere faik diyenler bulunurmuş. Reîsü'l-ulemâ[350] Mustafa İzzet

---

[350] reîsü'l-ulemâ: Ulemanın en eskisi hakkında kullanılan bir tabirdir. Reîsü'l-ulemâlık için ihtiyar-lık değil, meslekteki kıdem esastır. (*OTDTS*)

Efendi merhumun fenn-i mûsikîde olan ihtisası meşhurdur. Müşarünileyh güzel sedaya malik olmakla beraber ney üflemekte emsali nadir gelenlerdendir. Kendisi Eyüp Câmi-i şerîfi hatibi iken evâyil-i cülûs-ı Abdülmecîd Hânî'de bir cuma selâmlığı câmi-i mezkûrda icra buyrulmasından dolayı hutbenin kıraatı müşarünileyhe ferman buyrulmuş ve kemâl-i takdîr-i şâhânelerinden naşi imâm-ı sâni nasbetmişler ve muahharen de imâm-ı evvelliğe terfi buyurmuşlardır. Müşarünileyh mûsikî-i savtîyi iptida musâhib-i şehrîyârî ve enâfis-i âsâr-ı mûsikiyyeden madut olan:

Aldım hayâl-i perçemin ey mâh dîdeme

hüzzam murabbaının bestekârı Kömürcüzade Hafız Efendiden temeşşuk etmiş ve ilk defa meşk ettiği bir kıt'a na't-ı şerîfi Bahçekapısı'nda kâin Hidayet Câmi-i şerîfinde icra buyrulan selâmlık resm-i âlîsinde mahfele çıkıp bülent avaz ile kıraat ettiğinden Sultan Mahmut fevkalâde mahzûz olup, enderûn-ı hümâyûna çerağ etmişler ve nice zaman orada neyzenlik ve hanendelik sanatlarında kesb-i malûmât eylediği gibi Hattat Vasıf Efendiden sülüs ve nesih ve Yesârîzade İzzet Efendiden de talik hatlarını temeşşuk edip ahz-ı icâzetle emsaline tefevvuk eylemişlerdir. Neyini hakan-ı müşârünileyh fevkalâde takdir ettiğinden her fasılda bulunurmuş. Asr-ı Mahmûd Hân-ı Sânî evâhirine değin fasıl takımı huzûr-ı hümâyûnda ihram serilip otururlar ve bazen hariçte bulunan hanende ve sâzendegândan maruf olanları da bi'l-celb fasılda bulundururlarmış.

Devr-i Abdülmecîd Hânî'de muzıka-i hümâyûn fasıl takımında bulunup evâyil-i cülûs-ı Abdülazîz Hânî'de icra olunan tenkîhâtta tekaüt edilen Kolağası Salih Efendi mükemmel neyzen olduğundan Beşiktaş Mevlevîhanesi'ne neyzenbaşı olmuş idi. Üsküdârî Salim Bey ve Bahariye Mevlevîhanesi postnişini Hüseyin Efendi merhumlar da ahiren yetişen neyzenlerdendi. Hüseyin Efendi merhumun üstâdı Sultan Abdülmecit kurenâsından olup, muahharen Abdülaziz Han hazretlerinin muzıka-i hümâyûna aldığı Yusuf Paşa merhumdur.

Kemanîlerden Mustafa Ağa ile Hızır Ağazade Sait Bey ve Miron ve Âmâ Corci ve Todoraki birbirini müteakip zuhur etmiş ve yekdiğerine nispetle Ali Ağa ile Miron daha müreccah bulunmuş olduğunu söylerler. Meşhur tahirbuselik peşrevinin bestekârı Kemanî Rıza Efendi musikide olan ihtisas-ı tâmmı cihetiyle harem-i hümâyûn fasıl takımında keman muallimi olmuştur. Meşhur bestekâr Hacı Arif Bey merhum, Kemanî Kör Sebuh'u takdir ederdi. Muzıka-i hümâyûnda Kemanî Refet Ağanın malûmât-ı mûsikîsi mahdut olmakla beraber keman çalmakta emsali nadir idi.

Sudûr-i izâmdan Şevki Efendi hazretleri (Müşarünileyhin malûmât-ı mûsikîsini senâ ederler. Seksen beş [1868] tarihlerine kadar berhayat idiler.)

İsmail Dede Efendi, Mevlevî urefâsından olup asr-ı Selîm-i Sâlis, Mahmûd-ı Sânî'de, sarayda fasıl takımında ve müezzinbaşılıkda bulunmuş ve evâyil-i cülûs-ı Abdülmecîd Hânî'de irtihal etmiştir. Beste, semaî ve şarkıları pek çok ve pek makbuldur. Ser-müezzin-i şehrîyârî Miralay Rıfat Bey merhumun, büyük pederleridir. Otuz, kırk kadar semaî ve yirmi beşi mütecaviz beste ve kârı *Haşim Bey Mecmuası*'nda münderiçtir. Selefte geçen meşhur bestekârların cümlesinden ziyade asarı vardır. Vefatı 1261 [1846] tarihindedir. İtrî'den sonra Dede Efendi kadar musikide evc-i bâlâ-yı kemâle kimse varamamıştır, derler.

Kasidecizade İmâm-ı evvel Nuri Efendi, Basmacızade Abdi Efendi, Dellâlzade Müezzinbaşı İsmail Efendi, Sâhib-i mecmûa Haşim Bey, Hacı Arif Bey, Yağlıkcızade Hacı Ahmet Efendi. (Bu zatların malûmât-ı mûsikîleri ve hüsn-i tabîatları meşhur olup besteledikleri şarkıyyât herkesçe mazhar-ı takdîr olurdu.)

Zekâî Dede Efendi, Behlül Efendi, Kadıköylü Ali Bey, Yeniköylü Hasan Efendi, Medenî Aziz Efendi, Bolahenk Nuri Bey. (Bunlar mahir üstatlardan olup yakın zamana kadar berhayat idiler, yerlerini boş bıraktılar.)

Tanzîmât-ı Hayriyye'den, yani teceddüt devrimizden sonra ağniyâmız garp medeniyetine temayülleriyle beraber Osmanlı musikisine rağbet, erbabına hürmet hususunda muhafazakâr idiler. Donanma şenliklerinde ve resmî ziyafetlerde alafranga muzıkalar kabul edildiyse de hususî eğlencelerde yine Osmanlı musikisini tercih ederlerdi. İstanbul'da konaklar, Boğaziçi'nde yalılar ve arkadaki köşkler birer tarabgâh-ı dâimî hâlinde idi. Asrın en güzide hânendegân ve sâzendegânı hafta geçmez ısmarlanır ve hele mehtap gecelerinde kayıklar ve sandallar ile tâ-be-sabah geşt ü güzâr olunarak hey heyler, akisler ayyuka çıkardı. Saz olduğu haber alınan yalıların pîşgâhında zükûr ve inâs kayık ve sandalları içtima ederler, fasıl aralarında mukallitler taklitler yaparlar, zevk ve cünbüş ve kahkahalı gülüşler dünyayı tutardı. O ne neşe-mendâne nümayişler, ne mükemmel eğlenişler idi.[351]

Vükelâ dairelerine gelince; ricâl-i ilmiyyeden ve esâtize-i mûsikîden meşhur Yağlıkçızade Hacı Ahmet Efendi Âlî Paşanın kitapçısı ve maruf muallimlerden Behlül Efendi müezzinbaşısı idi. Kur'ân-ı Kerîm'i gayet hazin ve halâvetli kıraat eden asrın en güzide musikişinaslarından Aşkî Efendi, Mısırlı Kâmil Paşanın imamı idi. Meşhur bestekâr Enderunî Kadıköylü Ali Bey sarây-ı hümâyûndaki hizmetini terk ile Kâmil Paşa dairesine intisap etmişti. Mısırlı Halim Paşa merhumun sahilhanesi erbâb-ı mûsikînin ziyaretgâhı idi. Müşarünileyh Dellâlzade İsmail Efendi, sâhib-i mecmûa Haşim Bey, Yağlıkçızade Ahmet Efendi, Tamburî Osman Bey, Zekâî Dede Efendi gibi erbâb-ı mûsikîyi sahilhanesine celp ve ceme-

---

351 İstanbul Halkının Tenezzüh ve Eğlenceleri XVII, *Peyâm-ı Sabâh* (*Peyâm*, nr. 899, *Sabah*, nr. 11329), 3 Haziran 1337/1921, s. 3

derek nice âsâr-ı eslâfı şâmil olmak üzere vücuda getirdiği nota macmuası için vaki olan fedakârlığı ile musikimize büyük hizmet etmiştir. Müşarünileyhin dâmâd-ı âlileri Ali Rıfat Beyefendi de asrımızın vücudu ile iftihar ettiği en mümtaz musikişinaslardandır.

Zekâî Dede Efendi ve maruf musikişinaslardan Muytâbzade Ahmet Efendi daima Mısırlı Fazıl Mustafa Paşanın dairesinde imrâr-ı hayât ederlerdi. Bu taaddüt ettiğim zevat fenn-i mûsikînin en güzide simaları idi. O zamanlar şehrimizin gayrimüslim ağniyâsından bazıları da Osmanlı musikisine mütemayil ve meraklı idiler. Köçeoğlu Agop Efendi ve meşhur Tülbentci Andreas Efendi ve mahdumu bu cümledendir. Bunlar Beyoğlu'nda konaklarında, Boğaziçi'nde yalılarında, Çamlıca'da köşklerinde Müslim ve gayrimüslim hanende ve sâzendegânın ekserisini celp ve cemederlerdi.

Musevîlerin musikiye olan meftuniyetleri umumî gibidir. Kadınları bile, besteler, semâîler okurlar.

Burada Kıptî takımını da zikretmeksizin geçmek muvâfık-ı insâf değildir zannındayım. Bunların eğlence cihetine meyil ve inhimakları ve bulundukları meclisin şevk ve şetaretine hizmetleri kabil-i inkâr değildir. Hamza'nın lâvtası devr-i Abdülazîz Hânî'de saraya alınan Emin Ağanın kemanı, mahdumu Ahmet Beyin, İsmet ve Mustafa Ağaların sedası, ve elyevm berhayat bulunan Memduh ve İhsan ve Bülbül Salih Efendilerin kemandaki maharetleri umumun mazhar-ı takdîri olmaktadır. Elhâsıl o zamanlar İstanbul'un en ücra semtlerinde kâin hanelerde bile oynak şarkılar, kanun, ut ve santur sesleri işitilirdi.

Cevdet Tarihi'nin on birinci cildinde meşhur Hâlet Efendi ile Berberbaşı Ali Ağa beyninde cereyan eden muhâbere-i hafiyye tezkirelerinin suretleri münderiçtir. Bu tezkirelerden Hâlet Efendinin yazdığı bir tezkirede sarây-ı hümâyûn pîşgâhında [bir] gencin sedası sem-i hümâyûna vasıl olmuş ve bu külhan[352] hademesinden Hüseyin olduğu haber verilmiş olması üzerine merkum derhâl celp ve birkaç beste ve şarkılar söylettirilip enderûn-ı hümâyûn seferli koğuşuna[353] ithal buyrulduğu ve hâlbuki oraya ced-be-ced zadegân olanların çerağ buyrulması Sultan Süleyman'ın vaz buyurdukları kanunda musarrah olduğu beyanıyla bu bapta bir tuhm-ı fesâd hissedildiğinden merkumun def'i iş'ar olunmuş ve cevaben gelen tezkirede ser-çuhadâr-ı şehriyârî Ömer Ağa huzûr-ı şâhânede barit bir tavır ile söyleyerek zât-ı şâhâneyi ikna edip yüz kuruş maaş ile saraydan ihraç edildiği bildirilmiştir.

---

352 külhan: Hamamları ısıtan, hamamların altında bulunan kapalı ve geniş ocak, cehennemlik. (*TS*)
353 seferli koğuşu: Enderunun bölümlerinden biridir. Kiler koğuşundan önce, doğancı koğuşundan sonra gelirdi. Bu koğuş mensuplarının ilk zamanlardaki vazifeleri enderun halkının çamaşırlarını yıkamak idi. Sonraları teşkilâtı genişletilmiş ve bir ilim ve sanat mektebi hâline getirilmiştir. Âlimler, sanatkârlar, musikişinaslar, pehlivanlar ve kemankeşler burada yetişirdi. (*OTDTS*)

Tophane'de Kadirîhane Dergâhı şeyhi Şerafettin Efendi merhum, Abdülaziz Han'a imâm-ı sânî olmazdan mukaddem bir mukabele günü dergâh-ı mezbûra gitmiştim. Şeyh efendinin odasında mevcut zevat arasında ihtiyar ve üstü başı eskice derviş kıyafetli biri vardı. Mukabeleye girildiğinde bu adam doğruca zâkirler[354] nezdine gitti, kuûd etti. Bir aralık zâkirbaşı kendisine bir durak[355] verdi. İhtiyar, başı daima sallandığından kolunu yere, başını omuzuna ittikâ ederek okumaya başladı. Boğuk sedasıyla ağlar gibi teganni etmesi ve müteakiben na't-ı resûle müteallik bazı kasâid kıraatı esnasında zatına has rûh-nevâz nagamâtın tesiri ehl-i zikri vecde getirip "Allah Allah!" diye coşanlar haykıranlar oluyor, bilâ-istisnâ herkes kendisini başka bir âlemde buluyordu. Ba'de'l-mukabele şeyh efendi merhumdan istizah ettim. Meşhur Külhanbeyi Derviş Hüseyin olduğunu öğrendim. Bir şarkı okumasını cümle huzzâr rica ettik.

Hüsnünde varken ol âfitâbın

şarkısını okudu ve kendisinin intihabında olan

Madra'ya vardın mı?

şarkısını da ilâve etti. İcra ettiği enîn nâlelerin, rakik nağmelerin taklidi kabil olamaz. Velhâsıl bu ihtiyarın üslûb-ı mûsikîsi ve tarz-ı tegannîsi kadar rakik ve hazin bir tarzda okuyana hâlâ tesadüf edemedim. Kendisi söyledi; Ayasofya kürsü şeyhi Ömer Efendi merhum "Bu adamı pamuklara sarıp öyle muhafaza etmeli" demişti. Sarây-ı hümâyûna duhulünü kendisi şöyle nakil ve hikâye eyledi: "Bir kış akşamı idi. Gedikpaşa Hamamı külhanından arkadaşlar ile balık pazarına inip bir sandal çaldık, uskumru avına çıktıktı. Sarayın önünde balık sayd ederken dalgınlıkla Kuzu'yu[356] okumuştum. Saraydan üç çifte bir kayık in-

---

354 zâkir: Tekkelerde ayin sırasında musiki eşliğinde ilâhî okuyan dergâh hanendesine verilen addır. (*BTMA*)

355 durak: Mevlevîlik dışındaki tarikatlarda, zikir sırasında birinci fasıldan sonra bir veya iki zâkirin terennüm ettiği taksim tarzında tasavvufî ağır bir bestenin adıdır. Zikire ara verildiği zaman okunması sebebiyle durak denmiştir. (Yılmaz Öztuna, *Büyük Türk Musikisi Ansiklopedisi*, c. I, II, Ankara 1990, 477+592 s.)

356 Sermet Muhtar Alus, *Son Posta*'da çıkan yazısında bu türkünün bir dörtlüğünü verir. Bu dörtlük şöyledir:

> *Şu karşıki dağda bir kuzu meler*
> *Kuzunun feryadı bağrımı deler*
> *Eşinden ayrılan böyle mi meler*
> *Gel kuzum ağlama, vazgeç eşinden*

(Sermet Muhtar Alus, "Kadın Hanendeler", *Son Posta*, 21 Temmuz 1945; *İstanbul Yazıları*, haz. Erol Şadi Erdinç-Faruk Ilıkan, İstanbul 1994, s. 212)

di. Yukarı, aşağı gidip kimseyi bulamayınca yanımıza geldi. Arkadaşlardan bir çapkın benim okuduğumu cevaben haber verdi. İnkâra mecalim kalmadı. Yalvardım ve rica ettim kabil olmadı. Beni kayığa aldı. Üstüm başım ıslak, parça parça elbise ile saraya getirdi. Büyük bir sofada bana yine Kuzu'yu okuttular. Muahharen enderuna çerağ oldum. Meşkhanede temeşşuk ettirdiler. Bir aralık çıkmış idim, yine aldılar." diyerek hikâye eyledi. Mamafih o seksenlik ihtiyarın şîve-i ifâdesi vaktiyle bir külhanbeyi olduğunu bildiriyordu.[357]

Hokkabazlar

Bin tarihlerinde [1591/1592] hokkabaz mevcut imiş. Hatta Samurkaş namıyla yâd olunan bir Musevînin taht-ı idâresinde iki yüz Musevîden mürekkep bir hokkabaz heyeti marifetiyle envai hünerler icra edilirmiş.[358] Asrımızdaki hokkabaz takımı hitan cemiyetlerine mahsus olup, yakın zamanlara kadar bazı seyir yerlerinde de icrâ-yı lubiyât ederlerdi. Bunların hokkabazlık namına gösterdikleri hünerler basit şeyler olup, fakat birbirleriyle "Aman benim pehlivanım, buyur ustacığım" mukaddimesiyle başlayan muhavereleri ve esnâ-yı muhâverede telâş ve yaygaraları hoşa gider, gülünür.

İstitrat-Elli sene mukaddem Almanyalı Herman isminde İstanbul'a bir hokkabaz gelmişti. Beyoğlu'nda Naum Tiyatrosu'nda icrâ-yı hüner eylediğinden fakir de bir akşam gidip seyretmiştim. Merkum bilâ-âlât ortaya çıkıp icra eylediği sanâyi-i hokkabâzî çok kişinin hayretini mucip oldu ve "Zamân-ı câhiliyette vuku bulsa kerâmetine haml edenler bulunurdu." diyenler olmuştu. Oyun kâğıtlarını ve eşyâ-yı sâireyi uçurmak ve seyircilerden alınan mendil ve saatleri parça parça edip yaktıktan sonra heyet-i asliyesiyle iade etmek ve kâğıt ile kahve ve süt imal eylemek ve içi boş şapkadan envai eşya çıkarıp uçurarak kendiliğinden sahibine gitmek ve seyircilerin başlarından yüzlük altınlar toplamak gibi envai hünerler icra etmişti. Hele Japonya'nın kelebek oyununu icra edeceğini beyan eylediğinden kâğıttan mamul on iki adet kelebeği eline alıp yelpaze ile uçurmaya başladı. Âdeta canlı kelebek gibi uçup hiç yere düşmemiş ve aşağılaştıkça yelpaze vasıtasıyla irtifa ettirip, çarpına çarpına mütemadi uçtuğundan bu sanat seyircilerin fevkalâde zevkine gitmişti.

Raks bizde pek kadimdir. Köçekler ve tavşan oğlanları tabir olunan rakkasların köçek raksları eskiden serbest olduğundan ve şimdiki gibi İstanbul'da ba-

357 Ali Rıza Beyin çoğu kere isimlerini vermekle yetindiği musikişinasların hayatı ve eserleri hakkında bilgi için bk. Yılmaz Öztuna, *Büyük Türk Musikisi Ansiklopedisi*, c. I, II, Ankara 1990, 477+592 s.

358 Ali Rıza Bey bu bilgiyi *Evliya Çelebi Seyahatnamesi*'nden nakletmektedir. Evliya Çelebi "Esnâf-ı lubedebâzân-ı sâzendegân-ı mudhikan" başlığı altında on iki oyuncu kolunun isimlerini ve faaliyetlerini vermektedir. On ikinci kol ise Samurkaş koludur.(*Seyahatname*, s. 308)

lolar ve tiyatrolar ve suvareler misilli müteaddit eğlenceler olmadığından bütün yaz Silâhtarağa ve Karaağaç mesirelerinde her gece sabahlara kadar köçek oynatma eğlenceleri olur ve resmî ziyafetlerde ve bayramlarda hünkâr ve sultan saraylarında ve sûr-ı hümâyûnlarda ve sair cemiyetlerde ve kış geceleri helva sohbetleri ziyafetlerinde köçekler raks ederlerdi. Hîn-i raksta kadife üstüne sırma işlemeli nîmten ve sırma saçaklı canfes eteklik giyerler, bellerine sırma kemer takarlar. Başları açık ve saçları uzundur. Parmaklarında pirinçten mamul zil bulunur. Tavşan oğlanları da siyah çuhadan topuklarına kadar uzun şalvar ve sırtlarına yine çuhadan dar câmedân ve bellerine şal sararlar ve başlarına katyo tabir olunan ufak fes giyerler. Raks ederken sazın usulünde zil vurmak ve ayak atmak şart olduğundan rakkaslar tul müddet meşkhanelerde taallüm ederlerdi. Eskiden İslâm, İsevî, Musevî, Kıptî misilli muhtelif millet ve mezhepten rakkaslar bulunurdu. Sonraları yalnız Rumlara inhisar etti. 73 [1856] tarihinde meşhur İstefanaki Beyin vaki olan ihtarı üzerine Reşit Paşa resmen ilga ettirdi. Bu köçekler kış mevsimlerinde tavşan kıyafetiyle ekseriya meyhanelerde bulunup erbâb-ı zevk ü sefahatın sakilik hizmetini ifa ederler ve istekleri olanlar huzurunda da bu kıyafetleriyle raks ederlerdi.

Meyhane Âlemleri

Eskiden meyhanelere şerbethane ıtlak olunurdu. Hatta temessüklerinde de şerbethane tabiri istimal edilirdi. Şerbethaneler umumen gedikli[359] olup gediksiz meyhane ruhsatına sonraları ruhsat verilmeye başlandı. Bu şerbethaneler Balıkpazarı'nda, Zindankapısı'nda, Asmaaltı'nda, Ketenciler'de, Mahmutpaşa'da, Tavukpazarı'nda, İskender Boğazı'nda, Gedikpaşa'da, Kumkapı'da, Yenikapı'da, Langa'da, Samatya'da, Yedikule'de, Karagümrük'te, Topkapı'da, Tekfur Sarayı'nda, Balat hariç ve dahilinde, Fener'de, Cibali'de, Kapan-ı dakîk'te, Keresteciler'de, Galata'da, Beyoğlu'nda, Hasköy'de, Kadıköyü'nde bulunup her biri bir ustanın taht-ı idâresinde idi ki, bunlara meyhaneci ustası denilir ve başlıcaları Gümüş Halkalı, Kılıçlı, Asmalı gibi namlarla yâd olunurdu. İstanbul'da halkımızın işrete inhimâkı en ziyade Selîm-i Sânî asrındadır. Başta padişah olduğu hâlde devrin en meşhur adamları bile işret müptelâsı idiler. Meyhaneler birer encümen-i zurafâ addolunurdu. Fakat gûnâ-gün uygunsuzluklar da vuku bulurdu ve hele meyhane müdavimlerinin çoğu henüz genç denilecek bir sinde yakasını pençe-i mevte teslim ederdi.

Meşhur olduğu üzere Selîm-i Sânî'nin cülûsuna "müdmin-i hamr" terkibi tarih düşürülmüştür (974 [1566]). Süleymân-ı Kanûnî zamanında men-i işret irâdesi çıktığı vakit zurafâ-yı şuarâdan biri:

---

359 Esnaf gedikleri için bk. "İstanbul Esnafları" bölümü.

Humlar şikeste câm tehî yok vücûd-ı mey
Ettin esîr-i kahve bizi hey zemâne hey[360]

beyt-i meşhûrunu söylediği gibi o zaman hayatta bulunan meşhur Hayalî dahi

Şimdi mezmûm-ı cihân oldu ise bâde yine
Vakt ola rehne kona hırka vü seccâde yine

beytini söylemiştir.

Çaylak gazetesi muharrirliğini ifa ettiğinden dolayı "Çaylak Tevfik" diye iştihar eden ve hakikaten hoş-gû ve nadirü'l-emsâl olan Tevfik Bey merhum'un *İstanbul'da Bir Sene* unvanıyla telif ettiği kitâb-ı mergûbunda dahi mestur olduğu üzere şerbethanelerin meyhane olduğuna alâmet olmak üzere sokak kapısının üst sürmesine bir hasırlı eskisi asılmıştır. Kapıdan içeri girildiği gibi iptida tezgâh göze çarpar. Tezgâhın üzerinde rakı ve şarap kadehleri, su kupaları ufak tabaklar içinde fasulye, lahana haşlamaları, leblebi, kabak çekirdeği gibi mezelerin bulundurulması gam-ı dehri başından atmak ve biraz kendini avutmak hulyasıyla ayakta birkaç kadeh atıp gidenler içindir. Bu hâle erbabı tezgâh başı âlemi tabir ederler. Bu âlemle iktifa edenler uzun uzadıya meyhanede oturmaya hâlleri ve zamanları müsait olmayanlardır. Hatta bu takımından bazıları ağızlarının kokusunu belli etmemek için çiğ nohut ve kuru kahve ve günlük, kakule, karanfil gibi şeyler yemeğe bile kendilerini mecbur tutarlardı.

Meyhaneler derununda rakılar, şaraplar, kebir fıçılar, büyük küplerde hıfzedilir, fıçılardan kovalarla şarap almak için meyhane miçoları denilen hizmetçiler fıçının ağzına merdivenle çıkarlardı. Meyhanelerin raflarında birçok şarap ve rakı şişeleri dizilmiş ve duvarlara birtakım kabadayı resimleri talik olunmuştur. Akşamcılar için meyhanenin münasip mahallerine müdevver tahta sofralar konulmuş ve etrafına dört ayaklı hasır iskemleler dizilmiştir. Yukarı katlarında şirvanlar[361] ve birer ikişer döşeli odalar bulunur. Böyle mahaller erbâb-ı servet ve sefâhatın hususî eğlencelerine mahsustur.

Meyhanelerde aşçı ve mezeci tezgâhları da vardır. Bunlar kekikli külbastı, sarma, midye, ciğer tavaları, balık ızgarası ve sair mahsûlât-ı bahriyye salatası gibi mezeleri o kadar güzel yaparlardı ki yemeğe doyulmazdı.

Meyhanelerin müteaddit hizmetçileri olduğu gibi çubuklara ateş yetiştir-

---

360 Süheyl Ünver bu beytin Şair Sâfî'ye ait olduğunu söylemektedir. ("Türkiye'de Kahvenin 400. Yıl Dönümü", *Tarih Dünyası*, c. 2, nr. 10, Eylül 1950, s. 422)

361 şirvân, şirvânî: Dükkânların üstünde bulunan alçak oda. (*KT*)

mek için müstakil ikişer nefer de ateşçi bulundurulur. Vakt-i mekrûh hulûlünden evvel hizmetçiler tahta sofraları siler süpürür.[362]

Toprak şamdanlara mumları dikip sofraların ortasına kor. Kökten, içleri oyulmuş tuz kutularını, meyhaneci tarafından meccanen ihzar olunan meze tabaklarını, rakı şişe ve kadehlerini sofraya dizer. Meyhaneci ustası ise mevki-i mahsûsunda oturup müşterilerin vürûduna intizar eder. Sofraların mumlarını yakmak ve müşterilerine resm-i hoş-âmedîyi icra etmek bu ustaya aittir. Akşamcılardan bazıları, şişeleri, bardakları, kadehleri, tabakları, filânları tekrar kendi elleriyle yıkayıp, kendi temiz mendilleriyle kurularlar. Hatta damacanadan şişelere rakı koymak hizmetini de kendileri ifa ve istimal edecekleri huniyi bile yıkamak ihtiyatında bulunanları vardı.

Meyhane müşterilerinden bazıları nargile müptelâsı olduğu ve kendisi de erbâb-ı merâktan bulunduğu cihetle, meyhanecinin ihzar ettiği nargileyi hemen içivermez. Kollarını dirseklerine kadar sıvayıp nargilenin sürahisini, serini, lülesini, marpucunu bizzat uğraşarak tathîr eder; sürahisine suyu kendi kor, lüleyi kendi doldurur, kendi ateşler, hatta bazıları marpuç başlığını ağızlarına temas ettirmek istemediğinden bir kâğıt parçasını zıvana gibi başlığın deliğine sokmuş olduğu hâlde içer. Levâzım-ı keyfiyyesi nispeten daha kolay olan tütün tiryakilerinden bazıları meyhane ve kahvehane misilli umuma mahsus mahallerin çubuklarını içmek istemediklerinden kendi çubuklarını beraber taşımaya mecbur idiler. Bu gibi mahallerin müdavimleri orta hâlli adamlar olup maiyetlerinde hizmetkârları olmadığından taşıdıkları çubuklar "geçme" tabir olunan çubuklar idi. Bu geçmeler birer karış tûlünde üç parça çubuğun zıvanalı[363] vidalarla birbirine eklenmelerinden müteşekkildir. Lülesi, imamesi beraber olarak çuhadan bir kese derununda olduğu hâlde, kaput, cübbe, sako[364] misilli libasın altında kaytan[365] ile belde asılı olarak saklanırdı.

Kudemâ-yı erbâb-ı mezâktan bir zat diğer birinden istediği geçme çubuğun gönderilmemesinden dolayı kıt'a-i âtiyye ile talebinde ısrar etmiştir.

Çûb-ı gayrıdan duhânı içmeziz
Hâsılı ol geçmeden biz geçmeziz

---

362 İstanbul Halkının Tenezzüh ve Eğlenceleri XVIII, *Peyâm-ı Sabâh* (*Peyâm*, nr. 900, *Sabah*, nr. 11330), 4 Haziran 1337/1921, s. 3

363 zıvana: İki ucu açık küçük boru. (*TS*)

364 sako: Dolama türünden üstlük hakkında kullanılar bir tabirdir. Kısa palto şeklinde halk tarafından giyilen üstlüğe de bu ad verilir. (*OTDTS*)

365 kaytan: Bükülmüş ipliklerin tekrar bir arada bükülmesinden hâsıl olan ve kumaşlarla döşeme ve perdelerin kenarlarına süs olarak dikilen ip şeklindeki kordonlara verilen addır. Eskiden elbiselere de dikilirdi. (*OTDTS*)

Acı tatlı her ne ise kailiz
Yûsufî bâdem çubuğa mâiliz

Bu kıt'adan anlaşıldığına göre eskiden geçme çubuklar arasında "Yusufî" namında bir nev'i de varmış.

Meyhane müdavimlerinden tabiat sahibi ve hâl ve vakti uygun olanlar akşamları esnâ-yı râhta tesadüf eylediği kayısı, şeftali, armut, portakal misilli mezeliğe elverişli meyvelerden, sucuk, pastırma, havyar gibi çerezlerden münasip miktar mezelik mübayaasıyla meyhaneye getirir. Bazıları meyhanede pişirtmek üzere lüfer, kılıç, barbunya gibi mevsim balıkları da alıp gelirler. Ehl-i keyf birer ikişer kapıdan içeri girdikçe hizmetçilerden biri derhâl "Buyurun efendim, buyurun!" diyerek istikbal eder. Elinde böyle bir mezelik gördüğü gibi hemen koşup elinden alır soyar, temizler ayıklar. Pişirilecek olanları pişirtir, tabaklara vazeder. Meyhane hizmetkârlarına sür'at ve maharet ve bahusus müşterilerin celb-i hoşnûdiyeti için mîzâc-gîrâne hareket elzemdir. Binaenaleyh orada hizmetçilik etmek her hizmetkârın harcı değildir.

Kayseri'nin kuşgömü tabir olunan meşhur akik gibi pastırması ve âlâ sucuk, ince doğranılmış ve temiz ayıklanıp tathîr edilmiş olan sardalya ve likornoz misilli tuzlu balıklar, siyah ve beyaz havyarlar ve dumanı çıkmakta olduğu hâlde getirilen sıcak ızgara balıkları ve envai meyvelerle tezyin olunan sofraların etrafında herkes kendi eşi, dostu ve ehibbâsıyla ahz-ı mevki eder ve artık kendi arzu ve dilhâhları veçhile ihzar olunan nargileleri tongurdatmaya ve çubukları tellendirmeye ve kadehleri doldurup boşaltmaya ve bu suretle emeklerinin mükâfatını görmeye başlarlar. Meslek-i rindâneleri iktizasınca herkes yekdiğerine mezelerinden ikram etmek teamülüne riayet ederler. Hatta diğer sofralarda bulunan çeşm-âşinâlara rakı ile meze ihdâsıyla ibrâz-ı hulûs ve meveddet edenleri de olur.

Akşamcılar arasında zurafâdan nükteşinas, nekre-gû ve şuaradan zevat bulunduğu gibi güzel sesli musikişinaslar, keman çalanlar, neyzenler ve giriftzenler, taklit yapan tuhaflar da bulunurdu. Bu gibi zevat meyanında erbâb-ı ihtiyâcdan olanlar da olduğundan böylelerin meyhane masrafları erbâb-ı iktidârdan olan bazı akşamcılar tarafından tesviye olunur. Bu suretle hem kendileri eğlenir, hem de onların keyiflerini yerine getirirlerdi. İşretin ahvâl-i garîbesinden biri de ayık iken hasis olan bir adamın münhasıran işret esnasında semîh olmasıdır.

Eyüp'ün kebap ve kaymağı gibi bir vakitler Yedikule'nin de [koyun ve kuzu] başı maruf idi. Bu sebeple Samatya meyhaneleri akşamları ve tatil günleri pek cemiyetli olurdu. Uzak yakın demeyip İstanbul'un her tarafından gelirlerdi. Meyhane müdavimlerinin hempalarından bazı bed-mest olanlar ve meclisi allak bullak edenler de olur. Böylelerini kapı dışarı ederlerdi. Vak'a-i Hayriyye namı verilen yeniçeri ocağının ilgası keyfiyetinden mukaddem, meyhanelerin münasip bir mahallinde büyük bir çıngırak asılır ve meyhane kapısına da akşamları nöbetçi bir hizmetkâr konulurmuş. Bunun sebebi de meyhane kapısının önünden bir zabit geçecek olursa hizmetkârın çıngırağı çekip derhâl meyhane kapısının kapatılması için imiş. Zabit geçtikten sonra yine kapı açılırmış. Eskiden men-i müskirât hakkında pek sıkı takayyüdâtta bulunurlarmış. Memleketin asayişine memur olan yeniçeri ağası esvâk ve pazarı dolaşırken şehirde ve etraf ve civarında nehy-i müskirât eder ve tuttuğu sarhoşun dirliği yoksa hakk-ı meşrûu vurur ve dirliği varsa zabitine gönderip hadd-i şer'i vurulmasını ona tahmil edermiş. Bu çıngırağın bir hizmeti de, çünkü ehl-i keyf muhabbete koyuldukları cihetle dağılmak vakti geldiğinin farkında olamadıklarından avdet zamanının hulûlünü bunlara haber vermek için çıngırak çalınırmış.

Akşamcıların bir de sabahçıları vardır ki, mahmurluk bozmak arzusundan ileri gelir. Akşamdan gıdayı aşıranlar sabahları mide bozukluğu, vücut kırgınlığı ve baş ağrılarıyla yataktan kalktıklarından renkleri soluk, gözleri bulanık olur. Bu fenalığı gidermek için tekrar rakı içerler. Fakat bu sabah rakısının ilk kadehine biraz limon sıkarlar. Akıllarınca hıfzısıhhata riayet etmiş olurlardı.

Meyhanelerden kalkıp evlerine gelmek için herkes semtlisiyle birleşir, sohbet ederek gelirler. Mamafih gece vakti karanlık sokaklarda yağmur ve çamurlu havalarda eve gelinceye kadar yollarda çekilen meşakkatler de tahammülün fevkindedir. Akşamcıların bu avdet hâlleri hakkında pek çok menkıbeler söylerler.

Akşamcılar ramazân-ı şerîfe hürmeten işreti muvakkaten terk ederler. Eskiden mebde-i terkleri üç kısma tefrik olunmuştu. Hatta yekdiğerine "İpçi misin, kandilci misin, topçu musun?" diye sual ederlerdi. Çünkü ipçi takımı ramazân-ı şerîfe on beş gün kalarak cevâmi-i selâtînde mahya iplerinin kurulduğunu gördüklerinde, kandilci kısmı bütün ramazanda minarelerin kandillerini müşahade ettiklerinde, topçu takımı da imsak topunu işittiklerinde işreti terk ederlerdi. Bayramın hulûlünde iptida topçular bayram namazını eda ve çoluk çocuğuyla bayram tebriğini ifa etmekle beraber doğruca mine'l-kadîm müşterisi olduğu meyhaneye gider. Bu birinci kısmı teşkil eden müşterilere meyhaneciler meccanen horozlardan mürekkep mükemmel bir sofra ihzar ederlerdi. Kandilci kısmına mensup olanlar bayramın birinci günü akşamı işrete bed' ederler. İpçi takımı da üç gün bayrama hürmeten işret etmeyip dördüncü günü akşamı meyhanelere müdavemete bed' ederlerdi. Akşamcılar içinde saçı sakalı ağarmış, beli bükülmüş olanlar bulunduğu gibi Vak'a-i Hayriyye'den sonraları sinn-i şebâbda bulunanlar bile müşahade olunmaya başlamış idi.

Bu akşamcılar içinde bed-mest olanların ahvali de şâyân-ı teessüfdür. Mese-lâ bütün ramazan evinin mekûlâtını ve çoluk çocuğunun bayramlıklarını ve sa'y yettiği kadar tedarik ile hoşnut olmalarına çalıştığı hâlde bayram gününden itibaren ağız eğri, göz şaşı hanesine gelip zavallılara kan kusturan babalar, ayık zamanda bir "Of!" bile demediği hâlde sarhoşluk hâliyle anasını, karındaşlarını darp eden evlâtlar çoklarında görülmüştür.

Meyhanelerde bir sofra başında oturanlar etrafındakilere göz dikerler. Kendilerinden ziyade onlarla meşgul olurlar. Meselâ karşılıklı iki sofrada oturanlar arasında "Sen bana baktın, benimle eğlendin!" gibi sebeplerle habbeyi kubbe edip birçok kavgalar olur ki bu da sarhoşluk hâlidir. Beraber bulunduğu sofrayı bir hususdan dolayı terk edip diğer bir başkasının sofrasına giden refikinin bu gitmesine kendince birçok manalar vermesinden dolayı muarazalar çıkar.

Servetini dalkavuklarla meyhanelerde heba eden mirasyedi düşkünleri de çok görülmüştür.

Eskiden câ-be-câ içki men olunduğu ve meyhaneler kapandığı olmuş, fakat her türlü takayyüdâta rağmen içkiye müptelâ olanlar yine iptilâlarından vazgeçmemişler, herhâlde içmenin bir kolayını bulmuşlar, yine keyiflerin çatmışlar.

Revâc-ı bâdeye fart-ı yasağdır bâis
Harîs olur kişi men olunduğu fi'le

Nesl-i cedîdimizin ekserisinde içkiye karşı bir nefret hissolunuyor ve içkisiz eğlencelerde daha ziyade nezahet müşahade ediliyor. Doğrusu şâyân-ı teşekkürdür.[366]

Cambazlar

Şurada burada icrâ-yı sanat eden cambazlardan başka olarak eskiden Kocamustafapaşa semtinde Cambaziye denilen mahalde Eşref Ağanın ve onun vefatında oğlu Mehmet Ali Ustanın zîr-i idâresinde bir cambaz kumpanyası vardı. Yevm-i mahsûs da pazar günleri idi, İstanbul'un her tarafından halk fevç fevç giderler, seyir ve temaşa ederlerdi. Bu kumpanya bir nevi ocak olduğundan, sûr-ı hümâyûnlarda ve sair eyyâm-ı meserretlerde bir dağdan bir dağa veya bir dağdan bir ovaya menzil ipi tabir olunan minare yüksekliğinde ip kurup üstünde envai hünerler icra ederlerdi. Yusuf İzzettin Efendi merhumun 1287 [1870] tarihinde Dolmabahçe'de icra kılınan hitan sûr-ı hümâyûnunda muzıka-i hümâyûn kışlasının bulunduğu dağdan Dolmabahçe Sarayı'nın pîşgâhında kâin saat kulesi meydanına kadar menzil ipi kurulup icrâ-yı hüner etmişlerdi. Hatta bir gün

---

366   Ali Rıza Beyin eski İstanbul meyhaneleriyle ilgili kaynak olarak kullandığı Çaylak Tevfik'in *İstanbul'da Bir Sene-Beşinci Ay, Meyhane yahut İstanbul Akşamcıları* (İstanbul 1300) adlı eserinden başka bu konuda yazılmış diğer önemli bir eser de Reşat Ekrem Koçu'nun *Eski İstanbul'da Meyhaneler ve Meyhane Köçekleri* (İstanbul 1947) adlı çalışmasıdır.

iki elinde iki kılıç olduğu hâlde ipin üzerine çıkan cambaz, vasatına geldiğinde ol vakit ecel beşiği namı verilen ve uçları menzil ipine merbut bulunan salıncak üzerinde envai hünerler icra ettikten sonra ayaklarını salıncak ipine iliştirip baş aşağı kendisini koyuverdiğini müşahede eden halk düştü zannıyla büyük bir helecana gelmişlerdi. Hele kadın seyircilerin feryadı ayyuka çıktı idi. Bu kumpanya sûr-ı hümâyûnun hitamına değin her gün bir türlü hünerler icra etmişlerdi.

Bir de Gedikpaşa'da mahsusen bir tiyatro inşa edilerek meşhur Sulye'nin[Souillier][367] at cambazı kumpanyası icrâ-yı hüner ederdi.[368]

Kadın Çengileri

Kadınlar cemiyetinde icrâ-yı sanat eden çengiler de orta oyuncuları misilli müteaddit kollara münkasım ve kolbaşı ve muavini ile beraber bir kol on iki kadından ibaret olup, refakatlerinde ikisi daire[369], birisi keman, biri dahi çifte nakkare[370], çalmak üzere dört de sıracı tabir ettikleri çalgıcıları ve birkaç da yardakçıları bulunur. Bunlar tam kol olarak oyuna gittikleri hâlde orta oyunlarında istimal olunan menteşeli tahta edevat ve ona göre elbiseler de birlikte götürülür. Kolbaşı hanımın hanesinde hususî bir de meşkhane olduğundan çengiliğe heves edenler bu meşkhanede taallüm ile ikmâl-i tahsîl edenler otuz, otuz beş yaşlarına kadar icrâ-yı lubiyât ederler.

İçlerinde kırkını tecavüz eden yosmaları da bulunur. Kolbaşı ve muavini hanımların sinleri altmışı bulmuş da olsa "ağır ezgi" tabir olunan ilk raksa çıkmaları usulleri icabındandır. Başlıca mahall-i tedârikleri Tahtakale kadınlar hamamı olup derme çatmaları Ayvansaray'da Kıptî mahallesidir. Bir kol çengi tutmak

---

[367] Aslen bir Fransız olan Sulye [Souillier], 9 Mayıs 1813 tarihinde doğmuş, 4 Aralık 1886 tarihinde ölmüştür. Dünya çapında bir at cambazı olan Sulye, Rusya, Çin ve Japonya'yı dolaşmıştır. II. Mahmut'un isteği üzerine Gedikpaşa'da daha sonra Güllü Agop'un tiyatrosunun bulunduğu yerde bir cambazhane açmıştır. Buraya Avrupa'nın meşhur cambazlarını getirmiş, kısa zamanda herkesin beğenisini kazanmıştır. II. Mahmut'un kızı Atiye Sultan ile Fethi Ahmet Paşanın düğününde (1840) gösteri yapmıştır. Aynı şekilde Abdülmecit'in şehzadeleri Reşat, Kemalettin, Burhanettin ve Nurettin Efendilerin sünnet merasimlerinde (1857) ve kızları Münire Sultanın İlhami Paşa ve Cemile Sultanın Mahmut Celâlettin Paşa ile düğünlerinde de (1858) Sulye'nin gösterisi vardır. Bu başarılarından dolayı kendisine devlet tarafından elmas iftihar nişanı verilmiştir. (Selim Nüzhet Gerçek, "Sulye Cambazhanesi", *Perde ve Sahne*, nr. 12, Mart 1942, s. 10; *İstanbul'dan Ben de Geçtim*, haz. Ali Birinci-İsmail Kara, İstanbul 1997, s. 193-196; Süleyman Kâni İrtem, *Osmanlı Sarayı ve Haremin İçyüzü*, haz. Osman Selim Kocahanoğlu, İstanbul 1999, s. 276; Metin And, *Osmanlı Tiyatrosu*, II. Baskı, Ankara 1999, s. 33-35)

[368] Bizans zamanında Eyüp kurbünde bir seyrin Cambazhane olduğu *Eski İstanbul* nam kitabın 68. sahifesinde münderiçtir.

[369] daire: Yuvarlak bir kasnağa geçirilmiş demirden ibaret ve el ile çalışan müzik aletine denir. (*OTDTS*)

[370] nakkare: Küçük davul, darbuka. (*OTDTS*)

murat eden cemiyet sahibesi hangi kolu isterse tarafından erbap bir kadın izam eder. Bu kadın kolbaşı hanımı bulur pazarlığa girişir. Pazarlık iki şarttan biri intihap olunmak esası üzerine icra olunur. Evde fasıllar hitam buldukça tef tutup parsa toplamak veya toplamamak kaziyyeleri olup, kibarcası misafirleri iz'aç etmemek için parsa toplattırmamaktır. Esnâ-yı raksta bir ciheti zevkine gidip de bahşiş vermek veya altın yapıştırmak isteyen misafirler arzularında serbest bırakılır. Şu kadar ki herhangi şart intihap olunursa olunsun oyun esnasında sırası geldikçe cemiyet sahibesi hanımlar tarafından bermutat basma veya sair nevi kumaştan askı[371] asılmak ve bahşiş verilmek mecburî idi.[372]

Cemiyet günü muayyen olan vakitte en önde yelpazeli, yaşmaklı ve sarı çizmeli kolbaşı hanım ve muavini olan muhibbesi ve onları müteakip ince yaşmaklı renk renk feraceli çengiler ve arkada kılıfları derununda bulunan sazları ellerinde sıracılar ve hizmetçiler ve yardakçılar ve daha arkada oyun edevatı ve elbise bohçaları taşıyan hamallar olduğu hâlde yola düzülürler. Küçük Çerkez cariye de kolbaşı hanımın yakı takımını havi[373] ufak bohça koltuğunda ve siyah çuhadan mamul ve kenarları zımbalı uzun çubuk kesesi elinde olarak kolbaşı hanımın peşinde gider. Çengilerin hâl-i kadîmini tahattur edenler bu edalı yosmaların nasıl küşâde-meşreb tazeler olduğunu ve sokaklarda evzâ ve etvâr ve tarz-ı reftârları ne derecelerde serbestâne bulunduğunu der-hâtır ederler. Esnâ-yı râhta hevâ-perestlerden harf-endâzlığa cüret edenler müstehak oldukları cinaslı cevapları tedarik ve itada güçlük çekmezler. Hele sıracılar bu gibi cevaplarda asla ihmal ve müsamaha etmezlerdi. Düğün evine geldiklerinde alt katta çengilere ayrıca bir oda gösterilmek şarttır. Çengiler odalarına dahil olduktan ve yaşmaklarını, feracelerini çıkardıktan sonra odanın kapısı çevrilir. Artık bu odaya soygunlardan gayrisinin duhulü memnu ve gayr-i câizdir. "Soygun" namı verilen kadınlar cemiyetler hidemâtını sanat ittihaz etmiş hamam ustalarıdır. Onlar çengilere, çengiler onlara yabancı değildirler. Bu takım kadınlar orta yaşlı, üstleri başları düzgünce, etekleri belinde,[374] lisanları yerinde serbest kadınlar olduğundan misafir hanımların izaz ve ikramı, her birilerinin kendilerince muayyen olan usûl-i teşrîfâta tevfikan itâmı hususlarında ibrâz-ı mahâretle hane sahibesinin vereceği ücretten başka misafirlerden de dolgunca soygun bahşişleri hak etmeye çalışırlar. Bazı hoppa-meşreb tazeler kapının anahtar deliğinden çengileri gözetlemek isterler. Soygunlardan biri görecek olsa tayip ve tekdirle beraber meneder. Düğün evinde iki hanım beyninde oda kapısının kapalı tutul-

---

371 askı: Hediye olarak yeni binaya, araba atlarına yahut kişilere asılan kumaş. (*OTDTS*)

372 İstanbul Halkının Tenezzüh ve Eğlenceleri XIX, *Peyâm-ı Sabâh* (*Peyâm*, nr. 901, *Sabah*, nr. 11331), 5 Haziran 1337/1921, s. 3

373 Eskiden kadın ve erkek başılarının ekserisi yerli yakı açıp daima işletirlerdi. (ARB)

374 etekleri belinde: Hamarat, çalışkan kadın. (*DS*)

masının sebebi olarak "İçeride çengiler içki içerler de oyuna öyle çıkarlarmış" derler. "Günahları üstlerinde kalsın, neme lâzım ben görmedim. Gördüm desem iki elim yanıma gelecek." diye söz geçtiğini evân-ı sabâvetimde işitmiştim.

Misafirleri müteakip çengiler de yemeklenir, oyuna çıkma hazırlıkları başlar. Pembe birçok düzgün, rastık kutuları, pomado, lâvanta şişeleri, sürme[375] kalemleri, taraklar ufak süngerler, saç maşaları meydana çıkar. El aynalarının karşısına geçerler. Beyazlıklar, allıklar içire içire sürülür. Kaşlara rastıklar, gözlere sürmeler çekilir. Rastıktan püskürme benekler yapılır.

Çehrenin sun'î güzellikleri itmam edildikten sonra oyun esvaplarını hazırlayan kadının muavenetiyle en ince ipliklere varıncaya kadar herşey başka başka değiştirilir. Saçlar taranıp kurdelelerle tefrik olunarak gelişigüzel salıverilir. Göğsü nîm-küşade olmak üzere tül gömlek ve üstüne pullu kadifeden câmedânlı[376] yelek ve o renkte tennure[377] biçimi sırma saçaklı canfes eteklik giyip bellerine sırma kemer takarlar. Ayaklarına "filâr" tabir olunan oyun terliği giyerler ve bu terlikler ipek kurdelelerle beyaz çoraplar üzerine bağlanır.

Kolbaşı hanımın tuvaleti sinniyle mütenasip babayanidir. Vakıa oyun esvabı giyerse de raksa kâkül üstüne hotozlu çıkar. Bu hotoz, tepesi oymalı, püskül kâğıtlı, mavi ipek püskül etrafa yayılı fes ve fesin kenarına oyalı yazma yemeniden bir çatkı[378] çevrilmiş ve bu çatkının münasip mahallerine (pat iğne, yıldız, yarım ay, divanhane çivisi) denilen elmaslar, parmaklara gül yüzükler takılmıştır. Dut veya zümrüt küpeleri kulağa takmazlar. Toplu iğne ile hotozun şöyle bir tarafına iliştirirler. Bu da incelik alâmetidir.

Eski kadınlarımız, çengilere, hamam ustalarına ve bunlarla hemdem olan bazı mirasyedi hanımlara ince takım zurafâ derlerdi. Bu ince takım kadınlar beyninde zurafâlığa alâmet olmak üzere boyunlarına beyaz tülbent boyunbağı bağlarlar. Bu tülbentlerin kibaranesi kenarları "ciğer deldi" köşeleri "ah ah" işlemelidir. Bu kısım kadınlar cemiyet hayatına muhalif bir hayat geçirirler. Erkeklerden zevk almazlar, kendi cinsleriyle temas etmekten mütelezzizdirler. Bunların birbirleriyle musahabetlerinde bile bir başkalık vardır. Ne tatlı diller dökerler, ne kadar mîzâc-gîrâne harf-endâzlık ederler. Kendilerine has edalarla imalı, nükteli lâtifeler ağyâr yanında rumûzât ile ifâde-i merâmlar, kuş dili[379] ile

---

[375] sürme: Kirpik diplerine çekilen siyah boya. (TS)

[376] câmedân: Eskiden giyilen kısa ve kolsuz, ön tarafı çapraz kavuşur bir yelek. (TGKSS)

[377] tennure: Kolsuz, yakası yırtmaçlı, bel yeri kırmalı bir çeşit uzun entari. (TGKSS)

[378] çatkı: Eskiden kadınların kullandığı ve alından geçerek başın çevresine bir çember gibi bağlanan bağın adıdır. İki parmak kalınlığında bürümcükten veya canfesten yahut kadifeden bir kurdele olup üzeri renkli ipekli veya sırma ile işlenirdi. (TGKSS)

[379] Elli altmış sene evveline gelinceye değin bazı kadınlar "kuş dili" ıtlak olunan başka bir lisan taallüm ile lede'l-hâce istimal ederlerdi. (ARB)

mükâlemeler, yekdiğerini vely eder. Fakat bu suretle beyinlerinde cereyan eden hâller o kadar gizli, o derece hurdeli şeylerdir ki her göz görmeye, her kulak işitmeye muktedir olamaz. Meğer ki yine kendi cinslerinden ola. Bunlar kendi kendilerine kaldıkça âşıkâne beyitler, kıt'alar okuyarak zamîrlerini izhar ve râz-ı derûnlarını ifşa ederlerdi. Bu manzumeler:

Karanfilsin kararın yok
Gonca gülsün tımarın yok
Ben seni çoktan severim
Senin bundan habarın (haber) yok

gibi şeylerdir.

Kol başı ve muhibbesi ve çengilerin umumu hazırlandıktan sonra sıracılar yukarı kata çıkıp kendileri için tefrik ve tahsis olunan mahalle otururlar. Davetlilerin kimi sedirlere yaslanır, kimisi sandalyelere, kanepelere kurulurlar ve kemâl-i beşâşetle oyunun başlamasına intizar ederler. Müteakiben verilen işaret üzerine raksın iptidasında okunması mutat olan:

Çalparasın alır ele
Raksa çıkar güle güle

şarkısına başlanır. İptida kolbaşı hanım iki eliyle temenna ve maiyeti de ona ittibâ edip avuçları içinde mahfuz olan çalparaları[380] yekdiğerine çarparak ve çıkan seda ile şarkının usulünde usul tutarak, başta kolbaşı hanım olduğu hâlde yekdiğerini takiben ortada "devir" icra ederler. Bu devire ağır ezgi ıtlak olunur. Yalnız kollar yukarı kalkmış ve beden hâl-i tabiînde bulunmuş olduğu hâlde gayet ağır ve temkinli icra olunur. Bu dört devir "Zevkimiz dört üstüne" darbımeselinden kinayedir. Bu da bir fasıl itibar edilir.

İkinci fasıla parmaklara zil takmak suretiyle çıkarlar. Bu fasıldan itibaren kolbaşı hanım ve muhibbesi oyuna çıkmazlar, raksı oyuncu başı idare der. Göbek atmalar, topuktan çarpmalar, hoplamalar, kendini atmalar, omuzdan titremeler hep bu ikinci fasıldan itibaren icra edilir. Sıracıların:

Bir Hocalım var ya, kime al pulluya ya hey![381]

diyerek yaptıkları poh pohlar neşelere bir kat daha revnak-bahş olur.

---

380   çalpara, çârpâre: Türk musikisinde bir usul vurma aletidir. Dört parça sert tahtadan yapılmıştır. İki parçası bir avucun, iki parçası da diğer avucun içine geçirilerek çalınır. (*BTMA*)

381   Ayvansaray kurbünde bir Hoca Ali Mescidi vardır. Bu mescidin merdiveni ittisalinde de kendisi metfundur. Selim Hân-ı Sânî minberini vazetmiştir. Mescid-i mezbûr mürûruzamanla harap

Üçüncü fasıl tavşan raksıdır. Bu raksta kadifeden mamul erkek biçiminde kovalı şalvar ve o renkte dar câmedân ve başlarına dal fes giyip, bellerine şal kuşanırlar. Fesin altından saçlar gelişigüzel salıverilmiştir. Parmaklarında yine zil bulunur.

Bazı zengin ve mirasyedi hanımların çengilerden gönüllüsü vardır. Açıkmeşrep güzel kadınlara zengin erkek âşıklar lâzım olduğu gibi zurafâlık âleminde de çengilere zengin hanımlardan sevdalılar lâzımdır. Oyun esnasında çengiler bu gibi hanımlara tebessümler ve elleriyle, gözleriyle mahremiyetler tevdi ve sırlar ifşa ederler. Esnâ-yı raksta altın yapıştırılırken fiskoslar bile olur. Fakat misafirler arasında bu ince takımdan sesler daha inceleri ve müdekkikleri tarafından seyrolunduklarının farkında olmazlar. Oyun germiyet kesbeyledikçe ince hanımlar beyninde hiss-i rekabet artar. Çengilere altın yapıştırmalar, sıracılara sıkça bahşişler birbirini takip eder. Kıskançlık feveranıyla kaplarına sığmayacak hâle gelirer. Âh-ı cângâhları, nara-i heyheyleri temadi eder. Niyetler tutulur, maniler ısmarlanır. Çengilerle sıracılar karşılıklı divanlar, koşmalar söylerler. Ara nağmelerinde uçar gibi ayaklar görünmez olur. Sıracılar "Aman aşadan (aşağıdan)" diyerek ve "Yallâh yallâh yallâh" nakaratıyla sürekli alkışlar yaparak raksı bir kat daha kızıştırırlar. Belden aşmış o sırma saçlar hopladıkça havalanır. İkişer ikişer hora tepmekle bu fasıla da nihayet verilir.

Dördüncü fasılda raks yoktur. Çengilerin güzel seslileri sıracıların nezdinde oturup hanendelik ederler. Mükemmel bir küme faslı olur. O tiz perdede muharrik ve müessir sedalarla okunan dagî şarkılar, oynak divanlar insanı mest ederdi.[382]

Dördüncü fasılda kalyoncu veya hamam oyunu gibi taklitli oyunlar çıkarırlardı. Kalyoncu oyununda meydana getirilen tekerlekli gemiyi çekerken:

Heyâmola, yisa yisa
Eyyâm ola, yel esa

tekerlemesinin beyitlerini biri münferiden, nakaratını hepsi bir ağızdan çalgı ile söyleyerek gemiyi yürütmeleri ne kadar eğlenceli olurdu.

Bir de bu oyunun kahramanı olan kalyoncu rolü çengiler beyninde mühim bir vazife addolunurdu. Çünkü endamı levendane şahbaz bir babayiğidin bütün evzâ ve etvârını kendinde tecessüm ettirmek her kadının kârı değildir.

---

olmuştu. Asrımızın meşâhir-i sâzendegânından Kemanî Memduh Efendi tarafından tamir ve tecdit ettirildiği mesmû-ı fakir olmuştur. (ARB)

[382] İstanbul Halkının Tenezzüh ve Eğlenceleri XX, *Peyâm-ı Sabâh* (*Peyâm*, nr. 902, *Sabah*, nr. 11332), 6 Haziran 1337/1921, s. 3

Başındaki kalyoncu kalafatı[383] kaşının üstüne yığılmış, sırmalı şalvar üstüne beline sardığı şalın münasip mahallerine yatağan bıçağı, piştov, kama misilli eslihâ sokulmuş sırma cepken, kartal kanat omuza atılmış olduğu ve bir elinde rakı şişesi, diğer elinde bıçağının kabzası bulunduğu hâlde yıkıla yıkıla kalyoncu ortaya çıkar. Saz da:

Bir gemim var salıverdim engine

şarkısını terennüm etmeye başlar. Rakibini yumruklamak, ezmek, çiğnemek, öldürmek ister ve "Bıçağım hakkı için" diyerek attığı naralar ortalığı velveleye verirdi.

Hamam oyununda kilcinin, merkebi yularından çekerek hamamın önünden geçerken maşukası hamamda olduğu için meşhur kuzu'yu yanık yanık okuyarak beyitler arasında "Kilci geldi, kil alın kil!" diyerek kil satması hoşa giderdi.[384] Tiz perdeden oynak sesle sabaha karşı okunan dagî şeylerde başka bir tesir vardır. Bir zamanların kolbaşıların en meşhuresi Yıldız Kamer idi. Kendisi zurna da çalardı. Çengilerin şöhretlileri Şâheste, Tosun Paşa kızı Hayriye, Küçükpazarlı Nâile, Hancı kızı Zehra, ...Paşa dairesi müntesiplerinden Fatma, Aksaraylı Mahbub idi. Nâile için şu güfte ile bir şarkı da vardır:

Sarı papûş işleme
Etrafı gümüşleme
Gerdanını dişleme
Nailem, Nailem, Küçükpazarlı Nailem

Bu şarkı *Haşim Bey Mecmuası*'nda mukayyettir.

Galata ve Beyoğlu Âlemleri

Galatasarayı karşı sırasında kâin Hristaki Çarşısı'nın bulunduğu mahal vaktiyle Naum'un Tiyatrosu mevkii idi. Tiyatronun cephesi caddeye nazır olup 64 [1848] tarihlerinde inşa olunmuştu. Bu çarşı mahalli tamamen tiyatro ebniyesi olup cesamet ve tarz-ı inşâsındaki nefaset itibarıyla mükemmel bir opera tiyatrosu idi. 1273 [1856] tarihinde Dolmabahçe Gazhanesi hazinesinden verilmek üzere Beyoğlu sokaklarının her tarafı tenvir olunduğu sırada bu tiyatro derunu da havagazıyla tenvir olunmuştu. Her sene mutasarrıfından ikibin lira radde-

---

383 kalafat: Yeniçerilerin merasim, alay ve törenlerde giydikleri başlığa verilen addır. (*TGKSS*)

384 Eskiden kadınlarımız hamamda yıkanıp da çıkacağı zaman kil istimal ederlerdi. Bu da vücudun yumuşak olmasına ve güzel kokmasına hizmet ederdi ve en makbulü de Halep kili idi. (ARB)

sinde bir bedel-i icârla isticâr edilir ve hatta bir de aralarında kahve ve sigara ve meşrûbât-ı sâire içilecek salonun müstecirinden ayrıca beşbin kuruş kira alınırdı. Dört kişilik bir loca için duhuliyesi ayrı olmak üzere vasatî olarak ikiyüzelli kuruş raddesinde bir ücret ahzolunurdu. Beher sene müsteciri marifetiyle Avrupa'dan opera kumpanyaları celp ve teşrinievvel iptidalarında küşat olunarak bütün kış icrâ-yı lubiyyât edilir ve umum süferâ ve Beyoğlu muteberânı ve vükelâ ve rical ve kibâr ve ahalî-i sâire gelip temaşa ederlerdi. Senede birkaç defa Sultan Abdülmecit ve evâyil-i cülûsunda Sultan Abdülaziz bi'd-def'ât teşrif eylemişlerdi. 1287 [1870] tarihinde vuku bulan Beyoğlu harîk-i kebîrinde[385] muhterik olduğundan yerinde mezkûr çarşı inşa edildi. Mezkûr tiyatroda Fransızca ve İtalyanca opera ve dram ve komedya gibi lu'biyyât icra olunduğu ve temaşasına rağbet edenlerden elsine-i ecnebiyyeye aşina olmayanlar oyunların fıkarât-ı garbiyyesinden hisse-yâb-ı istifâde olamadıkları cihetle kumpanya bu lâzımeyi nazarıdikkate alarak "Riyakâr" ve "Müseyyeb" denilen hikâyeler İtalyancadan Türkçe'ye tercüme ettirilerek 1274 [1857] tarihinde bir bedel mukabilinde erbâb-ı temâşâya tevzi olunurdu.

Opera kumpanyası efradından on yedi neferi mümtaz baş hanende ve yirmisi usul tutan hânendegân ve yirmi yedi neferi zükûr ve inâstan mürekkep rakkas ve otuz neferi de sâzendegân takımı idi.

Elyevm istimal olunan notanın işaretini altı yüz sene mukaddem Boris namında bir rahip icat etmiş. Mamafih hakîm-i şehîr İbn-i Sinâ'nın Şifâ nam kitabının riyaziyat kısmının musiki bahsinde savt-ı tabîatın derecât ve derekâtı hakkında mühim malûmat vardır ki notanın esası demektir.

Sonraları Naum Tiyatrosu'ndan başka Beyoğlu'nda Şark Tiyatrosu namıyla Karabet Papazyan Efendi tarafından küşat edilmiş olan tiyatroda komedya ve pandomima kumpanyaları icrâ-yı lubiyât ederlerdi. İstanbul tarafında Gedikpaşa Tiyatrosu dahi sonraları "sirk"[386] hâlinden "tiyatro" şekline tahvil olunarak Papazyan ve Fasülyeciyan Efendilerin ve daha sonraları Güllü Agop Efendinin kumpanyaları tarafından icrâ-yı lubiyât olunmaya ve bazı üdebamızın asarı da bu tiyatroda oynanmaya başlanmıştı. Ne çare ki muahharen Kemal Bey merhumun *Vatan yahut Silistre*'si Gedikpaşa Tiyatrosu'nda oynandığı gece gençlerin ve ale'l-husûs mekteplilerin galeyanı ve "Yaşa Kemal!" sedaları nazarıdikkati celp eylediğinden ferdası günü Kemal Bey ile rüfekası nefyolundulardı. Hele Sultan Hamit devrinde bu misilli millî tiyatro yazmak ve oynatmak memnu gibiydi. Agop Efendi saraya alındı, kumpanyası da dağıtıldı. Sonra tiyatro da yıktırıldı.

---

[385] Bu harîk Beyoğlu'nda Valide Çeşmesi Sokağı'ndan zuhur etmiş ve rüzgârın şiddetiyle ahşap ve kâgir birkaç bin hane ve dükkân muhterik ve birçok adam telef olmuştur. (ARB)

[386] bk. 367. numaralı dipnot.

İşte o zaman orta oyunlarını tiyatro şekline tahvil etmeye başladılar. Lâkin bunları milletin ahlâkına hizmet edecek yolda tanzim ve ıslah etmediler. Bir taraftan da Galata ve Beyoğlu tarafında kumarhaneler ve şehveti gıcıklayıcı resimlerle müzeyyen gazinolar, balozlar, kafe şantanlar, peyderpey küşat edilmekte ve tâbe-sabâh açık bulundurulmakta idi. Gençlerimizin alafrangalığa rağbeti gittikçe tezayüt etti. Şampanya, konyak, apsent, viski ve muhtelif meyve ve çiçek kokularını havi şişeleri, yaldızlı etiketlerle müzeyyen likörleri bol bol istimale alıştılar. Yerli ve ecnebi karılarla dolu kârhaneler günden güne tekessür etti. Hele Karnaval[387] zamanları Galata ve Beyoğlu taraflarına akan bir avareler deresi hâsıl oldu. Konak ve kira arabaları etrafa zifoslar saçarak kemâl-i sür'atle gençleri o taraflara taşırlardı. Balolar, gazinolar ağız ağıza dolup sabahlamak âdet oldu. Umumhaneler, cicili bicili kızların sürünmüş oldukları lâvanta kokuları dimağlarını tatîr ve şakraklıkları da gönüllerini cezp ederek aşk ve alâka sâikası ve kıskançlık feveranı ile herşeyi yapmaya müheyya bir hâle gelirler ve bu yüzden nice feci vak'alar birbirini vely ederdi. Hele İstanbul'un her tarafına dal budak saran kumar beliyyesine halkımızın mühim kısmı kapıldı. Zengin gençler servetlerini, ayakçı takımı maaşlarını, esnaf ve işçi güruhu kazançlarını hep Galata ve Beyoğlu âlemlerine hasrettiler.

İstanbul'umuzun pek çok yerli ve dışarılıklı gençleri şehevât-ı nefsâniyyelerine mağlûp olarak hep bu mihver etrafında dolaşır ve envâ-i fazâyihi irtikâp ederlerdi.

Kâgir mağazalar, çiftlikler, hanlar, hamamlar, yalılar, konaklar ellerinden çıktı. Çoğu sarraflara, bankerlere intikal etti. O eski "hayriye tüccarı"[388] namı ortadan kalktı. Belki bilenler kalmadı. Kapan tüccarı denilen, un, yağ ve bal kapanları tüccarı abanî sarıklı Hacı Hafız, Hacı Salih Efendilerin, Hacı Veli, Hacı Yusuf Ağaların dolap ticaretleri evlât ve ahfadının ehl-i sefahatları yüzünden ağyara kaptırıldı.

Çift ve çubuk sahibi mütemevvil ağaların metrukâtı yâd ellere geçti. Bir zamanlar Frenkler beyninde darbımesel olan o eski "Türk kuvveti" de kalmadı. Yanağından kan damlayan dağ gibi babayiğitlerimizi bel soğukluğu, frengi hastalıkları kemirdi, bitirdi. Memalikimiz hastalıklı bir nesle mesken oldu.

---

387 Karnaval: Hristiyanların büyük perhize girmeden önce yaptıkları şenliklere verilen addır. Eski İstanbul'da Rum halkı arasında daha coşkulu bir şekilde kutlanan bu eğlencelere Türkler "apukurya", Rumlar ise "apekriya" derlerdi. ("Karnavallar", *DBİA*, c. IV, İstanbul 1994, s. 470)

388 hayriye tüccarı: Müslüman tüccarlardan tanınmış ve imtiyazlı olanlara verilen addır. Eski zenginlerin hayır ve hasenat işlerine meyilli olmaları sebebiyle bu isimle anıldıkları düşünülmektedir. (*OTDTS*)

Bugün efrâd-ı milletin bir kısmı hastahanelerde, bir kısmı hapishanelerde, bir kısmı da sefalet pençesi altında inliyor. İşte Garp medeniyetini taklidî bir surette iktibas etmekliğimizin neticesi buralara vardı. Vakı'a sonraları aklımız başımıza gelmeye ve usûl-i iktisâdın kıymeti takdir olunmaya başladı. Lâkin bade harabi'l-Basra...[389]

---

[389] İstanbul Halkının Tenezzüh ve Eğlenceleri XXI, *Peyâm-ı Sabâh* (*Peyâm*, nr. 903, *Sabah*, nr. 11333), 7 Haziran 1337/1921, s. 3

Ramazan Âdetleri

Rical ve kibarın, avam ve nâsın tarz-ı hayâtında senede bir ay bir tahavvül husule gelir ki o da ramazan ayındadır. Halkın pek ziyade sevdiği ve tebcil ettiği şüphesiz şehr-i sıyâmdır. Bütün ehl-i İslâm tatlı bir iştiyak ile ramazân-ı şerîfi bekler, herkes dem-be-dem bir tarz-ı ruhânî ile mürûr eden bu ay zarfında tâat ve ibadette daha başka bir ruhaniyet hisseder. Yemekte ve içmekte, geceyi ve gündüzü geçirmekte hatta zevküsafayı temin etmekte bile bir başkalık vardır. Eskiden İstanbul halkının ramazana mahsus olarak fevkalâde itina ettikleri iftarlarla sair usul ve âdetlerini ayrıca bir bahis olmak üzere şerh ve beyana lâyık gördüğümden tehzîz-i hâmeye mübâderet eyledim. Mamafih yazdıklarıma nispetle unuttuklarım da çoktur.

Minarelerde kandil yakılması

Mevlit ve Regaip Gecelerinde minarelerde kandil yakılması Selîm-i Sânî'nin zamân-ı saltanatında usul ittihaz olunmuştur.[390] Bu misilli ayâd-ı mübârekede selâtin camileri meşâyihi münavebe suretiyle sarây-ı hümâyûna celp ve davetle yatsı namazından sonra vaaz ve nesâyihte bulunur ve esnâ-yı vaazda zât-ı şâhâne de hazır olurmuş. (Sultan Abdülhamîd-i Evvel leyâlî-i mübârekede turuk-ı aliyye meşâyihini nöbetle sarây-ı hümâyûna davet ederek hânkahlarında ifa ey-

---

390 Rebiülevvelin on ikinci günü mevlid-i şerîf kıraatı Erbil meliki Efdal Muzaffereddin hazretlerinin eser-i münîfleridir. Müşarünileyh 604 [1207] tarihinde bu âyîn-i bihîni ihtirâ etmiştir. Ahmed-i Evvel zamanında da birtakım usul ilâve olunmuştur. Ezcümle nakibüleşraf efendinin mevlid-i şerîf kıraatı merasiminde vükelâ-yı devlet zeylinde ik'âd olunması nâ-revâ olunmakla beraber vükelâya takaddüm etmesine de rüsûm-ı teşrîfât-ı devlet müsait olmadığından yevm-i mezkûrda nakip efendinin câmi-i şerîfe vürudunda bir mahfel-i mefrûş u mestûrda münferiden ârâm etmeleri usul ittihaz olunmuştu. El-hâletü hâzihi menkabe-i celîlenin kıraatı hitam buluncaya değin nakibüleşraf efendi câmi-i şerîfin bu suretle mestur olan mahallinde ârâm eder, buhur ve gül suyu ikram, şeker ve şerbet de ayrıca takdim olunur. (ARB)

ledikleri âyîn-i şerîfî dervişleriyle beraber sarayda icra ettirmeyi âdet etmişlerdi). Berat ve Miraç Geceleri kandil de, 985 [1577] tarihinde Murâd-ı Sâlis asrında Kocamustafapaşa Dergâhı şeyhi olup, bade'l-hac Yemen'de vefat eden Necmettin Hasan Efendinin[391] ihtirâıyla şürû olunmuştur. Ramazanın birinci gecesinden bayram gecesine değin minarelerin kandil ile tenviri 1019 [1610] tarihinde Ahmed-i Evvel zamanındadır.[392]

Leyâlî-i ramazân-ı şerîfte mahya kurulmak cevâmi-i selâtînden Sultan Süleyman ve Sultan Ahmet ve Valide Sultan ve Üsküdar'da kezalik Valide Sultan Camilerine mahsus ve münhasır iken, Sultan Ahmed-i Sâlis ahd-i saltanatında Damat İbrahim Paşanın tensibiyle Ayasofya, Fatih ve Beyazıt ve Sultan Selim ve Şehzade ve Eyüp Camilerinde dahi mahya yapılması irade olunmuş ve hatta bir gece Şehzade Camii'nde kurulan mahyada Zülfikar resmi yapılmış olması üzerine, o sıralarda vak'anüvis bulunup sonraları şeyhülislâm olan Küçükçelebizade Âsım İsmail Efendi[393] şu kıtayı söylemiştir.

> *Bu şeb-i ferhundede mâhiyyeden Şehzâde'de*
> *Seyr edenler resm-i tîg-i Zülfikar-ı Hayderi*
> *Dediler muhyî-i devlet sadr-ı âsâf-menkabet*
> *Eyledi avîze çarha tîg-i nusret-cevheri*

Cevâmi-i şerîfe minarelerinde ramazân-ı şerîfin selhine yani bayram gecesine kadar îkad-ı kanâdîl olunarak bayram geceleri kandil yakılmamak kadîmden beri âdet olup, bütün İslâmda bütün bayram geceleri izhâr-ı şâd-mânî olduğu hâlde yalnız İstanbul'da minârâtın böyle bayram geceleri tîre-nâk olması müna-

---

391 Halvetîliğin Sünbüliyye koluna mensup olan Necmettin Hasan Efendi 1610 tarihinde vefat etmiştir. Kendisi medrese eğitimi görmüş, eser telif etmiş, muharebelerde orduda yer almıştır. (Necdet Yılmaz, *XVII, Yüzyılda Anadolu'da Tasavvuf*, M. Ü. Sosyal Bilimler Enstitüsü, Basılmamış Doktora Tezi, İstanbul 2000, s. 492)

392 Minareler arasında mahya kurulmasının I. Ahmet devrinde başladığı hakkında rivayetler vardır. Bu dönemde Fatih Camii müezzinlerinden Hattat Hafız Ahmet Kefevî 1614 tarihinde bir çevre işlemiş ve bunu I. Ahmet'e hediye etmiştir. Bu çevreyi çok beğenen padişah dinî adaba aykırı olmamak şartıyla bu gibi işlemelerin kandillerle süslenerek ramazan ayında minareler arasına asılmasını istemiş ve camilerde mahya kurulması başlamıştır. (Bu konuda daha geniş bilgi için bk. Süheyl Ünver, *İstanbul Risaleleri*, c. I-"Mahya ve Mahyacılık", haz. İsmail Kara, c. I, İstanbul 1995, s. 48)

393 Âsım İsmail Efendi 1723 yılında Nevşehirli Damat İbrahim Paşa tarafından Mehmet Raşit'in yerine vak'anüvis olmuştur. Devamlı olarak İbrahim Paşanın yanında bulunduğu için Lâle devrinin eğlenceli hayatına şahit olmuştur. Ayrıca şairdir ve Âsım mahlâsını kullanmıştır. Divanı vardır. (Hayatı ve eserleri hakkında bilgi için bk. Franz Babinger, *Osmanlı Tarih Yazarları ve Eserleri*, trc. Coşkun Üçok, Ankara 1982, s. 320-321; Abdülkadir Özcan, "Çelebizade Âsım Efendi", *DİA*, c. III, İstanbul 1991, s. 477-478, ayr. bk. "İstanbul Halkının Tenezzüh ve Eğlenceleri" bölümü)

sip görülmeyerek, yine müşarünileyh İbrahim Paşanın tensibiyle sudur eden irâde-i pâdişâhî üzerine minarelere bayram geceleri kanâdîl ateşinden tabîr-i marûf veçhile "kaftan giydirilmesi" usul ve âdet olmuş ve bu usul Kadir Gecelerine de teşmil edilmiştir.

Mevlid-i risâlet-penâhîye müsadif leyle-i mübârekede kemakân minarelerde kandil yakılmakla beraber dâhil-i şehrde hane ve dükkânların pîşgâhında ikâd-ı kanâdîl olunması ve beşer nöbet top endahtı 1251 [1835] tarihinde Sultan Mahmûd-ı Sânî zamanında başlamıştır.

İftar ve imsak vakitlerinde Rumelihisarı'nda kerimesinin inşa ettirdiği muvakkithane pîşgâhında birer nöbet top endahtı Mustafa Hân-ı Sâlis zamanında usul ittihaz ve müteakiben Yedikule'de dahi birer nöbet top atılması ilâve edilmiş, muahharen de mevâki-i münâsibeye teşmil olunmuştur.

Eyyâm-ı resmiyyede vükelâdan menâsıb-ı sitte[394] ricaline kadar memûrîn-i mülkiyye ve kazaskerlikten yeniçeri kassamlığına[395] değin ricâl-i ilmiyye ve topçubaşı, arabacıbaşı ve tüfenkçibaşı gibi ümerâ-yı askeriyye konakları pîşgâhında mehterhane çalınması ve ramazan gecelerinde münavebe suretiyle mahya kurulması da âdetti. 1241 [1826] senesi inkılâbından sonra terk edildi.

Ramazan hazırlıkları

Şehr-i sıyâmın hulûlünden evvel taraf-ı hükûmetten bazı tembihatı havi ilânnâmeler neşrolunurdu. Mündericatı ne gibi şeylerden ibaret olduğu bilinmek için [biri] Vak'a-i Hayriyye diğeri Tanzîmât-ı Hayriyye inkılâplarından sonra neşrolunan ilânnâmelerin birer sureti zire derç olunmuştur.

Vak'a-i Hayriyye'yi müteakip seraskerlik makamı, Asâkir-i Mansûrenin en büyük amiri olmakla beraber, İstanbul muhafızlığı yani ahalinin zabiti ad ve itibar olunduğundan, 1249 [1834] senesi Ramazân-ı şerîfin hulûlünden evvel Serasker Hüsrev Paşanın İstanbul kadısı efendiye hitaben yazdığı tezkirenin suretidir:

"Faziletli, semahatli, atûfetli, mehâsin-şemîm sultan hazretleri

Be-ihsân-ı teâlâ bu sene-i mübârekede duhûlüyle iktisâb-ı mefharet ve mağfiret olunacak şehr-i mübârek ramazân-ı şerîfte cümle bendegâna merhamet ve şefkati mebzul buyrulan velînimet-i bî-minnetimiz velînimet-i cihân efendimiz

---

394 menâsıb-ı sitte: Eskiden mevcut olan memuriyetlerden altısı hakkında kullanılan bir tabirdir. Bu memuriyetler nişancılık, şıkk-ı evvel, şıkk-ı sânî, şıkk-ı sâlis defterdarlıkları, reisülküttaplık, defter eminliği idi. Tanzimat'tan sonra rütbe ve memuriyetlerin tanzimi sırasında bu tabir tarihe karışmıştır. (*OTDTS*)

395 yeniçeri kassamlığı: Yeniçeri ocağına dahil olan askerlerin miras işleriyle meşgul olan birimin adıdır. (*OTDTS*)

hazretleri cevâmi-i şerîfelere edâ-yı salât ü ibâdât irâde-i hayriyyesiyle bi'ş-şev-
ket ve'l ikbâl inşâallâhu teâlâ aralık aralık Dersaâdet'e teşrîf-i hümâyûn buyura-
cakları malûm olup, eğerçi şevketli, kerametli padişahımız efendimiz hazretle-
rinin her ne kadar kullarını nazar-ı âtıfet ve merhamet-i hümâyûnlarıyla man-
zûr ve af u ihsanıyla mesrûr buyuracakları kemâl-i kerem-i cihândârânelerinden
mutazarrı ve memul ise de öyle eyyâm-ı mübârekede herkes hadd-i edeb ve
resm-i ubûdiyyete sâir vakitlerden ziyade riayet etmeleri vâcibeden bulundu-
ğundan, etbâ ve esnaf ve ahâd-ı nâs ve müteallikîn, hulâsa askerîden olmayan
kimesneler askerîye mahsus yaka ve yenleri kırmızılı ve zihli vesair renkle alâ-
met ve imtiyâzlı elbise giymemeleri ve bellerine zinhar kılıç takmamaları ve her-
kes dükkân ve hanelerinin önlerini temiz ve pak tutup mezbele ve hayvan lâşe-
si gibi şeyler atmamaları iktiza edenlere kavasbaşımız kullarına tembih olun-
muş ise de sâlifü'z-zikr askerîden olmayan kimesneler ve askerîye mahsus olan
elbise-i mezkûreyi giymeyip ve kılıç takınmamaları ve bazı konak ve hanelerin
kapılarına tahminen sinîn-i vâfireden beri çamur sıçrayıp silinmeyerek ve beher
sene üzerine ziyadelenerek çamurdan bir kapı olduğu ve pencereleri önünde
dahi top top örümcekler sarkmakta idüğü[396] görülmekte ve hâlbuki sâye-i ih-
sân-vâye-i hazret-i şâhânede o misilli konak sahiplerinin etbâları ve ekser hane
sahiplerinin dahi ayvazları olacağından ve olmayanların kendileri girip çıkacak-
larından silip süpürmeyip de böyle bırakmaları gayet acîb ve yakışıksız ve ma-
âzallâhu teâlâ hastalık ve kasvet-i kalb îrâs eder mevâddan olduğundan başka
"en-nezâfetü mine'l-îmân" eser-i münîfî medlûlunca taharet ve paklık şiâr-ı İs-
lâmda ve mevâdd-ı vâcibü'l-ihtimâmdan olmaktan naşi, ber-sâbık-ı muharrer o
misilli konak ve hane ve dükkânların sokak yüzleri ve kapıları örümcekli ve ça-
murlu olmayıp temiz ve pak olmasına ve önlerine mezbele ve lâşe makulesi şey-
ler ilka olunmamasına dikkat eylemeleri ve şevket-meâb efendimiz hazretleri-
nin öyle eyyâm-ı mübârekede cevâmi-i şerîfe derûnunda ve güzergâh ve memer
mahallerde alenen celse-i hafîfe ve ârâma ikbâl-i hümâyûn buyurmalarından

---

396 Yakın zamanlara kadar İstanbul evleri ahşap ve kısm-ı küllîsi boyasız ve boyalı olan bazı büyük
     konaklar da aşı boyasıyla mülevven ve üzeri çamur kurularıyla mülevves olup evler birbirleri-
     ne mülâsık ve basık girintili çıkıntılı şeylerdi. Evlerin içerisinde, köhne binalar arasında fareler,
     sansarlar mekân tutmuş ve içleri de kasvetli idi. Avluları daima loş ve ıslak, soluncanlı olup so-
     kaklara çirkef sızardı. O mukassi çarpık, çapraşık sokaklarda yarık yıkık duvarların dipleri yaz
     kış çamurlu ve mezbele ve kedi ve köpek ve fare lâşeleriyle memlû ve mahalle aralarındaki ar-
     salar ve viraneler öbek öbek kazurat ile dolu olduğundan gelip geçince tiksinmemek, istikrah
     etmemek mümkün olamazdı. İşte İstanbul'un mahalle araları böyle sefilâne bir manzara irâe'et-
     tiği gibi, Hocapaşa Caddesi en işlek Babıâli caddesi olduğu hâlde gayet dar olduğundan, karşı-
     lıklı hanelerin damlarından kediler atlar ve evlerin pencerelerinden ve cumbalarından kadınla-
     rın karşı karşıya konuştuklarını gelip geçenler işitirdi. Sokakların şimdiki vüs'ati Hocapaşa ha-
     rîk-i kebîrinden sonradır. Maahâzâ İstanbul'un o mahûf ve meşum yangınları da şehrimizin her
     tarafını daha büyük bir kasvet ve mağmumiyet altında bırakmıştır. (ARB)

maksûd-ı âlîleri müstazıll-ı sâye-i şevketi olan kullarına bilâ-külfetin imrâr-ı na-
zar-ı kimyâ-eser buyurarak ırz ü edeb ve kendi hâlleriyle meşgul olmalarından
mahzûziyet-i seniyyelerin ima olmağın "Bu mahalde şevketli efendimiz oturu-
yormuş önünden geçmeyelim" diye tevakkuf veyahut sapıp bir gayri taraftan
dolaşmak iktiza etmediğinden gerek vazî ve gerek şerif, gerek piyade gerek atlı
herkes ırz ü edebiyle ve bulunduğu hâl üzere pîşgâh-ı hümâyûndan âdeta gelip
geçmeleri ve şevket-meâb efendimiz hazretleri câmi-i şerîfe veyahut bir mahal-
den bir mahalle gerek râkiben ve gerek mâşiyen teşriflerinde esnâ-yı râhta tesa-
düf eden gelip geçmeler mugayir-i resm-i ubûdiyyet, bî-muhâbâ gözlerini dikip
bakmayıp ancak bulunduğu mahalden biraz gerice çekilip hemen şöylece elleri-
ni kavuşturup önüne bakarak durup şevket-meâb efendimiz mürûr buyurduk-
larından sonra işte ol veçhile edep üzere duranlar işlerine gitmeleri ve şevket-
meâb efendimiz hazretleri gerek câmi-i şerîfe teşrîf-i hümâyûnlarında ve gerek
bir mahalde ârâm buyurduklarında birtakım nâs bölük bölük arkası sıra düşerek
veyahut pîşgâh-ı hümâyûna toplanarak durmaları mugayir-i edeb ve resm-i
ubûdiyyet olmağın, fîmâbad o misilli harekete her kim cesaret ederse gördüğüm
gibi haklarında tedip muamelesi şedîden icra olunup sonra nedamet ve pişman-
lık fayda vermeyeceği ve ramazân-ı şerîfte cuma günlerinden maada günlerde
hiç kimesnenin arzuhâl[397] vermemeleri ve eğer verirlerse tekdir ve tedip oluna-
cakları muhakkak olmakla zât-ı fâzılâneleri dahi bilcümle mahallât imamlarını
ve muhtarlarını ve hanlarda sakin bîkârân takımı için hancılar kethudasını celp
ile şu tembihatlarımızı mahalleleri ahalisine ve hanlarda sakin olanlara bilâ-zi-
yâdetin ve lâ-noksân ifade ederek herkese bir iyice anlatmaları[398] gûş-ı hûşları-
na telkin ve tefhim birle ekîden tembihe himmet buyurmaları, velhâsıl eyyâm-ı
mezkûrede inşâallâhu teâlâ mübarek ve mesut hâk-pây-i kimyâ-sây-i şâhânede
her an bu naçizleri beraber bulunacağım, her kim işbu tembihatımın mugayiri
hareket ettiğini ve cuma günlerinden maada da velev maslahat zımnında olsun
arzuhâl verdiğini ve cuma günlerinde dahi maslahat zımnında yahut her ne ka-
dar şevket-meâb-ı merâhim-nisâb efendimizin nihânî ve celî ashâb-ı ihtiyâcı ta-
harrî birle sadaka-i şâhâneleri mebzul olup sadaka zımnında takdîm-i arzuhâle
hacet messetmez iken tama'en ve cerren sadaka arzuhâli[399] takdim edenler çağı-

---

397 Padişahlara arzuhâl vermek usulü Bizantinlerden kalma bir âdettir. Kable'l-feth İstanbul impa-
     ratorları her hafta pazar günleri esb-süvâr olarak kiliseye azimetlerinde ahalinin arzuhâllerini
     ahz ve kabul ederlerdi. (ARB)

398 Evâyilinde taraf-ı hükûmetten ahaliye tembihat icrası lazım geldiği hâlde mahallât imamlarına
     olunan tebligat üzerine akşam ezanına yakın mahalle bekçileri "Tembih var akşam camiye bu-
     yurun" diye sopasını vurarak ve bülent avaz ile bağırarak mahalleyi dolaşır, herkesi haberdar
     eder ve akşam namazından sonra imam efendi tembihat her ne ise halka onu tebliğ ve tefhim
     ederdi. (ARB)

399 Devr-i Abdülazîz Hânî evâhirine değin maslahat için cuma günleri ve bazen eyyâm-ı sâirede
     takdim olunan arzuhâllerden başka, fakir takımı sadaka arzuhâli takdimini itiyat etmişlerdi.

rıp bağırarak şemâtet eylediğini veyahut taraf-ı hümâyûna saldırarak edepsizlik ve taciz ettiğini görürsem gerek erkek olsun, gerek nisa olsun Huda hakkı için ol edepsizlik edeni gayet fena tedip eylediğimden maada, hangi mahalle ahalisinden ise o mahallenin imam ve muhtarlarını dahi nefiy ile tedip ederim. Cümle kullarına merhamet ve şefkati mebzul buyrulan velînimet-i bî-minnetimiz velînimet-i âlem efendimiz hazretleri o misilli arzuhâlleri alıp götürmeğe ve manzûr-ı hümâyûnları buyrulduktan sonra iktiza eden taraflara göndermeğe mahsus memur kullar tayin buyurmuştur. Böyle iken birtakım edepsizin bağırıp çağırmaları iktiza etmediğinden cuma günlerinde arzuhâl vermeğe muhtaç olanlar bir köşede durup arzuhâllerini tutsunlar, memur olan kullar gelip derhâl ahzederler. Bu keyfiyet dahi ber-vech-i ekîd cümleye tefhim buyrulup inşâallâhu teâlâ işbu tembihat veçhile hareket ederek eyyâm-ı mübârekede bir tekdir vuku bulmamasına gayret ve ihtimam ederler. İşte taraf-ı senâverânemden bu defalık bu veçhile tembih olunur. Dinlemeyenlerin vebalileri boyunlarına ve bu husûs-ı edeb-i mansûsa riâyet yalnız işbu ramazân-ı feyz-feyezânda olmayıp ilâ mâşâallâhi teâlâ cemi evkatta kat'iyen matlup olduğu der–kâr olmakla, ol veçhile müekkeden tembih eylemeleri tevakku-dâşte-i hâlisânemizdir."[400]

Tanzîmât-ı Hayriyye ilânından sonra cânib-i Bâbıâliden neşrolunan ilânın suretidir:

"Ramazân-ı şerîf münasebetiyle cümlenin her vakitten ziyade iktisâb-ı mesûbâta riayet ve edebiyle harekete dikkat eylemeleri farizadan olmakla beraber bazı tembihat ve ihtârâta ibtidâr olunur.

Velînimet-i bî-minnetimiz padişahımız efendimiz hazretlerinin bazı cevâmi-i şerîfeyi teşrîf-i hümâyûnları vuku bulacağı memul olmakla âdâb-ı ubûdiyyetten olduğu üzere cümlenin tazîmât-ı fâike ve vezâif-i ubûdiyyete dikkat ve müsâraat gösterecekleri bî-iştibâh olmasıyla beraber güzergâh-ı hümâyûna tesadüf olundukta her hâlde kaide-i edebiyyeye münâfî hâl ve hareketten içtinap olunacaktır.

Sâye-i âsâyiş-vâye-i hazret-i şâhânede cümlenin kemâl-i âsâyiş ile cevâmi-i şerîfe ve mahâll-i sâirede imrâr-ı evkat eylemelerine diyecek olmayıp, şu kadar ki Çarşı içinde Beyazıt ve Şehzadebaşı'na doğru yol üzerindeki dükkânlarda ve hususiyle Beyazıt ve Şehzadebaşı'ndaki kahveci ve çaycı dükkânlarında oturulmak memnudur.

Geceleri büyük caddelerde iskemleyle sokak ortalarında ve halkın mürur ve ubûruna mâni olacak surette oturulmak yasaktır.

Hatta Sultan Mecit akşamları Tophane Kasrı'na geldikçe takdim olunan arzuhâller üzerine bir cemm-i gafîre sadaka tevziatı âdet olmuştu. Hünkâr yaverleri bu tevziatı icra ederlerdi. (ARB)

[400] Ramazan Âdetleri I, *Peyâm-ı Sabâh* (*Peyâm*, nr. 876, *Sabah*, nr. 11306), 2 Ramazan 1339/11 Mayıs 1337/1921, s. 3

Arabalar aralarında dolaşıp arabalı arabasız gelen geçen kadınlara âdâb-ı insâniyeye münâfî hareket edenler olur ise tedip olunacaktır.

Arabalar dahi Beyazıt ve Şehzadebaşı'nda sokak ortalarında durmayıp gezeceklerdir. Halkın ve hususuyla tâife-i nisânın elbisesine ve edebiyyât-ı mukteziyyesine lâzım olan şeyler mukaddemce neşrolunan ilânnâme ile herkese bildirilmiş olduğundan o tembihata cümle tarafından ale'd-devâm dikkat ve hilâfından mücânebet olunacaktır.

Bu tembihata münâfî hâl ve harekette ve durup oturması memnu olan mahallerde her kim görülür ise Bâb-ı Vâlâ-yı Seraskerîye ve cânib-i Zabtiyyeye verilen ruhsat ve memûriyyet-i kat'iyye icabınca hatır ve gönüle bakılmayarak o misilliler karakola memur olan zabitân-ı askeriyye ve memûrîn-i zabtiyye taraflarından derhâl kaldırılacaktır. Îfâ-yı salât ve istimâ-ı vaaz ü nasihat için tâife-i nisâya Sultanahmet ve Şehzade ve Lâleli cevâmi-i şerîfesi öteden beri mahsus hükmünde olmakla, kadınlar bu cevâmiden gayri bi'l-cümle büyük camilere girmekten memnudur. Namaz vaktinden başka hademe-i câmiden gayri [mezkûr] cevâmie erkeklerin duhulü dahi caiz olmayacaktır. Tâife-i nisâ muhill-i edeb açık saçık heyet ve kılıkla gezmeyecek ve nihayet saat onbirden[401] sonra sokaklarda kadınlardan kimse kalmayacaktır. Kadınlar bazı eşya almak için Çarşı içinde ve gerek sair mahallerde dükkân ve mağazaların içine girmeyip, alacağı her ne ise ona mahsus olan dükkânın önünde edebiyle durup istediği şeyi bi'l-mübâyaa derhâl mahalline avdet edecektir.

Cümlenin her vakitte ve ale'l-husûs ramazân-ı kesîrü'l-feyezânda cevâmi-i şerîfeye azimet ve cemaatle îfâ-yı salât-ı mefrûzaya devam ve riayet etmeleri ve terâvih vakti memûren bir mahalle gidip gelen hademeden maada bir gûne hizmet ve maslahatı olmayanlar dükkânlarda oturmayıp civar bulunan cevâmi-i şerîfeye azîmetle edâ-yı salât-ı terâvihe müsâraat eylemeleri lâzım gelecektir.

Geceleri kimse fenersiz sokaklarda gezmeyecek ve fenersiz tutulanlar hakkında neşrolunan tembihat hükmü icra kılınacaktır. Saz ve hayal olan mahallerde herkes ırz ü edebiyle oturacak ve cemî vakitte mezmûm olan kumar ve emsali lubiyyât memnu olmakla, bazı hane ve kahvehanelerde toplanıp bu misilli harekâtı görünen olursa ve mahalle aralarında halkı bî-huzûr edecek evzada bulunur ise tedip olunacaktır. Cümlenin özr-i sahîh-i şer'îsi olmadıkça sıyâma devam eylemeleri lâzım geleceği misilli özr-i sahîh-i şer'îsi olanların bile çarşıda alenî surette nakz-ı sıyâm eyledikleri görülür ise derhâl mücâzât-ı lâyıkaları icra kılınacaktır.

Her zaman tanzîfât ve tathîrâtın icrası lâzımeden ve sokak ortalarına ve öteye beriye süprüntü döküp bırakmak taaffünâtı müstelzim olarak hıfz-ı sıhhat-ı

---

401 Alaturka saatle akşam namazına bir saat kala.

umûmiyyeye dokunacağı bedihiyâttan olmakla her vakitte ve alelhusus büyük ve küçük sâhib-i hâne ve esnaf sair hane ve dükkânlarını süprüntü ve müstekreh şeylerden tathîre ikdam edeceklerdir.

Fişenk atmak ve mehtap [maytap] yakmak gibi müziç ve halkı bî-huzûr edecek şeylerden tevakkî ve mübaâdet olunacaktır.

Tenbîhât-ı meşrûha sûret-i kat'iyyede olarak buna memurları taraflarından devam ve ikdam olunacaktır. Tenbîhâta muhalif evzâ ve harekât görülür ve memurları canibinden vazife-i memûriyyetlerini ifa ve icralarında muhâlifâne harekette bulunulur ise tedîbât-ı lâzımelerine bakılmak dahi mukarrerdir. Keyfiyyet cümlenin malûmu olmak üzere işbu varaka-i mahsûsa tab ile neşir ve ilân olundu."[402]

Beher sene ramazân-ı şerîfin takarrübünde cânib-i evkaftan cevâmi-i şerîfeye kandil yağları ve balmumları tevziatına ibtidâr olunur ve şehr-i mezkûra on beş gün kala yani Berat Kandili'nin ertesi günü selâtîn minarelerine mahya ipleri kurulmaya başlar. Eskiden ramazanlarda sadrazam ve reisülküttap ve kethüda ve defterdar efendi gibi eâzım-ı ricâl tarafından sarây-ı pâdişâhîye "yıllık-ı hümâyûn" namıyla bohçalar takdim olunur ve maruf hocaefendilere ve maiyet memurlarına, aklâm-ı rüesâsına iftariye namıyla saatler ve enfiye mahfazaları gibi şeyler ihdâ edilirdi.

Ramazân-ı şerîfin on beşinci günü tavâif-i askeriyyeye baklava tevzi olunmak âdet olunduğundan o gün yeniçeriler sarây-ı hümâyûna gidip amirleri, zabitleri hazır olduğu hâlde silâhtarağa huzurunda baklava tepsileri ita ile ferdası günü tepsileri ve futaları[403] matbah-ı âmireye iade ederlerdi.[404]

---

[402] Tanzimat döneminde, her sene ramazan gelmeden önce Babıâli tarafından halka ilân edilen bu tembihnameleri *Takvîm-i Vekayi* koleksiyonlarında bulmak mümkündür. Bunların hepsi hemen hemen aynı konulara temas etmekte, ilânlarda belirtilen hususlara uyma hususunda halk ciddi bir şekilde uyarılmaktadır.

[403] futa: Esnafın çalışırken beline bağladığı peştemalın adıdır. (*TGKSS*)

[404] Kanunî Sultan Süleyman zamanında seferden galip dönen orduya pilâv, zerde ve yahniden oluşan yemek verme usulü, daha sonraki padişahların bunu ramazan ayının on beşinci günü baklava dağıtmak şeklinde genişletmesiyle bir âdet hâlini almıştır. Her on yeniçeriye bir tepsi baklavanın verildiği bu merasim kendisine has teşrifata tâbi idi. Ahmet Cevat Paşa, Topkapı Sarayı'nın mutfağından yeniçerilere baklava dağıtılmasını *Târîh-i Askerî-i Osmânî* (Kitâb-ı Evvel, İstanbul 1297) adlı eserinde şöyle anlatır: "Yevm-i mezkûrda yeniçeri ortaları saka ve usta ve karakullukçuları ile zâbitân-ı sâire Yeni Saray'da [Topkapı Sarayı] orta kapının iki tarafında olan divan yeri sofasından ileriateki matbahlar pîşgâhında futalara bağlı ve hazır bulunan baklava tepsileri hizasında ikamet eylediklerini müteakip, orta kapı çevrilip Babüssaadede muntazır bulunan silâhtar ağanın sağ koltuğunda anahtar ağası ve sol koltuğunda baş lala bulunduğu ve yedi nefer çakı salan ağalar peşlerinde ve kilercibaşı baltacısıyla sofa ocağı muteberânından emin hasekisi tabir olunan silâhtar ağa palûdecisi arkalarında hareket eylediği hâlde akağalar kapısından silâhdâr-ı müşârünileyh çıkar ve kilercibaşı baltacısıyla palûdeci ağadan başkasını

Ramazân-ı şerîfin yirmi birinci akşamı da taraf-ı şâhâneden sadrazama iftariyelik kahvaltısı ile taam gönderilirdi.

Ramazân-ı şerîfin on beşinden sonra muayyen bir gecede bilumum vükelâyı saltanat ve ricâl-i devlet ve memûrîn-i sâirenin takım takım Bâb-ı Âsafîde[405] iftara gitmeleri teşrîfât-ı kadîme icabından idi. 1189 [1775] tarihinde mesned-i meşîhata nasıp ve on yedi ay sonra azil ile Bursa'ya nefyedilen Salihzade Mehmet Emin Efendi nefâis-i etime meraklısı bir zat olup, şeyhülislâmlık makamında bulunduğu zaman dairesinde tabh olunan taam hiçbir dairede çıkmayıp, bu surette zamanında hâiz-i iştihâr ve hatta aralıkta sarây-ı hümâyûna dahi takdim ettiği etime-i nefîse karîn-i pesend-i hudâvendigâr olmuştur.

Bu şöhretten münbais olsa gerektir ki vükelâ ve rical ve memûrîn-i devletin Bâb-ı Âsafîde iftarda bulundukları gecenin ertesi akşamı dahi kezalik takım takım şeyhülislâm konağına iftara gidilmek bu zatın zamanında âdet olmuş ve artık merâsim-i teşrîfâtiyye sırasına girerek 1250 [1835] tarihine kadar devam etmiştir. Zaaf-ı basarî mülâbesesiyle gözlük istimal ettiğinden zamanı zurefâsı tarafından kendisi Camgöz Emin Efendi diye talkîb olunmuştur.

Cennet-mekân Sultan Mustafâ-yı Sâlis bir gün bu Salihzade Efendinin pederinin metfeni olan Topkapı'da Ahmet Paşa Camii civarında bulunan konağına gitmiş ve esnâ-yı kelâmda kendisini taltîfen "Efendi, aralıkta size gelmek isterim ama konağınız pek uzak yerde" demesine mukabil efendi de "Sâye-i şâhânenizde yakın mahallerde bir hane tedariki mümkündür. Fakat manzûr-ı şâhâneleri buyrulmakta olan şu hanelerin hiçbirinde matbah yoktur" deyip padişah istiğrâb ile "Acayip, bu evlerde yemek pişirmezler mi?" diye istîzâh-gûne redd-i kelâm etmesi üzerine efendi "Cümlesinin sabah ve akşam yemekleri fakirhaneden gider. Onun için buradan ayrılmak istemem" demiştir.

Nahâfet-i bedeniyyesinden dolayı beyne'r-ricâl Hindi Molla diye mülâkkab olan sudurdan Vassâf Efendizade Esat Efendi[406] ile bu Salihzade beyninde bürudet ve münâferet varmış. 1190 [1776] Ramazan'ında Vassâfzade, şeyhülislâm-ı vakt bulunan müşarünileyh Salihzade Emin Efendinin iftâr-ı resmîsinde bulu-

---

kapının önünde terk ile kendisi bu iki neferle baklava tepsileri hizasına takarrüp eder. Kilercibaşı baltacısıyla palûdeci zât-ı şâhâne için hazır olan bir tepsi baklavayı alıp silâhdâr-ı müşârünileyhe ita ve teslim ederler. Bunu müteakip efrâd-ı askeriyyeden ikişer nefer, baklava tepsileri futalarını ellerindeki yeşil yollu sırıklara talik edip hazır oldukları orta kapıya işaret olundukta kapı açılıp her bölüğün usta ve saka ve mütevelli ve odabaşı ve karakullukçu ve bayraktarı bölükleri önüne düşerek ve baklavacılar da arkadan gelerek alay ile kışlalarına isal ve bade't-tenâvül ertesi günü tepsi ve futaları matbah-ı âmireye iade ve tesyâr ederlerdi." (s. 197)

405 Bâb-ı Âsafî: Eskiden sadrazam konağı, paşa kapısı karşılığında kullanılan bir tabirdir. (*OTDTS*)

406 Salihzade'nin azlinden sonra şeyhülislâm olan Mehmet Esat Efendi 1776-1778 arasında toplam bir sene sekiz ay bu makamda kalmıştır. (*İlmiyye Salnamesi*, s. 545)

nup, mevsim kış olduğundan sofraya hindi dolması konulmuş ise de hindinin lâgar olduğu şeyhülislâmın nazarıdikkatini celp edip "Acayip şey, bu sene hindi seslenemedi" diyerek ekletmeyip lengeri kaldırtmış. Esat Efendi ise bundaki tarizden münzecir olarak "Onun da vakti vardır, geldikte sesleri çıkar" demiş. Yirmi beş gün sonra Salihzade yerine şeyhülislâmlık mevkiine gelip o vakte kadar hiç İstanbul'dan çıkmamış olan Salihzade'yi Bursa'ya nefiy ile ahz-ı sâr ve teskîn-i gayz etmiş, Salihzade 1191 [1777]'de Bursa'da irtihal etmiştir. Rahmetullâhi aleyhümâ.

Selîm-i Sâlis asrı şeyhülislâmlarından biri, işbu usûl-i teşrîfâta tevfikan muayyen olan akşam için ihzar olunmakta olan taamları bir kere gözden geçirmek istemiş ve matbahı harem dairesinde olduğu cihetle ikindi üstü matbaha gidip müstahzaratı muayene ettiği esnada vaki olan bazı istîzâhâta cariyelerinden birinin verdiği cevap hoşuna gidip kızcağızın çenesinden ve ale'r-rivâyetin yanağından okşamış ve galiba marîz-i takdirde mütebessimâne birkaç da kelime-i tayyibe ilâve buyurmuş. İşleri güçleri bu gibi şeyleri takip etmekten ibaret olan casuseler bu hâli tellendirmişler, pullandırmışlar derhâl hanımefendiye yetiştirmişler. Efendinin ciğergâhına işleyecek bir tedbîr-i intikam taharrisinde hanım zahmet çekmemiş ve hemen matbah dairesine inerek mahut cariyeyi yok etmekle beraber etime-i mevcûdeyi de takımlarıyla maan mübarek yediyle kırıp geçirip oradaki kuyuya atmış ve akşama ne bir tas çorba ve ne de bir sahan yemek bırakmış; "Böyle şeyhülislâmın haddi böyle bildirilir" buyurduktan sonra odasına çekilmiş. Bu hâli müşahede ve inceliği mülâhaza eden kâhya kadın hafiyyen dönme dolaba[407] gelmiş, kethüda efendiyi celp edip vuku-ı hâli nakil ve hikâye eylemiş. Zavallı kâhya sakalını eline almış, düşünmüş, tefekkür etmiş. O saatten sonra yeniden tedarikte bulunmaklığın imkânı olamayacağına kanaat hâsıl ederek bu hâlden sarây-ı hümâyûnu agâh etmek tedbirini tahattur etmiş ve doğruca meşhur Mabeyinci Ahmet Beyin nezdine gidip macerayı bi'l-etrâf beyan ve ifade eylemiş. Mesele hâk–pây-ı şâhâneye arz olunması üzerine derhâl matbah-ı hâss-ı hümâyûna emir verilmiş. Kethüda Efendi de konağa avdet edip biraz sonra tabla tabla yemekler gelmiş, münasip bir mahalle yerleştirilerek müteakiben misafirler de vürut etmeye başlamışlar. Şeyhülislâm şöyle dursun, vak'adan kethüda efendi ile bir iki hademeden gayri kimsenin malûmatı olmamış. Muahharen meseleye kesb-i ıttılâ etmiş ise de sûret-i mahsûsada aldığı irâde-i seniyye üzerine şakk-ı şefe etmeyip sükûta mecbur olmuştur.

---

407   dönme dolap: Eski Türk evlerinde erkeklerle kadınların birbirlerini görmeksizin eşya verip alması için haremle selâmlık arasında yapılan dolabın adıdır. Uzunca, silindirik ve bir eksen etrafında dönen bu dolabın bir tarafı açık, diğer tarafı kapalı idi. İçinde raflar bulunur ve bir taraftan verilen şeyleri öbür taraftan almak için kullanılırdı. (*OTDTS*)

Meşhur Dürrîzade Şeyhülislâm Abdullah Molla,[408] Sultan Mahmûd-ı Sânî zamanında servet ve samânıyla beraber mekârim-i mebzûlesi ve kibarlığıyla şöhret-şiâr idi. Müşarünileyhin şöhret-i şâyiası Sultan Mahmut'un dahi mesmuu olup, kibarlığı hakkında işittiği medâyih-i mutarrâyı mübalâğaya haml ile beraber sahih ise çokça görmek gibi hislerle mütehassis olmuş idi. Bu hissin sevkiyle medâyih-i müstemianın sıhhatini bizzat tahkik etmeyi ve kendisini de sınamayı zihninde kararlaştırarak bir ramazân-ı şerîf günü Üsküdür'da Yeni Câmi-i şerîfi ziyaret ve ikindi namazını iskeledeki Mihrimah Sultan Camii'nde eda ederek bu caminin denize nazır cephesi karşısında mevcut bulunup Meşrutiyet'ten sonra diğer bazı emsali gibi kapatılmış olan Nizamiye Karakolhanesine azimetle oturmuş. Meğer kendinin tertîbât-ı mahsûsası ile vükelâ-yı asr ile ricâl-i devlet dahi orada toplanmak üzere kararlaştırılmış imiş. Mollâ-yı müşârünileyh dahi ondan biraz müddet evvel Doğancılar'da müceddeden inşa edip bilâhare hâssa ordusu müşiriyet dairesi olduktan sonra kırk elli sene kadar dahi Üsküdar mutasarrıflığı ve Adliye dairesi ittihaz edilmiş olan ve geçende maatteessüf muhterik olan o azim konakta mazulen ikamet ediyormuş. O gün saat on bir buçuktan sonra rikâb merasimi icra olunur gibi rical ve vükelâ önünde yekdiğerini takiben Doğancılar cihetine doğru ve padişah dahi hadem ü haşemle arkadan azimet ederek akşam ezanına beş on dakika Dürrîzade'nin konağına vasıl olurlar. Konakta kimsenin ise asla malûmatı ve tedariki olmadığından böyle cemiyet-i uzmânın vürudunu görünce kethüdası efendi telâşa düşerek keyfiyeti ve zât-ı şâhânenin birlikte teşrifini efendiye haber vermişler. Efendi ise kethüdanın telâşını görünce "Efendi ne telâş ediyorsun? Hareme haber gönderin, harem tablalarından bir iki tanesini dışarıya versinler. Benim yemeğimi de efendimize takdim ediniz!" emrinde başka bir şey söylemeyerek misafirîni ve hususen zât-ı şâhâneyi istikbal etmiş. Zaten vaktin hulûl etmiş olmasına mebni herkes iftar sofrasına oturmuş ve umduğundan ziyade nefâis-i etime tenâvül etmişler. Sultan Mahmut ise kendisine takdim edilen Dürrîzade'nin sofrasına ikbal ile efendiyi dahi karşısına alarak birlikte iftar eylemişler. Padişahın muahharen vaki olduğu rivayet edilen ifadesine göre yedikleri yemeğin nefasetini takdir ile her yemek kabının gayet kıymettar ve nefis evâniden olduğunu görmüş ve pilâvdan sonra gelen hoşafın mevzu bulunduğu kap billûr olmakla beraber diğer evâni ile mü-

---

408 Dürrîzade Abdullah Molla, II. Mahmut zamanında iki defa şeyhülislâm olmuştur. Birincisi 1808-1810 arasındadır ve müddeti bir yıl on aydır. 1812-1815 arasında ikinci defa şeyhülislâmlık makamına gelen Dürrîzade'nin, bu seferki müddeti iki sene dokuz ay, on gündür. II. Mahmut'un yeniçeri ocağını kaldırmak için topladığı mecliste bulundu ve ocağı kaldırmak için düzenlenen mazbataya imza attı. Ali Rıza Beyin de işaret ettiği gibi zengin ve teşrifata meraklı bir şahsiyet olarak bilinmektedir. 1828 yılında vefat etmiştir. (Hayatı ve memuriyetleri hakkında bilgi için bk. Mehmet İpşirli, "Dürrîzade Abdullah Efendi", DİA, c. X, İstanbul 1994, s. 36-37; İlmiye Salnamesi, s. 575-577; İzahlı Osmanlı Tarihi Kronolojisi, c. V, s. 151)

tenasip nefasette olmamasını kendisinden sormuş ve efendi de "Dâîniz hoşafın lezzetini bozmasın diye buz parçalarını hoşafın içine attırmıyorum da, manzûr-ı şâhâneleri olduğu gibi buzdan kâse yaptırıp hoşafı onun içine koyduruyorum." demiş olmasından Padişah bunu kendiliğinden anlayamadığından "Pek utandım" dermiş. Bade't-taâm "Efendi, sizin aşçı pek iyi, isterseniz bizim aşçıyla değişelim." demek suretiyle kendisini taltif etmiş. Bu vak'adan sonra Dürrîzade'nin ismi ne vakit huzurunda zikrolunursa Sultan Mahmut "Herif kibardır" dermiş.[409]

Çarşı pazarda ve memerr-i nâs olan mahallerde kâin dükkân ve mağazalarda güllâç demetleri, pastırma, sucuk ve zeytin, peynir ve havyar misilli çerezler daha fazla görünmeye başlar. Galata ve İstanbul bal ve yağ kapanlarında ve Asmaaltı mağazalarında tüccar ve maiyeti halkının faaliyeti tezayüt eder. Mahallât kahvelerinde mekûlâtın fiyat ve nefaseti hakkında lâklâkiyyât cereyan etmeye başlar.

1247 [1832] senesi ramazân-ı şerîfi hulûlundan evvel, İhtisap Nezareti[410] tarafından esâra vazolunan narh pusulasının bir suretini zirde derç eyledim.

Cins-i Esâr	Adet	Kıyye	Kuruş	Para
Sükkerî reçel		1	4	20
Şerbetlik elvan şeker		1	5	-
Kelle şekeri		1	5	-
Yarma tabir olunan				
toz şeker		1	4	20
Yumurta	100	-	14	-
Âlâ mermer tozu				
nişasta		1	4	20
Vasat nişasta		1	4	20
Güllâç		1	6	-
Âlâ şaîre		1	1	28
Zeytin		1	1	8
Şumnu peyniri		1	2	30
Kaşar peyniri		1	3	16
Salamura peynir		1	2	28
Mudurnu peyniri		1	3	10

---

409 Ramazan Âdetleri II, *Peyâm-ı Sabâh* (*Peyâm*, nr. 878, *Sabah*, nr. 11308), 4 Ramazan 1339/13 Mayıs 1337/1921, s. 3

410 İhtisap Nezareti: Belediye zabıtasına, kısmen valiye ve emniyet müdürlüğüne ait vazifeleri görmek ve bilhassa esnaf işlerine ve esnafın kontrolüne bakmakla mükellef olmak üzere vaktiyle kurulmuş olan nezaretin adıdır. 1854 yılında kaldırılarak yerine Şehremaneti tesis edilmiştir. (*OTDTS*)

Kalas kaşkaval peyniri	1	2	24
Kalas çerviş yağı	1	4	6
Atina ve Rumeli balı	1	3	-
Âlâ nohut	1	-	23
Mercimek	1	-	26
Âlâ dakîk	1	1	-
Evsat dakîk	1	-	32
Arpacık soğanı	1	-	10
Şişe mumu	1	4	15
Sade mum	1	4	5
Yerli mum	1	3	38

Yakın zamanlara kadar vükelâ ve vüzera ve ağniyâ taraflarından kendilerine taalluk ve münasebeti olanlara ramazanlarda hediyeler verilir ve talebe-i ulûma ve tekkelere erzâk gönderilirdi. Binaenaleyh ramazan takarrübünde bu misilli levazımatın tedarik ve tevzii rical ve kibar dairelerinin başlıca vezâifindendi.

İstitrat-Mısırlı Fazıl Mustafa Paşa merhum 1279 [1863] tarihinde Maarif Nezaretinden Maliye Nezaretine tayin olunduğundan, o senenin ramazân-ı şerîfi hulûlünde hazine kavası ve odacı misilli hademesine 100.000 kuruş ramazaniye tevzi ettirmiş ve 1280 [1864] senesi ramazanının takarrübünde Hıdiv İsmail Paşanın[411] gönderip tevzi ettirdiği akçe ve erzakın miktarı da zirde derç ve imlâ edilmiştir.

	Şeker	Erz	
Tevzi Olunan Mahaller	**Kantar**	**Kazevi**	**Kuruş**
Tekkelere	40	100	83.000
Medreselere	30	50	43.000
Üsküdar mahallât-ı fukarasına	-	20	15.000
Boğaziçi fukarasına	-	18	15.000
Galata-Tophane-Fındıklı fukarasına	-	10	10.000
Kasımpaşa fukarasına	-	10	10.000
Eyüp ve Eğrikapı fukarasına	-	17	12.500
Silivrikapısı-Edirnekapısı fukarasına	-	14	10.000
Yedikule fukarasına	-	14	10.000
Ötede beride kalmış olduğu haber verilenlere	10	43	42.500
	80	**296**	**251.000**

---

411 Mısır Valisi Mehmet Ali Paşanın oğlu İbrahim Paşanın oğulları olan Fazıl Mustafa Paşa (1830-1875) ve İsmail Paşa (1830-1895) baba bir kardeştirler. Fazıl Mustafa Paşanın ifadesine göre İs-

İstitrat-Hıdîv-i müşârünileyh Yenikapı Mevlevîhanesi'nin semahane ve hücrelerinin inşası için bin kese gönderdiği gibi seksen iki [1865] tarihinde vuku bulan Hocapaşa harîk-i kebîrinde[412] def'aten verdiği 1500 kese akçeden başka harîk-i mezkûrda evi barkı yanıp büsbütün kül olmuş ve tanzim olunan defteri mantukunca miktarı 8500 kişiye baliğ olmuş olan erbâb-ı ihtiyâcın beher neferine altı ay kış, şehrî altmışar kuruş ile otuzar kıyye pirinç ve ikişer kıyye revgan-ı sâde ita etmiş ve Sultan Abdülaziz'in hastalıktan iâde-i âfiyetleri şükranesi olmak üzere 500.000 kuruş gönderip fukaraya tevzi ettirmişti.

Ramazanlarda şehzâdegân dairelerine ve sultan saraylarına ve selâtîn-i mâziyye ve kadın efendileri sahilhanelerine münasebet hâsıl etmiş olan her sınıftan birtakım halk ve bazı hocaefendiler ve meşâyih ve talebe-i ulûm ve fukarâ-yı dervişân iftara gidip derecelerine göre hediyeler, atiyyeler alırlar ve rütbe ve memuriyet sahibi olanların vüzera konaklarına iftara gitmeyi bir mecburiyet hükmünde addederlerdi.

Âdet-i belde iktizasınca iftarcılar ezân-ı şerîfe beş on dakika kala gelip, hâlbuki hangi akşam ne kadar misafir geleceği gayr-i muayyen olduğundan, onlardan başka her akşam saray ve konak ve sahilhaneler kapılarına üçer, beşer sofralık fukara da teraküm eylediğinden, gerek misafirlerin izaz ve ikramı gerek fukaranın itâmı için ramazan akşamları her dairede mutattan beş on kat fazla taam bulundurmak muktezi olduğu için bu misilli büyük dairelerde kâhya efendiler, vekilharçlar ve kâtipleri ramazân-ı şerîfin hulûlünden evvel ona göre levâzımat defterleri tanzim ederler, kilercilere, kahvecilere, çubukçulara, aşçılara, tablakârlara, ayvazlara, yamaklar tedarik ve ilâve olunur ve harem dairelerine de bu nispette iftarcılar geldiğinden onlarca da başkaca hazırlıklar görülürdü.

Büyük dairelerin umumunda teravih namazları ayinler ve ilâhîler ile eda olunmak âdet olduğundan her daire kadim imamından başka bilhassa ramazân-ı şerîf için Kur'ân-ı Kerim'i güzel tilâvet eden imamlar ve fenn-i mûsikîde ihtisası olan bülent sedaya malik beşer altışar nefer müezzinler tedarik ve intihap ederler.

Teravih için her akşam konakların geniş divanhanelerine uşaklar, halılar ve seccadeler sererler, beşizli şamdanları münasip mahallere vazederler. Şehzâde-

---

mail Paşa, kendisinden dört saat evvel doğduğu için hıdivlik hakkını elde etmiştir. (*Geçen Asırda Devlet Adamlarımız*, s. 90) İsmail Paşa, Abdülaziz ile iyi ilişkilerinin sonunda 1865 yılında çıkarttığı bir fermanla hıdivliğin hanedanın en yaşlısı yerine oğuldan oğula geçmesini sağladı. Fazıl Mustafa Paşanın, muhalif Yeni Osmanlılar hareketini desteklemesinde Mısır veraset usulünen kendi aleyhine değişmesinin büyük rolü vardır.

412 29 Ağustos 1865 tarihinde Hocapaşa'da çıkan yangın iki gün sürmüş, Cağaloğlu, Kadırga, Kumkapı, Nişanca ve Sultanahmet semtlerinde yüzlerce ev ve konak kül olmuştur. (Daha geniş bilgi için bk. Osman Nuri Ergin, *Mecelle-i Umûr-ı Belediyye*, c. I, İstanbul 1338/1922, s. 1309-1314)

gân dairelerinde ve sultan saraylarında ve bazı büyük dairelerde harem ile selâmlık arasını tefrik için büyük sofalara kafesler çekilir; kafeslerin arka tarafında da halayıklar arakiye[413] ve sırmalı seccadeler sererler. Müezzinler yatsı vakti olunca çifte ezan okurlar, misafirler ağır ağır kollarını sıvayarak abdest almaya başlarlar, müezzin efendiler arka safta cemaatin hazırlanmasını intizar ederler. Saflar yavaş yavaş düzelir, ayinler ve ilâhîlerle namazlar eda olunur. Yatsı namazında muayyen bir beste takip olunmaz ise de teravih namazının her dört rekâtı eda olundukça müezzinler tarafından ilâhîler ve âyîn-i şerîfler yüksek avâz ile okunur. İlk dört rekât hitamında saba veya dügâh veyahut bestenigâr ve ikinci dört rekâtta hüzzam ve üçüncü dört rekâtta ekseriya ferahnak ve dördüncüde mutlaka evç ve beşincide de behemehâl Acem bestelerinden ilâhî okunmak ve imam efendi dahi mihrapta okunan ilâhînin bestesinde tilâvete devam etmek zarurîdir.

Şeyhülislâm-ı esbak Cemalettin Efendi[414] merhum müddet-i meşîhatinde Bâb-ı Fetvada ve infisâlinden sonra da sahilhanesinde bu iftar ve teravih âdetlerini muhafaza etmişti. Rahmetullâhi aleyh.

Meşhur Kırımî Ahmet Kâmil Efendiden sonra Sultan Mahmûd-ı Sânî'nin imamlığına tayin olunan Cennet Filizi Abdülkerim Efendi ile o aralık Sultan Mahmut'un müezzinbaşılığında bulunan meşhur üstâd-ı mûsikî Dede Efendi arasında bürudet varmış. Bir ramazân-ı şerîfte esnâ-yı mükâlemede Abdülkerim Efendi münasebet getirerek Dede Efendinin musikide zannolunduğu kadar kemâl-i mahâreti ve husûsâ hiç fetaneti olmadığından bahis açması üzerine Sultan Mahmut isticâb ve istizah etmesi ile Abdülkerim Efendi "Acemlerin saltanat-ı seniyyeniz hakkındaki ihaneti herkesçe malûm olduğu hâlde Dede Efendi bunu teyakkun edip de teravih namazında Acem besteden tekbir almamak ve o besteden ilâhî okumamak, buna bedel şevkefza bestesini istimal etmek lâzım gelir ise de, kendisinin şevkefza bestesini istimal ve idareye iktidarı olmaması buna mâni oluyor" der. Padişah ise Dede'nin sanatında iktidar ve kemalini bildiği gibi kendisi de dekayık-ı mûsikîye tamamıyla vâkıf olduğundan, o gece bir tecrübe edilmek üzere karar verilir ve bittabi Dede Efendi bundan haberdar olmaz. Vaktaki o gece teravih namazında dördüncü dört rekâttan sonra evç bestesinden ilâhî okunduğu sırada karâr-ı vâki veçhile Sultan Mahmut tarafından biri müezzinlerin yanına gelerek Dede Efendiye "Acem yapmasınlar şevkefza yapsınlar diye ferman buyuruyorlar." deyip irâde-i seniyyeyi tebliğ edince, o zamana ka-

---

413   arakiye: Tiftikten yapılmış ince, hafif bir külâhın adıdır. (*TGKSS*)

414   Şeyhülislâm Mehmet Cemalettin Efendi 1891-1909 arasında on yedi sene on ay yirmi üç gün ve 1912 yılında altı ay on gün bu makamda kalmıştır. (*İlmiyye Salnamesi*, s. 616). Abdülhamit, 1905 yılında bir cuma selâmlığında Ermeniler tarafından kendisine düzenlenen suikasttan Cemalettin Efendi ile konuşmasının uzun sürmesi sayesinde kurtulmuştur.

dar şevkefza bestesinden hiç ilâhî yapılmamış olduğundan ne yapacaklarını dü-
şünen müezzin efendiler Dede Efendinin yüzüne mütehayyirâne ve muztaribâne
bakmışlar. İçlerinden biri Dede Efendinin ihtar ve işareti üzerine şevkefzadan
tekbir aldığı gibi imamın dahi Fâtiha-ı şerîfeyi şevkefzadan okumakta olduğunu
işitince bunun mürettep ve musammem bir şey olduğunu anlamışlar. Dede
Efendi dahi "Hele namazınızı kılın bakalım" demiş ve dört rekât teravih namazı
kılınıncaya değin oturup şevkefza bestesinden bir ilâhî bestelemiş ve selâm ve-
rilir verilmez hemen ilâhîye başlayıvermiş ve arkadaşlarının cümlesi de musikide
üstat zevat olduğundan Dede Efendiye kulak vererek ağız kalabalığıyla ilâhîyi
güzelce okuyup bitirmişler, padişahın da mazhar-ı tahsîn ve âferîni olmuşlar.

Bazı büyük konaklarda bulunan müezzin efendiler geceleri konakta kalırlar.
Sâhib-i hâne, müezzin efendileri getirterek güzel güzel fasıllar okutturulur.
Ba'de-s-sahûr sabah namazından evvel imam efendi tarafından mukabele-i şerî-
feye muvâzabet olunduğundan ve ekseriya imamlar hüsn-i tilâvet ashabından
bulunduğundan sabah namazı vakti tilâvet olunan Kur'ân-ı Kerîm müstemiîni
müstağrak-ı eşvâk eylerdi.

Bütün konaklarda teravih namazlarından sonra tepsilerle şerbetler tevzi
edilmek de âdettendi. Badehu çubuklar tazelenir, kahveler gelir, bir taraftan da
bade't-terâvîh ziyaretçiler gelmeye başlar. Konaklar geceleri dolar dolar boşalır;
kâffe-i memûrîn maiyeti memurlarını ve rüesâ-yı aklâm maiyet-i ketebesini tüc-
car ve esnaf takımı yazıcı, kalfa ve çırak misilli hademesini, elhâsıl herkes hâli-
ne göre hısmını, akrabasını, konusunu komşusunu, eşini dostunu iftara davet
etmeleri âdet olduğundan, aşçısı erkek olanların bir çırak ilâvesine ve evkat-ı sâ-
irede kadın aşçısı istihdam edenler erkek aşçı tedarik ederlerdi. Aşçıların ücreti
ramazan için iki misli fazla verilirdi. En fakirin iftar tepsisinde bile mütenevvi
reçel, zeytin, peynir, pastırma, sucuk gibi çerezler bulundurulduğundan şekerci
dükkânlarında ufak tabaklarla reçel numuneleri, şerbetlik şekerler, şurup şişele-
ri, reçel kavanozları intizâr-ı umûmiyyeye vazolunur.

İstanbul'da usûl-i inhisârın vaz ve ihdasına yani 1288 [1871] tarihine değin
tütüncü dükkânlarında tütünler terazi ile vezin olup açık olarak satılmakta ve
herkes içeceği tütünü bad'e-l-muâyene mübayaa eylemekteydiler. Bu cihetle tü-
tüncüler gerek rical ve kibar ve gerek avâm-ı nâsın ramazaniyelik tütünlerini çe-
şit çeşit kıyıp hazır ederlerdi. Tütünün İstanbul'a getirilmesi 1009 [1600/01] ta-
rihinde imiş, muâlece için getirilmiş ve 1045 [1635/36] tarihlerine doğru istimali
taammüm etmiş olduğu rivâyât-ı târihiyyedendir. Tiryakiler kendilerine mah-
sus istihzârâtta bu ay için fevkalâde gayret ve itina ederler. Eskiden berş[415] tabir

---

415 berş: Keten yaprağıyla yapılmış afyonlu şurup. (OTDTS)

olunan bir nevi macun da mükeyyifattan olup pek çok müptelâsı olduğu ve bu macunun mucidi meşhur tabip Yusuf Sinan Rahîkî olup iptida Mahmut Paşa civarında bir dükkân küşat ederek imal eylediği macunu satmaya şurû eylediği ve kendisi de bu misilli mükeyyifât müptelâsı olduğu için Rahîkî tesmiye edildiği ve vefatı 953 [1546/47] tarihinde olup Beşiktaş'ta Yahya Efendi Dergâhı bahçesinde metfun bulunduğu *Hadîkatü'l-Cevâmi'*de münderiçtir.

1067 [1657] tarihinde vefat eden *Esâmî-i Kütüb* ve *Fezleke* ve *Cihânnümâ* sahibi Kâtip Çelebî demekle maruf süvari mukabelesi ikinci halifesi Mustafa Efendi, *Mîzânü'l-Hak* nam risalesinde duhan bahsinde "Sultan Murâd-ı Râbi'nin men'i sebebiyle halk varak duhanı ufaltıp burunlarına çeker oldular" diye yazmasına bakılınca ol vakit İstanbul'da enfiye maruf değilmiş gibi mana fehmolunur. Hâlbuki Üsküdarî Hasip Efendi *Vefeyât-ı Meşhûre'*sinde enfiyenin İstanbul'da 1050 [1640/41] tarihinde zuhur edip istimaline başlandığını yazmasına nazaran Murâd-ı Râbi zamanında da bir dereceye kadar enfiyenin maruf olduğu anlaşılır diye *Süleyman Fâik Efendi Mecmuası'*nda bir mülâhaza görülmüştür. Enfiyeyi iptida bir Musevî Galata'da Kurşunlu Mahzen civarında bir dükkân küşat ederek burunotu namıyla satmaya başladığı ve Bulgaristan'da da çam yaprağından bir nevi enfiye imal edilerek purut namıyla satıldığı mervîdir. Gariptir ki Araplar hâlâ enfiyeyeye burun otundan tahfifen ve tarîben burunut dedikleri hâlde bizde her nedense bu isim terk olunarak enfiye denilmektedir.

Süleyman Kanûnî evâhir-i ömürlerinde bi'l-külliye menhiyyâttan içtinap eylediklerinden İstanbul meyhanelerinin kâffesini sedd ü bend ve hamîr emaneti memûrînini ref eylemeleri üzerine asrın şuarasından bir zat:

> *Bir sayha irüp vücûd-ı humârın alâmeti*
> *Çökmişti başuma cümle cihânun kasâveti*
> *Aklım başımda yokdı mahmûr idüm katı*
> *Bir nidâ irişdi didi gör bu musîbeti*
> *Humlar şikeste câm tehî yok vücûd-ı mey*
> *Kıldun esîr-i kahve bizi hey zamâne hey!*[416]

beytini söylemiş olduğu tarihlerde münderiçtir.

*Peçevî Tarihi'*nin birinci cildinin 363. sayfasında kahvenin ibtidâ-yı zuhûru 962 [1554] senesinde olup, o vakte kadar İstanbul'da kahve ve kahvehane olmadığı ve zikrolunan tarihte Halep'ten Hakem ve Şam'dan Şems namında iki kişi gelip Tahtakale'de birer dükkân açarak kahve-fürûşluk eyledikleri ve refte refte ashâb-ı keyf, küttâb, şuara, zurefâ tecemmu ederek, kimi tavla ve satranç oynar

---

[416] Bu şiir Şair Sânî'nindir.

kimisi de kitap ve eşâr okurmuş. Her yeni şeye itiraz ile melûf olan ulema ise "kömür mertebesine varan maddenin istimali haramdır." diye fetvalar vermişlerse de revacına mani olamamışlar[417] ve beyne'l-avâm itibar bulduğu gibi bezm-i küberâda da fağfurî ve çini fincanlar ve kafesi gümüş zarflar[418] istimaline başlanmıştır.[419]

Bir tarihte İran şuarasından Hikmetî isminde bir zat maruf kahvelerden birine gidip oturmuş. Kahveci de alelusul kahve pişirip vermiş. Hâlbuki bu müşteri kahveyi almayıp şu müfredi söylemiş :

Kahve rûy-ı siyâh ânı içmez Hikmetî

Hadîd kahveci de derhâl şu sözle cevap vermiş:

Buna ehl-i irfân şerbeti derler iç anasını ...tiğimin nekbeti[420]

Son zamanlarda Direklerarası'nda meşhur Hacı Reşit'in çayhanesiyle bez fabrikası kapı çuhadarı olduğu hâlde yalnız ramazân-ı şerîfe mahsus olmak üzere yine Direklerarası'nda bir dükkân isticar eden meşhur Hacı Murat'ın pişirdiği kahveler pek lâtif olduğu gibi cali hiddetleri de meşhur idi.[421]

---

417 Kahve ve kahvehaneler hakkında en sert fetvaları veren şeyhülislâm Kanunî döneminin meşhur din âlimi Ebussuûd Efendidir. Ebussuûd Efendi faydasız ve ahlâkı ifsat edici bulduğu kahve ve kahvehanelere ruhsat verenlerin vazifelerinden azledilmesi gerektiğini söyleyecek kadar meseleyi ileri götürür. (Ebussuûd Efendinin kahve ve kahvehaneler hakkında verdiği fetvaların metinleri için bk. M. Ertuğrul Düzdağ, *Şeyhülislâm Ebussuûd Efendinin Fetvalarına Göre Kanunî Devrinde Osmanlı Hayatı*, İstanbul 1998, s. 35-36). III. Murat ve III. Mehmet devrinde şeyhülislâm olan Bostanzade Mehmet Efendi ise Ebussuûd Efendi ile aynı görüşte değildir. Kahveyi çok sevdiğinden olsa gerek yazdığı manzum bir fetva ile kahvenin zararlı olmadığını ve kullanılmasında bir sakınca bulunmadığını belirtmiştir. (Manzum fetvanın metni için bk. Namık Açıkgöz, *Kahvename*, Ankara 1999, s. 36-43)

418 zarf: Kulpsuz fincanların elde tutulurken elin yanmaması için fincanı koymaya mahsus muhtelif şekildeki kabın adıdır. Zarflara çok ehemmiyet verilmiş, gayet süslü ve sanatkârane şekillerde yapılmıştır. Tahtadan, pirinçten, gümüşten, altından, işlemeli, mineli ve oymalıları vardır. (*OTDTS*)

419 *Ramazan Âdetleri III, Peyâm-ı Sabâh (Peyâm*, nr. 879, *Sabah*, nr. 11309), 5 Ramazan 1339/14 Mayıs 1337/1921, s. 3

420 Ali Rıza Bey, içindeki eşyalarıyla ve müdavimleriyle birlikte kahvehaneler hakkında müstakil bir yazı kaleme almıştır. Bk. "Mahalle Kahveleri, Mahalle İhtiyarları" bölümü.

421 Kahvenin Türkiye'ye gelişi, Avrupa'ya yayılması ve Türk edebiyatında kahve hakkında müspet veya menfi tarzda kaleme alınmış şiirler için bk. Süheyl Ünver, "Türkiye'de Kahve ve Kahvehaneler", *Türkiye Etnoğrafya Dergisi*, nr. V, Ankara 1963, s. 39-84; Taha Toros, *Kahvenin Öyküsü*, İstanbul 1998; Namık Açıkgöz, *Kahvenâme*, Ankara, 1999. Ayrıca kahve ve kahvehanelerin doğu kültüründeki yerini ele alan makalelerden oluşan *Doğu'da Kahve Kahvehaneler* (İstanbul 1999) adlı kitap Helene Desmet-Gregoire ve François Georgeon'un editörlüğünde neşredilmiştir.

Ramazan hazırlıklarına iştirak edenlerin başlıcalarından bir takımı da geceleri celb-i rağbet eden hayal ve orta oyunu, çalgı ve sonraları tiyatrocular olup gerek bunlara ve gerek geceleri çarşı hamamlarının açılmasına ramazanın sekizinde ve bazı sene onunda ruhsat verilirdi. Bazı zevat buna bir mana veremeyip "Eğer mazarratı yoksa niçin sekizine, onuna kadar men olunur; varsa niçin sekizinden onundan sonra ruhsat veriliyor?" derler ve bu teehhürât İstanbul'da kesretli olup da bir sebeb-i ma'kule hamlolunamayan göreneklerden biri de budur hükmünü verirlerdi. Nitekim sonraları ramazanın ilk akşamından itibaren ruhsat verilir oldu.

Bir de ramazan gecelerinde en ziyade kalabalık olan mahaller Aksaray, Divanyolu, Tophane, Şehzadebaşı, Direklerarası, Galata'da Çeşme Meydanı gibi caddeler olup, bu caddelerde kâin kahvehanelerde ve çaycı dükkânlarında ve tulumbacı kahvelerinde büyük hazırlıklar görülür ve ramazan geceleri dükkânların içerisi dışarısı hıncahınç dolar ve kahve tâbileri bellerinde futalar peştemallar olduğu hâlde ellerindeki maşaları şakırdatarak dört tarafa seğirtip "Buyurun ağalar buyurun dedik" nidasıyla ale'd-devâm müşteri davet ederler ve bir taraftan da çubuk kahve ve nargile ve ateş yetiştirmeye müsaraatta bulunurlar. Onun için kahvehaneler sahipleri tâbilerin genç ve çevik ve bu işlerde mümarese sahibi olmasına begayet itina ederlerdi. Bu misilli kahvehanelerin bazılarında saz şairleri ve bazılarında da zurna veya klârnet, çifte nağra, darbuka, maşalı zil gibi çalgılar bulundurulurdu.

Sonraları mevâki-i münâsibede kıraathaneler küşat olunarak ramazan geceleri, asrın en güzide sazende, hanendelerinden mürekkep ince sazlar bulundurulmaya başlandı.

Ramazanın ilk günü umum devâir-i devlet tatil olur, gazeteler neşrolunmazdı. Ramazanlarda kâffe-i devâir-i resmiyye aklâmı kalemlere münavebe suretiyle devam edip, herkesin hangi gün gelip hangi gün tatil edeceğini bilmek için kalem odaları duvarlarına münavebe cetvelleri talik olunur ve kış ramazanlarında günler kısa olduğu için devâir-i resmiyyenin geceleri açık bulundurulduğu da mesbûktur. Hatta 1280 [1864 Ramazan'ında Bâb-ı Askerî ve Tophane Müşiriyeti daireleri geceleri saat üçten sekize kadar açık bulundurulup, gündüzleri tatil edilmiştir.

Cevâmi-i şerîfede bade's-salât mukabele-i şerîfe okuyan hafızlar ramazân-ı şerîfe onbeş gün kalarak mukabeleye başlarlar ve Sultan Beyazıt, Fatih Camileri avlularında her ramazan sergiler küşadı mutat olduğundan mezkûr sergilerde teşhir olunacak eşyalar ihzar edilirdi. Bu sergiler Evkaf-ı hümâyûn canibinden toptan mevki-i müzâyedeye vazolunur ve mültezimi, sergiler ashabına başka başka icar ederdi. 1278 [1862] senesi ramazanında Beyazıt sergileri bedel-i icârı inde'l-müzâyede 4300 kuruşta Sahaf Kayserili Mehmet Efendi uhdesinde kalmıştı.

Asrın şuarası, sadrazam ve şeyhülislâm ve vükelâ ve vüzeraya takdim olunmak üzere ramazaniyelik kasideler tanzimiyle meşgul olurlardı. Şair Sâbit merhumun ramazaniye kasidesi pek meşhur ve beyne'ş-şuarâ makbuldur. Hatta Çaylak Tevfik Bey merhum *İstanbul'da Bir Sene* namıyla yazdığı risalenin ramazan geceleri kısmında aynen derç eylemiştir.

Ramazân-ı şerîfin sübutu meselesi İstanbul kadılığı dairesine ait vezâif cümlesinden olmak mülâbesesiyle yevm-i şek[422] gecesi İstanbul kadısı ile maiyet memurlarının şeyhülislâm kapısında mevcut bulunmaları lâzım geldiğinden, o akşam için kadı efendi dairesinde kadı bulunan zat tarafından rical ve memûrîn-i ilmiyyeye mükemmel bir ziyafet keşîdesi mutat olup, Üryanîzade Ahmet Esat Efendi merhumun evâyil-i meşîhatlarında bilfiil İstanbul kadısı bulunan Gelenbevîzade Hayrullah Efendi, ramazân-ı şerîfe birkaç gün kala mezkûr ziyafetin tertip ve icrası hakkında ol vakit vekayi kâtibi bulunan Nafiz Efendi ile ettiği müzakere neticesinde, gerek Yorgancı Çarşısı'ndan celp olunacak mobilya kirası ve gerek mekulât ve teferruatın tedarik ve mübayaası zımnında yetmiş seksen lira raddesinde bir masraf ihtiyarı lâzım geleceğini anlaması üzerine, mücerret bu masrafı üzerinden atmak için bir çare tefekkür ederek derhâl binişini giyip huzûr-ı fetvâ-penâhîye gider. (Çünkü teşrîfât-ı ilmiyye iktizasınca ricâl-i ilmiyye biniş ile huzûr-ı şeyhülislâmîye gitmeye ve kazaskerlik rütbesinde bulunanların da şeyhülislâm efendinin yanına geldiklerinde binişi aldırmaya da şeyhülislâm bulunanlar mecbur idiler.) Bazı afakî sohbet esnasında münasebet getirip. "Canım efendim zamîr, karîb ile baîd beyinlerinde deveran ederse karîbe mi atıf olunur yoksa baîde mi?"[423] diye bir sual irat eder. Şeyhülislâm efendi de sualden maksut olan neticeyi fark edemeyerek vehleten "Karîbe atfolunur" buyurmalarını ganimet addedip "Allah ömürler versin, öyle ise maksat hâsıl oldu. Ramazân-ı şerîf takarrüp etti. İki üç gece sonra sübût-ı hilâl için dairede kalınacağından ve şimdiye kadar İstanbul kadıları bu kaideyi tefehhüm eylemediklerinden etime ve teferruatı kendi hanelerinden mobilyayı da Yorgancı Çarşısı'ndan celp ve ihzar ederlermiş. Bizim hane Fatih civarında ve hâlbuki matbah-ı âlî-i fetvâ-penâhîniz İstanbul kadılığı dairesinin ittisalinde bulunduğundan, mutat olan etime vesaire efendimize matuf olup, bundan bendenize bir hisse teveccüh ederse evde hazır olacak etimeden sairleri gibi tenâvül etmekten ibaret kalır. Binaenaleyh kethuda efendi dâînize ferman buyurun da tedarikini

---

[422] Eğer şabanın yirmi dokuzuncu gününün akşamı rüyet-i hilâl ispat olunur ise ertesi günü ramazan ilân olunur. İspat olunmadığı halde şaban otuz gün itibar olunup artık rüyete ihtiyaç kalmadığından, yevm-i şek şabanın otuzuncu günü demek olur ki cihet-i şek o gün ispat olunursa ramazanın birinci günü, olmaz ise şabanın otuzuncu günü olması ihtimalindedir. (ARB)

[423] Bu bir Arapça gramer kaidesidir. Şöyle ki: Bir zamirin kendisinden önce geçmiş olan iki kelimeden yakın (karîb) olana ait olduğunu gösterir.

görsün" demiş ve müşarünileyh de naçar muvafakat etmekle beraber mobilya celbi külfetine mahal kalmamak üzere kadılık dairesinde icra olunacak mera-sim-i şer'iyyenin bu defalık dâire-i fetvâ-penâhîlerinde icrasını tensip ve bu münasebetle ricâl-i ilmiyye ve mülkiyeden bir hayli zevatı davet buyurmuşlar idi.[424] O akşam mahdumları Halit Molla Beyefendi merhum ile beraber fakir de kapıda bulundum. Doğrusu etime gayet nefis ve mebzul olmakla beraber teferruatı dahi mükemmel idi. Herkes ikram ve itâm olundular. Bade't-taâm misafirler dairenin büyük odasına alındılar. Ol vakit odanın mefruşatı henüz sandalye ve kanapeye tahavvül etmemiş ve tarz-ı kadîmî veçhile üç yan sedirler, çuha makat[425] ve çatma yastıklarla mefruş olunmuş olduğundan kabâları[426] renk renk kürkler içinde yeşil ve beyaz imameli uzun kır ve beyaz sakallı yüksek mevkiler sahibi ricâl-i ilmiyye ve aralarında çember sakallı alaturka setreli ricâl-i mülkiyyenin bu sedirler üzerinde kimi dizini dikmiş, kimisi diz çökmüş, kimi de bağdaş kurmuş oldukları hâlde vakurâne oturup uzun çubuklarının dumanlarını savurarak arz ettikleri manzara hakikaten pek hoş ve mehabetli idi. İstanbul'da zahmetsizce hilâli görebilmek kabil olan mevkiler Harbiye Nezareti meydanında kâin harîk kulesi ve Süleymaniye ve Fatih ve Cerrahpaşa ve Sultanselim ve Edirnekapısı cevâmi-i şerîfeleri minareleri olduğundan buralara gönderilmiş olan mürettep memurlar ve bu memurlara refakat eden cevâmi-i mezkûre hademeleriyle erbâb-ı dikkat ve meraktan hilâl-i ramazân-ı şerîfi görenlerin geldikleri heyet-i mevcûdeye arz ve ima olunması üzerine çubuklar kalktı ve herkes daha resmî bir vaziyet aldı. Vaki olan emir ve işâret-i fetvâ-penâhî üzerine iki adam odaya duhul ettiler. Bir dava tasviri muktezi olduğundan teşkîl-i tarafeyn vaki oldu. Biri diğerinden "1296 [1879] sene-i kameriyyesi şabânü'l-muazzamının selhine değin müeccel olmak üzere, bundan akdem malımdan iştira ve tesellüm etmiş olduğu bir adet mercan tespih semeninden şu zat zimmetinde yüz kuruş alacak hakkım vardır. Bu gece sene-i mezkûre, ramazân-ı mübâreki gurresi olup ecel-i mezkûr hulûl etmiş olduğu hâlde alacağım olan meblâğ-ı mezkûru bana eda ve teslimden imtina eder olduğundan, sual olunup alacağım olan meblâğ-ı mezbûru bana eda ve teslime kıbel-i şer'-i şerîften müddeâaleyh-i mûmâileyhe tembih olunmak matluptur." diye dava eyledi. Müddeâaleyh olan diğer zat dahi filhakika müddeî-i mûmâileyhe vakt-i mezkûre değin müeccel olarak zimmetinde cihet-i mezkûreden ol miktar kuruş deyni olduğunu ikrar edip,

---

424 Üryanîzade Ahmet Esat Efendi 1295 sene-i hicriyesi zilhiccesinin dokuzuncu günü [4 Aralık 1878] makam-ı fetvaya gelmiş ve 1306 senesi cemaziyelevvelinin altıncı günü [8 Ocak 1889] irtihal etmekle Eyüp'te Ebussuûd merhumun türbesi karşısında kâin Sinan Paşa Türbesi bahçesine defnolunup Sultan Mecit tarafından üzerine bir türbe inşa edilmiştir. (ARB)

425 makat: Minder üzerine örtülen çuha ve diğer kumaşlardan yapılan, ön kenarı saçaklı örtüye verilen addır. (OTDTS)

426 kabâ: Önü daima açık duran, kapanmayan kaftanın adıdır. (TGKSS)

fakat ecel-i mezkûrun hulûlünü inkâr etmesi üzerine kadı efendi müddeiden hulûl-i ecel davasına şahit istedi. Hilâl-i ramazân-ı şerîfî görenler huzura gelip müddeâaleyhin yüzüne karşı "Bu akşam ezandan üç dakika sonra minareden hilâl-i mübâreki bizler reyü'l-ayn müşahede ettik, bu gece doksan altı senesi ramazanının gurresidir, biz şahadet ederiz." diye heyet-i hâkime huzurunda şahadet eylediler. Şahitlerin isticvabına pek ziyade dikkat ve itina olunduğundan hatta bir aralık vaki olan teklîf-i şeyhülislâmî üzerine ol vakit Meclis-i Tedkikat-ı Şer'iyye riyasetinde bulunan sudurdan ve efâzıl-ı ulemâdan Halit Efendi[427] hilâlin vaziyeti hakkında şahitleri gayet müdekkikane isticvap eyledi. Badehu tezkiye naibi ve sair memurlar marifetleriyle sırren ve alenen şahitlerin tezkiyeleri icra ve âdil ve makbulü'ş-şahâde oldukları tarafeyn muvacehesinde inhâ olunduktan sonra kadı efendi "Gurre-i ramâzân sabit oldu müddeinin iddiâ eylediği tespih semeninden borcun olduğunu mukır olduğun yüz kuruşu müddeiye eda et." diye müddeâaleyhe tebliğ eyledi. Muhakemenin icrasına bed' olunduğu zaman Bâb-ı Fetvânın büyük kapısı sedd ü bend olunur muhakemenin hitamıyla ilâmın suduruna değin sübût-ı ramâzân hakkında harice bir gûne ifşaâtta bulunulmamasına dikkat olunduğundan, hatta sübût-ı ramâzâna intizar eden Süleymaniye Câmi-i şerîfi mahyacıbaşısı dahi kapıda alıkonularak vekayi katibi tarafından cereyan eden muhakemeyi ve hükm-i vâkii natık tanzim olunan ilâm mahkemenin sicill-i mahsûsuna kaydolunduktan ve bir de gurre-i ramâzân bi'r-rüye sabit olduğundan o gece keyfiyetin ilân edilmesi ve ferdası günü ramazan olacağının atebe-i ulyâya[428] bildirilmesi hakkında diğer bir kıt'a ilâm-ı şer'î tanzim ve kadı efendi tarafından tahtîm edildikten sonra kapının küşadına ruhsat ve mahyacıbaşı tarafından dahi tahta kutu derununda bulunan kandil ile dairenin binek taşından Süleymaniye Camii minaresinde intizar eden kandilcilere işaret ita edildi. Birinci ilâm mahkemede hıfz edildiği gibi ikinci ilâm da atebe-i ulyâya arz olunmak üzere ol bapta tastîr olunan tezkire-i fetvâ-penâhîye leffen vekayi kâtibi efendiye teslimen sadrazam tarafına isrâ kılındı. Vekayi kâtibinin refakatine mahkemenin muhzırbaşısı ile birkaç çuhadar terfik olunarak hayvanlara râkiben azimet ettiler.[429]

Yakın zamanlara kadar sadrazamlar bu suretle giden vekayi kâtiplerine ve maiyetlerine hediyeler ve akçeler ita ederlerdi. Hatta Mekteb-i Nüvvâb müdürlüğünde irtihal eden sudurdan Osman Efendi vekayi kâtipliği zamanında, Âli Paşa merhumdan elli altın aldığını hikâye etmişti.

---

427   Halit Efendi şeyhülislâm-ı merhûm Cemalettin Efendi hazretleriyle biraderleri sudurdan ve Mahkeme-i Temyîz azasından merhum Mustafa Neşet Efendinin pederidir. (ARB)

428   atebe-i ulyâ: Padişahın oturduğu saray.

429   Osmanlılarda ramazanın ilân edilmesi meselesi ve bu konudaki teşrifat Nesimi Yazıcı tarafından yazılan "Osmanlı Dinî Hayatından Bir Kesit: Rüyet-i Hilâl Meselesi" (*Diyanet*, c. 35, nr. 1, Ocak-Şubat-Mart 1999, s. 55-82) adlı makalede geniş bir şekilde ele alınmıştır.

Süleymaniye Câmii kandilcileri aldıkları işaret üzerine minareleri tenvir etmiş ve onu müşahede eden diğer minarelerde de kandiller yanmış ve bekçiler davullarını çalmaya başlayıp bütün ramazan bu suretle ilân edilmiştir.

Eskiden Murâd-ı Râbi zamanında Bağdat'ın hîn-i fethinde son gülleyi atan top saray-ı hümâyûnda hususî bir daireye yerleştirilmiş olduğundan daima dolu durur ve yalnız senede bir kere ramazân-ı şerîfin ilânında atılır idi.

Ramazan meserretleri, ramazan tebrikleri

Ramazân-ı şerîfin ilânından dolayı bütün ehl-i İslâmın büyüğü küçüğü bir sürûr-ı tâmma müstağrak olur. Kahvehane peykelerinde çubuk ve nargilelerini içen ağır başlı, beyaz veya abanî sarıklı derviş kıyafetli veya fesli muttaki adamlar, yerli ve dışarlıklı satıcılar, babalarıyla çocuklar, fenerleri ellerinde olarak akın akın camilere şitâbân olurlar. Saf saf sıralanmış olan cemaatin sükûtu, imam efendinin hazin hazin kıraatı ve müezzinlerin yüksek perdelerde titreyen sedaları ve büyük bir huşu ile edâ-yı salât olunur, dualar edilir. Bade't-terâvih herkes yekdiğerini tebrik ve tes'it ederler.[430]

Minarelerde temcitler[431] verilmeye ve "Merhaba Yâ Şehr-i Ramazan" ve "Safa Geldin Yâ Şehr-i Ramazan" gibi ibarelerle cevâmi-i selâtînde mahyalar kurulmaya başlar. Mahyalar ramazanın on beşine kadar bu misilli ibarelerle, on beşinden sonra da münasip resimler tersim olunmak suretiyle tertip olunmak âdet-i kadîmedendir.[432]

Büyük camiler minarelerinde kandil uçurtmaları da vardır. Bu uçurtmalar iplerinin bir ucu minarelerin şerefelerine, diğer ucu cami avlusunun şerefeye muhâzî bir mahallinde iki üç zirâ yüksekliğinde bağlanıp uçurtmacı bade't-terâvih kandil uçurtmaya başlar. Seyirciler cami avlusunda teraküm eder. Uçurtmacı da o sıra kandil ipini avluya merbut olduğu yere kadar salıverir. Seyirciler de kandil kutusunun bir tarafına şeker veya kurabiye gibi şeyler koyup uçurtmacıya hediye gönderirlerdi. Camilerin hele Ayasofya Camii'nin kubbeye kadar olan tabakatındaki kandiller ortadaki top kandilleriyle beraber işâl olunur ve cevâmi derunlarında da mahya kurulurdu.

İstanbul'da Avrupa beldeleri gibi gece hayatı olmayıp, yatsıdan sonra herkes ikametgâhında hâb-ı sükûna daldığı hâlde ramazan geceleri halkımız sokak-

---

430 Ramazan Âdetleri IV, *Peyâm-ı Sabâh* (*Peyâm*, nr. 880, *Sabah*, nr. 11310), 6 Ramazan 1339/ 15 Mayıs 1337/1921, s. 3

431 temcit: Tazim yolunda sabah ezanından sonra minarelerde okunan dua. (*KT*)

432 Bu resimler ekseriya kuş, çiçek, gemi, köprü, cami resimleriydi. XIX. Asırda kurulan resimli mahyalardan örnekler için bk. *İstanbul Risaleleri* c. I, s. 51-52, 55)

lara dökülür, kahvehaneler ve dükkânlar vakt-i sahûra kadar açık bulunur, bunların kandilleri, fanusları, lâmbaları ile caddeler tenvir olunur, bazı kahveler önüne resimlerle müzeyyen ve kâğıttan mamul hayalî fener konulur, aileler ramazan gecelerinde yekdiğerinin hanelerine giderler; bu cihetle ıssız arka sokaklar da karşılıklı hanelerin kafesleri arasından sızan kırmızı ışıklarla aydınlanırdı.

"İstanbul Çocukları" faslında beyan ve tafsil olunduğu üzere mahalle aralarının[433] ramazan gecelerinde tenviri hususunda çocuklarımızın himmetleri de kabil-i inkâr değildir.

İstitrat-Geceleri sokakların aydınlık tutulması ez-her cihet müstelzim-i menfaat olacağından, çarşılarda kâin dükkânlar önünde kandil asılması ve kimseye cebir sureti tecviz olunmayarak, istekli olanlar haneleri pîşgâhına fener talik edilmesi sene 1263 [1847] tarihinde ilân edildiği misilli 1273 [1857] tarihinde dahi Dolmabahçe Gazhanesi'nden verilmek üzere Beyoğlu caddesinin havagazıyla tenvir olunması takarrür etmişti. İstanbul, Üsküdar ve Boğaziçi kurâsının sulu gazla tenviri için beher lambaya yirmi iki buçuk kuruş alınmak ve bu akça mahallât imamları marifetiyle tahsil olunup Zaptiye veznesine teslim edilmek üzere sene 1281 [1864] tarihinde Mösyö Hirsch isminde bir ecnebiye taahhüt ettirilmişti.[434]

Ramazan geceleri caddelerin kalabalığı sahur vaktine değin devam edip herkes istedikleri yerlerde gezip her biri bir türlü eğlence ile imrâr-ı vakt eyledikleri misüllü erbâb-ı menâsıb ramazan iptidalarında berây-ı tebrîk vükelâ ve küberâ konaklarına giderler ve birbirlerini hanelerinde ziyaret ederlerdi. Bu misilli rical ve kibar meclislerinde ekseriya kibar nazlısı, latîfe-gû ve hoşsohbet zevat da bulunduklarından, artık o muhabbet ve eğlencelere doyum olmazdı.

Halkımızdan bazıları sabah namazlarını büyük camilerde eda etmekliği mutat eylediklerinden semtlerine göre Ayasofya, Beyazıt, Süleymaniye, Fatih, Eyüp Câmi-i şerîfelerine giderler. Ekseri halk sabah namazından sonra yatıp uyku ile gününü geçirmek ister. Mamafih itiyat tebeddülünden dolayı iptidalarında kimi uyumaya çalışıp da uyuyamadığından gözleri kızarmış ve kimisi tiryakilik titizliğiyle evde münazaa çıkarmış olduğu için pürhiddet sokağa fırlarmış. İlk günlerinde herkeste bir tahavvül husule gelir, bazı zurefâ "Ramazanın intizamı hitamıyla beraberdir" derlerdi.

Ramazanın gelmesiyle davul, tabl sesleri de beraber gelir. Beher gece sahur vaktine yakın mahalle bekçileri davul çalarak mahallelerini dolaşır ve arada bir

---

433 Bu fasıl *Alemdâr* gazetesiyle tab ve neşrolunmuştur. (ARB)

434 İstanbul'un aydınlatılması ve havagazı kullanımı ile ilgili büyük bir kısmı vesika neşri niteliğindeki çalışma üç cilt hâlinde İGDAŞ tarafından *Osmanlı'dan Günümüze Havagazının Tarihçesi* (yay. haz. Sertaç Kayserilioğlu-Mehmet Mazak-Kadir Kon, İstanbul 1999) adıyla yayınlanmıştır.

davul kesip "Vakt-i sahûr, saatler sekize geliyor!" nidasını edip yine davul çalar. Unkapanı kahvelerinde hamallar davul çalmaya ramazanın ilk gecesinden başlarlar. İkinci, üçüncü geceler bekçiler ücretle tedarik ettikleri tekerlemecileri refakatine alarak mahallesinde mevcut konak ve hanelerin kapılarında durup:

> Besmeleyle çıktım yola
> Selam verdim sağa sola
> Benim mürüvvetli efendim
> Devletiniz daim ola

mukaddimesiyle birtakım tekerlemeler söylerler. Bunlarla hanımlar ve çocuklar eğlenirler. Hele:

> Halayıklar, halayıklar
> Ocak başında sayıklar
> Davulun sesin duyunca
> Pirincin taşın ayıklar

gibilerine çok gülerlerdi.[435]

Sultan Alaattin Selçukî tarafından ihdâ buyrulan tabl Bursa'da Orhan Gazi Türbesi'nde muallâk olduğu hâlde Bursalılarca büyük yangın denilen 1216 [1801] tarihinde vuku bulan harîk-i kebîrde yanmış olduğu mervîdir. Millî bir yadigar olmasından dolayı teessüf olunur.

Ramazan gecelerinde çocukların hele sâ tekerlemeleri de vardır.

> Uzunçarşı çamur olmuş
> Baklavalar hamur (hamîr) olmuş
> Tiryakiler mahmur olmuş
> Hele sâ, yele sâ

güftelerini bülent avaz ile söylerlerdi.

Ramazân-ı şerîfte sarây-ı hümâyûnda huzur dersi unvanıyla bir meclis tertip olunmak deb-i müstahsen-i Devlet-i Aliyye'dendir. Her mecliste efâhim-i ulemâdan birer huzur ile müderrisinden yedişer sekizer muhatap bulunup, her huzur tarafından birkaç âyet-i kerîme kıraat ve takrir olunur ve huzur ile muhatapları arasında cereyan eden sual ve cevaplar tahlil edilir ve neticesi bir mevize teşkil eden derse işâret-i hümâyûn ile hitam verilir ve dua olunup cümlesinin

---

435 Ramazan gecelerinde bekçilerin söylediği manilerin yer aldığı iki önemli neşir faaliyeti vardır. Bunlar Amil Çelebioğlu'nun *Ramazanname* (İstanbul, t.siz) ve Sabri Koz'un *Bekçi Baba-Ramazan Fasılları* (İstanbul 1999) adlı çalışmalarıdır.

surreleri ita edilir. Bu derslerdeki mübâhasâtın resm-i edebe riayetle icrası iltizam olunagelmişken hoca efendilerden bazıları münazara dairesinden çıkarak teferrüt ve mükâbere vadisinde muarefeye kıyam eyledikleri çok defa işitilmiştir.

Bu dersleri Sultan Mustafa Hân-ı Sâlis esaslandırıp onun zamanında bir huzur ile beş muhatap bulunması usul ittihaz olunup muahheren tezyit edilmiştir. Ramazanın birinci günü bed' olunur, sekizinci günü hitam bulurdu. Sultan Hamîd-i Sânî bu usulü tahvil edip sekiz dersin her birini istediği gün cemetmiştir.[436]

İstitrat-1279 [1863] tarihinde Sultanahmet Meydanı'nda ve şimdiki bahçenin bulunduğu mevkide inşa olunan Sergi-i Osmânî'nin[437] resm-i küşâdı ramazana tesadüf eylediği cihetle resm-i mezkûrun ramazanın onuncu cuma günü icrası takarrür ederek Ayasofya Câmi-i şerîfinde tertip olunan selâmlık resminden sonra icra buyrulmuştu. Ol vakit Mısırlı Kâmil Paşa sadarette ve Âli Paşa hariciye nezaretinde ve Fuat Paşa seraskerlik makamında idi.

Mısır Valisi İsmail Paşa 1279 [1863]'da Mısır valiliğine tayin buyrulmalarından dolayı Dersaâdet'te bulunduklarından resm-i küşâdda hazır bulunmuştu. Taraf-ı şâhâneden ramazan hediyesi olarak müşarünileyhe kırk kırat pırlanta olmak üzere gayet âlâ tek taş bir yüzük ve Serasker Fuat Paşaya da kıymetli bir saat ihsan buyrulmuştu.

O ramazan Sultan Abdülaziz bir akşam Sergi-i Umûmî dahilinde kâin daire-i hümâyûnlarında iftarda kaldığı gibi pederi Sultan Mahmut'un âdetine tevfikan bir akşam da li-ecli't-taltîf Sadrazam Kâmil Paşanın elyevm Dârülfünûn ittihaz olunan konağında iftar etmiştir. Sadr-ı müşârünileyh zât-ı şâhâneye Şeyh hattıyla[438] gayet musanna tezhip olunmuş bir Mushaf-ı şerîf ihdâ etmişti.

Vak'a-i Hayriyye'den sonra Sultan Mahmut bahusus sadrazam ve şeyhülislâm vesair havâss-ı vükelâsını ikametgâhlarına azimetle taltif etmekliği âdet eylemişlerdi. Elyevm Şeyhülislâm Kapısında olduğu misilli, sadrazam Babıâlide ve serasker Bâb-ı Seraskerîde maaile ikamet eylediklerinden, 1249 [1834] senesi ramazân-ı şerîfinde bir akşam Babıâlide sadrazamın ve bir akşam Bâb-ı Fetvâda

---

436 Huzur derslerinin mahiyeti, tarihçesi, yapılış şekli ve bu derslere katılanların isimlerini araştıran Ebu'l-Ulâ Mardin bu araştırmalarını *Huzur Dersleri* (İstanbul 1951) adıyla kitaplaştırmıştır. Bu konuda son yıllarda neşredilen bir ansiklopedi maddesi ise "Huzur Dersleri" (*DİA*, c. XVIII, İstanbul 1998, s. 441-444) adıyla Mehmet İpşirli tarafından yazılmıştır.

437 Bu sergi hakkında daha geniş bilgi için bk. "İstanbul Esnafları" bölümü.

438 Türk hat sanatının zirve şahsiyetlerinden olan Amasyalı Şeyh Hamdullah (1433-1520), aklâm-ı sittenin bütün nevilerinde klasizmi başlatan sanatkâr olarak göze çarpmaktadır. O, hat sanatına getirdiği yeni üslûp sayesinde devrinde ve daha sonra kıbletü'l-küttâb unvanıyla anılmıştır. Nesih tarzıyla yazdığı Kur'ân-ı Kerimler meşhurdur. (Hayatı ve Eserleri hakkında geniş bilgi için bk. Muhittin Serin, *Hat Sanatı ve Meşhur Hattatlar*, İstanbul 1999, s. 99-109; Ali Alparslan, "Şeyh Hamdullah", *OA*, c. I, İstanbul 1999, s. 525-526)

şeyhülislâm Yasincizade Abdülvahhâb Efendinin[439] ve bir akşam Bâb-ı Serâske-rîde Hüsrev Paşanın[440] ve bir akşam Kaptanıderya Çengeloğlu Tahir Paşanın[441] Hocapaşa civarında kâin konağında ve bir akşam da Tophane Müşiri Halil Rıfat Paşanın Fındıklı'da muvakkaten ikametgâh ittihaz ettiği sahilhanede iftar etmiş-ler ve bu iftarların cümlesinde salât-ı terâvihi dahi ifa edip badehu avdet buyur-muşlar ve 1250 [1835] senesi ramazân-ı şerîfinde Bâb-ı Serâskerîde iftar edip vü-kelâ ile beraber teravih namazını Beyazıt Câmi-i şerîfinde eda etmişlerdi. Sultan Mahmûd-ı Sânî tebaasının ahvâl-i rûhiyyesini tetkik ve bahusus ramazan keyif-lerine kesb-i ıttılâı itiyat eylediklerinden ramazan günlerinde Beşiktaş Sarayın-dan İstanbul tarafına geçip Çarşı-yı kebîrde Kalpakçılarbaşı'nda tuhafiyeci dük-kânında ve Beyazıt'ta Mürekkepçiler Kapısı'ndaki tütüncü dükkânında ârâm ile mârrîn ve âbirîni seyr ü temaşa ve cevâmi-i şerîfe derununda dolaşıp bazı hafız ve vaizleri istimâ buyururlar ve bazen de kendileri kâtip kıyafetinde ve meşhur Musahip Sait Efendi de zaîm[442] heyetinde olarak tebdil gezerlerdi.

Hıdiv İsmail Paşa yetmiş dokuz [1863] senesi ramazanında İstanbul'da bu-lunduğu cihetle Yenicami, Beyazıt ve Emirgân Camilerinde Mısır'dan sûret-i mahsûsada hafızlar celp eylediğinden herkes bu camilere şitâbân olurlardı.

Fuat Paşa ilk sadareti zamanında Nuruosmaniye Câmii'nde asrın en maruf ulemasından Murat Molla Dergâhı postnişini, reîsü'l-kurrâ meşâhir-i ulemâdan Feyzullah Efendi ile muhaddisîn-i esâtizeden Hafız Galip Efendiyi vaiz ve Kur'ân-ı Kerîm'i güzel tilâvet eden iki nefer de hafız tayin eylediklerinden, kapı ricali iptida Nuruosmaniye Camii'ne gelirler, badehu çarşı içi tarikiyle Beyazıt Câmi-i şerîfinde bulunurlar ve bazıları da sergilerde ârâm ile hoşsohbet zevatın ramazan hikâyelerini istimâ eder, kâh sergi eşyasını gözden geçirirler ve beğen-diklerini iftar vakti konağına getirmesini tembih ederler. Sergiciler de dış kira-sıyla beraber getirdikleri eşyanın bedelini maa-ziyâdetin alırlardı. Bu eşya Şeyh ve Hafız Osman ve Rakım ve Celâlettin misilli[443] meşâhir-i hattâtîn yazıları ve kütüb-i nefîse ve bazı antika ve eski maden tabaklar ve saksonya kâseler, nadi-de çubuk takımları gibi şeylerdi. Bazı zevatı ramazanlarda tespih intihabı mera-

---

439 Yasincizade hakkında daha geniş bilgi için bk. "İstanbul Halkının Tenezzüh ve Eğlenceleri" bö-lümü.

440 Hüsrev Paşa hakkında daha geniş bilgi için bk. "Ricâl-i Sâbıkaya Ait Bazı Menkıbeler" bölümü.

441 II. Mahmut ve Abdülmecit devirlerinde iki defa kaptanıderya olan Çengeloğlu Tahir Paşa, 1832-1836 ve 1841-1843 arasında altı yıla yakın bir süre bu makamda bulunmuştur. (*İzahlı Osmanlı Ta-rihi Kronolojisi*, c. V, s. 228, 230)

442 zaîm: Zeamet sahibi. Fetih sırasında arâzî-i emîriyye kabil edilen yerlerden harbe katılanlarla bir kısım saray memurlarına kılıç hakkı ve dirlik olarak verilen hisseye zeamet denir.(*OTDTS*)

443 Bu hattatların hayatları ve eserleri için bk. Muhittin Serin, *Hat Sanatı ve Meşhur Hattatlar*, İstan-bul 1999.

kı da meşgul ederdi. Altın kamçılı mercan, öd ağacı, amber misilli tespihler de bu misilli mübayaâta dahil idi.

Bir eski mecmuada meşhut olduğuna göre Tespihçi Emir namında bir zat celb-i rağbet için "Tespihim birer paraya!" diye bağırırmış. Bir tesâdüf-i garîb olarak bu "Tespihim birer paraya!" tabiri merhumun vefatına tarih vaki olmuş. Müstakimzade[444] merhum kendi zamanından evvelki birçok vekayi ve hadisâta tarih söylemek itiyadında bulunduğundan kendinin belki pek gençliği evânına tesadüf eden bu Tespihçi Emir'in vefatına dahi şu:

Yüz çevirdi hayf Tespîhçi fenâdan bekaya

1157 [1744/45]

mısraını tarih düşürmüştür.

Tespih amili olan esnafın yaptıkları tespihleri dükkânlarında satmak mutat olduğuna göre bu Tespihçi Emir'in böyle tabîr-i mahsûsla celb-i rağbete çalışması kendisinin ya Beyazıt yahut Fatih Câmi-i şerîflerinin birisinin avlusunda göregeldiğimiz emsali veçhile sergi açmış esnaftan olduğu anlaşılıyor. Bundan bi'l-istidlâl tebeyyün ediyor ki bu iki câmi-i şerîf avlularında sergi açılmak âdeti hatta 1157 [1744/45] tarihinden evvel başlamış oluyor.

Tespihçi Emir'in yalnız tesbîh-fürûş olmayıp musikide hâiz-i mahâret bir üstat olduğu manzûrumuz olan bir eski ve kıymettar mecmuada mevcut asarıyla istidlâl olunur:

Evç bestesinden şu semaî onundur:

Tersem ki dilî samia zîn cigerîst
Cânâne-i men kû
Çûn ahker-i âteşkede der-sine şererîst
Peymâne-i men kû
Zerrât-ı cihân mest-i şuhûd mî şevend
Şâhid-i ruh-i sâki
Zâhid ki zi savme'e be-meyhâne kemerîst
Peymâne-i men kû
Yelelâ yel le le lâ yel yel yel lâli
Canâne-i men kû
Dîger evç semaî usûleş zencîr

---

444 Ebcet hesabıyla tarih düşürmede usta olan Müstakimzade Süleyman Sadettin (1719-1788) binlerce kişinin isminin ve künyesinin verildiği biyografik eserleriyle meşhurdur. (Hayatı ve eserleri hakkında bk. Cemal Toksoy, "Müstakimzade Süleyman Sadettin", *OA*, c. II, İstanbul 1999, s. 568-569)

Aceb bu âşık-ı nâlâne can gelmez mi
O mîr-i mülk-i tegafül aman gelmez mi
Elinde hançer-i ser-tîz mest genc ü reftâr
O hûnî bak hele kâmil imân gelmez mi
Yale lel lel leli ömrüm lel lel lel lel lel li can gelmez mi

Beyoğlu'ndan mahsusen Frenkler madamalarıyla gelir, sergileri temaşa ve birçok eşya mübayaa ederlerdi. Heyet-i zâtiyyesini muhafazada kayıtsız davranan birtakım adamlar sergilerde oturan rical ve kibardan tanıdıklarının yanına sokularak etekleyip riyakâr cümlelerle envâ-i tabasbuslar ederler, bazıları da tuhaflık vadisinde hoşa gidecek teşebbühler ve hazır cevaplıklar ile güldürürler, neticesinde tespih, sigara ağızlığı gibi ramazan hediyesi aldırırlar ve mukabeleten de türlü tekâpularla teşekkürler ederlerdi. Bu gibi adamlar sonraları tütün sergisinden tütün ve sigara paketleri hediyesine kadar tenezzül eder oldular.

Hereke ve Feshane mamulâtı sergileri ve meşhur Çinli tacirin Çin mamulâtından çay ve yemek ve sofra takımları İran ve Memâlik-i Osmâniyye mamulâtından halı ve kilim ve seccade sergilerinde de şâyân-ı tezkâr mamûlât-ı nefîse mevcuttu.

İşte cevâmi-i şerîfeden hele Beyazıt ve Fatih Câmii'nin derun ve birunu halkımızla hıncahınç dolu olduğu gibi Sultanahmet ve Şehzade ve Lâleli Camileri de tâife-i nisâ ile memlû bulunur ve külle yevm iptida Çarşı içi sonra Beyazıt Meydanı ve daha sonra Şehzadebaşı, Direklerarası caddeleri kadın erkek yayalar ve arabalılardan geçilmez bir derecede kalabalık olur, Zeynep Hanım Konağı'ndan[445] Şehzade karakoluna kadar arabalar yayalar ale'd-devâm piyasa ederlerdi.

Ramazân-ı şerîfte beyne'n-nâs cereyan eden musahabâtın kısm-ı küllîsi filân camide müezzin mahfili altındaki hafızın Kur'ân-ı Kerim tilâveti ve filân camide filân hocanın vaaz ve nasihati ve filân hocanın münasebetsizliği hikâyelerine dair olup, hele bir vakitler Beyazıt Câmi-i şerîfinde Kayserili bir vaiz türemişti. Herif gayet şaklaban olduğundan çok kişi eğlenmek için bunun vaazına koşarlardı. Esnâ-yı vaazda "Rakıya verin ağzın, tütüne verin savurun, hocaya gelince bağırın, alın mı cenneti?" diye elini rahleye vurur, bağırır, herkesi güldürürdü. Şeyh Şallafe denilen mukallit bir herifin de Galata'da Arap Câmi-i şerîfinde kürsüye çıkıp "Yarın rûz-ı kıyamette Hallâc-ı Mansûr dünyayı böyle atacak" mukaddimesiyle hallâç taklidi yaptığı ve mukabilinde asrın sivilize geçinen zadegândan bir hayli bahşişler aldığı meşhurdur.[446]

---

445 Bu konak bir süre İ. Ü. Edebiyat Fakültesi olarak hizmet vermiş, yandıktan sonra bugünkü bina inşa edilmiştir.

446 Ramazan Âdetleri V, *Peyâm-ı Sabâh* (Peyam, nr. 881, *Sabah*, nr. 11311), 7 Ramazan 1339/16 Mayıs 1337/1921, s. 3

Fatma Sultanın ilk zevci Reşit Paşazade Ali Galip Paşa merhum ekseriya gelip bu Kayserili herifi dinler ve ağaları vasıtasıyla atiyyeler verirdi. Bir ramazan paşa-yı müşârünileyhin yedinde gördüğüm inci tespihin kayınpederleri Sultan Abdülmecit hazretleri tarafından ramazan hediyesi olarak ihsan buyrulduğunu ol vakit söylemişlerdi.

Şehzade Câmi-i şerîfinde başında sarık arkasında biniş olduğu hâlde seksen senesi [1864] ramazân-ı şerîfinde ikindiden sonra Ali Suavi Efendi vaaza çıkmıştı. O tarihde sinni otuz raddelerinde vardı. Hakayık-ı İslâmiyyeyi kemâl-i dikkatle anlatıyor diye dindaşlarımızdan birçok zevat vaazında hazır bulunurlardı.

Her şeyin bir kusurunu bulup itiraz etmeyi kendisine meslek ittihaz etmiş olan zatlar her devirde eksik olmadığı ve hele ramazanlarda dillerine bir şey dolayıp ukalâlık ve leffâflığa bir kat daha germi verdikleri gibi yetmiş dokuz [1863] Ramazan'ında da en ziyade medâr-ı bahs u makal ve vesile-i kılükal Sergi-i Osmânî olmuştu. Meselâ Meclis-i Vâlâ mazbata odası hulefâsı Arif Beyin Peyk-i Zafer kalyon-ı hümâyûnu resmiyle yine hulefâdan Refik Beyin derununa bazı masnu çiçekler vazıyla tanzim ettiği sürahinin sergiye vazı hususlarına itiraz edip, çünkü serginin küşadından murat nadide şeyler vaz ve teşhiri olmayıp asıl maksat memâlik-i şâhânenin mahsûlât-ı arziyye ve mamûlât-ı sınâiyyesini göstermek kaziyesinden ibaret olduğu beyanıyla bir hayli mülâhazalar dermeyan olundu ve hatta ramazân-ı şerîf içinde valide sultanın sergi dairesine gelip kadınlar gününü resm-i küşâdını icra ve sergi komisyonu reisi Mısırlı Altes Fazıl Mustafa Paşaya ve azadan Fuat Paşazade Nazım ve yine azadan kapı kethüdası Azmi Beylere birer murassa enfiye mahfazası ihdâ buyurmaları bile ikinci resm-i küşâd denilerek bâis-i istihfâf ve itiraz oldu idi.

Halkımızın yekdiğerine "Nasıl vakit geçiriyorsunuz?" sualinden de malûm olduğu veçhile ramazan günlerinde birinci derecede aranılan şey vaktini hoş geçirmek için kendine eğlence taharrisi kaziyesi olup, ramazan günlerinde imrâr-ı vakt için muayyen mahallerden biri de Çarşı-yı kebîrde kâin bedestendir.[447] Vaktiyle bedesten dolaplarının[448] her birinde birkaç bin keselik zî-kıymet eşya bulunurdu. Buraya ekseriya mazûlîn-i vükelâ ve bazı mecâlis azaları ve kapı kethüdaları misilli vazifeleri hafif olan kudemâ-yı ricâl azimet edip "dolap" tabir olunan dükkânlarda ârâm ve yekdiğeriyle afakî sohbetler ederek eski maden ve saksonya tabak ve kâseleri, buhurdan[449] ve gülab-

---

[447] bedesten: Üstü kapalı çarşılara verilen addır. (*OTDTS*)

[448] dolap: Bedestendeki dükkânlara verilen addır. Bu dükkânlar etrafı ve üstü açık bir sedirden ibaret olup, arka taraflarında eşya koymaya mahsus dolaplar bulunduğundan bunlara dükkân yerine dolap denilmiştir. (*OTDTS*)

[449] buhurdan: İçine kül ve ateş konularak üzerinde kokulu ağaç parçalarının yakıldığı aletin adıdır. Buhur; tütsü, yakılacak şey demektir. Altın, gümüş, bakır, pirinç, porselen, fayans ve topraktan çeşitli şekillerde yapılır. (*OTDTS*)

dan,[450] şamdan misilli gümüş takımlarını ve lâhur şalları ve nadide saatleri vesair eşyâ-yı nefîseyi gözden geçirirler ve bu eşyadan her birerleri hakkında birbirlerine arz-ı malûmât ve beyân-ı mülâhazât ederek gönül eğlendirirler ve beğendiklerini mübayaa ettikleri de olurdu. İşte gündüzleri cevâmi-i şerîfe ziyaretleri, bedesten ve cami sergileri seyr ü temaşası yaşlıların ve ağır başlıların; Kalpakçılarbaşı, Beyazıt ve Şehzadebaşı gibi caddelerin geşt ü güzârı gençlerin eğlencelerine vesile olurdu. Akşamları dahi yekdiğerini iftara davet ve geceleri kahvehanelerde toplanıp musahabet ve kâh oyunlara rağbet ve berây-ı geşt ü güzâr cemiyetli mahallere de azimet ederlerdi. Aksaray, Şehzadebaşı, Tophane gibi caddelerde ramazan geceleri insan bir cereyana kapılır âdeta hendese ile adım atmak zarurî görünür. Ol vakitler caddeler daha dar ve eğri büğrü olmasından dolayı omuz kakmasından, dirsek çarpmasından, ayak çiğnemesinden azade kalabilmek mümkün olamaz, hele dalgın bulunmaya hiç gelmez, alabildiğine gidenlerden birinin çarpmasıyla insan sendeleyip şerbetçi tablasına çarpar, manav dükkânlarının önüne atılan karpuz kabuklarının üzerine basarak ayağı kayar düşer. Yaya kaldırımlarına çıkmak da mümkün olamaz, çünkü kahveciler, çaycılar, iskemleler, sandalyelerle işgal etmişlerdir.

Büyük caddelerde ve bazı hali arsalarda derme çatma barakalarda pandomima ve at cambazı tiyatrolarının muzıkaları, orta oyunu zurnaları, gürültüleri, hovarda kahvelerinin darbuka, çifte nağra, klârnet patırtıları, çaycıların "Buyurun beyim!" sedaları "Haniya buz gibi limonatam!" âvâzeleri, hayale, karagöze davetleri temadi eder. Çaycı ve perukâr dükkânları önünde sandalyelerde oturan beyler ve efendiler beyninde "İskilip Hanı'ndaki ince saz hakikaten pek lâtif, kemanın rûh-nevâz taksimi insanı gaşyediyor... Bugünkü Cerîde-i Havâdis'in nev'iyye kısmını mütalâa ettiniz mi?" lâkırdıları işitilir. Beyoğlu'nda Naum'un Tiyatrosu'ndan ve muzıkasından bahisler olur.

Mahallelerin zurefâdan geçinen ihtiyar kahvelerinde biri "Kâfir şeytan sebep oldu, bu gece teravihi kaçırdık." Diğeri "Simitleri kasap dükkânında unutmuşum, geri dönmeye mecbur oldum. Kardeş, sokakların izdihamı da bir şey, geçilmiyor ki. İftara yetişemedim, yolda top atıldı." Bir diğeri "Cenâb-ı Hak taksiratımızı affetsin, dünya öyle bir değişti ki..." Başka biri tarafından "Kış ramazanı mı iyidir, yaz ramazanı mı?" diye vaki olan suale ukalâdan biri "Fakirin itikadımca sonbahar ramazanı hoştur, havalar mutedil, günler kısa, sebze ve meyve mebzul" cevabını verir. Öteden bir nekre-gû "Bektaşîye 'Ramazanı mı seversin bayramı mı?' diye sormuşlar. 'Ramazanı' cevabını vermiş. 'Niçin?' dediklerinde 'Yenir de onun için' cevabını vermiş." der, kahkahalar yükselir. Bir aralık

---

450 gülabdan: gülsuyu serpmek için kullanılan dibi ve gövdesi geniş, ağzı dar kap. Çiniden, gümüşten, bronzdan ve altından yapıldığı gibi cam ve seramikten de imal edilenleri vardır. (AE-EK)

sohbet tütünlerin fiyat ve nefâis meselesine intikal eder. Leffâf ihtiyarın biri "Koska'da bir Tütüncü Ali Bayraktar vardı. Sağ ise kulakları çınlasın, öldü ise Mevlâ rahmet eylesin. Bizim Tatarağası Hüseyin Ağanın eski dostu idi. Ramazaniyelik tütünümüzü ona ısmarlardık. Bir ramazan 'Eğer paraya kıyabilirsen Mekkîzade için hazırladığım tütünden sana bir miktar vereyim, lâkin bir okkası için üç kuruşunu alırım.' dèdi. Ben de 'herçi-bâd-âbâd' dedim, kâğıda sardı. Ne bileyim, o zamanlar okkalar da mı ziyade idi, neydi. Üç aylık çocuk kadar paketi kucağıma verdi. Sana yalan bana gerçek kahvede çubuğu doldurdum, misk gibi rayihası etrafa yayıldı. Bütün ahbap birer nefes çektiler. Herkes 'Ooo!' diye takarrüp ettiler. Allah gani gani rahmet etsin. Hacı Gazanfer Ağa merhum 'Öyle ama bir okka tütün için de üç kuruş verilmez, böyle şeyler ricale, kibara göredir. Her ne ise ramazanda bir defa için beis yoktur.' diye nasihat etmişti. Hey gidi günler hey!" Bir başkası "Mevlânâ şimdi bohça tütünlerinin âlâsını Ulâh boyarları[451] içiyor, tüccar denk denk tütünlerini oraya gönderiyorlar" misilli lâklâkıyât olur. Bazı mahalle kahvelerinde de bu gibi lâklâkıyât ile beyhude vakit zayi etmemek için kitap mütalâası tensip olunur. Kahveci tarafından sahaflardan kira ile *Kan Kalesi, Hamzanâme* ve *Battal Gazi* misilli kitaplar tedarik edilir. Kahvehane müdavimleri içinde okuması olan bir müşteri kıraat edip diğerleri dinlerler. Kahveci kıraat eden müşteriden kahve parası almaz. Kıraatı deruhte eden zat kitabın bazı yerlerini çıkaramayıp, heceleye heceleye, söktürebildiği kadar okur. Huzzârın ekserisi afyon tiryakisi olduklarından kimi uyuklar, kimi sayıklar, kimisi de ucu beş karış uzun çubuklarını çektikçe lülesinden çıkan dumanlar ortalığı istilâ eder. Müzmin bronşit ile malûl olan tiryakiler, boğula boğula öksürür, tükürür. İki de bir kahveci çırağı kahvenin orasına burasına konulmuş yağ mumlarının fitilini ona mahsus makasla kesmek için peykeleri dolaşır. Bazı semtlerde gençler kahvesi ayrıdır. Geceleri yüzük oyunu, tura oyunu gibi oyunlar çıkarırlar, çekişirler. Burada gürültü ve niza eksik olmaz.

Babıâli havadisini, vükelâ esrarını, rical ve kibar dedikodularını bir an evvel haber almaklığı kendine iş güç etmiş olan birtakım taşra mazulleri ve devâir memurları ikindiden sonra cami maksurelerinde halka olarak yekdiğerine malûmatfuruşluk ederler ve "Filân paşanın hâlâ iftarına gidemedim, pek ayıp oldu." Diğeri "Fakir bu akşam şerif hazretlerinin iftarına niyet ettim." Bir başkası "Filân paşaya dün sergide tesadüf etmiştim, 'Ramazan geleli görüşemedik' buyurdular. Hicabımdan yerlere geçtim." gibi sohbetlerle tefahür ederler.

Diğer tarafta paşalar konaklarının izdihamından bahisle "Dün akşam bizde kırk sofra kurulmuş, artık buna tahammül olunmaz." diye şikâyette bulunurlar. Hatta sonraları ramazan hulûlünden evvel cânib-i teşrîfâttan gazetelere verilen

---

[451] Ulâh boyarları: Romen asilzadelerine verilen addır. (*OTDTS*)

ilânâtta rütbe ve memuriyet ashabı ramazân-ı şerîfte vükelâ konaklarına iftara azimetleri bir mecbûriyyet-i resmiyye zannolunmakta ise de bu suret cümleye zahmet ve külfeti müstelzim olmasına mebni talebe-i ulûm ve dervîşândan gayri ashâb-ı merâtib ve maiyet memurları vesairenin davet olunmadıkça gitmemeleri, istekli olanların birbirini davet edebilecekleri zemininde resmen beyanâtta bulunurlar, fakat asla tesiri olmazdı.

O vakitler vükelâ ve vüzeranın bu gibi ahvalini yakından tetkik edenler "Bu paşalar sûret-i zâhirede iftarcıların izdihamından şikâyet etmekte iseler de iç yüzünde gelenlerin kesreti nispetinde memnuniyetleri tezayüt eder. Çünkü her birerlerinin gaye-i maksatları, enzâr-ı nâstaki itibarlarına bu muhacemeyi bir nevi mikyas addettiklerinden bu baptaki şikayetleri calidir" derlerdi.

Sultan saraylarına ve selâtîn-i mâziyye kadın efendileri sahilhanelerine iftara gidenlerin muteber olanlarını baş ağanın odasına, daha dûn rütbede bulunanları diğer harem ağalar ve baltacılar odalarına alırlar. Bade'l-iftâr harem ağaları vasıtasıyla sultan ve kadın efendilere arz-ı ubûdiyyetler edilir, mukabilinde iltifatla beraber derecelerine göre hediye veya akça zuhur eder. Bunu getiren harem ağası hîn-i teslîmde öpüp başına koyduktan sonra teslim eder. Tesellüm eden de bu resmi ifa ederek ahz ü kabul etmeye mecburdur.

Ramazan akşamları verilen iftar ziyafetlerinin evkat-ı sâirede ita olunan ziyafetlerden başlıca farkı iftar kahvaltısı kısmı olup, halkımızın yekdiğerini berây-ı iftâr davetlerinde etimenin cins ve nefasetine itina olunmakla beraber kahvaltı tepsisinin en küçük teferruatına ve intizamına başkaca bir ehemmiyet verildiğinden reçellerin envaı, havyar, peynir, zeytin, sucuk, pastırma gibi çerezlerin nefisi ufak tabaklarla tepsiye yerleştirilip sinilerin ortasına konulur, envai mevsim meyveleri ve salatalar da onlara mahsus tabaklarla tepsinin etrafına bir sûret-i muntazamada vazedilir, zemzem-i şerîf fincanları, Medine hurması, hardal tabakları vazeylemek suretiyle iftariyenin levazımı ikmal edilirdi. Hatta zahirde çekirdeği yemeklere düşmemek, hakikatte iftariyenin tezyinatına medar olmak mülâhazasıyla limonlar ortasından kesilip tüller içinde ipek ve renkli kurdelelerle bağlanarak ufak tabaklara vazolunduğu da görülmüştür.

İçme suları, kapalı ve tabaklı saksonya bardaklarla hizmetçiler yedinde tutulurdu.

Çatal, kaşık, bıçak gibi muhdesâtın ramazân-ı şerîfte istimali tecviz olunmadığından, istimalini itiyat etmiş olanlar dahi halkın ta'n ve teşnîine hedef olmaktan içtinap eylediklerinden, bunların yerine mercan saplı fil dişi, sedef ve bağadan[452] mamul veyahut siyah ve beyaz cilâlı tahta kaşıklar istimal ederlerdi. Ge-

---

452   bağa: Deniz kaplumbağasının kabuklarının sıcak suda yumuşatılması ile elde edilen tabiî desenli kısımlarına verilen addır. Bundan tespih taneleri, küçük tabak ve fincanlar, kaşıklar, tarak, tabaka ve enfiye kutuları, çerçeveler, baston başlıkları yapılırdı. (*AEEK*)

rek bu kaşıklar, gerek has pide ve francala, çörek ve simitler sofranın kenarına bollukla istif edilirdi.

Bir de ramazân-ı şerîfin iptidasından intihasına kadar halkımızda işkembe çorbasına fevkalâde bir inhimak vardı. Veliefendizade merhumun hindi derisinden işkembe çorbası yaptırması fıkrasından da malûm olduğu cihetle gani ve fakir herkes sofrasında işkembe çorbası bulundurmak isterdi. İftara beş on dakika kalarak çorba kâsesini alıp işkembeci dükkânına giderler hatta nöbete yatarlardı. Konaklardan uşaklar, ayvazlar kapaklı çorba kâselerini getirip kazanın etrafına dizilirlerdi.

Taamın sonunda mutlaka hoşaf bulundurmak muktezi olup, elmas-tiraş kâseler derununda pulat tepsilere vazolunup kenarlarına, içleri ufak kâse kadar çukur ve sapları bağa veya fil dişinden mamul kaşıklar konulmak suretiyle ihzar edilir ve mevsim-i sayfta kâseler derununa buzlar konulurdu.

Eskiden herkes minderlerde halka olarak oturup taam ettiklerinden sofralar alçak iskemleler üzerine sarı veya bakır siniler konulmak suretiyle ihzar edilir ve peşkir tabir olunan yekpare dokuma bezi, peçete yerine istimal olunurdu. Hatta hizmetkârların ayaktan peşkirleri herkesin dizlerine tesadüf ettirilmek şartıyla atmaları bir hüner addedilirdi.[453] Ezân-ı şerîfe birkaç dakika kalarak sofra başına gitmek şerâit-i iftâriyye cümlesinden olduğundan misafirler sofranın etrafında ahz-ı mevki ederler. Ortada çıt yok. Herkes birbirine küsmüş gibi yüzler somurtkan beklerler. Susamlı simitlerin, bademli çöreklerin, kazan yağlılarının misk gibi rayihası ve o muntazam iftariyenin temaşası temadi eder. Bunların içinde herkesin bir imrendiği olacağından velev iki üç dakika da olsa sıyam hâliyle sabır ve tahammül gereği gibi müşkül bulunduğundan huzzârın kimi muttasıl saate bakar, kimisi gözlerini kapatıp âlem-i murâkabeye dalar, top atılmasıyla beraber oruçlar açılır. O mükellef iftariyeye intikam-cûyane bir hücumdur gider. Çorbalar, yumurtalar, etler, börekler, tatlılar birbirini takip eder. Beldemiz âdeti iktizasınca ale'l-husûs ramazanlarda etimenin kesreti misafirlerin izaz ve ikramına bir nevi mikyas addedildiğinden ve etimenin arkasının alınmasına intizar tiryakilerin hesaplarına elvermediğinden ekserisi beyân-ı itizârla sofradan kalkmış bulunur.[454]

---

453 Hizmetkârlık mesleğine sülûk edecek olanlar iptida mülâzemet suretiyle konaklara intisap edip koğuşlarda gedikli ağalara hizmet ederek, işbu peşkir atmak ve uzun çubukları doldurup, bir elinde çubuk diğer elinde mücellâ sarı tabla ile götürüp ve bir dizi üzerine çöküp, içecek zatın tam ağzı hizasına tesadüf ettirilmek şartıyla çubuk vermek ve ortada işâl olunan yağ ve bal mumlarının üç beş dakikada bir ona mahsus mıkraz ile söndürmeksizin fitillerini kesmek gibi birtakım hizmetler talim ederlerdi. (ARB)

454 Ramazan Âdetleri VI, *Peyâm-ı Sabâh* (*Peyâm*, nr. 882, *Sabah*, nr. 11312), 8 Ramazan 1339/17 Mayıs 1921/1337, s.3

Vükelâ, vüzera, küberâ konaklarının ekserisinde yemeğe fasıla verilmek usulü kabul edilmiş olduğundan vakt-i iftâra birkaç dakika kalarak hazır bulunanların önlerine ufak tepsilerde reçel, peynir ve zeytin misilli kahvaltı bulunduğu ve bir iki ufak kâse de çorba olduğu hâlde getirilip vazolunur. Bade'l-iftâr nargile, çubuk, kahve, enfiye ve afyon misilli mükeyyifat ile keyifler yerine getirilir. Akşam namazları cemaatle eda olunur, envai çerezler ve meyvelerle müzeyyen sofralara oturulur, mükellef giyinip kuşanmış olan iç ağaları dest-beste-i makam-ı hizmet olurlar. Vakıa kable't-taâm ve bade't-taâm leğen ibriklerle eller yıkanmak âdet idiyse de yemeklerin ellerle tenâvülü çirkin göründüğünden sonraları bi't-tedrîc çatal kaşık bulundurulması da taammüm eyledi.[455] Vaktiyle bade't-taâm öd ve amber yakılarak dimağlar tatîr olunmak da âdet imiş.

Büyük dairelerde kahve, çubuk gelmesinde de bir nevi teşrifat vardı. Evvelâ çubuklar uzun olmak ve kıymetli, kehribar ve belki murassa imamelerle müzeyyen bulunmak ve mevcut misafirlere bir anda verilmek şart idi. Hatta Hariciye Teşrifatçısı Kâmil Bey[456] hizmetkârların çubuk getirmesinden kinayeten "Bu kargılı heriflerden ne vakit kurtulacağız?" derdi. "Terkeş" tabir olunan kısa çubuklar kayıklarda ve hususî mahallerde istimal olunabilirdi.

Kahve takımını dairenin kahvecibaşısı getirip odanın münasip mahallinde durur ve kahve ibriği soğumamak için sitil[457] tabir olunan gümüş zincirli ateşdanlara mevzudur. Bu sitili hamil olan yamak da kahvecibaşının maiyetinde bulunur, ne kadar misafir mevcut ise o kadar da ağa kahvecibaşının etrafına dizilir. Tepsinin üzerinde bulunan sırmalı pûşîdeyi kıdemli iç ağası kaldırıp kahvecibaşının omuzuna vazeder. Badehu ağalar kafesli gümüş zarflarla fincanları tepsiden alıp ve ateşdan üzerinde bulunan ibrikten kahveyi koydurup zarfın ucundan tutmak şartıyla yine bir anda misafirlere verirlerdi.[458]

---

[455] 985 [1577] tarihinde makam-ı fetvâya gelen Kadızade Şemsettin Ahmet Efendinin zamân-ı meşîhatında dîvân-ı hümâyûn taamından sonra leğen ibrik gelmek yalnız vüzeraya mahsus olup kazaskerlere sabunlu dest-mal verirlermiş. Müşarünileyh, kazasker efendilere de leğen ibrik gelmesini âdet ettirmiştir. (ARB)

[456] Kâmil Bey hakkında daha geniş bilgi için bk. "Ricâl-i Sâbıkaya Ait Bazı Menkıbeler" bölümü.

[457] sitil: Altında gözenekli mangal bulunan, içinde su kaynatılan ve kahve pişirilen, zincir askılı kahve takımı ve güğümü. Sitiller genellikle gümüş, bakır ve pirinçten yapılırdı. Sitil kahveden başka çubuk takımınının da ayrılmaz bir parçasıdır. Eskiden berberler de traş takımları arasında sitilleri kullanmıştır. (OTDTS, AEEK)

[458] Eskiden hemen hemen her şeyin teşrifata tâbi olduğunu tipik bir örnek de bu kahve ikramı meselesidir. Ali Rıza Beyin anlattığı kahve teşrifatının aynen, bu defa kadın hizmetçiler tarafından haremde de uygulandığını Sabiha Tansuğ'un "Eski İstanbul'da Kahve İkram Töreni" (İstanbul Armağanı, c. III, İstanbul 1997, s. 161-165) adlı yazısından öğreniyoruz.

[459] Sultan III. Murat tarafından 1591/92 yılında kiliseden camiye çevrilen Fethiye Cami, Fatih'te

Ramazan âdetlerinden biri de cevâmi ve makabir ziyaretleri idi. Ezcümle Fethiye[459] ve Kariye[460], Toklu Dede[461] Camileri misilli kiliseden münkalib cevâmi-i şerîfeyi ve Hazreti Hâlid ile maan gazaya gelen Ebu Şeybet el-Hudrî ve Ebu Said el-Hudrî radiyallâhu anhümâ hazerâtı misilli sahâbe-i kirâm türbelerini ziyaret ve meselâ Fethiye Camii hîn-i fethte ibka olunan kiliselerden iken 1000 [1591/92] tarihinde vuku bulan bir niza üzerine nasıl olup da Hristiyanların yedlerinden alınarak Murâd-ı Sâlis hazretleri tarafından câmi-i şerîfe tebdil olduğu mesele-i târîhiyesinden bahisler ederler ve akşam Hazreti Hâlid türbesinde iftar ve bazı ehibbâ hanelerinde veya kebapçı ve kaymakçı dükkânlarında taam edip Eyüp Camii'nde teravih kılarlar. Yenikapı Mevlevîhanesi, Hazreti Sünbül, Koca Mustafa Paşa Dergâhları misilli maruf tekkelere iftara giderler ve rical ve kibardan ekseri zevat enderûn-ı hümâyûnda kâin Hırka-i Saâdet dairesinde ve Kadir geceleri Ayasofya Camii'nde iftarda bulunurlar ve Eski Ali Paşa'da kâin Hırka-i Şerîf'i ziyaret ve öğle namazını ifa ile ikindiye Fatih'e gelmek ve ramazanın ilk cumasını Ayasofya ve ikinci cumasını Eyüp Sultan ve üçüncü cumasını Fatih ve son cumasını mutlaka Süleymaniye Câmi-i şerîflerinde eda etmek, halkımızın ramazana mahsus âdetlerinden idi.

Bir zamanlar ricâl-i devletten bazı zevat Harbiye Nezareti meydanında kâin harîk kulesinde iftar etmeyi de itiyat eylemişler idi ki bu itiyat bir hayli seneler muteber tutulmuş, hatta dört beş defasında da bu fakîr-i râkımu'l-hurûf hazır bulunmuş idi.

Bu tadat olunan iftarların başlıcalarından biri enderûn-ı hümâyûn iftarı olup, fakir oraya da nice seneler birtakım zevât-ı kirâm ile birlikte gitmiş olduğum cihetle meşhûdât ve istihsal eylediğim malûmatı arz ediyorum. Ramazân-ı şerîfin on beşinci günü Hırka-i Şerîf ziyareti resm-i âlisi[462] münasebetiyle ema-

---

Çarşamba semtindedir. Bizans zamanında yapılan Teotokos tis Pammakaristu Manastırı'ndan gayrimüslimlerle çıkan bir anlaşmazlık sonucu camiye çevrilmiştir. (Hüseyin Ayvansarayî, *Hadikatü'l-Cevâmi*, haz. İhsan Erzi, İstanbul 1987, s. 214-215. Caminin mimarî ve teknik özellikleri için bk. Semavi Eyice, "Fethiye Camii", *DBİA*, c. III, İstanbul 1994, s. 300-301)

460   Bizans döneminden kalan Khora Manastırından camiye çevrilen Kariye Camii Edirnekapı'dadır. II. Beyazıt dönemi sadrazamlarından Atik Ali Paşa tarafından camiye çevrilmiş ve vakfedilmiştir. Civarında sahabelerden Ebu Said el-Hudrî'nin mezarı vardır. (*Hadîkatü'l-Cevâmi*, c. I, s. 218-219; ayrıca mimarî ve teknik özellikleri için bk. Semavi Eyice, "Kariye Camii", *DBİA*, c. IV, İstanbul 1994, s. 466-469)

461   Bugün mevcut bulunmayan Toklu Dede Mescidi, adını İstanbul'un fethine katılan bir dervişten almaktadır. Kiliseden çevrilmiştir ve aynı mahallede metinde adı geçen sahabelerden Ebu Şeybet e'l-Hudrî gömülüdür. (bk. *Hadîkatü'l-Cevâmi*, c. I, s. 197-198; Semavi Eyice, "Toklu Dede Mescidi", *DBİA*, c. VII, s. 272-273)

462   Hırka-i Şerîf ziyareti sadece ramazanlara mahsus bir ziyaret değildir. Padişahlar özel günlerde de bu ziyaretleri gerçekleştirirdi. Ramazanın on beşinde padişahın ve ileri gelen devlet adam-

netler açılmış bulunduğundan enderûn-ı hümâyûn iftarına on beşinden sonra gidilirse tamamıyla ziyaret edilmiş olacağından ricâl-i ilmiyye ve mülkiyeden vükelâ ve küberâdan birçok zevat bulunurdu. *Enderun Tarihi* sahibi ve Cezâir-i Bahr-i Sefîd mutasarrıf-ı esbakı Ahmet Ata Bey merhum, enderûn-ı hümâyûndan neşet etmiş ve sarayın ahvâl-i sâbıkasına vukuf-ı kâmili bulunmuş olduğundan her gidişimizde birlikte olurdu. Müşarünileyh Ata Bey o tarihlerde yetmiş, yetmiş beş yaşlarında olduğundan gerek pederi Enderunî Tayyar Efendiden istimâ eylediği ve gerek bizzat müşahede ettiği saray vukuât-ı târîhiyyesini mevki ve mahallini ibraz ve irâe etmek suretiyle nakil ve hikâye edip ezcümle Sultan Selîm-i Sâlis'i şehit ettikten sonra Sultan Mahmut'a dahi suikast etmeye giden Sultan Mustafalı Abdülfettah misilli mel'unlara pederi Tayyar Efendinin tesadüf ettiği mahal ve orada bunlara nasihat etmeye kıyam etmiş iken "Bu da Sultan Selim taraftarı imiş" diye ettikleri hücum üzerine ellerinden ne suretle kurtulmaya muvaffak olduğunu ve Selîm-i Sâlis'i kanlar içinde şilte ile kuşhane kapısından çıkarıp bırakmalarını, arz odası önünde cesed-i hümâyûnunu Alemdar Mustafa Paşanın kucaklayışını ve Sultan Mahmut'un Cevrî Usta delâletiyle yüklükten bâlâ-yı bâma çıkıp halâs olduğu kurşunluğu ve Sultan Mustafa'nın padişahlığı bırakmamak için mütehevvirâne ısrar ettiği Bağdat Kasrı'nı ve validesinin Alemdar'ı tekdir eylediği harem-i hümâyûn kapısını irâe ve vekayii ber-tafsîl ifade eder ve ramazân-ı şerîfin on beşinde sabah namazı vakti has odalıların gül suları ve süngerler ile Hırka-i Saâdet hücre-i mübârekesini nasıl sildiklerini ve Hırka-i Saâdet'in yakasında bulunan düğmenin gül suyu ile ıslatılıp akabinde amberli ateşdana gösterilerek ne suretle kurutulduğunu yegân yegân tarif ve ezcümle enderûn-ı hümâyûn ihvanı marifetiyle misk ü amber ve envâ-i bahârâttan mürekkep olmak üzere imal edilen ve hünkâr macunu tabir olunan tatlıdan, rikâblarda kahvecibaşı marifetiyle kahveden evvel sadrazam ve şeyhülislâm vesair vüzeraya ikram olunurmuş. Alemdar'ın beyne'l-avâm arslanhane tabir olunan arzhane meydanına geldiğinde, bermutat tatlı ve kahve vermek üzere kahvecibaşı o telâş arasında bulunamadığından ve sarây-ı hümâyûnca âdet-i kadîmenin muhafazasına begayet itina olunduğundan pederi Tayyar Efendinin tatlı hokkasını bulup kahve ile beraber müşarünileyhe takdim eylediği mevkii ve Vak'a-i Hayriyye'de kendisi enderûn-ı hümâyûn ihvanından olmak mülâbesesiyle vak'a günü Sadrazam Selim Paşanın[463] ve yeniçeri ocağının ilgasına fetva

---

larının Hırka-i şerîf ziyareti XVIII. yüzyılda kesin bir şekilde devlet teşrifatı arasına girmiştir. Bu konuda yapılan hazırlıklar ve merasimler hakkında bilgi için bk. Zeynep Tarım Ertuğ, "Osmanlı Devlet Teşrifatında Hırka-i Şerîf Ziyareti", *Tarih Enstitüsü Dergisi*, nr. 16, İstanbul 1998, s. 37-45.

463 Benderli Mehmet Selim Sırrı Paşa 1824 yılında sadarete gelmiş 1828 yılında bu makamdan ayrılmıştır. (*İzahlı Osmanlı Tarihi Kronolojisi*, c. V, s. 73-74)

veren Kadızade Şeyhülislâm Tahir Efendinin[464] ve vükelâ-yı sâirenin ne taraftan geldiklerini ve hangi dairelerde içtima ve müzakere eylediklerini ananesiyle tarif ve beyan eder ve hele emanetler ziyaretinde ve hazîne-i hümâyûn temaşasında pek etraflı izahat ve tafsilât ita eyler ve söyledikçe zavallı adamın gözleri yaşarırdı. Kendisi saray eskilerinden olmak mülâbesesiyle ağalardan büyük hürmetler görür ve ekserisi kemâl-i tazîm ile yedini takbîl ederlerdi. Selâtîn-i izâm hazerâtının eyyâm-ı resmiyyede iktisa buyurdukları alay esvaplarını sandıklardan bi'l-ihrâc mahsusen imal ettirdikleri camekânlar derununda mesnetlere giydirilip ve üzerlerine yaftalar taalluk ettirip enzâr-ı temâşâya vazettirmesinden dolayı hazîne-i hümâyûn kethüdası Hasan Beyi de rahmetle yâd ederim. (Bu Hasan Bey, Sultan Aziz'in evâyilinde ser-kurenâlık etmiş badü budin rütbe-i vezâreti ihraz eylemiş Bağdat ve Selânik valiliklerinde ve en sonra Şurâ-yı Devlet-i Mülkiyye Dairesi azalığında bulunmuş olan Hasan Refik Paşa merhumdur.) İftar vaktinin takarrübünde Hırka-i Saâdet dâire-i aliyyesine gelinip herkes kendi âleminde ahvâl-i vicdâniyyesiyle meşgul olur, ezân-ı Muhammedî okunur, oruçlar zemzem-i şerîfle açılıp akşam namazları kılınır, badehu hazîne-i hümâyûn kethüdalığı dairesinde taam edilirdi. Doğrusu orada gerek iftariyenin, gerek taamların lezzet ve nefasetini yâd etmedikçe geçemeyeceğim. Enderûn-ı hümâyûn ağalarının herbiri bir nevi tatlı kaynatmakta ve etime tabhında sâhib-i mahâret olup, ezcümle her meyvenin mevsiminde envâ-i luâb yani sübye,[465] luhûk[466], reçel ve murabba[467], humbara şekerleme, sirkencebin[468] vesair bu gibi şeyler kaynatmak âdet-i kadîmeleri icabından idi. Hatta enderun yumurtası veya sütlü Frenk arpası aşuresi, kaymaklı meyve tatlısı, elsine-i nâsta meşhurdur. Elhâsıl salatalarına varıncaya kadar mekûlât ve meşrubat emsaline nadir tesadüf olunur nefâistendir. Yatsı vakti hulûl ettiğinde enderun ağalarının en lâtif sedaya malik olanları gayet tiz perdeden çifte ezan okumalarından ve bir cemaât-i kebîr ile ve ayinler ve ilâhîlerle Hırka-i Saâdet dairesinde eda olunan teravihte o güzel sesli imam ve müezzin efendilerin kıraatlerinden insanda başka bir hazz-ı derûnî hâsıl olurdu.

Harîk kulesi iftarı ramazân-ı şerîfin yirmisinden sonraya talik olunur. Sebebi de yıldızlar ve minarelerde kandiller temaşasının ay karanlığına tesadüf etti-

---

464   Kadızade Mehmet Tahir Efendi (1747-1839), şeyhülislâmlık makamına 1825 yılında gelmiş, yaşlılığı sebebiyle 1828 yılında azledilmiştir. Yeniçeri ocağının kaldırılması için verdiği fetva Sultan Mahmut'u fevkalâde memnun etmiş, kendisine elmas yüzük hediye etmiştir. (İlmiyye Salnamesi, s. 587-589)

465   ʻsübye: Badem içi, kavun çekirdeği gibi şeylerden yapılan boza koyuluğundaki şerbete verilen addır. (TS)

466   luhûk veya lâuk: Yalanacak macun. (KT)

467   murabba: Kaynatılıp kıvama geldikten sonra dondurulan meyve suyu tatlısı. (TS)

468   sirkencebin: Bal ile sirke şerbeti. (KT)

rilmesi içindir. Çünkü Adalar ve Marmara deniziyle Üsküdar ve Boğaziçi ve Kadıköy ve Fenerbahçesi ve Makrı Köyü,[469] Ayastefanos[470] taraflarının gurup esnasında temaşası ne kadar hoş giderse, İstanbul ve Üsküdar ve Tophane cihetlerinin, kademe kademe tepelere doğru ilerlemiş olan cevâmi minarelerinin kanâdil ve mahyalarının denizde vapur ve sefâin-i sâire fenerlerinin ziyalarıyla semada yıldızların ziyaları yekdiğerine karışmış gibi gayet hoş bir manzara arz eder.

O vakit birçok kişi bu kule iftarına iştiraki arzu eylediğinden pek çok cemiyetli ve eğlenceli bir âlem edilirdi. Taayyün eden akşam için lâzım gelenlere malûmat verilir, Âli ve Fuat ve Mısırlı Kâmil ve Fazıl Mustafa Paşalar misilli vükelâ ve küberâ davet edilir ve şayet icabet etmezlerse hisselerine isabet eden etimeyi göndermeleri muktezi olduğu bildirilirdi. Vakıa müşârünileyhümâdan hiçbiri davete icabet etmezler, lâkin taamların irsalinde de tereddüt buyurmazlardı.

Yevm-i muayyen akşamı onbir raddelerinde Beyazıt Câmi-i şerîfinde içtima etmiş olan iftarcılar peyderpey yukarıya çıkmakta ve bir taraftan da ayvazlar tablaları çıkarmakta bulunurlar. Sıyam hâliyle çıkmak gerçi zahmetlice olur, lâkin çıktıktan sonra da etrafın temaşası çekilen zahmeti insana unuttururdu.

O tarihlerde sinni doksanı mütecaviz mamafih vücudu zinde ve sıhhati yerinde bir Memiş Efendi vardı. Bu zat enderunda çırağ olmuş ve hâlince hoşsohbet bir adam olup, fakat ahkâm-ı nücûma ve isâbet–i ayna fevkalâde mutekit olduğundan meselâ "Sünbüle burcu âbî bir burçtur, yağmur yağar, mavi gözlülerin daha ziyade nazarı değer" diye daima sakınırdı. Her sene kule iftarına çıkıldıkça Memiş Efendinin de birlikte bulunmasını ehibbânın hepsi arzu eylediklerinden rica ve ısrar ederler, ber-takrîb çıkarmaya muvaffak olurlar idi. Bir sene mavi gözlü olduğu için Memiş Efendinin hiç sevmediği Tersane Tulumbacıbaşısı Kaymakam Raşit Beyi de haberdar etmişler. Reşit Bey gelip de "Vay Memiş bu senede mi çıktın?" demesi üzerine fevkalâde telâş edip "Hayır kendim çıkmadım, kule ağaları beni ekmek zenbili ile yukarıya çektiler." diye tevil etmeye, bir taraftan da bir şeyler okuyup üstüne üflemeye başladı ve böyle söylemelerini herkese tembih edip o seneden sonra da isâbet-i ayn havfından kule iftarı davetini kabul etmedi.[471]

Yaz ramazanlarında vükelâ ve vüzera, rical ve kibar, yalılarında bulunduklarından ve eskiden vüzera beşer, bâlâ ashabı dörder, ûlâ evveli üçer, ûlâ sanisi ve mütemayizler ikişer çifte kayıklara râkib olmaları teşrifat usulü iktizasından olduğundan, velev mülkiyede de olsa vükelâlık makamında bulunan vüzeranın

---

469 Bugünkü Bakırköy.

470 Bugünkü Yeşilköy.

471 Ramazan Âdetleri VII, *Peyâm-ı Sabâh* (*Peyâm*, nr. 883, *Sabah*, nr. 11313), 9 Ramazan 1339/18 Mayıs 1921/1337, s. 3

maiyetlerinde bir yaver ve ikişer nefer de çavuş bulunması hükm-i teşrîfât icabından olduğundan vükelâ vapurunun tahsisinden evvel akşam üzeri takım takım kayıklar birbirini vely ve takip eder ve vüzera kayıklarında tüfekli ve palaskalı çavuşlar kıç üstünde ve yaver de paşa ile ambarda ahz-ı mevki ederdi. Kayıklarda bulunan ağalardan biri efendisinin çubuğunu doldurup vermek diğeri de şemsiye tutmak vazifesiyle mükelleftirler. Şemsiyenin rengi kırmızının gayri olmak şarttır. Çünkü kırmızı şemsiye tutmak padişahlara mahsustur. Bir de sarây-ı hümâyûnun veya vükelâdan birinin sahilhanesi önünden geçerken şemsiyeyi kapamak hürmet iktizasındandır. Kayıkçıların elbisesi bürümcükten gömlek, beyaz şalvar ve beyaz çoraplardan ibaret iken sonraları sırmalı kolsuz yeleği gömlek üzerine giydirmek de taammüm etmişti.[472]

Ekseriya esnâ-yı râhta top atıldığı cihetle ihtiyaten kayıkta iftariye bulundurulur ve bade'l-iftâr "terkeş" tabir olunan kısa çubuklar yakılıp yalıya çıktıktan sonra akşam namazları eda olunarak badehu taamlar edilirdi.

Ramazan gecelerinde sahilhaneler önleri ikişer üçer çifte misafir kayıklarıyla dolmuş olduğu görülürdü. Yaz ramazanlarında Kâğıthane İmrahor Köşkü, Küçüksu, Çubuklu gibi mesirelerde takım takım iftarlar edilir, mehtap gecelerinde ilâhîler ve ayinlerle teravihler kılınırdı.

Sultan Mahmûd-ı Sânî ramazan içinde bir cuma günü selâmlık resminden sonra Küçüksu Kasr-ı hümâyûnunu teşrif etmişler, havanın güşâyişi ve mevkiin letafeti cihetiyle iftarı orada etmeyi ve sıyam hâliyle orada bulunan bazı küberâ sahilhanelerinden taam celbini arzu buyurmuşlar, münasiplerine başka başka adamlar izam edildiği gibi Bebek'te kâin Vâlide-i Hıdîvî Sahilhanesi'nin eski sahibi iken iki defa makam-ı fetvâyı ihraz eden Dürrîzade Abdullah Molla Efendiye de bir memur göndermişler.[473] Bu suretle giden memurların avdetlerinde verdikleri malûmata göre irâde-i seniyyenin tebliğini müteakip kimi tedarikatta bulunmak için İstanbul'a kayık indirmiş, kimi tedarik hususunda ihtiyatsızlığından dolayı kethüdasına izin vermiş, kimi bizzat matbaha koşmuş, elhâsıl her biri bir surette telâşa düşmüş oldukları anlaşılması üzerine Dürrîzade'ye giden memura da sual buyrulmuş. Memur cevabında "Efendinin odasına duhulde kendisi gözünde gözlük Delâil-i Şerîf[474] tilâvet etmekteydi. İrâde-i seniy-

---

472 Evkaf Nezaretinin târîhçe-i teşkîlâtını havi tabolunan kitabın 66. sahifesinde 15 Şevval 1253 [12 Ocak 1838]'de ricâl-i devlet, 1 Zilhicce 1253 [24 Şubat 1838] tarihinde saltanat kayıklarına Hazîne-i Evkaftan maaşlar tahsis olunduğu münderiçtir. (ARB)

473 Üsküdar'da Tunusbağı nam mahalde kâin olup elli dokuz altmış [1843/44] tarihlerinde Bâb-ı Seraskerî ittihaz olunan konak bu Abdullah Molla Efendinin konağı olduğu Târîh-i Atâ'nın üçüncü cildi 224. sahifesinde münderiçtir. (ARB)

474 Şeyh Muhammed bin Süleyman el-Cezûlî tarafından derlenen salavat mecmuası olan Delâilü'l-Hayrât daha çok Delâil-i Şerîf olarak anılmaktadır. (Eser hakkında bilgi için bk. Süleyman Uludağ, "Delâilü'l-Hayrât", DİA, c. IX, İstanbul 1994, s. 113-114)

yeyi tebliğ ettiğim zaman kat'â âsâr-ı telâş göstermedi. Şu suretle nail oldukları iltifât-ı şâhâneye arz-ı şükrân ile beraber el çarptı,[475] kethüdasını celp etti ve 'Cenâb-ı Hak ömr ü şevket-i şâhânelerini müzdâd buyursun. Şevket-meâb efendimiz bizden taam ferman buyurmuşlar. Benim kendi yemeklerime münasip miktar yemek ilâve edip takdime müsaraat edin' emrini verdi, ben de avdet eyledim." demesi üzerine zât-ı şâhâne "Koca herif hakikaten kibardır" buyurmuşlar. Dürrîzade'nin Üsküdar'da Doğancılar'da muhterik olan konağında Sultan Mahmut'a verdiği iftar meşhurdur. Buna dair ayrıca tafsilat verilmiştir ve [Sultan Mahmut] her taraftan vürut eden etimeyi bizzat muayene buyurduklarında Dürrîzade'nin yemeklerini cümlesine faik bulmuşlar ve bu takdir ve mahzûziyet-i şâhânelerini sûret-i mahsûsada müşarünileyhe tebliğ ettirmişler.

Bu fıkrayı Şeyhülislâm Üryanîzade Esat Efendi merhumdan istimâ etmiştim. Müşarünileyh câ-be-câ pederleri Sait Efendi ile birlikte Dürrîzade Yalısı'na gidip gece kaldıklarından hele bahar mevsiminde asrın en güzide sedaya malik müezzinlerinin seher vakti es-salâ verip korunun bülbülleriyle müsabaka edercesine yani müstağrak-ı vecd-i vicdân eylediklerini ve dairesinin ve hademesinin tezyînât-ı libâsiyyesini uzun uzun beyan ve hikâye ederlerdi.

Devr-i Abdülmecîd ve Abdülaziz Hânî'de her sene Kadir âlây-ı vâlâsı[476] Tophane'de Nusretiye Câmi-i şerîfinde icra buyrulduğundan, saat kulesi ve talimhane meydanı ve bahren ve berren güzergâh-ı hümâyûn kandil ve fenerlerle tezyin ve top ve fişek ve envâ-i sanâyi-i nâriyye icrâ-yı şehrâyîn olunur ve bu donanmayı seyir ve temaşa için Tophane Meydanı arabalarla dolar ve harem-i hümâyûn arabaları talimhane meydanına alınır ve karşısındaki sıra dükkânların fevkindeki odalar isticar edilir ve talimhaneye nazır olan, yükselen haneler misafirleri istiap edemeyecek derecelere gelirdi. Eyüp ve hele Ayasofya cevâmi-i şerîfesi tâ-be-sabâh küşade bulundurulup turuk-ı aliyye meşâyihi zikir ve tevhit ile meşgul olurlar, o koca Ayasofya Câmi-i şerîfi hıncahınç dolmuş bulunurdu. Kadir gecesi minareler baştan aşağı kandil donatılmak o geceye mahsus hürmetlerdendir.

Kadir akşamları çok kişi iftarı Ayasofya Camii'nde etmeyi mutat etmişlerdi. Bu zevattan biri de Mısırlı Fazıl Mustafa Paşa merhum idi. Ehibbâsıyla beraber câmi-i şerîfte iftar ve şimdiki Adliye dairesinin üst kat odalarında taam edilirdi. Fakir de birkaç defasında bulunmuştum. Mustafa Paşa dairesinin gerek rama-

---

475 Eskiden haremde cariyeleri, selâmlıkta hizmetkârları çağırmak için el çarparlardı. Onun için oda kapısı haricinde nöbetçiler bulundurulurdu. (ARB)

476 Eskiden Leyle-i Kadir'de âlây-ı vâlâ ile Ayasofya Câmi-i şerîfine azimet buyrulmak kaideden olup, eğer padişah kasr-ı sayfiyyede ise o gece Yeni Saray'da iftar eder, badehu yollar meşaleler ve kandillerle tenvir olduğu hâlde câmi-i şerîfe alay ile teşrif buyururlarmış. (ARB)

zanlarda ve gerek eyyâm-ı sâirede taamları vükelâ-yı sâire dairelerinden çıkan yemeklerin hiçbirine mikyas olmayıp, çünkü Türk aşçısı, Frenk aşçısı, kadın aşçısı yemeklerinden başka balık vesair mahsûlât-ı bahriyyeden mürekkep olarak kilercibaşı birtakım diğer yemekler ihzar ederdi. Taamlar gayet nefis ve nefasetiyle beraber büyük kaplar ve mertebânî[477] tabaklar derununda olarak gayet mebzul idi. İftarlardan başka sahur yemekleri de zikre şayandır. Dana, hindi ve av etlerinden mürekkep soğuk yemekler verildiğinden, birçok zevat sahur yemeğine de giderlerdi. Mustafa Paşa dairesinde usta, kalfa ve çırak olarak kırk beş nefer Türk aşçısı olduğu ve o nispette Frenk ve kadın aşçıları bulunduğu ve hele Karanfil Kalfanın haremde pişirdiği taamların nefaseti o zamanları bilenlerin malûmudur.

Cevâmi-i şerîfede mukabele okuyan hafız efendilerin ekserisi Kadir akşamları ikindi namazından sonra hatim dualarını indirmiş ve ahalinin kısm-ı küllîsi bayram tedarikiyle meşgul bulunmuş olduklarından, gerek cevâmi-i şerîfede gerek sergilerde eski kalabalık kesb-i hiffet eder ve arife gününe kadar oralara bir sükûnet gelir, hele arife günü sergicilerin sergilerini bozmakta oldukları görüldükçe ve hilâl gecelerinde elveda eden "Yâ Şehr-i Ramazan" ibareli ve köprü resimli mahyalar minarelerde müşahede olundukça herkeste bir hüzün ve elem hâsıl olur ve sadaka-i fıtrlar verilir, "Cenâb-ı Hak nicelerine yetişmek nasip eylesin!" duaları yâd ve tezkâr edilirdi.

Mine'l-kadîm muayede şâfiî vakti icra edilirmiş. 1251 [1836] tarihinde Sultan Mahmut Hân-ı Sânî resm-i muâyedeyi kemakân kubbealtında olmak üzere alaydan sonraya tahvil buyurmuşlar. Alaya mensup olanlar Sultan Hamîd-i Sânî'nin evâyil-i saltanatına kadar hayvanlara râkiben hasbe't-teşrîfât sağ ve usul itibariyle ikişer ikişer giderler ve hademe-i hâssadan memur olan yol hademeleri alayın hareket ve intizamına nezaret ederlerdi.

Alaylarda şehzâdegân hazerâtının bulunmalarını Sultan Abdülaziz usul ittihaz eylediğinden 1282 [1866] senesi ıyd-ı adhâsında, Murat Efendi, Hamit Efendi, Reşat Efendi, Burhanettin Efendi hazerâtı alayda bulunmuşlardı.

İstitrat-Evâsıt-ı Asr-ı Mahmûd Hânî'de icra olunan bir bayram alayında meşhur Hâlet Efendi[478] geçerken, çünkü kendisi yakışıklı bir zat olduğundan seyirci kadınlar arasında ihtiyare bir hatun "Maşallah efendim maşallah, alaya ne kadar da yakışmışsın. Allah seni padişahımıza şirin göstersin" demesini müteakip müşarünileyh şathiyata mail olduklarından ve alayda kendisini takip eden

---

477 mertebânî: Yeşil sırlı, porselen büyük tabak. Genellikle Çin'den ithal edilen bu tabakların üzerinde kabartma ejderhalar ve Çin motifleri vardır. (*AEEK*)

478 Hâlet Efendi, Ali Rıza Bey tarafından "Ricâl-i Sâbıkaya Ait Bazı Menkıbeler" bölümünde geniş bir şekilde ele alınacaktır.

Cânib Efendi şahsen pek çirkin bir zat idüğünden "Hanım bu ettiğin duaya ben-
den ziyade arkadan gelen efendi muhtaç olduğundan ona söyle" demiş olduğu-
nu hikâye ederler.

Vak'a-i Hayriyye'yi müteakip kavuklar sıkletinden büyük küçük âzâde-ser
olup herkes fes giydikleri cihetle Nizâm-ı Cedîd'in ilk senesi bayram alayında
Sultan Mahmut murassa sorguçlu fes, vükelâ ve vüzera sırmalı fes ve hademe-i
sâire dal fes giyip umumen setrî pantolan iksâ etmişler ve yeniçeri ocağının il-
gasından dolayı peykler[479] ve solakların[480] da kıyafetleri tebdil olunup başlarına
fes şeklinde kadifeli ve çenesi kordonlu ve üstü renk renk tüylerle müzeyyen
kalpak ve arkalarına müzeyyen sırma setrî pantolon giymişlerdir. Evâhirden
Abdülmecit Hânî'ye değin solaklar bu kıyafeti muhafaza etmişlerdi. Ahd-i Ab-
dülazîz Hânî'de ilga edildi. Saltanat-ı seniyye İstanbul imparatorluğu tahtına
malik olduğu gibi teşrifatına da varis olduğundan eyyâm-ı resmiyyede alaylar
ve alaylarda sorguçlar ve solak ve peykler ve elbise-i resmiyyeler Rumlardan
mehûz olduğu tarihlerde münderiçtir.

Bizde garip âdetlerden biri de bayram tebriği meselesi idi. Evet insan hısım
akrabasını, dostunu, âmirlerini ziyaret etmeleri lâzımdır. Fakat büyükçe zatlar-
dan şöyle bir tanıdığı ne kadar zevat var ise cümlesinin ikametgâhına şitâbân ol-
maları şâyân-ı taaccüb idi. Gittikleri o büyük zatlar bu adamların çoğunu lâyı-
kıyla tanımadıklarından suale mecbur kaldıklarını bilirim. Birtakım tekellüfât
ve teşrifat arasında kof ve boş lâflar, inhinâî vaziyetlerle ubudiyet vazifesini ifa
ediyor gibi görünüyorlardı. Zavallılar bu köhne tekellüfât uğrunda birçok da
masraf ederler, kapı kapı dolaşırlar. "Ne yaparsın gitmesen olmaz, âdet yerini
bulsun" derlerdi. Gittikleri mahallerde bu muhacemâttan bîzar olanların çokla-
rı bayram tatillerinde hasbe'l-mevsim konakta iseler yalılara ve yalılarda iseler
konaklara savuşurlardı.

O büyük zatlardan birtakımı da el ve etek öptürmekten hoşlandıkları cihet-
le böyle eyyâm-ı resmiyyede ikametgâhlarında bulunmayı tercih ederlerdi. Ar-
tık odalar, salonlar dolar dolar boşalır. Sürü sürü ziyaretçilerin birtakımı sâhib-i
hânenin nezdine kabul olunur. Diğer takım çıkar, bir kısm-ı küllîsi de diğer oda-
larda mülâkat intizarında bulunur. Bu ziyaretçiler meyanında sâhib-i hânenin
memur olduğu daire ile alâkadar olan mültezim, tacir ve sarraf misilli adamlar

---

479   peyk: Eskiden yaya bir postacı sınıfı olup, hızlı koşmakla tanınmışlardır. Bunlar önceleri padi-
      şahın iradelerini tebliğ için kullanılmış iseler de sonraları süslü elbise ve sorguçlarıyla saltanat
      sembollerinden kabul edilerek gösteriş ve debdebe için kullanılmışlardır. (OTDTS)

480   solak: Padişahı korumak amacıyla atının yanında giden askerlere denir. Cesur, kuvvetli ve ter-
      biyeli yeniçeriler arasından seçilirdi. (OTDTS)

iç ağalarından ziyadece hürmet görürler, mukabilinde de hürmetlice bahşişler itasında tekâsül etmezlerdi.[481]

Hitam[482]

---

[481] Ramazan ayının sosyal hayatta nasıl yaşandığını inceleyen dikkate değer bir çalışma da François Georgeon'un "İmparatorluktan Cumhuriyet'e İstanbul'da Ramazan" (François Georgeon-Paul Dumont, *Osmanlı İmparatorluğu'nda Yaşamak*, İstanbul 2000, s. 41-137) adlı makalesidir. Yazar büyük ölçüde hatıratlardan yola çıkarak farklı dönemlerde ramazanın toplum hayatına getirdiği değişikliği ortaya koymuştur.

[482] Ramazan Âdetleri VIII, *Peyâm-ı Sabâh* (*Peyâm*, nr. 884, *Sabah* nr. 11314), 10 Ramazan 1339/19 Mayıs 1921, s. 3

İstanbul Esnafları*

İstanbul şehri Akdeniz ile Karadeniz'in nokta-i iltisâkı ve Avrupa ile Asya'nın memerri olmak cihetiyle Bizans zamanında mühim bir merkez-i ticâret addolunurdu.

Hazreti Fatih payitahtını İstanbul'a nakletmesinden dolayı İstanbul ahalisine bahşeylediği müsaadeler üzerine Bizans erbâb-ı sanâyiinden bir kısım halk İstanbul'da kalmışlar ve icra eylediği teşkilât ve teşvikat sayesinde ehl-i sanat ve ticaretten birçok kimseler de İstanbul'a hicret edip mevâki-i muhtelifede iskân olunmuşlardır.[483]

Hakan-ı müşârünileyhin 857 [1453] tarihinde yazılmış olan bir vakfiyesi mündericatından müstefâd olduğuna göre dâhil-i şehirde mariz olanlar için hastahaneler, mecnunlar için tımarhaneler, misafirler için hanlar, ihtiyâcât-ı ahâlî için hamamlar inşa[484] ve mevâki-i münâsibede çarşılar ve pazarlar ve ticarethaneler küşat edilmiştir.

---

* İstanbul Esnafları namıyla bir fasıl yazmakla, burada sanâyi-i mevcûdeyi ve müteayyiş-i erbâb-ı sa'y u ameli kâmilen bu fasılda müctemi bulundurmak gibi bir mana hatıra gelmemelidir. Maksat, İstanbul halkının ananât-ı milliyyelerini bildiğim kadar fasıl fasıl yazdığım gibi esnafını da bu fasılda fi'l-cümle bildirmekten ibaret olup yoksa bunda münderic olmayan daha pek çok erbâb-ı sanatın mevcudiyeti muhtâc-ı tezkâr değildir. Ezcümle *Evliya Çelebi Seyahatnamesi*'nin İstanbul esnaflarına müteallik nakliyyâtı nev-ummâ hurâfâtı andırır surette birçok tafsilâtı şamildir. (ARB)

483 Karaman'dan hicret edenler Fatih kurbünde kâin Karaman'da ve Aksaray beldesinden gelenler Aksaray semtinde ve Bursalılar da Eyüp civarında iskân olunmuşlardır. (ARB)

484 Câmi-i şerîfleri kurbünde Karaman Hamamı, Yehud Hamamı, Alaca Hamam, Kazasker Hamamı, Sinan Paşa Hamamı, Azablar Hamamı, Balatkapısı Hamamı, Selmanağa Hamamı, Direklice Hamamı zikrolunan vakfiyede münderiçtir. Bade'l-feth inşa olunan hamamlar Bizans tarz-ı mimârîsinde yapılmıştır. (ARB)

İnşa buyurdukları câmi-i şerîfleri kurbünde iki yüz seksen altı bap ve "Can Alıcı"[485] nam kilisenin yerinde de saraç esnafı için yüz on bap dükkân küşat olunmuştur. Sahilde balık pazarları, sur haricinde debbağhaneler, cevânib-i erbaası açık kirişhaneler, sabunhaneler tesis olunmuştur.

Bezzâzlar, takyeciler, bitpazarı esnafı için inşa olunan dükkânlar sekiz yüz kırk dokuz adede baliğ olmuştur.

Yemiş İskelesi'nde yemiş kapanı namıyla bir çarşı tesis olunmuştur.

Galata tarafında Karaköy Kapısı dahilinde bir pazar mahalli küşat olunarak bin iki yüz altmış beş bap dükkân inşa olunmuştur.

Daha birçok mahallerde çarşılar tesis ve dükkânlar küşat olunduğu zikrolunan vakfiyede görülmüştür.

Asr-ı Bâyezîd Hânî'de İstanbul'a iltica eden İspanyol Musevîleri Hasköy, Kuzguncuk semtlerinde iskân edilmiş ve bunlar meyanında sanat ve marifet sahibi adamlar da bulunmuştur. Yavuz Sultan Selim 921 [1515] tarihinde İran seferinden avdet ederken Tebriz erbâb-ı sanâyiinden bin hane kadarını İstanbul'a getirmiş, minecilik, sırma ve kılâptan işlemeciliği, rengârenk kumaşçılık İstanbul'da bu suretle kesb-i revâc ve iştihar eylemiştir.

İşte vaktiyle müessislerimiz tarafından ehl-i sanat ve marifete irâe olunan teshilât ve teşvikat ve temin edilen menfaatler sayesinde sanâyi-i dâhiliyyemiz günden güne terakki ederek harice ihtiyacımız hemân kalmamış gibi idi. Efrâd-ı millet her türlü ihtiyacını dahilî mamulât ile temine gayret ederdi.

Bir taraftan da memâlik-i mahrûse ormanlarından külliyetli keresteler katolunarak İstanbul'a nakledilir, Marmara adasında bulunan ocaklardan cesim mermerler celp olunur ve bu suretle zamanın en mahir sanatkârları marifetiyle payitahtımızda muhteşem mebânî vücuda getirilirdi. Erbâb-ı hüner ve sanayiden bir haylisi devlet fabrikalarında istihdam olunurlar ve cesim toplar dökerler ve edevât-ı harbiyye imal ederler ve bunlardan bir kısmı ordu-yı hümâyûnlar refakatinde giderler ve esnâ-yı râhta levâzımât-ı harbiyyeyi inşa ve tamir ederlerdi. Murâd-ı Râbi Revan seferinde Erzurum'da ve Bağdat seferinde, Mardin'de, Fazıl Ahmet Paşa Kandiye muhasarası hengâmında orduda cesim toplar döktürmüşlerdi.[486]

---

485 IV. yüzyılda yapılan kilise bakımsızlıktan, 1204 yılındaki Lâtin istilâsından ve tabiî afetlerden zarar görmüş, fetihten sonra kalıntıları üzerinde Fatih Camii ve külliyesi inşa olunmuştur. Kilise on iki havari adına yapıldığı için Havariyun Kilisesi diye anılmıştır. (Ayrıntılı bilgi için bk. Asnu Bilban Yalçın, "Havariyun Kilisesi", DBİA, c. IV. İstanbul 1994, s. 23-24)

486 İşbu topların bir kısmı Kal'a-i Sultâniye'de kumandanlık dairesinde muhafaza edilmekte iken muahharen Esliha-i Askeriyye Müzesi'ne naklolunduğu mesmudur. (ARB)

İstanbul'da esnafın umur ve muamelâtı İhtisap Nazırının zîr-i idâresinde olup, narh vermek ve evzâna bakmak vazifesi de İstanbul Kadılığına ait idi.

Esnaf kethüdaları esnafın intihabı ve hükûmetin tasdikiyle tayin olunur ve bu kethüdalar esnafının sanat ve ticaretine müteallik umur ve muamelâta nezaret hakkına malik bulunduklarından, esnaf arasında zuhur eden münazaaların hall ü faslına ve sanat ve ticaretlerinin tedenniden vikayesine kethüdanın taht-ı riyâsetinde olan ve esnafın ileri gelenlerinden mürekkep bulunan lonca odalarında bakılır ve kethüdaların ve lonca odalarının nüfuzu hükûmetin sahabet ve himayesiyle muhafaza edilirdi. Beyne'l-esnâf mer'i olan usul ve teamüle muhalif harekette bulunanlar "lonca"[487] odaları kararı "yolsuz" tabiriyle bir müddet-i muvakkate için icrâ-yı sanatından menolunur ve bu müddet zarfında ticaretgâhı mesdûd kalır idi.

Kâffe-i esnâfın usta, kalfa, çıraklarından bazı ilel ve emraza müptelâ veya fakr u ihtiyaca duçar olanlara iane etmek ve ortaya ait masârif-i vâkıa tesviye olunmak üzere esnafın birer orta sandıkları vardı. Bu sandıkların varidâtı beyne'l-esnâf mer'i olan menâbi-i müteâlimeden teraküm eder ve ithalât ve ihracatı lonca odalarının taht-ı nezâretinde olarak esnafın yazıcıları marifetiyle sebt-i defter olunurdu.

İstitrat-Dersaâdet ve Bilâd-ı Selâse dahilinde icrâ-yı sanat eden kürkçü esnafı fukarasının def-i ihtiyâcları için mevzu olan orta sandığının vâridât-ı mevkufesi olan birkaç bap akarın ilelebet zevalden vikayesi, lânetnameleriyle meşrut bulunduğu hâlde Mahmutpaşa'da bulunan on kadar kürkçüler şürût-ı mezkûreye adem-i riâyetle satmaya kıyam eylediklerinden 1278 [1861/62] tarihinde umum kürkçü esnafı bâ-arz-ı hâl Babıâliye şikâyetle menettirilmiş idi.

Evlâdını mektepten alıp sanata vermek murat edenler İstanbul sekenesinden ise İstanbul kadısına ve Eyüp, Üsküdar ve Galata sükkânından iseler mahalleri kadısına mektep hocasıyla beraber çocuğu götürüp mürâhik derecesine geldiğini mübeyyin izin tezkiresi almaları ve tezkiresi olmayanların esnaflığa kabul edilmemesi ve hîn-i kabûlde esnaf kethüdasının da rey ve malûmatı munzam olması usul ittihaz olunmuştu.

Bu suretle esnaflığa kabul edilen şakirt, sanatı tahsil edip kalfalığa kesb-i istihkak eylediği hâlde, ustası tarafından vaki olan talep ve teklif üzerine lonca odalarında huzuru mutat olan ustalar muvacehesinde imtihanı bi'l-icrâ, ehliyeti tebeyyün eylediği hâlde, sûret-i mahsûsada hazır bulundurulan hafız efendi tarafından bir aşr-ı şerîf tilâvet ve duacı efendi canibinden dahi bir dua kıraat olunduktan ve huzzârın yedlerini takbil ve duâ-yı hayriyyelerini tahsil ettikten

---

487 Bazı esnafın lonca odaları ayrıca bir mahalde olup, mensup olduğu esnaf ustalarının hisse-i şâyia suretiyle uhde-i tasarruflarında bulunurdu. (ARB)

sonra sicile kayıt ile resmen kalfalığa mezun edilir ve şerbetler içilir ve bazılarında yemekler bile verilirdi. Bu suretle imtihan vermeksizin bir kayıkçı bile icrâ-yı sanata muktedir olamazdı.

İstanbul'da icrâ-yı sanat ve ticaret eden esnafın kısm-ı küllîsi tüccar ile ahzüitada bulunan esnaftır. Bunlar da iki kısımdır. Bir kısmı tüccardan aldığı malı perakende suretiyle ticaretgâhında satan, kısm-ı dîgeri de mahsûlât-ı tabiiyyeyi mamûlât-ı sınâiyye hâline koyan esnaftır. Bunların itibarları servet-i mevcûdeleri nispetinde olmak iktiza ederse de, ticaretin ruhu itibarında olup tüccarın emniyeti zail olduğu takdirde servet-i mevcûdesi nispetinde bile ticarette bulunamayacaklarını bildiklerinden daima sıdk ve istikameti iltizam ederler. Diğer taraftan da malik oldukları gediklerin usul ve şerâiti iktizasınca tüccarın hukuku taht-ı emniyette bulunduğu için servet-i mevcûdelerinin birkaç kat fevkinde muamelâtta bulunurlar idi. Hatta tüccar ile esnaf beynindeki muamelâtta senede ve şahide bile ihtiyaç görülmezdi.

Eskiden İstanbul'da bulunan kâffe-i esnâf "gedik" tabir olunur bir nevi imtiyaz tahtında icrâ-yı sanat ederlerdi ve bu imtiyaza da sanatlarının derece-i ehemmiyetine göre muaccelât itasıyla nail olmuşlardı. Gedikler kaidesi iktizasınca bir sanat ve ticaretle ne kadar adam meşgul olur ve derununda icrâ-yı sanat eden ne kadar ticaretgâh bulunursa ondan fazla veya noksan olamazdı.

Esnaftan biri lede'l-hâce gediğini terhin ederek emvâl-i eytâmdan veya hariçten istikraz edip kolaylıkla sermaye tedarik edebilirdi.

Esnafın gediklerine halel gelmemek ve hem de vakfın temettuu kaybolmamak için tüccar ile ahzüitada bulunmasından veyahut gediğini terhin edip akçe istikraz etmesinden dolayı borcu olan bir dükkâncı fevt oldukta marifet-i şer' ile terekesi tahrir ve esnaf kethüdası marifetiyle gediği fürûht olunarak düyûn-ı mevcûdesi bade's-sübûti'ş-şer'î iptida terekesi akçesi alacaklarına verilip, tekmilen edâ-yı deyn müyesser olamadığı hâlde gedik muaccelesinden ita ve fazla muaccele kalır ve evlâdı bulunur ise evlâdına ve eğer düyunu zuhur etmez ve terekesi düyununa vefa eder ve evlâdı olmazsa gedik sarf-ı vakfın hakkı olacağından muaccelesi tamamen vakfı tarafına irat kaydolunarak evkaf hazinesine teslim olunur ve o esnaftan gediği mübayaa eden de o dükkânın ustası itibar olunduğundan derununda icrâ-yı sanata mezun addolunurdu. Fevt olan gedik sahibinin evlâdı olduğu ve kendisi de esnaftan bulunduğu hâlde dolap ticaretini bozmayıp o dükkânın ustası olarak icrâ-yı sanat ederdi. Ustalık mevkiine geçenler tarafından esnafın umum efradına mükemmel ziyafetler çekilir ve hatta teferrüçler bile yapılırdı.

Muahharen 1278 [1861] tarihinde neşrolunan bir nizamname iktizasınca fîmâbad gedik ita olunmaması ve havaî gedikler mahlûlatı dahi satılmaması ve her nevi gediklerin muamelâtı İstanbul mahkemesinde icra ve iktiza eden ilâm ve hüccet-i şer'iyyeleri mahkeme-i mezbûre tarafından ita olunması taht-ı karâra alındı ve havaî gedikler imtiyâzı da müruruzamanla fesh ve ilga edilmiş oldu.[488]

İstitrat-Birkaç yüz sene mukaddem Londra'da bulunan esnafa canib-i hükûmetten başka başka imtiyazlar verilmiş ve o sırada mecâlis-i mevcûde azasının intihap ve nasbı dahi bunların rey ve ittifakına tefviz ve ihale kılınmış olduktan başka hem esnâf-ı merkumenin ve hem de terfî-i kadr ü itibarı mültezem olan zatın tezyîd-i nüfûz ve haysiyeti zımnında esnâf-ı merkume canibinden o zata esnaf tezkiresi ita olunarak onu da dâhil-i dâire-i meşveret eylemeleri usul iktizasından bulunduğu cihetle, Fransa imparatoru III. Napolyon'un Londra'da ikamet eylediği hengâmda kendisine bu usul mucibince kuyumcu esnafı tarafından tezkire ita olunmuş ve İngiltere Kraliçesi Viktorya'nın zevci Prens Alber'e dahi terzi esnafı canibinden tezkire verilmiş ve meşhur General Katruyer'e Kırım Muharebesi'nde izhar eylediği liyakat ve rey-i sâibesini tahsînen bakkal esnafı tarafından tezkire itasıyla fâikü'l-akrân edilmiştir.[489]

Kırım Muharebesi esnasında Avrupalılarla daha yakından ihtilâtlar ve temaslarda bulunulmasından dolayı Garp medeniyetine bir temayül hâsıl olarak asırlarca Türk usulünde yaşamış olan halkımızın tarz-ı taayyüşlerinde, mekûlât ve melbûsât ve evlerimizin tefrişi misilli ihtiyâcâtımızda def'aten büyük bir tahavvül husule geldi. Asrın padişahından efrâd-ı millete kadar herkes bir ziynet ve ihtişama düştü. Her nevi tecemmülât ve tezyinata müteallik emtia hariçten oluk gibi akmaya ve hele 73 [1857], 74 [1858] tarihlerinde icra olunan sûr-ı hümâyûnlardan[490] dolayı lüzumu olan akmişe-i harîriyye ve mamûlât-ı ecnebiyye için Avrupa fabrikalarına doğrudan doğruya siparişler vaki olmaya başladı[491] ve artık mamûlât-ı dâhiliyye günden güne revaç ve itibardan sâkıt oldu. Binlerce liralık sermayedara malik bulunan memleketimiz umumiyetle sefalet içinde kaldı. Sanat ve ticaret hususunda ahâli-i İslâmiyye yüzde beş yüz nispetinde tedenni eyledi. Zavallı halkımız emile emile bir iskelet hâline geldi.

---

488 Gedikler hakkında daha geniş bilgi ve bu konuda çıkarılmış ferman örnekleri için bk. *Mecelle-i Umûr-ı Belediyye*, c. I, İstanbul 1338/1922, s. 652-667.

489 İstanbul Esnafları I, *Peyâm-ı Sabâh* (*Peyâm*, nr. 1035, *Sabah*, nr. 11465), 22 Teşrinievvel 1337/1921, s. 3

490 1857 yılında Abdülmecit'in şel.zadeleri Reşat, Burhanettin ve Kemalettin Efendilerin sünnet merasimleri, 1858 yılında ise yine Abdülmecit'in kızları Cemile ve Münire Sultanların düğünleri için sûr-ı hümâyûnlar düzenlenmişti. Bu sûrların ayrıntıları için bk. "İstanbul Halkının Tenezzüh ve Eğlenceleri" bölümü.

491 Sarây-ı hümâyûn melbûsât ve mefruşat ve levâzımât-ı sâiresi için Tophane Müşiri Fethi Paşa merhumun delâleti ve Fransa tebaasından meşhur Krenpler marifetiyle Avrupa fabrikalarına vuku bulan siparişlerden dolayı külliyetli muameleler döner ve ol vaktin vükelâsından bazıları beyninde paşa-yı müşârünileyh Bezirgân Paşa lâkabıyla yâd olunurdu. Hatta 74 [1858] tarihinde Fethi Paşanın vefatı haberini Kaptanıderya Mehmet Ali Paşa tersanede istihbar ettiğinde "Çok şükür, şu bezirgan paşadan kurtulduk" dediği mevsuktur. (ARB)

Eski vakitlerde İstanbul'a gelen ecnebi gemileri Gelibolu'da yoklama olur, memnu emtianın duhulüne müsaade olunmazmış ve gümrük resmi de getirilen eşyanın cins ve miktarına nispetle aynen istifâ olunurmuş.

Osmanlıların ticaret gemileri yazın Karadeniz limanlarına, kışın Suriye ve Mısır taraflarına giderlerdi. Bazıları da Bahr-i Sefîd'in cenubî memleketlerine icrâ-yı sefer ederlerdi. Sefâin-i ticâriyye, "hayriye tüccarı" denilen İslâm tüccarının malı idi. Tüccâr-ı merkumeden her birinin yirmişer, otuzar ve belki daha fazla sefineleri vardı. Bu sefineler Tophane, Kasımpaşa, Galata semtlerinde mevcut olan inşaat mahallerinde gemi yapıcı marangoz ustaları marifetiyle inşa olunurdu. Lüzumu olan kereste, çivi misilli malzemenin esnafıyla zift, reçine, katran, makara imal eden esnaf da bu yüzden müstefit olurdu.

Kalafatçılar da kalafat yerlerinde icrâ-yı sanat ederlerdi. Yelken bezleri kâmilen Gelibolu'da kâin fabrikalarımızda dokunur, bu bezlerden yelkenci esnafı marifetiyle livarna, çember misilli birtakım isimlerle yâd olunan yelkenler imal edilirdi. Tersane arkasında ve Okmeydanı'nda bulunan urgancılar hurma lifi ve kendirden halatlar ve mütenevvi ipler bükerlerdi.

Eyüp'te elyevm İplikhane kışlası namıyla Hançerli Sultan Sarayı mahallinde 1244 [1827] tarihinde iplik büküp tersane için yelken bezi imal etmek ve fazlası satılarak menâfi-i vakfiyye temin edilip ve hâsılât-ı sâfîyesi tamamıyla evkaf hazinesine ait olmak üzere İplikhane namıyla bir ebniye inşa edilmişti.

Bir zamanlar ipek ve iplik büken esnaf da vardı. Dikiş iğnesi bile Gelibolu'da imal edilirdi. Eskiden Tahtakale'den Zeytinyağı İskelesi'ne değin mevcut mağazalar İslâm tüccara ait idi. Galata ve İstanbul Yağkapanı, Balkapanı, Asmaaltı mağazaları hıncahınç İslâm tüccarının mallarıyla dolu idi.

Kutucular, Zindankapısı, Rüstem Paşa Camii civarında kâin mağazaların ekserisi İslâmdan ve tebaa-i Osmâniyye'den olan tütün tüccarının tütün denkleriyle memlû idi. Tütün tüccarı memâlik-i mahrûsenin başlıca tütün zer olunan mahallerinden kendi yelken sefineleriyle denklerle tütün celp ve tütün gümrüğünde nev'ine göre resm-i mîrîsini bi'l-ifâ mağazalarına ithal ederlerdi. Bu mağazalardan Avrupa'ya külliyetli tütün ihracatı vuku bulurdu. Dersaâdet ve Bilâd-ı Selâse dahilinde bulunan sanat ehli gedikli tütüncü esnafı, zikrolunan tüccar mağazalarından mübayaa ettikleri yaprak tütünleri dükkânlarında çeşit yaparak kıydırıp terazi ile açık olarak derece-i nefâsetine göre muhtelif fiyatlarla ahaliye satarlardı. Herkes içeceği tütünü evvelce bi'l-muâyene ona göre mübayaa ederdi. O ne nefis tütünlerdi! 1287 [1870/71] tarihinde resm-i mîrîden başka duhuliye namıyla bir kıyye yaprak tütün için bir mecidiye alınması takarrür eyledi. Az bir müddet sonra yalnız Dersaâdet dahilinde sarf olunacak tütünleri kıyıp muhtelif fiyatlarla kapalı olarak ahaliye satmak ve senevî hazineye dört yüz bin lira bedel-i inhisâr vermek üzere Mösyö Zarifi ile Hristaki Zoğrafos Efendiye ihale olunmuştu.[492] Muahharen 1288 [1871/72] tarihinde bu inhisar emaneten idareye kaldı. Bu idarede yaprak tütünler şimdiki Reji İdaresi gibi çeşit yapılarak kıydırılıp devlet hesabına bandrol keşidesi ve depolar vasıtasıyla satılırdı. Bir müddet sonra bu idare de lâğvolunup memâlik-i mahrûsenin her tarafında resm-i mîrîden maada satış fiyatına göre muhtelif sarfiyât-ı dâhiliyye resmi, kaplarına bandrol keşidesi suretiyle istifâ olunmak ve Devlet-i Aliyye tebaasına münhasır olmak üzere tütün fabrikaları küşadına ruhsat verildi. Bu fabrikalar imal ettikleri tütünleri dükkânlarda kapalı olarak satarlardı. Fabrika sahiplerinin sanatlarındaki maharetleri ve yekdiğeriyle rekabetleri cihetiyle imal ettikleri tütünlerin nefasetinden dolayı halkımız bu fabrika usulünden memnun ve hoşnut olmuşlardı. Birkaç seneler bu usul devam etti. Muahharen şimdiki Reji teşkil etti. Artık İstanbul'da tütüncülük sanatı ortadan kayboldu. Yalnız Reji'den ondalık mukabili tütün alıp halka satmak bakkallara, attarlara kaldı.

Çarşı-yı kebîrde beher gün biri yağlıkçılarda,[493] diğeri bedestende dua olunur, ondan sonra işe başlanır. Hâcegî tabir olunan bedestenliler vaktiyle üçer bin kese ve daha fazla sermayeli adamlar idi. Bedesten derununda külliyetli zikıymet eşya alınıp satılırdı ve ağniyâmızdan bazıları paralarını ve birtakım zikıymet eşyalarını bedestende hıfzederlerdi. Bedestende müstakil muhafızlar vardı.

İstitrat-1099 [1687] tarihinde zorbaların kıyamı günü bir yeniçeri bedestende Şerif Ağa namında bir hâcegî ile muaraza çıkarıp dolap tabir olunan dükkânını yağmaya kıyam eder. Şerif Ağa feryat ederek kalkıp ve bir sırığın ucuna yeşil bir bez takıp "İbâdullâh ne duruyorsunuz?" diyerek ortaya çıkar. "Şerif Ağa sancak ile çıkmış" sözü çarşı halkı beyninde "sancak-ı şerîf çıkmış" sözüne tahavvül ve böylece tevatür bulduğundan halk ağa-yı merkumun başına toplanıp dâdhâhâne sarây-ı hümâyûna giderler. Erkân-ı devlet kararıyla sancak-ı şerîf ihraç olunup topçubaşı, bostancıbaşı ve sair bîtaraf zabitana gayret ve zorbalara havf ve haşyet gelerek ve birkaç namdarları ahz ve idam olunarak fitne bertaraf edilmiştir.

Bedestenlilerin mülhakatından addolunan zenneciler ve Dersaâdet ve Bilâd-ı Selâse dahilinde bulunan ve koltukçu ve oturakçı tabir olunan esnaf, eytam mirası olan muhallefât ile zaruret ve müzayaka sebebiyle ashabı taraflarından getirilen eşyayı hîn-i müzâyedede dun bahasına kapatmak suretiyle mübayaa ederek, sonra beyinlerinde "çıkışma" usulüyle kendilerine menâfi-i kesîre temin ey-

---

492 Yorgo Zarifi ve Hristaki Zoğrafos, XIX. yüzyılın ikinci yarısında Osmanlı maliye sektöründe söz sahibi olan Rum bankerleridir. Sarayla ve ileri gelen devlet adamlarıyla iyi ilişkileri neticesinde kısa zamanda zengin olmuşlardır. Yorgo Zarifi, Duyûn-ı Umûmiyyenin kuruluşunda önemli rol oynamıştır. (Haklarında bilgi için bk. *DBİA*, c. VIII, İstanbul 1994, s. 486, Murat Belge, *Boğaziçi'nde Yalılar, İnsanlar,* İstanbul 1997, s. 73-86)

493 yağlıkçı: İç çamaşırı, mendil, gelin takımı gibi eşyaları satan esnafa denir. (*TGKSS*)

ledikleri inde't-tahkîk anlaşılması üzerine esnâf-ı merkume İhtisap Nezaretine bi'l-celb cerâim-i güzeştelerini itiraf ile fîmâbad bu gûnâ ticâret-i mekrûheye ictisâr etmemeye ve içlerinde edenleri olursa haber vermeye yek-zebân olarak müteahhit olduklarından 1254 [1838/39] tarihinde cümlesi kefâlet-i müteselsileye raptedilmiş, İstanbul kadılığı ile bi'l-cümle mahkemelere kayıtlar düşürülmüştür.

Çarşı-yı kebîr hakkında *Evliyâ Çelebi Seyahatnamesi*'nden müstahrecdir.

Evliya Çelebi Seyahatnamesi'nin birinci cildinin 613. sahifesinde:

"Esnâf-ı bezzâz-sitân-ı atîk: İstanbul'un izdiham ve güzide yerinde Âl-i Osmân'ın hazîne-i azîmi bir bezzâz-sitândır ki güya kal'a-i kahkahadır. Cemî' erbâb-ı seferin vüzera ve âyânın malları bundadır ki zîr-i zemînde nice yüz demir kapılı mahzenleri vardır. Sene 857 [1453] tarihinde Ebu'l-feth Sultan Muhammed Gazi'nin binasıdır ki, güya şeddadî bir binadır. Cânib-i erbaası taşrasında keçeciler, sahhaf ve takyeciler, boğasıcılar, kılâptan ve sırmacılar ve kuyumcular ile muhattır. Çâr-kûşesinde kale kapıları gibi metin, kavi demir kapıları vardır. Şimale nazır sahhaflar kapısı, garba mekşûf takyeciler kapısı, cenuba meftûh gazzâzlar kapısı, şarka küşade kuyumcular kapısı vardır ki bu kapı üzre kanatlarını açmış mehîb bir kuş sureti vardır. Bu sureti kapıya nakşetmekten meram "Kisb ü kâr dedikleri ber-hevâ olup tayerân eder vahşi bir kuştur. Eğer bu kuşu bir nezaketle sayd edebilirsen bu bezzâz-sitânda kâr edebilirsin." nasihatini ifham etmektir. Amma hakka ki acîb remz ü vasiyyettir. Bu bedesten içre kârgîr pâyeler üzre bir adet rasâs-ı nîlgûn ile mestur kubbe-i azîme vardır ki cânib-i erbaasında demir kapaklı pencereler vardır. Dâiren-mâ-dâr kubbe etraflarında adamlar gezip demir kapakları kapayacak tabakaları vardır. Bedestendeki şâhrâh dört sokağın yemin ü yesârı cümle altı yüz dükkândır. Kat kat cümle iki bin dolaptır. Her dûlâb sahibi feragat edip fürûht etmek dilese beşer bin kuruşa tûtyâ gibi satılır. Sabahtan kuşluk vaktine kadar işler bir kârhane-i azîmdir ki içinde cümle zikıymet eşya bulunur. Biner, ikişer biner gemiye malik bezirgânlar vardır."[494]

---

[494] Ali Rıza Bey bu alıntıda *Seyahatname*'nin 1314 tarihli matbu nüshasını kullanmıştır. Bu alıntının orjinal metindeki durumu ise biraz değişiklikler içermektedir. Biz bu değişiklikleri göstermek maksadıyla aynı alıntının Topkapı Sarayı Müzesi Kütüphanesi Bağdat 304 yazmasındaki hâlini de buraya almayı uygun bulduk:

"Esnâf-ı bezzâzistân-ı atîk: İslâmbol'un izdihâm ve güzîde yerinde Âl-i Osmân'ın hazîne-i azîmi bir bezzâzistândır kim güyâ kal'a-i Kahkahadır. Cemî'-i erbâb-ı seferlerin ve vüzera ve ayânın malları bundadır kim zîr-i zemîninde niçe yüz demir kapulı mahzenler vardır. Sene 857 tarihinde Ebü'l-feth Sultan Muhammed Han binâsıdır kim güyâ şeddâdî binâdır. Cânib-i erbaası taşrasında keçeciler ve sahhâf ve tâkyeciler ve boğasıcılar ve kılabdân ve sırmacılar ve kuyumcılar ve incüiler ihâta etmiştir. Ve çâr-gûşesinde kal'a kapuları gibi metîn ve kavî demir kapuları vardır şimâle nâzır Sahhâflar kapusı, garba mekşûf Takyeciler kapusı, cenuba meftûh Gaz-

Galata tarafında da elli, altmış dolaplı bir bedesten vardı. Burası da mühim bir ticaret merkezi idi.

Çarşı-yı kebîrin Kebeci[495] ve Bodrum Hanları ile Sandal Bedesteni Bizans devrinden kalmadır ve bir kısm-ı küllîsi Fatih canibinden bina ve Bitpazarı'ndan itibaren bir küçük kısmını Sultan Beyazıt ve bir kısmını da Nuruosmaniye Câmi-i şerîfini itmam eden Sultan Osmân-ı Sâlis inşa ettirmişlerdir. Çarşı-yı kebîrden Beyazıt Meydanı'na giden ve elyevm Kaşıkçılar Kapısı denilen mahalde kaşıkçı esnafı dükkânları vardı. Bunların imal ettikleri şimşirden alelâde yerli kaşıklardan başka yemek, hoşaf ve tatlılar için bağa, kuka[496], abanoz, gergedan, manda boynuzlarından, sığır tırnağından, Hindistan cevizi kabuğundan, mercan ve sedef saplı kaşık imal ederlerdi. Sonraları Avrupa'dan madenî kaşık ve çatalları kesretle vürut etmeye ve halkımız gittikçe bu cins çatal ve kaşıkları istimal eylemeye başladıklarından yerli mamulâtı günden güne tedenni etmiştir. Beyazıt'ta Kazancılar denilen bakırcı esnafı bir dereceye kadar hâl-i kadîmini muhafaza etmekte iseler de biraz vakitten beri Avrupa'dan çini denilen kaplar kesretli olarak vürut etmekte ve ekser mağazalarda bu cinsten matbah edevatı satılmakta olduğundan zikrolunan bakırcı esnafının mamulâtı dahi revaç ve itibardan sakıt olmaktadır.[497]

Beyazıt'ta Mürekkepçiler Kapısı denilen mahalde kırk adet gedikli mürekkepçi dükkânı vardı. Bu esnaf bezir isi siyah ve sürh mürekkep imal ederlerdi. Sonraları Avrupa'dan mütenevvi boyalar vürut etmeye başladığından ve bunlar yerli mala nispetle daha ucuz düştüğünden devâir-i resmiyyede bile Avrupa mamulâtından boyalar istimali kabul edildi. Yerli mamulâtı mürekkepler bittabi tedenni eyledi.

---

zâzlar kapusı ve şarka küşâde Kuyumcular kapusı üzre kanatların açmış bir mehîb kuş sûreti vardır. Bu kuş sûretin bu kapu üzre tasvir itmeden rumûz oldur kim kâr-ı kisb didikleri ber-hevâ tayrân ider bir vahşî kuşdur eğer kuşı bir nezâketle sayd idebilirsen bu bezzâzistânda kâr idebilirsin dimek işaretidir. Ammâ hakkâ ki acâyib rumûz vasıyyetidir ve bu bezâstân içre cümle ... pâye kârgirler üzre ... aded rusâs-ı nîlgûn ile mestur kubbe-i azîmdir kim cânib-i erbaasında demir kapaklı pençereler vardır ve dâiren-mâdâr kubbe etrâflarında ademler gezüp demir kapaklar kapayacak tabakalar vardır. Ve bezâstân içre şâh-râh dörd sokağın yemîn (ü) yesârı cümle altı yüz dükkândır ve kat-ender-kat cümle iki bin dollâbdır her dollâb sâhibi ferâgat idüp fürûht itmek dilese beşer bin gurûşa tûtyâ gibi satılır sabâhdan kuşluk vaktine dek işler bir kârhâne-i azîmdir cihânın cümle zî-kıymet işleri bu bezâstânda bi-kıymet bulunur bâzârdır. Ve bunda biner ve ikişer bin kiseye mâlik bâzirgânlar vardır." (Orhan Şaik Gökyay, *Evliya Çelebi Seyahatnamesi*, s. 293)

495   kebe: En ziyade çobanların giydiği gocuğun yapıldığı kalın keçeye verilen addır. (*OTDTS*)

496   kuka: Tespih, sigara ağızlığı gibi şeylerin yapımında kullanılan, siyah veya sütlü kahve renginde Hindistan cevizi kökü. (*TS*)

497   İstanbul Esnafları II, *Peyâm-ı Sabâh* (*Peyâm*, nr. 1037, *Sabah*, nr. 11467), 24 Teşrinievvel 1337/1921, s. 3

Uzunçarşı'nın[498] bir tarafı boydan boya kehribarcı esnafı olup ve vaktiyle murassa çubuk takımları ve her nevi tespihler imal ve fürûht olunurdu. Servet ve iktidarca esnâf-ı merkume de vaktiyle muteber esnaftan addolunurdu.

Miskyağcılar Çarşı-yı kebîrde ve Uzunçarşı'nın alt başında kâin dükkânlarında icrâ-yı sanat ederler ve Avrupa ile de ahzüitada bulunurlardı.

Balmumcular da Zindankapısı haricinde kâin dükkânlarında icrâ-yı sanat ederlerdi. Eskiden balmumundan ağaç taklidi yapıp tezyin ederler ve bunlara nahilbend denilirdi. Velîme cemiyetlerinde ve sûr-ı hümâyûnlarda damat evinden gelin evine nahiller gönderilir, nahil alayları olurdu.

İstanbul'da inci ticareti mine'l-kadîm Musevîler yedindedir. İnci istiridyesi Basra körfezi ve Hürmüz adası sularında ve Hindistan taraflarında sayd ve ihrâç olunur. Fakat sayd ve ihracı pek müşküldür. Zira o havali denizlerinde külliyetli köpekbalıkları ve sair deniz hayvanları bulunduğundan sayd ve ihracıyla melûf olanların hayatı daima taht-ı tehlikededir.

İnsanların dil-dâde-i vücûdu oldukları ahcâr-ı semîne içinde en makbulü ve en kıymetlisi incidir. Basra körfezi incisi Panama gibi diğerlerine faiktir. Şu kadar ki ufak kıt'ada olan incinin kıymeti hafiftir. O cihetle bu kabil inci vezin ve miskal ile takdir olunur. İncinin her rengi olur, kıt'ası büyüdükçe kıymeti de artar. Saf ve beyaz ve pembe olanı makbuldür. Siyah, yeşil, lâcivert, pembe renginde ve büyük, meselâ fındık cesametinde olan incinin kıymeti vezniyle takdir olunur. Bir mikyas ile ölçülür ki bir gırk[499] 1 $^{8/32}$ bir kıratın otuz ikide sekizi sıkletindedir.

Kuyumculuk sanatı vaktiyle millet-i İslâmiyye yedinde idi. Hatta kuyumcu esnafından İbrahim ve refiki Derviş Efendiler Murâd-ı Sâlis'e gayet musanna bir taht imal etmişlerdi. Esnâf-ı merkumeden Bahşâyiş Çelebi de Lâleli kurbünde bir câmi-i şerîf inşa ettirmiştir.

Evliya Çelebi Seyahatnamesi'nin birinci cildinde esnâf-ı merkume teferrüçlerine müteallik fıkra telhîsen zirde derç olundu:

"Zer-gerân teferrüçgâhı- Kâğıthane çemenzârında kırk[500] senede bir zer-gerân esnafı cemolup yirmi gün teferrüç ederler. Âl-i Osmân diyarının bütün kuyumcuları da bu teferrüce yardım ederler. Üçyüz kese kadar masarif olur. On iki

---

[498] Uzunçarşı: Eminönü'nde Sultanhamam ve Tahtakale civarında özellikle saraçların toplandığı yer. (*DBİA*, c. VIII, İstanbul 1994, s. 455)

[499] gırk: Taşın üzerindeki kesim miktarını belirleyen çizgiler, ışığın tesiriyle oluşan kırılmalar ve köşelerin sayısına verilen addır.

[500] Yazma nüshada kuyumcu esnafının kırk değil "yigirmi yılda bir" teferrüce çıktıkları yazılıdır (s. 272). Zaten Ali Rıza Beyin matbu nüshadan yaptığı özetin sonundaki "Saraç esnafı dahi bunlar gibi yirmi senede bir teferrüç ederler" ibaresi de yazma nüshayı teyit etmektedir.

bin kadar mezâhib-i gûnâ-gûn halife ve postnişinleri bir cemiyet-i kübrâ teşkil eder. Bizzat pâdişâh-ı Âl-i Osmân dahi serâperde-i Süleymânîsini kurup geldikte kuyumcubaşıya on iki keselik bir hediye vermek kanûn-ı Süleymânî'dir. Bu sohbet için Kâğıthane'de altı bin kadar çadır kurulur. Saraç esnafı dahi bunlar gibi yirmi senede bir teferrüç ederler."

Giderek bu teferrüç âdeti İstanbul esnaflarının umumuna sirayet eylediğinden, kırk elli sene evveline gelinceye değin kâffe-i esnâf bir iki senede bir defa İstanbul mesirelerinden birine giderler, haymeler kurup haftalarca kalırlar, çalgılar ve orta oyunları gibi eğlenceler ve ziyafetler tertip ederek icrâ-yı seyr ve teferrüç ederlerdi. Hususî bir mecmuadan anlaşıldığına göre bu esnaf teferrüçlerinin en parlak ve şaşaalıları Ahmed-i Sâlis asrında icra olunanları imiş.

Elmas; pırlanta, kravata, roze namıyla İstanbul'da üç nevi olmak üzere bilinir. Pırlanta düz olup arkası da tulânî tiraşîde uzundur. Meşhur olan pırlantaların içinde kusursuz olanı nadirdir. Kıymeti kusursuz ve rengi gayet saf ve beyaz olmakla takdir olunur. Elmasın birçok diğer kusurlarından maada çatlak, sıcarak, donuk, tutuk, buzlu ve sengli olanlarının kıymeti nakısdır. Renk hususunda da sarımtrak ve cevizî renkte olanlar makbul değildir. Saf, beyaz, kusursuz elmasın bir kıratı altın para ile elli lira kıymet tutarsa kusurlu ve sarımtrak veya cevizî renkte olanlarının kıymeti yirmibeş altından iki altına kadar düşer. Pırlantanın tam müdevver olması kıymetini tezyit eder. Köşeli olması veyahut sahîni cismiyle mütenasip olmayıp fazla veya noksan olması kıymetini tenkis eder. Enli olursa kısm-ı küllîsi fass-ı nigînde mütevârî kalmayacağından haramı çok denilir. İncerek olursa yufka denilir. Pırlantanın yeşil ve siyah ve pembe renklisi de olur. Bunlara ve kıymeti noksan olan sarımtraktan başka kanarya sarısı renginde sarı renkli olanlarına "fantazya" denilir ki en saf beyaz elmasa nispetle bunların kıratı yüzelli liradan bin beşyüz ve hatta üçbin liraya kadar çıkar. Pembe renkli pırlanta makbuldür. Bunlardan başka kuyumcularca "sayı taşı" denilir bir nevi pırlanta vardır ki kıt'ası gayet ufak olduğu hâlde fasetaları[501] muntazaman ve tamamen vücûhunda mevcut olduğu için beyne'l-esnâf pek makbuldür. Kıt'ası, meselâ bin iki yüz adedi ancak bir kırat sıkleti hâsıl edecek derecede bulunduğu hâlde pırlanta gibi vücûh-ı muntazamayı haizdir. Hatta çıplak cevahir alım satımıyla meşgul olan tüccar arasında en çok bir iki kırat sayı taşına malik olan adam müftehir bulunur.

İstitrat-1090 [1679] tarihinde Eğrikapı'da arayıcının[502] biri mezbeleyi karıştırırken yuvarlak bir taş bulur ve bir kaşıkçıya götürüp üç kaşık ile trampa eder.

---

501 faseta yahut façeta: Elmasın yontulmuş yüzeylerinden her biri. (*TS*)

502 arayıcı: Eskiden istanbul'un çöp işlerine memur olan subaşının emri altında çalışan esnafa verilen addır. Arayıcılar sokaklarda dolaşarak "Çöp çıkaran" diye bağırır, evlerden verilen çöpleri sırtlarındaki küfelere doldurarak deniz kenarlarına dökerlerdi. Döktükleri bu çöpleri karıştırarak satabilecekleri şeyleri ayıklarlar, kalanını denize dökerlerdi. (*OTDTS*)

Kaşıkçı da bir adama satarken herifi derdest edip kuyumcubaşıya götürürler. Taş muayene olunur. Ham elmas olduğu tebeyyün eder. Taraf-ı şâhâneden bi'l-muâyene işlettirilip hazîne-i hümâyûna vazederler.[503]

Kuyumcu çarşısında mine'l-kadîm bir muhammin bulundurulur ve bunun aidatı kuyumcu esnafı tarafından verilirdi. Bu çarşıda mücevherat ve her nevi evânî-i sim ü zer üzerine büyük muameleler olur. Çarşıya getirip mal satanlar bunalmış takımdan olduklarından gerek bu kabilden olanlar ve gerek çarşıdan mücevherat vesaire mübayaasında bulunanlar lede'l-hâce muhammine müraca-atlarında, çünkü muhamminin aidatı kuyumcular tarafından verildiği için tak-dir edeceği kıymetin ne dereceye kadar muvâfık-ı hakîkat olacağı kestirilemez. Gerçi mücevherat rüsumunun cibâyeti için Şehremaneti tarafından kuyumcu çarşısında memurlar bulundurulmakta ise de bu bapta halkın hukukunu ne de-recelerde muhafaza eylediği bilinemez. Bu memurların cibâyet eylediği mücev-herat rüsumunun miktarı ikibin lira raddesinde olduğu ve bazı seneler mültezi-me verildiği mesmudur.

Eskiden doğramacılık da oldukça müterakki idi. Kapı ve pencere kanatları, kürsüler, oda takımları, abanoz ve gümüş kaplamaları, rahleler imal edici sanat sahipleri ve üzerlerine boya ile ziynet ve çiçekleri işleyici erbâb-ı hünerlerimiz vardı. Bugün çoğu kaybolmuştur.

Döğmecilik sanatı da terakkiye müstait idi. Müzeyyen parmaklıklar, oyma-lı yaldızlı kapı takımları, kilitleri ve halkaları vesair döğme demir işçilikleri sa-nâyi-i milliyyemizden idi.

Sanat-ı teclîd ve tezhip de bizde kadimdir. İmal edilmiş olan musanna kap-lar, musavver ve menkuş kitaplar, müzeyyen ve müzehheb Masâhif-i şerîfe ve elvâh, sanatça ve elvanıyla ne güzel şeylerdi.

Eskiden bizde çinicilik de hadd-i kemâlde idi. Bursa'da vaki Çelebi Mehmet Han'ın cami ve türbelerinde olan çiniler Deli Mehmet namında bir üstâdın ma-hareti eseridir. Sarây-ı cedîdin harem dairesindeki odalarda bulunan çiniler fev-kalâde şeylerdir.

Ahmed-i Sâlis asrında Edirnekapısı kurbünde Tekfur Sarayı civarında bir çi-ni fabrikası tesis edilmiş olduğu tarihlerde görülmüştür. Yakın zamanlarda Eyüp civarında kâin çömlekçi esnafından bazıları soba çinileri imal etmeye baş-lamışlar ve bir hayli çini sobalar da imal etmişlerdi. Hatta bu çini sobaları imal eden esnaftan birkaçı Sultan Hamîd-i Sânî zamanında Yıldız sarây-ı hümâyû-nunda küşat olunan çini fabrikasına alınmışlar idi.

---

503 Sultan IV. Mehmet'in saltanatı zamanında bulunan ve hâlen Topkapı Sarayı'nda sergilenen bu elmas Kaşıkçı Elması diye bilinir.

Bu misilli vüs'at ve terakkiye müstait olan sanâyi-i milliyyemizi ihtiyâcât-ı cedîdeye muvafık surette ileri götürmek için teşvik ve himaye edemedik. Kimi külliyen mahvoldu, kimi irşat ve müzaheretin fıkdanından dolayı âciz ve zayıf birer köşeye çekildi.

Eyüp'te çömlekçilerin topraktan imal ettikleri testiler, su sürahileri, bardaklar dahi ihtiyâcât-ı hâzıraya muvafık surette ıslaha müstait olan mamûlât-ı dâhiliyyemizdendir.

Dersaâdet ve Bilecik tezgâhlarında imal olunan çatma yastıklar da sanâyi-i milliyyemizin başlıcalarındandı. Mamûlât-ı mezkûre bir vakit tedenniye uğramıştı. Islah ve tekessürü zımnında İstanbul hayriye tüccarından Emin ve Ahmet Efendiler 1278 [1861/62] tarihinde bâ-arz-ı hâl Babıâliye müracaat ettiler. Mamûlât-ı mezkûrenin eski hâline ircaı için Dersaâdet ve Bilecik tezgâhlarında imal olunacak çatmaların on sene gümrük ve damga resimlerinden muafiyeti ve çatma dokunmak için Avrupa'dan celp olunacak makine ve âlât-ı sâireye de bu muafiyetin teşmili dahi sermaye akçesinin de kefâlet-i kaviyyeye rabten maliye hazinesinden itası takarrür ederek ol bapta istihsal olunan irâde-i seniyye üzerine icabına teşebbüs olundu ve bir hayli de imalatta da bulunuldu idi.

El-hâletü hâzihi bu çatmalardan yastık takımları görülmektedir. Dersaâdet hayriye tüccarından Uşaklı Hacı Mehmet Ağa ile kezalik hayriye tüccarından Gördesli Hacı Ahmet Ağa, Uşak ve Gördes kazalarında kaliçe, kilim, seccade nesc ve imali hakkında bazı ıslahata teşebbüs ederek vücuda getirdikleri nev-resm kaliçeler bi'l-muâyene şâyân-ı tahsîn görülmüş olduğundan ehven baha ile satılması için fiyatının tehvînini mucip olacak esbabın istihsali muktezi göründüğünden 1263 [1847/48] tarihinde mamûlât-ı mezkûrenin müddet-i münâsibe ile gümrük resminden muafiyeti hususuna irâde-i seniyye taalluk etmiş ve bu muafiyetin memâlik-i mahrûse dahilinde böyle kaliçe imal etmek isteyenlere de teşmili hususuna müsaade edilmişti.

1267 [1851], 1278 [1862] tarihlerinde Londra'da küşat olunan sergilere Anadolu ve Rumeli ve Dersaâdet mahsûlât-ı arziyye ve mamûlât-ı sınâiyyesinden olmak üzere taraf-ı saltanat-ı seniyyeden bir hayli eşya gönderilmişti. Ol vakitler eşyâ-yı mezkûre ashabından birçoğu sair devletler tarafından irsal olunan eşya ashabından ziyade mazhar-ı imtiyâz olmuşlardı. Zira mezkûr sergilerde asıl dikkat olunan şey eşyâ-yı âdiyyenin dayanıklı ve nefis olmasıyla beraber fiyatının ehveniyeti hususu olup, memâlik-i mahrûse-i şâhânede çıkan eşyanın ekserisi bu hâlde olduğundan ziyadesiyle makbul olmuş idi. Uşak ve Kula taraflarında imal olunan kaliçeler ile Gördeslilerin yaptıkları kilimleri Avrupalılar taklit etmeye çok çalışmışlar iseler de öyle rengi sabit ve dayanıklı surette yapmaya muktedir olamadıklarından bundan kat-ı ümîd ile mezkûr kaliçe ve halılar Avrupalılar indinde el-hâletü hâzihi makbul ve muteber tutulmaktadır.

Avrupa'dan vürut eden, merinos, lâhurâkî ve şalâkî isimlerindeki kumaşlar Ankara şâlî ve sofunun bir nevi taklidi olup, hâlbuki onlar bizim Ankara şalları ve sofları gibi hem nefis ve hem de dayanıklı değildir. Şam hırkaları ve maşlah kumaşları dahi taklit kabul eder şeylerden değildi.

Eskiden İstanbul kadınları içinde yazmacı kadınlar vardı. Başlarına bağlanmak ve elde istimal olunmak için yazma yemeniler ve yazma yorgan yüzleri imal ederlerdi. Çevre, uçkur, havlu başı için gergefle nakış işlerler ve güzel oyalar yaparlardı. Bu işlemeler, nakışlar, oyalar için göz nurları ibzal ederek vücuda getirirlerdi. Kadınlarımız da iğ denilen âlât ile ellerinde pamuk ipliği bükerler ve büktükleri ince ipliği yine evlerinde bulundurulan hususî tezgâhlarında pamuk bezi, bürümcük, idare, hilâlî namlarıyla gömleklik, donluk bezler dokurlar ve bu suretle zevçlerine bâr olmaksızın hususî ihtiyaçlarını temin ederlerdi. Hele gelinlik kızlar iç çamaşırları misilli çeyizini bizzat kendi kendileri imal ve ihzar etmek âdât-ı milliyyemiz cümlesinden idi. Bugün elde pamuk bükmek şöyle dursun iğci esnafını bile bilen kalmadı. Direklerarası'nda Hacı Kâmil Efendinin dükkânında gergedan ve kukadan imal olunan kahve fincan ve zarfları ve yazı takımları ve kâseler ne kadar kesb-i iştihâr etmişti. Pek çok müşkil-pesendân taraflarından mazhar-ı takdîr olmuştu. Bu da kayboldu.

Bir zamanlar çubukçu esnafı da başlı esnaftan idi. Yasemin, kiraz ağaçlarından mamul çubuklar beyne'l-ekâbir pek makbul ve muteber idi. Sonraları sigara ağızlığı imaline başladılar. Lüleci esnafı Tophane'den Kulekapısı'nın alt başına değin sıra dükkânlarda icrâ-yı sanat ederlerdi. Sonraları bu lüleciler yaldızlı kahve fincanları, su kupaları, yazı takımları gibi şeyler imaline de başlamışlardı. Bu toprak mamulât üzerine vurdukları cilâlar hemen hemen çini cilâsı derecesine getirilmişti. Hele üzerindeki yaldızlar ne kadar hoş ve zarif şeylerdi. Lüle istimali kalktığı gibi kahve fincanı, su kupası, yazı takımı imali de himayesizlik misilli bazı sebeplerden dolayı mahv ve münkariz oldu gitti.[504]

Eskiden bıçakçı ve kılıççı esnafı dahi müterakki idi. Hatta seksen [1863/64] tarihlerinde Ahmet Usta namında birinin imal ettiği birkaç nevi kılıçlar ümerâ-yı askeriyyemiz nezdinde gayet makbul addolunurdu. Ruhî Efendinin imal ettiği kalemtıraşlar da aklâm-ı devletin her şubesinde mazhar-ı rağbet olmuştu. Çarşı-yı kebîrdeki hakkâklardan[505] başka hakkâklık sanatının dekayıkını Avrupa'da tahsil etmiş olan Benderoğlu Mığırdıç Efendi isminde bir ehl-i hüner yarım kırattan küçük bir yakutun ortasında bir sathının hemen sülüsü miktar mahallinde zemin üstüne tuğra-yı pâdişâhîyi hakkederek, li-ecli't-teşhîr Sergi-i Os-

---

[504] İstanbul Esnafları III, *Peyâm-ı Sabâh* (*Peyâm*, nr. 1040, *Sabah*, nr. 11470), 27 Teşrinievvel 1337/ 1921, s. 3

[505] hakkâk: Mühür ve resim kazıyan sanatkâra verilen addır. (*OTDTS*)

mânî'ye vazeylemiş olduğundan, mumaileyhin bu sanatı pek çok mazhar-ı takdîr ve tahsin olmuştu.

Ol vakit sergi-i mezkûrda mamulâtını teşhir ettirip mazhar-ı takdîr olan esnaftan çulha,[506] imameci, Uzunçarşı esnafı, mutaf,[507] misk yağcı, işlemeci, zenneci,[508] kahve cezvecisi ve kahve değirmencisi,[509] kantar imal edici, iğneci, abacı, marpuççu ve bunlara mümasil birtakım esnafımız mazhar-ı takdîr olmuşlar idi. Bundan başka daha birtakım hüner ve sanat erbabı da imal ettikleri şeyleri sergide teşhir ettirmişlerdi.

Ezcümle Sultan Mahmûd-ı Sânî'nin kahvecibaşısı olup muahharen evkaf nezaretinde de bulunan Kâni Beyin mahdumu Rauf Bey tarafından imal olunan ok[510] ve müderrisînden Ali Şevkî Efendi isminde bir zatın pirinçten mamul bir küresi, yine pirinçten bir kıt'a çekmecesi mezkûr sergide mazhar-ı tahsîn olmuştur.

Bu Sergi-i Osmânî 1279 [1863] tarihinde Sultanahmet Meydanı'nda şimdiki parkın mevkiinde yedi bin zirâ arsa üzerine mustatîlü'ş-şekl olarak inşa edilmiş ve masârif-i inşâiyyesi otuzbin İngiliz lirasına baliğ olmuştu. Mısırlı Fazıl Mustafa Paşa ve Fuat Paşazade Nazım Bey ve ricalden Azmi Bey merhumlar serginin komiseri idiler.

O sene ramazân-ı şerîfin onuncu günü Ayasofya Câmi-i şerîfinde icra olunan selâmlık resm-i âlîsinden sonra mezkûr serginin resm-i küşâdı icra olunmuştu.

Mezkûr sergiye eşya vazedenlere tevzi olunan mükâfat üç derecede olup, birincisi mecidiye nişanı, ikincisi gümüş ve üçüncüsü pirinç madalyalar olup, bu madalyaların bir tarafı sergi ebniyesinin resmi, diğer tarafında serginin küşadına dair bir ibare yazılı olduğu hâlde Darphane'de imal ettirilmişti.

Hazîne-i hümâyûnda bulunan mücevherat ve sair zikıymet eşyâ-yı nefîse de mezkûr sergiye naklolunarak ayrıca bir mahall-i mahsûsta teşhir ettirilmişti. Bu mücevherat ve eşyâ-yı sâire-i nefîsenin ne gibi şeylerden ibaret olduğunu zirde derç eyledim:

---

506 Bu çulha denilen esnaf Dersaâdet ahalisinin istimal ve iktisâ ettikleri gömlek ve don bezlerini dokurlardı. Sonradan halkımız Avrupa'dan gelen bezleri tercih ettiklerinden bunların imalâtı sakıt oldu. Elyevm İstanbul'un hiçbir tarafında vücutları kalmamıştır. (ARB)

507 muytab yahut mutaf: Kıl dokuyan, kıldan dokuma yapan sanatkâr. (OTDTS)

508 zenneci: Kapalıçarşı'da kadın müşterilere yönelik eşya satan esnafa denir. (DBİA, c. VIII, İstanbul 1994, s. 487)

509 Kahve cezvesi imal eden esnaftan elyevm iki adam kalmış olduğu mesmudur. Sebebi de Avrupa'dan gelen ve çini denilen cezvelere rağbet olunmasındandır. (ARB)

510 Bu Kâni Bey, Sultan Mahmut'un emir ve iradesi üzerine Telhîs-i Resâil-i Rumâd ismiyle fenn-i tîrendâzîye müteallik bir kitap telif etmiştir. Mahdumu Rauf Bey muahharen Okmeydanı Dergâhı'na şeyh olmuştu. (ARB)

Çâr-kûşe ve sabun kalıbı şeklinde zümrüt ve yine müdevver zümrüt ortası otuz kırat pırlanta ile müzeyyen bir çift pero, 280 adet kebir pırlanta ile müzeyyen gerdanlık, ortası otuz kırat pırlanta ile tezyin olunmuş yine bir adet gerdanlık, ortası 36 kırat pırlanta ile ve müteaddit kebir pırlanta taşlarla müzeyyen yine bir adet gerdanlık, ortası yirmişer kıratlık iki adet kebir roze taşlarla donanmış bir gerdanlık, ortası yirmişer kıratlık pırlanta ve etrafı müteaddit taşlarla tezyin olunmuş üç adet gerdanlık, kuş resminde pırlanta taşlarla müzeyyen bir adet gerdanlık, kebir inci habbeli pırlanta ile müzeyyen gerdanlık, maa-inci bir çift pırlanta ile küpe, bir çift zümrüt habbeli pırlanta ile müzeyyen gerdanlık, ortası elli kırat pırlanta ve etrafı müteaddit pırlanta taşlar ile tezyin olunmuş broş, yirmi sekiz kırat bir çift pero küpe, ortası gök yakut ve etrafı müteaddit pırlanta ile müzeyyen bir adet bilezik, ortası kebir bir pırlanta ve etrafı da müteaddit pırlanta taşlarla müzeyyen akarsu bilezik, ortası üç yüz kırat zümrüt ve etrafı pırlanta taşlarla müzeyyen bir adet kemer, ortası kebir yakut ve etrafı müteaddit pırlantalı kezalik bir adet kemer, ortası lâl ve etrafı pırlanta bir adet kemer, yine mücevherat ile müzeyyen kemer, fildişinden oymalı yine bir adet kemer, pırlantalı tarak, biri altın diğerleri gümüş üzerine üç adet pırlanta taç, lâl ve zümrüt ve elmas ile müzeyyen dokuz adet sorguç, zümrüt ve elmas ile müzeyyen üç adet hançer, mercan ile müzeyyen bir adet hançer, elmas, yakut, zümrüt ile müzeyyen bir adet ok ve yay mahfazası, elmas ile müzeyyen kâr-ı kadîm iki adet kılıç, murassa dört adet kiraz çubuk, yeşim üzerine yakut ve elmas ile müzeyyen iki adet ayna, biri yekpare yeşim, diğeri necefli iki adet topuz, taht-ı hümâyûnun iki adet zümrüt askısı, biri altın üzerine yakut ve elmas ile diğeri ma-taş gergedan boynuzdan, bir diğeri de yakut ve elmas ve zümrüt taşlarla müzeyyen üç adet yazı takımı, gümüş üzerine yakut ve lâl ile müzeyyen kâr-ı kadîm maa-tas maşrapa, ortası zümrüt ve yakut ile müzeyyen bir adet arabesk yazı takımı.

Bu eşya ceviz ağacından mamul dört köşeli ve yerli sehpa üzerine mevzu ve dört köşesi camlı derunu güvez kadife kaplı bir dolap içinde olduğu hâlde enzâr-ı temâşâya vazolunmuştu.[511]

(Hocapaşa harîk-i kebîrinden sonra tevsi olunan büyük caddelerin Beyoğlu Cadde-i Kebîr'i misilli manifaturacı ve tuhafiyeci dükkân ve mağazalarıyla tez-

---

511 Ali Rıza Beyin bu sergi hakkında verdiği bilgiler tarihî bir kıymet arz etmektedir. Başka kaynaklarda saraydan gelen mücevher ve değerli taşlarla ilgili bilgi yoktur. 1279 Ramazan'ında (1863) açılan sergi beş ay ziyaretçilere açık kalmış, 1280 Safer'inde (1864) kapanmıştır. Sergi hakkında en kapsamlı inceleme Rifat Önsoy tarafından yapılmıştır. Yazar, "Sergi-i Umûmî-i Osmânî" (*Belleten*, c. XLVII, nr. 185, Ocak 1983, s. 194-235) adlı makalesinde Ali Rıza Beyin verdiği bilgiler dışında sergiye gönderilen ve teşhir edilen eşyanın ayrıntılı dökümünü vermiştir. (Bu konuyla ilgili ayrıca bk. Osman Nuri Ergin, *Mecelle-i Umûr-ı Belediyye*, c. I, İstanbul 1338/1922, s. 738-745; Hüseyin Avni Şanda, "Bizde İlk Sergi", *Hayat Tarih Mecmuası*, nr. 9, Ekim 1965, s. 74-77)

yini için Çarşı-yı kebîrin külliyyen kaldırılmasını vaktiyle birtakım zevat beyan ve arzu ederlerdi ve hatta bu bapta bazı teşebbüsât vukuu bile rivayet olunmuştu. Eminönü ve Babıâli, Divanyolu ve Şehzadebaşı gibi büyük caddeleri tezyin eden bu misilli dükkân ve mağazalar, Çarşı-yı kebîrin 1310 [1894] tarihinde vuku bulan hareket-i arzdan harabiyetinden sonra küşat edilmiştir.)

İstanbul esnafının çoğu öteden beri toplu bir mahalde icrâ-yı sanat ederler ve bunlara ihtiyacı olanlar bulundukları semte kadar gitmeye mecbur kalırlar.

Hasırcılar, kurukahveciler, kürkçüler, çadırcılar, bakırcılar, zahireciler, hakkâklar, yağlıkçılar, balmumcular, örücüler, gazzâzlar,[512] gümüş ve altını eritip istimal eden tezhipçiler, tülbentçiler, haffâflar,[513] çuhacılar, abacılar, kebeciler, sahaflar, taşçılar, kuruyemişçiler, soğancılar[514] ve daha bir hayli esnaf böyle topluca birer mahalde bulunmak itiyat etmişlerdi.

Bu suretle toplu bir mahalde ahzüita eden Mısır Çarşısı esnafı vaktiyle birtakım muâleceye müteallik eşya da satarlardı. Dâire-i Sıhhiyyece muahharen satışları tayin ve tahdit edildi. Bu çarşıdaki dükkânlara ufak bir gemi modeli, bir deve kuşu yumurtası, bir fener, bir püskül gibi işaretler vazolunmuştur. Yakın vakte kadar Çarşı-yı kebîr dahilinde haffâflar, tuhafiyeciler Sultan Beyazıt'ta kâğıtçılar da dükkân ve mağazalarına bu gibi işaretler vazederlerdi. Bu işaretlerin vazı sebebi de, meselâ bir adam Mısır Çarşısı'ndan bir şey alır da aldığı şeyin şâyân-ı memnûniyyet olduğunu bir yerde söylerken "Nereden aldın?" diyenlere "Mısır Çarşısı'ndan fenerli veya yumurtalı dükkândan aldım." demek içindir. İstek edenler o dükkânı işaretle bulur. Faydası bundan ibarettir.

Mısır Çarşısı'nın bir kısmına yorgancıların yerleşmesi Çarşı-yı kebîrin hareket-i arzda harap olmasından sonradır.

Mısır Çarşısı Yeni Cami baniyesi Turhan Valide Sultan tarafından mıkrâz biçiminde olarak mezkûr Yeni Cami mimarı Kasım Ağa marifetiyle inşa ettirilmiştir. (Bu Kasım Ağa meşhur Mimar Sinan şakirtlerindendir.) Bu çarşı ve cami mahalli Bizans zamanında İstanbul'da meskûn olan Musevîler mahallâtı olduğu hâlde muahharen cami ve çarşının inşasına lüzum görünmesinden dolayı Musevîler oradan kaldırılıp Hasköy semtinde iskân edilmiştir.[515]

---

512 gazzâz: İpekçi, ibrişim bükücü esnafa verilen addır. (*OTDTS*)

513 haffâf: Kavaf. Eski tarzda ve kaba ayakkabıları veyahut terlik ve emsali gibi şeyleri satan kimse. (*KT*)

514 Soğancılar Mescidi, Kethüda Mehmet Ağa marifetiyle 1250 [1834/35] tarihinde tevsi ve tecdit ettirilmiş ve masârifi esnafın lonca odası kararıyla, nısfı Ağa-yı mûmâileyh tarafından ve nısfı orta sandığından tesviye olunmuştur. (ARB)

515 Bu mevkide Musevî Karay cemaati mahallesi varmış. Mahalle caminin avlusundan Mısır Çarşısı kapısına kadar mümted imiş. Bunlar için Hasköy'de kırk hane inşa edilmiş. Bu haneler meşruta idüğünden satılamazmış. Çünkü bâ-fermân-ı hümâyûn cemaat namına bahşolunmuştur.

Valide Sultanın mezkûr çarşıyı inşa ettirmesi câmi-i şerîf imam, müezzin ve hademe-i sâirenin mezkûr çarşıda attâriye eşyasıyla ahzüita ederek geçindirilmeleri maksadına müstenit olduğu ve derununda bulunan dükkânlar da câmi-i mezkûr vakfına kayıt olunduğu, Mısır Çarşısı namının verilmesi, çarşı-yı mezkûrda satılan eşyanın kâffesi vaktiyle Mısır'dan celp olunmasından ileri geldiği cümle-i rivâyâttandır. Kethüdaları, yiğitbaşıları[516] vardır.

Beyazıt civarında Kökçüler Kapısı diye maruf olan mahaldeki kökçüler pek kadim olup, kökçülük sanatı pek eski bir sanat idi. Bu kökçüler vaktiyle şimdiki eczacılar makamına kaim idi. Etıbba muâlecelerini bunlara imal ettirirlerdi. Kökçülere muâlece için lüzûmu olan otları İstanbul civarından başka İzmit, Bursa vesair taraflardan celp ettirirlerdi. Yaralar ve çıbanlar için envai merhemler ve sıracaya karşı deniz kaplumbağası külünden ve ishale karşı geyik boynuzundan muâleceler imal ederler ve envai illetlerin muâlecelerini *Nüzhetü'l-Ebdân fî-Tercüme-i Âfiyet* isminde olan kitabın mündericatına tevfikan tertip ve imal ederlermiş. (Bu kökçülerden Beyazıt tramvay mevkii karşısında elyevm iki adet kalmıştır.) Hekim, kehhâl[517] ve cerrah da esnaftan madûd idi. Macun ve edviye-i sâire imal ve fürûht eden dükkâncılar da vardı.

Eskiden kan almak, diş çıkarmak berber esnafına münhasır idi. Bu sanatta kesb-i ihtisâs edenlere ser-etıbbâ-yı şehriyârî tarafından[518] izinnameler verilirdi. Bu izinnamelerin birer numunesi zirde derç olundu.

İzinname Sureti

Der-Aliyye'de Mahmutpaşa kurbünde Sultan Odaları karşısında dükkânı olup, kan almak, diş çıkarmakta olan Aci Aleksan sâlifü'z-zikr sanatlarda mahareti der-kâr olduğundan tarafımızdan izin ve ruhsatı havi işbu tezkire tahrir ve imlâ ve yed-i mesfûra ita olunmuştur. Gerekdir ki ırz u edebiyle olup hâric-i ezmemûriyyet amel ü hareket eylemediği hâlde tarafımızdan ve ahardan kimesne müdahale eylemeye, ve's-selâm.

el-Fakîr reîsü'l-etıbbâ-yı Sultânî

Mühür

Abdülhak

Yüz sene evveline gelinceye kadar cami mütevellisi tarafından bu cemaate icâre-i zemîn verilirmiş. Bu kırk hane efradı haraçtan da istisna edilmiştir. (ARB)

516   yiğitbaşı: Esnaf teşekküllerindeki görevlilerden birinin adıdır. Kethüdalardan sonra gelen ve her esnaf tarafından ayrı ayrı olarak kendi aralarından seçilen yiğitbaşılar, kethüdalarla esnaf arasındaki emir ve haber verip almak gibi vazifeleri yaparlardı. (*OTDTS*)

517   kehhâl: Eskiden göz doktoru yerinde kullanılan bir tabirdir. (*OTDTS*)

518   Bu ser-etıbbâlık memuriyeti 1266 [1850] tarihinde lâğvolunup Mektep-i Tıbbiye Nezareti ihdas olunmuştur. (ARB)

Fese Alâmet Vazı İzinnamesi

Âsitâne-i Aliyye'de Mahmutpaşa kurbünde Sultan Odaları nezdinde vaki Berber Aleksan veled-i Lûtfî nam zımmî kan almak ve sülük talik etmek ve diş çıkarmak sanatlarında mahareti olmak cihetiyle iktisâ eylediği fesine âlât-ı cerrâhiyyeden olan kerpeten takmasına izn ü ruhsat verilmiştir. Gerektir ki zikr olunan sanattan maada sanayie tecavüz etmeyip ırz u edebiyle olduğu hâlde kimesne tarafından müdahale olunmaya. 25 Ş[aban] sene 1255 [3 Kasım 1839]

Mühür

Abdülhak[519]

İstanbul'da bulunan pazar mahallerinden Atpazarı,[520] Balıkpazarı elyevm bakidir. Fakat Esirpazarı esaretin ilgasından sonra fesh edilmiştir. Bu Esirpazarı fevkanî ve tahtanî bir bina olup şeyhi, kethüdası ruûs-ı hümâyûnla tayin edilir. Hatta asr-ı Mehmed Hân-ı Râbi'de musiki üstatlarından meşhur Buhûrîzade Itrî Mustafa Efendi fenn-i mûsikîde olan mahâret-i fevkalâdesine mükâfaten esir pazarları kethüdalığına tayin buyrulmuştu. Esir köle ve cariyeler satıldıkça mîrî hesabına öşrü istifâ olunurdu.[521]

Arap köle ve cariyeler pazarı da Tiryaki Çarşısı'nda idi. Yine pazar mahalleri demek olan Unkapanı'ndan başka İstanbul ve Galata cihetlerinde bal ve yağ kapanları da vaktiyle başlı ticaret mahalleri idi. Gerek bu kapan ticareti ve gerek Asmaaltı ticareti [erbabı] şehrimizin en muteber tüccarı idiler. İstanbul ve Bilâd-ı Selâse'nin her tarafına buralardan sevkiyat vuku bulurdu. Melbûsât ve mefruşat ve sair levazımat için halkımız Çarşı-yı kebîre giderlerdi. Mamafih İstanbul'un her semtinde el-hâletü hâzihi birer pazar kurulmaktadır.

Yukarıdan beri arz ve tafsil olunduğu cihetle İstanbul'un fethinden on üçüncü asr-ı hicrî evâsıtına kadar bilhassa İstanbul'umuz sanat ve ticaret noktainazarından hâlihazırımıza nispetle hemen hemen bir ummân-ı servet ve sâmân denilebilecek bir hâlde ve bunun da kısm-ı azamı sarıklı, çuha şalvarlı ağa babalarımız yedinde idi. Vüzerâmız, küberâmız ve ağniyâmız ve efrâd-ı milletimiz bütün ihtiyâcâtını velev biraz sakil ve kaba da olsa mamulât ve masnûât-ı dâhiliyye ile temine gayret ederlerdi. Tanzîmât-ı Hayriyye ilân olunmasıyla beraber hükû-

---

519   İstanbul Esnafları IV, *Peyâm-ı Sabâh* (*Peyâm*, nr. 1042, *Sabah*, nr. 11472), 29 Teşrinievvel 1337/ 1921, s. 3

520   Eskiden Bozdoğan kemeri ile Fatih külliyesi arasında yer alan Atpazarı'nda yük ve binek hayvanlarının alım satımı gerçekleşirdi. Bu pazarda sonraları sığır ticareti de yapılmıştır. (Geniş bilgi için bk. Ekrem Işın, "Atpazarları", *DBİA*, c. I, İstanbul 1993, s. 420-421)

521   Asr-ı Süleymân-ı Kanûnî'de başdefterdar olan İskender Çelebînin dört yüz kölesi varmış. Katlinden sonra bu köleler sarây-ı hümâyûna alınmıştır. Ahmet Paşa, Piyâle Paşa, Geylânî Ali Paşa, Behrâm Paşa, Hüseyin Paşa gibi birçok vüzera İskender Çelebînin kölelerinden olduğu rivâyât-ı târîhiyyedendir. (ARB)

met-i Osmâniyye bir tahavvüle uğradı. 1256 [1840] tarihinde Avrupa devletleriyle ticaret muahedeleri akdedildi. Kırım Muharebesi dolayısıyla vaki olan temaslardan dolayı halkımızda Garp medeniyetine bir temayül hâsıl oldu. Padişahımızdan efrâd-ı millete kadar herkes bir ziynet ve ihtişama düştü. Ticaret ve sanâyi-i dâhiliyyemiz günden güne tedenni etti. Galata ve İstanbul kapan ticaretgâhları yâd ellere geçti. Hayriye tüccarı namını bilen kalmadı. Rağbetsizlikten ve asrın ihtiyacına göre ıslah ve terakki ettiremediğimizden sanâyi-i dâhiliyyemiz münkariz oldu. Tezgâhlar kaldırıldı, imalât mahalleri kapandı. Vakıa elli altmış sene evvel Islâh-ı Sanâyi Komisyonu[522] namıyla teşekkül eden komisyon marifetiyle bazı ıslahat icra edildi ise de o da muhtelif sebeplere mebni dûçâr-ı tedennî olarak akıbeti şu bildiğimiz hâle geldi.

Gerek dükkâncılık ve gerek gezgincilik suretiyle icrâ-yı sanat ve ticaret eden esnafın Şehremaneti'ne karşı mesuliyetleri cihetiyle bunlar haklarında vaktiyle Şehremini Hüseyin Bey[523] tarafından reva görülen cezaları da bir nebze beyan edeyim.

Eskiden şimdiki gibi tanzifat memur ve hademesi olmadığından herkes hane ve dükkân ve mağazaları pîşgâhında teraküm eden süprüntüleri süpürüp çöpçü denilen süprüntücülere ücretini verip kaldırtmaya mecbur olduklarından, Şehremaneti maiyetinde bulunan kavaslar külle yevm geşt ü güzâr edip tanzifata müteallik husûsâta nezaret etmek vazîfe-i esâsiyyeleri cümlesindendi. Hâlbuki mahalle aralarında o mukassi, çamurlu, çapraşık sokaklarda yarık, yıkık duvarların dipleri yaz kış çamurlu ve mezbeleli ve kedi köpek, fare lâşeleriyle memlû ve arsalar, viraneler öbek öbek kazurat ile dolu olduğundan gelip geçtikçe istikrah etmemek mümkün olamazdı. İşte mahallât arasındaki sokaklarımız böyle sefilane bir manzara irâe ettiği hâlde Şehremaneti kavasları yalnız çarşı ve pazarlarda dolaşıp tanzifat hususunda dükkâncıları derdest etmekle iktifa ederlerdi.

Bir de kâffe-i mekûlât narh usulüne tâbi olduğundan narhtan fazlasına mal satmak mültezem-i mücâzât idi. Gerek bunlardan ve gerek halkın mürur ve ubûruna mâni olacak surette küfe ve işporta ve tablalarını vaz ile satıcılık etme-

---

[522] 1867 yılında teşkil edilen Islâh-ı Sanâyi Komisyonu yerli sanayinin gelişmesi noktasında önemli sayılabilecek adımlar atmasına rağmen Ali Rıza Beyin de temas ettiği gibi başarılı olamamıştır. Komisyonun kimlerden oluştuğu, talimatnamesi ve bu komisyonun çalışmaları sırasında kurulan şirketler hakkında daha geniş bilgi için bk. Osman Nuri Ergin, *age*, s. 717-768; İlber Ortaylı, *Osmanlı İmparatorluğu'nda İktisadî ve Sosyal Değişim-Makaleler*, Ankara 2000, s. 463-467

[523] İki kere şehremini olan Hüseyin Beyin birinci şehreminliği 1 Temmuz 1858-28 Eylül 1859, ikincisi 27 Eylül 1861-16 Mart 1868 tarihleri arasındadır. Hayatı ve şehreminlikleri zamanındaki faaliyetleri için bk. Osman Nuri Ergin, *İstanbul Şehreminleri*, İstanbul 1927, s. 65-81 (Eser, Ahmet Nezih Galitekin tarafından 1996 yılında yeni yazıya aktarılmıştır.); ayrıca bk. Mustafa Ragıp, "İhtisap Ağası Hüseyin Bey", *Tarihten Sesler*, nr. 2, 15 Şubat 1943, s. 32-35, 39)

lerinden dolayı Şehremaneti kavasları marifetiyle derdest olunan eşhâs dâire-i emânete getirilir. Alt katta, tahta parmaklıklar ile tefrik olunan ve zemini topraktan ibaret bulunan mahpese tıkılır. Mahpuslar geceyi orada geçirirler.

Kavasların okuyup yazması olmadığından her birinin cürüm ve kabahatleri kavasların verdiği malûmat üzerine tomruk[524] kâtibi tarafından bir varakaya yazılır. Ferdası günü Şehremaneti Hüseyin Bey dört çifte kayığı ile[525] gelip, köprü başındaki hususî iskelesine çıkar. (Eskiden emanet dairesi köprü başında ve o münasebetle Eminönü denilen mahalde idi.) İskeleden dairenin kapısına değin iki sıra dizilmiş kavasların arasından sağa sola selâm vererek gelip alt katta vazedilen koltuk sandalyesine kuûd eder.

Esnaf kalemi memurları ve kavasbaşı ve maiyeti huzurunda el pençe divan durur ve artık divan kurulmuş addolunurdu. Vaki olan emir ve işâret-i emânet-penâhî üzerine mahut varaka kâtip tarafından kıraat olunmaya başlar. "Küfeci Hüseyin üzümün okkasını narhtan beş para fazlasına satmış." denir. Şehremaneti Bey "Beş gün" emrini verir. Kavaslardan biri herifi İplikhane'ye sevk eder. Arkasından diğerleri okunarak bu suretle cezaları tayin olunur, hapishaneye[526] sevk ve izam edilir. Şayet mahkûmlardan biri nefsini müdafaa zımnında verilen hükm-i emânet-penâhîye itiraza kıyam edecek olursa işbu hapis cezasının bir misli zammolunur. Çünkü hükûmetin emrine karşı gelmiş addolunur. Badehu arkası alındığında makam-ı memûriyyetine çıkar, oturur. Hüseyin Bey ekseriya kola çıkar, çarşı pazarı geşt ü güzâr ederdi. "Hüseyin Bey kola çıkmış, Mahmutpaşa başından doğru geliyormuş" sözü şayi olmasıyla beraber yokuşun alt başında ne kadar küfeci, işportacı misilli gezginci esnaf varsa cümlesi çil yavrusu gibi dağılır, her biri bir tarafa doğru ihtifa eder; hele dükkâncıları tir tir titretirdi. Hüseyin Bey bir gün bermutat kola çıkar. Edirnekapısı civarında geşt ü güzârında sırtında iki çuval yüklü merkebi şöyle bir tarafa bağlı olarak görür, sahibini sual eder. Ararlar, sorarlar herifi kahvehanede bulurlar, kaldırıp huzuruna getirirler. Hîn-i isticvâbında Sur haricinde kâin köylerin birinden yarım saat evvel geldiğini, kahvede çubuk içmek ve biraz da yorgunluk atmak için hayvanı bağlayıp kahvehaneye girdiğini beyan eder. Müşarünileyhin verdiği emir üzerine derhâl hayvanın sırtından çuvallar alınır ve boynuna bir torba yem takılır. Badehu bu iki çuval sahibinin sırtına yükletilir, oraya bağlanır. Merkebin mütehammil olduğu yükü bir insanın kaldırması müşkül olduğundan herif yalvarmaya başlar. Ağlar, sızlar, bağırır, feryat eder, kimse kulak asmaz. Hayvan

---

[524] tomruk: Eskiden cezaevi hakkında kullanılan bir tabirdir. Suçlulara ceza vermek amacıyla ayaklarına geçirilen tomruktan dolayı cezaevleri bu adla anılmıştır. (OTDTS)

[525] Ol vakit mer'i olan usûl-i teşrîfât iktizasınca bâlâ ricali dört çifte kayığa râkib olurdu. (ARB)

[526] Eskiden cünha-i hafîfe ashabı tersane idaresinde bulunan İplikhane hapishanesine sevk olunur ve burada tersane hesabına meccanen çalıştırılırdı. (ARB)

torbadaki yemi bitirinceye kadar çuvallar herifin sırtında bağlı kalır. İşte Hüseyin Bey daha bu gibi nice cezalar tayin eder ve bu suretle esnaf takımının birtakım insafsızlıklarına meydan vermez ve nerede bir yolsuzluk görse önünü alır ve şehir halkı da fayda görür, memnun kalırdı.

Debbağlar

Debbağ esnafı vaktiyle servet ve iktidarca esnâf-ı sâirenin kat kat fevkinde idi. Payitahtımızda bulunan debbağhane mahalleri Eyüp, Kasımpaşa, Tophane, Üsküdar, Yedikule semtlerinde olup, yetiştiğim tarihlerde her semtte on beş, yirmi gedikli dükkân vardı. Bu dükkânların her biri birer fabrika hâlinde ikişer, üçer kat cesim binalardı. Her dükkân bir ustanın zîr-i idâresinde olup, her birinde bostan kuyusu cesametinde kuyular, cesim kazanlar ve o nispete âlât ve edevat bulunur. Mevcut olan çırak ve kalfa misilli onar, on beşer nefer işçiler şafakla beraber işe başlar, akşama kadar lâyenkatı çalışırdı ve her semtteki debbağhanelerin hayvanla cerrolunur birer de değirmenleri olduğundan bunlarda da palamut öğütülürdü.

Ordu-yı hümâyûnlar efradının ve süvari ve topçu hayvanatının, zükûr ve inâs umum İstanbul ahalisinin, meşin, kösele, sahtiyan misilli şeylere müteallik ihtiyacatı işbu beş mahalde kâin debbağhaneler mamulâtıyla temin olunurdu. Son altmış, yetmiş sene zarfında esnâf-ı merkume mamulâtı günden güne tenezzülâta düşüp sanatları revaç ve itibardan kaldı ve ticaretgâhları da muattal hükmüne girdi. Bu tenezzülâtın iki sebebi vardı. Birincisi Ebu'l-feth Sultan Mehmet Han zamanından Sultan Selîm-i Sâlis devrine kadar bazı selâtîn-i izâm taraflarından ita buyrulan fermanlar ve beratlar mantukınca Dersaâdet ve Bilâd-ı Selâse dahilinde bulunan selhhanelerde ne kadar hayvan zebh olunursa derileri üzerindeki tüyleriyle beraber esnâf-ı merkumeye mahsus ve münhasır idi. Bu derileri debbâğ esnafı kıymet-i râyicesiyle iştira edip derisini imal ve tüyünü[527] fürûht ile ikisinden de istifade edilirdi. Bu imtiyaza kırk elli bin kese raddesinde muaccelât itasıyla nail olmuşlardı. Bunların gedikleri imtiyazının muhafaza edilememesinden dolayı hariçten kat'â hissedar olmayan bazı kimseler bayağı yed-i vâhid suretinde deri toplamaya tasaddî ederek, esnâf-ı merkume işleyecek deri bulamamak derecesine gelip, bunlardan mübayaa etseler de galî bahalarla verilmek ve aher türlü müşkülât ika edilmek hasebiyle esnâf-ı merkumenin işsiz kalması. Diğer sebep de, çünkü memâlik-i ecnebiyyede debagat sanatı başka bir hâl-i intizâma tahavvül ile daima terakki ettiği hâlde bizimkilerin mamulâtı eski hâlinde kalarak bittabi revaç ve itibardan sakıt olması maddeleridir.

---

527 Esnâf-ı merkumenin sattıkları yünün beher kantarı yüzelli kuruş raddesinde bir fiyat ile satılır ve bu yünlerin kısm-ı küllîsi Avrupa'ya sevk olunurdu. (ARB)

Elli beş, altmış sene evvel Meclis-i Vâlâda teşekkül eden Islâh-ı Sanâyi Komisyonu esnâf-ı merkume ahvalini nazarıdikkate alarak ol bapta icra olunan tahkikat ve tetkikat neticesinde bunların haiz oldukları gedikler imtiyazının kemakân muhafazasıyla beraber, fakat münferiden icrâ-yı sanat etmeleri tecviz olunamayıp heyet-i umûmiyyesi birleştirilerek bir şirket teşkil ile taht-ı intizâma alınması tensip olundu. İki bin hisseden ibaret olmak ve her hisse beşer adet yüzlük Osmanlı altını ile alınmak üzere onbin altın sermaye vazıyla ve "Şirket-i Debbâğiyye" namıyla bir şirket teşkil edildi. Otuz maddeyi havi bir de nizamname kaleme alınarak ol bapta istihsal olunan irâde-i seniyye üzerine işe mübaşeret ettirildi. Bu suretle gösterilen teshilât ve teşvikat semeresiyle, mamulâtı müddet-i kalîle zarfında tekemmüle namzet bir hâle de geldi. Hatta Avrupa mamulâtına müşabih numuneleri Meclis-i Vükelâda muayene olunarak tahsin ve takdir edildiğinden vükelâ-yı fihâm canibinden de müteaddit hisseler mübayaası suretiyle teşvikatta bulunuldu ve Mekteb-i Tıbbiye talebesinden birkaç efendi de debagat sanatı tahsil etmek üzere Avrupa'ya izam edildi idi. Bu efendiler avdetlerinde o tarihlerde Beykoz'da küşat olunan askerî debbağhanesinde istihdam olundular.

Debbağ esnafının ahvali şu suretle taht-ı intizâma alınmasından dolayı bunlara taalluku hasebiyle âdeta yamakları hükmünde addolunan güderici, tirşeci, çadırcıyân denilen meşin ve köseleci esnafı dahi kesb-i intizâm etmişlerdi. Ne çare ki komisyon-ı mahsûsun dahi taht-ı itirâfında olduğu üzere esnâf-ı merkumenin beka-yı hayatı sâlifü'z-zikr gedikler imtiyazının muhafazasına menût olduğu hâlde, hükûmet-i seniyyece sonraları bu imtiyazın muhafazasına takayyüdât gösterilmeyerek hâl-i ihmâlde kaldı ve şirket-i mezkûre mamulâtından kısm-ı küllîsi peyderpey levâzımât-ı askeriyye için mübayaa olunduğu hâlde bedelâtı peşinen tesviye olunamayarak suret ve sergileri sürüncemede bırakıldı. Beyne'l-esnâf şahsî menfaatler de ona inzimam eyledi. Şirketin itibarı sakıt ve hisse bedelâtı dûçâr-ı tenezzül oldu. O zamanlar şirketin vaziyet-i iktisâdiyyesini ihmalkâr idarelerin tahribatına maruz bırakmayacak ve suistimali men ile mevkiini ve menâfiini muhafaza ve tenmiye edebilecek ilim ve azim sahibi gençler bulunmaması cihetle böyle mühim ve en ziyade himayete şayan bir müessese külliyen bozuldu. Nice ehemmiyetlerle vücuda getirilen nizamnamesine hatt-ı butlân çekildi. Şirketin ilgasından sonra münferiden icrâ-yı sanat arzusunda bulunanlar da dâhil-i şehirde debâgat icrası sıhhat-ı umûmiyyeye muzır olduğu beyanıyla menedilip başka mahal de gösterilmedi. Yedikule haricinde olan debbağhanelerden maadası mürûruzamanla münhedim ve edevât-ı sınâiyyeleri münkariz ve gedik ve imtiyazları da muattal olarak bunca aile dûçâr-ı fakr ve sefalet oldu gitti.[528]

---

528 İstanbul Esnafları V, *Peyâm-ı Sabâh* (*Peyâm*, nr. 1044, *Sabah*, nr. 11474), 31 Teşrinievvel 1337/1921, s. 3

Saraçlar

Mamulât ve masnûât-ı sarrâciyyeye müteallik kösele, sahtiyan, meşin misilli malzemeden dolayı saraçların debbağ esnafına olan taalluk ve münasebetleri cihetiyle, ol vakit saraç esnafı hakkında da bazı ıslahat icra edilmiş ve mamûlât-ı sarrâciyyede Avrupa'dan gelenlere yakın el çantaları, hayvan takımları imalinde âsâr-ı terakkî görülmüştü. Şirket-i Debbâğiyyenin inkırazından sonra saraç esnafının intizamına da halel gelmiş ve muahharen saraçhane de muhterik olmuştur. Elyevm şurada burada saraç dükkânları görülmekte ve bunlar marifetiyle bazı eşya vücuda getirilmekte olduğu müşahade edilmektedir. Dediğim tarihlerde taht-ı intizâma alınan esnafın biri de Simkeşhane esnafıydı.

Tarihlerimizden anlaşıldığına göre Koska'da kâin Simkeşhane'yi inşa eden Emetullah Başkadınefendidir.[529] Mescit ve sebil ve çeşme de müşârünileyhâ tarafından inşa edilmiştir.[530]

Beher sene kıraatını vakfeylediği menkabe-i *Mevlid-i Nebevî* için büyük avluya otağ kurulur ve Simkeşhane emini canibinden vaki olan davet üzerine bazı ulema ve meşâyih ve esnaf kethüda ve muteberânı içtima ederek öğle taamından sonra menkabe-i mezkûre kıraat olunurdu. Bu resim yetmiş [1853] tarihlerine kadar devam eyledi.

Simkeşler

Zikrolunan Islâh-ı Sanâyi Komisyonu işbu Simkeşhane esnafının ahvalini dahi nazarıdikkate alarak ol bapta icra eylediği tahkikat üzerine esnâf-ı merkumeye münasebeti olan altın varakçı esnafı da Tiryaki Çarşısı'ndan Simkeşhane'ye naklederek orada icra-yı sanat etmeleri tensip edildi. Islâhât-ı vâkıa semeresiyle hazine hesabına gayet has ve halis olmak üzere sarı ve beyaz teller ve mütenevvi sırma kılâptan elbise-i resmiyyeler ve kordon ve püsküller ve apolet ve kaytan ve bükme şerit gibi şeyler imal olunmaya başlandı. Halkımızdan da birçok rağbet gördü ve altın varakçı esnafı da altın ve gümüş varakları imalini derece-i matlûbeye isal etmişlerdi. Sonraları her biri bir türlü esbap haylûletiyle cümlesi münkariz olarak bugün Simkeşhane'de bu iki esnafın vücudu kalmamış, artık sanayinin hâl-i âhirîsi nazarıdikkate alınmamıştır. (Sanatkârlarımız da sanatlarında inkıraz gördükleri zaman bunun esbabını taharri ve ıslaha mukte-

---

529 IV. Mehmet'in hasekisi ve III. Ahmet'in annesi olan Emetullah Gülnûş Sultan (1642-1715) çeşitli hayır eserleri yaptırmıştır. Üsküdar'daki Yeni Valide Camii onun hayır eserlerindendir. (Bk. Necdet Sakaoğlu, "Emetullah Gülnûş Sultan", *OA*, c. I, İstanbul 1999, s. 399-400)

530 Simkeşhane derununda esnaf çıraklarını okutmak için 1284 [1867] tarihinde eâzım-ı milletten mürekkep olarak teşekkül eden Cemiyyet-i Tedrîsiyye-i İslâmiyye tarafından sabah dersleri küşat edilmiş ve her türlü ulûm ve fünûndan dersler vermeye başlanmıştı. Ne çare ki bazı esbap haylûlet ederek devam edemedi. (ARB)

dir olamamışlardır. İşte gerek hükûmet ve gerek erbâb-ı sanat ve ticaret, sanayinin kıymetini bilmediler ve itilâsındaki ehemmiyeti idrak edemediler. Bu ihmal ve gafletle sanayimizin kâffesi izmihlâle duçar oldu. Esnaf takımının ekserisi artık kâr ve kisblerinden mahrum olduklarından evlâtlarını devâir-i devlete intisap ettirmeye başladılar, sanayimiz külliyen metruk kaldı.)

Tuzcular

İstanbul'da bulunan gedikli esnafın ehemmiyetlilerinden biri de tuzcu esnafıydı. Bu esnaf taraf-ı devletten mansûb bir tuz emini zîr-i idâresinde olmak üzere kırk adet gedikli dükkândan ibaretti. İstanbul'da tuz satmak hakkı bunlara münhasır[531] olduğundan tüccarın yelken sefâini vasıtasıyla her taraftan celp eylediği tuzlar esnâf-ı merkume marifetiyle sarf ve fürûht olunurdu.

1278 [1861/62] tarihinde tuzun Dersaâdet ve memâlik-i mahrûsede taht-ı inhisâra alınmasından[532] ve o zamanlar Dersaâdet'e külliyetli kaçak ecnebi ve tezkiresiz yerli tuzu vürut ile ber-takrîb karaya çıkarılarak bazı dükkânlarda sarf ve fürûht olunmasından ve hâlbuki tuzun fırınlarda kurutulup çekildikten sonra ecnebi tuzundan tefriki gayrikabil bulunmasından dolayı tuz kurutulması birkaç fırına tahsis olundu ve kurutulan tuzları çekip ahaliye satmak dahi zikrolunan gedikli dükkânlara hasredildi. Hilâfına hareketle tuz kurutan ve sahk ve fürûht edenlere ağır cezalar tayin ve tahdit edildi idi.

(Malûm olduğu üzere memlâhalardan Dersaâdet'e naklolunan tuzların İstanbul'da sarfiyatı iki suretle olup, birisi debagat, fırıncı, balık tuzlayıcı ve ham derici esnafı gibi sanayide istimal olunmak ve hayvanata ekl ettirilmek üzere mübayaa olunan tuzlardır ki bunlar memlâhalardan geldiği gibi hâliyle istimal olunur. Diğeri mekûlât için matbahlara lüzumu olan tuzlar olup hâliyle istimal olunmadığından iptida fırınlarda kurutulur ve tuzcu dükkânlarında da âlât-ı mahsûsa ile çekildikten sonra satılır.) Bir de kable'l-inhisâr memâlik-i ecnebiyyeden sofralarda istimal olunmak üzere şişeler derununda çekilmiş olarak gayet ince tuz vürut eylediği halde ber-vech-i marûz tuzun taht-ı inhisâra alınması cihetiyle, velev bir dirhem bile ecnebi tuzunun memâlik-i mahrûseye ithali menolunup, hâlbuki halkın böyle şişeler derununda olarak istimaline alıştıkları ince tuzdan mahrumiyetleri rehîn-i cevâz olamayacağından ve tuzcu esnafının işbu şişe tuzları misilli gayet ince tuz imal edebildikleri inde't-tecrübe tahakkuk ey-

---

531 Ricâl-i devletten merhum Hacı Hüsam Efendi, 1251 [1835/36] tarihinde Tuz Emanetine tayin olunduğu *Tarihçe-i Evkaf*'ta münderiçtir. (ARB)

532 Ahalinin mutlaka muhtaç olduğu mekûlâta müteallik eşyayı inhisar altına almak ve yüksek fiyatla halka satmak mazarratı dâî olduğundan bahisle, işbu tuz inhisarı aleyhinde o zamanlar birçok itiraz edenler olmuştu ve bu muterizlerin birisi de şâir-i meşhûr Ziya (Paşa) merhumdu. (ARB)

lediğinden bu siyakta yarımşar kıyyelik şişeler imal ettirilerek derununa ince tuz vazedip, yirmişer paralık bandrol keşidesiyle ve kezalik gedikli tuzcu esnafı vasıtasıyla ahaliye satılırdı.

Tuzun inhisar altına alınmasından ve Dersaâdet ahalisinin muhtaç olduğu tuzların memlâhadan celbi tüccarın yed-i ihtiyârında kalmasından dolayı tüccar bazı arıza dolayısıyla Dersaâdet'e vakt ü zamanıyla tuz getiremeyip de halkın sıkıntısına mahal verilmiş olmamak için devlet hesabına olarak memlâhalardan tuz celbiyle Kasımpaşa'da kâin mîrî ambarlarına vazolunması takarrür etti ve bu suretle celp olunan tuzların sahk ve fürûhtu dahi zikrolunan gedikli dükkânlara hasredilmiştir.[533] Muahharen işbu şişe tuzu bandrollerinden dolayı ızrâr-ı hazîneyi mucip uygunsuzluk vuku bulduğundan esnâf-ı merkumenun gedik imtiyazları fesholunarak tuz sahk ve fürûhtu ve sofralar için şişe tuzu imali bandrol usulü baki kalmak üzere serbest bırakıldı.

Balıkçılar

Dalyan, voli, ığrıb mahalleri misilli saydgâhtan kayıklarla gidip balık ve sair mahsulât-ı bahriyye mübayaa ederek Balıkhane'ye getirip satan[534] madrabaz[535] esnafın gediksizleri beher sene yüzelli kuruş tezkire harcı verdikleri hâlde, gedikli madrabazların verdikleri tezkire harcı yedibuçuk kuruştan ibarettir. Gedikli taze balıkçı esnafı midye, istiridye, tarak misilli tahte'l-bahr hayvânât-ı mukaşşere tarlalarına da tasarruf ederler. Bu tarlalar Samatya'dan Rumelikavağı ve Fenerbahçe'den Anadolukavağı sahiline giden dokuz mahalde kâindir.

Mezkûr tarlalardan alkarna tabir olunan âlât-ı mahsûsa ile hayvânât-ı mukaşşere sayd ve ihracı işbu gedikli tazeci esnafına münhasır olup, gerek bunların ve gerek ondalıkçı tabir ettikleri müstecirlerinin gayrisi hayvânât-ı mukaşşere sayd ve ihraç edemez. Şayet edecek olursa tebaa-i ecnebiyyeden de olsa ber-mucib-i nizâm beş liradan yirmi liraya kadar ceza-yı nakdî alınır.

Dersaâdet ve Galata balık pazarlarında kâin havyarcı esnafının gediklileri külle yevm Balıkhane'ye vürut eden balıklardan tuzlamaya elverişli olanlarını icra olunan müzayededen mübayaa edip, esmânını otuz bir gün sonra verirler.

---

533 Kasımpaşa'da kâin ambarlar tuz vazına tahsis olduğu gibi Üsküdar'da Paşalimanı civarında kâin ambarlar da idâre-i askeriyye tarafından şaîr ambarı ittihaz olunmuştur. Bu ambarlar vaktiyle Dersaâdet ahalisinin muhtaç oldukları zahirenin mübayaacılar marifetiyle iştirâ olunarak Dersaâdet'e hîn-i celblerinde iddihâr olunmak için inşa ettirilmişti. Kısm-ı mahsûsunda buna dair tafsilât vardır. (ARB)

534 Balıkhane'ye getirilen balıkları muhafaza etmek için Balıkhane'nin inşası esnasında bir de soğuk hava deposu tesis ve inşa edilmişti. (ARB)

535 madrabaz: Hayvan, balık, sebze, meyve gibi yiyecekleri yerinden getirerek toptan satan kimse. (*TS*)

Kezalik taze alıp satmak için gedikli taze balıkçı esnafı da bir hafta müddetle veresiye balık almak salâhiyetini haiz idiler. Bu suretle sermayelerinin kat kat fevkinde icrâ-yı muâmele ederlerdi.

Kasaplar

Eskiden Dersaâdet ve Bilâd-ı Selâse dahilinde bulunan kasap dükkânları kâmilen gedikli idi.

Bunların gayrısı lahm ahzüita edemezdi ve şehir dahilinde satılık lahm da narh üzerine satılırdı.

Bu gedikli kasap dükkânlarının derununda hususî lâğım ile cereyan eder. Vasi mezbaha veyahut civarında ayrıca kapısı ve müstakil kuyusu olmak üzere başkaca selhhane[536] bulunur ve her-bâr teftiş olunmak için İstanbul Kadılığı'nda ve İhtisap Nezaretinde sûret-i mahsûsada kayıtlar tutulurdu. Lahmın semîn olmamasına ve lâgar, mariz hayvan eti bulundurulmamasına ve kem-ayar ve noksan evzan istimal olunmamasına ve lahmın üzerinde ciğer, bağırsak, posteki parçaları, içyağı misilli şeyler bırakılmamasına itina edilir ve hilâfı harekette bulunanlar dûçâr-ı mücâzât olurdu. Mücerret mebzuliyet ve ehveniyet hâsıl olmak maksadıyla muahharen kasap dükkânları gedikleri fesholundu. Et satmak serbest bırakıldı. Hatta semiz lahmın kıyyesini esnafın satacakları fiyattan kırk para noksanına satmak üzere Şehremaneti 1278 [1861/62] tarihinde Eminönü'nde salaşlar ihdas ve inşa ettirip iki seneliğini mültezime ihale etmişti. Muahharen dâhil-i sûrda selhhane küşat edilmemek gerek esnaftan ve gerek gayrıdan hayvanat zebh edecek olanlar Yedikule ve Eğrikapı haricinde kâin selhhanelerde zebh ettirmek ve müceddeden kasap dükkânı küşat edecek olanlar beldece mahzuru olmadığı tebeyyün ettikten sonra Şehremaneti dairesinden ruhsat verilmek ve celeplerden kumpanya suretiyle külliyetli koyun mübayaasıyla et satılmasını inhisar hâline koymak gibi ihtikâra meydan vermemek üzere narh usulü dahi ilga olundu.

Karaman, Osmancık, Türkman, Mihaliç taraflarından ve Rumeli canibinden İstanbul'a gönderilen koyunlardan başka birtakım ashâb-ı yesârın İstanbul kurâ-yı mütecâviresinde kâin çiftliklerinden de dâhil-i şehre koyun ve keçi vürut ederdi. Askerin tayinatı için lüzumu olan hayvanatın kısm-ı küllîsi Istranca meralarında kâin beylik mandıralardan getirilir ve Yedikule mezbahalarında zebh olunarak Etmeydanı'nda[537] tevzi olunurdu.

---

536 selhhane, salhane: Kasaplar için kesilen koyun ve sığırların boğazlanıp yüzüldüğü yer. (*KT*)

537 Etmeydanı: Eskiden Aksaray semtinde Yeniçerilere ait kışlalarının bulunduğu mevkiye verilen addır. (*OTDTS*)

İstitrat-Yedikule'den Etmeydanı'na et getiren yeniçeri seğirdim[538] ustalarının beygirleri önünden geçerken ihtiyar bir Müslüman'ı darp etmelerinden dolayı şefaat eden imamla bazılarını sekbanbaşıya getirmişler ve idamlarını talep etmişler. Ol baptaki teşebbüsat kâr etmemiş, akıbet bu bîgünahların kanına girmişlerdir. Onların itikadınca yeniçerilerin lahm tayınatını hamil olan beygirlerin önünden geçmek uğursuzluk addolunurmuş.[539]

Mumcular

Eskiden saraylarda ve ağniyâ konaklarında balmumu ve ahâd-ı nâs hanelerinde yağ mumu yakıldığından mum döküp ahaliye satmak için mumcu esnafı vardı ve bu esnaf taraf-ı devletten mansûb şem'ahane emini zîr-i idâresinde bulunur ve onun tarafından damgalanmamış mumlara sahte nazarıyla bakılıp ashabı dûçâr-ı mücâzât olurdu. Muahharen saray ve konaklarda Avrupa'dan gelmekte olan ispermeçet[540] mumu kabul olunmuş olduğundan Dersaâdetçe de bu mumlardan imal edilmek için 1280 [1863] tarihinde Beykoz civarında bir ispermeçet fabrikası küşat edildi.

Kethüdalar

Vaktiyle enderun ağaları emektarları zeamet, timar, mukataa misilli şeylerle çerağ buyruldukları gibi teberdârân-ı hâssa denilen baltacılar ve zıpkalı baltacılar ve buna mümasil sair saray hademeleri de muayyen olan esnaf kethüdalıklarıyla çerağ buyrulurlardı. Bu kethüdalıklar da, bahçıvanlar kethüdalığı, balık sayyâdı kethüdalığı, tülbentçiler kethüdalığı, Galata ve İstanbul gümrükleri hamal başılığı gibi şeylerdi.

Bahçıvanlar kethüdalığı, ferağı icra olunan bir bahçe veya bostanın taraf-ı mîrîden alınan harçlardan başka olarak yüzde dört harç, yüzde bir oda resmi ve yüzde bir de ustalara şerbetlik ki yüzde altı aidat alırdı ve balıkçılar kethüdası da Dersaâdet ve Bilâd-ı Selâse dahilinde kâin balık sayyâdının aldıkları tezkireler için cânib-i mîrîye verdikleri yedibuçuk kuruş harçlardan başka ikibuçuk kuruş da kethüdaya vermeye mecbur idiler ve Balıkhane mukataasından ayrıca da beşyüz kuruş maaş verilirdi. Gümrük hamal başılıkları da buna mümasil kazançlı çerağlıklardan idi.

---

[538] seğirdim: Yeniçeri ocağı için kesilen etlerin nakli sırasında bu işle vazifeli olanların etleri sekerek götürmelerinden dolayı haklarında bu tabir kullanılırdı. (*OTDTS*)

[539] İstanbul Esnafları VI, *Peyâm-ı Sabâh* (*Peyâm*, nr. 1047, *Sabah*, nr. 11477), 3 Teşrinisani 1337/1921, s. 3

[540] ispermeçet: Tasfiye edilmiş yağdan mamul mum. (*KT*)

Zahire ve mübayaacılar

Selîm-i Sâlis asrında Dersaâdet ahalisinin nân-ı azîzce olan ihtiyacına bakmak ve mîrî dairelerinin muayyenâtını vermek için bir zahire nezareti teşkil ve maiyetine taşralardan ucuz baha ile vakt ü zamanıyla zahire mübayaa etmek için mübayaacılar tayin edilmiş ve Kapan-ı dakîk'te de kapan naibi namıyla bir naip konulmuştu. Mübayaacılar zahireyi mîrî fiyatına mübayaa edip İstanbul'a sevk ederler ve kapan naibi de beyne't-tüccâr vuku bulan münazaa ve deâvîyi şer'-i şerîfe tevfikan hall ü fasl ederdi. Mübayaacılar marifetiyle Dersaâdet'e sevk olunan zahâirin vaz ve iddihârı için asr-ı Selîm-i Sâlis'te Üsküdar'da Paşalimanı'nda ve muahharen Kasımpaşa'da iskele kurbünde cesim ambarlar inşa edilmiş ve bu ambarlarda yük olarak daima İstanbul'un bir senelik ihtiyacına kâfi zahire bulundurulması usul ittihaz olunmuştu.

Ambar-ı âmireden yine o tarihlerde on beş gün zarfında ekmekçilere tevzi olunan zahirenin miktarı 89000 kile hınta ve 19000 kile şaîrdir.

Ol vakitler ahali için imal olunan ekmeklere arpa unu da karıştırıldığı ekmekçilere şaîr itasından istidlâl olunur.

Bu mübayaacılar sonraları zürrâa envâi zulüm ve taaddî eyledikleri şikâyât-ı vâkıadan anlaşılmış ve Devlet-i Aliyye 1256 [1840] tarihinde Avrupa devletleriyle ticaret muahedesi akdeylemiş olduğundan, işbu mübayaacılık usulü külliyen ilga olunarak herkes husule getirdiği zahiresini öşrünü verip ve bildiği gibi satmakta serbest bırakılmış ve yed-i vâhid usulünden cânib-i mîrîye senevî yetmiş bin kese raddesinde bir menfaat hâsıl olmaktaysa da serbestî-i ticâret hasebiyle devlet bu menfaati feda etmiştir.

Mesâlih-i tüccâriyye sonraları mehâkim-i nizâmiyyede rüyet olunmaya başlamış ve Kapan-ı dakîk'te umûr-ı şer'iyyeye ait bir iş kalmamış olduğundan işbu kapan niyabeti dahi ilga edilmiştir. 1256 [1840] tarihinde zahire mübayaacılığı usulünün ilgası sırasında değirmenci, ekmekçi esnafı gedikleri dahi fesholunarak, her kim değirmen idaresine ve fırın küşadına talip olursa ruhsat verilip şu kadar ki, fırınlarının bulunduğu mahallerin revacına göre eyyâm-ı sayfta iki aylık ve mevsim-i şitâda dört aylık zahiresi ambarında mevcut bulunmak şart kılınmıştır.

Francalacılar

Francalacı esnafı çıkarmakta oldukları francalaları mütenevvi suret ve fiyatta tabh ve fürûht etmekte ve bu yüzden birtakım hileye sülûk etmekte oldukları anlaşıldığından 1261 [1844] tarihinde baş has ve orta has olmak üzere iki nevi francala tabh ve fürûhtu ve baş has francalanın kırk beş dirhemliği on ve doksan dirhemliği yirmi ve iki yüz dirhemliği kırk paraya satılması taht-ı karâra alınmıştı. İstanbul kurâ-yı mütecâviresinde bulunan çiftliklerde manda, inek, koyun ve keçi misilli hayvanatın yünü, sütü, yağı ve arıların balı ve balmumu ve zahâirin kısm-ı küllîsi dâhil-i şehirde sarf ve fürûht olunurdu. Bu çiftliklerin bazılarında değirmenler de vardı. Hatta mum ve şarap imalathaneleri bile ihdas etmişlerdi.

İstitrat-1279 [1863] tarihinde Dersaâdet'te küşat olunan Sergi-i Umûmî'de teşhir olunan yerli ve ecnebi mamulâtı olan edevât-ı zirâiyye, bazı vükelâ ve memûrîn ve ehl-i hıbre heyeti ile edevât-ı mezkûreyi İstanbul'a getirmiş olan mühendisler hazır olduğu hâlde, Serdar-ı Ekrem Ömer Paşanın[541] Küçükçekmece civarında kâin Ulbanice çiftliğinde tecrübesi icra olunarak bizim yerli mamulâtı çift âlâtıyla altı çift öküz koşulduğu halde matlup veçhile iş görmediği ve İngiliz çift âlâtına iki öküz koşuldukta sapanı keskin olduğundan berikinden daha çok iş gördüğü anlaşılmıştır.

Ziraatimiz ve yaş meyvecilik

Türkler esasen çiftçi oldukları hâlde köylülerimizin ananeperestlikleri hasebiyle tatbik edilen usûl-i zirâat eski zamanda tatbik edilen ahvalin aynı ve mahsulâtımız da memâlik-i sâire mahsulâtından cinsçe daha aşağı olmakla beraber doğrudan doğruya muhtekirler yedine geçti. Hiçbir milletin ziraati bizimki kadar hâl-i ibtidâîde değildi. Sonraları bu hâllerin ıslahı zımnında Ziraat Bankası ve Ziraat Nezareti teşekkül etti. Ziraatimizden, ormanlarımızdan, madenlerimizden istifade etmek için de mütehassıslar yetiştirilmesine teşebbüs olundu.

İstanbul suru hariç ve dahilinde Üsküdar, Eyüp, Kasımpaşa ve Boğaziçi havalisinde ve mahalle aralarında bile bostanlar vardı. Bu bostanlarda külliyetli meyve ve sebze yetiştirilir ve bu mahsulât, sekenesinin ihtiyâcâtını telâfi ettikten başka harice de ihracat vuku bulurdu. Eyüp bostanlarında okka gülü de yetiştirildiğinden gül mevsimlerinde Eyüp civarında Yavedut semtinde şafakla beraber gül pazarı kurulur. Mevsim hitamına kadar külliyetli ahzüita olurdu. Eskiden beri İstanbul'da meyve-i ter pazarı vardır ve bu pazarın umur ve hususâtı vaktiyle taraf-ı devletten nasbolunan pazarbaşı marifetiyle rüyet olunurdu. Hatta şâir-i meşhûr Nazîm[542] merhum, Ağa Hüseyin Paşa[543] tarafından meyve-i ter pazarbaşılığına tayin edilmişti. İstanbul'umuzun başlıca mahsulâtından biri de

---

541 Serdâr-ı Ekrem Ömer Lütfi Paşa Kırım Savaşı sırasında Osmanlı ordusunun başında bulunmuştur.

542 Klâsik edebiyatımızda na't şairi olarak anılan Nazîm 1650-1727 arasında yaşamıştır. Şairliğinden başka bestekârlığı da vardır. (Hayatı ve eserleri hakkında bk. Yılmaz Öztuna, *BTMA*, c. II, s. 101-102)

543 Amcazade yahut Ağa Hüseyin Paşa, Köprülü Mehmet Paşanın kardeşidir. II. Mustafa devrinde 18 Eylül 1697-4 Eylül 1702 tarihleri arasında sadrazamlık yapmıştır. (*İzahlı Osmanlı Tarihi Kronolojisi*, c. V, s. 49)

üzüm mahsulüydü. Çamlıcalar, Bulgurlu, Erenköy havalisinde bulunan bağlarda en nefis üzüm yetiştirilir ve bunların kısm-ı küllîsi sofra üzümü olarak çarşı ve pazarda satılırdı. Hele bu bağların çavuş üzümleri nefaset itibariyle kâinatta yetiştirilen üzümlerin en lezzetlisi idi. Rumeli cihetinin de yapıncak üzümü gayet nefis ve mebzuldü. Filoksera hastalıklarına duçar olarak bağlarımızın pek çoğu bozuldu.

Kiraz, vişne, incir, dut ağaçları bağlara mahsus gibiydi. Bunlar da kurudu ve mahvoldu. Bağlar tarla hâline konuldu. Yakın vakitlere kadar birçok bahçe ve ağaç meraklılarımız vardı. Bahçeleriyle meşgul olurlardı. Evlerinin idaresine kâfi sebzeler, aşı gülleri, nefis meyve ağaçları yetiştirirler ve bunları bizzat kendileri aşılarlardı ve her meyvenin mevsiminde envai luâb, reçel ve tatlı, şurup kaynatılırdı. Bu gibi erbâb-ı merâk da kalmadı.

Eskiden Eyüp ve Bahariye bahçelerinde menekşe, lâle, sümbül ve Bahariye sırtlarında kâin tarlalarda fulya yetiştirilir; tatlı ve şurup kaynatılmak için şekerci esnafı tarafından bir hayli mübayaât vuku bulurdu.

Narh

Taze olarak ekl olunmak üzere pazar yerine naklolunan her nevi meyve ile sebze mahsûlâtına Şehremaneti tarafından vazolunan narh fiyatıyla, manav ve sebzeci esnafı toptan mübayaa edip dükkânlarında fiyatını tezyit ederek halka satmakta olduklarından ve narha ne kadar dikkat olunsa tesiri görülemediğinden bundan mütevellit mazarratın kısm-ı küllîsi bağcı ve bahçıvanlara ve bir kısm-ı dîğeri de sekene-i memlekete ait ve temettuu işbu mazarratı ikaa vasıta olan manav ve sebzeci esnafına raci olarak ve bu hâl devam ettikçe ve narh usulü baki kaldıkça işbu ihtiyacın teshili mümkün olamayacağı anlaşıldığından taze olarak satılan her nevi meyve ile sebzeye mevzu olan narhlar 1282 [1865] tarihinde külliyen ilga edilmişti.

İstanbul'da esnafımızın sattıkları erzak ve meyve ve sebze vesair her nevi eşyaya narh vazolunarak kıymet-i hakikiyyesinden ziyadeye sattırılmaması halkımızın mağdur olmaması maksadına mebni vaktiyle ittihaz olunmuş bir kaide olduğundan ve enzâr-ı nâsta nef ve faydası birinci derecede hissedildiğinden eski vakitlerde arz ve iş'ar olunduğu üzere narha bakmak işi İstanbul Kadılığı ve İhtisap Nezareti memurlarının birinci vazifesi addolunurdu. Sonraları hakikat bu merkezde olmadığı ve çünkü bir memlekette satılık eşyaya narh vermek ve tayin olunan bahadan ziyadeye satılmasını menetmek o eşyayı bir kayd u şart altına koymak demek olacağı ve evâyilde bunun halkça nef ve faydası görülmüş olsa bile o vakitler esbâb-ı ticâreti teshil edecek yollar olmadığından halk elindeki malı olduğu yerde ister istemez satmaya mecbur olup asr-ı âhirimizde ise dünyanın her kıt'asında yeniden yeniye nice turuk-ı teshiliyye açılmakta olduğu, tüccar kısmı malının revacını nerede bulursa oraya götürmekte tereddüde muhtaç olmadığı cihetle, bir mahalde bir nevi eşyanın tayin olunan bahadan ziyadeye satılmaması lâzım geldiği halde o eşya bittabi âher mahalle nakledilerek ardı kesileceği tabiîdir. Bu suretle narh maddesinin fâide-i cüz'iyyesi olsa bile biraz müddet olup, ilerisinde ve nefsü'l-emrde mazarrat-ı külliyyesi tecârib-i adîde ile meydana çıkmış ve böyle şeyler asrın ve zamanın icabınca tâbi bulunmuştur.

Evâyilde İstanbul ahalisinin havâyic-i zarûriyyesini ehven tedarik etmesi nasıl narh usulü sayesinde ise sonraları dahi onun husulü narhın kaldırılması sayesinde olmuştur.

Narh usulü kaldırıldıktan sonra İstanbul'umuzda serbestî-i ticâret hükmünce her taraftan eşya dökülüp gelerek bolluk ve ucuzluk hâsıl olmuştur.[544]

---

[544] İstanbul Esnafları VII, *Peyâm-ı Sabâh* (*Peyâm*, nr. 1051, *Sabah*, nr. 11481), 7 Teşrinisani 1337/1921, s. 3

Tiryaki Çarşısı, Tiryakiler Hayatı

Tiryaki Çarşısı kadimdir. Bu çarşıda bulunan dükkânlar şimdiki gibi birkaç harap kahvehaneden ibaret değildi. Vaktiyle muşamba fenerciler, divitçiler, altın varakçı esnafı da bu çarşıda icrâ-yı sanat ederlerdi. Zenci köle ve cariyelerin Esirpazarı da bu çarşıda idi.[545]

Muşamba fenerciler

Eskiden sokaklarımız şimdiki gibi havagazıyla, elektrikle tenvir edilmiyordu. Fenersiz gezilmek de memnu ve geceleri herkes fener taşımaya mecbur idi. Fenerlerimiz iki nev'i idi. Biri çerçeveli cam fenerler, diğeri de muşamba fenerler idi. Cam fenerleri ekseriya bahçelerde, avlularda ve sokak kapılarında ve dükkânlarda münasip yerlere talik etmek suretiyle kullanırlar, sokaklarda gezilmek için çok kişi muşamba fener istimal ederlerdi. Bu da üç nev'i olarak imal olunurdu. Büyükleri bazı vüzera ve küberânın geceleri bir mahalle azimetlerinde, râkib oldukları hayvanların pîşgâhında seyisler taşırlardı. Evsat olanları yine rical ve kibar mâşiyen bir mahalle gittiklerinde önlerinde konağın ayvazı tarafından çekilirdi. Ahâd-ı nâs bizzat taşıdıkları için ufak cinsini intihap ederlerdi. Bu ufak fenerler icabına göre cepte de taşınırdı.

Şathiyat kabilinden bu muşamba fener bahsinde şunu da beyan edelim: Muteber dostlarımdan bir zatın hademesi meyanında bulunan bir hödüğe efendisi muşamba fenerin kirliliğini gösterir, temizlenmesini tembih eder. O bîhaber de su ısıtır ve feneri suyun içine sokar, sabunla bir güzel yıkar. Bir de ne yapsın: Muşamba fener bir yığın bez parçası olarak sudan çıkar! Ben ertesi gün o zatın

---

[545] Tiryaki Çarşısı: Süleymaniye Külliyesi'nde bugün kahvehane ve lokanta gibi müesseselere dönüştürülen sıra dükkânların bulunduğu mahalle verilen addır.

konağına gittiğimde bazısında hiddetli ve bazısında gülmeli suret görünce sebebini sordum ve işi anlayınca ben de kahkahayı salıverdim idi.

Bir de muşamba yerine kâğıttan imal olunan fenerler vardı ki bunlar mahalle bakkallarında satılırdı. Bu kâğıt fenerleri ekseriya ayak takımından geceleri sokakta gezenler ve alelhusus meyhanelerde akşamcılık edenler istimal ederlerdi. Mahalle çocuklarının ramazanlarda ve leyâlî-i mübârekede fener kapmak yağmacılıkları da bu kâğıt fenerlere münhasır gibi idi. Sonraları sokaklar havagazıyla tenvir olundu. Muşamba fenerlere ihtiyaç kalmadı. Esnaf da dağıldı.

Divitçi esnafı

Divitler kalem, kalemtıraş, makta misilli edevat hıfzına ve mürekkep vazına mahsus idi. Bele sarılan kuşağa sokulu olarak taşınırdı. Divitleri maiyette müstahdem kalem efendileri, kassam kâtipleri, tüccar ve esnaf yazıcıları istimal ederlerdi. Divitler gümüşten, sarı pirinçten ve sair madenden imal olunurdu. Sonra sonra divit istimali terk edildi, esnafı da münkariz oldu.

Altın varakçılar

Bu esnafın Tiryaki Çarşısı'ndan kaldırılması seksen [1863/64] tarihlerinden sonradır. Sanâyi-i dâhiliyyenin ıslahı zımnında Meclis-i Vâlâ dairesinde ricâl-i devletten Bursalı Rıza Efendi merhumun taht-ı riyâsetinde bir komisyon teşkil etmiş ve altın varakçı esnafının Simkeşhane'ye münasebeti nazarıdikkate alınarak oraya naklettirilmiş ve umumundan mürekkep bir şirket teşkil olunmuştu. Ne çare ki bu şirket payidar olamadı.[546]

Zenci esirler pazarı

Eskiden Çerkez ve Gürcü köle ve cariyeler Avratpazarı'nda ve zenciler de Tiryaki Çarşısı'nda kâin Esirpazarı'nda alınıp satılırdı. Esaretin resmen ilgasından dolayı pazar mahalleri de kaldırıldı.

Tiryaki kahveleri ve tiryakiler

Tiryaki Çarşısı'ndaki kahvehanelere gelince vaktiyle bu çarşıda asrın urefâ ve zurefâsı için muntazam kahvehaneler vardı. Terbiye-i zihniyye ve bedîadan mahrum ve âdâb-ı muâşerete gayr-ı vâkıf olan birtakım zevzek ve tatsızlar bu gibi encümen-i zurefâdan zevk-yâb olamadıklarından onların kahveleri de ayrı

---

546 Ülkedeki sanayinin gelişmesi noktasında kurulan Simkeşhane Şirketi hakkındaki mazbata 29 Ağustos 1283/10 Eylül 1866 tarihinde neşredilmiştir. (Mazbatanın metni için bk. *Mecelle-i Umûr-ı Belediyye*, c. I, s. 750-752)

idi. Bu zurefâ kah√elerinde satranç, dama misilli lu'biyyât meraklıları da bulunurdu. Asrın urefâsı, bu gibi lu'biyyât meraklısı zevat İstanbul'un her tarafından bilhassa bu kahvehanelere gelirlerdi.

Tiryakiler kahvehaneleri de ayrı idi. Bunlar boylarına müsavi asaları ellerinde olarak gelen iki büklüm birtakım ihtiyarlar idi. Bu adamlar atalete mahkûm ve müzmin bronşit müptelâsı olduklarından istimal ettikleri çubukların lülesinden fışkıran tütün dumanları kahvelerin derununda birer bulut tabakası teşkil eder. Sâmia-hırâş nargile tokurtusu, öksürük sesi, sadr hırıltısının ardı arası kesilmezdi. Hele peykelerin önünde öbek öbek tükrük ezintisinden tiksinmemek, istikrah etmemek kabil olmazdı. Mine'l-kadîm kahvehanelerin peykelerine ya Mısır hasırı veyahut kar keçesi mıhlanırdı. Sonraları Frenk keçesi çekilir oldu. Mamafih erbâb-ı haysiyet kahvehanelerinde sedirli minderler, yastıklar da bulunurdu.

Tiryaki kahvelerinde yoğurt çanağına yakın cesamette kahve fincanları ocağın etrafında dizili durur, çubuklar çubukluklarda, nargileler raflara dizilir. Kahvehanelerin umumunda:

Gönül ne kahve ister, ne kahvehane
Gönül ahbap ister kahve bahane

veyahut

Ehl-i keyfin keyfini kim tazeler
Tâze elden taze pişmiş taze kahve tazeler

gibi ibareli levhalar vardı. Kabadayı kahvelerinde levha yerine resimler asılmıştı. Bu resimler Hazreti Ali'nin Zülfikar ile ifriti katleylediğinin, Veysel Karanî Hazretlerinin Yemen ellerinde deve güttüğünün ve Hacı Bektaş-ı Velî'nin duvarı yürüttüğünün, Karaca Ahmet Sultanın yılandan dizginli arslana binerek yılandan kamçı ile gezdiğinin, "Ah mine'l-aşk" ibaresindeki he harfi göz farz edilip bundan çıkan göz yaşlarının dere hâline geldiğinin resimleri idi. Gayet kaba saba boyalar ile telvîn edilmiş şeylerdi.

Tiryâkî-meşreb zevat kahve, tütün, tömbeki ile enfiyeyi mükeyyifât-ı hafîfeden addederler, enfiye istimalini itiyat edenlerin ekserisi ilmiye ricali, turuk-ı aliyye meşâyihi, mülkiye ve kalemiyye küberâsı ve daha bu gibi ağırbaşlı zevat idi. Bunlar beyninde enfiyenin cins ve nefaseti hakkında uzun uzun mübahaseler edilir; meselâ Fransa'nın rende enfiyesiyle Flemenk enfiyesinin yekdiğerine karıştırılmasından ve rutubetini muhafaza için çiçek veya deniz suyuyla terbiye edilmesinden bahisler edilirdi. Enfiye tiryakileri sokakta bile tesadüf etse yekdiğerine derhâl enfiye mahfazalarını takdim ederler ve buna da kaldırım ziyafeti derlerdi.

Sadr-ı esbak Tunuslu Hayrettin Paşa[547] merhum Hint enfiyesi istimal eder-miş. Müşarünileyhin zamân-ı sadâretinde eâzım-ı ricâlden bazıları bu cins enfi-yeyi tercih etmeye başladılardı.

Kesretle enfiye istimal edenler ramazanlarda pek tiryaki olurlar ve teneffüs-te bile usret çekerler. Ehibbamızdan ve Babıâli kudemasından enfiye müptelâsı bir zat ile iftarda birlikte bulunuyorduk. Bu gündüzden kemâl-i itinâ ile terbiye ederek mahfazasına vazettiği taze enfiyesinden iftar vakti bir tutam enfiye aldı. İftar topuna intizar ediyordu. Top atılmasıyla beraber burnu için hazırladığı o bir tutam enfiyeyi aceleyle ağzına atıverdi. Zavallı adam sofradan kalktı, gase-yân etti, birçok sıkıntılar çekti idi.

Eskiden benefşe, Kâni Bey enfiyesi isimleriyle yerli enfiyeler de imal olunur-du. İstanbul Tütün İnhisarı idaresinde (fabrikalar usulünden ve şimdiki Reji'den evvel) enfiye fabrikası bile küşat edilmişti. Bu Kâni Bey, Sultan Mahmûd-ı Sâ-nî'nin kahvecibaşısı olup muahharen evkaf nezaretinde bulunan zattır. Bu cins enfiyenin mucidi kendisi olduğu için onun namıyla yadolunur. Müşarünileyhin *Telhîs-i Resâil-i Rumâd* isimli bir kitabı da vardır. Büyük mahdumu Rauf Bey mer-hum Okmeydanı Tekkesi şeyhi idi.

Enfiye tiryakileri rayihasını bozduğu için hariçten lâvanta gibi kokularla en-fiyeyi terbiye etmezler. Hatta Mümtaz Efendi merhum için çiçek suyu bile isti-mal etmez, enfiye terbiyesi için yalnız deniz suyu tercih eder derlerdi.

Tömbeki müptelâsı olan erbâb-ı merâktan bazı zevat kahvecilerin ihzar etti-ği nargileyi hemen içivermezlerdi. Kollarını dirseklerine kadar sıvar nargilenin sürahisini, serini, lülesini marpuçunu bizzat oğuşturarak tathir eder, sürahisine suyu kendi koyar, lüleyi kendi doldurur, kendi ateşler, hatta bazıları marpuç başlığını ağızlarına temas ettirmek istemediklerinden bir kâğıt parçasını zıvana gibi başlığın deliğine sokmuş olduğu hâlde içerlerdi. Levâzım-ı keyfiyyesi nis-peten daha kolay olduğu için kahvehanelerin çubuklarını içmek istemeyen tü-tün tiryakileri kendi çubuklarını beraber taşırlardı. Bu gibi erbâb-ı merâk geçme çubuklar yaptırırlardı. Bu geçme çubuklar, birer karış tulünde üç parça çubuğun zıvanalı vidalarla birbirine eklenmelerinden müteşekkildir. Lülesi, imaması be-raber olarak çuhadan bir kese derununda olduğu hâlde kaput, cüppe misilli li-basın altında kaytan ile belde asılı olarak sallanırdı.

Şuaradan ve erbâb-ı mezâktan bir zat asrın ağniyâsından birinin vadettiği geçme çubuğunun gönderilmemesinden dolayı şu kıt'a ile tekrar talep eylemiştir:

---

[547] XIX. yüzyılın reformcu devlet adamlarından olan Tunuslu Hayrettin Paşa II. Abdülhamit zama-nında 1878-1879 arasında sekiz ay kadar sadrazamlık yapmıştır. Doğum tarihi tam tespit edile-meyen Hayrettin Paşa 1890 yılında ölmüştür. (Hayatı ve görevleri hakkında bk. "Tunuslu Hay-rettin Paşa", *OA*. c. I, İstanbul 1999, s. 557-559)

Çûb-ı gayrıdan duhânı içmeziz
Hâsılı ol geçmeden biz geçmeziz
Acı tatlı her ne ise kailiz
Yûsufî badem çubuğa mâiliz

Eskiden geçme çubuklar arasında "Yûsufî" namında bir nev'i de varmış demek olur.

Eskiden terkeş tabir olunur orta boy çubuklar vardı ki bu nevi çubukları vüzera ve küberâ kayıklarda ve hususî odalarında istimal ederler ve resmî mahallerde yine uzun çubuk içerlerdi.

Afyondan berşî denilen macun istimalini itiyat edenlerin ekserisi bu mükeyyifatın basur illetine ve sadr hastalıklarına en müessir ilâç olduğundan bahsederlerdi. Berş macununun mucidi Tabip Yusuf Sinan Rahikî'dir. Bu zat yeniçeri ocağı ulûfehârlarından iken bir sebepten dolayı alâkası katolunduğundan berş macununu icat etmiş ve Mahmutpaşa semtinde bir dükkân küşat ederek satmaya başlayıp gittikçe kesb-i ragebât ederek maişetini bununla temin eylemiştir. Kendisi mükeyyifat müptelâsı olduğu için Rahikî tesmiye edilmiştir.[548]

Afyon istimalini itiyat edenlerin çoğu gençlikleri evânında işret müptelâsı oldukları hâlde, ahir vakitlerinde işreti terk edip kendilerini avutmak ve neşelerini temin etmiş olmak için afyon istimalini itiyat etmişlerdir. Neşelerini tazelemek istedikleri için afyonun miktarını günden güne tezyit eylediklerinden zavallıların takatları kesilmiş, asapları gevşemiş, bacakları sarsak, elleri titrek olmuştur. Gayet titizdirler. Meselâ oda kapısı biraz sertçe kapansa kıyameti koparırlar. Gürültü patırtıyı hiç sevmezler, daima rahat ve sükûnu arzu ederler. Bir de alıngandırlar. Her sözden alınırlar, izzetinefislerine dokunmuş addederler. Onlarca ufak bir lâtife bile büyük saygısızlıktır. Hâlet-i asabiyyeleri daima feverana amade olduğundan bazen pek ufak bir mesele için cuşuhuruşa geldikleri olur ve yüzleri ekseriya ekşi durur.

Tiryakiler afyonu hafiyyen istimal ederler. Hîn-i istimâlde kimseye göstermek istemezler ve akîb-i istimâlde mutlaka kahve içerler. Afyona cilâ verdiği için tatlıyı pek severler. Hatta ekserisi yanlarında peynir şekeri kutusu bulundururlar. Afyon kutusu, macun kutusu, enfiye kutusu, kav çakmak kutusu tiryakilerin daima beraberlerinde bulundurmaya muhtaç oldukları avadanlıklardandır.

Keyifler tazelendikçe kendilerine bir neşe gelir, yarı kapalı gözler yavaş yavaş açılmaya başlar, bir parlaklık hâsıl olur. Titrek eller metanet ihraz eder, seslerinde kuvvet peyda olur. Neşeleri geldiğinde tatlı dilli, güler yüzlü olurlar.

---

548 Tiryaki Çarşısı, Tiryakiler Hayatı I, *Peyâm-ı Sabâh* (*Peyâm* nr. 1315, *Sabah*, nr. 11745), 1 Ağustos 1338/1922, s. 3

Musikiye intisabı olanları semaî gibi şeyler bile okurlar. Öyleleri vardır ki bütün kulaklar onu dinlemekle mütelezziz olur. Esâtîze-i marûfeden Dellâlzade İsmail Efendi[549] merhum, tiryaki ve gayet hadîd bir zat idi. Bir cemiyette asrın musiki müntesiplerinden bir fasıl takımı nühüft besteyi okuyorlardı. İsmail Efendi kızdı, hiddetlendi, yarı yerde faslı tatil etti. Kendisi afyonu attı. Çubuğu birkaç nefes çekti. Bu nühüft besteyi münferiden okudu idi. Hazır olanlar, alelhusus musikiye vukufu bulunanlar hayran oldular. Hatta birçokları da elini öptüler idi. İşte afyonun neşesi bir, bir buçuk saat kadar böyle olmakla beraber hükmü geçince yağı tükenmiş kandil gibi yavaş yavaş bu neşe de zail olmaya, gözlerdeki revnaklık azalmaya, el ve ayaklar evvelce olduğu gibi yine titremeye başlar. Galebe-i nevm ile başları karınlarına doğru sarkar, yarı açık kalan dudakları arasından horultular işitilir, ağzından salyalar bol bol akar, kamburları çıkar, oldukları yerde çöreklenip kalırlar.

Evvelce de arz ettiğim veçhile 1067 [1657] tarihinde vefat eden *Esâmî-i Kütüb ve Fezleke* ve *Cihânnümâ* sahibi Kâtip Çelebi demekle maruf süvari mukabelesi ikinci halifesi Mustafa Efendi, *Mîzânü'l-Hak* nam risalesinde, duhan bahsinde "Murâd-ı Râbi'nin men'i sebebiyle halk varak duhanı ufaltıp burunlarına çeker oldular" diye yazmasına bakılınca ol vakit İstanbul'da enfiye maruf değil imiş gibi bir mana fehmolunur. Halbuki Üsküdarî Hasip Efendi, *Vefeyât-ı Meşhûre*'sinde enfiyenin İstanbul'da 1050 [1640/41] tarihlerinde zuhur edip istimaline başlandığı yazılmıştır. Bazı rivayete göre enfiyeyi iptida bir Musevî, Kurşunlu Mahzen civarında bir dükkân küşat ederek burun otu namıyla satmaya başladığı ve Bulgaristan'da da çam yaprağından bir nevi enfiye imal edilerek purut namıyla satıldığı anlaşılmıştır. Gariptir ki Araplar enfiyeye burun otundan tarîben burunut dedikleri hâlde bizde her nedense bu isim istimal olunmayarak enfiye denilmektedir.

İstanbul'da kahvenin zuhuru 962 [1554] tarihinde olup o vakte kadar İstanbul'da ne kahve ve ne de kahvehane varmış. Halep'ten ve Şam'dan iki kişi gelip Tahtakale'de birer dükkân açmışlar ve refte refte tekessür etmesine sebep olmuşlardır. Ol vakit ulema kömür mertebesine varan maddenin istimali haramdır diye fetvalar verdikleri hâlde revacına mani olamamışlar ve beynelavam kesb-i itibar etmiş ve bezm-i küberâya da sirayet ederek fağfurî ve çini fincanlar, kafesi gümüş ve hatta murassa zarflar istimaline başlamışlar. İstanbul'da mükeyyifât-ı hafifeye müteallik edevatın tertibatına vaktiyle büyük ehemmiyetler

---

[549] İsmail Dede Efendiden sonra yetişen en büyük bestekâr olarak gösterilen Dellâlzade Hacı Hafız İsmail Efendi 1797-1869 arasında yaşamıştır. Mûzıka-yı Hümâyûnda ve enderunda hocalık yapmış, Sultan Abdülaziz'in müezzinbaşılığında bulunmuştur. (Hayatı ve eserleri için bk. *BTMA*, c. I, s. 400-402)

verilirdi. Gayet kıymetli çubuk takımları, murassa enfiye mahfazaları da bu kabildendir.[550]

İstanbul'da ahvâl-i inhisârın vazı sene 1288 [1871/72] tarihindedir. Bir aralık yaprak tütünün beher kıyyesinden resm-i mîrîden başka bir mecidiye de sarfiyât-ı dâhiliyye resmi ahzına başlanılmıştı. Müteakiben yalnız Dersaâdet'e münhasır olmak üzere tütün inhisarı senevî dörtyüzbin lira-yı Osmânî bedel ile Mösyö Zarifi ve Hristaki Zoğrafos Efendiye ihale olundu ve birkaç ay mürurunda mumaileyhümânın istinkâf etmelerinden dolayı bu inhisar emaneten idareye bırakıldı ve birkaç sene sonra da imal ettikleri tütünün sarfiyât-ı dâhiliyye resmi paketlerinin üzerine bandrol keşîdesi suretiyle istîfa edilmek üzere tütün fabrikaları küşat edilmişti. Muahharen bu usulden de sarfınazar olunarak şimdiki Reji idaresi teşekkül etti.

Tütünün İstanbul'a getirilmesi sene 1009 [1600/01] tarihinde olup iptida muâlece için getirilmiş ve sene 1045 [1635/36] tarihlerinden sonra istimali taammüm eylemiş olduğu rivâyât-ı târîhiyyedendir.

Yetiştiğim zamanlarda ehl-i keyf ve alelhusus rical ve kibar tütün istihzarına büyük ehemmiyetler verirler ve tütüncü esnafı da çeşit çeşit imal ettikleri tütünleri terazi ile açık olarak satarlar ve bu cihetle herkes içeceği tütünü bade'l-muâyene mübayaa ederlerdi.

Eskiden rical ve kibar ve zurefâ-yı asr mürur ve ubûru seyir ve temaşa için büyük caddelerde kâin maruf tütüncü dükkânlarında ârâm ve istirahat ederlerdi. Bahusus ramazanlarda tütüncü dükkânlarına rağbet bir kat daha artardı. Hatta ramazan akşamları padişahların bile tütüncü dükkânlarına rağbet buyurdukları olurdu. Şimdiki Darülfünûn binasının yerinde olan Ali Necip Paşa Konağı'nın tahtında kâin tütüncü dükkânında Sultan Mahmut'un ve Tophane'de eski salı pazarı caddesinde Kâin Yani'nin dükkânında Sultan Abdülmecit'in ârâm buyurdukları defaatle görülmüştür. Tütüncü dükkânlarının duvarları al boya ile telvin edilir ve derunları kanepe ve sandalyelerle tefriş ve tezyin olunurdu.[551]

---

[550] Ali Rıza Bey kahve, kahvehane, tütün ve enfiye hakkında burada tekraren malûmat vermektedir. Bu malûmat daha önce "Ramazan Âdetleri" ve "İstanbul Esnafları" adlı bölümlerde işlenmiştir.

[551] Tiryaki Çarşısı, Tiryakiler Hayatı II, *Peyâm-ı Sabâh* (*Peyâm* nr. 1316, *Sabah*, nr. 11746), 2 Ağustos 1338/1922, s. 3

Balık Musahabeleri

Karadeniz boğazı dahilinde ve Marmara denizi sularında saydolunan balıkların lezzet ve nefaset cihetiyle kainatta müstesna bir şöhreti vardır.

Vaktiyle rical ve kibarın çoğu ve hele Hristiyan ağniyâsından Düzoğulları, Mısırlıoğulları, Köçeoğulları, Tıngırlar, Araryanlar gibi kadim aileler azasının kısm-ı azamı balık meraklısıydılar. Kıymetini bilirler, takdir ederlerdi.

Yakın vakte kadar berhayat bulunan Abraham Paşa bu eslâfın bakiyesi idi. Bu zatlardan ekserisi yalılarında hususî balıkçılar istihdam ederler, âlât ve edevât-ı saydiyye uğrunda külliyetli fedakârlıklarda bulunurlardı.

Boğaziçi kibarlarında öyle meraklı zatlar vardı ki bilhassa yalılarında deniz suyu havuzları inşa ettirip derununda mütenevvi balıklar beslerlerdi.

Balık saydı ve balık yemekleri hakkında beyinlerinde uzun uzun müzakereler ve mübahaseler olurdu. Her birinin dairesinde balık ve sair mahsûlât-ı bahriyyeden hangilerinin hangi mevsimde ne suretle tabh ve ihzarı lâzım geleceğine bihakkın vâkıf sanatkâr aşçıbaşılar, hünerli kilerci başılar vardı. Maiyetlerinde müteaddit ve müstait yamaklar istihdam olunurdu.

Balığa müteallik etime-i nefîse hatırı için hafta geçmez külfetli davetler olur, azim ziyafetler çekilir, türlü eğlenceler tertip edilirdi.

Bu gibi erbâb-ı tabîatın yekdiğerine balık hediye etmeleri de bir âdet idi. Hele bu hediyeler meyanında kendi mahsûl-ı saydiyyelerinin başkaca bir ehemmiyeti vardı. Giden yerde pek makbule geçerdi. Fukarâ-yı sayyâddan ekserisi esnâ-yı saydda hasbe'l-mevsim nadide bir balık saydına muvaffak olunca çavalyesini[552] yeşilliklerle tezyin eder, o gibi kıymet-şinâs zevattan birinin ikametgâhına

---

552 çavalye: Balıkçıların tuttukları balıkları içine attıkları sepet. (TS)

kendi tabirlerince "oynar oynar" götürür. Mukabeleten piyasa fiyatından kat-ender-kat fazla ihsanlar, atiyyeler alırdı.

O zamanlar Boğaziçi kibarlarının başlı eğlencelerinden bir kısm-ı mühimmi balığa çıkmak olduğu için bu misilli erbâb-ı haysiyyete mahsus olmak üzere "tenezzüh tezkiresi" namıyla onar kuruş harçlı olarak mahsusen saydiyye tezkireleri ihdas ve tabettirilmişti.

Erbâb-ı tenezzühün her biri saydına çıktığı balığın cinsine göre İngiliz sici-minden, at kılından, misinadan mükemmel olta takımları, müteaddit zokalar ve mütenevvi iğneleri ve sair edevât-ı saydiyyeyi havi kutuları daima hazır bulunur ve harîrden bile balık ağları imal ettirilirdi.

Balığa çıkılınca yem takmak ve her türlü levazımını ikmal ve ihzar etmek için yalının hususî balıkçısı sandalda bulundurulurdu.

Boğaziçi'nde balığa çıkanların çoğu lüfer avcılığına düşkün idiler. Lüfer saydgâhının en meşhuru Kanlıca körfezi olduğu için mehtap gecelerinde o koca körfez kayık ve sandallarla dolar. Eğer balık çıkmakta ise ortada ses seda çıkmaz, herkes sayd ü şikârıyla meşgul bulunur. Şayet balık çıkmazsa şarkılar, gazeller, taklitler ayyuka çıkardı. O ne eğlencelerdi!... İnsan şimdi hikâyesinde bile bir lezzet buluyor.

Sultan Abdülaziz'in veliahtlığı zamanında hizmet-i mahsûsasında ve cülûs-ı hümâyûnlarından sonra da defaatle ser-kurenâlıkta ve muahharen rütbe-i vezâretle vükelâlıkta bulunmuş olan Nevres Paşa, şuaradan ve şathiyata mail, rint-meşrep, latîfe-gû, hoşsohbet bir zat idi. Sahilhanesi Kanlıca semtinde olup kendisi balık meraklısı ve aynı zamanda akşam âlemleri müptelâsı olduğundan saraydan taam etmeksizin avdetle sahilhanesinde zevkine bakardı. Paşayı bilenler, malûm olduğu üzere müşârünileyh erbâb-ı ilm ü irfandan zarif bir zat olup, ekseriya nezd-i şâhânede bulunur ve Sultan Mahmut'un meşhur Musahip Sait Efendisi gibi paşa-yı müşârünileyh de Sultan Aziz'e musahiplik ederdi.

İstitrat-Sultan Aziz merhum mülk ü millete hidemât-ı mebrûrede bulunmak ve namını selâtîn-i sâlife meyanında bir mevki-i bülende isal etmek arzusuyla taht-ı saltanata cülûs eylediğine hayli şevâhid mevcuttur. Bunun için de bir padişahın ikdâm-ı mesâisi tebaa ve zîr-i destânının ahvâl-i rûhiyyesine ve ananât ve usulüne vukuf idüğünü bildiğinden, müşârünileyh iptida cülûsunda bu noktalara çok ehemmiyet verir ve mecâlis-i hususiyyesinde bulunanlarla o yolda sohbet eder ve halkın güzâriş-i hayatına dair pek çok istizahlarda bulunurdu. Yine böyle bir musahabe esnasında Nevres Paşa sevk-i kelâm ile Kanlıca körfezinin bu âlemini hikâye ederler ve o derece medh ü sitayişte bulunur ki zât-ı şâhâne o âlemin bizzat temaşasını arzu buyurur ve maiyet-i şâhânesine Nevres Paşa ile ikinci Mabeyinci Emin Beyi alıp saraydan üç çifte bir sandala râkiben doğru körfeze gider. O koca körfez kayık ve sandallarla hıncahınç dolmuş olduğundan hünkârın sandalı da mehtabın loşça tarafında bir mahalle sokulur. Bu arada sırtında gezî[553] kaplı bir samur kürk , bir elinde terkeş tabir olunan kısa çubuk, diğer elinde olta bulunan zaîfü'l-bünye ve yaşlıca bir efendi bir çifte sandalında ve kendi âleminde balık avlamakta iken üç çifte sandalın küreklerinden biri bu efendinin oltasına ilişip koparır. Bu hâl bittabi efendinin canını sıkar. Başını iki tarafa sallayarak oltayı yukarı çekip tebdil etmeye mecbur olur. Efendide hâsıl olan asabiyetin farkına varan ve hadîdü'l-mîzâc bir zat olduğunu teferrüs eden Nevres Paşa padişaha bir sahne-i neşe-âver arzı niyetiyle o zatın kolunu dürtüp "Nasıl baş vuruyor mu?" diye sorar. Beriki gazûbâne paşanın yüzüne bakıp hiç cevap vermez ve yalnız kendi kendine homurdanmaya başlar. Bütün arzusu zât-ı şâhâneyi eğlendirmeye münhasır olan Nevres Paşa, efendiye suali tekrar ile hiddetini bir kat daha teşdit eder. Suratı asmış olan ihtiyar bu sefer de cevap vermez. Vermez ama hiddetinin son kerteye geldiği de her hâlinden anlaşılır. Nevres Paşa "Sana söylüyorum ihtiyar, nasıl baş vuruyor mu?" diye tekrar sual eder ve fazla olarak bu sefer zavallı adamın kolunu da muştalarcasına hızlı hızlı dürter. Bu hâle karşı efendide artık sabır ve tahammül tükenir. Açar ağzını yumar gözünü. "Behey herif, gözün kör değil a, görüyorsun, 'baş vuruyor mu?' diye ne sorup durursun ve beni yağ tulumu gibi ne sarsarsın, yatırsın....." diyerek hiddet tufanını ağız dolusu savurmaya başlar. Karşısında bulunan kayıkçısına da "Ulan, ağzını burnunu ne büküyorsun, kim olursa olsun ..." demeye kalmaz. Kayıkçı hemen yerinden fırlar, efendinin kulağına bir şeyler söyler. Efendi başını çevirip sandala dikkatlice bakar. Sandalın saray sandalı olduğunu görünce "Aaa!" diye olduğu yerden sandalın ambarına yığılır kalır.

Bu sahneden hem bittabi neşelenmek hem de ihtiyarın hâlinden müteessir olmak gibi iki hâlde bulunan hünkâr, kürekçilere oradan tebâüd emrini verir. Fakat yine bir fikr-i mürüvvet-mendâne ile ihtiyar efendinin kayıkçısına da arkadan gelmesi işaretini verdirir. Tabiî kayıkçı o emre imtisal eder ve zavallı efendi esnâ-yı râhta türlü korkular, helecanlar geçirir. Sandallar birbirini müteakiben sarây-ı hümâyûna muvasalat ederler. Efendi karaya çıkarılır. Müdâvâtına itina edilir. Kahveler, çubuklarla izaz ve ikram olunur. Atiyye-i seniyye ile taltif ve tatyîb kılınır ve üç çifte bir kayığa irkâben sahilhanesine izam buyrulur. Bu zatın Vaniköyü'nde sahilhanesi olan ricalden Recai Efendi merhum olduğunu fakir bu vak'ayı hikâye eden müşarünileyh Kurenâ Emin Beyden işitmiştim. (Müşarünileyh Recai Efendi, Ayandan Maarif Nâzır-ı esbakı Ekrem Bey merhumun pederidir.)

Lüfer balığı saydı yalnız körfeze münhasır olmayıp, Paşabahçesi, Çubuklu, Küçüksu, Kireçburnu, Büyükdere ve Bebek önleri de lüfer saydgâhıdır. Fa-

---

553   gezî: Sert ve hareli bir çeşit ipek kumaşa verilen addır. Şam gezîsi, Halep gezîsi, Hint gezîsi gibi adlarla anılırdı. (OTDTS)

kat eğlencelisi Kanlıca körfezi olduğu için erbâb-ı tenezzüh orayı tercih ederlerdi.

Lüfer mevsim-i saydı ağustos on beşinde başlar ve teşrinievvele kadar imtidâd eder. Bu balık, sayyâdın tabirince geçici balıklar zümresindendir. Lezzet ve nefaseti ve kendisinin oltaları kat ile firar etmekteki feraseti meşhurdur.

Balıkçılar, bu cins balığın on beş, yirmisi bir kıyye gelenlerine çinekop ve daha büyükçelerine sarı kanat, sekizi onu bir okka sıkletinde olanlarına lüfer namını vermişlerdir. Daha büyüklerine kofana ıtlak olunur. Kofananın iki kıyyeye kadar olanları levrek gibi mayonezli olarak da tabh edilir. Tanesi iki kıyyeden fazla gelenleri lezzetsiz, yavruları da yağsız olduğu için erbabı indinde makbul değildir.

Lüferin en makbulu ızgara lüferidir ki sekizi onu bir kıyye sıkletinde olanlardır. Nisabında ızgara edilmiş ve henüz dumanı çıkmakta iken ortaya getirilmiş olan lüferin üzerine vaktiyle bazı erbâb-ı tabîat yalının limonluğundan bilhassa taze limon koparttırıp sıkarlardı. Güzel bir rayiha verdiği cihetle daha iştihalı tenâvül olunurdu.

Çok kişi saydettiği lüferi sandalda hazır bulundurduğu mangalda hemen ızgaraya koyar, pişirip tenâvül ederdi. Lüfere çıkanlar beyninde bu da bir âdetti.

Balık meraklılarından bir zat "Balığı sudan çıkarılmasını müteakip hemen öldürmelidir, karada bırakılarak kendiliğinden ihnâk suretiyle terk-i hayât eden balıklar sudan çıktığı zamanki nefasetini muhafaza edemez" derdi.

Lüferin tuzlusu da lâtif olur. Şehremin-i esbakı Mazhar Paşa merhumun âdeti idi: Her sene lüfer mevsiminde tuzlayıcı esnafına sûret-i mahsûsada tuzlattırır ve kıymet-şinâs bazı ehibbâsına da ihdâ ederdi.

Suyu temiz yerlerde sayd olunan balıklar, çamurlu ve bulanık sularda tutulan balıklardan makbuldur. Marmara denizinden çıkarılan balıklar Çanakkale haricinde saydedilen balıklara ve Boğaziçi'nde tutulan balıklar da Marmara denizi balıklarına faiktir.

Zürefâdan bir zat balık saydı meraklılarından birine "Bulanık suda balığı nasıl avlarsın?" diye sorar. Sualdeki nükteyi fark etmeyen muhatabı imtihan verir gibi toplanıp kemâl-i ciddiyetle şu veçhile cevap verir. "Sular bulandığı zaman altı katlı bir oltaya, üç kulaç ince misina rabt ile ucuna otuz dirhemlik bir seğirtme zokası[554] talik ederim. Dibi bulurum. Kısa kısa çekmek şartıyla üç dört kulaç tekrar çekerim. Aşırtmasına fırsat vermeyerek sayd ederim." demiştir. Filhakika cevap doğrudur ama, o basit adam maksadın esası olan nüktenin farkında olamamıştır.

---

554   zoka: Büyük balıkları tutmakta kullanılan, küçük balık biçiminde, ucu iğneli kurşun parçası. (*TS*)

Eski kibarlardan deniz avcılığına merakı olanlar beyninde torik ve levrek balığı saydının ayrıca bir ehemmiyeti vardı. Müteveffa Abraham Paşa bir gün esnâ-yı sohbette "Kara avcıları indinde geyik saydı ne kadar makbul ise deniz avcılığında da torik saydı o derece kıymettardır." demiş ve torik balığından uzun uzun bahsetmişti. Müşarünileyh avcılıkta malûmat-ı vâsia ashabından idi.

Torik gayet kuvvetli ve çevik bir balık olduğu için saydı gayet metin edevât-ı saydiyyeye ve büyük tecrübe ve mümareseye muhtaç olduğunu erbabı söylerler.

Levrek çıkan mahalleri erbâb-ı merâk yekdiğerinden mektum tutmak isterler. Fakirin, ettiğim tahkikata göre levrek saydgâhının başlıcaları Paşabahçesi, Sarayburnu, Kızkulesi, Baltalimanı gibi mahallerdir.

Levrek balığı ekseriya ziyafetler için aranıldığı ve parçalanmaksızın mayonezli olarak tabh edilegeldiği cihetle pek büyüğünü, tabağa konulamayacağından makbul tutmazlar. Bir de şayet tuzlu su levreği bulunamaz ise tatlı su levreğinin bulundurulmasında beis görmezler. Çünkü tatlı su levreğinin de tuzlu su levreği gibi eti gayet beyazdır. Sair tatlı su balıkları gibi kılçıklı da değildir.[555]

Minakop balığını da mayonezli olarak levrek makamında tabh ve ihzar ettikleri vardır.

Minakoba müşabih olan sarı ağız balığının başındaki lezzeti erbâb-ı merâk medh ü sitayişte mübalâğa ederler. Onlar beyninde bu lezzete müteallik birçok bahisler cereyan ederdi. Mısırlı Mustafa Paşa merhum, balık yemeklerine pek meraklı olduklarından bir akşam kilercibaşısı müteaddit sarı ağız başını cemedip birtakım harçlar ve etinden bazı parçalar ilâvesiyle külfetli bir surette pişirmişti. Huzzârdan birçokları takdir ettiler, alkışladılar.

Levrek balığı da geçici balıklar zümresindendir. Büyükleri lokantacıların işine gelir. Parçalayıp mayonezli olarak müşterilerine verirler.

İstanbul'umuzun maruf balıklarından biri de kefal balığıdır. Erbabı kefali üç kısım itibar etmişlerdir: Has kefal, topbaş kefal, altınbaş kefal. En makbulu has kefaldir. Marmara denizinde Haliç dahilinde, bir de munsabları deniz olan göllerin mansıplarında saydolunur. Çekmece gölü mahsulünden olarak sayd olunan kefal balıklarının karınlarını yarıp yumurtalarını çıkarırlar. Balığı ayrıca satıp yumurtaları deri içinde et sucuğu gibi doldurur kuruturlar. Mezkûr gölün bu suretle kurutulmuş balık yumurtaları bir vakitler birtakım ağniyâ indinde pek makbul ve mergub idi.

Kefalin, ezcümle has kefalin pilâkisi meşhurdur. Tavası da fena olmaz. Levrek gibi mayonezli de yaparlar.

---

555   Balık Musahabeleri I, *Peyâm-ı Sabâh* (*Peyâm*, nr. 1127, *Sabah* nr. 11557), 23 Kânunusani 1338/1922, s. 3

Bir de bu has kefalden eski balıkçılar dalyan çorbası yaparlardı. Bunun âlâsını da Balıkhanenin Birinci Pazarbaşısı Mustafa Efendi merhum pişirirdi. Her sene martın birinci günlerinde Balıkhane'de icrası mutat olan merasim münasebetiyle yapılan ziyafet yemekleri kâmilen mahsûlât-ı bahriyyeden tertip olunurdu. Hatta çerezler, salatalar bile deniz mahsulünden ihzar edilirdi.

Nefis havyarlar, yerli ve ecnebi tuzlu balıklar, en meşhur tarlalar mahsulâtından istiridyeler, taraklar ve çiğ iken korkunç şekli herkesi ürküten ve pişirildikten sonra da tatlı bir kırmızılık peyda eden istakozlar ve lezzetleriyle maruf karidesler ve böceklerin her nev'i bulunur. Hatta yengeç, pavur gibi haşeratın bulundurulmasında bile gaflet edilmezdi.

İşte bu ziyafette Pazarbaşı Mustafa Efendiye pişirttirilen dalyan çorbasında buldukları lezzeti hazır olanlar söylemekle bitiremezlerdi. Adamcağız da hakikaten ihtimamlı pişirirdi.

İkinci Pazarbaşı Vasilaki de kadayıf tepsisinde barbunya balığını güzel yapardı. Balık pişmiş olduğu hâlde o kırmızı rengi hâlâ zayi etmez ve esnâ-yı taâmda tepsi ile dolaştırılırken çavalye derununda çiğ balık zannolunurdu. Barbunya kâğıtta pişirildiği hâlde de rengini zayi etmez, lâkin tepside pişirilmiş olan kadar lezzetli olamadığı huzzârın tecrübeleriyle sabittir.

Kaşerci Andon marifetiyle yapılan midye dolmaları da burada zikre şayandır. Pirinçler nar tanesi gibi istif edilmiş zannolunur. Tabhındaki nefaset çok kişiyi tekrar almaya mecbur ederdi. Hatta midye kabukları zeytinyağıyla cilâlandırılmış olduğundan tabakta dururken huzzârı imrendirirdi.

Matbuat müntesiplerinden vaktiyle o ziyafetlerde hazır bulunanlar bu balıkçı yemeklerini tahattur ederler. Balıkçılarımızın ufak bir sebeple şuna buna çatanları ve sokaklarda nara atanları olduğu gibi böyle hünerleriyle erbabını hoşnut eden sanatkârları da vardı.

Bu ziyafette mahsûlât-ı bahriyye haricinde bulundurulan etime yalnız esnâ-yı merâsimde kesilen kurbanların etinden tabh ettirilen kavurma ile pilav, zerdeden ibaretti. Bu da mültezim zamanından kalma eski bir âdet olduğu için terk edilmemişti. Zerde kâseleri mevsim meyveleri arasında sofraya vazedilmiş olduğundan bir defasında direktör-i müteveffâ Mösyö Obano'nun nazarıdikkatini celp etmesiyle ismi ve tertibatı hakkında fakirden aldığı izahat üzerine çeşnisine bakmak için tabağına bir miktar almıştı. Lezzeti o derece zevkine gitti ki tekrar almakla beraber ecnebi rüfekasına da tavsiye ederek kâseler elden ele gezdirildi. Hatta gösterdiği arzuya mebni kendi aşçısına da delâletimizle zerde pişirilmesi taallüm ettirildi.

Yirmi, yirmi beş sene evveline gelinceye değin ecnebiler şöyle dursun bizim yerli Hristiyan ahalimizin bile çoğu zerdeyi bilmezlerdi. Şimdilerde Galata ve

İstanbul lokantalarının ekserisinde zerde gördükçe bunun ol vakitki ziyafetten dolayı teşehhür etmiş olduğuna hükmedeceğim geliyor.

Yassı balıklardan pisi balığı Karadeniz'in her tarafında sayd olunur. Ekseriya kalkan yavrusuyla sayd ederler. Mevsim-i saydı kanunuevvel ve sani mâhlarıdır. Tavası güzel olur. Kış akşamları davetlerinde kalkan yavrusu, pisi tavası tenâvülü erbâb-ı merâk indinde hemen umumî gibidir.

Eski kibarlar mevsim-i şitâda pisi ve kalkan yavrusu vesilesiyle câ-be-câ yalılarına giderler. Yalının hamamını yaktırıp muvafık ahbap ile kış eğlenceleri yaparlardı.

Bazı zevat pisi balığını kalkan balığına tercih ederler. Sinop, Samsun taraflarından vapurlarla külliyetlice kalkan balıkları gelir. Fakat lezzetçe yerli kalkanlara kıyas kabul etmez. Yerli kalkanların da çivisizleri makbuldür. Çivisiz kalkanın vücudu biraz beyaz olur.

İtikad-ı âcizâneme göre yassı balıkların en nefisi dil balığıdır. Bir de gelincik balığının eti gayet nazik ve hafiftir ve hazmı da kolay olduğu için etıbba, hastalarına ekseriya gelincik balığını tavsiye ederler.

Musevîler gelincik balığının âdeta meftunudurlar. Hele cumartesi günleri sofralarında mutlaka gelincik balığı bulundurmak isterler. Balıkçıların hafta içinde sayd ettikleri gelincikleri livara[556] koyup cuma akşamına saklarlar. Musevîler gelincik balığını çakal eriğiyle pişirirler. Fakir bir defa tecrübe etmiştim, fena olmuyor. Fakat tavasındaki lezzet her türlü tabhına müreccahtır. Hastalara haşlamasını verirler. Eti kılçıksızdır. Gelincik balığını ona mahsus sepetlerin derununa çağanozu yem yapıp geceleri kıyılarda sayd ederler. Vaktiyle birkaç seneler Anadoluhisarı sahilhanelerinin birinde müsteciren ikamet etmiştim. On, on beş kadar sepet tedarik ettik. Geceleri rıhtıma rapteder, ferdası günü taze taze gelincik balığı bulurduk. Bu sepetlerin derununa midye konulduğu hâlde kaya balığı da sayd olunur.

Meşhurdur, trakonya ve varsam balıklarının darbesi şiddetli evcaı mucip olur. Dülger balığının kemikleri meyanında dülger âlâtına müşabih kemikler bulunduğu ve Havariyyundan Petrus'un sayd ettiği balıklar meyanında bu cins balıklar zuhur ettiği cihetle, onun tarafından ismine dülger balığı tesmiye edilmiş olduğu Hristiyanlar beyninde mütevatirdir. Eti fena değildir.

Kolyoz balığının uskumruya müşabeheti cihetiyle yek nazarda çok kişi fark edemiyor. Uskumrunun gözleri ufak ve rengi mavidir. Kolyozun gözleri büyük ve rengi yeşildir. Tazesi uskumru kadar lezzetli değilse de tuzlandıktan sonra güzel bir rayiha verdiği cihetle çok kişi uskumrunun tuzlusuna tercih ederler.

---

556 livar: İçinde canlı balıkların saklandığı ağaç veya metalden kap. *(TS)*

Uskumru kasımın otuzuna doğru Karadeniz'den Akdeniz'e gitmeye başladığı zaman erbâb-ı merâk kemâl-i tehâlükle uskumru avcılığına çıkarlar. Bazı seneler Haliç dahil ve harici kayık ve sandallarla dolardı. Bu mevsimde sayd olunan uskumrular taze olarak eklenilmeye veya tuzlanmaya elverişlidir. Fakat nisan ve mayıs mâhları zarfında dalyanlarda sayd olunan balıklar yağsız oldukları için yalnız sergilerde kurutularak çiroz imal olunur. İstanbul halkının çoğu çirozu severler. Nafia Nâzır-ı esbakı Mahmut Celâlettin Paşa merhum çirozu pek severdi. Girit valilikleri hengâmında fakire bir mektup yazıp çiroz talep etmişlerdi. O sene de çiroz pek az çıktığından her ne ise bir miktar gönderdik. Memnuniyetini havi ve hatta mahsûlât-ı bahriyye tabiratını muhtevi şairane bir mektupla mukabele buyurmuşlardı. Bunu bi'l-münâsebe Rüsûmat Emini Nazif Paşaya hikâye eylediğimde "Canım efendim, ağaç dalı yer gibi çirozun nesini severler?" diye izhâr-ı nefret etmişlerdi. Çirozun alım satımı, yani pazar mahalli mine'l-kadîm Limon İskelesi'dir. Çiroza müteallik kâffe-i muâmelât orada ifa olunur.

Eski zamanlarda sarây-ı hümâyûna lüzumu olan balıklar Topkapı Sarayı'nda Balıkhane Kapısı ocağında kasr-ı hümâyûn bekçileri marifetiyle sayd olunurmuş.

Devr-i Hamîd-i Sânî'de sarây-ı hümâyûna alınacak balıkları Ser-kilârî Osman Beyin maiyeti memurlarından biri sabahları Balıkhaneye gelip mübayaa ederdi. İntihap hususunda bir gûne yolsuzluğa kalmamak için bu memurun refakatinde Balıkhane kaşercilerinden biri terfik edilmişti. Nefs-i hümâyûna mahsus balıkların cımbız ile kılçıkları ayıklanıp badehu tabh edildiğinden bu vazife de merkum kaşerci marifetiyle icra olunurdu. Hazîne-i hâssa bu kaşerciye ayrıca maaş tahsis etmişti.

Torik, altıparmak, sivriburun, palamut balıkları dalyanlarda ve alamana kayıklarında ağlar vasıtasıyla sayd olunup, fakat erbâb-ı zevk ü meraktan bazıları berây-ı tenezzüh olta ile de saydına çıkarlardı. Bu nevi balıkların oltası beygir kuyruğundan on sekiz, yirmi kat bükülmüş, yirmi beş otuz kulaç uzunluğunda olup, oltanın ucuna da ikişer kulaç misina raptederler. Onlara mahsus zokalardan birini bağlarlar. Sandal ile denizin ortasına doğru gidip zokanın birini denize bırakırlar. Kayıkçıya kürek çektirmeye başlarlar. Bu arada kayıkçı ile efendi beyninde sür'atli çekmek için haylice dırıltı olur. Balık zokayı kaptıkta olta kopmamak için mahirane hareket icap eder. Erbabı zokayı cilâ etmekle beraber cıva ile de parlatırlar.

Yaz geceleri ateş vasıtasıyla sayd olunan balıklar kolyoz, tırhoz, lipari balıklarıdır. Bu cins balıklardan konserve imal edilenler de vardır.

"Makdem-i teşrîfinin borularla ilânı var" manzumesinde beyan olunduğu veçhile hamsi balığını Lâzlar pek severler. Bunun tuzlusu ne kadar eskirse rayihası da o nispette tezayüt eder ve taamı leziz olur. Sarıyer'de balık tuzlamakla temîn-i maîşet eden esnaf kendileri için tuzladıkları hamsi balıklarını ikinci senesinde açıp tenâvül ederler. Sarıyer muteberânından Hamamîzade Ali Bey merhum fakire iki senelik ufak bir kova hamsi balığı göndermişti. Hakikaten dediğinden daha âlâ buldum.

İstanbul'umuzun maruf balıklarından biri de kaya balığıdır. Bunu da erbabı dört nev'e taksim etmiştir. "Kömürcü kayası, saz kayası, hortum kayası, hurma kayası". Bu dört nevi kayanın en nefisi de siyah renkli kömürcü kayasıdır. Nisan, mayıs, haziran mâhları sayd mevsimidir. Başlıca mahall-i saydı Haliç dahilidir. Eskiden Haliç sahilhaneleri ashabından bazı erbâb-ı merâk kaya balığı saydına çıkarlardı. Bazıları çömlek ile de kaya balığı sayd ederler. Bu çömlekler sûret-i mahsûsada imal ettirilir. Kaya balığının en güzel tarz-ı tabhı tavasıdır. Haşlamasını hastalar için yaparlar. Etinin lezzetiyle meşhur olan balıklardan biri de mezgit balığıdır. Ekseriya Marmara denizi sularında zuhur eder. Tavuk etine müşabehetinden dolayı erbâb-ı tabîattan bazı zevat tavuk balığı derler.

Gümüş balığının tavası tezkâra şayandır. Taze balıkçılar kethüdası müteveffa Hacı Kevork "Bu balığın en lezzetli yeri ciğer ve yumurtaları olduğundan karnı boşaltılmaksızın pişirilmelidir ve deniz mahsulûtını cinsine göre ayıklamak da bir sanattır" derdi.[557]

Marmara sevâhilinde saydolunan balıklardan izmarit balığı ziyadece kılçıklı olmasından dolayı çok kişi itibar etmezler. Hâlbuki eti leziz ve beyaz, hazmı da kolaydır. Tanıdıklarımdan bazıları bu balığı sardalya gibi tuzlayıp sekiz on gün sonra tenâvül ederlerdi. İstanbul sularının taş balıklarından biri de kırlangıç balığıdır. Erbabı bu balığı ekseriya buğuda pişirirler. Bir tarihte Heybeliada'nın eski balıkçılarından Pandeli isminde bir balıkçı bu suretle pişirmişti. Tadı hâlâ damağımda kalmıştır. İskorpit balığının da çorbası hoş olur. Kılıç balığının lezzetli zamanı eylülden sonradır. Büyüklerinden olmak şartıyla bu mevsimlerde sayd olunanları pek nefistir. Gündüzleri ve mehtaplı geceleri sayd olunamaz. Çünkü gözleri sayyâdın ifadesine göre gayet kuvvetli olduğundan denize bırakılan ağı görüp takarrüp etmezmiş. Saydı gereği gibi dağdağalıdır.

Ekser evkatı hâl-i demde geçen kalender-meşreb bir zat Asmalı'nın meyhanesinden kinayeten "Rakı içen için Asmalı'dır, balık yiyene kılıç" dermiş. Eskiden akşamcıların başlıca mezelerinden birincisi kılıç balığı idi. Erbabı domates suyuyla pilâkisini güzel yaparlardı. Defne yaprağıyla şiş kebabı da güzel olur.

Boğaziçi'nde mercan balığı çıkmıyor, daima Marmara denizi sularında sayd olunuyor. Mevsim-i saydı nisan ve mayıs mâhlarıdır. Şekli ve rengi güzel bir ba-

---

557 Balık Musahabeleri II, *Peyâm-ı Sabâh* (*Peyâm*, nr. 1128, *Sabah* nr. 11558), 24 Kânunusani 1338/ 1922, s. 3

lıktır. Eskiden Boğaziçi yalılarında sakin ağniyânın bazıları mercan saydı için bilhassa Adalar havalisine giderler, olta ve parakete[558] ile sayd ederlerdi. Bu gibi eğlenceler uğrunda ne kadar külfetler ihtiyar ederlerdi.

Karagöz balıkları sonbaharda kesretlice tutulur. Batak ve çamurlu sularda sayd olunanlarını çamur kokması cihetiyle erbâb-ı merâk makbul tutmazlar.

Yılan balığının hikâyesi bilmem caiz midir? Bu balığın derisi lüzûcetli ve kalındır. Musevîler balığa düşkün oldukları hâlde yılan balığını asla ekletmezler. Fakat Almanlar pek severler. Hatta Büyük ve Küçükçekmece göllerinde çıkan yılan balıklarından Avrupa'ya çok sevk ederlerdi.

Yılan balığının tarz-ı tabhını halkımızdan bilenler çok değildir. Taze balıkçılar esnafı kudemasından Samatyalı Hacı Mığır Ağa ile bir gün lâkırdısı olmuştu. Tedarik ettiğimiz yılan balıklarını mahsusen fakirhaneye geldi, pişirdi. İptida derisini tulum çıkardı. Fakat çok zahmetli oldu. Etini tavada kızarttı. Gayet yağlı olduğu için fakire ağırca geldi. Hazmı da batî düştü. Bu Hacı Mığır Ağa sanatı icabınca deniz mahsûlünü bihakkın tanıdığı gibi herbirinin tarz-ı tabhını da pekâlâ bilirdi. İslâm ve Hristiyan ağniyâ-ı sâlifesinden balık meraklısı zevatı tadat eder ve bunların nasıl vergili adamlar olduğunu söylemekle bitiremezdi. Kendisi daima siyah çuhadan şalvar salta iktisâ eder, beyaz diz çorapları giyerdi. Kıyâfet-i kadîmesini muhafaza hususunda gayet mutaassıp bir adamdı.

Balıkçılar birtakım tabirat ve ıstılâhât-ı saydiyye istimal ederler. Rivayet olunduğuna göre gerek bu tabirat ve ıstılâhât ve gerek elyevm balık saydında müstamel âlât ve edevat Bizans zamanından beri müstamel imiş.

Karadeniz ve Marmara denizi sularında başlıca balıklar üç kısımdır: Yerli, geçici, gezici balıklar diye tarif ederler.

Marmara denizi sularında yaşayan ve beyne's-sayyâd yerli, geçici, gezici diye tarif olunan balıkların başlıca mahall-i saydları dalyan[559] ve volilerdir.[560] Bunlar da Karadeniz Boğazı haricinde kâin Karaburun'dan ve Şemsipaşa ve Salıpazarı civarına kadar Anadolu ve Rumeli sevâhilinin mevâki-i malûmesinde kâindir ve bunlar bâ-sened-i Hakanî ashabı uhdesindedir. Dalyanların kimisi yaz, kimisi kış mevsimlerinde kurulur. Dalyan kurmak da bir sanattır. Balık saydı için denizler mübah addolunursa da balık saydına elverişli olan mahallerin kısm-ı azamı da tasarruf-ı husûsî tahtında bulunan dalyan ve voli mahalleridir. Bu gibi mahallerde mutasarrıflarının gayrisi balık sayd etmek istedikleri hâlde, beyne's-

---

558 parakete: Üzerinde yüzlerce iğneli köstek bulunan uzun balık oltası. (*TS*)
559 dalyan: Deniz, göl ve ırmaklarda kıyılara yakın yerlerde ağ ve kazıklarla oluşturulan büyük balık avlanma yeri. (*TS*)
560 voli: Balıkçı kayıklarının balıkları çevirmek için denizde fırdolayı ağ salmaları. (*TS*)

sayyâd cari olan usul ve teamüle tevfîk-i muâmele olunmak suretiyle kabil olmaktadır. Bu usul ve teamülün ne gibi şeylerden ibaret olduğuna fi'l-cümle bir ıttılâ hâsıl olmak için bunlardan birkaçını söyleyeyim.

Dediğim dalyanlardan en maruf ve meşhuru Kilyos dalyanıdır. Bu dalyan Bahr-i siyâh boğazı haricinde ve Rumelifeneri hizasına iki saat mesafede kâindir. Beher sene ağustos evâsıtında kurulup teşrinisani gayesine kadar imtidâd eder. Mahsûl-ı saydının başlıcası palamut, torik, sivri ve altıparmak balıklarıdır. Kılıç, lüfer balıkları da sayd olunduğu vardır. Dalyanın kurulduğu mahal öyle güzel intihap olunmuştur ki, Karadeniz'den doğru gelen balıkların oraya uğramaması kabil değildir derler.

Bu dalyanın hududunda gündüzleri akşam ezanına kadar kimse balık sayd edemez. Dalyanın hududu Kilyos Burnu'ndan Kısırkaya nam mahalle kadar olup cesim balık kayıkları akşam ezanından itibaren hududa girmek için iftar vaktine kadar intizar eder gibi hudut başında durup minarede müezzin efendinin ezân-ı şerîf kıraatına intizar ederler.

Voli mahallerinden, meselâ Bebek volisi dahilinde Bebek sayyâdı ığrıp[561] kayıklarıyla icrâ-yı sanat ederler ve bu sayda mukabil mutasarrıfına yüzde on aidat verirler. Fındıklı volisinde bu aidat yüzde altıdır. Elhâsıl her dalyan ve voli mahallinde bir usul ve teamül caridir.

Midye ve istiridye, tarak misilli hayvânât-ı mukaşşere tarlalarından ekserisi de mutasarrıfları uhdesinde olup hariçten kimse bu tarlalar dahilinde icrâ-yı sanat edemez. Ettiği hâlde dûçâr-ı mücâzât olur.

Hayvânât-ı mukaşşere sayd ve ihracı perhîz-i kebîr mevsimlerinde olup, bu tarlalar mahsulâtından ihraç olunan istiridyeler yakın zamanlara kadar pek makbul idi. İslâm ve Hristiyan ağniyâsı çok rağbet ederlerdi. Sonraları istiridyenin tifo mikrobunu havi olduğu şayi olması üzerine rağbetten düştü.

Çok kişi akıntı midyelerini methederler. Hâlbuki eti o derece lezzetli değildir. Bir de Boğaziçi midyelerinin ekserisinde inci denilen ufak taş zuhur eder. İnci dolu ve eti lezzetli midyeler Haliç dahilinde husule gelen midyeler olup, ne çare ki buraların suları temiz olmadığı şayi olmasından dolayı bir zaman ragabât-ı nâs münkatı olmuştu.

Bahariye'de tuğla harmanları sahibi Şahbaz Efendi, Bahariye ve Karaağaç harmanları sevâhilinden kendi adamları marifetiyle midye çıkarttırırdı. Aşçısı dolmasını güzel yaptığından bir gün fakire de bu midyelerden bir tabak midye dolması gönderdi. Artık o gibi şüphelere mahal kalmadığından ve dolmalar da hakikaten gayet nefis olduğundan seve seve yemiştik.

---

561 ığrıp: Bir tür delikli balık ağı. (TS)

O esnada bir gün Sultan Hamit'in Kilercibaşısı Osman Bey merhumun odasında öğle taamında bulunuyordum. (Sarayın o zamanlarını bilenlerin malûmu olduğu veçhile nefs-i hümâyûna mahsus etimenin ekserisi Osman Beyin sofrasında bulunurdu. Bu cihetle gerek saray erkânından ve gerek hariçten meriyyü'l-hâtır birçok zevat orada taam ederlerdi.) Esnâ-yı taâmda sohbet Haliç midyelerine intikal etti. Fakir de Şahbaz Efendinin çıkardığı midyelerin temizliğinden ve ale'l-husûs hizmetinde bulundurduğu Ermeni aşçının mahsûlât-ı bahriyye tabhında olan maharetinden bahsetmiş ve fakire gönderdiği midye dolmasının lezzet ve nefasetini etraflıca nakleylemiştim.

Şahbaz Efendi ebniye-i seniyyenin tuğla müteahhidi olmasından dolayı ekserî saraya gidip gelenlerden ve saray takımıyla lâubali görüşenlerdendi. Kendisi işini bilir, hâlince herkesi hoşnut etmeye çalışırdı. Fakirin bu midye dolması hakkında ettiğim bezle-gûluk besbelli huzzârın üzerinde bir tesir bırakmış olmalı ki, Şahbaz Efendi ferdası günü saraya gittiğinde iptida Osman Beyin birçok sitem ve serzenişine duçar olmuş, onu müteakip erkândan bir diğeri tesadüf edip dolma istemiş, bir aralık bu zevât-ı kirâmdan birkaçı kendisini yakalamışlar, sıkıştırmışlar, hasbe'l-maslaha bazı devâire müracaatında oraların memurları da sitem-âmîz bir hayli sözler söylemişler, vaade mecbur etmişler. Fakat bu arada Şahbaz Efendi düşünmüş, tefekkür etmiş. O kadar midyeyi def'aten tedarik etmek ve dolmaları yetiştirip vaadini tamamıyla ifa eylemek muktezi olduğu hâlde ve şayet vaktiyle göndermeye muktedir olamadığı hâlde neticesinin nerelere varacağını zihninde büyüttükçe büyütmüş ve galebe-i evhâm ve hayâlât ile akıl ve fikri tarumar olarak dünya başına dar gelmiş olduğundan doğru Balıkhane'ye gelip fakiri bulmuştu. O lâkayt ve lâubalimeşrep adam hilâf-ı mutâd bir telâş ve heyecan içindeydi. Söz söylerken âdeta vücuduna raşe ve lisanına lüknet geliyordu. "Behey kardeş, sana midye gönderdimse günaha mı girdim? O kadar adama o kadar dolmayı nasıl yetiştirip göndereceğim. Nedir bu benim başıma gelen?" diye maruz olduğu hücumları ve işittiği sitemleri tadat ettikçe zavallı adamın gözleri yaşarıyordu. Teselli ettik, "Bu sözler sana nazları geçtiğindendir. Hepsine birden def'aten göndermen lâzım gelmez. İptida kalbur üstüne gelenlere gönderir ve sonra da bi't-tedrîc diğerlerini idare edersin" dedik. Su, sigara, kahve gibi şeylerle avuttuk. Her neyse o heyecan biraz zail oldu, kalktı gitti idi. Hanesine avdetinde aşçıyı nezdine celp ile işi anlatınca herif suratı asmış, efendinin hiddetini davet etmiş, "Vay kerata, bir de seninle mi uğraşacağım?" deyip aşçıya temiz bir dayak atmış, güya öfkesini aşçıdan almış. Almış ama aşçı da gitmeye kalkmış. Hâlbuki aşçı giderse o nefasette midye dolmasını kimin pişireceği meselesi ortaya çıkmış. Hane halkı birbirine karışmış. Herife paralar vermişler, envâ-i mevâîdde bulunmuşlar, kabil olmamış. En nihayet Ermeni kilisesinden bir papaz davet etmişler, aşçıya nasihat verdirmişler. Hezâr müşkilât ile herifi yola yatırabilmişler ve artık dolmalar da peyderpey takdim ve irsal olunarak arkası alınabilmiş olduğunu kendisi yana yakıla hikâye ederdi.

Şahbaz'ı bilenler itiraf ederler. Kendisi gayet neşeli olmakla beraber nefâis-perverdi. Çerezlerin en nefisi kendisinde bulunur, güzel meyve yetiştirir, bahçe-sinin intizamını herkes takdir eder. Musikiyi sever ehl-i zevk bir zat idi.

Musevîler deniz mahsulâtından yalnız balık eklederler. Kabuklu mahsulâttan hiçbirini yemezler. Bu da mezheplerinin kanunu iktizasından olduğunu söylerler.

Eskiden bizim avam takımı da çokluk yemezlerdi. Hele kadınlarımız el sür-mezlerdi. Sonraları midye dolması hoşa gitmeye ve yavaş yavaş taammüm et-meye başladı. Bugün İslâm hanımlarımızdan güzel midye dolması yapanlar ço-ğaldı.

İstiridyeyi bazıları ızgarada biraz pişirip zeytinyağı, limon koyduktan sonra tenâvül ederler. Fakat çok kişi biber ekip ve limon sıkıp çiğ olarak eklederlerdi. Daha lezzetli, hem de hafif oluyor.

Pines, aşvadis, sudlina gibi deniz böceklerini perhîz-i kebîr zamanlarında Hristiyanlar tavada kızartıp yerler.

Yerli Rum ve Ermeni aşçıları meyanında deniz mahsulâtını oldukça güzel pişiren aşçılar varsa da bugün Türk aşçılarımız içinde gerek balık ve gerek sair mahsûlât-ı bahriyyeyi ehemmiyetleriyle mütenasip bir surette pişiren hemen kalmamıştır. Sanat-ı tabâhat İslâm aşçılarında tedenni etmiş ve hele Frenk aşçı-larının bu balık tabhında olan maharetlerine kıyas edilince bizimkiler hâl-i ibti-dâiyyede kalmıştır.

Bir gün Düyûn-ı Umûmiyye Direktörü Kont Darno ile esnâ-yı musâhabette Manyas ve Terkos göllerinde sayd olunup Dersaâdet'e naklolunan tatlı su balık-larından sazan, turna, yayın balıkları misilli başlıcalarının gıda noktasından ehemmiyetleri gayr-i münker ise de nefaset itibarıyla pek yavan olduklarından bahsetmiştim. Bir pazar günü fakiri öğle taamına davet etti. Sofranın ziynet ve intizamı mükemmel ve taamlar da hakikaten nefisti. Bir aralık sazan balığı do-laştırılmaya başladı. Bu kadar nefis balık husule gelen bir beldede sazan balığı-nın intihabına doğrusu bir nazar-ı istiğrâb ile bakmıştım. Kont Darno'nun teklif ve tavsiyesi üzerine tabağıma bir miktarını almaya mecbur oldum ve hayrette kaldım. Tekrar, hem de ganîce almakla beraber bu baptaki iddiâ-yı âcizânemi geri aldığımı itiraf eyledim. Kontun rivayetine göre Avrupa'da hususî göl ve ha-vuzlarda sazan ve yayın balığı yetiştirilir ve bunların semirmeleri için envai kül-fetler ihtiyar olunurmuş. Kontun aşçısı bir Fransız olup bi'l-husûs mahsûlât-ı bahriyye tabhında maharet sahibi imiş. Hatta yunus[562] balıklarının küçüklerin-

---

[562] Sözü edilen yunus balığı bildiğimiz memeli hayvan değildir. Akdeniz'de yaşayan ve boyu bir metreye kadar ulaşan altın ve gümüş renkli başka bir balıktır. (Alan Davidson, *Akdeniz Balık Ye-mekleri*, Ankara, 2000, s. 107)

den gayet leziz taamlar ihzar edermiş. Kont o günü fakire "Balık pişirmekliği basit gören belde ahalisi aldanırlar ve aldandıkları için de güzel pişmiş balık tenâvülüne muvaffak olamazlar." demişti.

Devr-i Abdülazîz Hânî'de sarây-ı hümâyûnda aşçıbaşıların her biri bir nevi taam tabhında şöhret-i mahsûsa almışlardı. Bunlardan Balıkçı İbrahim Ağa da balığa müteallik etime tabhında meşhurdu. Vükelâ ve vüzera ve ağniyâ konaklarında da birtakım aşçıbaşılar vardı. Mürûruzamanla kaybolup gittiler, yerlerini boş bıraktılar.[563]

---

563 Balık Musahabeleri III, *Peyâm-ı Sabâh* (*Peyâm*, nr. 1129, *Sabah* nr. 11559), 25 Kânunusani 1338/ 1922, s.3

Saray Âdetleri

Bu devletin esasını kurmuş ve terakki ve tealisine büyük hizmetler etmiş olan Âl-i Osmân hanedanının geçmiş zamanlardaki hayât-ı husûsiyyesi ve saraylarının tarz-ı idâre ve ananât-ı kadîmesi 1245 tarihlerine kadar Sultan Mahmûd-ı Sânî ricâl-i ilmiyyesinden meşhur Abdülhak Molla biraderi Hızır İlyas Efendi'nin[564] *Vekayi-i Letâif-i Enderûn* namında olan eseriyle Cezâir-i Bahr-i Sefîd Mutasarrıf-ı esbakı Tayyarzade Enderûnî Ahmet Atâ Bey merhumun yazdığı *Enderun Tarihi*'nde münderiçtir. Fakat enderun dairesinden büsbütün başka olan harem-i hümâyûn dairesi hakkında bir gûnâ malûmat verilmeyerek meskût bırakılmıştır. Hâlbuki hakan-ı müşârünileyhin zamân-ı saltanatında tul müddet harem dairesinde hizmet edip, Sultan Mustafa Hân-ı Sâlis ve Hamîd-i Evvel, Selîm-i Sâlis, Mustafa-yı Râbi zamanlarından kalma eski kalfalara mülâki olmuş ve yüz yaşını tecavüz eylediği hâlde irtihal etmiş olan validemle, Sultan Abdülmecit'in ve Sultan Abdülaziz'in zamân-ı saltanatlarında kezalik müddet-i medîde sarayda bulunmuş olan müteveffât refikamın beyan ve hikâyelerine ve zamanlarına yetiştiğim sair erbâb-ı vukuftan istimâ edildiğine nazaran saray hayatında kadınların vazifeleri dahi kendilerine göre şâyân-ı kayd u tezkâr birtakım usul ve âdâta tâbi bulunduğuna binaen, bunların kemâ-fi's-sâbık perde-i mechûliyyette kalmasına gönlüm razı olmadı. Çünkü bizim gibi ihtiyarlar, yetişip görmüş veyahut kendilerinin ihtiyar olarak gördükleri zevattan işitmiş oldukları hâlât ve hikâyâtı değeri olsun olmasın ahlâfa nakl ve rivayet etmekte zevk ve lezzet duyarlar. İşte buna mebni, gerek bu usul ve âdâttan ve gerek dâire-i müşârünileyhâya müteallik vekayi ve hadisattan tahkik edebildiklerimin ne gibi şeylerden ibaret olduğunu ber-vech-i zîr beyan ve tezbîr eyledim.

---

564 Bu İlyas Efendi, enderûn-ı hümâyûn ağavâtından olduğu hâlde sonraları tarîk-i ilmiyyeye sülûk etmiş ve Sofya mevleviyetiyle bekâm olmuştur. (ARB)

Tarihlerin verdiği malûmata göre Hazreti Fatih İstanbul'u hîn-i fethinde Edirnekapısı kurbünde kâin Tekfur Sarayı'na nüzûl etmişti. Fakat bu saray esnâ-yı fethte harap olmuş, daireleri, salonları oturulamayacak bir hâle gelmiş[565] olduğundan Beyazıt namıyla yâd olunan zeytinlik nam mahalle müceddeden bir saray bina etmiştir.[566] Muahharen Ayasofya Câmi-i şerîfine karîb olan ve bahreyne nezâret-i kâmilesi olup Bizans zamanında sur içine alınan mahalle de birkaç daire inşasıyla evvelkine eski ve sonrakine[567] Yeni Saray namını vermiş ve elyevm Yeni Saray namıyla yâd edilmekte bulunmuştur. Saray halkının ekserisi Eski Saray'da ikamet ederler ve zât-ı şâhâne senenin birkaç mahında havâss-ı kurenâsı ve dâire-i husûsiyyesi halkıyla Yeni Saray'da istirahat buyururlarmış. Bu âdet Kanunî Sultan Süleyman asrına kadar devam etmiştir.

Hakan-ı müşârünileyh Yeni Saray'a müceddeden bir harem dairesi ilâve ettirmiş ve harem -i hümâyûn takımı kâmilen oraya naklolunup, Eski Saray selâtîn-i mâziye ailelerinin ikametlerine tahsis olunmuştur. Meşhur Kaptanıderya Kılıç Ali Paşa da Akdeniz seferinden avdetinde hediye-i zafer olarak sarây-ı cedîd-i âmireye gayet cesim bir matbah inşa ettirmiştir.

Cariyeler

Eskiden serdar olarak gönderilen vüzera taraflarından muharebelerde alınan emvâl-ı ganâimden asrın padişahına köle ve cariye ve hedâyâ-yı fâhire takdim etmek âdet idi. Hatta meşhur Hayrettin Paşa, Mısır seferi avdetinde iki yüz cariye ve iki yüz köle ile zikıymet birçok hedâyâ takdim etmişti.

Sonraları sefer avdeti ve emvâl-i ganâim kaydı bertaraf olup, İstanbul'a gelen vüzera ve beylerbeyiler alelâde hediye olarak köle ve cariye takdim ederlerdi. Velâdet-i hümâyûnlarda daye ve dadıları bizzat sadrazam takdim ederdi. Bu âdet Mahmûd-ı Sânî evâhirine değin devam eyledi.

Yakın zamanlara kadar taşra vüzerası taraflarından sarây-ı hümâyûna cariye takdimi âdeti cari olup, hatta Şehzade Süleyman Efendinin validesi Serfiraz Hanımefendi iki hemşiresiyle beraber Damat Halil Paşanın Trabzon valiliği hen-

---

565 Bizans zamanında İstanbul surunun Balat kapısı Tekfur Sarayı'nın saltanat kapısı olduğundan, imparatorlar pazar günleri bahren kiliseye azimet ve avdetlerinde bu kapıdan girip çıkar ve saray halkı imparatorlarını bu kapıdan istikbal ederlermiş. (ARB)

566 Eski saray mahallinde vaktiyle Kostantin'in inşâ-gerdesi olarak bir saray varmış. Hatta âdet-i kadîmeleri iktizasınca imparatorlar hükümdarlık libâsını bu sarayda iktisâ ederlermiş. İstanbul'un payitaht ittihazından sonra câlis-i serîr-i saltanat olan Osmanlı padişahlarının biat resimleri de Yeni Saray'da icra olunmak âdet olmuştur. Yalnız Sultan Murat ve Sultan Mehmed-i Hâmis hazerâtının biat resimleri Harbiye Nezareti dairesinde icra olunmuştu. (ARB)

567 Yeni Saray teferruatından olup iptida Müze Dairesi ittihaz olunan Çinili Köşkü'nü de Hazreti Fatih inşa ettirmiştir. (ARB)

gâmında Sultan Abdülmecit'in validesi Bezmiâlem Valide Sultan hazretlerine ihdâ olunmuştur. Bu kızları ol vakit paşa-yı müşârünileyhin hazine kitabetinde bulunan ricâl-i devletten Hafız Ömer Faiz Efendi[568] İstanbul'a getirip, sarây-ı hümâyûna teslim eylediğini efendi-i müşârünileyh söylerdi.

Valide Sultan bu üç kızın birincisini Mümtaz, ikincisini Rana, üçüncüsünü Serfiraz tesmiye etmişti. Rana diğerlerinden daha hüsnâ olduğundan zât-ı şâhâneye takdimini tasmim etmiş ve terbiyesine ona göre itina edilmesini kalfasına tembih buyurmuştu.

Valide Sultan bir akşam dairelerinde menkabe-i *Mevlid-i Nebevî* kıraatını murat edip, Sultan Mahmut'un diğer zevceleri ve kendisinin ortakları olan kadınefendileri davet etmiş, o esnada Sultan Abdülmecit mabeyinden harem dairesine geçerken kıraatı istimâ etmek için şöyle bir tarafta ihtifâ buyurmuş ve o esnada da bermutat huzzâra şeker tevzi edilmekte imiş. Müvezzilerden bir kız nazar-ı şâhânelerini celp etmiş olduğundan eşkâl ve kıyafetini zihn-i hümâyûnlarında hıfz ile dairelerine çekilmişler. Vaktaki resm-i kırâat tekmil olmuş ve Valide Sultan, Rana hakkındaki tasmimlerini refikalarına da bildirmiş ve kızı da hazırlattırmış olduğundan, ikinci hazinedara terfikan zât-ı şâhâneye göndermiş. Kız huzura çıkıp hâk-pây-i şâhâneye yüz sürdüğünde validelerinin bu lütuflarına beyân-ı mahzûziyyetle beraber, mezbûre kemakân kendi hizmetlerinde kalmak ve yerine şeker müvezzilerinden eşkâli tarif buyrulan kız gönderilmek hakkında olan ârzû-yı şâhânelerini ima buyurmuşlar. Taharri ve tahkik olunmuş, bu suretle intihâb-ı şâhâneye mazhar olan kız Rana'nın küçük hemşiresi Serfiraz olduğu anlaşılmış, derhâl takdim olunmakla beraber bu hâl, hazır bulunanların hayret ve taaccübünü mucip olmuştur.

Sultan Mecit'in bu Serfiraz Hanıma olan meyil ve muhabbet-i şâhâneleri ol vakti idrak eden saray mensup ve mensubelerince malûmdur. Şehzade Süleyman Efendi merhumun validesidir.

Serfiraz Hanımefendi bir zamanlar kendi dairesi halkını alıp tebdilihava vesilesiyle Yıldız Kasr-ı hümâyûnuna çıkmış ve tul müddet orada ikameti ihtiyar etmişti. Sultan Mecit kendisini görmek ve müşârünileyhânın iğbirarına karşı gönlünü almak için bir gece önünde fener çektirerek mâşiyen ve mütenekkiren Yıldız'a kadar gittiğini mesmûât kabilinden olarak Reşat Fuat Bey merhum hikâye etmişti.[569]

---

568 Abdülaziz'in 1863 yılında çıktığı Mısır seyahatinde yanında bulunmuş olan ve sohbetleriyle padişahın çok hoşuna giden Ömer Faiz Efendi hakkında Ali Rıza Bey "İstanbul Halkının Tenezzüh ve Eğlenceleri-Musahipler, Nedimler, Meddahlar" bölümünde geniş bilgi vermektedir.

569 Abdülmecit devri, saray kadınlarının harcamalarının ve borçlanmalarının önüne geçilemediği bir devirdir. Abdülmecit'in "meftunu" olduğu Serfiraz Hanım da bu konuda ölçüsüz davranan ve padişahın kendisine karşı zayıflığını istismar eden "fettânelerden" biridir. Bazı kereler Ab-

Bu üç hemşireler vaktiyle bir Çerkez beyinin Rusya içerisinden esir aldığı Leon namında bir Moskof'un kerimeleri olup, Çerkezlerin âdet-i kadîmeleri iktizasınca üserânın evlât ve ahfadı beylerin uhde-i memlûkiyyetinde bulunmasından naşi beyleri tarafından satılmışlar ve Serfiraz Hanımefendi ikbal sınıfına dahil olduğunda pederi Leon İstanbul'a gelip kendisini tanıttırmış ve sâye-i şâhânede refah-ı hâle mazhar olarak hacca da gidip gelmiş idüğü mervîdir.

Bu üç kızları takdim eden Halil Paşa defaâtle kaptanıderya olmuş ve müteaddit vükelâlık makamında ve ordu müşirliklerinde ve valiliklerde bulunmuştur.[570] Kendisi şeyhü'l-vüzerâ Sadr-ı esbak Hüsrev Paşa kölelerindendir. Sultan Mahmûd-ı Sânî'nin mazhar-ı teveccühü olmakla birinci kerimesi Saliha Sultanı tezvîc etmişti. Diğer zevcesinden olan oğlu Mahmut Paşa da Sultan Mecit'e damat olmuştur. Prens Sabahattin Bey ile biraderi Lütfullah Bey Mahmut Paşanın oğullarıdır. Valideleri de hemşire-i pâdişâhî Seniha Sultan hazretleridir. Seniha Sultanın vâlide-i muhteremeleri de merhume Başikbal Nalândil Hanımefendidir.

Hüsrev Paşanın kölelerden adam yetiştirmek hakkındaki himmeti meşhurdur. 1216 [1801/02] tarihlerinde mahlûl tedarikine başlayıp merâtib-i askeriyye ve mülkiyeden birçok zevat paşa-yı müşârünileyhin silk-i mülküne geçerek tefeyyüz etmişlerdir.[571]

Köle ve cariyeler azat edildikçe ıtıkname verilmesi kadimen mer'i olan usul iktizasından olup, hatta bu ıtıknameleri ekseriya ashabı nüsha yapıp boyunlarına takarlardı.

Eski ıtıknamelerden birine dest-res olduğum için suretini zirde derç eyledim:

Bâis-i tastîr-i hurûf oldur ki;

Cenâb-ı gaffâr-ı zünûb teâlâ ve tekaddes hazretleri kâffe-i umûr-ı hayriyyeyi zühur-ı âhiret kılmış ve istihsâl-ı rızâ-yı âlisine nice vesâil izhar ve ayan etmiş olmak hasebiyle bu bapta şeref-pirâ-yı sahâif beyân olan âyât-ı celîle ve ehâdis-i nebeviyye mazâmîn-i münîfesi üzere işbu esbâb-ı hayriyyeye teşebbüs dâreynde hâiz-i necât-ı münîfe ve fâiz-i inâyet-i sübhâniyye olmaklığı müntic olacağı

---

dülmecit'e kapısını açmaması, huzuruna çıkmaması devrin gazetelerinde telmih yollu fıkralar yazılmasına sebep olmuştur. Saray kadınlarının borçlarıyla uğraşan memurlar, Serfiraz Hanımın harcamaları karşısında "sultanların ve saray kadınlarının ale'l-husus Serfiraz Hanımın böyle arkası alınamayan borçlarının çaresi bulunamaz" diyerek çaresizliklerini itiraf etmişlerdir. (Cevdet Paşa, *Tezâkir 13-20*, yay. Cavid Baysun, Ankara 1960, s. 59, 65, 100, 131; *Marûzât*, yay. Yusuf Halaçoğlu, İstanbul 1980, s. 19)

570 II. Mahmut'un kızlarından Saliha Sultan ile evlenen Damat Halil Rıfat Paşa biri Sultan II. Mahmut devrinde, diğerleri Sultan Mecit devrinde olmak üzere dört defa kaptanıderya olmuştur. Kaptanlık müddeti yedi sene dört ay altı gündür. (*İzahlı Osmanlı Tarihi Kronolojisi*, c. V, s. 228, 230, 232)

571 Hüsrev Paşa hakkında daha geniş bilgi için bk. "Ricâl-i Sâbıkaya Ait Bazı Menkıbeler" bölümü.

bî-iştibâhdır. Binâen-alâ-zâlik hasbetenlillah ve taleben li-marzâtihi beste-i silk-i temlîkimiz olan gulâmımız Gürciyyü'l-asl orta boylu, şâbb-ı emred Ali nam kölemiz azat ve itâk ile havza-i temlikimizden ihraç olunmakla bâde-zîn sair ahrâr-ı müslimîn misilli keyfe mâ yeşâ ve muhtar-ı emvâl ve emlâka mutasarrıf ve fâil-i muhtâr olduğunu mübeyyin işbu ıtıkname tahrir ve ita olundu.

şühûd

Köle ve cariyelerden henüz azat edilmeksizin vefatı vuku bulanların kefeni altına ve göğsü üzerine bu ıtıknameyi koyup öyle defnederlerdi. Hatta "Ölmüş köle azat etti" darbımeseli de bundan kinayedir.[572]

Esirpazarı

İstanbul'da Tavukpazarı[573] civarında bir Esirpazarı vardı. Bu pazarın şeyhi ve kethüdası rüûs-ı hümâyûnla tayin edilirdi. Hatta Avcı Sultan Mehmet zamanında musiki muallimlerinden Buhûrîzade meşhur İtrî Efendi musikide olan behre-i kâmilesine mükâfaten Esirpazarı'nda esirciler kethüdalığı ile çerağ buyrulmuştu.

Bu Esirpazarı'nda olan mescidin baniyesi fi'l-asl esirliğinde bu pazarda iken nezr edip, muahharen harem-i hümâyûna alınan Gülnûş isminde bir cariye imiş. Şehzade dadısı olduğunda nezrini ifa ve mezkûr mescidi bina etmiştir. Esir ticaretiyle meşgul olan tacirler bir hayli kesâna baliğ olup, odalarda irili ufaklı beyaz, Habeşî siyah köle ve cariyeler bulunur ve satıldıkça öşrü isifâ olunurdu. Bu hâl insaniyete muhalif göründüğünden muâmelât-ı vakı'anın cevâz-ı şer'i dairesinde deveranına itina olunmak üzere 1263 [1846] tarihinde Esirpazarı dağıtıldı[574] ve dağıtıldıktan sonra da zenci köle ve cariyeler Fatih civarında bazı hanlarda, Çerkezler de Tophane'de Karabaş mahalle ve sokağında kâin hanelerde esirciler tarafından satılırdı. Bir de hâl ve vakti uygun İstanbul hanımları küçük Çerkez cariyeler alırlar ve tul müddet hanelerinde kimine saz, kimine raks talim ettirirler, bazılarını da çağına geldiğinde odalık olmak üzere sıhhatine, terbiyesine ona göre itina ederler ve sinleri, hünerleri kemale erişince ağır baha ile

---

572 Saray Âdetleri I, *Peyâm-ı Sabâh* (*Peyâm*, nr. 1097, *Sabah*, nr. 11527), 24 Kânunuevvel 1921/1337, s. 3

573 Tavukpazarı: Bugün Nuruosmaniye Camii ile Atik Ali Paşa Külliyesi arasındaki mevkiye verilen addır.

574 Sultan Abdülmecit zamanında kaldırılan Esirpazarı için;

Çıktı dokuz muharremde fermân-ı hümâyûn
Bak iki yüz altmış üçde kalktı Esirpazarı

diye tarih düşürülmüştür.(Necdet Sakaoğlu, "Esir Ticareti", *DBİA*, c. III, İstanbul 1993, s. 200-202)

satarlardı. Bu suretle satılık kızların arasında yarış atları gibi biner, bin beşer yüz liraya satılanları olurdu. Kızlar da bu hâllerinden müşteki ve müteessir değildiler. Çünkü satıldıktan sonra bahtiyar olan emsâl-i adîdesini görürler ve işitirlerdi. Üdebâ-yı marûfeden Sait Bey merhumun, "Esir sahibi olan adam esire esir olurdu" sözü pek doğrudur.

İşte sarây-ı hümâyûna lüzumu olan cariyenin bir kısmı hediye, bir kısmı da mübayaa tarikiyle tedarik olunurdu.

Umum saray kadınları muhtelif ırka mensup oldukları hâlde daima sarayın dahilinden ibaret bir muhit içinde yaşadıkları ve bu muhitten dışarı çıkmadıkları cihetle namuskârane, saf ve samimi olarak efendilerine sinelerinde bir muhabbet-i mahsûsa beslerlerdi. Onlarca padişahlara hiss-i hürmet kutsiyet derecesinde idi. Bu itikat kuvvetiyle zahmetten, meşakkatten çekinmezler, işten yılmazlar, usanmazlardı.

İstitrat-Avcı Sultan Mehmet'in evâhir-i saltanatında zorbaların icbarıyla sarây-ı hümâyûnun zevâidi refolunduğu sırada harem-i hümâyûnda mevcut olan yediyüz cariyeden beşyüzü dışarı çıkarılıp, zât-ı şâhânenin hizmeti için yalnız iki yüz cariye bırakıldığı rivâyât-ı târihiyyedendir.

Bütün cariyeler zirde beyan olunduğu veçhile aksâm-ı müteaddideye münkasım olup, vazifelerini mensup oldukları kısım dahilinde ifa ederlerdi.[575]

---

[575] Ali Rıza Beyin yakın çevresine dayanarak genel hatlarıyla malûmat verdiği harem teşkilâtı çeşitli hatıralara konu olmuştur. Sultan Abdülmecit'in kızı Münire Sultanın nedimesi olarak sarayda yedi yıl kalan Leylâ (Sâz) Hanımın harem hatıraları 1920-22 yıllarında *İleri* ve *Vakit* gazetelerinde tefrika edilmiş ve bir kısmı Sadi Borak tarafından sadeleştirilerek 1974 yılında Haremin İçyüzü adıyla yayınlanmıştır. Aynı hatırat kısmen 1925 yılında *Le Harem Imperial* başlığıyla Fransızca baskısı yapılmış ve Temmuz 2000 tarihinde *Anılar-19. Yüzyılda Saray Haremi* adıyla Türkçeye çevrilmiştir. Leylâ (Sâz) Hanımın hatıralarından başka yine Abdülmecit ve Abdülaziz dönemlerinde haremde geçen bazı hadiselere şahitlik etmiş olan Melek Hanımın *Trente Ans Dans Les D'Orient Souvenirs İntimes De Melek Hanım* başlığıyla Fransızca yayınlanan ve 1999 yılında İsmail Yerguz tarafından *Haremden Mahrem Hatıralar* adıyla Türkçeye çevrilen hatıratı, V. Mehmet Reşat zamanında haremde muallimelik yapan Safiye Ünüvar'ın *Saray Hatıralarım*, (İstanbul 1962, II. Baskı 2000) adlı hatıratı ve Süleyman Kâni İrtem'in 1933 yılında *Akşam* gazetesinde tefrika edilen ve 1999 yılında *Osmanlı Sarayı ve Haremin İçyüzü* adıyla Orhan Selim Kocahanoğlu tarafından kitap hâline getirilen eseri harem hakkında önemli bilgiler ihtiva etmektedir. Ayrıca İsmail Hakkı Uzunçarşılı'nın *Osmanlı Devleti'nin Saray Teşkilâtı* (Ankara 1945) adlı eserinde bu konuda kısmen bilgi verilmektedir. Harem hakkında yapılan en kapsamlı inceleme ise Çağatay Uluçay'ın 1971 yılında neşredilen *Harem II* adlı eseridir. Bu konuda son zamanlarda yapılmış bir çalışma da Leslie P. Peirce'in *Harem-i Hümâyûn* (trc. Ayşe Berktay, İstanbul, 1996, 408 s.) adlı eseridir.

Hünkâr kalfaları

Zât-ı şâhânenin hizmetiyle mükellef olan kalfalar iki kısımdır. Bir kısmı hidemât-ı umûmiyyesinde, diğer kısmı hidemât-ı husûsiyyesinde istihdam olunurlar.

Hidemât-ı umûmiyyesine memur olanlar yedi ustalık, yani yedi gedik itibar olunmuştur ki şunlardır;

Hazinedar usta[576]
İbrikdar usta
Kilerci usta
Çamaşırcı usta
Kahveci usta
Çeşniyâr usta
Kutucu usta

dır. Bu yedi ustanın yedişer adet yamakları ve bir ol kadar da acemileri, yani terbiye-gerdeleri vardı. Bu yedi ustalık makamları sarây-ı hümâyûn teşrifatı iktizasınca başta hazinedar usta olmak[577] ve derece derece yekdiğerine takaddüm etmek üzere menâsıb-ı mutebereden olup, kendilerine müstevfî maaşlar ve ayrıca daireler, odalar tahsis ve tefrik olunur, beher sene ilkbaharda devletliler misilli bermutat nevrûziyyeleri[578] ve kurban bayramlarında ayrıca kurbanları gelir.

Hazinedar usta bayramlarda ve sûr-ı hümâyûnlar misilli eyyâm-ı resmiyyede som sırma işlemeli bir hırka iktisâ ve boynuna murassa kordonlu hazine mührünü talik eder.

Hazinedar ustanın harem ağaları, baltacıları, dairesi, debdebesi de ayrıdır.

Padişahın hidemât-ı husûsiyyesini hazinedar kalfalar ifa ederler. Bunlar dâire-i hümâyûnda zât-ı şâhâneyi yatırıp kaldırmak, giydirip kuşatmak gibi husûsî hidemâtın ifasıyla mükelleftirler. Bu sınıfta sıra ve kıdem aranılmaz. Padişah cevârî-i mevcûde meyanından intihap ettiğini hazinedarlığa tayin eder. Bunların

---

576 Asr-ı Süleymân-ı Kanûnî'de sarây-ı hümâyûnun dahil ve harici ganâim-i gazâvât ile memlû olduğundan, fazlasından bir miktarının harem-i hümâyûnda ittihaz olunan hazinede hıfzı takarrür ederek kalfaların muteber ve emektar olanlarından biri hazinedar usta ve harem ağalarından biri de hazine vekili tayin edilmiş ve sonraları bu hazine yalnız bazı zikıymet eşya hıfzına tahsis edilmiştir. (ARB)

577 Abdülmecit, validesinin irtihalinden sonra hazinedar ustasına büyük bir nüfuz vermişti. Hatta müşârünileyhânın kahvecibaşı tabir olunan başbaltacısı Hacı Mustafa Ağanın Beşiktaş'ta konağı, Erenköyü'nde Kozyatağı denilen mahalde köşkü, atı, arabası, dairesi, debdebesi âdeta bir vezir dairesine yakın idi. (ARB)

578 nevrûziyye: Eskiden sarayda nevruz münasebetiyle hekimbaşılar tarafından pek çok baharat karıştırılarak yapılan tatlıya denir.(OTDTS)

adedi muayyen olmamakla beraber on, on beş kalfayı tecavüz etmez. Kendilerine müstevfî maaşlar tahsis olunmuştur. İkametgâhları padişahın yatak dairesi kurbünde olup, geceleri de yatak odası kapısında nöbet beklerler. Birinci arzuları hizmetlerini hünkâra beğendirmek ve kendilerini sevdirmektir. Hazinedar olduklarına alâmet-i mahsûsa olmak üzere, eskiden başlarına bellerinden aşağı dört örgülü iğreti saç takmak âdet idi.

Zevcât-ı şâhâne üç sınıf üzerine müretteptir. O şerefe ilk defa nail olanlara gözde tabir ederler. Gözdelerin çoğu hazinedar kalfalardan intihap buyrulur. Bu sınıf, şehrimiz halkının gizli odalık dedikleri cariyeler kabilindendir. Mamafih gözdelik şerefine mazhariyetlerinden dolayı kalfalar tarafından kendilerine birer mevki-i ihtirâm ifraz olunur.

Bu sınıfa mensup olanlar lede'l-hâce cevârî-i sâire gibi azat edilip saraydan ihraç edilmeleri ve âher ile izdivaç edebilmeleri caiz ve emsâl-i adîdesi mesbûktur. Sultan Abdülmecit ve Sultan Abdülaziz, gerek bu gözdelerden ve gerek hazinedar kalfalardan ufak tefek bazı sebeplerden dolayı gözlerinden düşenleri azat ederler ve ekserî maiyet-i şâhânelerinde bulunan kurenâ veya yaver beylerden birine tezvîc edip ve kayd-ı hayât şartıyla müstevfî maaşlar tahsis buyururlardı.

Sultan Aziz bu suretle azat ettiği bir gözdesini Maarif Nâzır-ı esbakı Kemal Paşa merhuma tenkîh etmeyi murat buyurmuşlar, hâlbuki kız memnun olmayıp adem-i kabûl göstermiş. Ol vakit paşa-yı müşârünileyh de sureti zirde derç olunan manzumeyi inşat edip hâk-pây-i şâhâneye takdim eylemiştir.

Bu manzume ol vakit ser-müezzin-i şehriyârî Miralay Rıfat Bey merhum marifetiyle neva makamında bestelenmişti.

(Şarkı-i nevâ) (Rıfat Bey)

Gördüğüm günden beri ey şivekâr
Eylerim aşkınla daim âh u zâr
Korkarım olmazsın ammâ bana yâr
Aslını bildirmeye hacet mi var?
Sen civansın sevdiğim ben ihtiyâr

Çare yok çünkü seninle ülfete
Sabrolunmaz dilberâ bu firkate
Râzı ol artık efendim kısmete
Sen gül oyna ben alıştım mihnete
Sen civânsın sevdiğim ben ihtiyâr

Böyle söyler birtakım ehl-i nifâk
Pîr ile tâze eder mi ittifâk
Çâre yok artık beni yaksın firâk
Sen hemân sağ ol efendim zevke bak
Sen civânsın sevdiğim ben ihtiyâr

Ziya Paşa merhum:

Nev-civân sevmekte ben pîrânı tayîb eylemem
Hüsn olur ki seyrederken ihtiyâr elden gider

demişti. Evet gider pek doğrudur. İhtiyarı elden giden kuvvet işte öyle bîaman ve zalim bir kuvvettir. Fakat hakku'l-insâf düşünmeliyiz, damarlarında taze kan kaynayan bir nev-civân da beşeriyet icabınca asla sevemeyeceği bir ihtiyara verilmek istenilirse yine o bîaman kuvvet acaba o nev-civânın ruhunda ne tesirler yapmaz, zavallı genci ne hâllere koymaz, ne isyanlara sevk etmez. Gençliğin bu hâline karşı akıl ve izan sahibi olmak lâzım gelen biz ihtiyarların vazifesi ne olabilir. Derûnî teessüratını tadil ve itidâl-i demini muhafaza için cebr-i nefs etmek ve necâbet-i insâniyye iktizasınca biraz da insaf eylemek lâzım değil mi? İşte Kemal Paşa merhum bu hâli düşünmüş ve insaf etmiş de, bu manzumeyi söylemiş ve bu suretle de ibrâz-ı kemâlât eylemiş!...

İkballer

İkinci sınıf ikballik sınıfıdır. Gözdelerden hamile kalanlar veya marzî-i âlîye muvafık hidemâtı müşahade edilenler ikbal sınıfına terfi buyrulur.[579]

İkballer şehir halkınca resmen tanılmış odalıklar kabilindendir. Bu sınıfa terfi edilmekle beraber hanım unvanını alırlar ve artık azat edilip saraydan ihraç edilmekten masun kalırlar, fakat tebeddül-i saltanat vukuunda hakan-ı sâbık zevcelerinden evlâdı olmayanların sarây-ı hümâyûnda ikametleri âdet-i kadîmeye mugayir olduğundan, o gibilere hariçte birer ikametgâh tedarik olunarak oraya nakledilirler ve artık kimseyle izdivaç edemeyip tahsis olunan müstevfî maaşla kendilerini idare ederler. Zevci vefatında evlâdı berhayat olanlara gelince; bunların evlâdı şehzade ise onun dairesinde, kız ise izdivacına değin kerime-

---

[579] İstanbul rical ve kibarından, ağniyâsından yüzde doksanı müteehhil oldukları hâlde, bazıları haremdeki kalfalardan "gizli odalık" da intihap ederler ve bu odalıkların çocuğu olur veya zaman mürur ederse ikinci haremi makamında resmen tanılıp, fakat kul cinsi tabir ettikleri veçhile cariyelikten alınmış olduklarından hanım unvanı verilmeyip kadın ıtlak edilirdi. Çünkü eskiden şehrimiz âdeti iktizasınca hanım unvanı kadın namına müreccah tutulurdu. Kadın ve kadınefendilik namı bi't-tedrîc ortadan kalktı. Haremlerin umumuna hanımefendi veya hanım denilir oldu. (ARB)

siyle bir dairede ve izdivacından sonra da kezalik kerimesiyle sultan sarayında ikamet ederler. Bunlara da emsali veçhile müstevfî maaşlar tahsis olunur.

Sultan Mahmut'un son ikbali, son şehzadesi olup 1251 [1835] tarihinde tevellüt eden ve ol vakit Mülkiye Nazırı bulunan Pertev Paşa tarafından

Kadem bastı zemîne pîr ola Sultan Nizamettin

tarihi söylenilen Nizamettin Efendinin validesi Lebrîz Hanımefendi idi. Şehzâde-i müşârünileyh 1253 [1837] tarihinde vefat eylediğinden 1255 [1839] tarihinde vuku bulan cülûs-ı Abdülmecîd Hânî'de müşârünileyhâ da diğer emsalleri veçhile saraydan çıkarılıp kendisi için Ortaköy'de tedarik olunan sahilhaneye nakledilmiştir.[580]

Gözde ve ikballerin adedi mahdut ve muayyen değildir. Padişahların arzularına tâbidir. Yirmi sekiz yaşında cülûs eden Murâd-ı Sâlis nisaya meyyal olduklarından padişah namına cariye mübayaasından dolayı Esirpazarı piyasası yüzde yüz terakki etmiş ve hakan-ı müşârünileyhin yüz on iki evlâdı dünyaya gelmiştir. Şehzadegânın birbirini müteakip katil ve itlâf edilmelerinden dolayı Sultan İbrahim'in sulbünden şehzade vürudüna lüzûm-ı âcil göründüğünden asrın vükelâsı, vüzerası, ricali, kibarı taraflarından zât-ı şâhâneye güzel cariye takdimi âdet hükmüne girmişti. Ahmet Refik Bey, yazdığı *Tarihî Simâlar* risalesinde "Sultan İbrahim kadınlar ve cariyeler arasında muvâzene-i akliyyesini zayi eylemişti" ifadesiyle tasvîr-i mesele etmiştir.[581]

Kadınefendiler

İşbu gözde ve ikbal sınıflarından sonra bir de kadınefendilik sınf-ı mümtâzı vardır ki adedi yedidir, sekiz olamaz. Şu kadar ki içlerinde vefatı vuku bulanlar olursa teselsül kaidesine tevfikan başıkbal yedinci kadınlık mevkiine terfi buyrulur. Fakat ikballer meyanında evlâdı olanlar bulunursa başıkbale takaddüm ettirilip yedinci kadınlık makamına geçirilenler vardır. Ezcümle kırk yedi yaşında cülûs eden Süleymân-ı Sânî'nin ikinci ikbali Râbia Hanım ikiz olarak iki şehzade dünyaya getirmesinden dolayı kendisine haseki sultan[582] unvanı verilmiş ve başına taç giydirilmiştir.[583]

---

580 Bu misilli ikametgâhları zât-ı şâhâne dilediğine bahşetmekte muhtar bulunduklarından hanım-ı müşârünileyhânın 1281 [1865] tarihinde vuku-ı vefâtından naşi sahilhanesini Sultan Abdülaziz, Münire Sultanzade Alaattin Beye vermiş ve Sultan Hamit de Murâd-ı Hâmis hazretleri kerimelerinden Fatma Sultanın ikametine tahsis eylemiştir. (ARB)

581 Saray Âdetleri II, *Peyâm-ı Sabâh* (*Peyâm* nr. 1098, *Sabah*, nr. 11528), 25 Kânunuevvel 1337/1921, s. 3

582 haseki: Padişahın gözüne giren cariyelere verilen addır. (*OTDTS*)

583 Ali Rıza Bey burada bir yanlışlığa düşmektedir. Sultan II. Süleyman'ın zevceleri arasında Rabia Sultan diye birisi yoktur ve hiç çocuğu olmamıştır. İkiz şehzadeler Selim ve İbrahim'i doğuran

Kadınefendilerin nikâh edilmeleri mutat değilse de yine şehir halkının nikâhlı hanımları mukabili addolunurlar. Fakat saray usulü iktizasınca kadınlık hanımlığa müreccah tutulageldiğinden ikballere hanım, berikilere kadınefendi ıtlak edilir. Kadınlık sınıfına terfi oldukları tarihten itibaren tablaları,[584] harem ağaları, baltacıları tayin olunur.

Zât-ı şâhâne kendi dâire-i hümâyûnlarında ve sunûf-ı mesrûdeye mensup zevcât-ı şâhâne de kendi dairelerinde ikametle emr-i şâhâneye intizar ederler. Bunları dâire-i hümâyûna hazinedar kalfalardan biri fenerle gelip davet eder ve önünde fener çekip götürür.

Altıncı ve yedinci kadınlık makamlarının lâğvı

Sultan Mahmut'un altıncı kadını Ebrireftâr Kadınefendi 1241 [1825] tarihinde vefat eylediğinden Atiye ve Hatice Sultanların validesi Pervizifelek yedinci[585] kadınefendi teselsül kaidesine tevfikan altıncı kadınlık mevkiine terfi olunarak, yedinci kadınlık mevkiine Başikbal Hüsnümelek Hanımın geçmesi kanûn-ı kadîm iktizasından iken müşârünileyhânın evlâdı olmadığından bu hakkından mahrum olarak yedinci kadınlık lâğvedilmiş ve bademâ evlâdı olmayan ikballerin kadınlık sınıfına terfi olunmayacağı bu suretle beyan ve ima buyrulmuştur. Müşârünileyhâ 304 [1886] tarihinde seksen yaşında olduğu hâlde Nakkaş nam mahalde kâin sahilhanesinde vefat etmiştir.[586]

İkinci ikbal Tiryal Hanıma gelince; onun gerçi çocuğu olmuş ise de muahharen vefat eylediğinden o da terfî-i sınıf edememiştir. Şu kadar ki Sultan Aziz'e süt vermiş olduğu için cülûsunda mehd-i ulyâ-yı[587] sâni mevkiinde tevkir olunmuştu. 1302 [1884] tarihinde vefatında Büyük Çamlıca'da kâin köşkü velîahd-ı sâbık Yusuf İzzettin Efendi merhuma geçmiş ve Nakkaş'ta kâin sahilhanesi de arkada

Rabia Sultan, ondan sonra tahta çıkan II. Ahmet'in zevcesidir. II. Ahmet, ikiz şehzadeler doğuran Rabia Sultana başkadınlık payesini ihsan etmiş, ayrıca Halep'te ve diğer yerlerde haslar ve çiftlikler vermiştir. (Bk. *Padişahların Kadınları ve Kızları*, s. 72)

584 tabla: Yemek sahanlarının bir yerden bir yere naklinde kullanılan tahtadan daire şeklindeki aletin adıdır. (*OTDTS*)

585 Bu Pervizifelek kadın efendi Akıntıburnu Sarayı'nda ikamet eden merhume Seniye ve Feride Hanım Sultanların büyük validesi idi. (ARB)

586 Hüsnümelek Hanım, Esma Sultan tarafından Sultan Mahmut'a ihdâ olunmuştur. Evân-ı sabâvetinde oyuncu kızlardan imiş. Kendisi gayet hüsnâ olup hakan-ı müşârünileyh;

Hüsnümelek bir peridir
Cümlesinin dilberidir

nakaratıyla bir şarkı tanzim etmiş ve mezkûr şarkı pesendide makamında bestelenmiştir. *Haşim Bey Mecmuası*'nda mukayyettir. (ARB)

587 mehd-i ulyâ: Padişahların anneleri hakkında kullanılan bir tabirdir. (*OTDTS*)

köşküyle beraber Şeyhülislâm-ı esbak Üryanizade Ahmet Esat Efendiye ihsan olunmuştur. Bu köşk efendi-i müşârünileyhin hafîdi Cemil Molla Efendi uhdesinde olup, elyevm mîr-i müşârünileyh ikamet etmekte bulunmuştur. Altıncı kadının mevkiini de Sultan Abdülmecit, Bezmî Hanım vak'asından dolayı lâğveylediğinden bunun da tafsilâtı zire derç olunmuştur.

Altıncı kadınlığın lâğvı

Mısır valisi esbak Mehmet Ali Paşanın mahdumlarından İsmail Paşa, Habeşistan muharebesinde Araplar tarafından pek genç iken ihrak edilmek suretiyle itlâf edildiğinden azâ-yı hânedân ile vâli-i müşârünileyh fevka'l-had mükedder olmuşlardı.

Merhum-ı müşârünileyhin refikası meşhur Halil Hamit Paşa[588] hafîdesi olup, Prens İsmail Paşa bir aralık İstanbul'da bulunduğu sıralarda bu hanımla yekdiğerini sevmiş ve Mısır'da izdivaç etmişlerdi.[589] Henüz yeni gelin iken zevcinin bu suretle vefatından dolayı gelin hanımın hüzün ve matemi Mehmet Ali Paşayı başkaca dilhûn ederek, müşârünileyhâyı öz evlâdı gibi himaye etmiş ve pek çok mal ve mülk ve servet sahibi eylemişti. Mısır hanedanı beyninde bu hanım "gelin hanım" unvanıyla tezkâr edilir olmuş ve Mısırlılar arasında da ol suretle kesb-i iştihâr eylemiştir. Bir müddet sonra Mehmet Ali Paşanın vuku bulan vefatında ve müşârünileyhin hâl-i hayâtında Mısır hanedanı azasından ekserisinin gelin hanım hakkında rekabetten mütevellit bürudetlerinden dolayı artık hanım-ı müşârünileyhâ için Mısır'da ikamet kabil olamayarak Dersaâdet'e hicret ve büyük pederinin Akıntıburnu'nda kâin sahilhanesinde ihtiyâr-ı ikamet eylemişti.[590] Gelin hanım sarây-ı hümâyûn müteneffizeleriyle peydâ-yı ünsiyet ve hâk-pây-ı şâhâneye de dolayısıyla kesb-i münâsebet eylediğinden bayramlarda ve sâir eyyâm-ı resmiyyede diğer Mısır hanedanı azası misilli sarây-ı hümâyûna davet olunurdu.

Gelin hanımın kendi evlâd-ı manevî ittihaz eylediği ve o suretle terbiye ettiği Bezmî namında bir kızın hüsn ü ânı ve fart-ı zekâsıyla beraber o zamanlar İstan-

---

[588] I. Abdülhamit döneminde 1782 yılında Sadrazam olan Halil Hamit Paşa devrinde askerî sahada pek çok ıslahata girişmiştir. 1773'de açılan fakat, arzu edilen hizmeti veremeyen Mühendishâne-i Bahrî-i Hümâyûna Fransa'dan mühendisler getirtmiş, ordunun her alandaki ihtiyaçların gidermeye çalışmıştır. 1785 tarihinde muhtemelen rakiplerinin bir tertibiyle I. Abdülhamit tarafından azledilip sürgüne gönderilmiş ve aynı yıl sürgünde bulunduğu Bozcaada'da idam edilmiştir. Çok münevver ve cesur bir devlet adamı olarak bilinmektedir. (Hayatı ve faaliyetleri hakkında bk. Kemal Beydilli, "Halil Hamit Paşa", DİA, c. XV, İstanbul 1997, s. 316-318)

[589] İsmail Paşanın hanımı Halil Hamit Paşanın oğlu Nurullah Beyin kızı Hatice Sultandır. Ali Rıza Bey 1925 yılında Vatan gazetesinde neşredilen "Bazı Aşk Maceraları" adlı yazı dizisinde, burada söylediğinin aksine, İsmail Paşa ile Hatice Hanımın Mısır'da tanıştıklarını kaydetmektedir.

[590] Müceddeden inşa edilmek üzere gelin hanım tarafından hedm edilen sahilhanenin temelleri mevcut ve natamam olarak elyevm müşahade edilmektedir. (ARB)

bul'da teşehhür ve taammüm etmemiş olan piyano üzerinde hâsıl eylediği rüsûh ve maharet harem-i hümâyûn kadınları arasında kesb-i iştihâr ederek Sultan Abdülmecit'in semine vasıl olur ve hakan-ı müşârünileyh mezbûreyi huzuruna bi'l-celb görür, beğenir ve piyanodaki maharetine de hayran olur. Mısırlı gelin hanımdan talep eder. Neticesinde nikâh ile verilmesi hakkında gelin hanımın vaki olan teklifi kabul olunarak Sultan Abdülmecit'e akdi icra edilir.

Gelin hanım, kıza çeyiz olarak pek çok zikıymet eşya ve mücevherat ita eder. Gelin sıfatıyla sarây-ı hümâyûna ilk gittiği gün iktisâ eylediği libas, lâhana yaprağı şeklinde olarak inci ile işlenmiş ve üzeri zikıymet taşlarla tezyin edilmiş olduğunu ve o gün, kızın başında, gerdanında ve omuzlarındaki gûnâ-gûn şekillerde olan yakut, zümrüt, firuze, pırlanta misilli mücevheratın hayale sığmaz şaşaasını bizzat müşahede edenler söylemekle tüketemezlerdi.

Mezbûre sarây-ı hümâyûna dahil olmasıyla beraber; çünkü nikâhlı olmak mülâbesesiyle def'aten altıncı kadınefendilik makamına geçirilmiş, dairesinin debdebe ve dârâtı da usul ve emsaline tevfikan tertip ve tanzim olunmuştu.

Ne çare ki bu kadınefendi kendisini bir türlü saray hayatına alıştıramayıp hakkında erzân buyrulan bunca eltâf ve inayetin kıymetini takdir edememiş ve akıbet, zât-ı şâhâne kendisini tatlîk etmeye mecbur olmuştur.

Bu müfarekattan sonra müşârünileyhâ kâh dâire-i husûsiyyesinde, kâh vâlide-i maneviyyesi nezdinde ihtiyâr-ı ikametle imrâr-ı hayât etmişti.

Bu ikinci fesh-i akd,[591] vâlide-i maneviyyesi gelin hanımefendi üzerinde büyük bir teessür bıraktığı ve hatta mevtine de sebep olduğu Mısır prensesleri tarafından rivayet olunmaktadır.

Sultan Abdülmecit bu Bezmî Kadın ile izdivaç buyurdukları tarihte henüz genç denilecek bir sinde, yani otuz, otuz beş yaşlarında idiler. Hakan-ı müşârünileyh uzun çehreli, uçuk benizli burunları irice, çiçek bozukları sık ve inceydi. Orta boylu, narin yapılı idiler. Sedaları kalın ve gürdü. Ağzı geniş, rengi koyu fesi ve paçası bol, yazın beyaz, kışın siyah pantolon ve önü düz alaturka setrî[592] giyerler ve sivil setrî üzere kılıç takarlardı. Kış yaz setrî üstüne yakası düz, etekleri uzun sako giymek âdetleri idi. Ale'l-ekser akşamları Tophane Kasrı'nı teşrif ederler, kayık veya arabadan indiklerinde kendilerini istikbal eden Tophane müşiriyle talimhane meydanında ayakta durup musahabet buyururlar, esnâ-yı musâhabette bir elleriyle kılıçlarını diğeriyle de eteklerini tutarlardı.

---

591   Ali Rıza Bey, "Bazı Aşk Maceraları" adlı yazı dizisinde Abdülmecit'in Bezmî Hanımı boşadık-
tan sonra onunla tekrar evlendiğini, ancak bu evliliğin yine boşanmayla sonuçlandığını yaz-
maktadır.

592   setrî: Tanzimat döneminde giyilen ve Avrupaların giydiği redingota alternatif olarak düşünü-
len ceketin adıdır. (*TGKSS*)

Hakan-ı müşârünileyhin nezafet hususundaki merakları meşhurdur. Kimseye ayak ve etek öptürmezler, kimsenin üstlerine süründüğünü istemezler.

Altıncı kadınefendi şehirde Bezmî Hanım unvanıyla kesb-i iştihar eyler ve ferîkan-ı kirâmdan Ressam Tevfik Paşa ile izdivaç eder.

Bu vak'a veliahtlığı evânında Sultan Abdülaziz'in fevkalâde canını sıkmış ve infialini mucip olmuş olduğundan, cülûsunda Tevfik Paşayı tekaüt edip, Bezmî Hanımla beraber Bursa'ya nefyetmiştir.

Tevfik Paşa, elsine-i ecnebiyyeye vâkıf, münevver fikirli bir zat idi. Asrının efkâr-ı cedîde ashabından birçok rical ve kibar ile düşer kalkar ve esasen hâtırnevâz bir zat olduğundan herkesten âsâr-ı ihtirâm görürdü. Bir aralık Dâr-ı Şurâ-yı Askerî riyasetinde de bulunmuştu. Konağı eski Salıpazarı Câmi-i şerîfi civarında idi. 1278 [1861] tarihlerine, yani menfaya azimeti zamanına değin bu konakta ikamet ederdi.

Müşârünileyhin Bursa'da esnâ-yı ikametinde Câmi-i kebîr[593] tamir olunmaktaymış. Câmi-i mezkûrede bir yadigâr bırakmış olmak üzere mihrabın etrafındaki mor zemin üstüne altın yaldızla boru çiçeği ve yaprağı tarzındaki nakışı işlemiş ve bunun için iki ay kadar nakkaş gömleği giyip, sabahtan akşamlara kadar çalışırmış. Müşârünileyhin bu eseri ve mihrabın muhteşem tezhibât-ı sâiresi hemen yarım asırdan beri yapıldığı gibi nazar-rübâ bir halde mevcut olduğunu rivayet ederler.

Bazı dostları tarafından vaki olan nâsâyih-i hâlisâne üzerine Tevfik Paşa, Bezmî Hanımı tatlîk etmiş ve menfasından ıtlak olunduktan sonra sikke-pûş olarak dervişliğe sülûk edip, vefatına kadar Kumkapı civarında bir hanecikte ihtiyâr-ı uzlet eylemiştir.

Bezmî Hanım, Tevfik Paşadan müfarekat ettikten sonra Bursa Evkaf Müdürü Uzun Ahmet Bey ile izdivaç etmiş ve menfasından gelip Eyüp civarında Yavedut semtinde bir hanede ikameti ihtiyar etmişti. Ahmet Bey gayet huysuz bir adam olduğu ve bu hanımın malını da itlâf eylediği cihetle Bezmî Hanım ondan da müfarekat etmiştir.

Bezmî Hanımın malik olduğu bunca servet ve mücevherat kâmilen mahvolup, elinde avucunda bir şey kalmamış ve küçük bir kirahanede fakr ü zarureti son dereceye varmış olduğundan, henüz memede olan kerimesini el altından cariye olarak Mısır valisi Mehmet Ali Paşa kerimesi ve Sadr-ı esbak Kâmil Paşa[594] halilesi Prenses Zeynep Hanımefendiye satmıştır. Şu kadar ki Prenses Zey-

---

[593] Câmi-i kebîr: Ulucami.

[594] 1808 yılında doğan Yusuf Kâmil Paşa, 1863 yılında sadarete getirilmiştir. Bu vazifede dört ay gibi kısa bir süre kalmıştır. (*İzahlı Osmanlı Tarihi Kronolojisi*, c. V, s. 84). 1876 yılında vefat eden Yu-

nep Hanımefendi bu çocuğun validesi Bezmî Hanım olduğuna ol vakit vâkıf olamamıştı.

İstitrat-Hazîne-i devletten mikdâr-ı kifâye maaş tahsisi istidasıyla ara sıra Babıâliye ve Maliye Nezaretine gider dolaşırdı. O tarihteki memûrîn ve müstahdemînden el-hâletü hâzihi berhayat bulunanların cümlesi kendisini tanırlar. Mutavassıtü'l-kame, etine dolgun, ablak çehreli, hutût-ı vechiyyesi mütenasip, nâs ile muamelesi gayet işvebâzâne bir hanım idi. Ahd-i şeyhûhetinde bile revnak-ı civânîsi etvarında lemeân ederdi.

Prenses Zeynep Hanımefendi[595] malûm olan servet ve sâmânıyla beraber evlât yüzüne hasret olduğundan bu çocuğu kendine evlâd-ı manevî ittihaz etmiş ve ona göre dayeler, dadılar mürebbiyeler tayin eylemiştir.

Çocuk hakikaten prensese lâyık bir surette tahsil ve terbiye görmüş ve Zeynep Hanımefendiyi öz validesi bilmiştir.[596]

Zeynep Hanımefendi kendi biraderi Şişman Mehmet Ali Paşanın hafîdi olan ve ol vakit teehhül çağlarına henüz gelen Prens Hüseyin Beye "Bu kızı sana vereceğim" der ve kızla birbirini severler ve âşıkane mülâtafalar ederlermiş.

Cavidan tesmiye olunan bu kız henüz on üç, on dört yaşlarındayken bir bahar sabahı refakatinde mürebbiyesi ve dadısı olduğu hâlde, Bebek'te kâin Vâlide-i Hıdîvî Sahilhanesi ittisalinde olan ve elyevm Halim Paşa[597] veresesi uhdesinde bulunan sahilhane vaktiyle Zeynep Hanımefendinin sahilhanesiydi, işte bu sahilhanenin korusunda geşt ü güzâr ettikleri sırada korunun dağ kapısından dışarıya çıkarlar. O aralık Bebek'te re's-i cebelde kâin [Nispetiye] Köşkü'nde ikamet etmekte bulunan Sultan Abdülmecit şehzâdegânından Süleyman Efendi de berây-ı tenezzüh bir brike[598] râkiben oradan geçer ve geçtiği sırada bunları görür. Bilenlerin malûmu olduğu üzere, Cavidan emsali nadir bulunur güzellerden olduğu cihetle kız şehzadenin nazarıdikkatini celp eder. Hele kızın arkasındaki tek örgülü uzun saçını güneşe siper ederek kendisine bakması şehzadenin

---

suf Kâmil Paşa, Fenelon'un *Les Aventures de Telemaques* adlı eserini *Tercüme-i Telemak* adıyla Türkçeye çevirmiştir.

595 Hayırseverliğiyle tanınan Zeynep Kâmil Hanım, bugün Zeynep Kâmil Hastahanesi olarak hizmet veren müessesenin kurucusudur. Ayrıca Beyazıt'ta bulunan konağı 1909 tarihinde Darülfünûn Edebiyat Fakültesine verilmiş, konak 1942 yılında yanınca, yerine bugünkü binalar yapılmıştır.

596 Saray Âdetleri III, *Peyâm-ı Sabâh* (*Peyâm*, nr. 1100, *Sabah*, nr. 11530), 27 Kânunuevvel 1337/1921, s. 3

597 İttihat ve Terakki dönemi sadrazamlarından Sait Halim Paşa.

598 brik: İki veya dört tekerlekli bir araba çeşidi. Semih Mümtaz S., on dokuzuncu yüzyılda çoğunlukla Avrupa'dan getirilen bu arabalara İstanbul halkı tarafından rağbet edilmediğini söyler. (*Tarihimizde Hayal Olmuş Hakikatler*, İstanbul 1948, s. 136)

begayet zevkine gider. Kimin nesi olduğunu anlamak ister. O aralık bunların tekrar dağ kapısından içeri girmeleri üzerine tahkikat kesb-i sühûlet eder.

Kızın hayâli şehzadeyi meşgul ettikçe eder. Vesâit-i münâsibe ile Zeynep Hanımefendiye müracaat edilir. Fakat muvafakatı istihsal edilemez. Bir aralık şehzadenin validesi Serfiraz Hanımefendi de Zeynep Hanımefendiye müracaat eder. Fakat yine maksat hâsıl olamaz. Süleyman Efendinin günden güne dîgergûn olan derece-i elem ve ıstırabını bir şefkat-ı mâderâne ile müşahade eden validesi Sultan Hamit'e iltica eder. Ağlayarak ayaklarına kapanır. "Bir evlâttan olacağım" diye vesâtetini istirham eyler.

Sultan Hamit tarafından "Cümlemizin başından geçmiş bir hâl olduğundan, rica ederim kızı biradere versinler" diye kızlarağası vasıtasıyla Zeynep Hanımefendiye haber gider. Müşavereler, müzakereler olunur. Fakat nikâhla verilmek sureti takarrür eder. Hâlbuki kızın Hüseyin Bey ile izdivacı meselesi evvelce kulağına konmuş olduğundan şehzade ile izdivaca kız muvafakat etmemek ister. Fakat henüz çocuk denilecek bir sinde olmasından ve prensesin öz evlâdı olmadığına o zaman kesb-i ıttılâ etmiş bulunmasından dolayı muhalefete muktedir olamaz. Akitleri icra olunur. Kız da gelin sıfatıyla Süleyman Efendinin ikametgâhına gönderilir. Zeynep Hanımefendi çeyiz olarak kıza birçok eşya ve zikıymet mücevherat vermiştir.

Efendi hazretlerinin nezdinde kızın bir dediği iki olmaz. Diğer zevcelerine tefevvuk eder, her arzusu yerine getirilir. Kızın istediğini yapmasına mümanaat etmek kimsenin haddi değildir. Hiçbir arzusu ve zevk ve keyfi yerine getirilmekte kusur edilmez.

Bir gün Cavidan Hanım, Heybeli adasında ikamet etmekte bulunan ve efendi hazretlerinin çerağlarından olan bir kadının hanesinde birkaç hafta tebdilihava etmek arzusunu gösterir. Derhâl refakatine birkaç cariye terfik olunarak gönderilir. Güzel bir havada çam altında gezerler, gülerler, eğlenirlerken[599] [karşılarına Prens Hüseyin Bey çıkmaz mı? Cavidan bir kolayını bulup çocukluk arkadaşı Hüseyin Bey ile görüşmekten kendini alamaz. Bu da tabiî kısa zamanda Şehzade Süleyman Efendinin kulağına gider. Eski hikâyeler anlatılır. Kıskançlıklar ve kavgalar başlar. Sonunda efendi hazretleri Cavidan'ı boşar].

Cavidan Hanım şehzadeden müfarekat ettikten sonra Prens Hüseyin Bey ile izdivaç etmişti. Ne çare ki Prensin serveti bazı ahvâl-ı âşıkane uğrunda israf

---

599   Burada bir kopukluk söz konusudur. Kopukluğun müelliften mi, yoksa mürettipten mi kaynaklandığını tespit etmek mümkün olamamıştır. Gazetenin ilerki nüshalarında bu kopuklukla ilgili bir açıklamanın yapılmamış olması ise ilginçtir. Ancak yıllar sonra bu tefrikanın sadeleştirmesini (*Hayat*, nr. 13, 22 Mart 1973) yapan Şevket Rado bu kopukluğu gidermeye çalışmıştır. Biz de Şevket Rado'nun metne yaptığı eklemeleri [ ] içinde vermeyi uygun bulduk.

edilmiş olduğundan azâ-yı hânedândan bazılarının ihtar ve ısrarı üzerine Mısır'a hicret etmişler ve biraz müddet sonra da Hüseyin Bey irtihal edip, Cavidan Hanım orada bîkes kalmıştır. Daha sonra müşârünileyhâ Mısır'ın erbâb-ı yesârından Osman Paşa ile izdivaç edip ondan bir kerimesi dünyaya gelmiş, müteakiben Paşanın vefatı vuku bulmasıyla o servet-i cesîme kerimesine intikal etmiştir.

Mısır'da yazın şiddet-i harâret kırk dereceyi bulduğu ve Cavidan Hanım gibi İstanbul'un ve alelhusus Boğaziçi'nin o rûh-fezâ, temiz ve hafif havasını teneffüse alışmış olan bir hanımefendi Mısır'ın kesif ve sakil yaz havasından mustarip ve bîzar olduğu için mevsim-i sayfta İstanbul'a gelip Boğaziçi'nde intihap ettiği sahilhanelerin birinde ikamet eder ve mevsim-i şitâda Mısır'a avdetle kışı orada geçirirdi.

Cavidan Hanım elyevm berhayat olup, kerimesi de gayet hüsnâ olduğunu rivayet ederler. İşte validesinin sergüzeştine kerimesinin bu sergüzeşti bir zeyil olmuştur.

Bu iki vak'anın silsile-i hakîkat kabilinden bir mebde-i garîbi daha vardır ki sûret-i cereyânı zirde beyan olunur.

Mısır Valisi Mehmet Ali Paşa merhumun mahdumlarından Şişman Mehmet Ali Paşa, pederinin irtihalinden sonra İstanbul'da ihtiyâr-ı ikamet eylemişlerdi. Bu zat gayet mülahham olduğundan yatağa yatamayıp "şezlong" denilen koltuk üzerinde uyku kestirirdi. Müşârünileyh evân-ı şebâbında şişman olmayıp, bilâkis endamı mevzun ve gayet yakışıklı bir prens imiş. Kendisi henüz on beş yaşlarında iken Mısırlı gelin hanımın evlâd-ı maneviyyesi Bezmî ile sevişirler ve izdivacı da beyinlerinde kararlaştırırlar. Ne çare ki ailece Mısırlı gelin hanım ile olan rekabet ve infial azâ-yı hanedan beyninde büyük bir dedikoduya sebep olur. Bu izdivaç vücuda gelemez ve prensin her türlü teşebbüsatına rağmen mesele hüsn-i netîceye iktiran edemez. Prens de bu mahrumiyetinden dolayı gayet meyus olup fîmâbad teehhül etmemeye kendince karar verir. Oğlunu bu kararından caydırmaya çalışan validesi, diğer beğendiği bir kızla izdivacı hususunda gösterdiği ısrara prens mukavemet edemeyip muztar kalır. Dairede bulunan cariyelerden zenci bir kızı istifrâş eder ve bu suretle kendisini sevgilisine karşı hıyanet etmemiş addeder. Arap hamile kalır. Bittabi daire halkı muttali olurlar ve kızı isticvâb ederler. Kız, prensten aldığı talimat üzerine hakikati olduğu gibi ikrar der. Prense gelince, sevgilisine karşı vaadinde sadık kalmış olmak için bu sureti ihtiyardan başka çaresi olmadığını ve validesinin emir ve ısrarına ancak bu suretle mutavaat eylediğini söyler. Kız vaz-ı haml eyler ve siyah bir erkek çocuk tevellüt eder.

Mehmet Ali hanedanı azası bu zenci çocuğun vücudunu hanedana bir şeyn addetmekle beraber, prense pederi tarafından vukuu melhuz olan itaptan vikayeten bu velâdeti pederinden ketm ederler. Mehmet Ali Paşa vefatına kadar bu zenci çocuğun vücudundan haberdar olmaz.

Pederinin vefatından ve Mısırlı gelin hanımın İstanbul'a hicretinden sonra bu Şişman Mehmet Ali Paşa da İstanbul'a hicret etmişti. Câ-be-câ Mısır'a ve Avrupa'ya seyahat ederdi. Kendisi Sultan Mecit'i gayet sevdiğini ve en büyük arzusu köşklü saltanat kayığında zât-ı şâhâneye bir gün olsun dümencilik etmek olduğunu söylermiş.

Paşa-yı müşârünileyhin vefatı Sultan Abdülmecit'in vefatı gününe müsadiftir. Hîn-i vefâtında otuz, otuz beş yaşlarında vardı. Vefatından sonra bütün serveti oğlu Zenci İsmail Beye intikal etmiştir.

Sultan Abdülaziz, evâyil-i cülûsunda Mısır'a icra buyurdukları seyahatlerinde umum Mısır hanedanı azasını huzûr-ı şâhânelerine kabul buyurdukları sırada bu İsmail Bey de isbât-ı vücûd eder. Hakan-ı müşârünileyh bunu görünce kim olduğunu suale mecbur olur. Şişman Mehmet Ali Paşanın oğlu olduğunu anlayınca hayret edip "Büyük Mehmet Ali Paşa böyle münâsebetsizlik etmezdi." buyururlar.

Cavidan Hanımın saraydan çıktıktan sona izdivaç eylediği Hüseyin Bey işte bu Zenci İsmail Beyin oğludur. Tabiatın ahvâl-i garîbesinden olmak üzere Hüseyin Bey beyaz olarak dünyaya geldiği hâlde saçları Araplarınki gibi kıvırcık idi. Bu da Arap çocuğu olduğuna delildir. Hatta çocuk kendisini bildikten sonra daima fırça ile saçlarını düzeltir durumuş. Pederi İsmail Beyin muahharen irtihalinden sonra Hüseyin Bey de İstanbul'a getirilip, büyük halası Zeynep Hanımefendinin himayesinde olmak üzere dairesi halkıyla beraber tedarik olunan ikametgâhda tahsil ve terbiyesine bakılırdı.

Sultan Abdülaziz dahi hıdîv-i Mısır İsmail Paşanın birinci kerimesi Tevhide Hanımefendi ile izdivaç arzusunda bulunmuşlardı. Mısır hanedanı mensubelerinden biri söylerdi. Prenses Tevhide Hanım gayet şen ve şuh ve endamı mevzun bir prenses imiş. Bu izdivaç meselesinden dolayı Sultan Aziz ile Fuat Paşa beyninde cereyan eden ahval, Fuat Paşanın infisaliyle neticelenmiştir. *On Üçüncü Asr-ı Hicrîde İstanbul Ricâli* nam eser-i müşterekte buna dair tafsilat vardır.[600]

---

[600] Öncelikle eserin isminin *On Üçüncü Asr-ı Hicrîde İstanbul Ricali* değil *On Üçüncü Asr-ı Hicrîde Osmanlı Ricali* olduğunu belirtmemiz gerekiyor. Ali Rıza Beyin, Mehmet Galip Bey ile müşterek kaleme aldıkları *On Üçüncü Asr-ı Hicrîde Osmanlı Ricali* adlı eser 38 tefrika hâlinde 17 Teşrinisani 1919-25 Nisan 1921 tarihleri arasında *Peyâm* ve *Peyâm-ı Sabâh* gazetelerinde yayınlanmıştır. Eser 1977 yılında Fahri Çetin Derin tarafından *Geçen Asırda Devlet Adamlarımız-XIII. Asr-ı Hicrîde Osmanlı Ricali* adıyla iki cilt olarak ve sadeleştirilerek neşredilmiştir. Abdülaziz ile Fuat Paşa arasında Tevhide Hanım meselesi yüzünden çıkan ihtilâfın ayrıntıları yukarıda sözü edilen tefrikanın içinde, 2 Şubat 1920 tarihli *Peyâm-ı Sabâh*'da neşredilmiştir. Ali Rıza Bey 1925 yılında Vatan gazetesinde müstakil olarak kaleme alacağı "Bazı Aşk Maceraları" başlıklı beş bölümlük yazı dizisinin 22 Temmuz 1925 tarihinde neşredilen son kısmında yine bu konuya temas edecektir.

Sultan Abdülaziz, seksen bir tarihinde çektirmiş oldukları tasvîr-i hümâyûnlarından murassa bir kıt'asını, taltifi havi hatt-ı hümâyûnlarıyla beraber serkurenâ Ali Bey yediyle Hıdiv İsmail Paşaya göndermişlerdi.[601]

Valide sultanlık

Ümmehât-ı selâtîn-i Osmâniyye'ye "sultanlık" elkab-ı aliyyesinin istimali Murâd-ı Sâlis zamanında başlamıştır. Müşarünileyh, validelerine kemâl-i hürmet ve muhabbetlerine mebni "valide sultan" tesmiye buyurmuşlar ve ol vakitten beri bu âdet-i seniyyeye riayet olunmakta bulunmuştur.

Hakan-ı müşârünileyhin zamân-ı saltanatlarından beri makam-ı hilâfete gelen padişahların valideleri cülûsun ferdası günü Eski Saray'dan Yeni Saray'a ilk gelişlerinde mutantan alay ile gelmek saray usûl-i teşrîfâtiyyesinden idi. Sultan Mahmûd-ı Sânî'nin cülûsunda validesi Nakşıdil Sultanın alayını hakan-ı müşârünileyh orta kapıdan istikbal etmiş ve mahlû Sultan Mustafa'nın validesini de Eski Saray'a iade ettirmeyip Yeni Saray'da bir daire tahsis etmişti.

İstitrat-26 Kanunuevvel 336 [1920] tarihli ve 8246 numaralı *İkdam* gazetesinde "Tarihî Bir Sual" unvanı tahtında yazılmış olan makalenin başında "Sultan Mahmut'un validesi kimdi?" ve hatimesinde "Sultan Mahmut'un validesi Fransız mıydı?" ibareleri münderiçtir.

Sultan Mahmut'un validesi Nakşıdil Sultan hakkında *Âlem-i İslâm* nam risalenin 18. sayfasında münderiç fıkrayı da zire derç eyledim:

"Asr-ı âhirde 'Naşe dö la Bazori' isminde bir genç kız... Naşe dö la Bazori Fransa'nın Orleon şehrine mensup asil bir Fransız ailesidir ki onsekizinci asırda Martinik adasında ikamet etmişlerdir. Bu sülâleden Jozef Gasbar, İmparatoriçe Jozefin'in pederi idi. Fransa'da ikmâl-i tahsîl ettikten sonra Martinik'e avdet ederken râkib olduğu sefineyle beraber Cebelü't-Tarık civarında Cezayir korsanları tarafından esir olmuş ve hüsn-i bî-bahâ sebebiyle Cezayir beyi tarafından ber-vech-i teâmül İstanbul'a ihdâ olunmuştur.

Bu kız dâhil-i harem-seray-ı pâdişâhî olmuş ve nihayet Sultan Mahmut'un valideleri olmak şerefini ihraz eylemişlerdi. İşte hakan-ı müşârünileyhin taht-ı saltanatına, bilâhare milletine telkin eylediği efkâr-ı âliye-i ıslahât-perverâne ile muvaşşahan kuûdunu icap eden sebep bu valideden aldığı terbiye-i siyâsiyyedir."[602]

---

601 Saray Âdetleri IV, *Peyâm-ı Sabâh* (*Peyâm*, nr. 1101, *Sabah*, nr. 11531), 28 Kânunuevvel 1337/1921, s. 3

602 Sultan I. Abdülhamit'in yedinci kadınefendisi ve II. Mahmut'un annesi olan Nakşıdil'in iddia edilenin aksine Fransız olmadığı hakkında kesin bilgiler bulunmakta, bu efsanenin diplomatik beklentilere yönelik bir araç olarak zaman zaman gündeme getirildiği anlaşılmaktadır. Konuyla ilgili olarak bk. Fikret Sarıcaoğlu, "Nakşıdil Valide Sultan", Marmara Üniversitesi, *Türklük Araştırmaları Dergisi*, (baskıda).

Sultan Abdülmecit'in validesi, Sultan Mahmut'un zevcelerinden Bezmialem ikinci kadındır. Müşârünileyhâ 1261 [1845] tarihinde Yenibahçe'de bir hastahane,[603] Dolmabahçe'de de bir câmi-i şerîf inşa ve zevci türbesinin kurbünde bir Darü'l-maârif bina ettirmiştir.

Bu mektebi, valide sultanı teşvik edip yaptırmaya sebep olan Maarif Nazır-ı esbakı Kemal Paşa merhumdur derler. Tarihini müşarünileyh söylemiştir.

Yazdı târîhin mekâtib nâzırı abd-i kemîn
Mehd-i ulyâ bak pek âlâ mekteb inşâ eyledi

Birinci imtihân-ı umûmîde Sultan Abdülmecit bizzat mektepte hazır bulunmaklığı arzu buyurduklarından ve imtihanın huzûr-ı şâhânede icrası herkesçe nazar-ı makbûliyyetle görüldüğünden o imtihan büyük bir mukaddime-i terakkî olmuştu.

Hakan-ı müşârünileyh büyük mahdumu Murat Efendi ile büyük kerimesi Fatma Sultan hazerâtını müstashiben mektebi teşrif buyurdu. Gerdûne-i hümâyûnlarından indiklerinde bu iki çocuğun ellerinden tutarak mektebe girmişler ve mektep kapısında dizilmiş olan vükelâ arasında Kemal Efendiye takarrüple bu iki çocuğa hitaben "Efendinin elini öpünüz, bundan sonra sizin hocanız efendidir" ve Kemal Efendiye de "Bunları dest-i terbiyenize tevdi ediyorum, diğer talebelerle müsavi tutmanızı rica ederim" buyurmuşlardır.

Sultan Abdülaziz'in validesi Pertevniyal Sultan da Sultan Mahmut'un beşinci kadını idi. 1300 [1883] tarihinde vefat eyledi. Hîn-i vefâtında sinni yetmişi mütecaviz idi. Âbide ve saliha bir Sultan idi. Aksaray civarında Kâtip Camiini tevsian iki minareli olarak kendi namına inşa ve kütüphane ve çeşme ve mektep ile orasını ihya eyledi.[604]

---

603 Ülkemizin köklü sağlık müesseselerinden biri olan ve 1845 yılında tesis edilen bu hastahane, bugün Bezmiâlem Valide Sultan Vakıf Gureba Hastanesi adıyla faaliyetini sürdürmektedir. Hastane hakkında daha geniş bilgi için bk. Nuran Yıldırım-Yıldırım Yavuz, "Gureba Hastahanesi", *DBİA*, c. III, İstanbul 1994, s. 430-432. Bezmiâlem Valide Sultanın, oğlu Abdülmecit İstanbul'da bulunmadığı zamanlar devlet işleriyle uğraştığı, bazı konularda oğluna yol gösterdiği söylenmektedir. Hayırsever birisi olan Valide Sultan, oğlunun saltanatı sırasında fakirleri beslemiş ve yetiştirmiş, bu yüzden herkesin sevgi ve saygısını kazanmıştır. (Çağatay Uluçay, *age.*, s. 121). O, Ali Rıza Bey tarafından yukarıda sözü edilen faaliyetlerinin yanı sıra daha pek çok hayır işlerine imza atmıştır. Hayatı ve faaliyetleri için bk. Necdet Sakaoğlu, "Bezmiâlem Valide Sultan", *OA*, c. I, İstanbul 1999, s. 322-323

604 Bezmiâlem Valide Sultan gibi Pertevniyal Sultan da İstanbul'a pek çok hayır kurumu kazandırmıştır. Bu eserler arasında Ali Rıza Beyin sözünü ettiği cami bugün Valide Camii olarak anılmaktadır. Bu caminin yakınında yaptırdığı ilk mektep 1911 yılında yanmış, aynı yere 1930 yılında bugün de faaliyetini sürdüren Pertevniyal Lisesi inşa edilmiştir. (Pertevniyal Valide Sultan ve Pertevniyal Lisesi hakkında daha geniş bilgi için bk.Çağatay Uluçay, *age.*, s. 124-125; Nec-

Bazı rivayete göre, Sultan Aziz'in Feriye'de vefatından sonra validesine ve Tiryal Hanıma Sultan Murat'ın validesi tarafından pek çok hakaretler olunmuştur derlerdi.

Sultan Murâd-ı Hâmis'in hal'i ve Çırağan'a nakli münasebetiyle Sultan Hamîd-i Sânî'nin cülûsu günü vükelâ tarafından berây-ı taziyyet kudemâ-yı müşîrân-ı izâmdan Namık Paşa ile sudûr-i izâmdan Üryanîzade Ahmet Esat Efendi, Sultan Murat'ın validesine izam olunmuşlardı. Sâbıkan, Valide Sultan bir şala bürünmüş olduğu hâlde ağlayarak bunları kabul etmiş ve müteakiben Mekteb-i Harbiyyeden avdet eden Selâhattin Efendi de ellerini öpmüş olduğundan bahisle, o günkü hâli Üryanîzade Efendi akşam görüştüğümde uzun uzun hikâye eylemişti. Efendi-i müşârünileyh Sultan Mecit hanedanına mensubiyetle müftehir ve Sultan Murat'ın hasâil-i celîlesinin meddahı idi. Şehzadelerin Arabî hocası bahriye müftüsü Gerdankıran Ömer Efendi "Ben Murat Efendiye bir talebe gibi izin verdim, Arabîden bihakkın mezundur." dediğini söylerdi. Üryanîzade Efendinin Ebniye-i Âliye memuriyetinden dolayı Sultan Abdülmecit kendisine kayd-ı hayât şartıyla beş bin kuruş maaş tahsis buyurmuş ve bade'l-vefât beratı da çekmecesinden çıkmış olduğu hâlde, maâş-ı mezbûrun verilmediğini ve bu da Ebniye-i Âliyeye Abdülmecit'in tuğrasını vazettirip avdet eylemesinden dolayı hâsıl olan infialden neşet eylediğini ve bu hâlden Sultan Murat'ın da müteessir bulunduğunu hikâye ederdi. Sultan Murat'ın cülûs günü biat resminde ricâl-i ilmiyyeden yalnız Üryanîzade Efendi ile Sahib Bey merhumdan gayrı kimse bulunmamıştı.

Bu tuğra meselesi şu suretle cereyan etmiştir: Ebniye-i Âliye tamiratı hitam bulmuş ve tuğrası da ihzar edilmiş olduğu hâlde Sultan Abdülmecit'in irtihali haber-i resmîsi Medîne-i Münevvere'ye vasıl olur. Ol vakit şeyhü'l-harem bulunan ve Sultan Hamit'in damatlarından Celâl Paşa[605] hazretlerinin büyük pederi olan İşkodralı Mustafa Paşa ile Ebniyye-i Âliye Müdürü müşarünileyh Üryanîzade Efendi, bi'l-ittifâk haber-i mezkûru ketm ve ihfâ ile bir gün ve bir gece içinde ameleyi çalıştırıp Sultan Mecit'in tuğrasını mahall-i mahsûsuna talik ettirdikten sonra Sultan Aziz'in cülûsunu ilân ederler. Ol vakit Ebniye-i Âliye ruznamecisi bulunan Hacı Bedri Efendi bu meseleyi merkez-i saltanata ihbar eder. Tahkikat icra olunur, hakîkat-ı hâl tezahür eder. Binaenaleyh maâş-ı mezbûru da Üryanîzade Efendiye verilmez.

---

det Sakaoğlu, "Pertevniyal Valide Sultan", *DBİA*, c. VI, İstanbul 1994, s. 245; Ayhan Doğan, "Pertevniyal Lisesi", *ay. ans.*, c. VI, s. 244.

605 Abdülhamit'in kızı Fatma Naime Sultanın ikinci zevci olan Damat Mahmut Celâlettin Paşa 1874-1944 arasında yaşamıştır. Fatma Naime Sultan ile 1907 tarihinde evlenmiştir. (Yılmaz Öztuna, *Devletler ve Hanedanlar*, c. II, s.319)

Müşarünileyh Celâl Paşa hazretlerinin pederleri Rıza Bey merhum da Âdile Sultan[606] kerimesi Hayriye Hanım Sultan ile izdivaç eylemişlerdi.[607] Bu hanım sultan daha evvelce Kânipaşazade Rıfat Beye nişanlanmış ve bu münasebetle Rıfat Bey feriklik rütbesiyle Dâr-ı Şurâ-yı Askerîye aza bile olmuştu. Muahharen bazı esbap haylûlet ederek Rıfat Beyin damatlığı teehhür edip, müşârünileyhâ hanım sultan Rıza Beyefendiye verildiydi. Ne çare ki sultanın ömrü vefa etmedi, az bir müddet sonra irtihali vuku buldu.

Şehzadeler, sultanlar

Âl-i Osmân evlâd-ı zükûrunun büyüğüne iptidalarda "paşa" denilmiş ise de sonraları bu unvan vüzeraya tahsis ve şehzâdegân hazerâtına Fatih devrine kadar "çelebi" denilerek ve daha sonra bundan da feragatle "efendi" unvanı kabul edilmiştir.

İnâsa da filân sultan denilmiştir.

Ahmed-i Evvel'in zamân-ı saltanatına değin şehzadelerin tevlîd-i zürriyetleri memnu olmayıp, fakat kızları "hanım sultan" ve oğulları "bey" unvanıyla yâd olunurlardı. Sonraları bu unvanları sultanların vüzeradan olan çocuklarında istimal etmeye başladılar. El-hâletü hâzihi sultanzadelerin erkeklerine "bey" ve kızlarına "hanım sultan" ıtlak olunmaktadır. Zevcât-ı şâhâneden her birinin evlâdı kaç nefer olursa olsun kendi çocuklarıyla bir dairede ikamet ederler. Bu daireye "bucak" ıtlak olunur ve bir bucağın dahilinde ikamet eden sultan ve şehzadelerin daireleri ayrıdır. Her sultan ve şehzade kendi cariyeleriyle kendi dairelerinde ikamet ederler. Bu daireler "ev" tabir olunur. Meselâ "filân sultanın evi", cariyelerine de "filân sultan efendinin evlisi" denilir. Taamları, kiler tayınları devletlinin evine gelir ve münferiden kendi evinde taam eder. Saraylılar sultanları, şehzadeleri, kadınefendileri, umumen "devletliler" tabiriyle yâd ederler.

Küçük yaşta valideleri vefat eden şehzade ve sultanlar dairesi halkıyla beraber nezd-i şâhânede tensip olunan kadınefendilerden birinin himayesine verilir. Fatma ve Refika[608] Sultanlar ile Şehzade Reşat Efendinin validesi Gülcemal dördüncü kadınefendi 1268 [1851] de vefat eylediğinde pederleri Sultan Mecit bu

---

606   II. Mahmut'un kızı Âdile Sultan (1826-1899) Tanzimat'ın sosyal hayattaki açılımlarına öncülük eden bir şahsiyettir. Aynı zamanda şiirle de ilgilenen Âdile Sultan, hanedan içinde yetişen tek şairedir. Bir divanı vardır. Muhibbî (Kanunî)'nin Divanı'nı bastırmıştır. (Hayatı hakkında geniş bilgi için bk. Çağatay Uluçay, age., s. 135-138; Elif Naci, "Türk Sarayında Müstesna Bir Prenses-Âdile Sultan", *Hayat Tarih Mecmuası*, nr. 10, Kasım 1965, s. 27-33; Necdet Sakaoğlu, "Âdile Sultan", *OA*, c. I, İstanbul 1999, s. 80-81)

607   İşkodralızade Ali Rıza Bey(Paşa) Hayriye Sultan ile 1866 yılında evlenmiş, çift 1869 yılında boşanmıştır. (*Devletler ve Hanedanlar*, c. II, s. 260)

608   Burada bir tashih veya yanılma söz konusudur. Doğrusu Refia Sultan olmalıdır.

üçünü Servetsezâ başkadınefendinin zîr-i himâyesine vermiş ve Şehzade Abdülhamit Efendinin validesi [Tirimüjgan] ikinci kadın 1269 [1852] tarihinde ve Cemile Sultanın validesi Düzdüdil üçüncü kadınefendi de 1261 [1845] tarihinde vefat etmeleri cihetiyle, hakan-ı müşârünileyh bu ikisini de dördüncü kadının himayesine tevdi eylemişti.[609] Sultan Hamit'in cülûsunda bu dördüncü kadınefendi valide sultan makamında mazhar-ı tevkîr olmuştu. Cemile Sultanın baş ağası Hafız Behram Ağa hakan-ı müşârünileyhin şehzadeliği hengâmında Cemile Sultan ile bir bucakta bulunmalarından naşi kazandığı münasebet dolayısıyla cülûsundan sonra dâire-yi hümâyûna tahvîl-i memûriyyet etmiş ve müteakiben de kızlarağası olmuştur.

Sultan ve şehzadelerden birinin vefatı vukuunda hizmetinde bulunan kalfaları çeyizleri verilip azat edilir ve bu kalfaların küçükleri hünkâr defterinde mukayyet cariyelerden ise dâire-i hümâyûna ve vefat eden devletlinin defterinde mukayyet ise valide veya hemşire veyahut biraderine ita olunur. Bucakta bulunan kalfalardan hünkâr defterinde mukayyet olanların maaşları hazîne-i hâssadan ve kendi defterlerinde mukayyet bulunanların maaşları da kendi taraflarından verilir.

Şehzade ve sultanlar velâdetleri tarihinden itibaren kayıtları düzülür. Baltacıları, harem ağaları, tablaları tefrik edilir. Kiler tayınları tahsis olunur. Cülûs eden şehzadelerin dayesi hazinedar usta, dadısı çamaşır usta, baş cariyesi sırasıyla yedi usta makamına tayin olunurlar. Kezalik sultanlar da tezevvüç eylediklerinde bu usule tevfikan yedi ustalık makamlarına intihap edilirler ve sultan ustalarının maaşları taraf-ı şâhâneden verilir.

Sultanın hazinedar ustası sultan sarayının en büyük âmiridir. Biraz evvel beyan olunduğu veçhile Sultan Ahmed-i Evvel'in cülûsuna değin şehzadelerin tevlîd-i zürriyetleri memnu değilken, hakan-ı müşârünileyh cülûsunu müteakip irsâl-i lihye ve tevlîd-i zürriyetlerini men ve taşra mansıbına gönderilmeleri kaidesini ilga ile makam-ı saltanatı yalnız şehzâdegâna tahsis etmişlerdi. Osmanlı Devleti'nde Alaattin Paşa[610] istisna edildiği hâlde, üç yüz bu kadar sene zarfında taht-ı saltanat pederden büyük evlâda intikal etmektedir. Şehzadeler mansıp ve asker sahibi olduklarında hırs-ı saltanat ile mukateleye kıyam eyle-

---

609 Bu sultanın ismi Perestû Kadındır. Abdülmecit, altı yaşında öksüz kalan Şehzade Abdülhamit'i Perestû Kadına götürerek "Bugünden sonra senin anan budur, öp elini evlâdım" demiş, Perestû Kadına da "Tanrı'dan sonra sana emanet" diyerek, oğlunun yetişmesini Perestû Kadına havale etmiştir. Perestû Kadın Abdülhamit'e "Annem ölmemiş olsaydı o da bana ancak bu kadar bakabilirdi" dedirtecek kadar çok iyi bakmıştır. (Çağatay Uluçay, *age.*, s. 142-144)

610 Alaattin Paşa, Osman Gazi'nin büyük oğludur. Osman Gazi vefat edince yerine küçük oğlu Orhan geçmiş, Alaattin Paşa veziriazam olmuştur. Osmanlı Devleti'nin ilk veziriazamı olarak bilinir.

dikleri ve def-i fitne maksadıyla nice masumların kanına girildiği veçhile mansıba gönderilmeleri usulünün ilgasını müverrihler pek muvafık bulurlar. Hamîd-i Evvel'in şehzadelikleri zamanında tevellüt etmiş olan Dürrüşehvar ismindeki kerimesi usûl-i mezkûr icabınca ihfâ buyrulmuş ve cülûsundan sonra da muhâfaza-i memnûiyyet maksadıyla ilân edilmeyip ahretlik hanım denilmiştir.[611] Fakat Sultan Mahmûd-ı Sânî hakikî hemşiresi olduğunu bildiklerinden ona göre hürmet edip 1241 [1826] tarihinde irtihalinde Valide Sultan türbesine defn ettirmişlerdir.

Müşarünileyh Sultan Ahmed-i Evvel'in vazeyledikleri usulün hükmü elyevem baki olup, yalnız tevlîd-i zürriyet cihetinin devr-i Abdülmecîd Hânî'de eski hüküm ve kuvveti zail olarak, Sultan Abdülaziz'in veliahtlıkları zamanında mahdumu Yusuf İzzettin ve Sultan Murâd-ı Hâmis'in kezalik şehzadelikleri evânında mahdumu Selahattin Efendiler dünyaya gelmişlerdir. Şu kadar ki saray eskileri nezdinde usul ve âdât-ı kadîmeye muhalif her bir şey begayet menfur olduğundan emr-i tevellüd hafi tutulup, hatta müşarünileyh Yusuf İzzettin Efendi, vaktiyle sarayda bucaklarında tul müddet oda kalfalığı hizmetinde istihdam olunarak azat edilip şehre çıktığında ricâl-i ilmiyyeden Ali Satıh Efendizade Kadir Beyefendi ile izdivaç etmiş olan Cemalinur Hanımın Eyüp'te Bostan İskelesi'ndeki sahilhanesinde tevellüt eylediği işitilmişti. Bu sahilhane muahharen muhterik olarak arsası diğerleriyle beraber Sultan Mehmed-i Hâmis tarafından mübayaa olunup türbe ve mektep inşa olunmuştur.

Müşarünileyh Yusuf İzzettin Efendi ile şerefyâb-ı mülâkat olduğumda bu bahse dair söz geçip, müşarünileyh kendi tevlidinin sarây-ı hümâyûnda vukuu anında Cemalinur Hanım alıp doğruca sahilhanesine götürmüş ve bir odada hıfz etmiş ve pederinin cülûsuna kadar üç sene orada kalmış olduğunu hikâye buyurmuşlardı. Hâlbuki fakirin mesmûâtım yukarıda nakil ve hikâye eylediğim vecih üzereydi.

Tasvîr-i Efkâr gazetesinin 136 numaralı nüshasında Ebuzziya Tevfik Bey "Yusuf İzzettin Efendi, Abdülaziz Hanın utekasından bir saraylının Sütlüce'de kâin sahilhanesinde tevellüt eylemiştir." demesi de mûmaileyhâ Cemalinur Hanımın Eyüp'te kâin sahilhanesinden dolayıdır.[612]

Bu Cemalinur Hanım, Sultan Mahmûd-ı Sânî'nin eski kalfalarından olmak mülâbesesiyle daha Sultan Aziz'in tevellüdünden evvel validesi Pertevniyal dördüncü kadınefendinin taraf-ı şâhâneden oda kalfası tayin edilmiş,[613] hakan-ı

---

611 Şehrimiz halkı beyninde ahretlik evlât ve ahret karındaşı tutmak âdeti kadimdir. (ARB)

612 Saray Âdetleri V, *Peyâm-ı Sabâh* (*Peyâm*, nr. 1102, *Sabah*, nr. 11532), 29 Kânunuevvel 1337/1921, s. 3

613 Sarayda valideleriyle beraber ikamet eden sultan ve şehzadelerin ikamet eylediği daireye bucak tabir olunduğu gibi her bucağın muamelâtına bakmak üzere taraf-ı şâhâneden oda kalfası namıyla bir memure tayin edilmesi âdet-i kadîme iktizasındandır. (ARB)

müşârünileyh onun elinde doğup büyümüş ve pek çok emeği ve zahmeti sebkat etmiş olduğundan cülûs-ı hümâyûnlarından sonra iki nefer mahdumu Emin ve Hayri Beyleri kurenâlıkları silkine ithal ve zevci Kadri Beyi kazaskerlik pâye-i celîline kadar terfi ettirmiş ve hanım-ı müşârünileyhâya da müstevfî maaş ve bir müşir tayını tahsis eylemiştir.

Sultan Abdülaziz'in 1277 [1861] tarihinde cülûs-ı hümâyûnlarını müteakip Babıâli'ye gönderip kıraat olunan hatt-ı hümâyûnunun sûret-i münîfesidir:

"Hazret-i Rabbü'l-âlemînin ihsân-ı ilâhîsi olarak yetmiş dört senesi şehr-i saferü'l-hayrının yirmi birinci cumartesi gecesi bir mahdumum dünyaya gelip, ismi Yusuf İzzettin tesmiye kılınmış olduğundan, müşârünileyhin ilân-ı velâdetine ibtidâr olunsun. Cenâb-ı Hak cümleyi teyîdât-ı rabbâniyyesine mazhar buyura. Amin. Bihürmeti seyyidi'l-mürselîn."

Hakan-ı müşârünileyh, işbu tevlîd-i zürriyyet memnuiyetini defettiklerini bu suretle resmen ilân etmiş oldular ve o tarihten itibaren şehzâdegânın dahi gerek zevceleri ve gerek evlâtları sarayca resmen tanılıp maaşlar ve tayınlar tahsis olundu.

Şehzadegânın irsâl-i lihye etmeleri hakkındaki memnuiyet hükmü elyevm bakidir.

Şehzade Süleyman Efendi merhum, hâl-i hayâtında gerçi Yusuf İzzettin Efendi, since kendisinden daha büyük ise de kendisi bizzat taht evlâdı olduğu ve pâdişâh-ı asr evlâtlarının velâdetlerinde erkek ise yedi gün yedi gece şehrayinler icra edildiği hâlde şehzade evlâtlarının velâdetleri hükm-i memnûiyyet iktizasınca bilâkis ihfâ olunduğu ve bu gibi istisnalardan dolayı veliahtlık kendisinin hakkı olduğunu bazı mahremleriyle hasbıhâlâne söyleşirmiş.

Harem-i hümâyûn dairesinin âdet-i kadîmeleri

Kalfaların tahsîs-i maâşlarından başka kıdemlilerinin sabun, şeker, kahve ve ispermeçet misilli şeylerden mürekkep tayınları de vardı. Bu tayınlar zatlarına mahsustu. Sabun daima Girit sabunu olup, okka ile değil aded-i kalıb hesabıyla verilirdi. Şeker Mısır kelle şekeri olup, ufak kıt'adadır. Kamıştan istihsal olunduğu için kuvveti ziyadedir. Kahve de çekilmiş tahmîs[614] kahvesi olmak meşruttu. Kalfalar bu tayınları biriktirip hariçteki azatlı kapı yoldaşlarına ve sair tanıdıklarına hediye suretiyle, onların tabirince cevap yapıp gönderirler ve bu cevaplara çörek, saray francalası ve saray tatlıları da ilâve ederlerdi.

---

614 tahmis: Kahvenin kavrulup döküldüğü ve satıldığı mahal, hazır dökülmüş kahve satılan dükkân. (KT)

Bu "cevap" tabir ettikleri hediyeler çamaşır sepetine vazolunur. Üzerine beyaz bir estâr[615] sarılır, kırmızı balmumu ile mühürlenir. Mührün altına "isimlik" ıtlak edilen adres pusulası merbut bulunur. Bu suretle ihzar olunan hediye sepeti harem ağaları tarafından çıkarılıp baltacılara teslim edilir, baltacı yamakları vasıtasıyla mahallerine isal kılınır.

Bu cevaplara yani hediyelere karşı, meselâ matbah-ı âmirede pişirilen yağlı yaprak veya patlıcan dolması gibi pişmiş taamlar gönderilmek suretiyle mukabele olunurdu.

Bir zaman hânedân-ı saltanattan bir zât-ı âlîye hanemizde yaptırıp gönderdiğimiz zeytinyağlı patlıcan dolmasıyla o muhterem zatın mazhar-ı iltifâtı olmuş idik. En küçük bir hizmetten, pek ufak bir hürmetten fevkalâde mahzuz olmak tevazu ve tenezzülü âile-i saltanat-ı seniyyenin hemen hepsinde vardır.

Her bucağa taraf-ı şâhâneden bir oda kalfası tayin olunduğunu söylemiştim. Bucağın nizam ve intizamı ve kâffe-i umûr ve hususatı bu oda kalfasının taht-ı nezâretinde cereyan eder.

Acemi olan cariyeler bucağın kıdemli kalfaları terbiyesine verilir. Her kalfanın mutat acemileri vardır ve bu kıdemli kalfanın muavini makamında bir de küçük kalfa konulmuştur. Bu küçük kalfalar, acemileri hamama koymak, çamaşırlarını yıkatmak, elbiselerini giydirip hıfz etmek misilli ihtiyaçlarını ifa etmekle mükelleftirler. Bu acemiler ve küçük kızlar, kalfalarının odasında musandıra tabir ettikleri mahallerde beytûtet eder. (Bu musandıralar odaların yüklüğü üstünde birer mahall-i mahsûstur.) Aylıkları kalfaları nezdinde hıfzolunur. Melbûsât gibi ihtiyaçlarını kalfaları tedarik ve tesviye eder. Bu acemi kızlar da kalfalarının her türlü ihtiyaçlarını ifa ile mükelleftir. Âdeta efendilerine hizmet eder gibi hizmet ederler. Bu kalfalar birtakım yaşlı başlı kadınlar olduğundan onlar da bu acemilerine evlâdı gibi bakarlar. Hatta azat olup saraydan çıktıkları zaman bile validelerine müracaat eder gibi kalfalarına hâllerini bildirirler. Kalfaları da elinden geldiği kadar onların uzağını yakın etmeye ve her türlü muavenette bulunmaya gayret ederler.

Sarayda bulunan cariyelerin kâffesi hırka giymekten memnudurlar. Yaz kış ince gömlek üstüne üç etekli entari giymekle iktifa ederler. Bürudete mukavemet edemeyenler arka eteklerini omuzlarına örtmeye mecbur kalırlar. İçlerinde kıdemlice olanları daima sıcak bulunan hamamın camekân odasına gidip ısınırlar. Acemiler bu gibi imtiyaza henüz kesb-i istihkak edememiş olduklarından camekâna da çokluk gidemezler.

Sultan Mahmûd-ı Sânî, saltanatı evâhirine değin umum yaşlı kalfalar başlarına dökme püsküllü fes giyip, fesin üstüne altından oyalı yazma yemenî ile bir çatkı bağlarlardı.

---

[615] estâr: Örtü, perde. (KT)

Umum kalfalar üç etekli entari altına topuklarına kadar bol paçalı şalvar giyerlerdi. Bellerine şal sararlar, şalın arkası üç köşeli bir ucu bellerinden sarkar. Ayaklarına çorap terlik giyerler. Yaşlı ve itibar sahibi olanlar kışın odalarında ve akranları aralarında uzun ve geniş hırka telebbüs ettikleri olurdu. Fakat devletliler veya kendisinden muteber kalfalar huzuruna çıktıklarında bu hırkaları çıkarmaya hasbe't-teşrîfât mecbur idiler.

Sultan Abdülmecit zamanında bu üç etek modası iki eteğe tahavvül etti ve fese bedel (kotas) hotoz[616] giymek âdeti taammüm eyledi. Mamafih devletliler huzuruna çıktıklarında reçel tabağı cesametinde ufak bir fesi toplu iğne ile hotozun üstünde başına iliştirip çıkmak mecburî idi.

Acemiler ve küçükler hiçbir zaman hırka iktisâ edemezler. Yalnız pek soğuklarda içine gizli zıbın giydikleri olurdu. Bu küçükler kısa etekli bir entari giyip başlarına yazma yemeni veya tül bağlarlar ve saçları örülü bulunurdu. Bunlar sofalarda ve taşlıklarda terlik giyer, lâkin kalfaların odasına duhullerinde terlikleri oda kapısında çıkarıp çorapla girmeye mecbur idiler.

Büyük ve küçük kalfalar terlik ve tahta pabuç misilli (Eskiden kadın erkek terlik makamında tahta pabuç istimal ederlerdi.) ayakkabı ile devletlilerin ve kendisinden büyüklerin huzuruna çıkamazlardı. Bir de ayağı çıplak gezmek muayyebâttan olduğundan, yalın ayak gezenleri onların tabirince "payzen payzen geziyorsun" diye tekdir ve payzenlik tabirini ayağı çıplak makamında istimal ederlerdi.

Devletlileri hamamda yıkamak için hamam derununa birlikte duhul eden kalfalar topuklarına kadar uzun, baştan geçme beyaz patıskadan mamul birer gömlek iktisâ ederler ve hararetten terledikçe bu gömleği sıkça sıkça tebdil etmeye mecbur olurlar.

Bir gözde ve ikbal, kadınefendilik derecesine vasıl olmadıkça kürk telebbüs edemez. Kezalik sultanlar da kürk giymekle melûf değillerdir. Fakat bunlardan gelin olanların çeyizine gayet kıymettar kürkler koymak âdettir.

Çetik pabuç (pâpûş) şehir kadınlarına mahsus olup, saraylılar koçu ve arabayla sokağa çıktıklarında eski zamanlara mahsus ve terliğe müşabih bir nevi ayakkabı giyerlerdi.

Sarayda bulunan acemiler ve küçük kızlar küçük kalfalarına ve küçük kalfalar büyük kalfalarına, büyük kalfalar oda kalfalarına ve oda kalfaları da saray ustasına yani kethüda kadınefendiye karşı müteselsilen mesuldürler.

---

616 hotoz: Eskiden kadınların en yaygın baş tuvaleti olan hotoz, kadınların kendi saçlarından veya yemeni gibi kumaşlardan yaptıkları baş süsüdür. Bir ev içi tuvaletidir. Şekline, kumaşına ve düğüm biçimine göre Duduburnu, Zeyrek Yokuşu, Çimdik, Kayık, Tandır gibi adlar alırdı. (*TGKSS*)

Küçük kızları ve acemileri kalfaları okutturur. Çoğu yazı da taallüm eder. Saray kalfaları içinde okuyup yazması olmayan azdır. Hele namaz surelerini hıfz etmeye ve akaid-i dîniyyesini bilmeye mutlaka herkes mecburdur.

Bazı günler halvet olup saray kadınları bahçeye çıkar, tenezzüh ederler. Halvet esnasında herkes hür ve serbesttir. Yüksek çınarların tarâvet-sâz sayeleri altında ve gülistanlar ve korular içerisinde, havuzların fıskiyesi karşısında otururlar, gezerler, kahkahalarla gülüşürler ve esnâ-yı geşt ü güzârlarında tesadüf ettikleri genç sultanlara "Maşallah sana arslanım, nizamınızı ne kadar yakıştırmışsınız!", "Ne kadar hoş olmuşsunuz!" diye alkışlarlar. Bu tabirlerle alkış[617] yapmak saraylılara mahsustur.

Halvet esnasında bunların eğlencelerine, neşelerine doyum olmaz. Hatta şehzadeler bilhassa gelip bunları seyir ve temaşa ederler.

İstitrat-Asr-ı Sultan Mahmûd Hânî'de bir gün Kâğıthane'de halvet olup, kalfalar çayırlarda gezmekte ve derenin kenarında çağlayanlardan akan sularla eğlenmektelerken kazaen bir cüce ile bir cariye düşüp garkolmuşlardır. Bu hâle zât-ı şâhâne gayet müteessir olup, o seneden sonra Kâğıthane Kasrı'na nakl-i hümâyûn vuku bulmamıştır.

Şehzadelerin, sultanların dairelerinde kırmızı, beyaz, sarı renkte papağanlar bulunur ve bunların yemine, suyuna bakmak için her dairede kalfalardan biri bu papağana küçük kalfa tayin edilir. Hatta papağanlar küçük kalfalarının isimlerini bellemiş olduklarından isimleriyle çağırdıkça saray halkı gülüşürler.

Acemi kızlar ve küçük halayıklara saray eskileri ve ustaları ve kendisinden evvel saraya girmiş olanları ve bunların derece-i itibar ve haysiyetlerini ve mertebelerince lâyık oldukları hürmet ve riâyet-i lâzımeyi, kalfaları ifade ve tefhim ederler. Namaz, taam ve halvet vakitlerinden maada evkatta boş vakit geçirtmezler.

Sarayda kalfaların en büyük âmiri saray ustasıdır. Bu ustanın nâm-ı resmîsi ve hünkâr defterinde kaydı "kethüda kadın", unvanıdır. Bu saray ustası, yani kâhya kadınlık makamı harem-i hümâyûnda kalfaların en büyük mansıbıdır. Kahya kadın, yani saray ustası sağır sinninden beri sarayda bulunmuş, acemilik zamanını sarayda geçirmiş, küçük kalfa olmuş, badehu büyük kalfalığa terfi edilmiş, oda kalfalığı etmiş, hasbe'l-kıdem saray ustalığı vazifesini deruhte eylemiştir. Bu vazifenin maaşı, tayını, tablası, harem ağaları baltacıları devletlilerin kapısı halkıyla müsavidir.

Sarayda kıdemin büyük ehemmiyeti vardır. Eski kalfalara şehzadeler, sultanlar, kadınefendiler misilli devletliler bile hürmet ve "kalfam" tabiriyle hitap ederler.

---

617 alkış: Eskiden alt seviyedeki ricalin, merasimlerde padişahlara ve sadrazamlara yüksek sesle dua edip, öğücü sözler söylemelerine alkış denirdi. (*OTDTS*)

Enderun ağaları, mürebbiyelerine, riayeti elzem olan eskilerine "lala" ve bir lalanın taht-ı terbiyesinde bulunan acemiler de birbirine kardeş makamında "laladaş" diye hitap eyledikleri gibi harem-i hümâyûnda da kendisinden kıdemliye "kalfam" ve bir kalfanın taht-ı terbiyesinde bulunan acemiler de birbirine "yoldaşım", "yoldaş" diye hitap ederler.[618]

Saray kadınları saraya mahsus bir şivede tekellüm ederler. Meselâ "sultan efendi" diyecek yerde nun ve elif harflerini hazf edip "Sultafendi" ve "kadınefendi" ye dal ve yâ harflerini tayyedip "kanefendi", kalfalarına "kanam", kardaşa "karş" derler. Hânedân-ı Âl-i Osmân azasının kâffesine "arslanım" tabiriyle hitap ederler. Sarayca bu "arslanım" tabiri Âl-i Osmân hanedanı azasına mahsus bir unvan şeklini almıştır. Padişah zevcelerine karşı, velev valide sultan da olsa onlara "arslanım" tabiri istimal edilmez. Mutlaka sultan veya şehzade olmak şarttır. Hatta eski kalfalar, şehzadeler, sultanzadelere bile "arslanım" tabiri istimalinde taassup ederlerdi.

Şehzadeler ve sultanlar da yekdiğerine hitap ederken bu "arslanım" tabirini istimal ederler. Hatta valide sultan bile padişah olan oğluna bu tabir ile hitap eder ve gıyabında da bu tabirin istimaliyle padişahı ima etmiş olur.

Halk yanında esnemek, gerinmek ve hele ayağı çıplak gezmek saraylılarca muayyebâttandır. El ve ayak tırnakları haftada bir defa mutlaka tenha bir mahalde kesmek lâzımdır ve tırnak kesmek de perşembe veya cuma günlerine mahsustur. Her sabah abdest alırken evvela sabunlu tülbent ile yüzünü, gözünü silmek muktezidir. Bu yaş tülbente destmâl tabir ederler. Abdest için biri yüz, diğeri ayaklara mahsus olmak üzere iki havlu istimal olunur. Yemek havlusu da ayrıdır. Bu havlular her hafta yıkanır. El mendilleri sıkça sıkça tebdil edilmelidir. Her hafta hamama girmek usuldendir. Esvabı buruşuk, kırışık, sökük, gayr-i muntazam, perişan bir hâlde giymek ve pis gezmek ve şamatalı aksırıp alenen sümkürmek pek ayıptır.

Kalfalardan biri bir odaya girdikte selâm makamında "destur" demek lâzımdır ve esnâ-yı sohbette söze başlayacak oldukta ruhsat talebi makamında "desturun" demek icap eder. Sarayın usul ve âdâtına muhalif olan her şey saray kadınlarınca menfurdur. Hele yaşlı kalfalar bu bapta hiçbir mazeret kabul etmezler.

Saraylılarca kandilin ismi "pesos", zeytinyağına da pesos derler. Kâseye "üskûre" tabir ederler. Daha bu gibi eşyaya birtakım isimler vermişlerdir.

Şâyân-ı taaccüb bir şey istima ettiklerinde haykırırlar, çığlıklar koparırılar. Sonra sağ kolunu kaldırıp baş parmağı büküp, ikinci ve üçüncü parmaklarını

---

618 Saray Âdetleri VI, *Peyâm-ı Sabâh* (*Peyâm*, nr. 1103, *Sabah*, nr. 11533), 30 Kânunuevvel 1337/1921, s. 3

yekdiğerine çarpmak suretiyle bir seda çıkarırlar ki, bu da taaccüp alâmetidir. Mektup ve tezkirenin ismi onlarca "cevap"tır. "Filân adama cevap yazdım" derler. Ona cevaben gelen kâğıda "karşılık" tabir ederler. Valide sultan veya diğer devletliler tarafından berây-ı iltimâs memûrînden birine yazılan kâğıdın ismi "hükümname"dir.

Mevsim-i sayfta sabah namazından sonra saray halkı umumen uykuya yatarlar. Bu uykuya "beylik uyku" ıtlak olunur.

Devletlilerden biri saray dahilinde diğer bir devletlinin yanına gidecek olursa önünde bir kalfa gidip teşrifatçılık eder. Yollarda tesadüf eden kalfalar direkler arasında veya kapı aralarında ihtifâ ederler. Şayet devletlinin geçtiğini görmemiş olursa "hişşt!" diye önünde giden kalfa agâh eder. Eğer devletlilerden birisi saray dahilinde tebdil suretiyle biraz gezinmek murat ederse, başına bir namaz bezi örter, öyle çıkar gezer. Artık tebdil addolunduğundan kimsenin çekilmesine mahal kalmaz.

Kalfalar vazifelerini nöbet usulüne tevfikan ifa ederler. Bu vazifeler aş nöbetçiliği, kapı nöbetçiliği, orta nöbetçiliği, hünkâr nöbetçiliği, çamaşır nöbetçiliği gibi şeylerdir. Taama müteallik kâffe-i hidemât aş nöbetçilerine, aş kapısını vurup nöbetçi harem ağasını çağırmak kapı nöbetçisine, ortalığı silip süpürmek orta nöbetçilerine aittir. Çamaşırlar pazartesi, perşembe günleri yıkanır.

Saray ustası umum cevârînin âmiri olup, dâire-i memûriyyeti Yeni Saray dahilindedir ve bir de harem-i hümâyûnun teşrîfât-ı umûmiyye nazırıdır. Bu cihetle bayramlarda, velâdet merasimlerinde hitan ve velîme sûr-ı hümâyûnlarında pâdişâh-ı asrın ikamet eylediği saraya gelir ve saray dahilinde yedinde gümüş asa ile geşt ü güzâr eder. Bu gibi eyyâm-ı resmiyyede zâtü'z-zevc sultanlar selâtîn-i mâziye kadınefendileri ve ikballeri, vükelâ ve vüzera ve müşîrân-ı izâm ve ricâl-i devlet haremleri sarây-ı hümâyûna meduv olduklarından meduvvîn meyanında saray teşrifatına ve usul ve âdâtına vukufu olmayanlara kendisi ve maiyeti efradı marifetiyle tarîfâtta bulunur ve meduvvîn huzûr-ı şâhâneye çıktıklarında (padişaha karşı mestûriyet olmadığından) huzura nasıl çıkılacağını ve nasıl ayak öpüleceğini ve hîn-i mülâkatta yalnız kendisine irat buyurulan suallere cevap verip, kendini beğendirmek için serd-i mülâhazâta kalkışmak muhâlif-i terbiye idüğünü ve zât-ı şâhâne mükâlemenin nihayet bulduğunu ser-i hümâyûnlarını çevirmek suretiyle ima buyurduklarından o işaret üzerine derhâl ayak öpüp huzurdan geri geri gitmek suretiyle çıkmak lâzım geleceğini, şehzadeler ve sultanlarla olacak mülâkatlarda da bu misilli teşrifat mucibince nasıl hareket edilmek iktiza edeceğini ve "sizi rahatsız etmeyeyim" deyip kalmak münâfî-i terbiye olduğu, velhâsıl buna mümasil birtakım usul ve âdâtı bilmeyenlere tarif ederler ve saray ustasının maiyetinde bulunan teşrifatçı kalfalar derecelerine göre üçer dörder örgülü uzun saç takarlar. Bu misilli eyyâm-ı resmiyyede sonraları saray ustasına başkâtip kalfa icrâ-yı vekâlet ederdi.

Bu gibi eyyâm-ı resmiyyede mevcut misafirler, sarayda bulunan sultan ve şehzade ve kadınefendiler dairelerinde beytûtet eylediklerinden misafirlerin izaz ve ikramı ve her birerlerinin itâmı hususları da o daire sahipleriyle dairesi halkına aittir.

Bu misilli eyyâm-ı resmiyyede saray halkınca birinci derecede şâyân-ı itinâ ve dikkat olan mesele meduv bulunan misafirlere bir gûnâ hürmetsizlik vukuuna meydan verilmemektir.

Taama müteallik usul ve âdetler

Devletlilerin taama müteallik hizmetlerine bakmak çeşniyâr ve kilerci kalfaların vazifesidir. Devletlilere mahsus nân-ı azîzin üzerinde kıl ve toz bulunursa onu izale etmek ve sofrayı tanzim ve kilerci kalfalar tarafından ihzar olunan salata ve meyve gibi şeyleri yerli yerine koymak çeşniyâr kalfalara aittir. Taamın iptidasından intihasına kadar çeşniyâr kalfalar divan durmak suretiyle devletlilere yemek yedirirler. Sarayın kuşluk taamı hemen ale's-sabâh, akşam taamı ikindi namazını müteakip çıkar. Bu da Osman Gazi zamanından kalmadır. Müşarünileyh ikindi namazından sonra dairesinde ne kadar adam varsa cümlesini birlikte alarak taam edermiş. Muahharen Murâd-ı Sânî on kişinin bir sofrada taam etmesini âdet etmiştir. Sarayda kalfalar mine'l-kadîm hasır üzerinde ve meşin sofralarda taam ederlermiş. Muahharen Mahmûd-ı Sânî zamanında açılır kapanır iskemleler üzerinde bakır siniler konulmak suretiyle sofralar kurulup minder üzerinde taam edilmesine tahvil olunmuştur.

Devletlilere mahsus tablalar siyah çuhadan ve kalfalara mahsus tablalar siyah estârdan ve yalnız zât-ı şâhânenin tablaları al çuhadan, büzme denilen gılâfa[619] sarılı olarak gelir. Tablalar harem ağaları delâletiyle aş kapısından tablakârların[620] başında olarak içeriye getirilip, muayyen mevkilere vazolunur. Badehu aş nöbetçisi olan kalfalar ikişer ikişer tutup yemek odalarına getirirler.

Her devletlinin taamı biri perhiz yemeği olmak üzere ikişer tabladır. Kalfaların tablalarına "beylik yemek" tabir olunur.

Saray sofralarına, umum için "fodla"[621] tabir olunan nân-ı azîz[622] konulur. Devletliler için saray francalası, susamsız simit, kaba ekmek tabir ettikleri yumru has çörek vazolunur.

---

[619] gılâf: Kın, mahfaza, zarf. (*KT*)
[620] tablakâr: Yemek sahanlarının bir yerden bir yere naklinde kullanılan tahtadan daire yi taşıyan hizmetliye denir. (*OTDTS*)
[621] fodla: Yassı pide şeklinde yapılan ekmeğin adıdır. (*OTDTS*)
[622] nân-ı azîz: ekmek.

Vaktiyle Yeni Saray'da iki fırın olup, bunun birine has fırın diğerine harcî[623] fırın ıtlak olunurdu. Fodlalar harcî fırında diğerleri has fırında tabh edilir. Asr-ı Mahmûd Hân-ı Sânî'de bu has fırına beher mâh bin ve harcî fırına da sekiz bin kile[624] hınta[625] verilirdi. Bu has fırında pişirilen peynirli pidenin nefaseti meşhurdur.

Sarây-ı hümâyûnun eski kalfaları saray âdetlerinin muhafazası hususunda begayet mutaassıp ve hilâf-ı âdet bir hâl vukuu onlarca fevka'l-had menfur olduğundan, Sultan Murâd-ı Hâmis hazretlerinin cülûsları zamanında fodlanın tayın ekmeğine tahvilinden dolayı zuhur eden bir vak'ayı, ol vakit mabeyin baş kitabetinde bulunmuş olan Sadullah Beyden-muahheren Viyana sefiri iken vefat eden Sadullah Paşadır[626]-naklen Mehmet Galip Beyin[627] *Sadullah Paşa yahut Mezardan Nidâ* nam eserinde münderiç olduğu gibi aynen alıyorum:

"Mabeyin müşirliğinde bulunan Damat Nuri Paşa[628] gayet şımarık bir zat idi ve her işe karışırdı. Fakat dirayetten bîbehre olduğundan ıslahat namına her ne yaparsa yolsuz ve münasebetsiz düşerdi. Hatta bir gün nezdime gelip mine'l-kadîm saray hademesine ve içerdeki kalfalara tevzi edilen fodlaları tayın ekmeğine tahvil ettireceğini söyledi. Ben de cevaben fodlanın ekmeğe tahvili o aralık beklenilen icraat sırasına giremeyeceğini ve ona gelinceye kadar daha pek çok lüzumlu işler olup, maksadı ıslahat ise ciddî işlere teşebbüs etmesi lâzım geleceğini söyledimse de dinletemedim. Ferdası gün ekmekler tevzi olunmuş, fakat harem-serây-ı pâdişâhîden Sultan Mahmûd-ı Sânî asrından kalma yatalak bir kalfa varmış, bu kadıncağızın zevki kendisine mahsus olan birkaç fodlayı muh-

---

623   harcî: Ucuz, âdi. (*KT*)
624   kile: Hububat ölçeği olarak kullanılan bir tabirdir. Muhtelif çeşitleri vardır. İstanbul kilesi 18-20 okka, ortalama 25 kg'dır. (*OTDTS*)
625   hınta: Buğday. (*KT*)
626   1838 yılında doğan Sadullah Paşa Babıâlinin reformist, yenilikçi bürokratları arasında yer almıştır. Aynı zamanda şair olan Sadullah Paşanın, bilim ve tekniği yücelttiği, terakkiyi savunduğu "Ondokuzuncu Asır" adlı manzumesi Tanzimat dönemi Türk edebiyatında bu fikirlerin açıkça dile getirildiği nadir şiirlerdendir. 1891 yılında Viyana büyükelçisiyken havagazı ile intihar etmiştir. (Sinan Kuneralp, "Sadullah Paşa", *OA*, c. II, İstanbul 1999, s. 481-482)
627   1919-1921 arasında 38 tefrikalık "On Üçüncü Asr-ı Hicrîde Osmanlı Ricali" adlı yazı dizisini Ali Rıza Bey ile birlikte yazan Mehmet Galip Beyin hayatı, eserleri ve neşir faaliyetleri hakkında geniş bilgi için bk. Ali Birinci, "Hariciye ile Mülkiye Arasında Mehmet Galip Bey", *İstanbul Araştırmaları*, nr. 2, Yaz 1997, s. 73-91.
628   Sultan Abdülmecit'in kızı Fatma Sultanın ikinci (birincisi aşağıda görüleceği gibi Mustafa Reşit Paşanın oğlu Ali Galip Paşadır) eşi olan Damat Mehmet Nuri Paşa, Sultan V. Murat'ın kısa süren saltanatı zamanında mabeyin müşiri olmuştur. 1881 yılında Fatma Sultandan boşanmıştır. Boşandıktan sonra Abdülaziz'in ölümüyle ilgili kurulan Yıldız Mahkemesinde yargılanıp ömür boyu hapse mahkûm edilince bütün rütbe ve görevleri alınmıştır. Aynı tarihte Taif'e sürgüne gönderilmiş 1890 yılında ölene kadar burada kalmıştır. (*Devletler ve Hanedanlar*, c. II, s. 268)

tevî sepeti karşısına getirip, gözünün önünde acemilere dağıtmakmış. O sabah fodlanın yerine kaim olan tayın ekmeği gelmiş olduğunu görünce kalfa sormuş, tahavvül-i vâkii anlamış. Yetmiş seneden beri alışmış olduğu hâlin şu suretle tagayyüründen pek ziyade müteessir olmuş. 'Bitti mi Âl-i Osmân?' diyerek düşmüş bayılmış. Yanındakiler bir taraftan kalfayı oğuşturmaya başlamışlar, bir taraftan da kalfa hakkında hürmet-i mahsûsa besleyen Valide Sultana[629] haber vermişler. Valide Sultan koşa koşa kalfanın odasına gelmiş. Baygınlığının menşeini ve o sırada ağzından çıkanı anlamış. Ben ertesi sabah saat üç müydü, neydi odamda oturuyordum. Acı acı bir kadın sesi işittim. Yerimden fırladım sokağa çıktım. Meğer valide sultan merdivenin üst başında duruyor 'Nerede o Nuri Paşa denilen herif?' diye bağırıyormuş. Bir dakika sonra Nuri Paşa geldi, el pençe divan durdu. Valide Sultan ağzını açtı, bir demediğini bırakmadı. Ben o aralık odama çekildim. On dakika sonra Nuri Paşa yanıma geldi. Fakat bet beniz kireç kesilmişti. Bir gün evvel vaki olan ihtarıma kulak asmadığına nadim olduğunu söylemekle beraber, eskisi gibi tayınatın fodla olarak tevziini lâzım gelenlere tembih etti."

İşte bu vak'adan da müstefâd olacağı veçhile saray eskilerince âdât-ı kadîmenin tagayyürü pek menfur idi.

İkindi namazını müteakip taam edildiğinden geceleri bir miktar kahvaltıya hâhiş hâsıl olmasıyla, umumen "yatsılık" tabir olunan gece kahvaltısı da ihzar edilir. Bu vazife kilerci kalfalara aittir. Bir de dışardan gelen yemeklerden başka kilerci kalfalar taraflarından Çerkez tavuğu, haseki pilâvı, ekmek paparası, enderun yumurtası gibi isimlerle birtakım taamlar ihzar edilirdi.

Sultan Abdülaziz etime-i nefîseye meraklı idiler. Bir zamanlar şehrimizin kadın aşçısı yemeklerine merak buyurmuşlardı. Yemek tabhında ihtisası olan Arap cariyeler buldurup sarây-ı hümâyûna aldılar. Bu zenci kadınlar marifetiyle ayrıca bir tabla yemek ihzar edilirdi. Emir dolma tabir olunan sade yağlı et dolması, zeytinyağlı yaprak ve patlıcan dolmaları ve sebzenin envaını gayet nefis tabh ederlerdi. Hatta el-hâletü hâzihi lokantalarda "hünkârbeğendi" namıyla yâd olunan taam bu siyah kadınların birinin tabh ettiği yemektir ki, takdîr-i şâhâneye mazhar olması üzerine, ol vakit çeşniyâr kalfalar yekdiğerine "hünkâr beğendi" demelerinden naşi ismi öyle kalmıştır. Bizim dolma dediğimiz dolma sarayca "sarma" tabir olunur.

Kilerci ve çeşniyar kalfalar devletlilerinin bakıyye-i taâmından istifade ederler ise de umumen beylik sofraya giderler. Taama giderken herkes kaşığını, hav-

---

629   Sözü edilen valide sultan Abdülmecit'in ikinci kadını, V. Murat'ın annesi Şevkefzâ Kadındır. Hırslı bir valide sultan olarak bilinir ve Ali Suavi liderliğindeki Çırağan Vak'ası'nı tahrik ettiği söylenir. (Çağatay Uluçay, age., s. 142)

lusunu, sabununu beraber götürür. Sofraya eskilik itibariyle oturulur. En eski kalfa başlamadıkça taama kimse el süremez. Bu eskiye "sofra eskisi" tabir olunur ki âdâb-ı tenâvül-i taâmı müptedilere talim etmek için Sultan Murâd-ı Sânî ihdas etmiştir.

Sofrada çorba ve sair meşrubat içerken dilini içeriye çekerek seda çıkarmak ve yemek arasında ağzını şapırdatmak ve dişleri karıştırmak ve hele takbih etmek ve elini sofraya silmek, ekmek kırıntılarını halkı istikrah ettirecek surette etrafa saçarak taama acele ve hırs göstermek saraylılarca muayyebâttandır.[630]

Yaz ve kış her yemek akıbetinde hoşaf içilir. Hoşaf bakır maşrapa ile gelir, kezalik eskilik itibariyle içilir. Evvelâ en eski kalfa maşrabanın kulpundan tutar, içer, kalkar. Badehu ikinci, üçüncü içerler. Herkes nöbetini bekleyip bu suretle içer, kalkar. Hoşaf içmeksizin sofradan kalkmak muhâlif-i usûldür. Hoşaf daima üzüm hoşafıdır.

İstitrat-Selîm-i Sâlis'in dördüncü kadını Refet Kadınefendi seksen yedi [1870] tarihlerine kadar muammer idi. Sinni doksanı mütecavizdi. Sahilhanesi Beşiktaş'ta Hayrettin İskelesi'nde olup sinnine hürmeten câ-be-câ ziyaretine giden eski kalfalara saraya müteallik âdetler sırasında hoşaf nöbetinin elyevm baki olup olmadığını sual eder ve elyevem cari olduğu cevabını alınca pek çok memnun olurmuş. Çünkü kıyamete yakın sarayda hoşaf nöbetinin kalkacağına mutekit imiş.

Bu kadın efendinin kendisinden rivayeten naklettiklerine göre Sultan Selîm müşârünileyhâyı gayet severmiş. Bir aralık şiddetli bir hastalığa duçar olmuş. Zât-ı şâhâne hastayı bizzat görüp hatırını istifsâr etmek için hastanın odasına girmek istemişler. Kıskanç ortakları hastalığın sâri olduğundan bahisle padişahı odaya duhulden menetmişler. Zât-ı şâhâne bir ayağını odanın içersine atmış ve kapının iki tarafını iki eliyle tutmuş olduğu halde çarşafla çevrilmekle olan hastayı görünce ihtiyarı elden gidip bi'l-bedâhe şu güfteyi söylemişler:

> *Nedir keyifsizliğin söyle bileyim*
> *Sana Hak'tan cânım sağlık dileyim*
> *Sana kabil olsa ömrüm vereyim*

Bu güfte ol vakit Hafız Abdullah Efendi tarafından hüzzam makamında bestelenmiştir. Güftenin alt tarafı *Haşim Bey Mecmuası*'nda mukayyettir.

Devr-i Abdülmecîd Hânî'de saray tablakârları akşamları Tophane, Salıpazarı, Kabataş caddelerinde öbek öbek tablalarını koyup sofralardan bakiye kalan

---

630 Saray Âdetleri VII, *Peyâm-ı Sabâh* (*Peyâm*, nr. 1104, *Sabah*, nr. 11534), 31 Kânunuevvel 1337/1921. s. 3

yemekleri ve alelhusus et, tatlı, börek misilli taamları satarlardı ve gelip geçenlerin çoğu bunlardan mübayaa ederlerdi. Hele Beşiktaş civarında ikamet edenlerin çoğu saray aşçı ve tablakârları ve sair alâkadarlarıyla mukavele edip külle yevm hanelerine yemek getirtir ve yemek pişirmek külfetinden vareste kalırlardı. Bu hâl kısmen devr-i Abdülazîz Hânî'de de cari idi. Bahar mevsiminde bir cuma günü birkaç ahbap Kâğıthane'ye gitmiştik. O senelerde zât-ı şâhâne de Sadâbâd Kasrı'na nakil buyururlardı. Rüfekadan açıkgöz biri matbah-ı âmireye gidip dolmuş ve kızarmış bütün bir kuzuyu hiç el sürülmemiş olduğu hâlde ehven bir fiyatla aşçılardan mübayaa ederek getirdi. İmrahor Köşkü karşısında kâin çayırda tenâvül etmiştik.

Beher sene muharremin onuncu günü sarây-ı hümâyûnda tabh olunan aşure gayet mebzul idi. Hele ayrıca kuşhanede tabh olunan ve süzme ve miskî tabir olunan aşurenin nefaseti pek meşhurdu. saksonya testiler derununda olarak asrın rical ve kibarına ve meriyyü'l-hâtır birtakım saray mensup ve mensubelerine gönderilir ve halkımızın kısm-ı azamı bu aşure tevziatından müstefit olurdu.

Sarây-ı hümâyûn buz tayınları Selîm-i Sâlis devrinde tahsis olunmuştur. Buz kayıkları külle yevm Keşiş Dağı'ndan[631] indirilen buzları saraya taşırlarmış. Devletlilerden her birinin yevmiye ikişer yüz kıyye buz tayınları varmış.

Sarây-ı hümâyûnda saz âlemleri ve raks eğlenceleri

Yeni Saray'da kâin hünkâr sofası Süleymân-ı Kanûnî'nin inşa-gerdesidir Muahharen Osmân-ı Sâlis tertibatını tebdil edip, duvarlara çepeçevre yazılı ayetlerin altına nakışlar yaptırmış, aynalar gömdürmüş; Selîm-i Sâlis de mermer çeşmeler ilâve etmiştir. Geçen padişahların ekserisi zevkine ve mizacına göre bir daire yaptırmış ve Yeni Saray bu suretle büyümüştür. Büyük kubbenin altında bulunan bu geniş sofanın köşesinde mermer sütunların arasında necef ve zümrüt topun altına bayramlarda taht-ı hümâyûn konulur ve padişahlar tahtlarına kurulur, sedirlere usûl-i teşrîfâta tevfikan valide sultan ve sair sultanlar ve kadınefendiler otururlar. Hanende ve sazende kalfalar için de bir tarafa ihramlar serilir, fasıl icra ederlermiş.

Kalfalardan güzel sedaya malik ve musikiye istidadı olup da tahsilini arzu eden veya saz taallümüne heves eyleyenlere saray dahilinde ihdas olunmuş olan meşkhanede talim olunurdu. Selîm-i Sâlis ve Mahmûd-ı Sânî asırlarında Tamburî İsak, Sadullah Ağa, meşhur Dede İsmail Efendi, Kemanî Rıza Efendi gibi birçok ustalar bu meşkhanede muallimlik ederlerdi. Şu suretle kalfalardan mürekkep olarak mükemmel fasıl takımı yetiştirilmiş olduğundan ve bunlar

---

631 Uludağ

beste, kâr, nakış, semaî ve şarkılar da taallüm eylemiş olduklarından ekseriya huzûr-ı hümâyûnda fasıllar icra ederlerdi.

Sultan Mahmut'un fenn-i mûsikîye ihtisası olduğundan[632] davudî sedalarıyla câ-be–câ taksim ederler ve hatta ekserî tambur refakatiyle taksim etmeyi tercih buyururlarmış. Sersâzende Tamburî Şevkidîde Kalfa peşrev hitamında taksim etmelerini zât-ı şâhâneden rica eder. "Bugün nezlem var." gibi itizar buyurma-larını kabul etmeyip ricasını ısrar derecesine vardırır ve taksime rağbet buyur-madıkları surette sazı tatil edeceğini bile lisân-ı münâsible anlatırmış. "Şevkidîde, sen de her zaman bana musallat oluyorsun!" mukaddimesiyle taksime başlarlar ve pek güzel taksim ederlermiş. Bu Şevkidîde Kalfa hakan-ı müşârünileyhi su-ikasttten halâs eden meşhure Cevrî Ustanın[633] acemisi, yani terbiye-gerdesidir.

Bu ince saz takımından başka sonraları kızlardan mürekkep birer takım da rakkas, cambaz, perendebâzlar yetiştirildi ve bunların kemençe ve flâvta[634] ve birkaç hânedegândan mürekkep olan tavşan takımı tabir olunan sazları da ay-rı idi. Bu oyuncu takımı meşhur ustalar tarafından mükemmel bir surette yetiş-tirilmiş olduğundan câ-be–câ huzurda icra eyledikleri lu'biyyât fevkalâde mah-zûziyyet-i şâhâneyi mucip olurdu. Hele oyun esnasında Merakî Abdi Beyin[635] haberi olmaksızın perendebâzlar üzerinden aşmak suretiyle rüzgâr perendesi atıp geçtikçe, Abdi Bey neye uğradığını bilmeyerek "Aklımı aldı kâfir piç!" diye avazı çıktığı kadar haykırır ve hele kalyoncu oyununda darılıp ber-takrîb önünden kaçmış olan maşukasının Abdi Beyin arkasına gizlendiğini hisseden kalyoncu bir elinde iri bıçak, diğer elinde tabanca olduğu hâlde "Herif, sevgilimi teslim et!" diye Abdi Beyin üzerine hücum ettikçe "İbâdullâh! Can kurtaran yok mu?" diye korkup kaçması ve bir taraftan da "Çoluğuma çocuğuma hasret gideceğim " diye haykırıp bağırması pek eğlenceli olurmuş.

Bir defa kalyoncu taklidine çıkan kız, Abdi Beyin göğsünü nişan alıp çektiği tabancanın patlamasıyla beraber Abdi Beyin filhakika kendisini vurulmuş zan-nederek o anda düşüp bayıldığını ve aklı başına geldikten sonra "Acaba hangi tarafımdan vuruldum, hayatım tehlikede mi?" diye sual eylediğini ve kalyoncu-ya ağzına geleni söylediğini hikâye ederler.

---

632   Sultan Mahmut iptida fenn-i mûsikiyi şehzadeliği evânında mahlû Selîm-i Sâlis'in inziva ettiği müddet zarfında ondan tahsil etmiştir. (ARB)

633   1808 yılında III. Selim'i öldüren asiler, Alemdar Mustafa Paşanın desteklediği II. Mahmut'u öl-dürmek istemişler, Cevrî Kalfa asilerin gözlerine kül atarak II. Mahmut'un ölümden kurtulma-sına yardım etmiştir. (*İzahlı Osmanlı Tarihi Kronolojisi*, c. IV, s. 93)

634   flâvta: Flüt. (*TS*)

635   Abdi Bey, enderun fasıl takımı çavuşlarından iken küpeli çavuş lâkabıyla yâd olunurmuş. Mu-ahharen musahip olmuştur. (ARB)

Sultan Aziz, makamât-ı mûsikîden hicazkâr ve şehnaz makamını pek sever-lerdi. Asrında bestelenen marşlarla şarkıyyâtın çoğu o makamlardandı. Evâyil-i cülûsunda, usûl-i kadîme veçhile tavşan raksına[636] merak buyurduklarından kızlardan mürekkep namdar oyuncular yetiştirilmeye başlandı.

Devr-i Abdülmecîd Hânî'de muzıka-i hümâyûn feriki Necip Paşanın taht-ı nezâretinde olmak üzere, kerimeleri Fatma Sultan, Refia Sultan, Cemile Sultan, Münire Sultan ile merhume Atiye Sultan kerimeleri Seniye ve Feride Hanım Sul-tanların saraylarında kızlardan mürekkep birer takım orkestra ve dansözler tertip olunmuştu. Muzıka-i hümâyûn için Avrupa'dan celp olunan ecnebi muallimler tarafından bu kızlara da talim ettirilip, pek mükemmel bando muzıkacılar ve oyuncular yetiştirilmişti. Harem ziyafetlerinde bayramlarda ve arzu eyledikleri sair vakitlerde bu kızlar muzıka-i hümâyûn efradına mahsus olan üniforma mi-silli elbise iktisâ edip, o geniş müzeyyen sofalarda muzıka çalarlar ve dansözler de dans ederlerdi. Bu oyuncu kızların alafranga danslarından başka o vakitler matrak oyunu namı verilen bir oyun, temaşa edenleri hayran ederdi. Bu oyun[da] dört ayaklı mücellâ ve uzun bir direği sofaya vazederler ve direğin tu-lüne müsavi renk renk ipek kurdelelerin uçları direğin tepesine merbut olup, di-ğer uçları da aşağı sarkmış olarak durur. Vakta ki oyuncular meydana gelir, mu-zıka çalar, raks başlar. Bu esnada oyuncuların her biri kendi fistanı renginde olan bir kurdelenin ucundan tutar, yekdiğerini şaşırtma suretiyle raksa devam ederler. Direğin üzerinde kurdelalar örülmeye başlar. Bu suretle raksettikçe müntehası-na kadar direk örülmüş olur ve pek hoş bir manzara irâe eder. Badehu örgüyü yine raks ederek açmaya başlarlar, hâl-i sâbıkına getirirler. Esasen oyunun terti-bi sanatlı olmakla beraber pek tuhaf ve eğlenceli bir oyundu. Oyuncu kızların rengârenk kostümler ile hîn-i raksta aldıkları şeklin hayalini çocukluğum zama-nından beri hıfz etmekteyim.[637]

Sultan Mecit Dolmabahçe Sarayı'nı inşa ettirdikten sonra Valide Camii Mu-vakkithanesi karşısında şimdiki ıstabl-ı âmirenin bulunduğu binayı tiyatro ola-rak inşa ettirmişti. Bu tiyatro derununda, üç sıra üzerine otuzu mütecaviz loca olup, üç yüz kişi istiabına kâfi cesamette idi. İçerisi altın yaldızla müzeyyen olarak Avrupa'da bile emsali nadir tiyatrolardan olduğunu Avrupa'yı görenler itiraf ederlerdi.

---

636 tavşan raksı: Ekseriya sarayda icra edilen ve koşmak, hafifçe sıçramak, tavşan taklidi yapmak suretiyle oynanan oyunun adıdır. Cariyeler tarafından oynanan bu oyun, zor ve yorucu olma-sından dolayı nadiren oynanırdı. (*OTDTS*)

637 Abdülmecit zamanında Avrupaî tarzda tesis edilen bu orkestranın çeşitli İspanyol ve İskoç dans havaları çaldığını ve bu havalar eşliğinde cariyelerin dans ettiklerini o dönemi yaşamış olan Leylâ (Sâz) Hanım hatıralarında etraflıca anlatmaktadır. (*Anılar*, s. 139)

Sûret-i mahsûsada Avrupa'dan celp olunan muallimler marifetiyle muzıka-i hümâyûn efradından yetiştirilen oyuncular tarafından pandomima, komedi, dram, opera gibi lu'biyyâtta kesb-i mahâret etmiş olduklarından ekseriya mezkûr tiyatroya vükelâ, süferâ davet olunarak, gerek bunların ve gerek Beyoğlu'nda Naum Tiyatrosu'ndan celp olunan opera takımının icra eyledikleri lu'biyyât seyir ve temaşa olunurdu. Muahharen Sultan Abdülaziz'in hîn-i cülûsunda Sadrazam bulunan Kıbrıslı Mehmet Paşa,[638] istihsal eylediği bir irâde-i seniyye üzerine güya tenkihât icrası için bunların kimini askere aldırtı, kimisini açığa çıkarıp cümlesini dağıttı. Ol vakit Hariciye Nazırı bulunan Âli Paşa muzıka-i hümâyûnun mükemmel bir sanâyi-i nefîse mektebi olduğundan bahisle, bunca masraf ihtiyarıyla Avrupa'dan muallimler celp olunarak ve buradaki erbâb-ı ihtisâs taraflarından nice emekler sarf edilerek vücuda getirilmiş ve müşkil-pesendân-ı ecânibin bile mazhar-ı takdîri olmuş olan bir müessesenin def'aten perişan edilmesi nefsü'l-emre muvafık olamayacağından, âher suretle bir çaresine bakılması hakkında vaki olan ihtârâtı semere-bahş olamamıştı. Muahharen mezkûr tiyatro[nun] dahili muhterik oldu.[639] Bi't-tamîr ıstabl-ı âmireye ilhak olundu. Ol vakitten beri burası "tiyatro tavlası" namıyla maruftur.[640]

Sûr-ı hümâyûnlar

Sultan Abdülmecit'in birinci kerimesi Fatma Sultanın velâdetleri 1256 [1840] tarihindedir. Bilenler, Sultanın hüsn ü ânından fart-ı zekâsından bahsederler. Kemal Paşa merhumun gayret ve himmetiyle güzel tahsil ve terbiye görmüştür. 1267 [1851] tarihinde Sadr-ı esbak Reşit Paşazade Ali Galip Paşa ile nişanlanmışlardı. O hengâmda Sultan on bir yaşında bulunuyordu. Hatta sadr-ı müşârünileyhe hitaben Babıâliye gelen hatt-ı hümâyûnda vakit ve mevsimi hulûlünde mîr-i mûmâileyhe, tezvîc ve tenkîhi ve şimdiden namzetliğiyle uhdesine rütbe-i vezâret ve müşirî tevcih olunarak Meclis-i Ahkâm-ı Adliyyeye memuriyeti tensip buyrulduğu zikredilmiştir. Ali Galip Paşanın velâdeti 1245 [1829] tarihinde olmasına nazaran namzetliği zamanında yirmi iki yaşında olduğu ve Sultandan on, on bir yaş kadar fazla idüğü anlaşılır.

---

638 Kıbrıslı Mehmet Emin Paşa, Abdülmecit ve Abdülaziz devirlerinde üç defa sadarete getirilmiş, bu görevde toplam bir sene on ay on gün kalmıştır. (*İzahlı Osmanlı Tarihi Kronolojisi*, c. V, s. 80, 82-83)

639 1859 yılında açılan tiyatro binasının büyük bir kısmı 1863 tarihinde yanmıştır. 1939 yılında ise Ayaspaşa-Dolmabahçe yolu yapılırken güzergâh üzerinde kaldığı için yıktırılmıştır. Bugün binadan hiçbir eser kalmamıştır. (Suha Umur, "Dolmabahçe Sarayı Tiyatrosu", *DBİA*, İstanbul 1994, s. 96-97)

640 Saray Âdetleri VIII, *Peyâm-ı Sabâh* (*Peyâm*, nr. 1105, *Sabah*, nr. 11535), 1 Kânunusani 1338/1922, s. 3

Ali Galip Paşa, Reşit Paşanın üçüncü oğludur. Reşit Paşanın evlâtları içinde Ali Galip Paşaya başkaca bir muhabbet-i mahsûsası vardı, derler ve "Evlâtlarım içinde benim yerimi tutacak Ali Galip'tir." dediğini söylerler. 1270 [1854] tarihinde Hırka-i saâdet dâire-i celîlesinde Şeyhülislâm Arif Hikmet Bey tarafından akdolunarak velîme sûru icra olunmuştur. Gerek bu sûrun ve gerek hakan-ı müşârünileyhin ikinci kerimesi olup, kaptan-ı esbak Mehmet Ali Paşazade Edhem Paşaya akdedilen Refia Sultan sûrlarının[641] harp zamanına tesadüfleri cihetiyle emsaline nispetle sûret-i muhtasarada icra edilmişti.[642] Ali Galip Paşa, pederinin vefatından bir sene sonra 1275 [15 Eylül 1858] senesi saferinin beşinci günü akşamı Sarıyer'de taam ederek, nezdinde kethüdası Hakkı Bey ve bir de uşağı olduğu hâlde gece üç çifte kayık ile Baltalimanı'nda kâin sultan sarayına avdet ederken, Yeniköy önünde fener dubasının yanında tesadüf eden römorkörün kayığa çarpacağına zâhib olarak denize atıldığından derhâl gark oldu. Taharriyât-ı vâkıa üzerine naaşını Beykoz cihetinde ığrıp içinde uşağıyla birbirine sarılmış ve Sultan Mecit'in ihsan eylediği kıymettar pırlanta yüzüğü hamil olan parmağı avucuna bükülmüş olduğu hâlde bulunmuştur.

Naaşı, pederinin muahharen hıdîv-i esbak İsmail Paşaya intikal eden Emirgân'da kâin yalısına getirilmiş ve pederinin türbesine defnedilmiştir. Kendisi kasîrü'l-kame idi. Mumaileyh Hakkı Bey, Paşanın nezaketinden Türkçe kuvve-i kalemiyyesinden ve Fransızca tekellüm ve kitabetinden ve musikiye fart-ı muhabbetinden bahsederdi.[643] Paşanın vefatından mukaddem bir akşam Baltalimanı Sarayı'nda menkabe-i Velâdet-i Nebevî kıraat olunur ve hitamında Hakkı Beyi nezdine celp edip "Dikkat ettiniz mi? Duacı efendi esnâ-yı duâda bize dua et-

---

641   II. Mahmut'un kızı Âdile Sultan ile evlenen Damat Mehmet Ali Paşanın oğlu olan Edhem Paşa ile Abdülmecit'in kızı Refia Sultanın nişanı 22 Şubat 1854 tarihinde gerçekleşmiş, üç yıl nişanlı kalan çiftin nikâhı 23 Nisan 1857 tarihinde kıyılmıştır. (Refia Sultan ile Edhem Paşanın düğünleri için bk. Leylâ (Sâz) Hanım, *Anılar*, s. 170-178; ayrıca bk. Ali Akyıldız, *Refia Sultan*, İstanbul 1998, s. 25-29)

642   Refia Sultan ile Edhem Paşa için düzenlenen sûr-ı hümâyunun şahidi olan Cevdet Paşa da Ali Rıza Bey ile aynı görüşte olmakla beraber, devletin malî sıkıntılar içinde olduğu bir zamanda hem de borçlanarak, on iki gün süren bu sûr-ı hümâyûn için üçyüzbin kese harcanmasını yadırgamaktadır. (*Tezâkir 13-20*, s. 23)

643   1829 yılında doğan Ali Galip Paşa, Sultan Abdülmecit'e damat olduktan sonra 1857 yılında Hariciye Nazırı olmuştur. Daha sonra Evkaf ve Ticaret Nazırlıklarında bulunmuştur. Cevdet Paşanın yazdığına göre, 1858 yılında Abdülmecit, kızlarının ve damatlarının aşırı lükse ve eğlenceye kaçan hayat tarzlarından şikâyet ettiği bir gün damatlarını karşısına alıp "Sultanlar gece mehtaplarda gezermiş. Benim gece mehtapta gezer kızım yoktur. Onları da reddedeceğim. Bu heriflerin harekâtı artık namusuma dokunur oldu." diyerek başta Ali Galip Paşa olmak üzere hayat tarzlarını düzeltmelerini istemiş ve damatlarını mühim memuriyetlerden azletmiştir. Padişahın en fazla kızdığı Ali Galip Paşa bu hadiseden sonra Ticaret Nezaretinden alınmıştır. (*Marûzât*, s. 13) 1857 yılında Hariciye Nezaretine getirilmesi ise aralarındaki soğukluğun giderildiğini göstermektedir.

meyi unuttu. Geçen sene *Mevlid-i Nebevî* kıraatında da pedere dua etmeyi unutmuştu. Peder vefat etti, bu sene de biz mi vefat edeceğiz?" dediğini Hakkı Bey nakil ve hikâye ederdi. Paşa, Hakkı Beyi pek sever ve asla yanından ayırmazdı. Müşârünileyhâ Fatma Sultan yukarıda arz ve tafsil oldunduğu veçhile Gülcemal dördüncü kadınefendinin kerimesi olup, mumaileyh Hakkı Beyin zevcesi hanım da bu kadın efendinin hemşiresiydi.[644] Namzetlik merasiminin icrasından sonra Reşit Paşa bir aralık mesned-i sadâretten infisal eder.[645] Muahharen bazı tarafın gamz ve nifakı semeresiyle Fatma Sultanın Ali Galip Paşa ile izdivacı hususundan sarfınazar olunacağı şayiası ortaya çıkar. Bundan Ali Galip Paşa fevkalâde mükedder olur. Bu arada muârefe-i kadîmesine mebni bir gün mumaileyh Hakkı Bey, Ali Galip Paşayı ziyarete gittiğinde Paşanın teessürâtına ve hatta geceleri yastıklar arasına başını sokup tâ-be-sabâh ağladığına ve bu hâlin fena bir netice vereceği vâhimesiyle peder ve validesinin de derece-i elem ve ıstırabına kesb-i vukuf eder. Bunun üzerine haremi vasıtasıyla bu işin hüsn-i sûretle tesviyesine son derece çalışacağını Ali Galip Paşaya söyler. Paşa da müteselli olur. Filhakika Hakkı Bey de paçaları sıvar, çalışmaya başlar. İptida Paşanın hâlinden Sultanı müteessir ederler. Sultanın bu teessürünü hünkâra istimâ ettirirler. Damat Paşa mabeyn-i hümâyûna celp ile teminat verilir.

Reşit Paşa "Bana bir evlât kazandırdın, bu devlette bir günüm olursa o da senin içindir." diye Hakkı Beye beyân-ı memnûniyyet eder ve filhakika mevki-i iktidâra geldiğinde rütbeler, nişanlar, mansıplarla mükâfat bahşetmiş ve bir akşam vükelâyı refakatine alarak Hakkı Beyin Kandilli Câmi-i şerîfi karşısında kâin hanesine iftara gitmek suretiyle de mîr-i mûmâileyhi taltif etmişlerdir.

Ali Galip Paşanın vefatından sonra Fatma Sultan, pederinin kurenâsından Arif Paşazade Nuri Bey ile tezevvüç etmiş ve ol vakit Nuri Bey rütbe-i vezâretle Meclis-i Vâlâ azası olmuştur. Sultanın, Nuri Paşadan bir kerimesi ve bir de oğlu olup muahharen vefat etmişlerdir.[646]

Fatma Sultan pederinin hayatından beri Murat Efendiyi pek sever ve bilâkis Hamit Efendiyi de hiç sevmezmiş. Sultan Murat'ın cülûsunda Nuri Paşa mabeyin müşiri olmuştu. Hakan-ı müşârünileyhin hal'inden ve Sultan Hamit'in cülûsundan sonra Sultan Aziz'in vefatı muhakemesinden dolayı zevci Nuri Paşa nefyedilmişti. O tarihten itibaren Baltalimanı'nda kâin sarayına kapanıp bir daha dışarıya çıkmamış ve Sultan Hamit'ten aldığı serzenişli ve hakaretamiz haberlere

---

644   Bu kadının ismi Bîmisal Hanımdır. (*Devletler ve Hanedanlar*, c. II, s. 264)

645   Mustafa Reşit Paşa ikinci defa getirildiği sadaret makamından 26 Kânunusani 1852 tarihinde ayrılmıştır. (*İzahlı Osmanlı Tarihi Kronolojisi*, c. V, s. 77)

646   Nuri Bey (Paşa) için bk. 628 no'lu dipnot. Çok küçük yaşlarda vefat eden bu çocukların isimleri Mehmet Fuat (1861-1864) ve Emine Lütfiye (1863-1865)'dir. (*Devletler ve Hanedanlar*, c. II, s. 268)

şiddetli mukabele edermiş. Kemâl-i infiâl ve teessürât-ı derûnîsinden dolayı haftalarca taam etmediği günler olmuştur derler ve hatta açlıktan vefat ettiğini söylerler. Müşârünileyhânın vefatından sonra mezkûr saray hemşireleri Mediha Sultana geçmiştir.

Devr-i Mecîd Hânî'de icra olunan sûr-ı hümâyûnların külfetlisi Kırım Muharebesi'nden sonra iki defa yapılan sûr-ı hümâyûnlardır. Bunun birincisi 1273 [1857] tarihinde Reşat, Burhanettin ve Kemalettin Efendiler hazerâtının hitan sûru[647] ve ikincisi de 1274 [1858] tarihinde hakan-ı müşârünileyhin üçüncü kerimesi Cemile Sultanın Fethi Paşazade Mahmut Celâlettin Paşa ile dördüncü kerimesi Münire Sultanın Mısır Valisi Abbas Paşazade İlhami Paşa ile velîmeleri sûr-ı hümâyûnları idi. Birincisi on, ikincisi on beş gün devam eyledi.

O tarihlerde Nişantaşı civarı ebniyeden hali ve yığınlarca halkı istiaba kâfi olduğundan sûr mahalli ittihaz edilmiş ve çadırların rekzi ve mevkiinin tanzim ve tesviyesi muzıka-i hümâyûn mirlivası Necip Paşaya havale olunmuştu.

Hitanı icra olunacak etfalin tahririne ve hitanhane ittihaz olunan mekteb-i idâdînin tefrişine birkaç mâh mukaddem mübâşeret olundu. Şehzâdegânın saray-ı hümâyûnda vaki hitan dairesi sırmalı kaliçeler ve birçok kıymettar kumaşlarla tezyin edildi. Hitanı icra olunacak bendegânzâdeler ile sair sıbyana tahsis olunan mahallere de müzeyyen ve mükellef döşekler ve sırmalı yorgan ve yataklar vazolunmuştu. Bir pazartesi günü şehzâdegânın hitanları musammem olduğundan elbise-i resmiyye ve dârât-ı mahsûsa ile harem-i hümâyûn kapısından çıkılarak mevki-i sûr dolaştırılıp saltanat kapısından duhul ve limonluk hizasından nüzul olunarak hak-pây-i şâhâneye rûh-sûde ve yine ol veçhile avdet olunmuştur. Ekselans Hekim İsmail Paşa,[648] Cerrah Şakir ve Kadri ve Mehmet Beyler marifetiyle emr-i hitân icra kılındığını müteakip toplar atılmış ve bilcümle vükelâ ve vüzera ve ulema, zât-ı şâhâneye resm-i tebrîki ifa ve badehu kızlar ağası delâletiyle şehzâdegân hazerâtına ârâm ettikleri mahallere giderek tehniyet merasimini icra eylemişlerdir.

Sûrun iptidasından intihasına değin yevmiye beş, altı yüz çocuk sünnet olduğu ve bunların cümlesi dokuz bin nefere baliğ olup, içlerinde sakallı ve bıyıklı elli, altmış kadar adam bulunduğu ol vakit rivayet edilmişti. Bunların her birine elbise ve atiyyeler verilirdi. Cemiyetin iptidasından nihayetine kadar bilcümle memûrîn-i mülkiyye ve ilmiye ve seyfiye ve rüesâ-yı ruhâniyye ve esnaf kethüdaları takım takım mevki-i sûra davet olunmuşlardı. Sazlar ve cambaz ve sair sanâyi-i acîbeler temaşa olunurdu. Tebaa-i ecnebiyye muteberânı ile milel-i

---

647 Sünnet edilen şehzadeler arasında Nurettin Efendi de vardır. (*Osmanlı Sarayı ve Haremin İçyüzü*, s. 276)

648 Bu İsmail Paşa muharrirîn-i marûfeden Şaire Leylâ [Sâz] Hanımefendinin pederleridir. (ARB)

erbaa patrikleri için üç adet hayme ilâve olunmuştu. Sadrazam ve vükelâ-yı fihâm hazerâtıyla süferâya çadır kurulmuştu. Geceleri mevki-i sûrda kalıp eğlenirlerdi. Sûrun onuncu günü Beşiktaş Sarayı'nda süferâ ve vükelâya umumî bir ziyafet verildi.[649]

Nişantaşı'nda icra olunan sûrun ikincisi 1274 [1858] tarihindeki velîme sûr-ı hümâyûnlarıdır. Sultan Abdülmecit'in üçüncü kerimesi Cemile Sultan ile Fethi Ahmet Paşazade Mahmut Celâlettin Paşa ve dördüncü kerimesi Münire Sultan[650] ile Mısır Valisi esbak Abbas Paşazade İlhami Paşa teehhül etmişlerdi.[651] Bu iki sûr-ı hümâyûn on beş gün devam etti. Âdet-i kadîmeye tevfikan pazartesi günleri çeyiz ve perşembe günleri de arus alayları tertip olundu.[652] Vükelâ, ulema ve ümerâ-yı askeriyye kâmilen alaylarda bulundular. Mukaddemâ Fatma ve Refia Sultanların velîme sûrları Kırım Muharebesi zamanına tesadüf etmesinden dolayı sûret-i muhtasarada icra olunmuştu. Mezkûr muharebenin galibiyetle netice-pezîr olmasından naşi işbu 73 [1856], 74 [1857] senelerinde icra olunan sûr-ı hümâyûnların debdebe ve tantanası şân-ı saltanata lâyık ve emsaline katender-kat faik idi. O külfetli eğlencelerden ve parlak şenliklerden en gamlı simalar bile mübtehic ve münşerih oldular. Halkımızın itiyadı değişti. Herkes eğlenceye temayül eyledi. Bir devr-i sefâhat başladı. En yüksek mahâfil-i ricâlden en sade cemiyet-i avâma kadar her tarafta ayş u nûş âlemleri hüküm-fermâ olmaya başladı. Eğlence mahallerinin, zevk ve safa yerlerinin şaşaası, şevk ve şetareti arttıkça arttı. Esasen Sultan Abdülmecit daima tebaasını refah hâlde ve zevk ve şevk içinde görmek isterdi. Binaenaleyh on üçüncü asr-ı hicrî içinde İstanbul'un en asude, en eğlenceli devri[653] Abdülmecit'in devr-i saltanatıdır diyebilirim.[654]

---

[649] Temmuz 1857 tarihinde gerçekleştirilen bu sünnet töreni, Ali Rıza Beyin anlattıkları kadar olmasa bile o tarihte Türkiye'de bulunan La Baronne Durand de Fontmagne'nin hatıralarında da (*Un Se'jour l'Ambassade de France A Constantinaple*, "Kırım Harbi Sonrasında İstanbul" adıyla Türkçeye çeviren Gülçiçek Soytürk, İstanbul 1977, s. 194-198) yer almaktadır.

[650] Abdülmecit'in kızlarından Münire Sultan da o dönemde aşırı harcamalar yapan, bu yüzden sarayı sıkıntıya sokan sultanlardan biridir. Kızlarının harcamalarına dayanamayan Abdülmecit'in "Akıllarını başlarına toplasınlar. Artık aşırıp taşırdılar. Onları tekdir şöyle dursun, âdeta döğdürürüm" dediğini Cevdet Paşa *Maruzat*'ında (s. 12) zikreder.

[651] İlhami Paşanın muahharen vefatı üzerine Münire Sultan 1276 [1860] tarihinde Cihân Seraskeri Rıza Paşazade Ferik İbrahim Paşa ile izdivaç etmiş ve ondan Sultanzade Alaattin Beyefendi (1861-1915) adlı bir oğlu olmuştur. (ARB)

[652] Bu sûr-ı hümâyûn 27 Mayıs 1858 tarihinde başlamış ve on beş gün sürmüştür. 4 Haziran 1858'de Cemile Sultan ile Mahmut Celâlettin Paşanın, ondan bir hafta sonra da Münire ve İlhami Paşanın zifafları icra edilmiştir. (*Tezâkir*, 13-20, s. 49-50) Abdülmecit'in kızları Cemile ve Münire Sultanların düğün törenlerinin nasıl gerçekleştirildiği ve gelinlerin çeyizi hakkında bilgi için *Tezâkir*'den başka o dönemde sarayda bulunmuş olan Leylâ (Saz) Hanım'ın, *Anılar* adlı hatıratına bakılabilir.

[653] Sultan Mecit zamân-ı hükûmetinde kimseye bir karış yer vermemiş, bilâkis düşman-ı kadîmimiz olan Rusya'ya galebe edip gazilik unvanını bihakkın almıştır. Mısırlılar asâkir-i Osmâniy-

Sarây-ı hümâyûn kadınlarının seyir ve tenezzühleri

Eskiden harem-i hümâyûn takımı "koçu" tabir olunan arabalara binerlerdi. Bu koçular büyücek dört tekerlekli, yüksekçe ve etrafı kelepçe tahtadan mamul olup, üzeri "eğri" tabir olunan müteaddit çember ile mahfuz ve yaysız ve münhasıran öküz ile cerrolunurdu.

Harem-i hümâyûn takımının bir mesireye azimetlerinde beraberlerinde bulunan harem ağaları ve baltacılar marifetiyle derhâl o mesire "halvet!" diyerek sair nâstan tahliye olunur ve o heyet-i muhtereme o mevkide tenhaca eğlenirdi.

Devr-i Mahmûd Hânî evâhirine kadar saraylıların sokağa çıkmaları ender olduğundan kalfaların ekserisi yaşmaklanmak bile bilmezlerdi. Hatta çoğunun feracesi olmadığından icabında baltacıların hanelerinden ferace yaşmak getirtirlerdi. İçlerinde yaşmaklanmak bilenler Abdülhamîd-i Evvel kerimesi Esma Sultanın[655] sarayından zât-ı şâhâneye ihdâ edilen kızlardan ibaret olduğundan yaşmaklanmayı, süsü, nizamı, saray kadınlarına bunlar taallüm ve tarif ederlerdi.

Esma Sultan zevk ve sefahata mail olduklarından daima seyir yerlerinde serbestçe gezer, eğlenir ve dairesinde bulunan kalfalar da, sayesinde hiçbir mesireden mahrum olmazlardı. O zamanlar hükmünce müşârünileyhânın bu gibi ahvali itirâzâta hedef olmaz değildi. Lâkin Sultan gayet senîha olduklarından daima seyre gittikçe bostancılara ve yeniçeri kışlalarına ve karakullukçulara[656] bol bol bahşişler, atiyyeler verirler ve onların kulûbunu bu suretle celp ve teshir ederlerdi.

Esma Sultan altmış dört [1848] tarihlerine kadar muammer olup, fakat sonraları hafızaları bozulmuştu. Sarayında bulunan kalfalar gezmeye ve eğlenceye alışmış olduklarından seyir günleri araba ısmarlarlar ve Sultana "Efendim, bugün filân mesirenin günüdür. Araba ve kayık ısmarlamıştınız, hazırlamışlar." derler ve Sultan da "Yaa! Ben araba mı ısmarlamıştım? Öyleyse beni hazırlayın." der. Onlar da Sultanı süslerler, nizamlarlar, seyre götürürlermiş. Avdetlerinde "Kızlar, ben bugün eğlendim mi?" dediğinde "Aman arslanım, şöyle güldünüz, böyle eğlendiniz" diye teselli verirlermiş.

---

yeyi münhezim etmişler, Kütahya'ya kadar gelmişlerdi. Kale kapılarının haricine nüfûz-ı hükûmet geçmiyordu. Avrupa, mukasememizin müzakeresini ediyordu. On yedi yaşında olduğu bir zamanda cülûs etmişti. Zamân-ı hükûmetinde mukasememiz şöyle dursun cülûsundan on beş sene sonra tamâmiyyet-i mülkiyyemiz için Avrupa kan döktü. (ARB)

654 Saray Âdetleri IX, *Peyâm-ı Sabâh* (*Peyâm*, nr. 1106, *Sabah*, nr. 11536), 2 Kânunusani 1338/1922, s. 3

655 Sultan Hamîd-i Evvel'in iki kerimesi de devr-i Mecîd Hânî'ye kadar berhayat idiler. Büyüğü bu Esma Sultan, küçüğü Hibetullah olup, Hibetullah Sultan zevcinin nefyinden sonra uzleti ihtifâ etmişti. 1257 [1841] tarihinde vefat eyledi. (ARB)

656 karakullukçu: Yeniçeri ocağı bölük ve ortalarındaki küçük çavuşlara verilen isimdir. (*OTDTS*)

Sultan, tuvaletine gayet merakı olduğundan daima asrın modasına muvafık elbise iktisâ ederler. Kimsenin tuvaletini kendisine faik görmek istemezler. Gerek kendisi ve gerek kalfaları sarây-ı hümâyûn kadınlarına ve İstanbul hanımlarına model ittihaz olunurlardı.

Saraylıların sıkça sıkça seyir yerlerinde gezmeleri asr-ı Abdülmecîd Hânî'de başlar.

Devletliler gezmeye çıktıkça "ard arabası" tabiriyle maiyetlerinde sekizer, onar saray arabalarıyla kalfalar da bulundurulurdu.

Seyir yerlerinden başka kandil akşamları, ramazan günleri çarşı içi,[657] Sultan Beyazıt Meydanı, Direklerarası, saray arabalarıyla dolmaya başladı. Zevk ve neşe terakki etti. Saray halkı kalbe keder ve zihne gam getirecek şeylerden içtinap ederler, gam, kasavet istemezlerdi.

Sarây-ı hümâyûnun teshini

Sarây-ı hümâyûn eskiden odun ile teshin olunurdu. Bu bir âdet-i kadîmedir. Yeni Saray'ın her odasında ocak mevcut olup, kışın bu odalar ocaklarda yakılacak odun ile ısındırılırdı. Bu ocaklar pencerelere mukabil ve duvarda kadimen bildiğimiz çiçeklik tarzında, fakat zemin ile muvazi, her tarafı mermerden masnu olup, hatta üst tarafı müdevver ve dışarıya ayrıca bacası vardır.

Sonraları İstanbul'un muhtelif mahallerinde saraylar yapılıp kışın buralarda ikamet edilince ve ocak yakılamayacak mahallerde sakin olanların soğuktan vikayesi icap ettikçe ocaklardan ateşliklere, yani mangallara ocak ateşi koyup götürmek âdet oldu.

Sultan Mahmûd-ı Sânî devrine kadar sarây-ı hümâyûnlara asla kömür girmemiş olduğunu, mülâki olduğumuz eski ve pek yaşlı sarây-ı hümâyûn külhancılarından bizzat işittik. O zamanlar büyük büyük meşe kütükleri külhanlarda yakılıp kor haline geldikte, alınıp mangallara konularak harem-i hümâyûna ve icap eden mahallere götürülürmüş. Mangallar dökme sarı olup, ya oturtma veyahut saksı biçiminde idi.

Külhancılar tarafından yakılıp mangallara konularak harem-i hümâyûna verilirdi. Fakat sonraları sûret-i gayr-i resmiyyede müteferrik saraylara aynen kömür verilirdi. Bunlar kalfalar tarafından yakılarak gerek teshînât için, gerek ihtiyâcât-ı sâire için kullanılmaya başlandı. Mamafih sarây-ı hümâyûnun dahilinde müteaddit hamam mevcut olup, bu hamamlar yaz kış, gece ve gündüz sıcak bulundurulduğundan kalfalar daima ısınmak için oralara giderler ve soğuk za-

---

[657] çarşı içi: Kapalıçarşı.

manlarda abdest almak ve ufak tefek çamaşır yıkamak için icap eden sıcak suyu her zaman hamamlarda bulabilirlerdi.

Sultan Hamit, Yıldız Sarayı'nda "sıcak hazine" namında bir mahall-i mahsûs inşa ettirip burada daima odun yanar ve müşârünileyh yaz ve kış her bir ihtiyacı için sıcak su kullanır ve dairesinde sultanlar, kadınefendiler ve kalfalar daima bu sıcak sudan istifade ederlerdi.

Meşrutiyet'ten mukaddem sarây-ı hümâyûnların sarfiyât-ı umûmiyyesi için (beher çekisi[658] iki yüz yirmi okka[659] hesabıyla) senevî yüz on bin çeki hatab[660] ve iki buçuk milyon yeni okka kömür mübayaa ve sarf olunurdu. Bundan başka kuyularda ve sair mahallerdeki makineler için senevî bir, iki yüz tonilato[661] maden ve kok kömürü dahi sarf olunurdu.

Ahvâl-i sıhhıyeye dair takayyüdât

Kalfalardan hasta olanlar saraylarda alıkonulmaz; ya hastalar dairesine izam olunur yahut şehirde azatlı kapı yoldaşlarından birinin hanesine "tımar"a çıkarılır, tedavi edilir, iâde-i âfiyet eylediklerinde yine saraya aldırılır. Tımarda kaldıkça efendisi veya kalfası muâvenet-i nakdiyyede bulunurlar ve bu gibi takayyüdât sayesinde kolera veya veba misilli ilel-i müdhişe sarây-ı hümâyûn dahilinde icrâ-yı tahrîbât edememiştir.

İstitrat-Asr-ı Mahmûd Hân-ı Sânî'de Şehzade Mecit Efendinin mizacında vuku bulan arızanın indifâı hususuna etıbbâ-yı mevcûde çare bulamayıp, Katolik milletinden Gelincikçi Meryem Kadının tertip eylediği muâlecenin nef' ve faydası görülüp, şehzâde-i müşârünileyh iâde-i âfiyet eylemiş olduğundan, bu hâl zât-ı şâhânece mahzûziyeti mucip olarak atiyye-i seniyyeden başka cizye emvâlinden 1253 [1837/38] tarihinde maaş tahsisi ve milleti beyninde bâdî-i mübâhâtı olmak üzere akraba ve taallukatının cizyeden muafiyetleri hususuna irâde-i seniyye taalluk etmiş ve mezbûre de ekser-i evkat sarây-ı hümâyûn dahilinde ikamet eder olmuştu.

Sarây-ı hümâyûnca tertip ve ihzarı eskiden beri âdet hükmüne girmiş birtakım edviye vardır. Bunlardan birisi "saray kırmızı" dedikleri bir ilâçtır ki, kırmız denilen habbe-i nebâtiyye ile çivit ve birtakım nebatî edviyeden tertip ve ihzar ve lüzumu hâlinde istimal olunur, terletici ve asabî ağrıları izale edici bir şeydir. Bu ilâç harem-i hümâyûnda ve bilenler tarafından sarây-ı hümâyûn dâire-i hâriciyesinde imal ettirilirdi.

---

658   çeki: Odun, taş vesaire tartmak için kullanılan ölçü taşının adıdır. Bir çeki 250 kg'dır. (*OTDTS*)
659   okka: Tartı ölçülerinden birinin adıdır. Bir okka 1,282 kg'dır. (*OTDTS*)
660   hatab: Odun.
661   tonilato: Gemilerin alabileceği yükü belirtmekte kullanılan, bir tona eşit birim. (*TS*)

Bir de asel-bend (nezvat) dedikleri ilaç mütedâvildir ki, asel-bendi mevâdd-ı sâireden tathir ederek bunu bal vesaire ilâvesiyle istimal ederler. Bünyesi zayıf, hastalıklı cevârî, bahar mevsimlerinde ale'd-devâm birkaç hafta tenâvül eylerler. Mayıs aylarında kan aldırmak ve hacamat olmak da eskiden kalma usûl-i tedâvîdendir.[662] Bunlardan başka Yeni Saray'ın helvahane ocağında senede bir defa mevsim-i bahârda muâlece makamında kebir kazanlarla birçok nane, darıfülfül, havlıcan, gül ve gelincikten ibaret şeylerle macun kaynatılıp, harem-i hümâyûn dahilinde şehzadeler, sultanlar ve kadınefendiler daireleriyle sair saray müteneffizelerine ve enderûn-ı hümâyûn dairesinde müstahdem olanlara tevzi olunur. Bunlardan maada eskiden kalma mütevaris pek çok ilâçlar daha imal ve istimal edilirdi.

Harem-i hümâyûn dahilinde keyifsizlik vuku bulup da etıbba celp ve ithali lâzım geldikte haremden kapı vurulup, kapı haricinde nöbetçi bulunan harem ağalarına haber verilir. O da gider kızlar ağasının oda nöbetçisi ağaya bildirir. Onun vasıtasıyla kızlar ağası uyandırılıp harem-i hümâyûn için tabip talep olunduğunu bildirir. Tabip girecek kapının anahtarı kapı nöbetçisine teslimen kapı açtırılır. Tabibin muayenesi ve muâlece tertibi tamam olarak avdetinde kapı yine kilitlenip usulü veçhile anahtarı yine kızlar ağasına iade ve teslim edilirdi.

Istabl-ı âmire hayvanatı ve çayırlar

Sarây-ı hümâyûnda eskiden beri rükûb-ı şâhâne ve saray halkı için birçok hayvan beslenirdi. Bu hayvanların idaresi için de İstanbul civarında birçok çayırlar ıstabl-ı âmireye terk ve tahsis edilmişti. Evvelâ Kâğıthane ve Alibeyköyü Çayırı, Veliefendi, Çırpıcı Çayırları, Çatalca sancağı dahilinde Büyük Çekmece gölünün şimalinden bed' ile Kestanelik Köyü sahasına kadar mümted olan Dolap Çayırı (Çatalca istasyonu bu Dolap Çayırı'nın orta yerine tesadüf eder). Dolap Çayırı'nın Büyük Çekmece gölüne müntehi mahallinden bed' ile Hadımköyü'ne mümted (Yani Hadımköy ve Çatalca istasyonlarının Marmara sahili cihetine tesadüf eyleyen) Muha Çayırı ve Küçük Çekmece Gölü'nün müntehasından bed' ile şimal-i şarkîye imtidâd eden ve Şamlar Köyü altından geçerek ilerilere mütevâsıl olan Sazlıdere Çayırı ve Büyükdere ve Paşabahçesi ve civarındaki çayırlar,

---

662 Abdülaziz Bey, eskiden kan aldırma adı verilen tedavi usulü ve bunu yapanlar hakkında *Osmanlı Âdet Merasim ve Tabirleri*'nde adlı eserinde şu bilgileri vermektedir: "Çok eski zamanlardan beri süregelen inanışa göre yaz başlarında kan eskimiş ve koyulaşmış olurdu, bu yüzden kanın yenilenmesi için kan aldırılması gerekliydi. Bu işi yapmasını bilenler, belirli dükkânlarda otururlardı. Bunların esas mesleği berberlikti. Hepsi de nedense Ermenilerdendi. Başvuranların sağ kolunu dirsek üstünden boğup bağladıktan sonra, büklüm yerinden neşter adı verilen aletle yüz dirhem kadar veya vücuduna göre kan aldırır, akan kan yeterli bulunursa, kolu boğan şerit çözülür, kan alınan yere bir miktar yanmış pamuk konur, sıkıca bağlanırdı. 5-10 saat sonra bağ açılırdı." (c. II, s. 350)

sâniyen Beykoz Sultaniye, Çubuklu, Haydarpaşa, Yoğurtçu Çayırları, Kurbağalıdere'nin Yoğurtçu karşısına tesadüf eden ve Papazın Bağı denilen mahalle kadar mümted olan diğer çayır ve Göksu Çayırı hâsılatı sarây-ı hümâyûn hayvanatına metruk idi.

Bunların hangi tarihlerde ve kimler tarafından, hangilerinin daha evvel, hangilerinin daha sonra beyliğe tahsis edildiği malûmumuz olmadığı gibi, bunlar meyanında hangilerinin hangi kızlar ağası yahut harem ağaları tarafından harem-i hümâyûn ağaları hayvanatına vakfedilmiş olduğunu da bilememekteyiz. Fakat devr-i Abdülhamîd Hânî'de harem ağaları hayvanatına mevkuf çayırlar Agop Paşa ıslahatı sırasında ıstabl-ı âmirece zaptolunmuştur.

Selîm-i Sâlis devrinden sonra İstanbul haraları tesis edilerek sarây-ı hümâyûna cins hayvan yitiştirmek üzere Göksu, Kandilli, Anadoluhisarı arkasından bed' ile Alemdağı'na müntehi olan Hekimpaşa ve Çavuşbaşı Çiftlikleri istimlâk edilmiş olduğu gibi, Beykoz Çayırı arkasında vaki Tokat Çiftliği harasında yetiştirilip devr-i Abdülazîz Hânî'de ıstabl-ı âmirece renginin güzelliği, tenâsüb-i endâmı ve irtifaı ile pek meşhur ve hakan-ı müşârünileyhin rağbet-i mahsûsuna mazhar olan "Tokat Alı" namındaki hayvan, devr-i Abdülhamîdî iptidasına kadar yaşamıştır.[663]

Harem ağaları ve baltacılar

Çelebi Sultan Mehmet ve oğlu Murâd-ı Sânî zamân-ı saltanatlarında saray memurlarının tanzim ve ıslahı sırasında Bâbüssaâde ağaları denilen "akağalar"[664] tedarikiyle harem ve selâmlık daireleri beynindeki işlerde istihdam olunması ve zapturabta onlar tarafından bakılması usul ittihaz olunmuş ve Kanunî Sultan Süleyman'ın halîle-i muhteremeleri Hürrem Haseki Sultanın hayrât-ı şerîfeleri nezareti de bu akağaların âmiri olan Dârüssaâde ağasına tevcihi şart kılınmıştı. Bu akağalardan Hadım Ali Paşa 912 [1506] tarihinde[665] Bâyezîd-i Sânî asrında ve Hadım Sinan Paşa 920 [1515] tarihinde[666] Selîm-i kadîm zamân-ı saltanatında, Hadım Hasan Paşa 1006 [1597] tarihinde Mehmed-i Sâlis zamanında

---

663 Saray Âdetleri X, *Peyâm-ı Sabâh* (*Peyâm*, nr. 1107, *Sabah*, nr. 11537), 3 Kânununsani 1338/1922, s. 3

664 akağalar: Osmanlı sarayında harem-i hümâyûnda istihdam edilen hademelerin bir kısmına verilen isimdir. Bunlar daha çok Boşnaklar arasından seçilmiştir. Hadım Ali Paşa, Hadım Sinan Paşa gibi sadrazamlığı kadar yükselen akağalar vardır. (*OTDTS*)

665 Ali Rıza Beyin verdiği tarih Hadım Ali Paşanın ikinci sadaretidir. Birinci sadareti 1501-1503 arasındadır. 1511 yılında vefat etmiştir. Sadarette toplam yedi yıl kalmıştır. Osmanlı tarihinde sadarete gelen ilk hadım veziriazamdır. (*İzahlı Osmanlı Tarihi Kronolojisi*, c. V, s. 12)

666 *İzahlı Osmanlı Tarihi Kronolojisi*'nde Hadım Hasan Paşanın sadarete geliş tarihi 922 [1516] olarak gösterilmiştir. Paşa bu vazifede yaklaşık dokuz ay kalmıştır. (c. V, s. 15)

mesned-i sadâreti ihraz etmişler[667] ve bunlardan Hadım Ali Paşa fevka't-tasavvur cesur ve akil bir adam olduğundan devlete birçok hidemât-ı sâdıkanede bulunmuş ve Şeytankulu Muharebesi'nde[668] şehit olmuştur. Müddet-i sadâreti yedi sene olup Divanyolu'nda ve Karagümrük civarında vesair mahallerde camiler, mektepler, medreseler, imaretler, tekkeler, çeşmeler inşa ettirmiştir.

Harem-i hümâyûna ait işler Murâd-ı Sânî zamanından Murâd-ı Sâlis zamanına, yani altmış sene kadar bu akağalar marifetiyle idare-i maslahat olunmuşken Murâd-ı Sâlis ve Mehmed-i Sâlis zamanlarında[669] vaki olan icraat sırasında bu vazife tavaşî denilen ve âlet-i tenâsülü katolunmuş olan zenci hadım ağalarına tevdi olunmuş ve ilk defa Habeşî Mehmet Ağa kızlar ağası olmuştur.

Bu Habeş Mehmet Ağa kapı ağalarının fevkinde bir nüfuza malik olduğundan Murâd-ı Sâlis'ten istihsal eylediği bir irade üzerine 995 [1586/87] tarihinde Evkaf-ı Haremeyn Nezareti vazifesini Bâbüssaâde ağasından aldırıp kendi uhdesine tevcih ettirmiş, kızlar ağalarının Haremeyn Evkafı Nezaretini deruhte etmeleri bu tarihten sonra başlamıştır.

Bu Haremeyn Evkafı Nezareti kızlar ağaları idaresine geçtikten sonra ekserisinin cehaleti ve maiyet memurlarının tamah ve irtikâbı muâmelât-ı vakfiyyeyi teşvîş eylemiş ve devr-i Mahmûd-ı Sânî'de kızlar ağası Uzun Abdullah Ağaya onbeşbin kuruş maaş tahsis olunarak bu vazife 1250 [1834] tarihinde teşkil olunan Haremeyn Evkafı Müdüriyetine tefviz olunmuştur.

Bu zenci hadım ağaları sarây-ı hümâyûna ilk defa duhullerinde iptida kızlar ağası huzuruna çıkarılıp, badehu oda lalası ve baş kapı gulâmı ağalara götürülerek ocak defterine bi'l-kayd, kıdemli bir hadım ağasına el öptürülüp onun terbiye ve himayesine verilir.

---

667 Osmanlı tarihinde sadaret makamına gelen beşinci hadımdır. 1598 tarihinde azledilerek idam edilmiştir. Sadaret müddeti beş ay altı gündür. (*İzahlı Osmanlı Tarihi Kronolojisi*, c. V, s. 26-27)

668 Şahkulu veya Şeytankulu ayaklanması Antalya'nın Teke bölgesinde yaşayan kızılbaşların Safevî propagandası neticesinde Osmanlı Devleti'ne karşı başlattıkları isyanın adıdır. II. Beyazıt, Şahkulu Hasan liderliğindeki isyancıların üzerine Atik Ali Paşa olarak da bilinen Sadrazam Hadım Ali Paşayı göndermiştir. İsyancıları Sivas'a kadar takip eden Sadrazam Hadım Ali Paşa, Gökçay Köyü yakınlarında yapılan savaşta 12 Temmuz 1511 tarihinde vefat etmiştir. İsyanın lideri Şahkulu ölünce asiler dağılmış ve İran'a geçmişlerdir. (Mehmet İpşirli, "Atik Ali Paşa", *DİA*, c. IV, İstanbul 1991, s. 64-65)

669 Timurlenk vahîdü'l-husye imiş. Husyeleri alelumum batınları dahilinde mevzu bulunanlara recüliyet kabiliyetini ve kuvve-i recüliyyelerini kaybetmiş nazarıyla bakılamayacağından ve harem işlerinde müstahdem akağalarda bu hâlâtın vukuundan, yani muâmele-i tenâsüliyyeye tevessül edebileceklerinden dolayı Murâd-ı Sâlis zamanında bu vazife bilhassa husyeleri imha edilmiş olan hadımlara verilmiştir. (ARB)

Hazine vekilliği, oda lalası, baş musahiplik, baş kapı gulâmı,[670] valide baş ağalığı, hadım ağaların mesleğinde menâsıb-ı refîadan addolunmuştur.

Rivâyât-ı târîhiyyeye göre müteaddit zevcâtın meşru addedildiği memalikte, kadınların muhafazasını arzu eden müvesvis harem sahipleri harem işlerinde bilhassa husyeleri imha edilmiş hadım istihdam ederlerdi.

Bir vakitler Rusya'da insanlığı ihtirâsât-ı nefsâniyye ile ihlâl etmemek ve hakka daha emniyetle urûc edebilmek tasavvuruyla bizzat kendi uzuvlarını kateden mutaassıplar varmış.

On sekizinci asr-ı milâdîde kiliselerde teganni sanatına intisap etmiş bulunan kimseleri, mücerret sesini muhafaza edebilmek için ihsâ etmek usuldenmiş.

Baltacılara gelince, harem-i hümâyûna ait olarak hadım ağaları vesâtetiyle kendilerine tebliğ ve sipariş olunan hidemâtı ifa etmekle mükelleftirler. Unvân-ı resmiyyeleri teberdârân-ı hâssadır. Sultan Murâd-ı Sânî Rumeli kıt'asının fethi meşguliyetiyle evân-ı seyr ü hareketlerinde Anadolu ahalisinden genç ve dinç bir bölük hademeye baltacı[671] namını verdiğinden ve bunların hidemâtı mucib-i mahzûziyyet olduğundan harem-i hümâyûnu istishâb ile bir tarafa teşrîf-i hümâyûnda çadır kurmak ve yol açmak ve yük kaldırıp indirmek gibi hizmetlerde istihdam edilmelerini irade buyurmuşlardır. Müşarünileyhin oğlu Sultan Mehmet İstanbul'u fethinden ve eski ve yeni sarayları tesis ve inşadan sonra baltacıları iki sınıfa tefrik ve kıyafetlerini yekdiğerinden temyiz ile Yeni Saray'dakilere zülüflü ve Eski Saray'dakilere Eski Saray baltacısı unvanı verilmiştir.

Yakın zamanlara kadar bu zülüflü baltacılar başlarına dört köşe siyah bir külâh giyip, omuzlarının üstüne doğru yapma bir zülüf sarkıtırlar ve daima Yeni Saray'da bulunurlardı. Diğer kısım baltacılar da setrîlerinin yakası üstüne mavi canfesten bir yakalık vaz ve talik ederlerdi.

Evâyilde vüzeradan birinin sarây-ı hümâyûna takdim eylediği köle ve cariyeler yekdiğerini "başa" tabiriyle yâd eylediklerinden, eski ve yaşlı kalfalar baltacılara da bu tabir ile hitap eder olmuşlardı. Büyük saraydan ve sultan saraylarından sokağa çıkıldıkça mavi yakalı baltacılardan birkaçının hadım ağalarıyla beraber arabaların peşinden gitmeleri âdet idi.

---

670   baş kapı gulâmı: Sarayın muteber hizmetlerindendir. Zenci hadımağaları arasından seçilirdi. Saraya alınan zenci hadımağalarının defterini tutmak vazifesi ona aitti. (*OTDTS*)

671   Sarayın dış hizmetleriyle vazifeli olan baltacılar büyük ölçüde Kastamonu ahalisinden seçilirdi. Bunlar arasında Baltacı Mehmet Paşa ve Kalaylıkoz Ahmet Paşa gibi sadrazamlığa kadar yükselen şahsiyetler vardır. (*OTDTS*)

Sarayın teceddüdâta meyil ve rağbeti

Sultan Mahmûd-ı Sânî, Vak'a-i Hayriyye'den sonra takîbât-ı hâriciyyeden ve yeniçeri bâr-ı sakîli tehdidinden azade kaldıkları gibi silâhtarağa, başçuhadar, berberbaşı gibi birtakım enderun müteneffizânın zât-ı şâhâneleri üzerinde olan müdâhalâtına da nihayet verip, harekât-ı hümâyûnlarına kesb-i istiklâl ve serbestî eylediklerinden eski ananâtı külliyen terk ettiler. Devletin her suretle teceddüdâtını ve terakkisini iltizam buyurdular.

İptida kavuk, cübbe, biniş, entari gibi mukannen olan kisve-i şâhânelerini fes, setrî, pantolona tebdil ettiler.[672] Sarây-ı hümâyûnlarınca da husûl-ı teceddüdâta rağbet gösterdiler. 1247 [1832] tarihinde Beylerbeyi Sarayı'nı inşa ettirip orasını sayfiye ve Dolmabahçe Sarayı'nı şitâiye ittihaz ederek Yeni Saray'da ikameti külliyen terk ettiler.

Sultan Mecit'in cülûsundan biraz sonra Dolmabahçe Sarayı da hedm olunarak müceddeden inşasında birçok külfetler ve fedakârlıklar ihtiyar edildi ve mevâki-i malûmede peyderpey kasr-ı hümâyûnlar inşa olundu ve bunların Garp medeniyetine muvafık bir tarzda tefriş ve tezyini arzu buyruldu. Tophane Müşiri Damat Fethi Paşanın himmet ve delâleti ve Fransalı meşhur Krenpler gibi iş adamları marifetiyle Avrupa'dan modeller celp edildi. Doğrudan doğruya Avrupa fabrikalarına siparişler vuku buldu.[673] Saraylar, kasr-ı hümâyûnlar envai akmişe-i harîriyye ile tefriş edildi. Eski sadeliklere karşı hakikaten nazar-firîb birer mevki tuttular. Harem-i hümâyûnun tecemmülâta meyil ve inhimaklarından ve modanın ve alafranga libasın sarây-ı hümâyûna dahil olmasından dolayı Beyoğlu mağazalarına siparişler çoğaldı. Ziynet ve ihtişam terakki etti. Ale'd-devâm nukûd-ı külliye sarf olunurdu.[674] Bu yüzden nice kimseler zengin oldular.

---

[672] II. Mahmut döneminde 3 Mart 1829 tarihinde yürürlüğe giren kıyafet nizamına göre kavuk kaldırılmış, sarıkla cübbe sadece ilmiye sınıfına hasredilmiş ve devlet memurları ve halk fes, setre pantolon ve İstanbulin giymekle mükellef tutulmuştur. (*İzahlı Osmanlı Tarihi Kronolojisi*, c. IV, s. 114)

[673] II. Mahmut'un kızı Atiye Sultan ile evli olan Damat Fethi Ahmet Paşa hakkında Cevdet Paşanın tutumu menfidir. Paşa *Maruzat*'ında, Avrupaî hayat tarzına meyli bilinen Abdülmecit'i memnun etmek için Fethi Paşanın her yola başvurduğunu örneklerle zikreder. Bu konuda öne sürülen rivayetleri de dikkate alan Cevdet Paşaya göre Fethi Paşanın icraatlarından biri de kadınlara düşkünlüğü bilinen Abdülmecit için Avrupa'dan kuvvet macunu niteliğinde şarap getirmektir:
"Fethi Paşa hakkında bir şey rivayet ederler. İnanmak istemem. İnansam ona sebb etmeliyim. Derler ki: 'Arz-ı hulûs için Avrupa'dan kuvvet macununa mukabil ilâçlı şaraplar getirip de zât-ı şâhâneye takdim edermiş.' Sahih ise veliyy-i ni'metine bundan büyük hıyanet olmaz" (*Maruzat*, s. 10)

[674] Kırım Savaşı sırasında Fransız ve İngiliz askerlerinin İstanbul'a gelmesi ve zengin Mısırlı ailelerin yazlarını geçirmek için Boğaziçi'nde yalılar kiralaması batılı hayat tarzına özellikle saray çevresinde gösterilen rağbeti arttırmıştır. Ali Rıza Beyin de işaret ettiği gibi bu yolda külliyetli

Tâife-i ricâlden hizmet-i şâhânede bulunacaklar enderûn-ı hümâyûnda tul müddet tahsil ve terbiye görmüş yaşlı adamlardan olmak deb-i kadîm iktizasından iken, ananât-ı kadîmenin terkinden dolayı Sırkatibi Mustafa Paşa Göksu'da kahveci, Cihan Seraskeri Rıza Paşa[675] Mısır Çarşısı'nda attar, Kaptanıderya Sadr-ı esbak Mehmet Ali Paşa[676] Galata'da sandıkçı çıraklarından mabeyin hademeliğine ve mabeyinciliğe getirilmek gibi devr-i Mahmûd Hânî'de başlayan hâlât, asr-ı Abdülmecîd Hânî'de tekessür ederek muzıka-i hümâyûndan, mekâtib-i askeriyyeden, kalemlerden ve efrâd-ı sâireden yakışıklı gençlerin mabeyinciliğe intihabı ve kayd-ı hayât şartıyla müstevfî maaşlar tahsis olunarak sıkça sıkça çıkarılan hazinedar ve gözdelerin bu kurenâ ile tezvîci âdet hükmüne girdi. Ekserisine konaklar ihsan olunurdu. Mabeyincilikten çıkarılanlara ya dolgunca tekaüt maaşı tahsis olunur veyahut rüteb-i askeriyyeden kaymakamlık, miralaylık rütbeleri verilirdi.[677] Bu hâller devr-i Abdülazîz Hânî evâhirine değin bu suretle devam eyledi.

---

masraflar edilmiştir. Özellikle İstanbul'a gelen Mısırlı hanımlara özenen saray kadınlarının israf derecesinde yaptığı harcamalar sonunda devlet Beyoğlu bankerlerinden borç para almak durumunda kalmıştır. Bu borçların ödenememesi ise devleti diplomatik açıdan zor durumda bırakmıştır. Cevdet Paşanın ifadesine göre alacaklarını tahsil edemeyen bankerler bir keresinde İstanbul'da bulunan İngiliz, Fransız ve Rus elçiliklerine başvurarak haklarının korunmasını istemişlerdir. (bk. *Marûzât*, s. 20)

675 Rıza Paşa, Abdülmecit ve Abdülaziz dönemlerinde çeşitli tarihlerde seraskerlik makamına sekiz defa gelmiştir. (*Devletler ve Hanedanlar*, c. II, s. 1010-1011)

676 II. Mahmut'un kızı Âdile Sultan ile evlenen Damat Mehmet Ali Paşa, Abdülmecit ve Abdülaziz dönemlerinde altı defa kaptanıderya olmuştur. Bir de Abdülmecit döneminde (1852-1853 yıllarında yedi ay on bir gün) kısa süre sadrazamlık yapmıştır. (*İzahlı Osmanlı Tarihi Kronolojisi*, c. V, s. 79, 230-231, 233, 235). Daha sonra oğlu Edhem Paşa, Abdülmecit'in kızı Refia Sultan ile evlenmiştir. (Bk. 641 no'lu dipnot)

677 Maruf bestekârlarımızdan Hacı Arif Bey merhum gençliğinde Abdülmecit mabeyincilerindendi. Kendisinin çehresi de sedası gibi gayet güzeldi. Bir aralık mabeyincilikten ihraç olunmasından dolayı sureti zire derç olunan güfteyi nazm ile sultânî-ırak makamında besteleyerek hâk-pây-i şâhâneye takdim etmiş olduğundan tekrar mabeyinciliğe alınmıştır. (ARB)

(Şarkı-i sultanî-ırak)

(Hacı Arif Bey)

Bana lûtfeyler iken sen
Neden menfûrun oldum ben
Acep sorsam efendimden

Nakarat

Neden menfûrun oldum ben
Değil hâşâ sana nisbet
Ne oldu ettiğim hizmet
Merâkımdır benim gayet

Eyzan

Müşarünileyh[678] İsmail Paşa, Mekteb-i İdâdî-i Askeriyyede talebe iken ahd-i Abdülazîz Hânî'de kurenâlık hizmetiyle sarây-ı hümâyûna alınmış ve biraz zaman da hünkâr yaverliğinde bulunmuşlardır. Hakan-ı müşârünileyhin hal'inden sonra açıkta bırakılmışlardı. Sultan Hamit'in cülûsunda sarây-ı hümâyûna rabıta-i intisâbını muhâfazaten gider gelir olmuşlar ve muahharen Hafız Behram Ağaya kesb-i münâsebet etmişler ve daima onun dairesine girip çıkmaya başlamışlardı.

Sultan Abdülaziz'in taazzum ve tekebbüründen bahsedenler askerliğe olan meyil ve muhabbetini de itiraf ederler. Birçok erkân-ı askeriyyeye gıbta-bahş olacak kadar askerlik ruhuna ve umûr-ı askeriyyede büyük bir nüfûz-ı nazara malik imişler. Kendisiyle mülâkat eden Avrupa ümerâ-yı askeriyyesi hakan-ı müşârünileyhin mükemmel bir askerî mektebe devam edemeyişine teessüfler ederlermiş. Asr-ı saltanatlarında berrî ve bahrî icra olunan birçok ıslahat ve terakkiyat-ı askeriyye gayr-ı münkerdir. Mamafih levâzımât-ı harbiyye ve mübâyaât-ı sâirede birtakım sû-i istimâlât ve isrâfât vukuunu da rivayet ederler.[679]

Bidâyet-i cülûs-ı hümâyûnlarında saray masarifince birtakım tenkihât icra buyurdular. Çünkü Sultan Mecit zamanında sarây-ı müteneffizânın ihtirâsâtı ve harem-i hümâyûn israfâtı son dereceyi bulmuş ve hazîne-i hâssanın düyunu haddini aşmış, taşmış idi. Ol vakit bu tenkihâttan bir hayli fayda husule geldi idi. Ne çare ki çok sürmedi, o da zail oldu ve hâl-i sâbık avdet eyledi.

Hakan-ı müşârünileyhin zamân-ı mahlûiyyetinde devletin ve hazîne-i hâssanın borçları fevkalâde bir dereceyi bulmuştu.

İzah ve beyanı şu faslın mevzuu haricinde bulunan esbap dolayısıyla düşmanları tarafından Devlet-i Aliyye aleyhine uzun zamanlardan beri hazırlanan mesâib ve gavâil-i hâriciyye ve dâhiliyye Âli Paşanın kiyaseti cihetiyle mi meydan alamamıştı bilemem. Fakat müşârünileyhin vefatından sonra birbirini müteakip zuhur etmeye başladı. Devlet bir taraftan mesâib-i hâriciyye ile uğraşmaya mecbur olurken gavâil-i dâhiliyye mütevâliyen devletin derdini arttırmakta ve mevcudiyetini sarsmakta idi. Sultan Aziz'in hal'i ve Sultan Murat'ın malûm olan hastalığı neticesinde Sultan Abdülhamit'in cülûsunu müteakip tevali eden muhârebât da memleketin ahvâl-i mâliyye ve iktisadiyyesini içinden çıkılmaz bir hâle koydu.

Doksan üç Rusya muharebesinden sonra devletin ahvâl-i mâliyyesi düşünülmeye başlandı. Mevcut olan kavâim-i nakdiyye kaldırıldı. Düyûn-ı hâriciyye-i

---

devlet, Düyûn-ı Umûmiyyenin yed-i emânetine tevdi olundu. İdâre-i devlet için de müstakil bir bütçe tanzim edildi. İşte bu sıralarda da Sultan Hamit makam-ı hükümdârîye ait tahsîsât-ı seneviyyeyi yüzellibin liraya tenzil ve ol vakte kadar iradından hazîne-i hâssaca istifade olunan bir hayli maâdin ve emlâkı maliye hazinesine devr ve iade ve sarayın idaresi için bu miktar ile iktifa eylediğini ilân ve işâa etmek suretiyle nâsa bir cemîle gösterdi.

Bu sıralarda Sadrazam Sait Paşa[680] bidâyet-i cülûsta mabeyin başkâtibi iken başlamış olduğu akıl hocalığına mekînen devam ediyor ve hünkârın vehm ve telâşını okşayacak telkinât-ı muvahhişeden geri durmuyordu.[681] Zamanlar geçti, tahsîsât-ı seniyye vehmiyyâttan tevellüt eden masraflara ve hafiyeler muhassasâtına kifayet edemez oldu. hazîne-i hâssayı tanzime ve sarây-ı hümâyûnlar masrafının hüsn-i idâresine memur edilen Agop Paşa,[682] varidatı arttırmak ve masrafı tenzil etmek çarelerine tevessül etti. Lâkin doğrudan doğruya hazîne-i hâssa bütçesinde murakkam olan altıyüzbin liranın nâsa karşı tezyidine padişahın vehmi müsait olamıyordu.

Agop Paşa patika yollardan yürümek çaresine tevessülden başka tedbir bulamadı. Evvelâ eski defterleri karıştırdı. Eski zamanlardan, yeni zamanlardan kalma bir hayli alacak buldu, çıkardı. Bunları maliye hazinesinden almaya kalkıştı. Agop Paşa hatırına gelen herşeyi hünkâra arz edip derhâl iradesini alarak iradeleri Babıâli vasıtasıyla Maliye Nezaretine tebliğ ettiregeldiğinden Maliye Nezareti bu iradelere mutâvaât-ı kâmileden başka bir şey yapamıyordu. Bu aslı meşkûk, fuzulî ele geçen mebâliğ ile nâm-ı pâdişâhîye olmak üzere Dersaâdet ve vilâyât-ı şâhânede mahlûlden ve arâzî-i emîriyyeden cesim cesim arazi ve çiftlikler ve iratlar satın almaya başladı. Basra'da gayet cesim hurmalıklar, Bağdat'ta, Hille'de, Ammare'de gayet vasi mukataât, Musul'da çiftlikler, Beyrut'ta, Şam'da, Halep'te ve bunların mülhakatında hesapsız arazi, İzmir'de, Bursa'da, Edirne'de, Çatalca'da, Selanik'te, Yanya'da, Alasonya'da sayısız çiftlikler, İstanbul'da birçok dükkânlar, hanlar, emlâk-ı hümâyûn defterine geçti.

---

680 Sait Paşa, Sultan Hamit'in cülûsundan beri envai niam ve iltifata müstağrak olduğu hâlde, hal'inden sonra hasbe'l-kader ihtilâttan memnuiyetini ve müdafaaya bittabi adem-i iktidârını fırsat ittihaz ile yazdığı hatıratında hakan-ı müşârünileyhi fasl u mezemmete girişmesi şiâr-ı insâniyyete mugayir olduğuna dair Kamil Paşa hatırât-ı cevabiyesinde sayfa 69'da münderiç fıkra şâyân-ı nazardır. (ARB)

681 1840 yılında doğan Mehmet Sait Paşa, Abdülhamit ve II. Meşrutiyet dönemlerinde toplam dokuz defa sadarete getirilmiştir. 1914 yılında vefat etmiştir. (Sadarete geliş ve ayrılış tarihleri için bk. *İzahlı Osmanlı Tarihi Kronolojisi*, c. V, s. 92-97, 99-100)

682 Asıl adı Agop Kazazyan olan Agop Paşa 1890 yılında hazîne-i hâssa nazırı olmuştur. 1891 yılında bu görevden ayrılmıştır. Ayrıca kendisi Abdülhamit döneminde 1892 yılında tesis edilen Darülacezenin kurucuları arasındadır. (Hayatı ve memuriyetleri için bk. Vağarşag Seropyan, "Agop Kazazyan", *OA*, c. II, İstanbul 1999, s. 23; Sinan Kuneralp, *Son Dönem Osmanlı Erkân ve Ricali 1839-1922*, İstanbul 1999, s. 6)

Yalnız Halep'teki emlâk-ı hümâyûn mecmuunun, Edirne vilâyetinin tamamına muadil cesamette olduğu meşhurdur. Bu emlâk, vergiden ve her türlü tekâliften müstesna olduğu gibi içlerinde sakin olan ahalinin aşarı ve ağnâm rüsumu, emlâk vergisi de bâ-irâde-i seniyye hazîne-i hâssaca istifâ olunurdu. Faiz getiren her nev'inden birçok eshâm ve Şirket-i Hayriyye hisseleri mecmuunun üçte biri bu sıralarda mübayaa olundu. Agop Paşa bu suretle Sultan Hamit'e senevî dörtyüzellibin lira raddesinde mühim bir irat temin eyledi. hazîne-i hâssa nazırı her hafta zât-ı şâhâneye bu hâsılattan para takdim ederdi.

Ramazân-ı şerîflerde iftâr-ı seniyyeye davet edilen ümerâ ve efrad-ı askeriyyeye de bu hâsılattan atâyâ tevzi olunurdu.

Lâkin Sultan Hamit'in ve sarây-ı hümâyûnların masrafları için daha pek çok para lâzımdı. Şehremaneti sarây-ı hümâyûna ait bazı inşaatı kendi kasasından yaptı. Bahriye Nezareti sarây-ı hümâyûn makineleriyle hidemât-ı sâire için ümerâ ve zabitân ve efrat gönderdi. Karhane,[683] kiler ve sarây-ı hümâyûnlara bedava buz ve kar takdim ve Harbiye Nezareti sarây-ı hümâyûna gönderdiği etıbbâ-yı askeriyyenin maaşât ve tayınâtını tesviye ederlerdi. Her biri bir rütbe-i askeriyyeyi ihraz eden taş kırıcı, kuyucu, kaldırımcı, kasap çıraklarından gelme tüfekçilerin maaş ve tayınatını da Harbiye Nezareti ita etmekteydi[684]

Harbiye Nezareti, açıktan olarak sarây-ı hümâyûna (güya numunesine bakılmak için) her gün birkaç yüz çift has tayın ekmeği gönderirdi. Ramazan ve leyâl-i mübâreke akşamları saray sofralarının simit ve her nevi çörek ve pidelerini ihzar etmek Şehremaneti'ne aitti. Sarây-ı hümâyûn kayıklarında müstahdem kayıkçıların ve sandalcıların maaşâtını Maliye veznesi deruhte etti. Sarây-ı hümâyûnun havagazı tenviratı Tophane tahsisatından tesviye olundu. Lâkin bunlarla da tehvîn-i ihtiyâc mümkün olamadı.

Çırağan Sarayı'nda ikamet eden Sultan Murat ile ailesi için her ay Maliye hazinesinin verdiği maaşât hazîne-i hâssa kasasındaki paralara karıştırılarak senede bir kere oraya maaş gönderilmek ve bilumum şehzâdegân ve selâtîn sarayları mekûlât ve mahrukatı için tayınat bedeli namıyla devletçe ayrıca tahsis ve tesviye edilen senevî yüz küsur bin lira hazîne-i hâssa veznesine alınıp, mezkûr saraylara hazîne-i hâssa ambarından aynen verilen ve ikide birde yüzde onu vesa-

---

683   İstanbul'un yaz aylarındaki kar ve buz ihtiyacını karşılamak için Eyüp sırtlarında kurulan tesislere karhane denmektedir. Kışın kuyulara doldurulan ve üstü bezlerle örtülen karlar, yazın sıcak günlerinde kalıplar hâlinde satılırdı. Tek başına İstanbul'un kar ve buz ihtiyacını karşılayamadığı için Uludağ'dan da kar getirmek lüzumu vardı. (bk. "Karhane", *DBİA*, c. VIII, İstanbul 1994, s. 246)

684   Sertüfekçi Tahir Paşanın, Şişli'de kâin taş ocağında çalışan Hırvatlardan olduğunu söylerler. Feriklik rütbe-i refîasını ihraz ve birtakım maâdin vesaire gibi şeylerde de nâil-i imtiyâz olmuştu, derler. (ARB)

iresi tenkîh olunan erzak esmânından istifade edilmek ve kadimen sarây-ı hümâyûn ağavâtı hayvanatı için vâkıfları tarafından tahsis olunan çayırlar mahsûlât-ı vefîresi senede bir defa ağavât-ı mezkûreye cüz'î bir miktar kuru ot verilmek mukabilinde ıstabl-ı âmire hayvanatına tahsis edilmek ve tahsîsât-ı seniyye gümrük veznesine havale edilerek tedahüle kalmak şöyle dursun, miadından evvel istifâ olunmak ve sarây-ı hümâyûnca verilen resmî ve gayriresmî ziyâfât-ı seniyyenin bilumum masarifi ayrıca Maliye hazinesinden istifâ edilmek gibi tedâbire müracaat edildiği hâlde sarây-ı hümâyûn masrafı yine kapatılamıyordu. Şehremini Rıdvan Paşanın[685] her ay kırk binden senevî dörtyüzseksenbin ve Bahriye Nazırı Hasan Paşanın[686] dâire-i bahriyye mübayaâtıyla fenerler ve limanlar rüsumundan ve köprüler varidatından senevî iki milyon ve şimendifer ve vapurlar ve maâdin vesaire imtiyâzâtı dolayısıyla Arap İzzet[687] ve Selim Melhame Paşalar[688] vasıtasıyla beş, altı yüzbin ve yine Musahip Lütfi Ağazade Kurenâ Faik Bey[689] vasıtasıyla zebhiyye rüsumundan kırk, elli bin ve husûsât-ı sâire dolayısıyla birkaç yüz bin liranın ve vilâyâta tayin olunan vali ve memurların gerek hîn-i tayînlerinde ve gerek îfâ-yı memûriyetleri esnasında takdim eyle-

---

[685] Rıdvan Paşa 4 Ekim 1890-23 Mart 1906 tarihleri arasında şehreminliği yapmıştır. Şehreminliği sırasındaki keyfî uygulamaları ve hakkındaki yolsuzluk söylentileri ile anılmış, Şair Eşref;

> Merhabâ ey pây-ı tahtın şehremîn-i nekbeti
> Merhabâ ey çerh-ı dûnun yâdigâr-ı zilleti
> Öyle bir me'mûn-ı yektâsın ki âlem görmemiş
> Sen gibi bir dâver-i rüşvet-şiâr devleti

gibi pek çok kıt'asında Rıdvan Paşayı hicvetmiştir. Osman Nuri Ergin, Rıdvan Paşanın şehreminliği sırasında İstanbul'da medeniyet namına hiçbir şey yapılmamış olduğunu kaydeder. 1906 yılında Göztepe'de öldürülmüştür. (Hayatı ve faaliyetleri hakkında geniş bilgi için bk. *İstanbul Şehreminleri*, s. 180-193)

[686] Bahriye Nazırı Hasan Hüsnü Paşa İki defa bu makama gelmiştir. Birincisi 1881 yılındadır ve on ay sürmüştür. İkincisi ise 1882-1903 arasındadır. Kaptanıderyalar ve bahriye nazırları arasında en uzun müddetle bu makamda kalan Hasan Hüsnü Paşadır. (*Devletler ve Hanedanlar*, c. II, s. 1023)

[687] İzzet Holo Paşa, Şam eşrafından Holo Paşanın oğludur. Abdülhamit'in ikinci kâtipliğini yaptığından dolayı devlet işlerinde büyük nüfuz sahibi oldu. Yabancı şirketlerin verdikleri rüşvetlerle kısa zamanda büyük servet elde etti. II. Meşrutiyetten sonra yurt dışına kaçtı. 1924 yılında Mısır'da öldü. (Abdullah Kılıç, "İzzet Holo Paşa", *OA*, c. I, İstanbul 1999, s. 688)

[688] Selim Melhame Paşa Abdülhamit döneminde 1893-1908 arasında Orman ve Maadin Nazırlığı görevinde bulunmuştur. (*Son Dönem Osmanlı Erkân ve Ricali 1839-1922*, s. 120)

[689] 1870 yılında doğan Faik Bey 1892 yılında mabeyine girdi, Abdülhamit'in en yakın adamlarından biri oldu. Ayrıca celep esnafının kethüdası idi. Devrin sayılı zenginleri arasındadır. Abdülhamit tahttan ininсe yurt dışına kaçmış, 1912'de yurda dönmüştür. 1913 yılında Mısır'a gitmiş, paraya çevirdiği bütün servetini Birinci Dünya Savaşı sonunda bitirmiş, 1937 yılında fakirlik içinde ölmüştür. (*İstanbul Şehreminleri*, s. 296; Sermet Muhtar Alus, *Masal Olanlar*, haz. Nuri Akbayar, İstanbul 1997, s. 278)

dikleri birçok mebâliğ ve hedâyânın kimlerin ellerine geçtiği ve nerelere sarf olunduğu ve hazîne-i hâssa bütçesinin bu paralardan niçin müstefit olamadığı bittabi herkesin bileceği şey değildir derler.

O tarihlerde hazîne-i hâssaya ve sarây-ı hümâyûna mükerreren giderek oralarını mümkün mertebe görenler şahadet ederler ki Yıldız Sarây-ı hümâyûnu başka bir memleket ve başka bir âlem gibiydi. Memâlik-i Osmâniyye ve devâir-i devlet hep oradan ibaret idi. Her gün orası vükelâ, vüzera, ricâl-i memûrîn-i devlet, süferâ ve ecânib ve hatır ve hayale gelmeyen türlü türlü eşhas ile bir taraftan dolar, bir taraftan boşalır. Her tarafta herkes için etime vesaire akla hayret verirdi.

Ahlâfa hatıra olarak şunu da ilâve edeyim ki Sultan Hamit'in evâhir-i saltanatında Yıldız'da vaki matbah-ı hâs dahil olarak bilumum matbahlarda büyük küçük kıt'ada olmak üzere günde bin sekiz yüz tabladan fazla yemek tabh ve tevzi olunurdu.[690]

Hazîne-i hâssanın matbahlar ve kilerler için mübayaa eylediği her nevi et, tavuk, piliç, hindi, süt, yoğurt, kaymak, yumurta, mütenevvi un, tereyağ, yemek yağı, zeytinyağı, Mısır ve Rizun pirinci ve Avrupa'nın kelle ve âdî şekeri, mütenevvi sabun, patates ve her nev'inden kuru hububat ve her türlü yaş sebze ve soğan ve tuz, mevâsim-i mahsûsada her nevi taze ve kuru yemiş, turşular ve Avrupa müstahzaratından türlü konserveler, her nev'inden bonbon ve Münih ve Bavyera ve yerli biralar, soda vaterler, konyak, rom ve mütenevvi şaraplar ve her nev'inden müskirat ve gazyağı, ispermeçet mumu esmânı, gümrük resmi vesaire hariç olmak üzere senevî yüzkırk, yüzelli bin liraya baliğ oldu.

Sarf olunan odun ve kömür esmânıyla beher sene hemen yeniden mübayaa olunan porselen ve saksonya yemek takımları ve evânî-i züccâciye ve nuhâsiyye esmânı ve bunların teferruatı esmân ve masarifi ve matbah, memûrîn, ketebe, vekilharçlar, aşçılar, çeşniciler, tablakârlar ve müstahdemîn-i sâire maaşât ve masarifi de ayrıca tesviye olunurdu.

Hasseten Avrupa biralarıyla soda vaterin, rom ve konyak nev'inden bazı içkilerin doğrudan doğruya hünkâr dairesine takdim edildiği Serkilârî Osman Beyin lisanından işitilmiştir.[691]

---

690 Saray Âdetleri XII, *Peyâm-ı Sabâh* (*Peyâm*, nr. 1109, *Sabah*, nr. 11539), 5 Kânunusani 1338/1922, s. 3

691 Ali Rıza Beyin, Serkilârî Osman Beyden naklen dile getirdiği bu iddialar Abdülhamit'in kızı Şadiye Sultan tarafından "Aynen" başlıklı bir tekziple reddedilecektir. *Peyâm-ı Sabâh*'ın 19 Kânunusani 1338/1922 tarihli nüshasında çıkan bu tekzipte Şadiye Sultan, babasının zaruret hâli dışında dinî vecibelerini yerine getirdiğini ve namazlarını aksatmadan kıldığını söyleyerek, babası hakkında dile getirilen bu iddiaların "mugayir-i hakîkat" olduğunu savunur. Şadiye Sultana göre saraya alınan alkollü içkiler padişahın kendi şahsı için değildir. Bu içkiler, saraya gelen ya-

Istabl-ı âmirede at, katır, merkep, deve, öküz nev'inden üç bin kadar hayvan beslenip hazîne-i hâssa bunların iaşesi için senevî ikibuçuk milyon kıyyeden fazla arpa, yüz küsur bin kantar[692] saman ve yetmiş seksen bin balya kuru ot ve bir hayli kepek tedarikine mecbur olurdu.

Esasen altıyüzelli bin lira raddesinde iken seneler geçtikçe milyonları geçen tahsîsât-ı seniyyenin bilâhare masârif-i vâkıaya kifayet edememeye başlayarak harem-i hümâyûn maaşıyla bekçi ve kapıcı, bahçıvan, aşçı, tablakâr, seyis, hademe ve bahusus sivil tüfenkçi[693] namını taşıyan gürûhun maâşât-ı mahsûsası vakt ü zamanıyla verilmeye imkân bulunamayarak tedâhüle kalması ve tüccarân matlûbâtı yoluyla tesviye edilemediğinden mübayaatın ağırlaşması üzerine masarifçe tasarrufât-ı mümkineye riayet olunması hakkında tevâliyen sadır olan irâde-i şâhânenin çâre-i infâzı düşünüldüğü sırada Sultan Abdülhamit'in efendiliği zamanından beri sadık bendesi olup cülûs-ı hümâyûndan sonra kilercibaşısı[694] olan ve kıdem-i intisâbı cihetiyle sarây-ı hümâyûn ricali arasında mümtaz bir mevki ve nüfuz sahibi bulunan sâlifü'z-zikr Kilercibaşı Osman Beyin odasında Hazîne-i Hâssa Nazırı Portakal Paşa[695] söz açıp "Matbah ve kilerlerin fevkalâde bir dereceye varan sarfiyatına tahsîsât-ı seniyye kifayet edemiyor. İrat ve masrafın tevazünü ile hazinenin borçtan vikayesini efendimiz bana irade buyuruyorlar. Fazla sarfiyat vuku bulmamasına elbirliğiyle çalışalım. Siz de Yıldız Sarây-ı hümâyûnu matbahlarıyla kiler-i hümâyûnlarca tasarrufât icrasına himmet buyursanız." zemininde ifâdâtta bulundukta ona cevaben "Efendim, selefte geçen padişahların hepsi imaretler yapmışlar, burası da efendimizin imaretidir. Ben kimsenin yemeğine dokunamam. Artık siz hazinece işin bir çaresine bakınız." dediği o mecliste hazır olan mevsûkü'l-kelim bir zattan mesmû-ı fakir olmuştur.

---

bancı misafirleri ağırlamak için kullanılmışlardır. Babası hakkında gazete sütunlarında çıkan "hatırat" nev'inden yazılara da temas eden Şadiye Sultan, II. Abdülhamit'in hayatı boyunca hiçbir şekilde hatıralarını kaleme almadığını, bu konuda neşredilen yazıların gerçekle uzaktan yakından alâkasının olmadığını söyler. Yalnız, Selânik'teki zorunlu ikameti sırasında kendisine birtakım "kuyûdât" tutturduğunu ifade eden Şadiye Sultan, icap ederse günün birinde bunları neşredebileceğini ilâve eder.

692 kantar: 56, 452 kilogram ağırlığında veya 44 okkalık bir ağırlık birimi.(TS)

693 tüfekçi: Saray muhafız teşkilâtı mensupları hakkında kullanılan bir tabirdir. Çoğunlukla Arnavut, Boşnak, Türk ve Çerkezlerden seçilirdi. Sivil ve asker olmak üzere iki kısımdı. (OTDTS)

694 kilercibaşı: Sarayın kilerden sorumlu görevlisine denir. Kilerle birlikte mutfak işlerine de bakar, şerbet ve tatlı işlerini idare ederdi. Padişahların yemeklerini bizzat kilercibaşı verirdi. (OTDTS)

695 1842 yılında doğan Mikayel Portakal Paşa, Agop Kazazyan'ın ayrılmasından sonra 1891 yılında hazîne-i hâssa nazırlığına getirildi. Ekim 1897'ye kadar bu görevde kaldı. Ayrıca uzun yıllar Mülkiyede hukuk ve siyasî ekonomi dersleri verdi. Ekonomi üzerine yazılmış ilk Türkçe kitap onundur. (Vağarşağ Seropyan, "Mikayel Portakal", OA, c. II, İstanbul 1999, s. 442; Son Dönem Osmanlı Erkân ve Ricali 1839-1922, s. 6)

Bu Osman Bey, Osman Ağalık zamanında Kastamonu vilâyeti dahilinde Boyabat kazasının Göricek köyünden kalkıp İstanbul'a geldikte bazı hemşerilerinin delâletiyle, Sultan Abdülmecit'in validesi Bezmialem Sultan dairesine intisap etmiş, son zamanlarda Yıldız Sarayı'nda baş kapı gulâmı olan merhum Şefik Ağa da o dairenin harem ağalarındanmış. Bununla orada kapı yoldaşlığı etmişler. Bilâhare Osman Ağa, Şehzade Hamit Efendi dairesine, Şefik Ağa da sarây-ı hümâyûna kapılanmışlar ve yekdiğerini himaye etmişlerdir. Müşarünileyh, kilercibaşı iken rütbe-i bâlâyı haiz, muhtelif rütbelerden birkaç nişanı hamil bulunurdu. Ecnebi nişanlarından birkaçını da hamil idi.

Devr-i Abdülhamîdî'de matbah-ı âmirede Sultan Aziz'e hizmet ve aşçılık etmiş eskilerden birkaç zat mevcut idi. Fakat matbah-ı hâss-ı hümâyûna bu eskilerden hiçbiri kabul edilmemiştir. Bunların en meşhurlarından ve herbiri bir nevi taam tabhında şöhret-i mahsûsa almış olanlardan İbrahim Ağa[696] Beşiktaş sarayı çeşnicibaşılığında[697] ve Kebapçı Mehmet Ağa[698] Yıldız harem matbahı ocakbaşılığında,[699] Börekçi Metenoğlu[700] Feriye matbahı ocak başılığında ve Kürt Mehmet Ağa Yeni Saray aşçıbaşılığında ve Tatlıcı Mehmet Ali Ağa[701] Yıldız matbahı tatlı ocağında bırakılıp mumaileyhüm bu vazifelerle muvazzaf oldukları hâlde birer birer irtihal etmişlerdir.

Sultan Hamit tarçını pek sever, yediği taamların kâffesine tarçın ekermiş. "Eğer yakışmış olsa suyun üzerine de tarçın ekip öyle içerdim." dermiş. Müşarünileyhin taam hususunda da başka bir merakı varmış. Herhangi yemek tablasına konursa o yemeğin bilâ-inkitâ tablasında mevcudiyetini istermiş. Aşçısı bir defa nasılsa ıspanaklı börek yapmış. Senenin ıspanak hâsıl etmeyeceği aylarında bile sebze bahçelerinde yetiştirilerek onunla yine hergün börek tabh edilirmiş. Ara sıra artarak hiçbir nev'i eksilmeyen taamın adetleri gitgide o kadar çoğalmıştır ki iki kısım olan matbah-ı hâss-ı hümâyûnda beheri on sekiz, yirmi kap-

---

[696] İbrahim Ağa, Abdülaziz'in çeşnicibaşılığında bulunmuştur. A. Ragıp Akyavaş, Abdülaziz'in daveti üzerine iâde-i ziyâret maksadıyla Türkiye'ye gelen Fransa İmparatoriçesi Eugenie şerefine Beylerbeyi Sarayı'nda verilen ziyafette yemeklerin nefasetinden dolayı İbrahim Ağanın imparatoriçe tarafından nezdine çağrılarak tebrik edildiğini aktarmaktadır. (*Asitâne II* , s. 221)

[697] Çeşnicibaşı, alelumum tablalardaki etimenin nev'ini ve adedini ve miktarını tayin etmek ve bunları güzelce ve mahfuzen mahallerine göndermeye memurdu. (ARB)

[698] Kebapçı Mehmet Ağa pişirdiği bütün kuzu ve tandır ve sair nev'inden kebapları Sultan Abdülaziz'e beğendirerek kebapçıbaşı unvanını ihraz etmiş bir sanatkârdır. (ARB)

[699] İkinci Abdülhamit döneminde ülkemizi ziyaret eden Alman İmparatoru II. Wilhelm'in, Yıldız Sarayı'nda kendisine verilen ziyafette, aslen Geredeli olan Kebapçı Mehmet Ağanın yaptığı kuzu ve tandır kebaplarını çok beğendiğini ve "Ömrümde bu kadar nefis et yemedim" dediğini yine A. Ragıp Akyavaş ziyafette bulunanların ağzından aktarmaktadır (*age.*, s. 221)

[700] Börekçi Metenoğlu'nun pişirdiği börek üzerine bir metelik onluk bırakıldıkta börek tepsisinin dibine düşermiş ki, bu da o sanat erbabı beyninde yapılamaz bir hüner addolunurmuş. (ARB)

[701] Tatlıcı Mehmet Ali Ağanın İstanbul ricali arasındaki şöhreti şöyle dursun, tabh eylediği tatlıların nefaseti muteberân-ı ecânibin bile mazhar-ı takdîri olmuş bir sanatkârdır. (ARB)

tan ibaret olmak üzere nefs-i şâhâne için tablalara bu kadar yemek ihzar olunduğu hâlde, Sultan Hamit'in kendi zatı için ayrıca çiğ mekûlât getirterek harem-i hümâyûnda tabh ettirip tenâvülü itiyat eylemiş olduğu dahi rivayet olunurdu.

Hakan-ı müşârünileyh, vükelâ ve vüzera ve sair taraflarından ve bazen beylik bahçelerden kendisine takdim olunan meyve vesaireye el sürmediği gibi, bunları kendi dairesi halkına da yedirmeyip kilercilere verirmiş.

Dâire-i hümâyûna her gün Eminönü'nde meşhur Çiçekçi Üftad'ın dükkânından dört nevi mevsim sebzesi mübayaa edilirmiş. Vâkıf-ı serâir-i ahvâl bazı zevattan işitildiğine göre Sultan Hamit bunlara da el sürmez ve fakat mutemedi ve bir rivayete göre süt biraderi Seresvâbî İsmet Bey vasıtasıyla ale'l-ekser Beyoğlu ve Galata ve bazen İstanbul taraflarındaki yemişçi dükkânlarından gayet hafi olarak meyve satın aldırıp tenâvül edermiş.

Her sene mevsim-i şitâda Yıldız Sarayı'nda bir mahall-i mahsûs tefrik olunup erbâb-ı sanattan bir Arnavut celp edilerek ve malzemesi ambarlardan verilerek hulûl-ı bahâra kadar sahlep ve boza yaptırılır, harem ve mabeyin halkına verilirdi. Saray kadınları bozayı pek severler.

Yıldız Sarayı'nda harem-i hümâyûna Karakulak ve Büyük Çamlıca suları getirilirdi. Sultan Hamit, Karakulak suyu içmeye rağbet eder olduğu halde mahzâ harice sezdirmemek için Büyük Çamlıca suyundan da dairesine su alır ve bunlardan hangisine rağbet gösterir olduğunu ağyardan saklamak isterdi. Çok kişi hakan-ı müşârünileyhin aklıselim sahibi olduğunu itiraf ederler, lâkin tab'an müstakim olduğunda tereddüt gösterirler. Zaman-ı saltanatında icraât-ı itisâfkârâne mübah addolunduğundan ve halkın bir kısmı casuslukla zehirlenip ahlâkları bozulduğu için bu gibilerin tasnîât-ı gaddârânesiyle birçok kimselerin bilâ-muhâkeme nefiy ve tağrîb edildiklerinden ve iş başında bulunanlar da mevkilerini muhafaza kaydına düşüp hak ile batılı tefrik ve temyiz etmedikleri gibi ekserisinin de âmâl-i mahsûsaya hizmet eylediklerinden bahsederler ve birtakım zevat da otuz üç yıl makam-ı hilâfette bulunan bir hükümdara, devletine, memleketine, milletine hizmet etmedi denilemeyeceğini dermeyan etmektedirler. Cennet-mekân-ı müşârünileyh gibi hasbelkader terk-i dağdağa-i hükûmet ettikten sonra on sene uzletgâhında istirahat eden ve bu müddet zarfında hayât-ı siyâsiyyesi tarihini kıraat ve mabadını bizzat müşahede eyleyen bir hükümdarın aleyhinde tefevvüh olunan rivayetler hakan-ı müşârünileyhin mezâyâ-yı âliyesini muhakemeye kâfi vesâik-i târihiyye kıymetini haiz değildir. O zamanlar sarayın malûm olan nüfûz-ı fevkalâdesi dolayısıyla cereyan eden vekayinin dekayıkına hamdolsun berhayat bulunan kurenânın vukufu tabiî bulunduğundan, mücerret tarihe hizmet için yakından tetkik ettikleri ahvalin vuzûh-ı tâm ile beyanını onların himmetlerinden intizar etmek daha doğru olur.[702]

---

702 Saray Âdetleri XIII, *Peyâm-ı Sabâh* (Peyam, nr. 1110, *Sabah*, nr. 11540), 6 Kânunusani 1338/1922, s. 3

Kibar Konakları

Eski konaklar nasıl yapılırdı?-Konaklarda kapıcılık-Yalılara nakil için yapılan merasim: İrade suduru, eşref saat-Konakların dahilî taksimatı

Mine'l-kadîm Eyüp, Üsküdar ve Galata, Bilâd-ı Selâse itibar olunarak İstanbul'dan hariç tutulmuş ve rical ve kibar konaklarının sur dahilinde inşası âdet olmuştu. Takriben altmış yetmiş metre arz ve tulünde olan müteneffizân konakları asrın mimar ağası nezaretiyle inşa edilir, binanın resmi ve plânı inşaat müdürlüğü, mimar ağanın maiyet memurları taraflarından ifa olunurdu.

Taksîmât-ı dâhiliyye ve manzara-i hâriciyyesi hemen hemen hep bir tarzda olan bu konakların bir tarafı harem, diğer ciheti selâmlık, vasatları zülvecheyn daireleri ittihaz olunur ve haricen görünüşleri boydan boya bir kışla manzarasını andırır ve çoğu koyu kırmızı aşı boyasıyla telvîn edilirdi.

O zamanlar binaların resminden ziyade rasânetine ehemmiyet verildiğinden istimal olunan direkler, mertekler, pedavralar,[703] gibi malzeme pek metin idi. Mamafih türbelerde meşhut olan sanayi-i mimâriyye küberânın ahşap konaklarında mefkud idi.

Şehrimiz büyük yangınlar gibi esbap dolayısıyla da birtakım tahavvülat ve inkılâbata maruz kalmıştır. İstanbul'da fenn-i mimarîye oldukça muvafık kâgir ebniye inşası Hocapaşa harîk-i kebîrinden sonradır. O vakit caddeler de tevsi olundu ve Ayasofya Câmi-i şerîfinin etrafını ihata eden ev ve dükkân yığınları kaldırılıp cami meydana çıkarıldı. İnşa olunan konaklarda selâmlık dairelerinin alt katları cesim toprak avlu ve bu avlular selâmlığın cihât-ı erbaasıyla mütesâviyen müteşekkil olup, atlar, arabalar o büyük kapılardan ferah ferah girer çıkardı.

Vüzeradan olanlar ve kazaskerlik payesini ihraz edenler hasbe't-teşrîfât konakları kapılarının iki kanadını, kapıcı bulunmak şartıyla daima açık tutarlar, bu

---

703   pedavra: Köknar ve lâdin ağaçlarından elde edilen, çatı örtüsü olarak kullanılan ince tahta. (TS)

derecelerden dun rütbede bulunanların da yine kapıcı bulunmak üzere yalnız bir kanadını açık tutmaya salâhiyetleri vardı.

Böyle büyük konakların kapıları üstüne çifte fener konulması Devr-i Mecîd Hânî'de usul ittihâz olundu. Hatta istekli olanların hane ve dükkânları önüne birer fener konulması ve masarifi mahallât imamları marifetiyle tahsil olunarak Zaptiye Müşiriyeti veznesine teslim olunması taht-ı karâra alınmıştı. Muahharen Dolmabahçe Gazhanesi inşa olunarak saray dahili havagazıyla tenvir olunduğu sırada Dolmabahçe, Galata ve Beyoğlu caddelerine de havagazı fenerleri konulmaya başlandı. Halkımız fevç fevç geceleri bu caddeleri seyir ve temaşaya giderlerdi.

Konaklarda çöpçülük tablakârlık, kandilcilik gibi hizmetlerde saç sakal ağartmış emektarlar mükâfaten kapıcılığa konulurdu. Şeyhü'l-vüzerâ sadr-ı esbak Hüsrev Paşa, Âli Paşanın ilk sadaretinde berây-ı tebrîk yalısına gitmiş ve kapıcının uzun ve süt gibi beyaz sakalı gözüne ilişmiş. Hüsrev Paşa mizaha mail bir zat olduğundan "Aman kapıcı baba, ne kadar güzel sakalın var. Gel öpeyim, Allah seni paşa efendimize bağışlasın!" demiş ve herifin sakalını öpüp öyle gitmiştir. Müteakiben Hüsrev Paşanın kölelerinden Kaptanıderya Damat Halil Paşa da gelip sadrazamla görüştükten sonra giderken orada bulunan Ömer Faiz Efendi, Paşaya hitaben "Hüsrev Paşa pederiniz bu kapıcıya pek çok iltifat etti ve hatta sakalını öpüp öyle gitti" deyince Hüsrev Paşa gibi letâife mail olan Halil Paşanın "Paşa, kapıcıya bahşiş vermemek için öyle yapmıştır. Bak ben ne sakalını öperim, ne de bahşiş veririm" deyip kayığına atlamış olduğunu şathiyat kabilinden olarak Ömer Faiz Efendi hikâye ederdi. Hüsrev Paşanın yetiştirdiği kölelerden mühim mevkiler ihraz eden yalnız Halil Paşa olmayıp Koca Hakkı Paşa, Sadr-ı esbak Gürcü Reşit Paşa, Tophane müşiri Vasıf Paşa, Çerkez Sadullah Paşa, Çerkez Abdi Paşa, Sadr-ı esbak Edhem Paşa, Gözlüklü Reşit Paşa, Hayrettin Paşa, Ferik Haydar Paşa, İskender Paşa, Selim Paşa, Ferhat Paşa, Liva Hüseyin Paşa, Hüsrev Paşanın kölelerindendi.

Umum vükelâ, vüzera, küberâ, her sene yalılarından konaklarına ve konaklarından yalılarına nakledebilmeleri için makam-ı sadâretten bi'l-istîzân irade istihsal olunur ve iradenin sudurundan sonra herkes nakilde serbest bulunurdu. Şu kadar ki vaktiyle küberânın çoğu müneccimlerin ihbaratına ve keşf-i istikbâl yolundaki sözlerine büyük ehemmiyetler verdiklerinden ve bir işe başlamak için mutlaka eyyâm-ı sad aradıklarından iptida bu nakil hususunu asrın müneccimbaşısına veya o nispette vüsûk ve itimada şayan bir müneccime müracaatla "eşref saat" tahkik olunur ve vereceği zayiçe[704] üzerine naklolunurdu.

---

[704] zayiçe: Belli vakitlerde yıldızların yerlerini ve durumlarını gösteren daireye verilen addır. Müneccimler bununla eşref saati tespit ettikleri gibi, üfürükçüler de hastalıkların ne olduğunu anlamak için bu cetvele bakarlardı. (*OTDTS*)

Eşref saat zamanına kadar nakil hazırlığını itmam edemeyenler bir Mushaf-ı şerîf götürüp bırakırlar ve artık kendilerini nakletmiş addederlerdi. Hatta eşref saat dakikasının hulûluna kadar girmeyip kapıda bekleyenleri bilirim. Bu suretle konak ve yalılara her nakil vuku buldukça yekdiğerinin hanelerine gidip nakil tebriğini ifa etmeleri de merasim icabından idi.

Eskiden kibar konakları için şairler tarafından "dâriyye" namıyla kasideler tanzim olunurmuş. Nef'î'nin, Nâbî'nin ve daha birçok şairlerin kasâidi vardır. Hatta Nedim, asrı ricalinden birinin yaptırdığı konak için;

> Ey âlem-i misâlin seyyâh-ı hûş-yârı
> Hiç kasr sûretinde gördün mü nev-bahârı

matlâındaki kasideyi söylemiştir.[705]

Konakların alt kat avlusundan binek taşına zeminden üç dört ayak basamaklı taş merdivenle ve binek taşından birinci kata da gayet geniş çifte merdivenle çıkılırdı. O cesim divanhanelerde Mısır hasırları mefruş olduğundan cesametinden kinayeten divanhanelere "hasır ovası" ıtlak olunur ve bu divanhanelerde birer de kuburlu saat[706] mutlaka bulunurdu. Bu saatlerin ekserisi de meşhur "Perbor" fabrikasından çıkma idi.

Odalar gayet cesim ve sedli ve pencereler kesretli idi. Pencerelerin üstlerinde renkli camlar ve oymalı çerçeveler ile müzeyyen ufak birer pencere daha vardı ki bunlara tepe camı ıtlak olunurdu.

Konakların yatak odaları pencerelerine geceleri çuhadan boydan boya zar çekilir ve bu zarlara dikili halkalar demir kornişlere geçirilmek suretiyle istimal olunurdu.

Vaktiyle bizde ağaç işleri oldukça müterakki idi. Doğramalar, kapılar, pencere kanatları, oda tavanları sanatlı şeyler idi. Dolaplar, ufak raflar, yüklükler ile dolaplar arasında ve pencerelerin mukabilinde tefrik olunmuş olan çiçeklikler ve bu çiçeklikleri tezyin için duvarlarına yapılan boyalı resimler fena değildi. Hele oymalı, yaldızlı kapı takımları, kilitler, halkalar oldukça üstadane şeylerdi. Bu kabil vüs'at ve terakkiye müstait olan sanâyi-i milliyyemizi teşvik ve himaye edemedik. Ekserisi irşat ve müzaheretin fıkdanından dolayı birer köşeye çekildi.

---

705 Nedim bu kasideyi III. Ahmet döneminde Defter-i Hakanî Emini olarak vazife yapmış olan Muhammet Efendiye sunmuştur.

706 kuburlu saat: Ayaklı saat. Duvara dayanan ve uzun bir kutu şeklinde olup üst tarafındaki yuvarlak ve daha genişçe kutu içine saat kısmı geçirilmiş eski bir saat türü. Daha çok camilerde, saraylarda ve konaklarda kullanılmıştır. (Osmanlı Âdet, Merasim ve Tabirleri, c. II, s. 521)

Eskiden odalara üçer sıra boydan boya yerli kerevetler[707] imal ettirilir ve üzerlerine ot veya yün minderler konulup çuhadan makatlar çekilir ve yastıklar Dersaâdet ve Bilecik tezgâhları mamulâtından olan çatmalardan yapılır ve bazı odalar da Halep kutnusuyla[708] tefriş ettirilirdi ve her odada yan sedirlerinin müttekâları[709] maun veya ceviz ağacından mamul kitabeler idi. Pencere perdeleri yazın patiskadan, kışın çuhadan imal ettirilir, odalara Anadolu halısı tefriş olunurdu. Sonraları bu üç yan minderler bir mindere indirilip bunların yerine kanepe ve sandalyeler konulur oldu.

Duvarlara meşâhîr-i hattâtîn tarafından celî ve talik hatlarıyla yazılmış olan levhalar asılırdı. Ayna, konsol ve bahusus endam aynaları da sonraları kabul olundu.[710]

Konak hamamları-Ziyaretçilerin sûret-i kabulü-Uzun çubuklar ve kahve tevziinin usulü-Hazine odaları-Hayvan merakı-Büyük konaklarda yemek meselesi

Konak hamamlarının ekserisi fevkanî idi. Bu hamamların derununda iki kurna, bir de "kurneteyn" tabir olunan sıcak su banyosu bulunur, soğukluk denilen dış halvette de ayrıca bir kurna olduğundan itidali arzu edenler bu halvette yıkanırlardı. Hamamların her bölmesindeki kapı mahallerine hararetin muhafazası için karşılıklı ikişer kanat takılıp, bu kanatlara al çuhalar kaplanırdı. Soyunup giyinmek için birer de camekân odaları vardı. Bu odalar bile sıcak olurdu. Kibarlar kış sabahları kahvaltılarını bu odada tenâvül ederler, çubuklarını ve kahvelerini burada içerler, burada giyinirler, badehu zülvecheyn dairesine çıkıp kâhya efendi, kitapçı efendi, divan efendisi, mühürdar bey gibi daire mütehayyizânı ile bazı musâhabât ederler, sonra da sabah ziyaretçileriyle görüşmek için selâmlık dairesine çıkarlardı.

Kibar takımları öğle taamlarını kendi ikametgâhlarında edip memuriyet mahallerine bade't-taâm gittiklerinden maiyet memurları da onlara ittibâen mahall-i memûriyyetlerine geç gelirlerdi.

Bu ziyaretçiler içinde vüzeradan olanlar veya o derece vâcibü'l-ihtirâm bulunanlar hayvan veya arabalarından binek taşına inmeleriyle beraber konağın

---

707 kerevet: Tahtadan yapılan ve üstüne minder ve şilte konularak oturulan veya yatılan yüksekliği az sedire verilen addır. (*OTDTS*)

708 kutnu: Pamuk ipliği karışık, atlas taklidi ipekli kumaş. (*TGKSS*)

709 müttekâ: Baş tarafı kavisli, kısa koltuk değneği, dayanak. Yaşlıların minderde otururken koltuk altlarına dayadıkları müttekâlar, abanoz, pelesenk ve öd ağacı gibi sert ağaçlardan yapılmış ve gövdeleri sedef, fildişi kakmalar, altın, gümüş bileziklerle süslenmiştir. (*AEEK*)

710 Kibar Konakları I, *Vatan*, nr. 754, 18 Mayıs 1341/1925, s. 2

nöbetçi ağalarından iki kişi derhâl koltuğuna girip merdivenden yukarı çıkarırlar, o vakte kadar haberdar edilen hane sahibi merdiven veya oda kapısından istikbal ederdi. O büyük zata hürmet-i mahsûsa olmak üzere huzzâr-ı mevcûdenin çubukları da kaldırılmak merasim icabından idi.

Gelen misafirler baş sedire çıkarılır, huzzâr-ı sâire de derecelerine göre minderler üzerinde ahz-ı mevki ederlerdi. İki diz üzerine oturmak şarttı. Biraz sonra bir dizini dikip oturanlar da ender olarak bulunurdu.

Badehu hane sahibi el çırpar. Eskiden konaklarda ağalardan bir ikisi sofalarda beklerler, efendileri el çırptıkça içeri girip emrini telâkki ederlerdi. Bu usul harem dairelerinde de hanım efendiler ile kalfalar beyninde cari idi. İçeri giren nöbetçi ağaya çubuk ve kahve ısmarlarlar ve bade't-terhîbât musâhabâta girişirlerdi.

Müteakiben kapının perdesi açılıp her biri bir metre tulünde kehribar imameleriyle müzeyyen yasemin veya kiraz çubukları hâmil ağalar birbirini müteakip içeri girip çubukları verirlerdi. Çubuk vermek dahi bir usule tâbi idi. İptida çubuğu vereceği zatın önüne geldiğinde bir dizi üstüne çöküp maden çubuk tablasını yere ve çubuğun lüle tarafını bu tablanın üstüne koyduktan sonra çubuğu çevirip öyle vermeli ki imamesi çubuk sahibinin tam ağzı hizasına gelmelidir.

Hasbe'l-merâsim kısa çubuk istimali memnu ve gayri caizdir. Terkeş tabir olunan bu kısa çubuklar kayıklarda ve bazı hususî mahallerde istimal olunurdu. Mahşer Midillisi lâkabıyla yâd olunan Hariciye Teşrifatçısı Kâmil Bey uzun çubuklardan kinayeten "Bu kargılı heriflerden ne zaman kurtulabileceğiz?" diye şikâyet ederdi.

Misafirlere kahve tevziinin de ayrıca bir kaidesi vardı. İptida konağın kahvecibaşısı kadife kaplı ve gümüş kakmalı kahve tepsisini iki eliyle tuttuğu ve bu tepsi sırma işlemeli ve sırma saçaklı bir örtü ile mestur bulunduğu hâlde içeriye girer ve kahveci yamaklarından bir ağa da kahve ibriğini hamil gümüş zincirli gümüş sitil (kahve ibriği bu sitil tabir olunan ateşdanlıkta durduğu hâlde getirilir ve bu da kahvenin sıcak olarak verilmesi maksadına mebnidir) elinde bulunduğu hâlde kahvecibaşının arkasından gelir. Bu ikisi odanın ortasında dururlardı. Odada ne kadar misafir varsa içeriye de o kadar ağa gelmek şarttı. Bu şarta tevfikan gelen ağalardan en kıdemlisi tepsinin üzerinden örtüyü kaldırır, kahvecibaşının omuzuna kor, badehu kafesli gümüş zarflı fağfurî fincanı alıp sitil tutan ağanın yanına giderek kahveyi koydurur ve mevcut ağalar da bu minval üzere kahveyi koydurduktan sonra hepsi birden zarfların ucundan iki parmaklarıyla tutmuş oldukları hâlde bir anda misafirlere tevzi ederlerdi. Ağalar, misafir kahveyi tekmil edinceye kadar karşısında dururlardı. Kahvenin hitamında ağaya fincanı iade etmekle beraber bir temenna ile sâhib-i hâneye kahve teşekkürünü ifaya misafir borçludur. Bayramlarda ve sair eyyâm-ı mübârekede berây-ı tebrîk gelen misafirler içinde ağaları hoşnut etmek ihtiyarında bulunanlar onlara canlıca bahşiş verirlerdi. Yakın zamanlara kadar memuriyet tevcihinden dolayı şeyhülislâmlara berây-ı teşekkür gelen naipler ve sair ulema, ilmiye memurları kapı ağalarına tevzi olunmak üzere bahşiş bırakırlar ve teraküm eden bahşişler de mâh-be-mâh ağalara tevzi olunurdu. Bir de huzûr-ı fetvâ-penâhîye duhul eden ilmiye mensupları biniş iktisa etmeye hasbe't-teşrîfât mecbur olduklarından binişi olmayanlar kapı ağalarından kira ile biniş alırlardı. Bu bahşişler de bir kutuda toplandığından "kutu payı" tabir olunurdu.

Kibar konaklarında gümüş takımları ve murassa çubuk ve kıymetli saksonya takımları ve eski maden tabakları, ağır seccadeler ve mücevherat, kürk ve şal ambarları ve sair eşyâ-yı nefîse kâgir hazine odalarında hıfzolunur ve hazinedar ağa ile hazine kâtibi taraflarından sebt-i defter olunurdu. İstanbul'un ekser büyük konaklarında Bizanskârî metin kemerli ve kale kapıları gibi demir mahzenler vardı. Böyle mahaller hazine odaları ittihaz olunurdu.

Her gün müstamel olan eşyanın ahzükabzından dolayı kahvecibaşı, tütüncübaşı, kilercibaşı, aşçıbaşı gibi vazifedarlar kâhya efendiye karşı mesul edilirdi.

Eskiden muntazaman posta vapurları olmadığı ve limon, portakal gibi şeyler yelken sefâini ile geldiği cihetle, istenildiği zaman bulunabilmek için eski kibarlar limonluklara büyük ehemmiyetler verirler ve Sakızlı bahçıvanlar marifetiyle envaını yetiştirirlerdi.

Bir vakitler bahçe limonuyla kilercibaşılar tarafından yapılan buzlu limonatalar, portakal şerbetleri pek makbul ve meşhur idi. Bu şerbetler kapaklı ve tabaklı gümüş veya saksonya bardaklar derununda olarak gümüş tepsiler üzerinde gelir ve ağalar marifetiyle huzzâra ikram olunurdu.

Kibar konaklarında en ziyade rağbet olunan yemekler kuzu ve hindi dolmaları, mütenevvi kebaplar, yahniler, börekler, baklavalar, hamur tatlıları, tavukgöğsü, sütlaç, muhallebi, elmasiye, süzme aşure, paluze gibi şeylerdi. Salamandıra çorbası, kaz ciğeri böreği, dil balığı fletosu, av ve dana etleri gibi alafranga ve alaturka yemekleri ve tatlıları bilen aşçı ender idi. Hatta mayonezli levrek balığını pişiren aşçı parmakla gösterilirdi.

Eskiden sınf-ı ricâl hayvana râkib olduklarından vüzera ve küberânın çoğu hayvan meraklısı idiler. Gayet cins hayvanlardan olmak üzere ahırlarında külliyetli hayvan bulundururlardı. Harem koçuları hayvanları ve ağavâtın kaltak beygirleri ekalli seksen, yüz hayvana baliğ olurdu. Selîm-i Sâlis asrı ricalinden İbrahim Nesim Efendinin[711] bir gün esnâ-yı sohbette "Ahırımda seksen hayva-

---

711   Arabacızade İbrahim Nesim Efendi III. Selim döneminde sadaret kethüdalığı ve rikâb-ı hümâyun reisliği gibi mühim vazifelerle padişahın yakınında bulunmuş, Kabakçı isyanı sırasında Mayıs 1807 tarihinde katledilmiştir. (*Sicill-i Osmânî*, c. I, s. 148)

nım kaldı, artık babam mezardan çıksa kimseye bir hayvan vermem." dediği meşhurdur.

İşte bu kadar kesretli binek ve araba hayvanlarını istiaba kâfi ahırlara ve arabalıklara ve o nispette arpa saman ambarlarına ihtiyaç vardı. Matbah dairelerinde aşçıbaşılar, kalfalar, çıraklar, tablakârlar ve ahırlarda seyisler, arabacılar ve ahırlar uşakları, bahçıvanlar, kayıkçılar, birkaç yüz kişiye baliğ olur ve bunların koğuşları ve müştemilât-ı sâiresi konak haricinde inşa olunurdu.

Kış günlerinde açık havalarda yalı eğlenceleri, balık âlemleri yapmak için bazen yalılarda kaldıklarından orada da lüzumu kadar adam bulundurmak mecburiyeti vardı. Bir de gerek yalıların ve gerek konakların bekçileri, bahçıvanları ayrı idi. Vüzerâ dairelerinde kâhya efendi, kitapçı efendi, divan efendisi, mühürdar bey gibi zevat dairenin mütehayyizânından idiler. Çamaşır ağası, vekilharç, hazinedar ağa, kaftan ağası, anahtar ağası, karakulak ağa, tütüncü başı, kahveci başı gibi gedikli ağalar ve hazine kâtibi, kâhya kâtibi, vekilharç kâtibi misilli zatlar ikinci, üçüncü derecelerde sayılırdı. Madenî kaşıklar istimali taammüm etmezden evvel kaşıkçı esnafının imal ettikleri şimşir, bağa, abanoz, gergedan, manda boynuzu, sığır tırnağı, Hindistan cevizi kabuğu gibi şeylerden mamul ve sapları mercan veya sedef ile müzeyyen yemek, tatlı, hoşaf kaşıkları istimal edilir ve yemekler bakır veya sarı siniler üzerinde minderlerde oturmak suretiyle tenâvül olunurdu. Yemek havlusu makamında dokuma bezden mamul yekpare peşkir sofranın etrafına konulur, sofrada oturanlar bu peşkirden birer kısmını kendi dizleri üstüne korlar idi. Büyük konaklarda peşkir ağası peşkiri elinde tutup herkes sofranın etrafında ahz-ı mevki ettikten sonra peşkiri atar ve huzzârın dizleri üzerine tesadüf ettirir ve bu da ağalar beyninde bir hüner addolunurdu. Sonraları sandalyeler üzerinde taam edilmek ve herkese başka başka yemek havlusu vermek usulü kabul olundu.

Taama gidilirken ağalar ellerinde leğen ibrik tutarlar, herkes elini yıkar, sofraya öyle oturururdu. Misafirlerin ellerine su dökerken velev bir katre de olsa üzerlerine su sıçratmak ayıp addolunurdu. Yemekler bakır ve icabına göre gümüş veya saksonya kaplar derununda olarak gayet mebzul ve nevi de kesretli idi. Bir tuzlu ve bir tatlı vermek şartıyla herkes bir kap derunundan elleriyle tenâvül ederlerdi. Vıcık vıcık yağ içinde kalan parmakları câ-be-câ yalamak suretiyle tathir etmek mecburiyeti hâsıl olurdu. Sulu tatlıları, alelhusus hoşafları etlere mahsus kaşıklar ile bir kap derunundan yiyip içerdik. O zamanlar halkımız garip bir taassup içinde pûyân idiler. Bir sofrada ayrı ayrı tabaklar derunundan taam etmek ve bahusus çatal bıçak istimal eylemek mezmûm idi. Vak'a-i Hayriyye'den sonra Sultan Mahmut ilk defa Avrupa'dan gümüş sofra takımı getirtmiş ve bu takımlar kerimeleri Mihrimah ve Saliha Sultanların velîme cemiyetlerinde verilen elçi ziyafetlerinde istimal edilmiştir.[712]

---

[712] Kibar Konakları II, *Vatan*, nr. 755, 19 Mayıs 1341/1925, s. 2

Eski ricalin merakları-Recaizade'nin bir kıt'ası-Eski mangallar, boy kürkleri, balmumları-Teşrifat merakı ve bu yüzden bazı garip vak'alar

Eski rical ve kibarın ekserisi eski maden tabaklara, saksonya ve gümüş ve murassa çubuk takımlarına ve antika saatlere, kıymetli enfiye mahfazalarına, tespih envaına, şallara, kürklere, yakut, zümrüt gibi ahcâr-ı semîneye meraklı idiler. Çoğunda bu gibi kıymetli şeyler bulunurdu. Hele mahirane imal edilmiş olan enfiye mahfazaları, plâtinden, gümüşten, fil dişinden, abanozdan, boynuzdan, saksonyadan beyaz ve mustatil, müdevver, mînâkârî o kadar zarif kutular vardı ki her biri ona sahip olanlara medâr-ı mübâhat olurdu. Ezcümle Pariskârî mineli enfiye mahfazasına malik olmak bir zamanlar büyük bahtiyarlık addolunurdu. Altından mamul ve murassa enfiye kutuları büyük kıymetleri haiz idiler. Bir vakitler taltif edilmek istenilen ricâl-i devlete murassa enfiye mahfazası ihdâ edilmek âdât idi. Edirne valiliğinde irtihal eden kudemâ-yı vüzerâdan İzzet Paşa Trablusgarp valisi iken Abdülaziz'in validesi Pertevniyal Sultana tûtî kuşları takdim etmiş, müşârünileyhâ da murassa bir enfiye mahfazası göndermekle mukabele buyurmuş. O vakit Ekrem Bey merhumun büyük biraderi Recaizade Celâl Bey merhum da vilâyet mektupçuluğunda bulunuyormuş. Valide Sultanın hediyesine bir teşekkürname müsveddesi kaleme alınmasını vali paşa mîr-i mûmâileyhe ısmarlamış olduğu hâlde, galiba biraz ihmalkârlık vukua gelmiş. Bunun için valinin bir adamını gönderip istical etmesi üzerine Celâl Beyin canı sıkılıp şu kıt'ayı söylemiş olduğunu işitmiştim:

Kıt'a

> Vâlî paşa tûtî vermiş kutu almış bana ne
> Kutucu usta değil kuşçubaşı hiç değilim

Harem kalfalarınca kutucu ustalık ve saray ağalarınca kuşçubaşılık sarayca menâsıb-ı mühimmedendi.

Küberâ-yı sâlifenin birtakımı da teclîd ve tezhip meraklısı idi. Musavver kaplar, münakkaş yazma kitaplar müzeyyen ve müzehheb meşâhir-i hattâtîn yazılarıyla Mesâhif-i şerîfe ve elvâh-ı nefîseye malik idiler. Bu kabil âsâr-ı nefîsenin elvanına ve dekayıkına müteallik mübahaselerde bulunurlar ve her birinin temaşasına saatlerce vâkıf-ı intizâr ederlerdi. İran'ın minyatür, İstanbul'un şemse,[713] Edirne'nin usulî kapları pek makbul ve pesendîde idi. Bunlara malikiyetle küberâ yekdiğeriyle müfâhare ederlerdi. Bunların kıymetli kısmı ekseriya ricâl-i ilmiyyede bulunurdu. Kibar konaklarında yakın vakitlere kadar harem ile selâmlığa müteallik işler için saray usulüne tevfikan harem ağaları istihdam olu-

---

713 şemse: Güneş anlamına gelen, yuvarlak veya elips biçiminde süs motifi. Daha çok cilt kapaklarında, çinilerde, kumaşlarda, kapı ve pencerelerde kullanılmıştır. (AEEK)

nur ve ayrıca da harem kâhyaları bulundurulurdu. Bir de halayıkların ufak tefek işleri için "dönme dolap" vardı. Haremde halayıklar bu dolaba vururlar, harem kâhyası veya münasip biri gider, meramlarını anlar, istedikleri her neyse dolaba koyup çevirir, hareme verirdi. Müze Müdürü Hamdi Bey[714] merhum, "Konaklardan bu dönme dolaplar kalkmadıkça bu memleket terakki edemez" derdi.

Kibar konaklarının o koca odaları çifte sarı mangallar ile ancak teshin olunabilirdi. Bu döğme mangalları ve sarı leğen ibrikleri ayvazlar külle yevm oğarlar, ne kadar parlak ve hoş görünürdü. Bu mangallar meşhur Süleymaniye mangalı cinsinden idi. Gerçekten bir eser-i nefîs idi. Şimdi bunlara bizden ziyade Avrupalılar rağbet ediyorlar.

Konaklarda hane sahipleri geceleri "boy kürkleri" ile otururlar ve yaşlıcaları bu boy kürkü içine "beden kürkü" namıyla kısa bir kürk daha giyerlerdi. İlmiye ricalinin müsince olanları dizlerine battaniye veya "diz yorganı" örterlerdi.

Eskiden kibar takımı geceleri çifte balmumu yakarlardı. Bu mumların şamdanları hemen cevâmi-i şerîfe şamdanlarına yakın bir cesamette idi. Nöbetçi ağa her çeyrek saatte bir odaya girer, ona mahsus mıkraz ile mumun fitilini keserdi. Uşaklarca bu da bir hüner addolunurdu. Zira fitili keserken mumu söndürmek muayyebâttan idi.

Sonraları ispermeçet mumları, beşli altılı şamdanlar ve kristal avizeler kabul olundu.

* * *

Vaktiyle ricâl-i devlet ve alelhusus ricâl-i ilmiyye, usûl-i teşrîfâta büyük ehemmiyet verirlerdi. Teşrifat meselesi mesâil-i mevcûdenin kâffesine tercih olunurdu. Teşrifatta ufak kusur vukuu günâh-ı kebâir işlemiş kadar kendilerini müteessir ederdi.

Meselâ kazaskerlik payesi haiz olan bir zatın nezdine yine o payede olan bir zat geldiğinde sâhib-i hâne bu gelen zatı oda kapısından istikbale mecbur idi. Bir gün İstanbul payelilerinden bir zatın geldiği sâhib-i hâneye haber verilir. Sâhib-i hâne büyük bir telâşa düşer. Çünkü bu gelen zata Anadolu payesi ihsan olundu, lâkin henüz fermanı çıkmadı. Acaba sabıkı veçhile odanın ortasından mı, yoksa kazaskerlere olunacak istikbal misilli oda kapısından mı istikbal etmek lâzım geleceği hususunda dûçâr-ı tereddüd olur. Neticede henüz fermanı çıkmadığı için İstanbul payesi misilli odanın ortasından istikbal ile iktifa eder. Hâlbuki misafir efendi bu hâlden muğber olur, doğru asrın şeyhülislâmına gidip şikâyet eder!

---

[714] Meşhur Osman Hamdi Bey.

Hane sahibinin henüz fermanı çıkmadı diye oda kapısından istikbal etmemesi ne kadar garip ise misafir efendinin de işi izam ederek şeyhülislâma kadar şikâyet etmesi o derece de şâyân-ı istiğrâbdır.

Bu teşrifata itina hususunda dikkati meşhur olanlardan biri de vüzeradan Esat Muhlis Paşa imiş. Bir gün konağına gelen ricâl-i ilmiyyeden bir zatı kazasker zannıyla oda kapısından istikbal etmiş. Bir hayli görüştükten sonra esnâ-yı kelâmda o zatın kazasker olmayıp İstanbul payeli olduğunu anlaması üzerine "Öyleyse efendim biz size fazla muamele ettik. Kalkın yeniden oda kapısından giriniz de payenizin hakkı olan teşrifatı yapalım ve hatayı tashih edelim" demiş. O zat da kalkmış, henüz gelir gibi odadan içeri girmiş. Paşa da kendisini odanın ortasından istikbal ederek evvelce işlediği günahtan kendisini bu surette tenzih etmiş.

Devr-i Mahmûd Hân-ı Sânî evâyilinde reisülküttap bulunan Raşit Efendi infisal edip yerine Beylikçi Küçük Raşit Efendi tayin olunmuş. Bu Küçük Raşit Efendinin yalısı Kuruçeşme'de imiş. Berây-ı tebrîk gelen misafirleri koltuklayıp kayıktan çıkarmak için rıhtımda ağalar bulunmakta imişler. Uzaktan bilfiil Rumeli kazaskeri mecâlis-i mükâlemeye memur İsmet Beyin yalıya doğru geldiğinin görülmesi üzerine hemen yalı sahibine haber vermişler. O asırda İsmet Bey gayet nüfuzlu ve pek muhterem bir zat olduğundan acaba nereden istikbal edilmesi lâzım geleceğinden sâhib-i hâne mütehayyir kalmış ve yanında bulunan misafirlerle müzakere etmiş. Onlardan biri "Selefiniz Büyük Raşit Efendi, İsmet Beyefendiyi yalı kapısından, rıhtımdan istikbal ederdi" demesi üzerine Raşit Efendi tefekkür etmiş. Kendisi Küçük Raşit Efendi olup selefinden daha fazla tazimât ibrazı muktezi olduğundan ve hâlbuki rıhtımdan daha ilerisi deniz olduğu için ona da imkân bulunamadığından "peştemal getirin" demeye mecbur olmuş diye naklederler.

İşte devlet adamlarımızın vaktiyle merâsim-i teşrîfâtiyye ile ne derece meşgul olduklarını ve buna işten fazla ehemmiyetler verdiklerini şu fıkralar bildirdiği için buraya kaydeyledim.

Eski vezirler ve eski kibarlar, dairelerinin hadem ü haşemi eksildiği hâlde kadr ü haysiyetleri eksilir ve halk nazarında istihfaf edilirler itikadında idiler. Sadr-ı esbak Hüsrev Paşanın, son defa seraskerlikten infisalinde verilen mazuliyet maaşı altmış bin kuruştan ibaret olup, bu miktar maaşla dairesinin idaresi gayri mümkün olduğundan tenkihât icrasına mecbur olarak hademe-i mevcûdesini yüz yirmi nefere tenzil etmiş ve bu bapta ehibbâsıyla ettiği hasbıhâlde şân-ı vezâreti muhafaza etmek için bundan ziyade tenkihât icrası kabil olamadığını söylemiştir. Bu anane-perest zatlar daha o vakitler mazi taassubundan henüz kurtulamadıktan başka efkâr-ı cedîde ashabından da bir vaz-ı mütekebbirâne ile yüzlerini çevirmişlerdir.

Hüsrev Paşa, enderundan yetişme olduğu için tercüme-i hâli Tayyarzade Ahmet Ata Beyin *Enderun Tarihi*'nde münderiçtir ve bazı ahvâl-i acîbesi de hikâye olunmuştur.

Hüsrev Paşanın teşkilât-ı vücûdiyyesinin hemen hemen eşi görülmemiştir denilebilir.

Faaliyeti, beşaşeti yerinde doksan beşlik bir ihtiyar, sakal nîm beyaz, burun pek büyük, gözleri gayet ufak fakat cevval, çehre kıpkırmızı, boy kısa, vücut şişman, başında kulaklarına kadar çekilmiş bir Tunus fesi, arkasında topuklarına kadar inmiş bir harmanî, ellerinde daima akan terini silmek için birer yazma mendil, her vakit güler yüzlü, her vakit şen ve şatır ve istihzaya mail olup, ilk görüştüğü adama aldanmış ve meclûp olmuş gibi görünmek mesleği, muhatabının kalbine girip serâir ve manevyatını keşfetmek fıtratı, kimseye emniyet etmemek ve muhafaza-i ikbâl için her türlü vasıtaya müracaat eylemek âdeti...[715]

Eski devre has garibeler-Kibar çocuklarının tahsil yerine zevküsafa ile meşgul olması-Haremde ve selâmlıkta öğrenilen şeyler-Çocuklukta terfi

Hüsrev Paşa bu ahlâkıyla beraber hafiyelik hususunda da kasabü's-sabk imiş. Yeniçerilerin ilgası üzerine ortada deveran eden ürcûfeler, kılükaller dolayısıyla erbâb-ı ismet ile ashâb-ı töhmet tefrik olunamayarak herkes padişah nazarında taht-ı iştibâhta bulunduğu ve kurunun yanında yaş da yandığı bir sırada padişaha hoş görünmek ve teveccühünü kazanmak mesleğinde bulunurmuş. Hatta Vak'a-i Hayriyye'den sonra 1242 [1827]'den 1252 [1837] tarihine kadar on sene devam eden seraskerliğinde İstanbul'u âdeta yed-i inhisârına almış ve halkı tir tir titretmiştir. Bir zamanlar devletin şuabât-ı mütenevviasını idare eden zevatın ekserisi vaktiyle bir mektep halinde teessüs eden enderunda perverişyâb olan ricâl-i fâzıladan idiler. Bunlar içinde pek büyük ricâl-i devlet neşet etmiş idi. Fakat aradan bir iki asır geçtikten sonra idâre-i devletin her cüz'ünde olduğu gibi bu enderun dârü't-terbiyesinde de evvelki revnak kalmadı. Bilâhere avamdan, ağavât[716] güruhundan, hatta haytalıktan, deli(delîl)başılıktan[717] gelme cehelenin merâtib-i âliyeyi ihraza başlaması onları ye'se düşürdü. O değerli fazıl muallimler de dağıldı.

İnkâra mecal yoktur ki ilim ve marifetin kadri ancak erbâb-ı ilm ü marifet taraflarından takdir olunabilip, şîve-i asr iktizasınca makam-ı hükümdârîyi ih-

---

715   Kibar Konakları III, *Vatan*, nr. 756, 20 Mayıs 1341/1925, s. 2

716   ağavât: Saray hizmetlerinde kullanılan haremağaları hakkında kullanılan bir tabirdir. (*OTDTS*)

717   delîlbaşı: Tanzimat'tan önce vezir dairelerinin muhafız ve muharip olarak kullanılan süvarilerin başlarına verilen addır. Halk arasında delibaşı diye anılırdı. (*OTDTS*)

raz edecek kimselerin bu suretle yetişmiş zevattan bulunmamaları erbâb-ı fazl ve iktidarın lâyık oldukları mertebe ve mevkiye getirilmemelerine sebeb-i aslî oldu.

Mevki-i icrâda kesb-i infirâd eden müteneffizânın istifâde-i şahsiyyelerine hizmetleri o asırların mahsusâtı sırasına geçen vakayiden idi.

Menâsıb-ı devleti ihraz edenler arasında birçok paşazadelerin isimleri de enzâr-ı dikkate tesadüf eder. Bu zadegân takımı için sabâvetlerinde hususî muallimler tedarik olunurdu. Hâlbuki bunların ekserisi zenginliğin ve izz ü ikbâlin kesreti cihetiyle hiçbir şeye ihtiyaçları olmadığı için ilim ve hüner tahsili onlarca fazla bir külfetten madûd idi. Bir de asalet bizde bir hakk-ı tefevvuk ve temeyyüz bahşeylediğinden ve kibarzadelerin ekserisi zengin olmak mirastan ve rütbe ve mansıba nail olmak da asalet ve himayet sayesinde hâsıl olacağı kanaatinde bulunduklarından vakitlerini zevke ve eğlenceye sarf etmek isterlerdi.

Vakıa ahvâl-i kadîme iktizasınca bu misilli beylerimizin çoğu sahabet ve asalet sayesinde nâil-i ikbâl olurlardı. Evveli Dâr-ı Şurâ-yı Askerî azalığına tayin olunan paşazadelerden birinin Girit'e asker sevk olunmak için vapur tedariki müzakeratı esnasında askeri berren sevk etmek reyinde bulunmuş olduğu meşhurdur!

Fakat bir müddet sonra ikballerî zail olduğu ve hele mirastan hâsıl olan servet emek sarfıyla kazanılmış şey olmadığından ve müsrifliği sahavet ve asalet icabından addeden beylerimiz malik oldukları emvâl ve emlâkın kadir ve kıymetini bilmediklerinden nice emlâk-ı mevrûsenin az vakit içinde mahvolup gittiği çoklarında görülmüştür.

Tarîk-i ilmiyye zadegânına gelince; bunlar terbiye-i ibtidâiyyeyi haremde Çerkez dayeden, Arap dadıdan ve selâmlıkta tablakârlıkta sebk eden, emeğine binaen lalalığa konulmuş ihtiyardan almış ve bunlardan daima *Keloğlan'ın Karakoncolosu, Dev Karısının Gulyabanîsi* masallarını dinleye dinleye umacıdan korkar, kirpi gibi büzülür, yabancıdan ürker, huysuzlanır, üzülür. İsâbet-i ayn havfından haremde misafirlere gösterilmez, terbiyesi bozulmamak için selâmlık halkıyla temas ettirilmez. Her vakit gördüğü bildiği dayesi, dadısı, lalasıdır. Şayet konakta tesadüfen bir misafir görecek olsa hicap eder, sıkılır, kaçar. "Buhh!" diye lalasını korkutur. Süpürge sapına çuha kenarını bağlayıp at gibi üstüne biner. Bahçede koşar, geçerken ayvazın ayağını çeler, başındaki yemek tablasını devirir, güler, eğlenir. Daha bu gibi nice yaramazlıklar yapa yapa büyür, sakallanır. Cinler, periler korkusundan (İstanbul'un bazı büyük konaklarında karanlık, mahûf izbe yerler vardı. Konak halkından bazıları böyle mahaller cinlerin, perilerin ikametgâhı zannında bulunurlardı) geceleri odasında yalnız yatamaz. Çünkü hâlâ çocuk, hâlâ çocuktur. Şükür ki mevâlîzâde olmak dolayısıyla sığar-ı sinninde tarîk-i ilmiyyeye intisap ettirilmiş ve mektep yanından geçmediği hâlde rüûs tedris eylemiş olduğundan ve zadegân takımı kaide-i kadîme iktizasınca sıkça sıkça tafra[718] ettirilip şüyûh-ı tarîkin yirmi otuz senede ancak vasıl olabildikleri meratibe az vakit içinde terakki edegeldiklerinden bu suretle kat-ı merâtib ederek, ricâl-i ilmiyye sırasına geçer ve ilmiye ricaline mahsus arpalık ile maişetini temin ederdi. Hele şeyhülislâmzâdeler ile hünkâr imamlarının müntehâ-yı merâtib-i ilmiyye olan kazaskerlik payesine kadar terfi edilmesi âdet hükmüne girmişti.[719]

Selâmlık ve harem dairelerinde hayat-Hanımefendilerin meşguliyeti-Halayıklarla kâhya kadının münasebeti-Hanımefendinin kıskançlığı ve dedikodular

Eski vüzera ve küberânın idâre-i beytiyyelerinin selâmlık dairelerine ait olanları kâhya efendilere ve hareme müteallik olanları da kâhya kadınlara mevdû idi. Onların ekserisi efendilerinin menfaatinden ziyade kendi faydalarını düşünürlerdi. Nitekim müteaddit emsali görülmüştür.

Kibarlar kendi selâmlıkları dahilinde bulunan birtakım muhipler, taraftarlar, nedimler, müdâhinler ile muhat ve selâmlık dairelerinde onlarla meşgul bulunduklarından kendi aileleriyle temâs-ı dâimîde bulunmaya vakit bulamazlardı.

Hanımefendiler de dairelerinde kibarlık vakar ve haysiyetini muhafaza maksadıyla hiçbir işle meşgul olmazlar. Çocukları dayeleri, dadıları, lalaları büyütür, dahilî hizmetleri kâhya kadınları nezaretiyle halayıklar görür, sabah kahvaltılarını kilerci kalfalar ihzar eder, kendilerinin giyinip kuşanmalarına oda kalfaları bakar, etime-i nefîseden mürekkep olan ve perhiz yemekleri namı verilen hususî taamları dışarıdan gelir. Hanende hanımlar tatlı dilli, güler yüzlü, neşeli nedimeler kendilerini eğlendirirdi. Daima mugaddî taamlar ile tagaddî eylediklerinden günden güne semizlenirler, çehrelerinin rengi taze ve parlak görünür, ekserisi yaşından daha genç göründüklerinden bu hâl-i zindegîlerinden mahzûz olurlardı.

Fakat şişmanlık arttıkça vücutlarının hoşa gitmeyecek surette ve câlib-i endîşe bir mahiyette şekli bozulduğundan ve zevçleri sayesinde husûsât-ı beytiyyelerinin tesviyesinden muaf olmak dolayısıyla işsizlere mahsus hâllere giriftar olduklarından kendilerine bir rehavet ve kesâlet gelir ve bu hâller keyiflerini kaçırır, zevklerini bozar, sinirli ederdi.

Bir de halayıklar arasında genç kızların hâllerinden kuşkulanırlardı. Küçükten konakta büyümüş olan kızlar artık odalık olmak çağına gelmişlerdi. Bunların hâlleri de birtakım şüpheleri, vesveseleri davet ederdi.

---

718   tafra: İlmiye rütbelerinin atlanarak ilerlenmesi hakkında kullanılan bir tabirdir. (*OTDTS*)
719   Kibar Konakları IV, *Vatan*, nr. 758, 22 Mayıs 1341/1925, s. 3

Bu kızlar vakıa kâhya kadın ve eski kalfalar tarafından gayet sıkı bir tarassut altına alınırlardı. Fakat çocukluklarında şımarık büyütülmüş olduklarından haklarında icra olunan takibatı hiçe sayarlar, yine fink vurarak koşup gezerlerdi. Dünya umurlarında değildi. Bu hayalperest kızların zihinlerinde birtakım hulyalar gömülü idi. Kendileri hanımefendiden hem daha genç, hem daha güzel idiler. Eğer hanımefendi kadar giyinip kuşansalar ondan bin kat daha güzel olurlardı.

Bu kızların konakta en sevmedikleri kâhya kadındı. Daima onun aleyhinde bulunurlar, "O kül kömür olası kâhya kadın cadısı öyle bir cadı ki evvelkine rahmet okuttu, Allah vücudunu kaldırsın" derler ve eski kalfalara da öfkelenirler, "O kemikleri çıkık, suratları kırışık ihtiyar kalfalara da ne oluyor? Yok paşaefendi filâncaya göz atmış ve filâna ziyade bakmış diye ortalığa türlü türlü sözler çıkarıyorlar, onların ne vazifesi?" diye birbirleriyle hasbıhâl ederler. Mamafih kendi aralarında da ufak tefek rekabetler eksik değildi. Bu kızların böyle müfrit hulyalara kapılmalarına paşa da sebep oluyordu. Fırsat buldukça bu gönül eğlencesi kızların hangisi olursa olsun çimdikler, sıkıştırır, ümide düşürürdü.

Kahya kadına gelince: "Bu çılgın kızlar esirliklerini, halayık olduklarını unutuyorlar, kendilerini dev aynasında görüyorlar, hadlerini asla bilmiyorlar" diye söylenir dururdu. Kızlar bu aşüftelikleri yüzünden kalfalarından ve o keskin kâhya kadından kaç defa kötek de yemişler, ağızlarının tadını almışlardı. Lâkin yine mütenebbih olmuyorlar, yine gizli gizli paşaya görünmenin yolunu buluyorlardı.

Bu kızlardan biri paşadan ziyadece yüz bulmuş ve gözde olmak ihtimali kuvve-i karîbeye gelmişti. Bir gece paşa, aptesine giderken bu kız karşısına çıkıvermiş. Paşa ise akşamın çakırkeyfini henüz kaybetmemişti. İçi içine sığmayan bu tehlikeli aşüfte ile paşa beyninde geçen maceraya vâkıf değiliz. Yalnız az bir vakit sonra zann-ı kavî tahtında kalan bu kızın Esirpazarı'na kaldırıldığını işittik.

(Esir pazarı Tavukpazarı civarında idi. Esirler satıldıkça mültezimler kapıda öşrünü alır, badehu pazardan ihracına ruhsat verir ve pazarın şeyhi ve kethüdası ruûs-ı hümâyûn ile nasıp ve tayin olunurlar idi. Hatta musiki muallimlerinden Buhurîzade meşhur Itrî Mustafa Efendi musikide olan behre-i kâmilesine mükâfeten esirciler kethüdalığına çerağ buyrulmuştu.)

Bu vak'a üzerine bazı konaklarda hanımefendiler arasında güft ü gûlar tekevvün etmeye başlar "Filân paşanın konağındaki cariyelerden hani şu berrak mavi gözlü, tombul kızı hanımefendi Esirpazarı'na kaldırtmış" diğeri "Pek isabet etmiş, aman bu aşüfteler, kör olası gözleri hanım olmaktadır. Ayaklarının tozu ile gelip konaklarda adam sırasına girdikleri hâldir, iptida hanımlarına ihanet ederler." Diğer bir hanımefendi "Kardeş, bununla kalmamış, üç gün sonra paşanın karakulağı[720] filân ağa hafiyyen gidip kızı satın almış, kendi hanesine saklamış, arada sırada paşa da oraya gidiyormuş" Bir başkası "Ne kadar şaşılacak şey. Hanımefendinin akarı mı vardı, kokarı mı vardı, güzel değil miydi, genç değil miydi? Belki kırkına bile girmemişti. Öyle kibar ve nazik bir hanımefendinin üstüne terbiyesiz bir cariyeyi tercih etmeli miydi? Nasıl tenezzül etti, onun şanına şöhretine yakışır mıydı?" Diğeri "Evet kız çirkin değildir, boylu poslu, etine dolgun, endamlı bir kızdır. Lâkin ne kadar olsa kul cinsidir, halayıktır. Hanımefendinin tırnağına değmez, ah bu erkekler!" derlerdi.

Üdebâ-yı marûfeden Sait Bey merhum "Esir sahibi olan adam esire esir olur" demişti. Evet insanı esire esir eden kuvvet işte böyle zalim ve bîaman bir kuvvettir. Hatta Ziya Paşa;

Nev-civân sevmekte ben pîrânı tayîb eylemem
Hüsn olur kim seyrederken ihtiyâr elden gider

kıt'asıyla bu bapta ihtiyarları bile tayîb etmemiştir.[721]

---

[720] karakulak: Eskiden emir çavuşu, haberci manasında kullanılan bir tabirdir. (*OTDTS*)
[721] Kibar Konakları V, *Vatan*, nr. 759, 23 Mayıs 1341/1925, s. 2

Ricâl-i Sâbıkaya
Ait Bazı Menkıbeler

Mahmûd-ı Sânî devri eâzım-ı ricâlinden meşhur Hâlet Efendi memleketin hayât-ı siyâsiyyesinde mühim bir mevki tutmuştu. Kendisinin dirayet ve fetaneti ve fazl u irfanıyla beraber esîr-i hubb-ı câh ve ağraz-ı şahsiyyeye mağlûbiyet misilli ahvalini ve nice bîgünahın servet ve yesârına tam'an idam ettirmek gibi efâl ve harekâtını tarihlerimiz söylemekle bitiremezler.[722]

İdrak ettiğim zamanlarda mülâki olduğum memuriyetten bazı zevatın hikâyât-ı vâsıkalarından istifham olunduğuna göre bu adam daima muarızlarının ahval ve efâlinde kubhiyyat arar, bulamazsa ihtiraına çalışır, ufak bir meseleyi izam ile hakikatı tağyir eder, bu suretle Sultan Mahmut gibi azimkâr bir padişahı aldatmak isterdi. Yalancılık, hilkârlık bu zat için bir siyaset idi ve bu siyasetten gûnâgûn vekayi-i elîme tevellüt etmişti. Rumluğa karşı kuvvetli bir baskılık ve jandarmalık vazifesi gören Tepedelenli Ali Paşa aleyhine yaptığı harekât neticesi bir Yunan devleti teşekkülüne bâis oldu.

Müşarünileyhin ahvâl-i husûsiyyesine müteallik bazı fıkralar naklederler. Bir gün nedîm-i hem-demi Keçecizade İzzet Molla Efendi ile sahilhanesinde oturarurlarken asrın kudemâ-yı ricâlinden Moralı Osman Efendinin[723] geldiğini haber

---

[722] II. Mahmut döneminin önemli devlet adamlarından olan Hâlet Efendi (1760-1823) daha çok entrikacı kişiliğiyle tanınır. Padişaha yakın olması hasebiyle devlet mansıplarının dağıtılmasında söz sahibi olmuş, bu yönüyle pek çok dost ve düşman kazanmıştır. Halk arasında "devlet kâhyası" olarak anılmıştır. II. Mahmut'un yeniçeri ocağını kapatma teşebbüsünü türlü entrikalarla ertelettiği de söylenir. Ancak bu ihtiraslı davranışlarının bedelini 1822 yılında Konya'ya sürgünle, ardından idamla ödemiştir. Kesilen başı İstanbul'a getirilmiş, Galata Mevlevîhanesi'ne gömülmüştür. (Hayatı ve vazifeleri hakkında ayrıntılı bilgi için bk. *Sicill-i Osmânî*, c. II, s. 102, Abdülkadir Özcan, "Hâlet Efendi", *DİA*, c. XV, İstanbul 1997, s. 249-250)

[723] 1817 yılında vefat eden Moralı Osman Efendi, maliyeden yetişmiş ve çeşitli memuriyetlerde bulunmuş bir devlet adamıdır. Devrinde dirayetli, zeki, hesap işlerinden anlayan birisi olarak bilinirdi. (*Sicill-i Osmânî*, c. III, s. 441)

verirler. Hâlet Efendi hemen yerinden fırlar, müşarünileyhi merdiven başında istikbal eder ve gidinceye kadar envâ-ı tekâpû ve tabasbus gösterir ve beyne'r-ricâl mer'i olan merâsim-i tevkîriyye ve ihtirâmiyyenin hiçbirini noksan bırakmaz. Bu hâli müşahade eden İzzet Molla Efendi misafirin avdetinden sonra "Canım efendim, pekâlâ bilirim ki siz bu zatı asla sevmezsiniz ve mansıbını elinden almak da sizin için işten bile değildir. Böyle olduğu hâlde neden bu derece tekellüfât-ı ihtirâmiyyeyi ihtiyar ediyorsunuz bir türlü aklım almıyor" deyince "Ah Molla, onun elinden mansıbını almak değil bugün canını almaya muktedirim. Lâkin onda bir Moralı Osman Efendilik var ki onu elinden almaya muktedir olamıyorum" demiştir.

Etıbbâ-yı şehriyârî Behçet Efendi[724] Rumeli kazaskerliği payesini haiz ve beyne'l-havâs pek muhterem idi. Haddizatında pek zeki ve hoşgû ve mülâtafaya mail olmakla beraber asrın mahsusât-ı ekâbirinden taazzüz-i nefse şîfte-dil bir zat olduğunu söylerler.

Bir gün Hâlet Efendi konağında pencere önünde ve İzzet Molla Efendi de efendiye yakın minderin ucunda bulunuyorlarmış. Hâlet Efendi bir aralık pencereden dışarıya baktığında "Vay molla, Behçet Efendi geliyor!" demiş. Molla Efendi "Gelsin ne var!" dediğinde "İyi ama şimdi kalkıp karşılamak için merdiven başına kadar gitmek lâzım!" Molla Efendi "Hayır öyle değil, çaresi var. Siz pencere önünde uyuyor gibi yaparsınız, ben de elime bir kitap alır arkamı kapıya dönerim. Behçet Efendi oda kapısına gelince sizi uyandırırım. Böylece olur biter" demiş. Molla Efendinin dediği gibi Hâlet Efendi uyuklamaya, kendisi de eline bir kitap alıp okumaya başlamış. Behçet Efendi oda kapısında görününce İzzet Molla haberi yokmuş gibi telâş gösterip Hâlet Efendiyi uyandırmaya başlamış. Hâlbuki bu muamelenin mürettep bir şey olduğunu Behçet Efendi derhâl anlamış ve zahirde mülâhaza suretinde olarak hakikate telmihen İzzet Mollaya demiş ki "Yoook Molla Efendi dokunma, el-Fitnetü nâimetün le'anallâhü men eykazahâ"[725]

Sultan Mahmut bu Behçet Efendiye pek müteveccih imişler. Hatta vefatından sonra biraderi Abdülhak Molla Efendi Fındıklı tarafında vaki tarîkat-ı Sünbüliyyeden Keşfî Cafer Efendi Zaviyesi'nde merhumun ihyâ-yı rûhu için menkabe-i Mirâc-ı Nebevî kıraatini tasvip eylediğinden yevm-i mahsûsu olan bir cumartesi günü esnâ-yı kırâatte hakan-ı müşârünileyh de bulunmuştur ve dergâhın mescidinde de cuma namazını edaya irâde-i seniyye sadır olmuştur.

---

724 Şair Abdülhak Hamit'in amcası olan Behçet Mustafa Efendi (1774-1834) III. Selim ve II. Mahmut'un hekimbaşılığı vazifelerinde bulunmuştur. Tıp ilmine ait Hezâr Esrâr adlı eseri ölümünden sonra kardeşi Abdülhak Molla tarafından bitirilmiştir. (Sicill-i Osmânî, c. II, s. 31)

725 "Fitne uyumaktadır, onu uyandırana Allah lânet etsin" manasında bir hadîs-i şerîf.

Hâlet Efendi aynı zamanda Kulekapısı Mevlevîhanesi postnişini meşhur Galip Dede Efendi merhumun inâbet-kerdesi imiş ve zamân-ı ikbâlinde turuk-ı aliyye fukarasına riayet ve hele tarîkat-ı Mevleviyyeye müntesip bulunanlara pek çok hürmet edermiş. Ezcümle Kudretullah Efendinin 1232 [1817] tarihinde Kulekapısı Mevlevîhanesi'ne şeyh olması mücerret Hâlet Efendinin himmet ve ianesi semeresi imiş. Çünkü Kudretullâh Efendi Yenikapı Mevlevîhanesi aşçıbaşısı Hacı Dedenin oğlu idi. Hacı Dede müddet-i vefîrede Yenikapı aşçıbaşılığında bulunmuş ve sinn-i şeyhûhete gelmiş ve Baki Efendinin amâsı da olduğu hâlde Baki Efendi meşihata gelmesiyle beraber kendisini hem aşçıbaşılıktan ihraç ve hem de dergâhtan tart etmiştir. Bu doksanlık ihtiyar Macuncu semtlerinde bir hanede sakin olarak yine muhibbânı ile lâfza-i celâl zikriyle iştigal etmekte iken irtihal etmiş, Hâlet Efendi bu zatın Yenikapı kurbünde olan medfenine müstakil bir türbe inşa ettirmiş ve oğlunun meşihatına da pek çok çalışıp muvaffak olmuştur.

Hâlet Efendinin Kulekapısı Mevlevîhanesi'nde birtakım hasenatı vardır. Ezcümle dergâhın avlusunu mermer taşlarla döşettirmiş ve kapının ittisaline bir sebil ve üzerine de bir kütüphane bina ettirmiştir. Kendisi için yaptırdığı kabir ile etrâf-ı mezâristânı yaldızlı pirinç şebekelerle tezyin ve meşâyih pûşidelerini tecdit ve hücerâtı tamir ettirmiştir. Bu işler 1234 [1819] tarihinde hitam buldukta bi'l-cümle turuk-ı aliyye meşâyihi davet olunarak itâm-ı taâm ve cümlesine birer top kumaş ihdâ ve dervişlere de münasip miktar akçe ikram eylemiştir. Hâlet Efendinin gerek Kulekapısı Mevlevîhanesi'ne ve gerek diğer Mevlevîhanelere evkaf-ı müteaddidesi olduğu mervîdir.

Hâlet Efendinin hemdemi dediğim Keçecizade İzzet Molla da tarîkat-ı Mevleviyye muhibbânından idi. Ekseriya Mevlevîhaneleri ziyaret ederdi. Bir gün Yenikapı Mevlevîhanesi'nde şeyh efendinin odasında bulunur. Esnâ-yı sohbette söz Üsküdar'da Şemsi Paşa kasr-ı hümâyûnuna ve mevkiin letafetine intikal eder. Molla Efendi "Şevketmeâb efendimiz, 'Molla dile benden ne dilersen' buyursalar, ben de 'sağlığınızı dilerim' desem fermân-ı hümâyûnları tekerrür etse 'Efendim Şemsi Paşa kasr-ı hümâyûnunuzu Mevlevîhaneye tahvil buyursanız ve meşihatını da şu kadar kuruş maâş-ı senevî ile dâînize ihsan etseniz, hayatımın sonuna kadar artık başka bir şey istemezdim, efendimize dua ile meşgul olurdum" demiş ve tarîkat-ı Mevleviyyeye muhabbet-i kalbiyyesini bu suretle de izhar eylemiştir.

1281 [1864] tarihinde hıdîv-i Mısır İsmail Paşa maaile İstanbul'a geldiğinde bu Yenikapı Mevlevîhanesi'nin semahanesiyle dedegânın ikamet ve beytûtetlerine mahsus hücrelerin tamiri zımnında bin kese akçe ita etmiş ve hitâm-ı tamîrinde ümerâ-yı Mısriyyeden Hurşit Paşa marifetiyle fukarâ-yı dervîşâna vâfî atiyye tevzi ve ita eylemişti. Ol vakit dergâh-ı mezbûrun meşihatında Osman Efendi bulunuyordu. Bu Osman Efendi ilim ve fazlıyla beraber umûr-ı siyâsiy-

yeye vâkıf bir zat olduğundan dergâh, zamân-ı meşîhatlerinde vükelâ ve vüze-
ranın ziyaretgâhı olmuştu.726 Leyalî-i mübârekede ita olunan ziyafetler ve icra
kılınan ayinlerde asrın rical ve kibarından birçok zevat bulunurdu. Kendisi yıl-
larca *Mesnevî-i şerîf* okuttular. Külliyetli kütüb-i nefîseleri bağteten zuhur eden
harîkte muhterik olmuştur.727

Fuat Paşazade Nazım Bey henüz genç denilecek bir sinde iken vefat etmişti.
Ol vakit paşa-yı müşârünileyh makam-ı sadârette bulunuyordu. Sultan Abdüla-
ziz bu sebepten dolayı berây-ı istirâhat bir mâh kadar müsaade buyurmuşlardır.
İşte bu müddet içinde bir kandil gecesi sadr-ı müşârünileyh maaile Yenikapı
Mevlevîhanesi'nde bulunmuşlar ve bu münasebetle vükelâdan ve vüzeradan ve
erbâb-ı menâsıbdan birçok zevat da gelmişlerdi. Züvvârın kesreti tasavvurun
fevkinde idi. O kadar halk Mevlevîlerin usul ve âdetleri [gereğince] taamhane-
de öbek öbek kurulan tahta sofralarda sessiz sedasız itâm ve ikram olundular.
Semahanenin her tarafı hıncahınç dolmuş, kafes de yüksek tabakada bulunan
birtakım hanımefendilerle memlû bulunmuştu.

Asrın en mümtaz ve en güzide esâtize-i mûsikîsi orada tecemmu etmiş, se-
mahanede tahminin fevkinde tennure728 açılmıştı. Eslâfın, o büyük musikişınas-
ların âsâr-ı nefîsesinden olarak okunan âyîn-i şerîfler müessir, ne kadar rûh-ne-
vâz şeylerdi. Hele dördüncü selâmda nihavent peşrevi çalınmakta ve dedegân
kemâl-i huşû ile sema etmekteler iken şeyh efendi de yakası elinde semaya işti-
rak etmişti.

Artık semahane daha ulvî bir manzara hâsıl etti. Mücellâ tahtalara temastan
çıkan ayak gıcırtılarından gayri ortada çıt yoktu. Yalnız neylerin ihtizazlı naga-
mâtı hazin hazin devam ediyordu. Her kalp kabiliyetine göre lezzet alıp vecde
gelmiş, herkes bir âlem-i istiğrâka dalmıştı.

Fuat Paşanın haremi hanımefendi kendini zaptedemeyerek kafesin arkasında
"Allah!" diye feryat ediyor, Fuat Paşa mihrabın içinde oturmuş elinde mendil

---

726 Osman Selâhattin Dedenin postnişinliği zamanında Mevlevîhane Âli, Fuat ve Midhat Paşa gi-
   bi devlet adamlarının uğrak yeri olmuştur. Sultan Abdülhamit'i şehzadeliği zamanında Midhat
   Paşa ile tanıştıran da Osman Dede'dir. Osman Dedenin siyasîlerle bu kadar içli dışlı olması II.
   Abdülhamit devrinde Mevlevîhanenin devamlı göz altında bulundurulması sonucunu doğur-
   muş, Midhat Paşanın Abdülaziz'in hal'i sebebiyle suçlanmasının ardından Osman Dede'nin sa-
   rayla ilişkisi kesilmiştir. (Ekrem Işın, "Yenikapı Mevlevîhanesi", *DBİA*, c. VII, İstanbul 1994, s.
   479)

727 1906 yılında gerçekleşen bu yangında tekke büyük hasar görmüş, 1911 yılında Sultan Reşat ta-
   rafından tamir ettirilmiştir. (*agm*, s. 480)

728 tennure: Mevlevîlerin giydiği kolsuz, yakası yırtmaçlı, bel tarafı kırmalı geniş ve uzun entariye
   verilen addır. Tennure açmak, bazı Mevlevîlerin sema sırasında çabuk hareket etmeleri sebebiy-
   le tennurelerinin havalanıp fazla yer kaplaması yerinde kullanılır bir tabirdir. (*OTDTS*)

hüngür hüngür ağlıyordu. Bu hâlden herkes müteessir oldu. Ağlamayan kalmadı dersem asla mübalâğa etmiş olmam.

Sultan Aziz, Fuat Paşayı tatyîb maksadıyla paşa-yı müşârünileyhin Kanlıca'da kâin sahilhanesine azimetle akşam taamını tenâvül buyurmuşlardı.

Bahariye Mevlevîhanesi postnişini Hüseyin Fahrettin Dede Efendi merhum Yenikapı Mevlevîhanesi şeyhi müşârünileyh Osman Efendinin damadıdır. Hüseyin Dede Efendi de erbâb-ı fazl ve kemalden idi ve fenn-i mûsikîden behredar ve hele ney üflemekte yekta idi. Onun pederi tarîkat-ı Mevleviyye zurefâsından Nazif Dede Efendi merhumdur. Müşârünileyhi Sultan Abdülmecit sûret-i mahsûsada Yenişehir'den celp ve davet ederek Beşiktaş Mevlevîhanesi meşihatına tayin buyurmuşlardı. Hakan-ı müşârünileyhin vefatı senesi olan 1277 [1839] tarihinde şeyh-i müşârünileyh de irtihal etmiştir.

Dergâh, devr-i Abdülazîz Hânî'de Bahariye'ye naklolunmuştu. Mürûruzamanla harap olduğundan Sultan Mehmed-i Hâmis hazretleri tecdit ve tefriş ettirdiler ve resm-i küşâdında zât-ı şâhâneleri de hazır bulundular.

Şeyh Hüseyin Efendinin vefatı 1329 [1911] senesi Ramazân-ı şerîfindedir. Gaybûbeti bütün eviddâ ve muhibbânını dilhûn etmiştir.

Müşârünileyh Nazif Dede Efendi merhumun damadı ve terbiye-gerdesi Yenişehir Fenerli Avni Bey merhum asrımızın tarz-ı kadîmde en muktedir bir şairi idi. Mürettep ve matbu bir divanı vardır. (Rahmetullâhi aleyhim)[729]

Şeyhü'l-vüzerâ Sadr-ı esbak Hüsrev Paşanın köle alıp tahsil ve terbiye etmesi ve bu suretle adam yetiştirmesi meşhurdur. Müşârünileyh 1216 [1801/02] tarihinde memlûk tedarikine başlamış ve bunlardan otuz bu kadarı askerî ve mülkî mesleklerinde tefeyyüz edip ricâl-i devlet sırasına geçmişlerdir. Sadr-ı esbak Gürcü Reşit Paşa,[730] kezalik Sadr-ı esbak Edhem Paşa, Kaptanıderya Damat Halil Paşa, Tophane ve Zaptiye müşirleri Mehmet Vasıf ve Hayrettin Paşalar, ordu müşîrânından Çerkez Abdi ve Sadullah Paşalar, Ferikân-ı kirâmdan Hayrettin, Haydar, İskender, Selim Paşalar, Mirliva Ferhat, Hüseyin Paşalar ve ricâl-i mülkiyyeden daha birçok zevat Hüsrev Paşanın silk-i mülkünden yetişmişlerdir.

Hüsrev Paşa uzun müddet ser-i kârda bulunmuş ve hele Vak'a-i Hayriyye namı verilen yeniçeri vak'asından sonra mühim mevkiler ihraz etmişti. Kendisi mizah ve istihzaya mail bir zat idi.

Müşârünileyh, Emirgân'da kâin sahilhanesinde[731] mazulen ikamet eylediği esnada dairesinde bulunan aşçılardan birinin ismine kura isabet eder, askere

---

729 Ricâl-i Sâbıkaya Ait Bazı Menkıbeler I, *Sabah*, nr. 11793, 21 Eylül 1338/1922, s. 3

730 Müşârünileyh Mehmet Reşit Paşa asâkir-i Mısriyye ile Konya tarafında harp ederken dûçâr-ı esâret olmuştur. (ARB)

731 Bu sahilhanede hıdîv-i sâbık İsmail Paşa ailesi ikamet etmektedir. Hüsrev Paşanın vefatından

alınması lâzım gelir. Memûrîn-i âidesi talep ederler, kâhya efendi teslim etmez. Ol vakit serasker bulunan Süleyman Paşaya şikâyet olunur. Süleyman Paşa da Hüsrev Paşaya resmen bir tezkire yazar, aşçıyı talep eder. Hüsrev Paşa bu tezkireye şu mealde bir cevap yazar:

"Vakıa dairemizde öyle bir aşçı vardır. Lâkin bu aşçı şu hâl-i şeyhûhetimde muhtaç olduğum lâpa, çorba, muhallebi gibi pür-hüner yemeklerimi tabiatıma muvafık surette tabh ediyor. Vazifesinden infikakı gıdamı sektedar edecektir. Kura nizamnamesi iktizasınca [732] kurası çıkan efrada aynen bedel verilmesi caiz olduğu gibi kölelerimden elyevm berhayat bulunan filân ve filân ve filân paşaların henüz ıtıknameleri verilmemiştir. Bu paşalar bi'l-celb usulü dairesinde muayene olunarak hangisi merkum aşçıya bedel olmaya elverişli ise onun askere kabul olunmasını rica ederim."

Süleyman Paşa bu tezkireyi bizzat Sultan Abdülmecit'e arz eylediğinde hakan-ı müşârünileyh "Hüsrev Paşa devletin kudemâ-yı vüzerâsından ve erbâb-ı haysiyyetinden bir zattır ve yazdığı tezkire de vârittir" buyururlar. Ferdası günü Hüsrev Paşa Süleyman Paşaya halef olmuştur.

Enderûn-ı hümâyûn ağavâtından Ragıp Ağa oldukça tahsil ve terbiye görmüş rabıtalı bir zat imiş. Bu cihetle Sultan Mecit'in şehzadeliği zamanında nâil-i teveccühleri olduğundan cülûs-ı hümâyûnlarında kurenâ silkine ithal buyurmuşlar.

Ağa-yı mûmâileyhin rızâ-yı hümâyûnlarına muvafık harekâtı mazhar-ı takdîr-i âlî olarak bir müddet sonra rütbe-i vezâretle Konya valiliğine tayin etmişler. Babıâlice resm-i tevcîhin icrasından ve mabeyn-i hümâyûna azimetle hâkpây-ı şâhâneye yüz sürdükten sonra ol vaktin usulüne tevfikan vükelâyı ve kudemâ-yı vüzerâyı berây-ı teşekkür ziyaret eylediği sırada şeyhü'l-vüzerâ Hüsrev Paşanın yalısına dahi gidip kendisiyle mülâkat ettikte "Maşallah Ragıp Ağa oğlum, safa geldiniz hoş geldiniz!" diye hitap etmiş. Ragıp Paşa da "Zahir bizim rütbemizden ve memuriyetimizden haberdar olmamış ki böyle hitap ediyor" diye sûret-i memûriyyetini yegân yegân hikâye etmeye başlamış. Hüsrev Paşa yine "Ragıp Ağa oğlum, Ragıp oğlum" dermiş. Beriki "İhtiyar adama hâlâ paşa olduğumuzu anlatamadık" diye verdiği tafsilâtı tevsi ederek "Hiçbir şeyden haberim yokken huzûr-ı sadârette teşrifatçı efendinin 'Ragıp Ağaya rütbe-i vezâretle Konya valiliği tevcih' dediği gibi şaştım" demesi üzerine Hüsrev Paşa "Evet Ragıp Ağa oğlum sizin vezir olduğunuzu işittik de hep şaştık" demiştir.

---

sonra sadr-ı esbak Mustafa Reşit Paşaya geçmişti. Reşit Paşa 1274 tarihinde bu sahilhanede vefat eyledi. Bir müddet sonra yalının Hıdiv İsmail Paşa tarafından istimlâkına müsaade buyrulmuştur. (ARB)

[732] Eskiden İstanbul gençlerinden işe güce hayır etmeyen birtakım haylazlar bir meblâğ mukabilinde bedel yazılırlardı. Bu cihetle serasker kapısında bedelci esnafı dolaşırlar, şuna buna bedel tedarik ederlerdi. (ARB)

Hüsrev Paşanın aksâ-yı âmâli makam-ı sadâret olduğundan Sultan Mecit'in cülûsu günü misli nâ-mesbûk bir muâmele-i garîbe ibrazıyla Rauf Paşadan cebren mühr-i hümâyûnu istirdat ederek hod-be-hod makam-ı sadârete suûd ettiği meşhurdur.[733]

Bu Rauf Paşa halim ve selim bir zat idi. Sultan Mahmut ve Sultan Abdülmecit devirlerinde altı defa makam-ı sadâreti ihraz etmiştir. İlk sadaretinde henüz kırk yaşında bile değildi derler. Vechen gayet yakışıklı olmakla beraber tab'an mahcup bir zat imiş. Birinci defaki sadareti evânında Sultan Mahmut'un bir şehzadesi vefat eylediğinden bi'l-istizân berây-ı taziyyet şeyhülislâm efendiyle birlikte hâk-pây-ı şâhâneye yüz sürmek üzere Dolmabahçe Sarây-ı hümâyûnuna azimetleri lâzım gelmiş ve ol vakit makam-ı meşîhatte ilim ve irfanı ve nâtıka-perdâzlığıyla maruf olan Zeynî Efendi[734] bulunduğundan huzûr-ı hümâyunda hâle ve mevkiye göre resm-i taziyyetin müşârünileyh tarafından icrasını sadrazam kendisinden rica eylemiş. Vaktaki sarây-ı hümâyûna muvasalatla huzûr-ı hümâyûna çıktıklarında sadrazam hâk-pây-ı şâhâneye yüz süreceği esnada sırtında bulunan bol yenli erkân kürkünün art eteğine basmasından dolayı düşmüş ve fart-ı mahcûbiyyetle beraber bu hâl bir kat daha kendisini dûçâr-ı hacâlet etmişse de şeyhülislâm derhâl söze başlayıp "Efendim bu hâle nasıl gıpta, haset etmem. Dâîniz attan düşerim, binek taşından düşerim, merdivenden düşerim, vakıa sadrazam paşa kulunuz da düşüyor, ama hâk-pây-ı şâhânenize düşüyor" demiş ve zât-ı şâhâneyi güldürüp hacâleti bertaraf etmeye muvaffak olmuştur.

Esnâ-yı sohbette münasebet getirip "Cenâb-ı Hak ömr ü şevket-i şâhânenizi müzdâd buyursun. Bugün hâk-pây-ı şâhânenize yüz sürmek şerefine mazhariyetimiz hususuna müsaade buyrulmakla beraber ıstabl-ı âmirelerinden Karaköy kapısı iskelesine murassa takımlarla müzeyyen binek hayvanları irsaline inayet buyrulmuş[735] (Ol vakit köprüler henüz inşa edilmemiş) olduğundan gerek sadrazam paşa kulunuz, gerek dâîniz sâye-i şâhânenizde hayvanlara râkib olduk. Her ikimizin maiyetlerimizde bulunan kapımız halkı ile beraber heyetimiz âdeta bir alay şeklini aldı. Yollarda ahali kullarınız dizilip bizleri seyir ve temaşa etmekte idiler. Kabataş'a muvasalatımızda izdiham arttı ve bu izdihamın kısm-ı

---

733 III. Selim, II. Mahmut ve Abdülmecit dönemlerinin önemli devlet adamlarından olan Mehmet Hüsrev Paşa (ö. 1855), İki defa kaptanıderya, bir defa da sadrazam olmuştur. II. Mahmut'un cenaze merasimi sırasında Köprülü Kütüphanesi'nde beklemekte bulunan Sadrazam Mehmet Emin Rauf Paşadan sadaret mührünü zorla alıp, sadarete geçmiştir. (Hayatı hakkında ayrıntılı bilgi için bk. Abdülkerim Özaydın, "Hüsrev Paşa", DİA, c. XIX, İstanbul 1999, s. 41-45)

734 Zeynî yahut Mehmet Zeynelabidin Efendi 1815-1818 arasında yaklaşık üç sene şeyhülislâmlık yapmıştır. (İlmiyye Sâlnâmesi, s. 578)

735 Eskiden koçuya ve arabaya binmek hakkı kadınlara terk edilmişti. Asrın padişahı ve ricâl-i devlet münhasıran hayvana râkib olurlardı. (ARB)

küllîsini kadınlar teşkil etmişti. Geçerken sözlerine kulak misafiri oldum. Bir taze kadın 'Anne, Allah padişahımızın ömrüne bin berekât versin. Bak ne güzel sadrazam intihap buyurmuş. Hem güzelliğiyle beraber kendisi de maşallah genç olduğundan hayvanın üzerine ne kadar yakışmış' demesiyle beraber 'Aman anne, o yanındaki çopur herif kim?' diye dâînizi sordu. 'Kızım o herif Buhara elçisi. Sadrazam, padişahımıza ayak öptürmeye götürüyor.' dedi. Dâînizi de Buhara elçisine benzetti." demesiyle zât-ı şâhâneyi yine bir hayli güldürmüş olduğunu hikâye ederler.

Eskiden ricâl-i devlet hele ilmiye ricali merasime ve usûl-i teşrîfâta pek riayet ederlerdi. Sudûr-ı izâm yekdiğerini ziyarete gittikçe oda kapısından ve İstanbul payelilerinden biri kendilerine geldikte odanın ortasından istikbal ederlerdi. Bir gün sudurdan birinin konağına İstanbul payesini haiz bir zat gelir. Hâlbuki bu zata Anadolu payesi ihsan olunup, fakat henüz fermanı çıkmamış bulunur. Hane sahibi ferman çıkmamasından dolayı kemâ-fi's-sâbık odanın ortasından istikbal eder. Fakat misafirin bu hâli kendisine hakaret addederek Bâb-ı fetvâya kadar gidip şikâyet eylediği mervîdir.

Selîm-i Sâlis asrı eâzım-ı ricâlinden Reisülküttap Büyük Raşit Efendi infisal edip yerine Küçük Raşit Efendi tayin olunmuş olduğundan berây-ı tebrîk yalıya gelen misafirleri kayıklarından çıkarmak ve koltuklarına girip yukarı kata götürmek için rıhtımda muteaddit ağalar bulundurulur. Bilfiil Rumeli kazaskeri mecâlis-i mükâlemeye memur İsmet Beyefendinin yalıya doğru gelen kayığını bu ağalardan biri görmesi üzerine derhâl yukarı koşup efendiye haber verir. İsmet Beyefendi havas beyninde pek muhterem bir zat olduğundan "Acaba nereden istikbal edilmek münasip olur?" diye nezdinde bulunan misafirlerden istizah eder. Huzzârdan birinin "Selefiniz Büyük Raşit Efendi rıhtımdan istikbal ederdi" demesi üzerine Küçük Raşit Efendi de "Öyleyse peştemal getirin de denizden karşılayım" demiştir.

Şeyhülislâm-ı esbak İvaz Paşazade İbrahim Beyefendinin[736] azameti ve merasime riayeti meşhurdur. Bir gün kendi arpalığının naibi mahall-i memûriyetinden avdet eylediğinden, mektupçu ve kethüda efendiler misilli dâire-i mütehayyizânı nâib-i mûmâileyhi hâk-pây-ı veliyyü'n-niamîye yüz sürdürmek murat ederler. Hâlbuki naip mazulleri ve müderrislerin eyyâm-ı mahsûsasında buhurdanlıklar yakılarak şeref-i müsûla nailiyetleri usûl-i kadîmeden olup, bu usulün haricinde münferiden bir naip mazulünün huzura kabulü caiz değilse de kendi arpalıklarının naibi olmasından dolayı tenha bir zamanı olan akşam ile yatsı namazları beyninde huzura kabulüne müsaade istihsal olunur. Nâib-i mû-

---

[736] I. Abdülhamit devri şeyhülislâmlarından İvaz Mehmet Paşazade İbrahim Beyefendi 1774 ve 1785 yıllarında toplam on dört ay bu vazifede kalmıştır. (*İlmiyye Sâlnâmesi*, s. 542)

mâileyh binişini kavuşturup titreyerek odadan içeri gerer. Yere beraber bir te-
menna edip doğruca gider, minderin saçağını adap ile takbil eder, odanın şöyle
bir kenarında hezar şerm ü hicap ile divan durur. Biraz sonra şeyhülislâm beye-
fendi hazretleri mücerret bir iltifât-ı mahsûs olmak üzere "Molla ne vakit gel-
din?" buyururlar. Bu hitab-ı âlîye mazhar olan naip efendi fart-ı sürûrundan
kendini şaşırır ve o şaşkınlıkla "Efendim yarın değil öbür gün geldim" diye ce-
vap verir. Bu cevap üzerine veliyyü'n-niam efendimiz "Acelenden bir gün evvel
gelmişsin" buyururlar.[737]

Eskiden şeyhülislâm mazulleri İstanbul'da oturmazlar, yalılarında ikamet
ederlerdi. Hatta Dürrîzade Abdullah Molla Efendi[738] meşihatı evânında Üskü-
dar'da, muahharen Paşakapısı ittihaz olunan maruf konağı inşa ettirdiği sıralar-
da Sultan Mahmut kendisine "Efendi Boğaziçi'nde yalınız varken niçin bu ko-
nağı yaptırdınız?" diye sual buyurmuşlar. Müşarünileyh de cevaben "Efendim
yalılar mazuliyet zamanında oturmak için değil midir? Dâîniz azlolursam zaten
dört etrafım deniz kesilir" cevabını vermiştir. Bu kaideye tevfikan İvaz Paşaza-
de İbrahim Beyefendi de infisâlinden sonra Kuruçeşme'de kâin sahilhanesinde
ikamet etmekte olduğu sırada kendisinin meşhur olan azamet ve ceberutuna
mücerret eser-i gaflet olarak irtikâp edilen büyük bir hatayı ve bu hataya karşı
da müşarünileyhin gösterdiği hiddet ve şiddeti acaip nevinden olarak hikâye
ederler. Vak'a şöyledir:

Sudurdan Mollacıkzade Abdullah Efendinin sahilhanesi de Kuruçeşme'de
müşarünileyh İbrahim Beyefendinin sahilhanesi kurbünde ve konağı da Fatih
civarında imiş. Konağın bulunduğu mahallenin imamı Ali Bahar isminde bir
adam olup, her kış konağına naklolundukça gelir gider, ekseriya konakta yer
içer, haremde küçük halayıklara, selâmlıkta koğuş uşaklarına ilmihâllerini, na-
maz surelerini okutur ve bu suretle dairenin gedikli ağalarını, kâhya efendi, ar-
zuhalci efendi gibi mütehayyizânı hoşnut edermiş. Giderek sâhib-i hâne efendi
hazretlerine de münasebet ve ubudiyet kesbetmiş. Ali Bahar Efendi mahallesi
halkını da kendisinden memnun eylemiş olduğundan mahallenin ileri gelenle-
rinden bir ikisi sûret-i mahsûsada konağına gelip imamlarının müderrislik rüt-
besiyle istihsâl-i mesrûriyyetini rica etmişler. Abdullah Efendi de icabına bakıp
Ali Bahar Efendiye bir kıt'a müderrislik rüûsu ihsan buyurulmuştur.

O aralık hasbe'l-mevsim yalıya nakledilmiş olduğundan hem vazîfe-i teşek-
kürü eda ve hem de nakil tebriğini ifa etmek için yalıya gitmek lâzım gelir. Va-
kıa o zamana kadar Ali Bahar Efendi yalıya gitmemiş ise de Abdullah Efendi gi-

---

737 Ricâl-i Sâbıkaya Ait Bazı Menkıbeler II, *Sabah*, nr. 11794, 23 Eylül 1338/1922, s. 3
738 II. Mahmut dönemi şeyhülislâmlarından olan Dürrîzade'nin padişaha verdiği iftar davetinin
      ayrıntıları için bk. "Ramazan Âdetleri" bölümü.

bi maruf zevatın yalıları iskele kayıkçılarınca malûm olmak lâzım geleceğinden Bahçekapısı'na iner, sorar anlar, iki çifte bir kayığa râkiben doğru Kuruçeşme'ye gider. Kayıkçılar kendisini her nasılsa yalı kapısı rıhtımına çıkarırlar. Binişi, kavuğu, azametiyle içeri girer. Doğru yukarı çıkar, ortalığı gözden geçirir. Odaların birinden naif, zayıf bir ihtiyarın erkân minderinde oturup çubuk içmekte olduğunu görür. Akşamdan gelmiş bir misafir olduğuna zâhib olur. Kendi de içeri girer. Selâm verip teklifsizce sedire geçer, bağdaş kurar oturur, ihtiyara hâl hatır sorar. Mırıldanmak kabilinden dudağını kımıldatırsa da ne söylediğini anlayamaz canı sıkılır, başını kıvırır, kavuğunu çıkarır bahçeyi temaşaya başlar.

Âdât ve usul veçhile kendisine henüz kahve, çubuk gelmediğinden ve ortada dolaşan ağalar içinde tanıdıkları da olmadığından kendisinde bir şüphe uyanır. Yanlışlığa uğramak ihtimalini teemmül etmeye başlar. O aralık odaya bir ağa girer. İhtiyara hitaben "Efendim çavuşbaşı ağa kulunuz geldi" der. İhtiyar hafifçe "Buyursunlar!" diye cevap verir. Birkaç dakika sonra kemâl-i tevâzu ile çavuşbaşı içeri girer. İhtiyar da nîm kıyam eder. "Etme, etme!" demesine bakmaz hemen koşar ihtiyarı etekler.[739]

Bu hâli müşahede eden zavallı Ali Bahar Efendi bir yanlışlığa kurban olduğuna artık kanaat getirir. Yavaş yavaş kavuğunu başına, ayaklarını altına almaya başlar. Müteakiben ihtiyar "Kahya efendiyi çağırın!" emrini verir, kâhya gelir. Ali Bahar Efendinin yanında oturmasını işaret eder. Kahya da emre itaaten minderin ucuna ilişir. Ali Bahar Efendi hemen "Canım efendim bu zat kimdir?" diye hafiyyen sual eder. Kahya gayet ekşi bir çehre ile "Üç defa makam-ı meşîhati ihraz eden İvaz Paşazade İbrahim Molla Beyefendi değil mi herif?" cevabını verir. Bîçare Ali Bahar Efendi başından vurulmuşa döner, hemen dışarı fırlar. Kahya da onu takip eder. Açar ağzını yumar gözünü bir demediğini bırakmaz. Çünkü beyefendi hazretleri kim olduğu henüz malûm olmayan bir herifin bilâ-istizân huzuruna çıkmasına ve baş sedire çıkıp oturmasına meydan verdiği için kâhyaya izin vermiş ve otur demesi de izin verdiğine alâmet imiş. Zavallı kâhya bu adam yüzünden hizmetinden mahrum olmuştur. İş bu kadarla da kalmamıştır. Nöbetçi ağalar da dikkatsizliklerinden dolayı tart edilmişlerdir. Sayfiyelerde kimi yatağını bağlıyor, kimisi eşyasını sala yükletmiş götürüyor. Daire halkı Ali Bahar Efendiye inkisarlar, lânetler ediyorlar, hele kapıcı "Bunca yıllık kapımdan oldum zalim herif!" diye ağız dolusu küfürler savuruyor. "Efendim yanlışlık oldu. Ben Mollacıkzade'nin yalısına gidecektim!" demesine karşı da "Alt tarafta eşek herif!" diye zavallı Ali Bahar Efendiye hakaretler ederler. Her ne hâl ise kapıdan dışarı kendini atar, ittisalindeki yalıya girer. Meğer bu girdiği yalı da

---

[739] Çavuşbaşılık namı Tanzîmât-ı Hayriyye'den sonra Deâvî Nezareti unvanına tahavvül etmiş ve bir müddet sonra Deâvî nezareti de lâğvolunarak Adliye Nezareti teşekkül etmiştir. (ARB)

çavuşbaşının yalısı imiş. Oradan da ters yüzüne döner. Daha alt tarafta olan Mollacıkzade'nin yalısına gelir.

Ağalar kendisini karşılar. Efendinin huzuruna çıkarırlar, etek öptürürler. Bu suretle resm-i teşekkürü ifa ederse de Ali Bahar Efendi bildikleri hâlde olmayıp saç sakal, cüppe biniş birbirine karışmış olduğundan sergüzeştini hemen hikâyeye başlar.

- Aman molla beyefendinin odasına kadar girdin mi?

suâline

- Hem girdim, hem de baş sedire çıktım oturdum.

cevabını verir.

- Aman imam ne söylüyorsun?

- Evet, hatta hava sıcak olduğundan kavuğu da çıkardım, bağdaş kurdum, öyle oturdum"

der. Bu hikâye arasında bir misafir gelir, kıyam ederler. Çubuk kahve ısmarlarlar. Ali Bahar Efendi devam eder:

- İhtiyara hâl hatır sordum. 'Efendi hazretleri haremden daha çıkmadılar mı?' dedim. Dudaklarının arasından bir iki kelime mırıldandı. Başımı çevirdim, bahçeyi temaşaya başladım.

- Aman aman ne söylüyorsun?

- Evet, işte o esnada idi. Odaya bir uşak girdi, "Çavuşbaşı ağa kulunuz geldi." dedi.

Hikâye buraya gelince hane sahibi efendi:

- İmam artık kes, anlaşıldı!

demeye mecbur olur. Çünkü gelen misafir molla beyin çavuşbaşı olup yalısından çıkmış, yalı tebriği için oraya da gelmiş imiş. Fakat imam bir buhran içinde olduğu için farkında olmamış. Yine hikâyeye devam ederek:

- Çavuşbaşı olacak herif içeri girdi, ezile büzüle ihtiyarı etekledi.

- İmam kes!

- Nasıl keserim efendim, içim yanıyor.

diyerek devam etmek ister.

- Oradan çıktım alt taraftaki yalı dediler. Hâlbuki girdiğim yalı da o çavuşbaşı olacak keratanın yalısı imiş.

dediğinde sahib-i hâne Abdullah Efendi:

- Alın imamı dışarıya!

emrini verir. Çal yaka herifi dışarı atarlar. Zavallı Ali Bahar Efendi bu ikinci defa duçar olduğu hakaretin sebebini anlayamayarak çocuk gibi ağlamaya başlar, gözlerinden akan yaşlar, sakalına doğru akar gider. Talihsiz adamcağızın rütbe sevincinden hâsıl olan sürur burnundan gelir.

İbrahim Beyefendinin mevzubahis olan yalısı Şeyhülislâm-ı esbak Cemalettin Efendi merhumun veresesi uhdesinde bulunan sahilhanedir.

* * *

Selîm–i Sâlis ricâl-i ilmiyyesinden meşhur Veliefendizade Emin Efendi herkesin yaşını sorar ve aldığı cevap üzerine "Yok yok siz daha yaşlıcasınız" diye birkaç sene zammedermiş. Bir gün şâir-i meşhur Surûrî Efendiye de sormuş. Surûrî Efendi dört yüz yaşında olduğunu söylemiş "Ne demek, dört yüz yaşında adam olur mu?" dediğinde "Herkesin yaşına istediğin kadar zammediyorsun ya, benim de yaşımdan istediğin kadar tenzil et!" demiştir.

Bu Veliefendinin konağında mutat hânegîler bulunurmuş. Bunlar meyanında Merakî lâkabıyla yâd olunan ihtiyar gayet titiz, hadîdü'l-mîzâc bir zat imiş. Veliefendizadenin bir zevki de ya külliyen yalan veya mübalâğalı hikâye nakletmek olup buna da Merakî hiddetlenir çıldıracak gibi bir hâle gelir, bundan da efendi eğlenirmiş.

Bir akşam Veliefendizade ehibbâsıyla musahabet ederken söz cins hayvana intikal etmiş, efendi de anlatmaya başlamış:

"Henüz pek genç idim. Bir Arap atı almıştım. At gayet cins bir hayvandı. Bir ramazan günü Silivrikapısı'nda kâin konağımdan bu hayvana râkiben Yeni Câmi-i şerîfe gitmiş, ikindiden sonra bazı ehibbâya tesadüf etmiştim. Biraz sonra Hamidiye Türbesi'ne gidip ziyaret ettim. Türbedar efendiyle sohbete dalmışım. Bir de saate baktım ki iftara beş dakika kalmış. Merhum pederin bir merakı da iftar vakti sofrada mutlaka benim beraber bulunmaklığımdır. 'Aman Hacı kır!' dedim hayvanı çektiler. Dizgin ettim, bir buçuk dakika kalarak sofra başına yetiştim" der. Huzzâr birçok takdirler ederler. Yalnız Merakî somurtkan bir çehre ile dışarı fırlar. Biraz sonra misafirlerden biri dışarı çıktığında ne görsün! Merakî sofada minder üzerine oturmuş dizlerini dövüyor, çarpınıp duruyor. "Aman Merakî ne oldun, bir tarafın mı ağrıyor?" diye telâş eder. Merakî cevap verir. "İşitmedin mi seng-i yâdigârına ne cevahirler yumurtladı. Rica ederim, seninle bir hesap yapalım. Bu herif 'Hacı kır' dediği dakikadan hayvan çekilinceye kadar yarım dakika geçmiştir. Kaldı dört buçuk dakika. Bir buçuk dakika kala sofraya yetişmiş. Bir buçuk dakikayı da tenzil edelim. Kaldı üç dakika. İnsaf edilsin. Bahçekapısı'ndan üç dakika içinde Silivrikapısı'ndaki konağa vasıl olabilir mi ve bunu akıl ve idrak kabul eder mi? Farz-ı muhâl olarak haydi diyelim ki Hacı kır üç dakika zarfında Silivrikapısı'na vasıl olmuş olsun. Peki ama bu herifin gençliği zamanında Hamidiye Türbesi nerede. Buna havsala-i beşer tahammül eder mi, çıldırmamak kabil mi? Bana sabırlı ol diyorlar. Bu bir değil, beş değil. Her gün her saat böyle benim gibi kuvâ-yı akliyye ve bedeniyyesi tükenmiş olan bir ihtiyar nasıl sabredebilir? Akıbet bu herif benim mevtime sebep olacaktır" der.

Veliefendizade'nin bu gibi hikâyeleri pek çoktur.[740]

Bir gün Sultan Mahmûd-ı Sânî merhum Kâğıthane'deki Çağlayan Köşkü'ne gitmek üzere Beylerbeyi Sarayı'ndan tebdil kayığına binmiş, karşısına da musâhib-i meşhûr Hayalî Sait Efendiyi[741] almış ve demiş ki "Sait, köşkün filân sofasına çıkıncaya kadar beni güldüremezsen imanım hakkı için seni idam ederim." Sultan Mahmut'un "imanım hakkı için" yeminiyle takayyüt ettiği sözünü mutlaka icra eder olduğunu ve padişah kendisini severse de sözünü icra eder göstermek ve herkese bir gözdağı daha vermek için kendisini feda edeceğini bildiği için Sait Efendi cidden telâşa düşmüş ve lâtif zeminli hikâyeler söylemiş, gayet fıkırdaklı taklitler yapmış ve padişahın mizacını ve zevkini okşayacak sözler söylemiş, güldürmek mümkün olmamış. Bu tarzın tesir etmediğini ve güldürmeye muvaffak olamazsa hayatına uğurlar olsun demek iktiza edeceğini görmüş. "Aman" demiş "Padişahım ben senin eski kulunum, çoluk çocuk sahibiyim, lütfet kerem et ne olur gülüver" diye yalvarmış. Bir aralık da merhamet eder diye hüngür hüngür ağlamış. Padişah ise asla vazını tağyir etmeksizin Sait Efendinin tahlîs-i nefs için çırpındığına bakar ve veçhindeki taabbüsü muhafaza edermiş. Merdivenden sofaya çıkmaya bir iki basamak kalınca o vakte kadar yalvaran, ağlayan Sait Efendi önünde yürüyen padişahın bir iki defa eliyle omuzuna dokunmuş. Sultan Mahmut da dönmüş arkasına bakmış. Sait Efendi demiş ki "İki basamak daha çıkınca bize öteki dünyaya doğru uğurlar olsun değil mi? Bundan sonra ha s... gül, ha s... gülme" demiş. Bu söz üzerine Sultan Mahmut kendisini tutamayıp kahkahayı salıvermiş.[742]

Tarihlerin rivayetine göre Selîm-i Sâlis asrı ricalinin kısm-ı küllîsi değerli zatlar imiş. Bunlardan Köse Kahya lâkabıyla mülâkkab olan Mustafa Reşit Efendi durendiş bir zat olduğundan Vak'a-i Selîmiyye esnasında mahut Kabakçı'yı el altından bazı hedâyâ ile itmâ etmiş. Eşkiya, Kabataş'ta kâin sahilhanesi caddesinden geçerken "O bizim babamızdır" diye merkum Kabakçı sahilhaneyi yağmadan ve kendisini tehlikeden kurtarmıştır.

Bu Reşit Efendi Mahmûd-ı Sânî'nin evâyil-i saltanatında yine kapı ricalinden bulunduğu cihetle bir gün şurâ-yı Babıâlide kıraat olunan hususî bir tezkirede

---

740 Ricâl-i Sâbıkaya Ait Bazı Menkıbeler III, *Sabah*, nr. 11796, 25 Eylül 1338/1922, s. 3

741 Musahip Hayalî Sait Efendi hakkında bilgi için bk. "İstanbul Halkının Tenezzüh ve Eğlenceleri" bölümü.

742 Musahip Sait Efendinin bazı lâtifeleri için bk. *Eski İstanbul'un Ünlüleri*, s. 114-121.

filân sefaretin teklif eylediği ... meselesinin sefaretin matlûbu veçhile tesviyesi için mazbatasının tanzimi irade buyrulmuş ve mesele de müzakere olunarak heyetçe kabul edilmiş ise de Reşit Efendi, bu mesele Devr-i Selîm Hânî'de tul u dırâz müzakere olunarak mazarratı anlaşıldığından sefarete cevab-ı red verildiği cihetle sefaret bu kere tebeddül-i saltanattan bi'l-istifâde meseleyi tazelemiş olduğunu ve buna muhalif bulunduğunu beyan etmiş ve mecliste bulunan dostları tarafından ârzû-yı şâhâneye muvafık olan ve heyet-i umûmiyyece tasdik olunan bir karara münferiden efendi-i müşârünileyhin muhalefeti kendi hakkında muzır olacağı dermeyan edilmiş ise de müşârünileyh reyinde sâbit-kadem kalmış ve mazbataya da muhalif olduğunu yazıp temhir eylemiştir. Mezkûr mazbata atebe-i ulyâya arz edildiğinin ferdası günü Kabataş'ta kâin sahilhanesine bir bostancı gelip kendisini Dolmabahçe Sarây-ı hümâyûnuna götürmüş. İşitenler Reşit Efendinin zaten tehlikeye maruz bulunduğunu tahmin eyledikerinden merak ve endişeye duçar olmuşlar. Reşit Efendi huzûr-ı hümâyûna celp olunmuş. Esbâb-ı muhâlefeti istizah buyrulmuş, o da bi'l-etrâf arz etmiş. Padişaha kanaat gelmiş. Beyân-ı mahzûziyyet ile beraber murassa bir enfiye mahfazası ihsan etmişler ve "Efendi, sen mahut Kabakçı Vak'ası'nda başını nasıl kurtardın?" buyurmuşlar. Reşit Efendi de bir temenna edip "Efendim asr-ı hümâyûnunuza lâyık bende yetiştirmek için kulunuzu damızlık bıraktılar" diye cevap vermiş ve bu cevap Sultan Mahmut'un pek hoşuna gitmiştir.

İstitrat-Reşit Efendinin sahilhanesi Kabataş'ta idi. İdrak ettiğim zamanlarda o yalıya Köse Kahya Yalısı denilirdi. Efendi-i müşârünileyh Eyüp Câmi-i şerîfi civarında Türbe Hamamı'nın karşısında Bahariye Caddesi'ne dönecek köşede kâin kabristanda metfundur.

* * *

Fuhûl-i ulemâdan Mütebessim Hoca bir gün berây-ı ziyâret Babıâlide dîvân-ı hümâyûn tercümanı Nurettin Beyin odasına gider. Hariciye Müsteşarı Kabulî Efendi, Hariciye Teşrifatçısı Kâmil Bey gibi bazı kapı ricaliyle İngiltere sefareti baş tercümanı meşhur Pizani de orada bi't-tesâdüf hazır bulunur. Hoca merhum ilim ve fazlıyla beraber latîfe-gû, hoşsohbet bir zat olduğundan vürudundan huzzâr memnun olarak tatlı bir sohbete başlanır. Esnâ-yı musâhabette Pizani, hocaya hitaben kendisine dinî bir sual irat edeceğini söyler ve fakat vereceği cevabın aklî ve mantıkî olmasını da ayrıca rica eder. Hoca da muvafakat gösterir.

"Sizin mezhebiniz biz Hristiyanlardan kız almaya müsaade ediyor da niçin bize kız vermeye müsaade etmiyor?" der. Hoca da "Evet biz sizden kız alırız, çünkü sizin peygamberinizi tasdik ederiz. Siz de bizim peygamberimizi tasdik ediniz, ben sana kendi kızımı vereyim" diye cevap verir. Bu cevap Pizani tarafından makul görülür.

Öteden Kâmil Bey de "Canım hocaefendi, insan kenefte ekmek yiyecek olsa ne lâzım gelir?" deyince Hoca "Bir şey lâzım gelmez. Yalnız helânın kapısı haricinde uşak ve hizmetçi misilli adam bulundurmak lâzım gelir. Çünkü kenefte ekmek yemek hiçbir millette, hiçbir mezhepte âdet olmadığından hîn-i eklinde ağzının şapırtısını dışarıdan işitecek olurlarsa 'Beyefendi bok yiyor' zannederler" cevabını vermiştir.

Bu Kâmil Bey "Mahşer Midillisi" lâkabıyla mülâkkab idi. Erbabının rivayetine göre Fransızcayı az bilirmiş. Fakat Frenk mukallidi ve daim Fransızca tabirât istimali meraklısı idi. Mahdumu Madrid sefîr-i esbakı Feridun Bey merhumun bu lisanda vukuf ve behresi olduğundan bazen pederiyle Fransızca mülâkatta onun anlayamayacağı tarzda elenikasını söylediğinden Kâmil Bey oğluna kızar ve söğüp sayarmış. "Babanın lisanını bırakıp Frenkçe söylemekte ne mana var?" dermiş. Fransız lisanıyla ifâdâtını daima Türkçeden tercüme ettiğinden garip cümleler tertip ederdi derler.

Kâmil Bey cülûs-ı Abdülhamîd Hanı müteakip pek ziyade mukbil olup hatta hariciye teşrifatçılığı unvanı, Teşrîfât-ı Umûmiyye Nezaretine tahvil olundu ve nefs-i nefîs-i hümâyûna mahsus etimeye nezaret etmek vazifesi de kendisine tevdi kılınmıştı. Fakat biraz müddet sonra menkûb oldu. Aradan çok geçmedi, vefatı vuku buldu.[743]

Sadrazamlar sarây-ı hümâyûna geldiklerinde baş mabeyincilerin onları kapıda istikbal eylemeleri mutaddır. Bir gün Âli Paşa Dolmabahçe sahillerine vürudunda o zaman serkurenâ bulunan Hacı Hasan Beyi saray kapısında görmediğinden dâire-i seniyyeye girmeyerek bahçede dolaşmaya başlamış, Hacı Hasan Bey bir müddetçik sonra Âlî Paşanın yanına gelerek huzûr-ı şâhânede bulunduğundan naşi istikbal edemediğini beyan ile itizar etmiş. Bunun üzerine Âli Paşa "Bahar mevsimi olduğundan gülleri görüp istifade ediyordum" cevabını vererek muâmele-i istikbâliyyede vuku bulan kusuru şu suretle baş mabeyinciye anlatmıştır. Evâyilde padişahlar Yeni Saray'da ikamet buyurduklarından sadrazamlar câ-be-câ sarây-ı hümâyûna geldiklerinde silâhtar ağalar kendilerini akağalar kapısından istikbal ederlermiş.

Tophane Müşiri esbak Halil Paşa beyhude ızâa-i evkat etmemek için arabada bile kâğıda bakardı. Meclis-i mahsûs günleri Babıâliye geldiğinde kendi dairesine ait evrakı önündeki masanın üstüne yaymak ve okuyup havale etmek itiyadında imiş. Hâlbuki meclis-i vükelâda içtima olundukta okunan evrakı dinlemek hâzırûn için bir vazife bulunduğundan Halil Paşanın bu hâli âdâb-ı meclise mu-

---

743 Boyunun kısalığından dolayı Mahşer Midillisi lâkabıyla tanınan Kâmil Bey alafrangalığa son derece riayet eden birisidir. Türkiye'de batılı tarzda belediyecilik teşebbüsünü gerçekleştirmek amacıyla Beyoğlu'nda 1858 yılında tesis edilen Altıncı Dairenin ilk reisi Kâmil Beydir. (Memuriyetleri ve hakkında söylenenler için bk. *Mecelle-i Umûr-ı Belediyye*, c. I, s. 1415; ayrıca bk. "Mahşer Midillisi Kâmil Bey", *Resimli Tarih Mecmuası*, nr. 28, Nisan 1952, s. 1421).

halif olduğunu kendisine anlatmak lâzım gelir. Bir gün mecliste kıraat olunan bir kâğıt gayet uzun ve muğlâk olduğundan huzzâr "Pek iyice anlayamadık" derler. Âli Paşa da "Halil Paşa hazretlerinin dikkatle dinlediklerini gördüm. Lütfen meseleyi bir kere izah buyursalar..." demiş. Kendi isminin tezkârı üzerine sadrazamın kelâmını dinlemeye mecbur olan, velâkin okunan kâğıdın mazmunundan kat'iyen haberdar bulunmayan Halil Paşa pek ziyade mahcup olmuş ve elindeki kalemi ve gözündeki gözlüğü hemen masanın üstüne koymuş ve o günden sonra meclis-i vükelâda dairesi kâğıtlarıyla meşgul olmaktan vazgeçmiştir.

Âli Paşanın bazı ehibbası bir akşam Mercan'da kâin konağında toplanmışlar. Hariciye Teşrifatçısı Kâmil Bey de gece hanesine avdet etmek için her zaman bindiği Mısır eşeğini ısmarlamış. Hava yağmurlu olduğu için hayvanı konağın avlusuna çekmişler. Hâlbuki merkep ale'd-devâm zırlayıp halkı iz'âç eylediğinden orada bulunan Fuat Paşa merhum da şu mısraı söylemiştir:

> *Hâriciyye eşik ağasının erkek eşeği*
> *Bîhuzûr etti bizi tâ-be-sabâh zırlamadan*

İranlılar teşrifatçılara eşik ağası dedikleri cihetle mısradaki cinası herkesin hoşuna gitmiş ve bu kafiyede birer mısra söylemişlerdir. Bu mısralar "tâ-be-sabâh şırlamadan", "tâ-be-sabâh vırlamadan", "tâ-be-sabâh dırlamadan" gibi şeylerdi. Yağmurlu bir gece olduğundan mıydı neydi bilmem, mecliste bir neşesizlik vardı. Fuat Paşa bu mısraı söylemesiyle beraber meclise bir parlaklık geldi. Pek çok gülündüydü.

Bilenlerin malûmu olduğu veçhile Kâni Paşa çehre züğürdü bir zat idi. Rüsûmat eminliğinden Maliye Nezaretine tayini tarihi Akrep burcuna tesadüf etmiş olduğundan ol vakit âmedî odası hulefâsından olan Memduh Paşa hazretleri şu kıt'ayı söylemişlerdi:

> *Çok değildir nâzır-ı mâliyye Kânî'nin eğer*
> *Nasbı târîhi müsadif olsa hükm-i akrebe*
> *Mâr-veş çün kim soğukluktan bakılmaz veçhine*
> *Eyler elbet âleme akreple arz-ı kevkebe*[744]

Devr-i teceddüd vükelâsı mahâfil ve mecâlisinde ilmiyeden, mülkiyeden, şuaradan, meşâyihden birçok nüktedan urefâ bulunduğu gibi hezl ve mizaha mail kimseler de bulunup musahabete revnak ve taravet verirlerdi. Hafız Ömer

---

[744] Ricâl-i Sâbıkaya Ait Bazı Menkıbeler IV, *Sabah*, nr. 11797, 26 Eylül 1338/1922, s. 3

Faiz Efendi, Vehbi Molla, Şair Kanlıcalı Nihat Bey, Şeyh Cemal Efendi, Hariciye Kâtibi Billûrî Mehmet Efendi, Dahiliye Kâtibi Bebekli Sâib Bey, Mîrî Dellâlbaşısı Hacı Muhtar Efendi bu gibi zevattan idi.

Bir de iyi tahsil ve terbiye görmüş ve ulûm-ı Arabiyye ile iştigal etmiş zatlar dahi tekessür edip bunlardan mahâfil-i küberâya dahil olanları ilim ve irfanlarıyla tenvîr-i meclis ederlerdi. Ahmet Vefik Paşa, sefîr-i sagîr lâkabıyla mülâkkab Rıza Paşa, Şinasi Efendi, mabeyin kâtiplerinden şâir-i marûf Ziya Paşa, Pertev Paşa sonraları Namık Kemal Bey, Ebuzziya Tevfik bu dediğim zevatın saff-ı evvelinde idiler. Reşit Paşanın vefatından bir müddet sonra bu zatların bazıları Âli Paşaya muhalif kaldılar. Bunlardan Sultan Mecit devrinde mabeyin kitabetine alınan Ziya Bey zirde derç ettiğim şarkı güftesinden müstefâd olacağı veçhile cülûs-ı Abdülazîz Hânî'de manzur ve mültefet olduğundan Âli Paşanın mevkiini gereği gibi sarsmıştır.

(Şarkı)

İftihârımdır bilir Rabb-ı gani
Yoluna etsem fedâ cân ü teni
Dâim etsin haşre dek Mevlâ seni
Nakarat
Pâdişâhım eyledin ihyâ beni
Bu ne devlet ey veliyy-i nimetim
Ola makbûlün değersiz hizmetim
Yok iken bir zerrece ehliyyetim
Eyzan
Ömrüm oldukça yeter devlet bana
Tâliim yâr oldu kul oldum sana
Edemem bu nimetin şükrün eda
Eyzan
Sadme-i dehr ile ey şâh-ı cihân
Mürde olmuştu Ziyâ-yı nâ-tüvân
Sâye-i lütfunda buldu tâze cân
Eyzan

Sultan Aziz evâyil-i cülûsunda ıslâhat-ı askeriyyeye başlamış ve askerin elbisesini tebdil ve tahvil ettirmiş olduğundan mîr-i müşârünileyh şu güfteyi de yazmıştı:

(Şarkı)

Ettin ihyâ askeri baştan başa
Pâdişâhım devletinle çok yaşa
Düşmanın gelsin başı taştan taşa
Nakarat

Pâdişâhım devletinle çok yaşa
Kisve giydi buldu asker şimdi şân
Her biri oldu misâl-i kahramân
Etmede böyle cemi askerân

Eyzan

Pek yaraştı eğri sarık eğri fes
Resmine erbâb-ı irfân dedi pes
Bu sözü tekrâr ederler her nefes

Eyzan

Tarz-ı İslâm üzre giydirdin libâs
Devletin a'dâsına geldi hirâs
Şükredip der askerinle cümle nâs

Eyzan

Âli Paşanın muhalifleri olan Yeni Osmanlılar Cemiyeti azasının reisi Mısırlı Fazıl Mustafa Paşa idi. Müşarünileyh hakkında "Âli Paşa, Bahçekapısı kapıcısının oğludur" dediğini ve kendisini bu suretle tahkir ve tezyif eylediğini Âli Paşaya söylemişler. Müşarünileyh de "Vakıa biz Bahçekapısı kapıcısının oğluyuz, lâkin lehülhamd bugün makam-ı sadârette bulunuyoruz. Acaba kendileri Mısır valisinin oğlu olmasalardı ne olacaklardı?" cevabını vermiştir.

Mustafa Paşa sahâveti cihetiyle Maliye Nezaretinde bulunduğu senenin ramazanında nezaretin kavas, odacı ve sair hademesine yüzbin kuruş ramazaniye vermişti.[745] Mısır'da usûl-i verâsetin tahavvülünden dolayı Mustafa Paşanın oradaki emlâkına mukabil Mısır hazinesinden aldığı akçe on milyon liradır derler. Müşarünileyh bu parayı ölçüsüz sarf ederek on sene zarfında tüketmiştir. Vefatına yakın zamanlarda idaresince pek çok sıkıntı çekip, hatta bir altın leğen ibriği on bin altına ve yine murassa bir enfiye mahfazasını büyük bir meblâğ mukabilinde bir bankere terhin ederek idâre-i beytiyyesine çâre-sâz olabildiğini naklederler. Son zamanlarında bi'l-vâsıta Hıdiv İsmail Paşaya müracaat etmiş ve hıdîv-i müşarünileyh kendisine şehrî ikibin altın maaş tahsis eylemişse de müşarünileyh bu maaşı ya bir iki ay almış veyahut hiç almaksızın vefatı vukua gelmiştir.

Usûl-i verâsetin tahavvülünden evvel Mısır valiliği Mehmet Ali Paşa ailesi içinde büyükten büyüğe intikal ederdi. Başka anadan olan İsmail Paşa Mustafa Paşadan dört saat evvel tevellüt eylediği için valilik mansıbı Sait Paşadan sonra ekber evlât olan İsmail Paşaya tevcih edildiğinden Mustafa Paşanın işbu dört saatlik farktan dolayı pek ziyade canı sıkılırdı derler.

---

[745] Bu konuda bilgi için bk. "Ramazan Âdetleri" bölümü.

Sultan Aziz'in Avrupa seyahatinde İmparatoriçe Eugenie'nin delâletiyle Mustafa Paşa mazhar-ı afv-ı hümâyûn olarak İstanbul'a avdet etmiş, Âli Paşa ile barışmış olduğundan cemiyet azasıyla ilişiğini katetmek için tekrar Avrupa'ya azimetinde Âli Paşanın müsaadesiyle Hafız Ömer Efendiyi birlikte götürmüştü.

Mustafa Paşa, Hafız Ömer Efendiyi pek severdi. Beyazıt semtindeki konağında, Kandilli'deki yalısında birer daire tahsis etmişti. Hafız Ömer Efendi, Damat Halil Paşanın hazine kitabetinden yetişmedir. Bir hayli müddet şehremaneti muavinliğinde bulunmuştu. Midhat Paşanın Bağdat valiliği hengâmında rütbesi ulâ sınf-ı evveline terfi ve onbin kuruş maaş tahsisiyle Bağdat kapı kethüdalığına tayin olundu. Âli Paşanın vefatından sonra halefi Mahmut Nedim Paşa icra ettiği tenkihât-ı umûmiyye sırasında mezkûr maaşı yarıya tenzil eylediğinden işbu nısf farkı Mustafa Paşa kendi kesesinden vermişti.

Fuat Paşa merhum da 1279 [1863] tarihinde maiyyet-i Abdülazîz Hânî ile Mısır'a giderken Hafız Ömer Efendiyi de beraber götürmüştü. Hafız Efendi tiryâkî-meşreb bir zat olduğundan kahveyi sıkça içerdi. Râkib oldukları Sultaniye vapurunun baş tarafında zabitan için bir kahve ocağı olduğunu kendisine haber verdiklerinden memnun olup ara sıra oraya gider kahve içermiş. Esnâ-yı râhta Sultan Abdülaziz vapurun yukarısında gezinirken "Bu ateş yanan mahal nedir?" diye sual buyurmuş. Kahve ocağı olduğunu anlayınca hakan-ı müşârünileyh harîk vukuundan pek havf eylediklerinden hemen kaldırılmasını emretmişler. Hafız Ömer Efendi ferdası günü kamarasında yatağından kalkıp sabah kahvesini içmek için doğruca vapurun baş tarafına gitmiş. Fakat kahve ocağını yerinde bulamamış. Sebebini anlayınca "Subhanallah! Babası yeniçeri ocağını kaldırmıştı, kendi de bizim kahve ocağını kaldırdı" demiştir. Hafız Ömer Efendinin vapurda zât-ı şâhâneye naklettiği bazı fıkraların ne derece mahzûziyyet-i şâhâneyi mucip olduğunu bundan evvelki makalelerde bi'l-münâsebe yazmıştım.[746] Hafız Ömer Efendi hikâyesinin mevzuuna göre hüzn-âmîz, hiddet, gazap, haset, sürûr gibi ebnâ-yı beşerin muttasıf olduğu ahval ve ahlâkı öyle öyle bir surette tasvir eder ve azâ-yı vak'ayı o kadar güzel tecessüm ettirirdi ki insan kendisini vak'ada hazırmış gibi zannederdi. Müşârünileyhi bilenler merhumun nasıl şartınca bir nedim olduğunu itiraf ederler. Merhumun eviddâ-yı hürmetkârının hâfıza-i tekrîmine tevdi ettiği o millî hikâyeler vaktiyle hoş-nüvîs bir ehl-i kalem tarafından yazılmış olsaydı hem amâk-ı mâziyyeye karışıp unutulmaktan kurtarılır, hem de ashâb-ı zevkin lezzetle mütalâa edeceği ufak eserler hâsıl olmuş olurdu ki, neticede merhumun ruhu şad olurdu.

Hafız Ömer Efendi evâyil-i hâlinde hazine kitabeti vazifesiyle hizmetinde bulunduğu Damat Halil Paşa, Sultan Mahmûd-ı Sânî'nin nazar-ı teveccühünü

---

[746] Ömer Faiz Efendinin Abdülaziz'e anlattığı Çala Mehterbaşı adlı fıkranın ayrıntıları için bk. "İstanbul Halkının Tenezzüh ve Eğlenceleri" bölümü.

kazanmış olduğundan kerimesi Saliha Sultanı tezvîc etmiştir. Halil Paşa gayet şen ve şuh, şakacı ve aynı zamanda muhibb-i ulemâ, kadr-dân bir zat idi. Fuhûl-i ulemâdan meşhur Hoca İbrahim Efendi kitapçısı; Emin Muhlis Paşa, Ali Kemalî Paşa, Pertev Paşa, Raif Efendi gibi müteaddit valiliklerde ve nice mühim memuriyetlerde bulunmuş olan urefânın kimi kethüdası, kimi mühürdarı, kimisi divan efendisi idi. Halil Paşa dairesi âdeta bir mecma-i üdebâ idi. Paşa-yı müşârünileyh Sultan Mecit'in de nazar-ı iltifâtını celp etmiş olduğundan, bazen kendisine gıyaben hiddet etmiş bile olsa kısa bir mülâkat o hiddeti izale edermiş. Ona mebni rukabâsı müşarünileyhin padişahtan uzak bulunmasına çalışırlarmış derler.

* * *

Sultan Abdülaziz Fransa imparatoru Üçüncü Napolyon tarafından vaki olan davet üzerine 1284 [1867] tarihinde Sergi-i Umûmî'yi berây-ı temâşâ Paris'e azimetlerinde Fuat Paşa da Hariciye Nazırı sıfatıyla maiyyet-i şâhânelerinde bulunmuştu.

Fuat Paşanın nâtıka-perdâzlığı ve Fransızcada nüktedanlığı meşhurdur. İmparator tarafından keşide olunan ziyâfet-i resmiyye esnasında zât-ı şâhâneye murassa birinci rütbe Legion d'honneur nişanını ihdâ etmiş ve talikine de Fuat Paşa memur olmuş. Paşa-yı müşârünileyh esnâ-yı talîkte kordonun kopçasını takmak için biraz zaman mürur etmiş olduğu için İmparator "Fuat Paşa işi uzattınız, zât-ı şâhâneyi rahatsız ettiniz!" demiş. Fuat Paşa da müteakiben vazifesini ikmal ederek "Evet efendim, filhakika biraz uzattım, lâkin iki hükümdâr-ı zî-şân beyninde olan meveddeti o kadar muhkem rabtettim ki artık açılmak ihtimali yoktur" diye cevap vermiş olduğu o vakitler işitilmişti.

* * *

Şair Nihat Bey maruf şuaramızdandır. Birçok menakıbı hâlâ elsine-i nâsta deveran eder. Bir ramazan günü akşam üstü Beyazıt Câmi-i şerîfi avlusunda bulunan sergilerin birinde birçok ricâl-i kibâr hazır oldukları sırada orada bulunan ve daha ol vakit ziyy-i ulemâda Reşit Paşa kitapçılığında olan Cevdet Paşa söylediği fıkrayı biraz uzatmış. Paşaların arasında oturan Nihat Bey ref'-i savt ile "Baksana hoca, ramazan günü saat on birden sonra bu kadar uzun hikâye dinlenmez! Fıkranın gülünecek yeri neresi ise söyle de bitir" diyerek Cevdet Efendiyi bozmuş. Bunu müteakip Cevdet Efendi sergiden çekilirken "Suhteyi tersledim, dersini verdim" demiş. Sonra da yanında bulunan zata dönüp "Şu paşaları görüyor musun? Bunların cümlesi benden korkarlar. Ama benim topum mu var, tüfeğim mi var? Hayır, dilimden korkarlar, dilimden!" dediğini naklederler.

Nihat Bey, İzzet Mollanın son zamanlarına yetişmiştir. Bir sabah konağına gitmiş. İzzet Mollaya haber vermişler. Molla selâmlığa çıkarken refikası hanım

"Efendi niçin çorapsız gidiyorsun?" demiş. "Hanım bu Nihat Bey o kadar hoş-tur ki eğer sen kendisini tanımış olsan donsuz koşardın" diye cevap vermiştir.

Sadr-ı esbak Reşit Paşanın vefatından sonra mezar taşını somakiden mi, yoksa mermerden mi yaptırmak münasip olacağı hısım ve akrabası beyninde müzakere olunurken orada hazır bulunan Nihat Bey "Vakıa biraz pahalıca olur ama cehennem taşından yaptırılsa daha münasip olur." demiştir.

Reşit Paşa hayatında Nihat Beyi niam-ı gûnâ-gûnuna müstağrak ettiği hâl-de mazmûndârlık edeyim derken nimet-i nâ-şinâslık etmiştir.

Nihat Bey güzel şiir söylerdi. Fakat bizâası hiciv vadisinde idi. "Sözünü esir-gemez, hak hukuk tanımazdı" diyenler çoktur.

Mîr-i mûmâileyh çok zamanlar Mısır'da kalmış ve Mısır valilerinin teveccü-hünü kazanmıştır. Hatta kendisine Mısırlı Nihat Bey denilirdi.

Âli Paşanın Mercan'da kâin konağında asrın küberâsı bir gece toplanmışlar. Ebu'l-burun Vehbi Molla da orada imiş. Civarda harîk zuhur etmiş, misafirler üst katta pencereden bakarlarken kimisi yangının uzak olduğunu, kimisi yakın idüğini beyan ettikleri sırada Vehbi Molla "Canım efendim işte burnumuzun di-binde" demesiyle Nihat Bey "Evet sizin burnunuzun dibinde!" diye cevap ver-miştir. Filhakika Mollanın burnu o kadar büyük idi ki emsalini hâlâ görmedim desem mübalâğaya hamlolunmamalıdır.

Bir tarihte erkân-ı harp dairesinde tanzim olunan İstanbul haritasını muayene eden zurefâdan bir zat haritanın yanlış olduğunu ve çünkü sevâhilde Saraybur-nu, Moda Burnu gibi burunlar gösterildiği hâlde (Fındıklı'da yalısı olan Molla-nın burnunu telmihen) Fındıklı'da Molla burnu gösterilmediğini söylemiştir.[747]

Sultan Abdülaziz'in evâil-i saltanatında kaptanıderya olan Ateş Mehmet Paşa Cibali'de kâin konağında vükelâya bir ziyafet vermişti. Haliç dahilinde kâin süfün-i hümâyûn, mebânî-i mîriyye ve Cibali İskelesi'nde konağa kadar bütün yollar kâmilen kandillerle donanmış idi. Ol vakit paşa gemisi olan Mahmudi-ye'de bando mızıka ve konak dahilinde asrın en güzide hanende ve sâzendegâ-nından mürekkep ince saz münavebe suretiyle icrâ-yı âheng etmekte idi. Yuka-rıda ismini zikrettiğim Mîrî Dellâlbaşısı Hacı Muhtar Efendi nüdemânın ileri ge-lenlerinden olup güzel taklit yapardı. Bir aralık taklitli bir hikâye nakletmişti. Hikâye dâire-i bahriyyenin ahvâl-ı sâbıkasıyla hâlihazırın terakkisini musavvir olduğu için mevkiye münasip düşmüştü. Hulâsasını arz edeyim:

Bir vakit süfün-i hümâyûndan birinin Karadeniz'e ihracı lâzım gelir. Kaptan paşa azaplardan,[748] şuradan buradan tayfa toplar, geminin mürettebatını ikmal

---

747 Ricâl-i Sâbıkaya Ait Bazı Menkıbeler V, *Sabah*, nr. 11801, 30 Eylül 1338/1922, s. 3
748 azap: Çeşitli işlerde kullanılan askerler hakkında kullanılan bir tabirdir. (*OTDTS*)

eder. Lüzumu olan cephane, erzak ve eşyâ-yı sâireyi bulunabildiği kadar ambarlardan, ekserisini çarşı ve pazardan hezar müşkilât ile tedarik eder. Sefine demir alır, Haliç'ten hareket eder. "Aman beybaba bir hacı lodos" diye tayfa tarafından edilen temenni veçhile bir kıble lodosuyla Karadeniz'e çıkar. İnce bir rüzgâr, masmavi bulutsuz gök. Pupa yelken yoluna devam eder. Yarı geceye doğru hava yıldız poyrazına doğru tahavvül eder. Deniz coşar, yelkenleri toplamak için kaptan tarafından ağız dolusu küfürler savrulmaya başlar, tayfa birbirine karışır. Geminin içi allak bullak olur. Bu arada pusulaya bakmak lâzım gelir. Hâlbuki pusula havayı gayet sakin gösterir. "Bu nasıl şey" derler, muayene ederler. Pusulanın mili olmadığı anlaşılır, sebebini tahkik ederler. Tayfadan biri söyler. Meğer gemi divanhane önünde demirli iken kaptan paşa çıplaklarından[749] Abdullah Çavuş çorap örmek için mili almış bir daha getirmemiş. Sefinenin hareketi esnasında da aceleye geldiğinden muayene edilememiş. Telâş arasında öylece kalmış olduğu anlaşılır!... "Bari geminin nerede olduğunu anlayalım" demişler, iskandil[750] atmışlar gemi hocası hesap etmiş haritaya bakmış. Geminin Karadeniz'de Kıbrıs adası pîşgâhında olduğu görülmüş. Hâlbuki Karadeniz'de Kıbrıs adası olmadığından haritayı dikkatlice muayene etmişler, haritanın yamalı olduğu anlaşılmış. Sebebini tahkik etmişler. Meğer gedikli zabitler gemi demirli iken kışın kamarada haritayı yayıp üzerinde altı kol iskambil oynamaktalar iken bu zabitlerden birinin ufak çubuğundan ateş düşmüş haritayı yakmış. Lüzumsuz eski bir haritadan ufak bir parça kesmişler bu yanan yere yamamışlar. Yamanan parça da Kıbrıs adasını gösterirmiş. Gemi halkı artık mebhût ve mütehayyir bakakalmışlar. Biraz sonra gemi de karaya vurmuş. Halâs olanlar dağarcıkları omuzlarında sâhil-i selâmete çıkmışlar.

Hacı Muhtar, taklitli hikâye naklinde yektâ idi. Bir de ani surette fıkra icat ederdi. Hîn-i naklinde asla pot kırmaz, falso etmez, irkilmez, en hurdeli köşelerine varıncaya kadar hiçbir noksan bırakmaz, gayet tabiî bir surette söylerdi.

Ol vakitler mîrîye ait işler için angarya usulü cari olduğundan sefinenin hareketine değin levazımatın nakli zımnında kullanılan kayıkçıların, mavnacıların, arka ve sırık hamallarının taklitlerini ve memûrîn-i âidesinin bunlar haklarında reva gördükleri muâmele-i itisâfkâraneyi o kadar güzel tarif ve tasvir etti ki kahkahalar ayyuka çıktı.

* * *

Mabeyin kâtiplerinden Ziya Bey Sultan Aziz'in manzur ve mültefetlerinden idi. Hakan-ı müşârünileyh damaya merakından dolayı ekseriya ikinci mabeyinci

---

[749] çıplak: Yeniçeri ocağında herhangi bir vazife için sıra ile soyunan nefere verilen addır. Baldırları, kol ve omuzları daima çıplak bir şekilde kaptan paşanın hizmetinde bulunurlardı. (*OTL*)

[750] iskandil: Denizin derinliğini ölçmek için kullanılan araç. (*TS*)

Hacı Halit Bey ile dama oynattırıp seyrederler, bazen de bizzat kendileri oynarlarmış. Mîr-i mûmâileyh mazhar olduğu iltifattan naşi selefi diğer Ziya Bey misilli umûr-ı devlete müdahaleye başlamış olduğundan galiba yine Babıâlinin şikâyetiyle sarây-ı hümâyûndan çıkarılıp âmedî odasına[751] memur edilmişti.

Âmedî odası hulefâsı üç sınıf üzerine mürettep ve rütbeleri de ale's-seviye mütemâyiz olup, odaya ilk defa dahil olanlar son sınıf hulefânın zeyline oturmak muktezi idi. Hâlbuki Ziya Bey mabeyin kitabeti münasebetiyle ûlâ sınf-ı sânisi rütbesini haiz olduğundan mütemâyizlerin alt tarafına oturmakta kendini mazur görüp odaya devam etmiyordu. Âli Paşanın vefatından sonra yine mabeyin kitabetine alındı. Bir akşam bazı zevat ile Sultanahmet civarında kâin konağına gitmiştik. Bade't-taâm odasında musahabet olunurken söz Âli Paşaya intikal etti. Paşa-yı müşârünileyhin nezd-i şâhânedeki mevkii ve itibarı hususundan bahsolundu. Burada Ziya Bey şöyle demişti: "Efendiler, bilirsiniz ki şevket-meâb efendimiz bütün manasıyla azametli bir padişahtır. Lâkin Âli Paşa her ne yapmışsa yapmış o azametli padişahı kendisinden çekinir bir hâle getirmiş. Efendimiz bizzat bana hitaben 'Ziya, ben hepinizi saraya tekrar alırdım. Fakat o heriften çekinirdim' buyurdular."

Ziya Bey, Damat Halil Paşa kitapçısı Hoca İbrahim Efendinin oğludur. Bu ikinci defa saraya alındıkta hünkâra kendini sevdirmiş olduğundan birçok mehâmm-ı umûra müdahale etmiş ve büyük bir servet elde etmişti derler. Ne çare ki bu serveti israf ederek son zamanlarında zarurete duçar olmuştu.

Meşhur Damacı İbrahim Efendinin ve Seryaver Halil Paşanın saraya intisapları mücerret Ziya Beyin delâlet ve sevk ve himmetiyledir. Halil Bey vaktiyle serasker-i esbak Hacı Raşit Paşa damadı ve miralaylık rütbesini haiz idiyse de muahharen askerlikten ihraç edilmiş ve fart-ı zarûrete duçar olmuştu. Bu suretle saraya alınması dama oyununda olan mahareti sayesindedir. Sarây-ı hümâyûna alındıktan sonra rütbesinin iadesiyle beraber yâverân-ı şehriyârî silkine dahil ve giderek feriklik rütbe-i refîasına nail olmuş ve seryaverlik makamına tayin olunmuştu.

Halil Paşanın meşreb-i rindâne ve etvâr-ı levendânesi hakkında birçok menakıbı elsine-i nâsta el-hâletü hâzihi deveran etmektedir. Gençliği evânında gayet yakışıklı ve fevkalâde kuvvetli olmakla beraber asalet ve servet gibi meziyetleri de haizdi. Pek temiz giyinir ve tatlı konuşurdu. Yüksek tabakada bulunan birçok hanımefendiler kendisine meftuniyetlerini izhardan çekinmezlerdi. Seyir

---

[751] Âmedî Odası: Babıâlide vükelâ meclisinden ve devlet dairelerinden gelen kâğıtlar üzerine padişahın iradesine muhtaç olanları yazan, hazırlayan, ve bunları padişaha arz eden ve padişahtan gelen iradeleri kaydeden ve ait oldukları dairelere tebliğe vasıta olan dairenin adıdır. (OTDTS)

yerlerinde hafifmeşrep kadınlar, o edalı yosmalar kendilerini beğendirmek için beyin arabası etrafında âdeta tavaf ederlerdi. Çivizade semtinin o vakitler maruf olan umumhanelerini nam ü şanı ve sayha-i mahûfesiyle titretmiş ve hovardalık âleminin en meşhur adlı sanlı hazer-engîz kahramanlarını şiddet ve satvetiyle kendi hüküm ve nüfuzuna münkad etmişti. Hiddeti galeyana geldikte ortalığı hürcümerç eder, meramını pazusunun kuvvetiyle istihsal eylerdi. Asrının en bahadır hovardası Halil Bey idi. Müthiş kuvve-i adaliyyesi vardı. İstekli olanların yumruğunu tartan, kuvvetini ölçen derecesini zapteden mahut tecrübe âlâtını Halil Beyin bir yumrukta parça parça ettiği meşhurdur.

Dostu Kaymaktabağı'nı[752] vüzeradan biri konağına aşırdığını Halil Beye haber vermişler. Tek başına konağa gidip paşanın odasından karıyı almış ve önüne katıp çıkarmış olduğunu naklederler. Elhâsıl Halil Bey gençliğin ve dinçliğin her türlü ezvâkına malik idi. Şurasını da itiraf etmelidir ki Halil Paşanın gençliği evânı İstanbul'da her türlü eğlencenin revaç bulduğu devire müsadiftir. Kırım Muharebesi'nden sonra bir devr-i inşirah başlamıştı. Zükûr ve inâs mesirelere, tenezzüh ve eğlence mahallerine rağbeti arttırmış, sazlı sözlü, şaşaalı cümbüşler revaç bulmuştu. Çivizade taraflarında peyderpey küşat olunan umumhaneler cesim konaklardı. Sahibeleri atlı, arabalı birer hanımefendi idi. Hele Langa Fatma lâkabıyla yâd olunan Handan Hanımın konağında erkek aşçılar, ayvazlar, Çerkez ve Arap cariyeler, hanende ve sazende, hatta oyuncu kızlar vardı. Asrın ricali ve kibarı ve en maruf ağniyâsı bu hanelerin müdavimi idiler. Şâhendeler,[753] Benliler[754] gibi meşhur namdar güzeller hep bu hanelerin malı idiler. Sermayeler müşteriye mücevherler içinde çıkarlar. Mükellef mastaba-i işret kurulur, tatlısıyla böreğiyle mükemmel taamlar verilirdi. Hele çalgı gibi raks gibi eğlencelerin kesret ve tenevvuu erbâb-ı zevki teshir ederdi.

Garibeden olarak söylerler: Bu Langa Fatma gayet mütedeyyin olup seccadeden başı kalkmaz, sabahleyin müşteri ile hesabını seccade üstünde görür, altınları seccadede tadat edermiş! Kendisi fıtraten sahî olup intihabında olan ve züğürtlük sebebiyle eğlenebilmek saadetinden mahrum kalan gençlere bilâkis iane ettiği çoktur. Bâb-ı Seraskerî rüesâ-yı memûrîninden Rami Bey merhum söylerdi: Kendisinin gençliği evânında bir cuma günü Kâğıthane'de bu Langa Fatma'ya tesadüf etmiş, çok vakitten beri gelmediğinden dolayı serzeniş eylemiş ve yirmi lira masraf bedeli verip akşama gelmesini tembih eylemiştir! Civarda bulunan karakolhanelere konağından taamlar gider, semtinde bulunan muhtacîne ianeler ederdi derler.

---

752   Aksaray Şekerci Sokağı'nda ikamet eden Kaymaktabağı Servet devrinin meşhur alüftelerindendir. (*Osmanlı Âdet Merasim ve Tabirleri*, c. II, s. 332; Sermet Muhtar Alus, *İstanbul Yazıları*, s. 256)

753   Abdülaziz Bey bu ismi "Kibar nazlısı Şahende Hanım" olarak kullanmaktadır. (c. II, s. 333)

754   Benli Hürmüz ve Benli Eda (*age.*, s. 332; *İstanbul Yazıları*, s. 256)

Yirmi otuz sene evvel mevcut olun Mumcu, Acem, Fincantabağı gibi meşhur fuhuşhaneler dediğim umumhanelerin ufak birer numunesi hükmünde idi.[755]

Bir taraftan da halkımızda Avrupa medeniyetine büyük bir temayül hâsıl olmasından dolayı tarz-ı hayâtta teceddüt hevesleri tezahür eylediğinden Galata ve Beyoğlu eğlencelerine heves olunmaya başlandı ve bu hevesin asarı her gün daha ziyade rû-nümâ olmakta idi. İşte nice servetler bu tantanalı eğlencelerde batırıldı, mirasyediler bu sefahat âlemlerinde mahvolup gittiler.

Son[756]

Sultan Mecit devrine ait bazı menkıbeler[757]

Geçen gün ehibbâdan bir zat *Yeni Şark* gazetesinin bilhassa hıfzettiği 32 numaralı nüshasında münderiç *Tarihî Sütun* serlevhası ve "Sultan Mecit'e Dair" ibaresiyle Ahmet Refik Beyefendinin bir makalesini gösterdi. Bu makalede Madam La Baronne Durand'ın "İkinci İmparatorluk Zamanında Fransa Sefarethanesinde Bir İkamet"[758] unvanlı eserinden bahsolunuyordu.

Fakir hasbe's-sin Sultan Mecit devrini idrak ettiğim ve o devrin vâkıf-ı ahvâl olan ricaline de yetiştiğim cihetle bu makale vaktiyle gördüğüm ve işittiğim hadisât ve rivâyâtı hatırıma getirdi.

İhtiyarlar geçirdikleri zamanlara müteallik malûmatlarını ahlâfa nakl ve hikâye etmekte bir lezzet hissederler. Binaenaleyh bendeniz de bu eser vesilesiyle bu bapta bildiklerimi velev sathî bir surette olsun yazmak istedim.

Bu eserin birinci fıkrası şu idi:

"Zavallı Sultan Mecit her taraftan vuku bulan tazyiklere karşı ne yapsın. Lord Stratford'dan dizbağı nişanını aldığı gün Fransa'ya dost nazırları azlede-

---

755 Daha çok Aksaray, Galata ve Beyoğlu semtlerinde faaliyet gösteren bu evlerle ilgili daha geniş bilgi için bk. Ahmet Rasim, *Fuhş- i Atîk*, İstanbul 1922; Abdülaziz Bey, *Osmanlı Âdet Merasim ve Tabirleri*, c. II, s. 331-337; Sermet Muhtar Alus, "Yosmalara Dair", *Son Posta*, 13 İkinci teşrin 1943; İhsan Birinci, "Eski İstanbul Batakhaneleri", *Yıllarboyu Tarih*, nr. 5, Mayıs 1981, s. 35-37)

756 Ricâl-i Sâbıkaya Ait Bazı Menkıbeler VI, *Sabah*, nr. 11803, 2 Teşrinievvel 1338/1922, s. 3

757 Ali Rıza Beyin Renîn (Tanîn) gazetesinde (nr. 9, 22 Teşrinievvel 1922, s. 3) çıkan bu yazısı Ahmet Refik (Altınay)'in *Yeni Şark* (nr. 32, 3 Teşrinisani 1921, s. 32) gazetesinde yaklaşık bir yıl önce çıkan "Sultan Abdülmecit'e Dair" adlı yazısı üzerine kaleme alınmıştır. Ahmet Refik yazısında Kırım Harbi sonrasında Türkiye'ye gelen La Baronne Durand de Fontmagne adlı seyyahın İstanbul hatıralarına işaret etmekte ve Abdülmecit devrini anlamak için bu hatıraların önemli olduğunu savunmaktadır. Ali Rıza Beyin bu yazısını "Ricâl-i Sâbıkaya Ait Bazı Menkıbeler" adlı tefrikanın bir nevi devamı niteliğinde olduğu için buraya alıyoruz.

758 La Baronne Durand de Fontmagne'nin *Un Se'jour l'Ambassade de France A Constantinaple* adını taşıyan bu hatıratı Gülçiçek Soytürk tarafından *Kırım Harbi Sonrasında İstanbul* adıyla 1977 yılında Türkçeye çevrilmiş ve Tercüman 1001 Temel Eser serisinden çıkmıştır.

rek Reşit Paşayı sadrazam yaptı. Bu Kırım Harbi'nden beri Babıâlide faik bir te-siri haiz olan nüfuzumuzun alt üst olmasıydı. Bununla beraber Abdülmecit'in Fransa'ya muhabbeti ve Mösyö Thouvenel'e hürmeti vardı. Fakat Lord Strat-ford'dan korkuyor. Binaenaleyh her memlekette ve bilhassa Şark'ta kendini sev-dirmekten ziyade korkutmak daha faydalı oluyor."

Malûm olduğu veçhile Sultan Abdülmecit 1255 [1839] tarihinde cülûs etmiştir. Taht-ı Osmânîyi teşrifleri Devlet-i Aliyye'nin en müteellim ve buhranlı zamanına müsadiftir.

Reşit Paşa, hakan-ı müşârünileyhin cülûsunu müteakip Londra sefaretinden mazûlen İstanbul'a gelmişti. Sultan Mecit ile ilk mülâkatında Avrupa efkâr-ı umûmiyyesinin Türkiye hakkında olan sû-i itikadını ve Memâlik-i Osmâniy-ye'nin devletler beyninde mukasemesi müzakeresi cereyan eylediğini padişaha ananesiyle arz eyledi.

Sultan Mecit henüz on yedi yaşında bir çocuk olduğu ve ol vakit efkâr-ı atîka ashabının nesâyihi taht-ı tesîrinde bulunduğu hâlde onların efkârına iltihaktan istinkâf ederek Reşit Paşayı iltizam etmesi hakan-ı müşârünileyhin ehl-perverli-ğini gösterir. Reşit Paşanın büyüklüğü ve bu devlete hizmetleri gayr-ı kabil-i in-kârdır.

Reşit Paşa filhakika daha ziyade İngilizlere mütemayil idi. Onun zamân-ı sa-dâretinde İngiltere sefirlerinin ve o meyanda [Lord Stratford] Canning diye ma-ruf olan ve Tanzîmât-ı Hayriyye'den birkaç sene sonra İstanbul'a gelen sefirin nüfuzu revaç bulmuştu.

Âli Paşa, Devlet-i Aliyye'nin menâfiini Fransızlarla dost olmakta gördüğün-den onun eyyâm-ı sadâretinde de Fransa sefirlerinin nüfuzu tezayüt ederdi. Bu zatlar menfaat-i devlet noktasından bu temayülleri gösterirler ve mukabilinde de fayda görürlerdi.

Âli ve Fuat Paşalar Reşit Paşanın iki kanadı hükmünde idiler. Bunlar Avru-pa devletlerinin siyâsiyyât-ı şarkiyyelerini bilirler ve meslek-i siyâsîlerinde bu vukuf sayesinde muvaffak olurlardı. Devr-i Mahmûd Hân-ı Sânî[759] ricali gibi sû-i siyâsetle memaliki tehlikeye ilka etmediler. İhataları geniş zatlar idi.

---

[759] Rumluğa karşı kuvvetli bir baskı olan Tepedelenli Ali Paşa aleyhinde mahut Hâlet Efendinin harekâtı bir Yunan devleti teşkiline sebep oldu. Mısır valisi Mehmet Ali Paşanın isyanı da Hüs-rev Paşa ile beyinlerindeki ihtilâf neticesidir. Devr-i teceddüdümüzde avam takımı kemâlât-ı İs-lâmiyyeden gafil garip bir taassup içinde yüzüyorlardı. Efkâr-ı cedîde ashabını bu taassup per-desi altından görürlerdi. Reşit Paşa icraatına Frenk usulü bir şey nazarıyla bakarlar ve şerîat-ı İslâmiyyeye muhalif bulunduğunu işâa ederlerdi. Hatta 1276 [1859] tarihinde zuhur eden suh-teler vak'a-i isyâniyyesi dahi bu cümledendir. Asrın şuarasından biri şu kıt'asıyla muarızlara alet olmuştur:

Kırım Muharebesi'ni müteakip Reşit Paşa aleyhine İstanbul'da güft u gû tekessür etmeye başlamıştı. Ezcümle düvel-i müttefika askerinin memleketlerine gitmeyip, güya İstanbul'da kalacaklarına ve bu suretle pâyitaht-ı Osmânîyi taht-ı işgallerine alacaklarına dair rivayetleri muhalifler Sultan Mecit'in semine isal ile tahvîf ve Reşit Paşadan tebrîd etmek isterlerdi. Hakan-ı müşârünileyh bir gün Reşit Paşaya hitaben "Paşa ben bunları karşımda gördükçe mustarip oluyorum" demesi üzerine Reşit Paşa "Sâye-i şâhânenizde onların üç gün içinde memleketleri canibine azimetleri tedbirini ittihaz ederim" demiş ve filhakika bir pazartesi günü Fransız ve onu takip eden cuma günü de İngiliz asâkiri Dersaâdet'ten hareket etmişlerdi.

Asâkir-i mezkûrenin bu suretle İstanbul'u kâmilen terk ve tahliye etmeleri yetmiş iki [1856] tarihindedir.

Damat Mehmet Ali Paşa ile Reşit Paşanın araları açık idi. Hatta suhteler Vak'a-i isyâniyyesinin[760] muharriki ve mürettibi Mehmet Ali Paşa olduğu sonradan anlaşılmasından dolayı Meclis-i Vükelâ kararıyla Sinop'a nefyolunmuştu.

Zevcesi Âdile Sultan, sarây-ı hümâyûna gidip "Paşamı gece yarısı sıcak yatağından kaldırıp nefyettiler" diye feryat ederek şikâyette bulunması üzerine paşa-yı müşârünileyhin ıtlakı için mazbata yapılmasını Sultan Mecit emretmiş ve bu emr-i âlîleri üzerine nefyi hakkında mazbata yapan zatlar af ve ıtlakı için de bir mazbata tanzim ve takdim ederek mucebince sâdır olan irâde-i seniyye üzerine on yedi gün mürurunda Mehmet Ali Paşa İstanbul'a gelmiştir.

Mehmet Ali Paşanın Reşit Paşa aleyhinde bulunmasına sebep olmak üzere mesmûdur ki Haliç dahilinde Ayvansaray ile Pîrîpaşa arasında köprü yapan Sarraf Mıgırdıç'ın[761] iflâsıyla hapsedilmesi ve köprü varidatıyla kendisinin bilcümle irat ve akarı haczolunması üzerine mumaileyh Mıgırdıç Reşit Paşadan gördüğü rûy-ı iltifâta istinaden vaktiyle köprünün inşasında Dâire-i Bahriyyenin dahi alâkadar olup ol vakit kaptanıderyalık makamında bulunan müşârünileyh Mehmet Ali Paşanın da ihtilâsı olduğunu bi'l-beyân Mehmet Ali Paşa aleyhinde Meclis-i Vükelâya arzuhâl verip muhakeme talebinde bulunmuş ve bunu da Mehmet Ali Paşa bilhassa Reşit Paşanın eser-i teşvîk ve tertibi olmak üzere telâkki ederek artık bu iki zatın arası açılmıştır.

Zamânenin şu tabîb-i Reşîd'ini gör kim
Revâç vermek için kendi kâr ü san'atine
Vücûd-ı nâzik-i devlet rehîn-i sıhhat iken
Düşürdü re'y-i sakîmi Frengî illetine (ARB)

760 1859 yılında Abdülmecit'i tahttan indirmek maksadıyla başlatılan isyan, diğer adıyla Kuleli Vak'ası.

761 Devr-i Abdülhamîd Hân-ı Sânî'de Dîvân-ı Muhâsebât riyasetinde bulunan rütbe-i bâlâ ricalinden Çamiç Ohannes Efendi vaktiyle mumaileyh Mıgırdıç'ın sandık emini idi. (ARB)

Bazı Aşk Maceraları

Halil Paşazade Nurullah Beyin Mısır mevleviyeti-Mısır Valisi Mehmet Ali Paşanın mahdumu ve Nurullah Beyin kerimesi-İki gencin izdivacı ve feci bir hadise-Gelin hanımın teessürü-Evlât ittihaz edilen bir yaşında cariye-İstanbul'a bir seyahat

Osmanlı ve Mısır hanedanı azasından bazılarının vaktiyle muttali olduğum hâdisât-ı âşıkanelerinden birkaçını evvelce "Saray Âdetleri" faslında bi'l-münâsebe hikâye etmiştim. Küsurlarını bu kere yazmayı arzu ettim. Bu hadiseler ashabından ekserisinin yekdiğerine taalluk ve münasebetlerini ve alelhusus hadiseler beynindeki bazı tesadüfün garabetlerini bihakkın gösterebilmek için bunların bir fasl-ı mahsûs olarak müteselsilen yazılmasını husûl-ı maksada daha muvafık buldum. Bu suretin ihtiyarı bir kusur ise bu kusurun şeyhûhetime bağışlanmasını temenni ederim.

Vüzerâ-yı sâlifeden Sadr-ı esbak Halil Ahmet[762] Paşazade Nurullah Bey pederinin hâl-i hayâtında tarîk-i ilmiyyeye intisap ettirilmiş ve bu tarîkin icabâtına göre tahsilini ikmal ederek bir hayli de ilmiye işlerinde istihdam edilerek hasbe't-tarîk sırası Mısır mevleviyetine[763] gelmiş olduğundan maaile Mısır'a azimet eylemiş idi.

Nurullah Bey, vaktiyle pederi sayesinde asrının rical ve kibarıyla düşmüş kalkmış ve ahvâl-i âleme kesb-i vukuf eylemiş ve zaten ilim ve irfanı ve asaleti, necâbeti cihetiyle kibarlığın bütün inceliklerine vâkıf, tab'an rint, fikren müterakki bir zat olduğundan az vakit içinde gerek Mehmet Ali Paşayı ve gerek erkân ve umerâ-yı Mısriyyeyi hoşnut etmiş ve kendini sevdirmiş idi.

---

[762] Doğrusu Halil Hamit olacak. Bk. "Saray Âdetleri" bölümü

[763] mevleviyet: İlmiye tabirlerinden biri olan mevleviyet kelime manası olarak kadılık demektir. Mahreç, bilâd-ı hamse ve haremeyn mevleviyeti olmak üzere üç derecedir. (*OTDTS*)

Ekseriya akşamları yemekten evvel valinin nezdinde tarh-ı encümen-i muhabbet olunur, meclis-ârâlığı ve talâkat-ı lisâniyyesi cihetiyle herkesi ağzına baktırır idi. Ailesi de vali paşanın harem dairesine sıkça sıkça celp ve davet edilirdi. Vali paşanın mahdumlarından İsmail Bey o tarihlerde henüz 10, 11 yaşlarında ve hâkim beyin kerimesi Hatice Hanım da o sinlere karîb olduğundan her birleşildikçe bu iki aile halkı, çocukları tatlı tatlı söyletirler ve onların tufûlâne neşeleriyle eğlenirlerdi.

Çocuklar ekseriya birlikte gezmeye çıkarlar ve kendilerini kim görse: "Maşallah ne güzel çocuklar, Allah analarına babalarına bağışlasın" diye dua ederlerdi. Bu iki çocuk beynindeki mülâabeler masumane bir muhabbete münkalib oluyordu. Meselâ biri ufak bir şeyden müteessir olsa diğeri de ondan hisse-yâb-ı teessür olur. Birinin çehresinde ufak bir tebessüm belirse öbürü de gülerdi.

Vali paşa ile molla beyninde içli dışlı bir muhabbet hâsıl olduğu gibi, muamelât-ı resmiyyece de müzakere ve müşaverelerde vali paşa hâkim beyin reyinden müstefit oluyor ve tarafeynin yekdiğerine emniyet ve muhabbeti günden güne terakki ediyordu. Hatta hâkim beyin müddet-i örfiyyesi hitama resîde olmasından dolayı vali paşa tarafından merkez-i devlete vaki olan arz ve inhâ üzerine bir sene daha med verilmiş (eskiden mahreç ve bilâd-ı hamse mevleviyetleri birer sene müddetle nasîb olunur ve bazılarına med verilip bu müddetler temdit olunurdu) ve birkaç defa vaki olan müracaat ve teminat üzerine bu med fevkalâde olarak tecdit edildiğinden Nurullah Bey yıllarca Mısır mevleviyetinde kalmış idi. Günler geçtikçe İsmail Bey ile Hatice Hanım arasındaki masumane muhabbetler aşk ve alâka haline münkalib olmakta ve her ikisinin beynindeki muhaberelerine ve birbirlerine ufak tefek hediyelerinin isaline dadıları tarafından vesâtet edilmekte idi. Bu iki genç artık izdivaç çağına gelmiş ve birbirlerini âdeta benimsemiş olduklarından beyinlerindeki ahvâl-ı âşıkanenin derecesine vâkıf olan dadıları bu ahvali artık ketm ve ihfâya lüzum görmediklerinden hakîkat-i hâli olduğu gibi efendilerine arz ve beyan ve bir an evvel icabına bakılması lüzumunu beyan eylediler. Tarafeyn beyninde müşavereler ve müzakereler olundu ve bu hâl aile hayatında kız ile erkeğin münasebât-ı mütekabilesine muvafık görülerek akd ü izdivaçları icra kılındı. Hâkim beyefendi de son med müddetinin hitama resîde olmasından naşi Dersaâdet'e avdet eyledi.

1238 [1822/23] tarihinde Mehmet Ali Paşanın ve bir rivayete göre de amcası Tosun Beyin mahdumu olan İbrahim Paşa, Mısır hududunu Sudan'a doğru tevsi eylemek maksadıyla İsmail Beyi refakatine alarak o havaliye azimet etti ve birtakım mevâki-i mühimmeyi zaptettikten sonra İsmail Beyi orada bırakarak Mısır'a avdet eyledi.

İsmail Beyin ibraz eylediği yararlıklar mazhar-ı takdîr olarak pederi Mehmet Ali Paşa tarafından mîr-i mîrânlık rütbesiyle Sudan muhafızlığına tayin olunmuştu. Fakat aradan çok vakit geçmeksizin İsmail Paşanın oturduğu konak Sudanlılar tarafından tutuşturularak, İsmail Paşa maiyeti halkıyla beraber ihrâk edilmek suretiyle itlâf edildi.

Bu müthiş haber Mısır'a vasıl olunca Mehmet Ali Paşa hanedanı azası pek ziyade mükedder ve dilhûn oldular ve büyük matemler ettiler. Hatice Hanım henüz yeni gelin iken zevcinin böyle feci bir surette itlâfını işittiği anda müthiş bir kalp çarpıntısıyla bayıldı. Cümle-i asabiyyesi bozuldu. Saati saatine uymuyor, çıldırmasından korkuluyordu. Mehmet Ali Paşa, gelinin bu hâlinden de başkaca mükedder olarak kendi öz evlâdı gibi tedavi ettirdi ve pek çok mal ve mülk ve servet sahibi eyledi. Hatice Hanım Mısır azâ-yı hânedânı arasında "gelin hanım" unvanıyla bir mevki sahibi oldu. Gelin hanım henüz memede olarak tedarik eylediği Çerkez bir cariyeyi kendine manevî evlât addedip dayeler ve dadılar tayin ederek artık onu büyütmekle iştigali kendine bir vazife ittihaz eyledi.

Vak'a-i Hayriyye'yi müteakip merkez-i devlette büyük bir kuvvet ve nüfuza malik olan Serasker Hüsrev Paşa ile Mısır Valisi Mehmet Ali Paşa beyninde hâsıl olan ihtilâf yüzünden zuhur eden ve uzun süren Mısır meselesinden dolayı Hatice Hanım İstanbul'da bulunan peder ve validesiyle muhabereden mahrum olduğu için zavallı kadın bu suretle de mükedder ve mahzun idi. Mahmûd-ı Sânî'nin vefatından ve Tanzîmât-ı Hayriyye'nin ilânından sonra Mısır meselesinin bertaraf olması üzerine, Mehmet Ali Paşa, Abdülmecit'e arz-ı tazîmât zımnında İstanbul'a gelirken gelin hanımı da beraber getirmiş ve hatta vaki olan talep ve arzusu üzerine ikametine Arnavutköyü'nde Akıntıburnu'nda kâin Halil Hamit Paşa Sahilhanesi tahsis edilmişti. Hatice Hanım senelerden beri mütehassir olduğu ebeveynine kavuşup teskîn-i iştiyâk eylemiş ve harem-i hümâyûn müteneffizeleriyle de ülfet ve ünsiyet peyda ederek bu seyahatten memnunen yine kayın pederiyle beraber Mısır'a avdet etmişti. Mısır hanedanı mensubelerinden bazıları gelin hanım hakkında olan bu eltafı çok görüp istirkab etmekte idiler.[764]

Bezmî Hanımla Mehmet Ali Bey arasındaki münasebet-İzdivaca mümanaat üzerine Mehmet Ali Beyin zenci Arap cariyeyi istifrâşı-Bezmî Hanımın İstanbul'a seyahati-Abdülmecit ile iki defa izdivaç ve talâk-Abdülmecit'in nikâh parasını vermemesi

Gelin hanımın evlâd-ı manevîsi Bezmî artık on üç, on dört yaşlarına vasıl olmuş ve kız haddizatında fevkalâde bir güzelliğe malik olduğu gibi prenseslere lâyık bir surette de tahsil ve terbiye görmüştü.

Mehmet Ali Paşanın mahdumlarından Mehmet Ali Bey henüz on yedi, on sekiz yaşlarında iken bu kıza ilân-ı aşk eylemiş ve kız da onu sevmiş olduğundan

764 Bazı Aşk Maceraları I, *Vatan*, nr. 812, 18 Temmuz 1341/1925, s. 2

izdivacı beyinlerinde kararlaştırmışlardı. Ne çare ki prensin validesi hanımefendinin gelin hanıma olan istirkabdan mütevellit infialinden naşi bu izdivaca şiddetle muhalefet eyledi ve Mehmet Ali Beyin her türlü teşebbüsatına rağmen maksadı hâsıl olamadığından prens de bu mahrumiyetten gayet meyus ve mükedder olarak fîmâbad teehhül etmemeye kendince karar verdi.

Valide hanım oğlunu bu kararından caydırmak ve diğer bir kız ile izdivaca razı etmek için şiddetli ısrar ve ibrâm ediyordu. Mehmet Ali Bey validesinin teklif eylediği kızlardan birisiyle izdivacı kabul etmiş olsa ezelî sevgilisine karşı vaadinde sadık kalmamış olacağından kendi dairesinde bulunan zenci bir Arap cariyeyi hafiyyen istifrâş eyledi. Kız da hamile kaldı. Aile halkının bu bapta vaki olan istizahlarında validesinin ısrarına ancak bu suretle inkıyada muvaffak olabildiğini söyledi ve muahharen bu cariye de vaz-ı haml ederek zenci bir erkek çocuk dünyaya geldi ve ismi de İsmail tesmiye edildi.

Bu zenci çocuğun vücudu hanedan azası için bir şeyn olmakla beraber pederi tarafından vukuu melhuz olan hitap ve itaptan prensi vikayeten bu velâdeti ketm ettiler. Mehmet Ali Paşa vefatına kadar bu zenci çocuğun vücudundan haberdar olmamıştı.

(Abdülaziz 79 [1863] tarihinde Mısır'a vaki olan seyahatinde Mısır prenslerini huzuruna kabul ettiğinde bu zenci prens de isbât-ı vücûd etmişti. Abdülaziz'in vaki olan suali üzerine hakîkat-i hâli bi'l-etrâf arz ve beyan eylemişlerdi.)

Gelin hanım hakkında istirkabdan mütevellit bürudetler ve bi't-tahsîs Mehmet Ali Bey ile Bezmî beynindeki izdivaç meselesinden mütehassıl güft u gûlar kayınpederi Mehmet Ali Paşanın irtihalinden sonra bir kat tezayüt ederek, artık gelin hanım için Mısır'da ikamet gayrikabil bir hâle gelmiş olduğundan İstanbul'a avdete mecbur oldu.

Hatice Hanımefendi evvelce harem-i hümâyûn müteneffizeleriyle ünsiyet peyda eylemiş olduğundan câ-be-câ saraya gider gelir ve resmî günlerde de sair küberâ haremleri misilli saraya davet olunurdu. Kerîme-i manevîsi Bezmî'nin hüsn ü ânı ve fart-ı zekâsıyla beraber o zamanlar küberâ-yı nisvân arasında henüz taammüm etmemiş olan piyano üzerindeki mahareti saray kadınları beyninde kesb-i iştihâr etmişti. Bilâhare Abdülmecit bunu haber alınca kızı huzuruna celp ederek kendisini görmüş ve pek beğenmişti. Piyanoda olan maharetine de hayran kalarak kızı gelin hanımdan talep etmiş ve bu talebi ısrar derecesine vardırmıştı.

Bezmî filhakika bir esir idiyse de gelin hanım kızı aldığı gün malından azat edip kendisine manevî bir evlât addettiğinden cariye sıfatıyla vermekte mazur olduğunu ifade etmesi üzerine Abdülmecit nikâhla verilmesini teklif etmiş ve üç bin kese üzerinden akitleri icra edilmiştir.

Mehmet Ali Paşa pederinin irtihalinden ve gelin hanımın İstanbul'a avdetinden sonra o da ikamet niyetiyle İstanbul'a gelmişti. Bu prens sonraları gayet mülâhham bir hâle geldiğinden yatağa yatamayıp "şezlong" denilen koltuk üzerinde uyku kestirir ve İstanbul halkı beyninde Şişman Mehmet Ali Paşa namıyla yâd olunur ve câ-be-câ Avrupa'ya ve Mısır'a seyahat ederdi. Vefatı Abdülmecit'in vefatı gününe müsadiftir. Bütün serveti mahdumu zenci İsmail Beye intikal etmiştir.

Bezmî Hanım, Abdülmecit ile akitlerinin icrasından az bir müddet sonra bir perşembe günü mürettep âlây-ı vâlâ ile saraya götürülmüştür.

Vâlide-i manevîsi Hatice Hanım çeyiz olarak Bezmî'ye pek çok zikıymet eşya ita ettikten başka, gelin sıfatıyla saraya ilk gittiği gün iktisâ eylediği libas lahana yaprağı şeklinde som sırma ve inci ile işlenmiş ve münasip mahalleri pırlanta, zümrüt yahut firuze misilli zikıymet mücevherat ile tezyin edilmiş olduğunu ve başındaki tacın ve gerdanında ve omuzlarındaki mücevheratın şaşaasını müşahade edenler söylemekle tüketemezlerdi.

Bezmî Hanım saraya dahil olmasıyla beraber def'aten altıncı kadın efendilik makamına geçirilmiş ve hadem ü haşemi, debdebe ve dârâtı ona göre tertip ve tanzim edilmişti. Fakat ne çare ki bu kadın Abdülmecit ile geçinemedi ve aralarında talâk vaki oldu. Hatta garâibden olarak naklederler: Memuren giden hazine vekili Cevher Ağa keyfiyyet-i tatlîki Abdülmecit tarafından kendisine resmen tebliğ ettikte kat'â âsâr-ı teessür göstermeyip bilâkis kahkaha ile gülmüştür. Bu tatlîk hususunun kadının üzerinde nasıl tesir hâsıl ettiğini Abdülmecit, Cevher Ağadan sorunca pek müteessir olduğu zemininde idâre-i kelâm etmeye mecbur olduğunu sonraları Cevher Ağa bazı ehibbâsına hikâye ederdi.

Kadın efendi serbest kaldığı esnada kâh dâire-i husûsiyyesinde ve kâh vâlide-i manevîsi nezdinde ikamet ederdi.

Bilâhare kâhya kadın ve hazinedar usta gibi saray müteneffizeleri araya girerek tecdîd-i akde muvaffak olmuşlardı. Fakat bir müddet sonra Abdülmecit ikinci defa olarak Bezmî Hanımı tatlîk etmiş, bu defa sarayda alıkonulmayarak şehre çıkarılmıştır. Bu sâbık altıncı kadın efendi Tophane civarında eski Salıpazarı Câmi-i şerîfi ittisalinde tedarik olunan konakta ikameti ihtiyar ve elsine-i nâsta Bezmî Hanım namıyla kesb-i iştihâr etmiştir.

Bezmî Hanımefendi etine dolgun, endamı mevzun, kaşı gözü gayet güzel, teni beyaz, reng-i rûyı biraz gül pembesine mail idi. Hele altın renkli gür saçları ne kadar güzel idi. Türkçe, Arapça, Fransızca güzel tekellüm eder, piyanosunu dinleyenler mest ve hayran olurlardı.

Abdülmecit, Bezmî Hanım ile hîn-i izdivâcında otuz yaşlarında ancak var idi. Uzun çehreli, uçuk benizli, burnu irice, çiçek bozukları sık ve ince, sedası gayet kalın, orta boylu, narin yapılı bir padişah idi.

Abdülmecit bu kadın efendiyi hîn-i tatlîkinde nikâhı olan üç bin keseyi vermemiş olduğu için İnkılâp'tan sonra veresesi Mehmed-i Hâmis'den davaya kıyam etmişler ve fakat bazıları araya girip davayı hâliyle bırakmışlardır.[765]

Bezmî Hanımın Ressam Tevfik Paşa ile izdivacı ve Tevfik Paşanın Bursa'ya nefyi-Talâk ve Uzun Ahmet Bey ile izdivaç-Sefalet günleri-Prenses Zeynep'e gizlice satılan çocuk-Cavidan Hanım ve Prens Hüseyin Bey-Süleyman Efendi de talip

Bezmî Hanımefendi şehre çıktıktan sonra kendisiyle izdivaç için Mısır'ın rical ve kibarından ve ağniyâsından birçok talipler zuhur etmiş ve bunlar meyanında en ziyade tehalük gösteren Ressam Tevfik Paşa olmuştur. Tevfik Paşa o tarihlerde evli barklı ve orta yaşlı bir zat olduğu hâlde, bu hususta her türlü fedakârlığı ihtiyara mecbur olarak araya adamlar koymuş ve birçok teşebbüsât-ı husûsiyyede bulunarak izdivaca muvafak olmuştur.

Tevfik Paşa esâtize-i mûsikîden, ferahnak makamının mucidi olan ser-müezzin Şakir Efendinin oğludur. Enderun ve muahharen Humbarahane mekteplerinde tahsil edip Mahmûd-ı Sânî'nin Avrupa'ya izam eylediği talebe meyanında Paris'e gönderilmiş ve orada ikmâl-i tahsîl eylemiştir. Avdetinde rüteb-i askeriyyeyi katederek Devr-i Mecîd Hânî'de feriklik[766] rütbesiyle mabeyne memur olmuş ve bir aralık Dâr-ı Şûrâ-yı Askerî riyasetinde bulunmuştur.

Tevfik Paşa ilim ve irfanıyla beraber en ziyade ressamlıkla kesb-i iştihâr eylemişti. Pederi dolayısıyla musikide de ihtisası vardı. Kendisi rintmeşrep ve münevver fikirli bir zat olduğundan asrın efkâr-ı cedîde ashabıyla düşer kalkar ve ehibbâsına hafta geçmez sazlı sözlü şaşaalı ziyafetler verirdi. Abdülaziz veliahtlığı evânında Bezmî Hanımdan dolayı Tevfik Paşaya münfail olduğundan cülûsuyla beraber kendisini tekaüt ederek her ikisini de Bursa'ya nefyetmiş ve Bezmî Hanımın kayd-ı hayât şartıyla tahsis olunan çerağlık[767] maaşını da kateylemiştir.

Bu sırada memleketin muhtelif mahallerine kol kol müfettişler izam ediliyordu. Birinci kol müfettiş-i umûmîliğine Ahmet Vefik Efendi (Paşa) izam olunmuş. Ahmet Vefik Efendi Bursa'yı merkez ittihaz eylemişti. O vakit efendi-i müşârünileyh marifetiyle Câmi-i kebîrin icrâ-yı tamîrinde Tevfik Paşa da câmi-i mezkûre bir yâdigar bırakmış olmak için mihrabın etrafında bulunan zemin üzerine, altın yaldızlı boru çiçeği ve yaprağı tarzındaki nakışı işlemiş ve bunun için tam iki ay nakkaş gömleğini giyip akşamlara kadar çalışmıştır. Tevfik Paşa-

---

765 Bazı Aşk Maceraları II, *Vatan*, nr. 813, 19 Temmuz 1341/1925, s. 2
766 ferik: Tümgeneral (*OTL*)
767 çerağ olmak: Bir kimseye hizmet ettikten sonra mükâfata nail olma. Meselâ cariye iken evlendirilip, maddî yardım almak. (*OTL*)

nın bu eserinin ve mihrabın muhteşem tezhîbât-ı sâiresinin altmış seneyi müte-
caviz bir zamandan beri nazar-rübâ bir hâlde bulunduğunu rivayet ederler.

Tevfik Paşa bazı dostları tarafından vaki olan nasâyih-i hâlisâne üzerine Bez-
mî Hanımı tatlîk etmiş ve menfasından ıtlak olunduktan sonra İstanbul'a gelip
Yenikapı Mevlevîhanesi'nde sikke-pûş olarak[768] vefatına kadar o civarda bir ha-
necikte ihtiyar-ı uzlet eylemiştir.

Bezmî Hanım, Tevfik Paşadan müfarekatından bir müddet sonra Bursa Ev-
kâf müdürü Uzun Ahmet Bey ile izdivaç etmiş ve İstanbul'a avdet ve ondan da
müfarekatla Eyüp civarında Yavedut semtinde ufak bir hanede ihtiyâr-ı ikamet
eylemiştir.

Bezmî Hanımın malik olduğu bunca servet ve mücevherat kâmilen mahvo-
lup elinde avucunda habbe-i vâhide kalmamış ve küçük bir kira evinde zarure-
ti son dereceye varmış olduğundan henüz memede olan kerimesini el altından
cariye olarak Mısır Valisi Mehmet Ali Paşa kerimesi ve Sadr-ı esbak Kâmil Paşa
halilesi Prenses Zeynep Hanımefendiye satmış ve Zeynep Hanım bu çocuğun
validesi Bezmî Hanım olduğuna vâkıf olamamıştı.

Prenses Zeynep Hanım malûm olan servet ve sâmânıyla kendine manevî ev-
lât ittihaz ve ismini Cavidan tesmiye edip dayeler, dadılar, mürebbiyeler tayin
etmiş, çocuk naz ve naîm içinde büyütülüp pek mükemmel bir surette tahsil ve
terbiye görmekte bulunmuştu.

Yukarıda bahsi geçen Şişman Mehmet Ali Paşanın vefatı üzerine bütün serve-
ti mahdumu zenci İsmail Beye intikal eylemiş ve bu İsmail Beyin istifrâş eylediği
Çerkez cariyeden tevellüt eden ve Hüseyin tesmiye olunan mahdumu beyaz
olarak tevellüt etmiş ve yalnız saçları Arap saçına müşabih bulunmuştu. Sonra-
ları çocuk kendini bildiğinde daima fırça ve pomada ile saçlarını Arap saçı kıvır-
cıklığından kurtarmaya çalışırmış.

Muahharen İsmail Beyin de vuku-ı vefâtına mebni Zeynep Hanım kendi bi-
raderi Şişman Mehmet Ali Paşanın hafîdi olan bu Hüseyin Beyi İstanbul'a celp
edip tahsil ve terbiyesine bizzat nezaret eder ve Hüseyin Beye de "Bu Cavidan'ı
sana vereceğim" dermiş. Bu cihetle Hüseyin Bey ile Cavidan birbirleriyle sevi-
şirler ve daima âşıkane mülâhazalar ederlermiş.

Bebek'te Vâlide-i Hıdîvî Sahilhanesi ittisalinde olan ve elyevm Prens Halim
Paşa veresesi uhdesinde bulunan sahilhane vaktiyle Prenses Zeynep Hanımın
sahilhanesi idi. Cavidan henüz on iki on üç yaşlarında iken bir bahar sabahı re-
fakatinde mürebbiyesi ve dadısı olduğu halde sahilhanenin arkasındaki koruda

---

[768] sikke: Mevlevîlerin başlarına giydikleri başlığa sikke denir. Sikke-pûş, bu başlığı giyen demek-
tir. Burada ise mürit manasında kullanılmıştır.

dolaştıkları sırada dağ kapısından dışarı çıkıp oralarda da gezinmeye başlarlar. O aralık Bebek'te tepede kâin Nispetiye Kasrı'nda ikamet etmekte bulunan Abdülmecit'in oğullarından Süleyman Efendi de berây-ı tenezzüh bir brike râkiben oradan geçerken bunları görür. Bilenlerin malûmu olduğu üzere Cavidan emsali nadir bulunur güzellerden idi. Kız, Süleyman Efendinin nazarıdikkatini celp eder. Hele arkasına doğru gelişigüzel salıverilmiş olan perişan saçlarını güneşe siper ederek şehzadeye doğru bakışı efendinin fevkalhad zevkine gider. Bu kızın kimin nesi olduğunu anlamak ister. Bunların müteakiben dağ kapısından içeri girmeleri üzerine tahkikat kesb-i sühûlet eder. Vesâit-i münâsibe ile Zeynep Hanımefendiye müracaat olunur. Fakat muvafakati istihsal edilemez.[769]

Süleyman Efendinin şiddetlenen aşkı-Serfiraz Hanımın Abdülhamit'e müracaatı-Süleyman Efendi babasının[770] tavassutuyla evlendikten sonra kızı boşuyor-Cavidan Hanımın Mısır'da izdivacı-Abdülaziz'in İsmail Paşanın kerimesine meftuniyeti, mütekabil hediyeler

Süleyman Efendinin validesi Serfiraz Hanım oğlunun günden güne tezahür eden ahvâl-i âşıkanesinin saikini öğrenince bizzat Zeynep Hanıma müracaatla rica ve niyazda bulunur. Fakat Zeynep Hanım izdivaca muvafakat etmez. Bunun üzerine Abdülhamit'e müracaata muztar kalır. Serfiraz Hanım Abdülmecit'in ikinci ikbali idi. Abdülmecit'in bu hanıma karşı aşk ve muhabbeti pek meşhurdu. Fakat bir aralık Serfiraz Hanım Abdülmecit'e muğber olarak Yıldız Köşkü'ne çekilmiş ve senelerden beri orada ikamet etmişti. Abdülmecit'in bu iğbirarı izale etmek için bir gece önünde fener çektirerek tebdilen ve mâşiyen Yıldız'a gittiğini naklederler.

Serfiraz Hanım senelerce Yıldız Köşkü'nden ayrılmamış iken bu defa Abdülhamit'e müracaatla rica ve istirhamda bulunur. O esnada saraylılar arasında bulunan Çerkez bir kadın Cavidan Hanımın Bezmî Hanımın kerimesi olduğuna ve henüz memede iken sâika-i zarûretle Prenses Zeynep Hanımefendiye el altından satıldığına vâkıf imiş. Keyfiyeti Abdülhamit'e arz eder. Tahkikat icra olunur. Kadının sıdk-ı ifâdesi tahakkuk eder. Bunun üzerine padişah kızlarağasını Zeynep Hanımefendiye gönderip vuku-ı hâlden bahisle "Cümlemizin başından geçmiş bir hâl olduğundan rica ederim kızı versinler" diye tebligatta bulunur. O vakit Zeynep Hanım da hakîkat-i hâle muttali olur. Validesi Bezmî Hanımın Sultan Mecit'e nikâh ile verildiği gibi, kerimesi Cavidan Hanımın da Abdülmecit'in

---

[769] Bazı Aşk Maceraları III, *Vatan*, nr. 814, 20 Temmuz 1341/1925, s. 2

[770] Buradaki ibarenin doğrusu "baba bir kardeşi Abdülhamit'in" olacak. Zaten metin ilerledikçe bu açıklığa kavuşacaktır.

oğlu Süleyman Efendiye kezalik nikâh ile verilmesi takarrur eder. Akitleri icra ve gelin sıfatıyla Süleyman Efendinin köşküne izam ve isrâ olunur.

Zeynep Hanımın manevî kerimesi Cavidan Hanıma birçok mücevherat ve sair zikıymet eşya verdiğini söylerler

Süleyman Efendi bir müddetler Cavidan Hanımın bir dediğini iki etmez, her arzusunu yerine getirir. Kendisini diğer zevcelerine tefevvuk ettirir. Fakat zaman geçince hüsn-i imtizâc kabil olamaz ve bir sebep dolayısıyla Süleyman Efendi Cavidan Hanımı tatlîk eder.[771]

Cavidan Hanım Süleyman Efendiden müfarekat ettikten ve saraydan çıktıktan sonra Prens Hüseyin Bey ile izdivaç etmiştir. Fakat prensin hamiyesi Zeynep Hanımefendi daha evvelce irtihal etmiş ve prens artık her bir harekâtında serbest kalmış olduğundan, o cesim servetin çoğunu bir tavr-ı müsrifânede mahvetmiş olduğundan idare hususunda dûçâr-ı müşkilât olmakta idi.

Mısır'da kalan bakıyye-i emlâkıyla temîn-i maîşet etmesi hakkında bazı müteallikatının vaki olan nasâyih-i hâlisaneleri üzerine bu zevç ve zevce Mısır'a hicret etmişlerdir. Bundan az vakit sonra Hüseyin Beyin irtihali vuku bulmuş ve Cavidan Hanım bîkes bir hâlde kalmıştır.

Müteakiben Mısır ağniyâsından Osman Paşa, Cavidan Hanıma meftun olarak izdivaç teklifinde bulunmuştur. Cavidan Hanım paşanın yaşlılığına bakmayıp bu teklifi kabul etmiş ve ondan bir kerimesi dünyaya gelmiştir. Muahharen Osman Paşanın vefatına mebni o servet-i cesîmesi kerimesine intikal etmiştir.

Boğaziçi'nin o rûh-fezâ havasına alışmış olan Cavidan Hanım mevsim-i sayfta Mısır'ın hararetine tahammül edemediğinden her yaz İstanbul'a gelir, intihap ettiği yalıyı isticar eder, mevsim-i şitâda Mısır'a avdet eylerdi.

Vâkıf-ı ahvâl geçinen bazı zevat Abdülaziz'in hıdîv-i esbak İsmail Paşanın birinci kerimesi Tevhide Hanımefendiye meftuniyetinden ve onunla izdivaç arzusunda bulunduğundan bahsederler. İsmail Paşa valilik tevcihinden dolayı 1279 [1863] senesi ramazân-ı şerîfinde birinci defa olarak maaile İstanbul'a gelmişti.

Abdülaziz İstanbul'da bir sergi-i umûmî küşadını murat etmiş ve sergi ebniyesini Sultanahmet Meydanı'nda şimdiki bahçenin bulunduğu mevkide inşa ettirmişti. Serginin resm-i küşâdı o sene ramazân-ı şerîfin onuncu cuma gününe takarrür etmiş ve Ayasofya Câmi-i şerîfinde icra olunan selâmlık resminden sonra icra ettirilmişti. Resm-i küşâdda İsmail Paşa dahi meduvven hazır bulunduğundan ramazan hediyesi olarak Abdülaziz kendisine kırk kırat pırlanta olmak üzere gayet âlâ tek taşlı bir yüzük ihdâ etmişti.

---

771 Bu boşanmanın sebebi için bk. "Saray Âdetleri" bölümü.

Aziz'in hastalıktan iâde-i âfiyetleri şükranesi olmak üzere İsmail Paşa da Mısır'dan beşyüzbin kuruş gönderip İstanbul fukarasına tevzi ettirmişti.[772]

İsmail Paşaya mektup ve resim-İstanbul'a gelen Mısırlılar-Abdülaziz'in akşam ezanından sonra aklına gelen bir fikir-Fuat Paşa izdivaca şiddetle muhalif-Fuat Paşanın bir mektubu ve istifası-Behice Hanım ve Hamit Bey

Abdülaziz 1281 [1865] tarihinde çektirmiş olduğu resmini murassa bir çerçeve içinde Serkurenâ Ali Beye tevdian Feyz-i Bârî vapuruyla ve bir mektupla Mısır'a izam etmişti. Ali Beyin Mısır'a müteveccihen hareket eylediği İsmail Paşanın mesmuu olunca ümerâ-yı Mısriyyeyi berây-ı istikbâl İskenderiye'ye izam ettiği gibi kendisi de Yukarıkale'deki dâire-i âliyede müşarünileyhin vürûduna intizar etmişti. Ali Bey mükellef alay ile gelip nameyi ve tasviri İsmail Paşaya ita ve teslim eyledi. Dualar kıraat ve merâsim-i mahsûsalar icra olundu.

Mısır meselesi bertaraf olduktan sonra Mısır valileri her sene ailelerini mevsim-i sayfı geçirmek için İstanbul'a gönderirler ve Boğaziçi'nde bir sahilhane isticar ederek ikamet ederler ve ekser seneler kendileri de biraz müddet birlikte bulunurlardı. Kanlıca körfezi ağzında kâin sudurdan Nakibüleşraf Tahsin Beyin ve Emirgân'da Mısır Kapı Kethüdası Hacı Hüsam Efendinin sahilhaneleri nice seneler Mısırlıların taht-ı isticârında bulundurulmuştu.

İsmail Paşanın valiliğinde Emirgân'da kâin Reşit Paşa sahilhanesi müstakil İsmail Paşaya sayfiye ittihaz olundu. Bu sahilhane vaktiyle Şeyhü'l-vüzerâ Sadr-ı esbak Hüsrev Paşanın sahilhanesi olup, müşarünileyhin vefatından sonra Sadrazam Reşit Paşaya geçmişti. O vakitler Boğaziçi pek parlak ve pek eğlenceli idi. Hemen hemen her yalıda ve her kâşanede saz eğlenceleri, mehtap âlemleri yapılır, sabahlar olur gider, yine herkes zevk ve safa eylerdi.

Abdülaziz bir gün akşam ezanından sonra Kurenâ Ali Beye "Haydi şimdi git, Sadrazam Fuat Paşaya söyle ki ben İsmail Paşanın kerimesi Tevhide Hanımı almaya karar verdim. Badehu Kanlıca'dan Emirgân'a geçip bu kararımı İsmail Paşaya da tebliğ et." diye irade eder. Hâlbuki bu karara Fuat Paşa muhalefette bulunur. Bunun üzerine Ali Bey de İsmail Paşanın yalısına gitmeyip doğruca saraya avdet ederek Abdülaziz'e keyfiyeti arz eder. Aradan iki saat mürurunda Başkâtip Emin Bey, Fuat Paşanın yalısına gider. Sadrazam ile bade'l-mülâkat avdetini müteakip Başmusahip Cevher Ağa yine Fuat Paşanın yalısına gönderilir. Fuat Paşa o vakte kadar artık yatak odasına çıkmış olduğundan, Cevher Ağa sadrazamla yatak odasında mülâkat ve badehu o da saraya avdet eder.

---

772 Bazı Aşk Maceraları IV, *Vatan*, nr. 815, 21 Temmuz 1341/1925, s. 2

Ferdası günü Fuat Paşa saraya gidip huzura çıkar. Mîzâc-ı şâhâneye muvafık hidematta bulunamadığından mahcup olduğunu ve diğer bir bendenin hidmet-i sadâretle taltifini arz edip çıkar. Bu istifa üzerine Mütercim Rüştü Paşa sadrazam olur.

Fuat Paşanın bu izdivaca muhalefette bulunmasında iki sebep varmış. Bunun biri padişahın mazbut olan mizacına nazaran bugün pek beğenip nikâhına aldığı Tevhide Hanımdan bir müddet sonra bıkmaya "Bunu başımdan defet!" diye tutturmak ihtimaline binaen ileride devletin başına bir Mısır gailesi çıkmasını şimdiden menetmek, diğeri de Tevhide Hanım gayet güzel olduğundan padişahın onun taht-ı tesîrinde kalması imiş.

Fuat Paşa o gece Serkurenâ Ali Beye pek çok şeyler söyleyip, fakat bunların olduğu gibi Abdülaziz'e arz ve iblâğ edememesi gibi muhataraya mebni ifadatının hulâsası olmak üzere bir küçük kâğıda birkaç satır yazıp Ali Beye vermiş ve o varakanın ifâde-i şifâhiyye makamında telâkki buyrulmasını da Ali Bey vasıtasıyla rica etmiştir. Varaka aynen şudur:

"Kullarında iki hâl vardır ki birisi sadece Fuatlık, öbürü sadrazamlıktır. Fuatlık, efendimizin rahat ve gönlü ne isterse onu yapmaktır. Sadrazamlık çaresiz bazı mütalâa dermeyan etmeye mecbur eder. Bu mütalâa ise set çekmek değil; set var mı yok mu onu aramak, varsa def'i çaresine bakmaktır. Bu dahi düşünmeye ve efendimizle beraber bir kolay tarikini bulmak için çalışmaya muhtaçtır. Onun için bu akşam senin Mısır valisine gitmeni tensip edemem ve bu ifademi velinimetin ayakları bastığı yerlere yüzbin kere yüz sürerek arz etmeyi sadrazamlıkla sana teklif eylerim. Yine her hâlde ferman velinimetimizindir."

Fuat Paşanın irfanı ve dirayeti meşhurdur ve bunun pek çok asarı meşhuttur. Evâyilinde Büyük Reşit Paşanın sahabetini görmüş ve Âli Paşa ile dostluğu kardaşlık derecesini bulmuştu. Abdülaziz'in Mısır seyahatinde serasker olarak maiyetinde bulunmuştu.

* * *

Yukarıda hâl ve keyfiyeti tafsilen hikâye olunan Mehmet Ali Paşazade İsmail Paşanın zevcesi Hatice Hanımefendinin yeğeni ricâl-i mülkiyyeden Mısırlı Nurullah Beyefendi merhumu ve onun mahdumlarını İstanbul'umuzda bilenler pek çoktur. Mîr-i müşârünileyhin ikinci mahdumu Hamit Bey gayet yakışıklı bir genç idi.

Abdülaziz'in[773] beşinci kerimesi Behice Hanım bu Hamit Bey ile izdivaç etmek emel ve arzusunda bulunurdu. Bu bapta tarafeyn pek çok sarf-ı mesâi etmişlerdi.

---

773 Behice Sultan Abdülaziz'in değil, Abdülmecit'in kızıdır. Hamit Paşa ile düğünleri 1876 yılında yapılmıştır. Evlendikten 13 gün sonra vefat etmiştir. (*Padişahın Kadınları ve Kızları*, s. 158)

Arada birçok mânialar hâsıl oldu. Vakıa münhasıran akd-i izdivâcları takarrür edip hatta cemiyetleri de Damat Halil Paşazade Damat Mahmut Paşanın[774] cemiyetiyle birlikte icra olundu. Lâkin o vakte kadar Behice Hanım teverrüm ederek esîr-i firâş olmuştu. Bahtiyar olamadı, az vakit sonra irtihal etti. Hamit Bey de birkaç sene sonra irtihal etmiştir.[775]

---

[774] Abdülmecit'in kızı Seniha Sultan ile evli olan Damat Mahmut Celâlettin Paşa meşhur Prens Sabahattin Beyin babasıdır.

[775] Bazı Aşk Maceraları V, *Vatan*, nr. 816, 22 Temmuz 1341/1925, s. 2

Bibliyografya

BİBLİYOGRAFYA

a) Kitaplar

Abdülaziz Bey, *Osmanlı Âdet Merasim ve Tabirleri*, c. I, II, (yay. haz. Kâzım Arısan-Duygu Arısan Günay), İstanbul 1995

Açıkgöz, Namık, *Kahvename*, Ankara 1999

Ahmet Cevat Paşa, *Târîh-i Askerî-i Osmânî*, İstanbul 1297

Ahmet Rasim, *Fuhş-i Atik*, İstanbul 1922

Akyavaş, A. Ragıp, *Âsitâne*, c. I, II, (yay. haz. Beynun Akyavaş), Ankara 2000

Akyıldız, Ali, *Refia Sultan*, İstanbul 1998

Ali Rıza-Mehmet Galip, On Üçüncü Asr-ı Hicrîde Osmanlı Ricali, (*Geçen Asırda Devlet Adamlarımız* adıyla yay. haz. Fahri Çetin Derin, İstanbul, 1977)

Alus, Sermet Muhtar, *İstanbul Yazıları*, (yay. haz. Erol Şadi Erdinç-Faruk Ilıkan), İstanbul 1994

Alus, Sermet Muhtar, *Masal Olanlar*, (yay. haz. Nuri Akbayar), İstanbul 1997

And, Metin, *Dünyada ve Bizde Gölge Oyunu*, Ankara, 1977

And, Metin, *Geleneksel Türk Tiyatrosu*, İstanbul 1985

And, Metin, *Osmanlı Tiyatrosu*, II. Baskı, Ankara 1999

Babinger, Franz, *Osmanlı Tarih Yazarları ve Eserleri*, (trc. Coşkun Üçok), Ankara 1982

Bayrı, Mehmet Halit, *İstanbul Folkloru*, İstanbul 1947

Belge, Murat, *Boğaziçi'nde Yalılar, İnsanlar*, İstanbul 1997

Cevdet Kudret, *Karagöz*, c. I, İstanbul 1968; c. II, İstanbul 1969

Cevdet Kudret, *Orta Oyunu* (oyun metinleri ile beraber), c I, II, İkinci Baskı, İstanbul 1994

Cevdet Paşa, *Marûzât*, (yay. haz. Yusuf Halaçoğlu), İstanbul 1980

Cevdet Paşa, *Tezâkir 13-20*, (yay. haz. Cavid Baysun), Ankara 1960

Çaylak Tevfik, *İstanbul'da Bir Sene-Beşinci Ay, Meyhane yahut İstanbul Akşamcıları*, İstanbul 1300

Çeçen, Kâzım, *Halkalı Suları*, İstanbul 1991, 175 s. +1 Harita+9 Plan

Çeçen, Kâzım, *Üsküdar Suları*, İstanbul 1991, 187s. + 3 Harita

Çelebioğlu, Amil, *Ramazanname*, İstanbul, t.siz

Danişmend, İsmail Hami, *İzahlı Osmanlı Tarihi Kronolojisi*, c. V, İstanbul 1971

Davidson, Alan, *Akdeniz Balık Yemekleri*, Ankara, 2000

Dethier, P. A., *Boğaziçi ve İstanbul* (trc. Ümit Öztürk), İstanbul 1993

Doğu'da Kahve Kahvehaneler, (ed. Helene Desmet-Gregoire, François Georgeon), İstanbul 1999

Durand de Fontmagne (Baronne), *Kırım Harbi Sonrasında İstanbul*, (trc. Gülçiçek Soytürk) İstanbul 1977

Düzdağ, M. Ertuğrul, *Şeyhülislâm Ebussuûd Efendinin Fetvalarına Göre Kanunî Devrinde Osmanlı Hayatı*, İstanbul 1998

Ergin, Osman Nuri, *İstanbul Şehreminleri*, İstanbul 1927, (yay. haz. Ahmet Nezih Galitekin, İstanbul 1996)

Ergin, Osman Nuri, *Mecelle-i Umûr-ı Belediyye*, c. I, İstanbul 1338/1922

Ergin, Osman Nuri, *Mecelle-i Umûr-ı Belediyye*, c. III, İstanbul 1330/1914

Ergin, Osman Nuri, *Muallim Cevdet-Hayatı, Eserleri ve Kütüphanesi*, İstanbul 1937

Evliya Çelebi Seyahatnamesi, c. I, (Orhan Şaik Gökyay'ın kayıtlarından yay. haz. İ. Günday Kayaoğlu, İstanbul 1996

Gerçek, Selim Nüzhet, *İstanbul'dan Ben de Geçtim*, (yay. haz. Ali Birinci-İsmail Kara), İstanbul 1997

Gerçek, Selim Nüzhet, *Türk Temaşası*, II. Baskı, İstanbul 1942

Gyllius, Petrus, *İstanbul Boğazı* (trc. Erendiz Özbayoğlu), İstanbul 2000

Haskan, Mehmet Nermi, *Eyüpsultan Tarihi*, İlâveli İkinci Baskı, İstanbul 1996

Hovannesyan, Sarkis Sarraf, *Payitaht İstanbul'un Tarihçesi* (trc. Elmon Hançer), İstanbul 1996

Hüseyin Ayvansarayî, *Hadikatü'l-Cevâmi*, (yay. haz. İhsan Erzi), İstanbul 1987

Işın, Ekrem, *İstanbul'da Gündelik Hayat*, İstanbul 1995

İğdemir, Uluğ *Kuleli Vak'ası Hakkında Bir Araştırma*, Ankara 1937

İlmiyye Sâlnâmesi, İstanbul 1334, s. 346. (yay. haz. Seyit Ali Kahraman-Ahmet Nezih Galitekin-Cevdet Dadaş), İstanbul 1998

İnal, İbnülemin Mahmut Kemal, *Son Asır Türk Şairleri*, cüz 7, İstanbul 1939

İnciciyan, G. V., *Boğaziçi Sayfiyeleri* (Düzelti, Önsöz ve Notlar Orhan Duru), İstanbul, 2000

İnciciyan, P.G., *18. Asırda İstanbul* (trc. Hrand D. Andreasyan), İstanbul 1976

İrtem, Süleyman Kâni, *Osmanlı Sarayı ve Haremin İçyüzü*, (yay. haz. Osman Selim Kocahanoğlu), İstanbul 1999, s. 276

İsmail Beliğ, *Güldeste-i Riyâz-ı İrfân ve Vefeyât-ı Dânişverân-ı Nâdiredân*, (Tıpkıbasımı yay. haz. Abdulkerim Abdülkadiroğlu, Ankara 1998)

Koçu, Reşat Ekrem, *Eski İstanbul'da Meyhaneler ve Meyhane Köçekleri*, İstanbul 1947

Konyalı, İbrahim Hakkı, *Üsküdar Tarihi*, c. I, II, İstanbul 1976-1977

Koz, Sabri, *Bekçi Baba-Ramazan Fasılları*, İstanbul 1999

Kuneralp, Sinan, *Son Dönem Osmanlı Erkân ve Ricali 1839-1922*, İstanbul 1999

Kur'ân-ı Kerim ve Açıklamalı Meali, haz. Komisyon, Türkiye Diyanet Vakfı Yayını, Ankara 1993

Kutlu, Şemsettin, *Eski İstanbul'un Ünlüleri*, İstanbul 1987

Leylâ (Sâz), *Anılar-19. Yüzyılda Saray Haremi*, İstanbul 2000

Mahmut Cemalettin el-Hulvî, *Lemezât-ı Hulviyye ez Lemezât-ı Ulviyye* (yay. haz. Mehmet Serhan Tayşi), İstanbul 1993

Mardin, Ebu'l-Ulâ, *Huzur Dersleri*, İstanbul 1951

Mehmet Süreyya, *Sicill-i Osmânî*, İstanbul 1308, 1311 (yay. haz. Seyit Ali Kahraman-Nuri Akbayar), İstanbul 1996

Melek Hanım, *Haremden Mahrem Hatıralar*, (trc. İsmail Yerguz), İstanbul 1999

Musahipzade Celâl, *Eski İstanbul Yaşayışı*, İstanbul 1992, s. 122

Nutku, Özdemir, *Meddah ve Meddah Hikâyeleri*, II. Baskı, Ankara 1997

Oral, Ünver, *Karagöz Perde Gazelleri*, Ankara 1996

Ortaylı, İlber, *Osmanlı İmparatorluğu'nda İktisadî ve Sosyal Değişim-Makaleler*, Ankara 2000

Osmanlı İmparatorluğu'nda Yaşamak, (ed. François Georgeon-Paul Dumont), İstanbul 2000

Osmanlı'dan Günümüze Havagazının Tarihçesi (yay. haz. Sertaç Kayserilioğlu-Mehmet Mazak-Kadir Kon, İstanbul 1999

Öztuna, Yılmaz, *Büyük Türk Musikisi Ansiklopedisi*, c. I, II, Ankara 1990, 477+592 s.

Öztuna, Yılmaz, *Devletler ve Hanedanlar*, c. II, Genişletilmiş İkinci Baskı, Ankara 1996

P. Peirce, Leslie P, *Harem-i Hümâyûn*, (trc. Ayşe Berktay), İstanbul, 1996

Sakaoğlu, Necdet-Akbayar, Nuri, *Binbir Gün Binbir Gece*, İstanbul 1999

Semih Mümtaz S., *Tarihimizde Hayal Olmuş Hakikatler*, İstanbul 1948

Serin, Muhittin, *Hat Sanatı ve Meşhur Hattatlar*, İstanbul 1999

Sevin, Nurettin, *Türk Gölge Oyunu*, İstanbul 1968

Siyavuşgil, Sabri Esat, *Karagöz*, İstanbul 1941

Sönmez, Sevengül, *Karagöz Kitabı*, İstanbul 2000

Şemdânîzade, *Mür'i't-Tevârîh*, İstanbul H. 1338

Toros, Taha, *Kahvenin Öyküsü*, İstanbul 1998

Toros, Taha,*O Güzel İnsanlar*, İstanbul 2000

Türkmen, Nihal, *Orta Oyunu*, İstanbul 1991

Uluçay, Çağatay, *Harem II*, Ankara 1971, s. 98-108

Uluçay, Çağatay, *Padişahların Kadınları ve Kızları*, Ankara 1980, s. 102-103, 111-112

Uzunçarşılı, İsmail Hakkı, *Osmanlı Devleti'nin Saray Teşkilâtı*, Ankara 1945

Ünüvar, Safiye, *Saray Hatıralarım*, İstanbul 1962

Ünver, Süheyl, *İstanbul Risaleleri, c. I-"Mahya ve Mahyacılık"*, (yay. haz. İsmail Kara), c. I, İstanbul 1995, s. 45-63

Yılmaz, Necdet, *XVII, Yüzyılda Anadolu'da Tasavvuf*, M. Ü. Sosyal Bilimler Enstitüsü, Basılmamış Doktora Tezi, İstanbul 2000

b) Makaleler, Ansiklopedi Maddeleri

Alparslan, Ali, "Şeyh Hamdullah", *OA*, c. I, İstanbul 1999, s. 525-526

And, Metin, "Geçmişte Karagözcüler ve Orta Oyuncular", *Forum*, nr. 330, Ocak 1968.

And, Metin, "Karagöz Üzerindeki Bilgilere Yeni Katkılar", *Türk Dili-Türk Halk Edebiyatı Özel Sayısı*, nr. 207, Aralık 1968, s. 497-518

Artan, Tülay, "Küçüksu Kasrı", *DBİA*, c. V, İstanbul 1994, s. 162

Aydüz, Salim, "Hüseyin Efendi", *OA*, c. I, İstanbul 1999, s. 578-579

Aysu, Çiğdem, "Çamlıca", *DBİA*, c. I, İstanbul 1993, s. 464-465

Başar, Fatma Âdile, "Abdülbaki Nâsır Dede", *OA*, c. I, İstanbul 1999, s. 42-43

Beydilli, Kemal, "Halil Hamit Paşa", *DİA*, c. XV, İstanbul 1997, s. 316-318

Birinci, Ali, "Hariciye ile Mülkiye Arasında Mehmet Galip Bey", *İstanbul Araştırmaları*, nr. 2, Yaz 1997, s. 73-91

Birinci, İhsan, "Eski İstanbul Batakhaneleri", *Yıllarboyu Tarih*, nr. 5, Mayıs 1981, s. 35-37

Çeçen, Kâzım, "Büyük Bent", *DBİA*, c. II, İstanbul 1994, s. 344-345

Çeçen, Kâzım, "Karanlık Bent", *DBİA*, c. IV,İstanbul 1994, s. 459)

Çeçen, Kâzım, "Kırkçeşme Tesisleri", *DBİA*, c. V, İstanbul 1994, s. 1-4

Doğan, Ayhan, "Pertevniyal Lisesi", *DBİA*, c. VI, İstanbul 1994, s. 244

Dölen, Emre, "Feshane", *DBİA*, c. III, İstanbul 1994, s. 295-296

Dölen, Emre, "İplikhâne-i Âmire", *DBİA*, c. IV, s. 184-185)

Elif Naci, "Türk Sarayında Müstesna Bir Prenses-Âdile Sultan", *Hayat Tarih Mecmuası*, nr. 10, Kasım 1965, s. 27-33

Ertuğ, Zeynep Tarım, "Osmanlı Devlet Teşrifatında Hırka-i Şerîf Ziyareti", *Tarih Enstitüsü Dergisi*, nr. 16, İstanbul 1998, s. 37-45

Eyice, Semavi, "Fethiye Camii", *DBİA*, c. III, İstanbul 1994, s. 300-301

Eyice, Semavi, "Kariye Camii", *DBİA*, c. IV, İstanbul 1994, s. 466-469

Eyice, Semavi, "Toklu Dede Mescidi", *DBİA*, c. VII, İstanbul 1994, s. 272-273

Eyice, Semavi-Tanman, Baha Tanman, "Koca Mustafa Paşa Külliyesi", *DBİA*, c. V, İstanbul 1994, s. 30-34

Furat, Ahmet Subhi, "Sehlü't-Tüsterî", *İA*, c. X, İstanbul 1966, s. 322-324

Göncüoğlu, Süleyman Faruk, "Saya Ocağı", *III. Eyüpsultan Sempozyumu Bildirileri*, İstanbul 2000, s. 122-129

Işın, Ekrem, "Atpazarları", *DBİA*, c. I, İstanbul 1993, s. 420-421

Işın, Ekrem, "Bahariye Mevlevîhanesi", *DBİA*, İstanbul 1993, c. I, s. 538

Işın, Ekrem, "Galata Mevlevîhanesi", *DBİA*, c. III, İstanbul 1994, s. 363

Işın Ekrem, "Sadîlik", DBİA, c. VI, İstanbul 1994, s. 391-394

Işın, Ekrem, "Yenikapı Mevlevîhanesi", *DBİA*, c. VII, İstanbul 1994, s. 479

İpşirli, Mehmet, "Atik Ali Paşa", *DİA*, c. IV, İstanbul 1991, s. 64-65

İpşirli, Mehmet, "Çivizade Muhyiddin Mehmet Efendi", *DİA*, c. VIII, İstanbul 1993, s. 348-349

İpşirli, Mehmet, "Dürrîzade Abdullah Efendi", *DİA*, c. X, İstanbul 1994, s. 36-37

İpşirli, Mehmet, "Huzur Dersleri", *DİA*, c. XVIII, İstanbul 1998, s. 441-444

Kılıç, Abdullah, "İzzet Holo Paşa", *OA*, c. I, s. 688

Köprülü, Fuat, "Türklerde Halk Hikâyeciliğine Ait Maddeler-Meddahlar", *Edebiyat Araştırmaları I*, İstanbul 1966

Kuneralp, Sinan, "Sadullah Paşa", *OA*, c. II, s. 481-482

Mehmet Tahir, "Hayal-Karagöz", *Sırat-ı Müstakîm* (c. I, nr. 17, Kânunuevvel 1326 (1910), s. 266-267)

Mustafa Ragıp, "İhtisap Ağası Hüseyin Bey", *Tarihten Sesler*, nr. 2, 15 Şubat 1943, s. 32-35, 39

Ödekan, Ayla, "Hekimoğlu Ali Paşa Külliyesi", *DBİA*, c. IV, s. 43-46

Önsoy, Rıfat, "Sergi-i Umûmî-i Osmânî", *Belleten*, c. XLVII, nr. 185, Ocak 1983, s. 194-235

Özaydın, Abdülkerim, "Edirne Vak'ası", *DİA*, c. X, İstanbul 1994, s. 445-446

Özaydın, Abdülkerim, "Hüsrev Paşa", *DİA*, c. XIX, İstanbul 1999, s. 41-45

Özcan, Abdülkadir, "Çelebizade Âsım Efendi", *DİA*, c. III, İstanbul 1991, s. 477-478

Özcan, Abdülkadir, "Hâlet Efendi", *DİA*, c. XV, İstanbul 1997, s. 249-250

Özcan, Nuri, "Atrabü'l-Âsâr", *DİA*, c. IV, İstanbul 1991, s. 83-84

Özcan, Tahsin, "Mehmet Rüştü Paşa", *OA*, c. II, İstanbul 1999, s. 179-180

Özseven, Adil, "İstanbul Çocuk Oyunları", *Halk Bilgisi Haberleri*, nr. 106, Ağustos 1940, s. 240-245, nr. 108, Eylül 1940, s. 288-292

Sakaoğlu, Necdet, "Beyhan Sultan", *OA*, c. I, İstanbul 1999, s. 320-321; s. 422-423

Sakaoğlu, Necdet, "Bezmiâlem Valide Sultan", *OA*, c. I, İstanbul 1999, s. 322-323

Sakaoğlu, Necdet, "Emetullah Gülnûş Sultan", *OA*, c. I, İstanbul 1999, s. 399-400

Sakaoğlu, Necdet, "Esir Ticareti", *DBİA*, c. III, İstanbul 1993, s. 200-202

Sakaoğlu, Necdet, "Pertevniyal Valide Sultan", *DBİA*, c. VI, İstanbul 1994, s. 245

Sarıcaoğlu, Fikret, "Nakşıdil Valide Sultan", Marmara Üniversitesi, *Türklük Araştırmaları Dergisi*, (baskıda).

Seropyan, Vağarşag, "Agop Kazazyan", *OA*, c. II, İstanbul 1999, s. 23

Seropyan, Vağarşag, "Mikayel Portakal", *OA*, c. II, İstanbul 1999, s. 442

Şanda, Hüseyin Avni, "Bizde İlk Sergi", *Hayat Tarih Mecmuası*, nr. 9, Ekim 1965, s. 74-77

Tanman, Baha, "Merkez Efendi Külliyesi", *DBİA*, c. V, İstanbul 1994, s. 396

Tansuğ, Sabiha, "Eski İstanbul'da Kahve İkram Töreni", *İstanbul Armağanı*, c. III, İstanbul 1997, s. 161-165

Tanyeli, Gülsün-Kahya, Yegâh "Ayvansaray Köprüleri", *DBİA*, c. I, s. 495-496

Tayşi, Mehmet Serhan, "Feyzullah Efendi", *DİA*, c. XII, İstanbul 1995, s. 527-528

Tilgen, Nurullah Tilgen, "Karagöz Oyunları Sözlüğü", *Türk Folklor Araştırmaları*, nr. 119, Haziran 1959

Toksoy, Cemal, "Müstakimzade Süleyman Sadettin", *OA*, c. II, İstanbul 1999, s. 568-569

Tukin, Cemal, "Yakınçağ Tarihimizde Hafta Tatili", *Tarih Dergisi*, c. I, İstanbul 1949, s. 139-144

Tutel, Eser, "Şirket-i Hayriye", *DBİA*, c. VII, İstanbul 1994, s.181-184

Uludağ, Süleyman, "Delâilü'l-Hayrât", *DİA*, c. IX, İstanbul 1994, s. 113-114

Umur, Suha, "Dolmabahçe Sarayı Tiyatrosu", *DBİA*, İstanbul 1994, s. 96-97

Ünlüler, Ayşe, "İstanbul Çocuklarının Oyunları, *Halk Bilgisi Haberleri*, nr. 51, İkincikânun 1936, s. 34-37

Ünver, Süheyl, "Türkiye'de Kahve ve Kahvehaneler", *Türkiye Etnoğrafya Dergisi*, nr. V, Ankara 1963, s. 39-84

Ünver, Süheyl, "Türkiye'de Kahvenin 400. Yıl Dönümü", *Tarih Dünyası*, c. 2, nr. 10, Eylül 1950, s. 422

Yalçın, Asnu Bilban, "Havariyun Kilisesi", *DBİA*, c. IV. İstanbul 1994, s. 23-24

Yaşaroğlu, Kâmil, "Köprülü Mehmet Paşa", *OA*, c. II, s. 159-161

Yazıcı, Nesimi, "Osmanlı Dinî Hayatından Bir Kesit: Rüyet-i Hilâl Meselesi", *Diyanet*, c. 35, nr. 1, Ocak-Şubat-Mart 1999, s. 55-82)

Yıldırım, Nuran-Yavuz, Yıldırım, "Gureba Hastahanesi", *DBİA*, c. III, İstanbul 1994, s. 430-432

Zarcone, Thierry, "Karyağdı Tekkesi", *DBİA*, c. IV, İstanbul 1994, s. 475-476)

c) Lügatler, Kılavuzlar

AEEK (*Antika ve Eski Eserler Kılavuzu*, Mehmet Önder)

DS (*Deyimler Sözlüğü*, Ömer Asım Aksoy)

KT (*Kamus-ı Türkî*, Şemsettin Sami)

OTDTS (*Osmanlı Tarih Deyimleri ve Terimleri Sözlüğü*, Mehmet Zeki Pakalın)

OTL (*Osmanlı Tarih Lügati*, Midhat Sertoğlu)

TBAS (*Türkçenin Büyük Argo Sözlüğü*, Hulki Aktunç)

TGKSS (*Türk Giyim Kuşam ve Süslenme Sözlüğü*, Reşat Ekrem Koçu)

TL (*Tarih Lügati*, Kâmil Kepecioğlu)

TS (*Türkçe Sözlük*, Türk Dil Kurumu)

İndeks

İNDEKS